小百科

散文卷

中华风俗小百科

主编　许钰

副主编　乔继堂　顾道馨　乐文

天津人民出版社

的形成，一方面是由于"水土之风气"所致，也就是自然条件的影响。《风俗通义·序》把这种自然条件作了更具体的说明："风者，天气有寒暖，地形有险易，水泉有美恶，草本有刚柔也。"《汉书·地理志》认为风俗形成的另一方面原因，是受"君上情欲"所左右。《风俗通义·序》中则认为"圣人"可以使风俗"均齐"，都是指出风俗形成的社会原因，并特别强调封建统治者在这方面的作用。上述看法是我国古代典籍关于风俗的基本观点，按照这种观点，因为风俗和各地自然条件有关，所以历代史书中的地理志和各地的地方志书中常有关于风俗的资料，并在观念上对于风俗的地方差异性也认识得比较明确。但对风俗的时代差异性则较少论述，直至清末才有张亮采的《中国风俗史》出版，这时已是我国历史上"西学东渐"的"近代"了。在上述传统的风俗观点中，虽然也认为风俗是众人的日常行事，但却不大看重一般民众对风俗形成、发展的作用，张亮采《中国风俗史·序》对此作了补充。他说："至有人类，则渐有群。而其群之多数人之性情、嗜好、言语、习惯，常以累月经年，不知不觉，相演相嬗，成为一种之风俗。而入其风俗者，遂不免为所薰染，而难超出其限界之外。"在传统的观点中比较强调统治阶级对风俗形成、变化的作用。《汉书·地理志》在说了"随君上之情欲"以后，又说："孔子曰，移风易俗，莫善于乐"。——"移风易俗"（或"化民成俗"，见《礼记·学记》），这是我国古代关于风俗的一个重要观点，它认为风俗是可以予以人为地改变的。这种观点在产生时自然有其特定的历史内涵，但经过历代的沿袭，作为一种传统，在今天仍有一定的现实意义。

近代文化人类学兴起之后，风俗被认为是文化的一部分。19世纪下半期，英国的泰勒在《原始文化》中说："文化，或文明，就其广泛的民族学意义来说，是包括全部的知识、信仰、艺术、道德、法律、风俗以及作为社会成员的人所掌握和接受的任何其他的才能和习惯的复合体。"现代台湾学者余英时则认为文化的变迁可以分为四个层次，其中第三个层次是风俗习惯（《从价值系统看中国文化的现代意义》）。如果像钟敬文先生那样把民族文化大体划分为上下两部分，那么风俗就属于下层（或中下层）文

序

　　"风俗"作为一个学术名词,其内涵和范围大体相当于民俗学(Folklore)中的"民俗"。"风俗"在我国古代单称"俗",《说文解字》云:"俗,习也。"认为"俗"就是习惯,或如《周礼·大司徒》云:"以俗教安,则民不偷(苟且)。"贾公彦疏所说:"俗谓人之生处,习学不同",即俗是人们生活中各种不同的习惯。《礼记·曲礼》"入国问俗",郑注:"俗谓常所行,与所恶也"。也是说"俗"是人们生活中经常性的行为,并且是生活中所厌恶和避忌的东西,因此注引马氏解说为什么要"入国问俗"时说:"问俗,虑得罪于众也。"可见在古人心目中,所谓"俗"是与大多数人(众)的日常生活密切相关的。那么,这种生活习惯是怎样产生的?为什么又常常称为"风俗"呢?我国最早用"风"来称呼各地歌谣(风俗的一部分),《诗经》中有十五国风,后来《关雎·序》、《毛诗正义》及《汉书》等,都对《诗经》中"风"的意义有所解释。钱钟书把这种解释综合为三种:即言其作用为"风教",言其本源为"风谣",言其体制为"风咏、风诵"(《管锥编》第一册),从而采集各地歌谣也称为"采风"。又由于"风谣"内容反映民众心声和各地风俗习惯(有时各地歌谣也称为风俗,如《史记·乐书》云:"博采风俗,协比声律"),统治者采风的目的也在于"观风俗,知得失"(《汉书·艺文志》),所以搜集记录其他地方风俗事象,也称为"采风"。至于把"风"和"俗"连接起来,其意义《汉·地理志》则解释为:"凡民含五常之性,而其刚柔缓急,音声不同,系水土之风习,故谓之风。好恶取舍,动静亡常,随君上之情欲,故谓之俗。"这里指出风俗化，亦即民间文化（《话说民间文化》）。尽管很多风俗都有全民性，民族文化上下两部分也历来存在着交流和互相渗透的关系，但是从整体上看，风俗主要是广大民众创造、享用和传承的文化，它密切地联系着民众的日常生活。作为民众生活文化的模式，其中包括物质生产和社会生活，还有语言和精神创作的活动及其产品。风俗在民间主要靠实物、行为和语言来传承，它以历来相沿的民俗心理为内核（有些甚至是原始的迷信观念），富有相当的稳定性和保守性，但也是不断变化的，并有自己变化的特点。如，有些风俗由于时代变迁，它所内蕴的民俗观念淡化了，但其行为仍然在民间继续着，并获得了新的性质和功能。另有一些风俗，虽然由于社会生活的变迁，不得不发生某些变化，但其内在的民俗心理没有根本改变，传统的习俗仍然变相地存在。如现在有些地方的丧葬习俗，由于政府提倡火葬，人死后虽然火化了，但骨灰仍要予以掩埋并继续堆立坟头，甚至要举行盛大的葬礼仪式，等等。

现在我国正在进行工业、农业、科技、国防现代化建设，并实行对外开放的政策，进行经济体制等的改革，这样势必牵动整个社会生活。在这种情况下，历来传承的风俗，其中有些已经成为历史文物，正在受到国家法令的保护；有些和现代化改革相适应的习俗，则将会经过人们自觉或不自觉的改造，以变化了的形式流传；至于那些历史上形成的陋俗，现在已经没有它存在的基础，但由于各地社会经济发展不平衡，残存在人们头脑中的落后观念仍然或隐或显地发生作用，从而使得一些陋俗在某些角落里仍有市场，对社会改革大潮起着阻碍作用。因此，我们在进行现代化建设的同时，如何发扬民族风俗文化的优良传统，如何有效地进行新的移风易俗的活动，就是一个不容忽视的社会问题。风俗是牵涉到广大群众日常生活的事情，不论发扬民族风俗的优良传统，还是实行移风易俗，都和广大群众对风俗文化的认识有密切关系。为此，近年来民俗学工作者在进行学术研究的同时，还编写了各种形式的民俗志和民俗辞典一类书籍，向全社会进行民俗知识的宣传，《中华风俗小百科》也是这类著作之一。它和同类书籍一样，主要是吸取现有民俗学调查研究的成果，以辞条的形式介绍关于民族风俗现状和历史的知识，具体阐述对待民族文化应兴应革的正确态度，其中一些部分的内容（如生产经济、工艺制作、居住器用、人生历程、岁时节令、饮食肴馔等）并有所开拓，许多辞条由具有该部分学术专长的同志撰写，因而此书对于一般民俗学工作者也有一定参考价值。当然，一部集体编写的著述，内容充实的程度是很难完全一致的，另外，有些辞条在陈述具体风俗事象时，往往只注意比较明显的物质和行为层面，而忽略其内蕴的民俗心理，或主要介绍其特点，而忽略其在民俗生活中应用或传承的具体情形（如故事如何讲述之类）。这种情况是按条目介绍风俗事象的辞书很难避免的，也与当前民俗学调查研究的状况有关。任何具体风俗事象大都综合了各方面的文化成分，它的功能虽然有所侧重，但却不是与其他方面没有联系的。我们只有从民俗整体的观点出发，从民俗文化各种因素的联系中才能更好地再现具体民俗事象活生生的形态。随着民俗学整个学术水平的提高，面向广大读者的民俗知识的宣传，也一定会更加完善和更加生动有力。

许钰

1992 年 11 月 22 日

总　目

凡　例

一. 本词典是一部小型专业性工具书,收录 1563 个词条;

二. 词典不收只出条头的条目,个别条目末尾标明了参互见条;

三. 有两个或多个义项的词目,与风俗有关的均予解说,否则不
出释义;

四. 词典正文依内容分类,各类再以笔画编排;

五. 正文末附有汉语音序索引,以便查检。

分项笔画目录

岁 时 节 令

服 饰 妆 扮

一　画

生 产 经 济

家 庭 社 会

人 生 历 程

一揖定婚 也叫"作揖定婚",旧时我国汉族地区的婚俗,流行于陕西一些地方。明代时即有此俗。指男女定亲时不用书面婚帖,只靠媒人从中牵线,出面往返于两家之间,商议婚嫁之事。待婚事初定,男方只需稍微准备一些礼物,如花线、首饰等,女家也准备些笔、墨、鞋等礼品,由媒人负责交换。在交换礼品时,媒人分别向两家各作一长揖贺喜,就算定婚。陕西商县民间在婚约初有眉目后,双方商定一个日子,请来亲族、媒人吃一顿饭,席间,两位亲家相互作深深的一躬,由媒人作证,婚姻关系就算正式确立。

一月不空房 流行于我国四川泸州等地的汉族民间婚俗。指男女结婚后三天或几天,女家持帖接新人回门。但娘家不留宿,夫妇须回男家,住满一个月后娘家才能留住。《泸县志·礼俗志》:"婿备仪物偕妇往妇之父母家,以次见妇堂亲属,尊者亦有赐,名曰回门。是日妇家例召宾客,设盛馔款婿。非极远不能归者,例不留宿,谓之一月不空房。届一月满,女家迎女归并及其婿。"此俗的意义大略有二:一是从俗信的角度讲,不使新婚热闹喜庆的气氛冷淡,而让新郎新娘尽快熟悉、形成新家庭氛围;二是生育的目的,即希求新妇尽快怀孕生子。

人殉 即以活人为殉葬品。人殉之俗起源于父系氏族公社确立以后,和私有制的出现有关。从考古资料看,我国早在公元前3000多年即有此现象,甘肃境内的齐家文化墓地中便有人殉。大约到了商代,人殉制度达到高峰。商代人殉的方式很多,有的被活埋在墓道;有的被砍去头颅;有的被斫杀在大墓附近的杀殉坑里。殉葬者的身份也较复杂。到西周、春秋时期,人殉之俗仍有传袭,但已不如商代严重。用活人殉葬的野蛮习俗,在春秋战国时代已开始遭到谴责,逐渐走向衰落,有的国家还明令禁止用人殉葬。但秦始皇死后却出现了我国历史上规模最大的一次人殉。以后各代人殉仅为个别现象,直至明初,人殉之风再度兴起。从太祖朱元璋到宣宗朱瞻基,明初四位皇帝都用妃嫔殉葬,少则10余人,多则数十人。清朝初期,皇室中也有人殉之例。大约在顺治以后,由于朝廷明令禁止,人殉现象基本消失。人殉之俗在古代少数民族地区也非常盛行,如战国、秦汉时代的匈奴、宋代的女真，唐代的吐蕃等民族。人殉之俗起源于原始宗教信仰。又得到世俗的等级、主从等身份地位观念的支撑。古人相信灵魂不死，人死后还要到阴间继续生活，因此古代的帝王将相、达官贵人死后仍想保留住生前的荣华富贵，于是将妻妾、奴仆、宠臣、亲信带进坟墓，以便继续驱使。

人殓　死者入棺，谓之"大殓"，有些地方称之为"入殓"。旧时人死后，寿衣穿戴齐整，待阴阳先生、探丧者走后，亲属用被单将死者的脸盖上，这便是小殓。小殓完毕，一般是死者亡故三天以后，在阴阳先生挑选好的时辰入殓。入殓前，死者的儿女按长幼次序排列成行，为死者净面。一般用棉球在脸盆里象征性地蘸一下，再在死者脸上虚晃几下，同时喊道"爹（或娘），给你净面啦！"净面之后，需请最近的亲友瞻仰遗容，向遗体告别。如果死者是女的，一定要有娘家人在场，有的地方得不到老舅的首肯不能入殓。抬尸入棺时，都是孝子抬头，别人或抬手足，或抬腰腿。有的地方犯属相的人不能做此事。一般是正四七十月，忌虎猴蛇猪；二五八冬，忌鼠马兔雉；三六九腊，忌龙狗牛羊，但孝子不计犯相之嫌。将死人放入棺材后，再将其在世时喜爱的古玩、珠宝、玉器、书画、衣物等东西放入棺内，但不许放皮衣，怕死者来世脱胎为兽类。其后要钉棺盖，山东等地要用七根钉子钉住。随后在棺材前烧纸、点灯、上供、痛哭，大殓才算告成。

三朝　婴儿诞生的第三天，也指在这一天举行的相应仪俗活动。在我国，往往到婴儿诞生后三日才举行正式的诞生礼仪，当日多有外祖母家送红鸡蛋、十全果来庆祝诞生；或是生男孩时，行射天地四方的仪式。后来又产生了"洗三"仪式。北方多用艾叶、花椒等草药热汤洗婴儿，边洗边念祝辞，以驱灾避邪。宋代产后三朝为婴儿行"落脐灸囟"的仪式。安徽寿春"婴孩三日后，必为之净洗，谓之洗三朝。置红鸡于床前，使产妇焚香祷告，谓之拜床公、床母。若产妇有病，令洗婆代拜。"北京城内的洗三仪式更为繁复，《中华全国风俗志·京兆》载："是日必招收生婆到家，酒食优待，然后由本家将神祇（俗称娘娘祃儿）并床公、床母之像，供于桌上，供品用毛边缸炉（北京点心名）五盘。由收生婆烧香焚神祇，毕，将火煮之槐条水倾入盆内，旁置凉水一碗及两盘，一盘盛胰子、碱、胭脂、粉、茶叶、白糖、青布尖儿、白布数尺、秤权、剪子、锁镜等物，一盘盛鸡子、花生、栗子、枣、桂圆、荔枝等物，均用红色染过。诸亲友齐集床前，将各样果子，投数枚于盆内，再加冷水两匙，铜元数十枚，名为添盆。添毕，由收生婆洗小儿。洗罢，将小儿脐带盘于肚上，敷以烧过之明矾末，用棉花捆好，所有食物，全由收生婆携去。"三朝的习俗活动有清除污秽、除灾免祸的用意，但在人生意义上，显现出新生儿脱离孕育状态，开始进入人生。

三献礼　流行于陕西关中和陕南

等汉族地区的民间丧葬习俗，在出殡前举行。陕南的"三献礼"包括：(1)祀神礼：告灵、告祖、裹门、祀社、谒旌表、出告牌；(2)陈设礼：陈设香、烛、酒、文帛、馔、箸、玉饭、钉、圹；(3)正献礼：头合门讲书，二合门读礼，三合门歌诗等。关中的"三献礼"包括：(1)初献礼：孝子到客房跪请礼宾生出场。礼宾生分通者和引者，分管宣读程序和引导众人行祭礼。在哀乐中，礼宾生引导孝子女们出守灵处，出外净手、洗脸，然后到灵前拈香、燃烛、跪哭，再进茶、进膳、进饼、进祝文。最后孝子伏地大哭；(2)亚献礼：重复"初献礼"仪式，然后由请来的乐队演奏地方戏；(3)终献礼：仍和前二种仪式一样。一种仪式重复三次，表示对死者、对此礼的重视。

上头　旧时未婚女子梳辫子，已婚妇女梳发髻。婚礼前将新娘的辫子改梳成发髻，并戴上头饰，叫上头。古礼女子15岁加笄亦即上头。日人武田昌雄所著《满汉礼俗》中记载："新姑娘在临上轿之先所梳的头，叫作上头。在上头之时，新姑娘本人儿，并不着手，有送亲太太，给梳好了的；也有娶亲太太、送亲太太共同给梳上的，不得一律。所梳的头，也不是照平时那个样儿，是在当顶上，梳一个大鬏髻儿就是了。"《中华全国风俗志·甘肃》记："女子未嫁，一律发辫，故一望可知其为处女。若至既嫁之后，则一律结髻。发辫也，结髻也，实不啻女子嫁否唯一之标识也。"可见，上头与否是已未

婚女子的显著标志。古笄礼上头并非在婚礼时举行，后世笄礼渐废，上头和婚礼结合在一起。这种习俗有标志成年、标志未既婚意义。除女士成年上头外，古时男子成年举行冠礼也叫上头。《南齐书·华宝传》云："父豪……谓宝曰：'须我还，当为汝上头'。"不过，后世上头几乎成为女子挽髻戴笄的专称。

上锅灶　流行于陕西等地的汉族民间婚俗。是婚礼中的一种游戏行为，通过傧相上锅灶的模拟动作来象征新媳是名巧妇。游戏开始，傧相化装成一位"老姑"，头包毛巾，身穿大袄，背着"钱褡子"，里面装有笊篱、生葱、白面馒头，手持擀面杖。老姑让新人跟随自己从用方桌、板凳搭成的木桥走过，再表演过河回婆家。途中老姑即兴插科打诨，并和新人一道分食馒头和生葱。回到婆家后，又带领新娘上锅灶，做和面、擀面、切面、下面、捞面、端面等通常做饭动作，来显示新娘的能干。

上头戴髻　汉族婚俗。指女子临出嫁前需更改头饰，并为此举行仪式。清《道光泰州志》卷五载："女家择女戚为女加冠笄，曰'上头'。"同时女子还要改发辫为发髻，将头发盘于脑后称戴髻，以此来表示女子已从姑娘转为媳妇。(参见"上头"、"合髻"条)

下彩礼　传统婚姻程序之一，即将彩礼交给女家以促成婚事。也叫"过礼"，即古六礼所谓纳征(纳币)是婚聘之事不可缺少的环节。《礼记·曲礼》云："男女非有行媒，不相知

名。非受币，不交不亲"，就是说，如果不过彩礼，就不能成就婚姻之事。下彩礼与过嫁妆是相对的，也有一定的仪式，也要开礼单。

大名 名的一种，是相对于小名而言的，也叫"正名"、"学名"、"官名"、"族名"。古时学名是儿童入塾启蒙时老师给起的名，俗称"书名"，此后应考、举士都沿用此名，学名遂成为大名、正名。"官名"与"奶名"相对，普遍运用于学校、科举、仕宦以及家族活动等各种公开活动场合。但当某人加冠取字后，别人就不宜再直呼其名，而应当呼字；但自称还用名。

大定 旧时确定婚姻关系的仪式。男女双方经下小定确定婚姻关系后，再需放大定。旧时京俗放定时，邀请两位或四位"全福"女宾，并携女仆一二人，拿上定礼，与媒人同到女家。女家则想办法叫姑娘梳洗好，然后告知此事，姑娘则大哭一场。待放定人来，姑娘端坐在红毡子上，女仆将定礼匣打开，由男家的女宾送给姑娘首饰等。有的地方则是男女双方在婚期临近时举行一次订婚仪式并宴请亲友。同时男方向女方赠送彩礼，有聘金、首饰、衣料等。女方也回赠礼物，多为新郎的鞋、帽等。放大定后，即宣告婚姻已经缔结，一般不可更改。

土葬 民间安葬遗体的一种方法，也是我国古今最普遍的葬法。华夏民族在汉代以前，葬法较统一，主要是土葬。古代匈奴、突厥、回纥和苗族等都以土葬为主要葬法。方法是用棺木或其它葬具盛尸，挖掘墓穴，深埋土中。古代往往"墓而不坟"，即只入墓穴，不留坟丘，后来则以土丘为标志，有的还设置墓门，树立碑牌。土葬的墓穴形制多样，最常见的是长方土坑，也有"亚"形状的。有钱人的墓穴的腰坑内放殉葬者和陪葬品，甚至还在地下筑室，再将棺木放置其中；古帝王的墓葬则不啻为地下宫殿。传统的土葬除一次葬外，也应用于二次复葬，如苗族人一次土葬后，等棺木腐朽后再备新棺，装骨复葬。土葬的方式，是和古代人的关于阴间、地府、地狱的信仰是一致的。在古代土坑墓中，考古工作者发现有一些"遣策"，专门用来向地下阴府报告死者和随葬品的基本情况。同时，土葬也反映了人们入土为安的意识。传统中国以农立国，人民以农民为主，经济以农业为主。这种生活方式与土地密切相关的情形，造就了人们对土地的依恋，于是生于斯、长于斯、老于斯的土地，也被认为是死后的最佳去处，土葬也就被视作最佳葬法。但是，土葬之法占用、毁坏耕地、林土，是一种不利于农业生产的葬法，不应予以提倡。

子孙林 汉族的一种民间婚俗，流行于浙江南部山区。指娶妻时要聚众造林，以供新人日后维持生活，赡养老人和承办老人的丧葬之需。造林前，婚家要整好山场，"春栽木，冬栽竹"。造林时，选好日子请来亲友、邻居，少的几十人，多的几百人，大家自备锄具，一齐上山栽树，一般要持续一天或几天。主家则用箩盛上米饭、肥肉、豆腐送上山招待造林客人，俗称"挑饭箩栽子孙树"。造林完毕后，举行婚礼，吃喜酒，闹新房，人称"闹快活林"。如果婚期和栽树时令不符，则可先办喜事，待栽树季节一到，再召集人进行。

子孙桶 一种红漆马桶，旧时汉族新娘必备的陪嫁物，流行于江浙等地。桶中常放有一包花生、两个半生的鸡蛋，还有红纸包的云片糕、圆果、红枣等。成亲当晚，喜娘边倒子孙桶边念"子孙桶，滴溜圆，代代子孙做状元。""红花生，两头尖，小伙铜钿，老夫铜钿，赚得万万千"等。以此来预祝早得贵子、光耀祖先。现在我国一些地区，新娘陪嫁中还有痰盂一只，当是子孙桶的遗风余韵。

开奶 民间诞生礼仪的一种，旧时，民间多在婴儿出生三日时举行。江浙一些地区开奶时，家人要让婴儿品尝黄连。仪式进行时，事先请好的一位能说会道的妇女将黄连汤抹数滴于婴儿嘴上，一面说："好乖乖，三朝吃得黄连苦，来日天天吃蜜糖。"然后把肥肉状元糕、酒、鱼、糖等食品制成汤水，用手指蘸少许涂于婴儿唇上，并唱："吃了肉，长得胖；吃了糕，长得高，""吃了酒，福禄寿"，"吃了糖和鱼，日日有富余。"最后让婴儿尝一口别人的乳汁。台湾高山族三朝时举行开荤礼，也是一种开奶礼：父母和其他长辈用一块烧糊的猪肉皮先擦婴儿的嘴，然后大家也都用这块肉皮擦嘴，表示家里添了一口人，并且已经和全家人一起吃东西了。开奶仪俗具有显在的祝福意义，同时也寄予着对婴儿优良品质的期望。

开光 旧时汉族丧葬仪俗。我国许多地区的葬礼中都有此俗。东北等地的开光仪式多在入殓后举行，系为死者"净五官"。死者的长子在主丧人的主持下，由亲友陪伴左右，一手拿筷（一头缠有新棉球），一手端碗清水，将蒙在死者脸上的纸移开，用棉球蘸水，擦拭死者的眼、鼻、口、耳，且每擦拭一处，主持人便念祝辞："开眼光，亮堂堂！""开耳光，听八方！""开鼻光，闻味香！""开嘴光，吃猪羊！""开手光，掌宝箱！""开脚光，走天堂！"开光后，把筷子和碗扔在房后，盖上棺盖。佛像落成仪式也称开光。

开丧 山东有的地方把出殡前的准备活动叫作"开丧"，如请阴阳先生定出殡日期，赴告亲友临丧，准备各种纸活，请鼓手、抬扛者、执事人等。山东临朐在出殡那天的凌晨，鸣炮三响，向乡邻报告该日出殡，以便准时前来助丧、吊唁，谓之"开丧"或"开门"。开门之后，吹鼓手开始奏乐，叫作"闪门"，意思是对乡邻的助丧表示感谢。

开脸 指旧时婚礼前为新娘修饰梳妆脸面。开脸就是用细线绞掉额头、脸颊和脖子上的绒毛，并修齐鬓角和额发，多由公婆、丈夫、子女齐全的"全福人"操作。各地、各民族的开脸时间不一。如京族，婚前几天，男方给姑娘送来搽脸粉和红线。此时，姑娘高声痛哭，亲友扶其回屋，由"全福人"用红线勒去姑娘面额上的汗毛,再搓上香粉,这标志着新娘由姑娘转为媳妇。山东有的地方在婚后第三天才开脸,有的地方在临上轿前与上头同时进行或者入洞房后开脸。不论方式如何,开脸的象征意义则是一致的,即区别已婚和未婚。故此,旧时也把已为人妻称作"开了脸"等。

开门封　也叫"索门封",流行于华北、华东等地的汉族民间婚俗。指迎娶新娘时男方塞给女方的开门钱。婚礼那天,新郎和族人去迎娶新娘,女家门却紧闭,故意不予理睬以示自尊。新郎焦急不安,女方感到差不多时,才给开门。此时新郎或其族人须付给开门人一红纸包,称为"开门封"。山东淄博一带至今仍有此俗。《西石城风俗志》也记载了南方此俗,称那里的开门封有大小之分,大开门银3元或3元6角,女家自得,小开门,则在门开时散诸门外,任看热闹的人们争拾。

开殃榜　即写殃榜。殃榜又叫"斗书"、"殃书"、"榜书"。是有关死者及丧事的文书,也是死者入埋、出城门的凭据。《清稗类钞》云:"京师人家有丧,无论男女,必请阴阳生至,令书榜书,盖为将来尸柩出城时之证书也。"《民社北平指南》载:"平市之业堪舆者,大都兼业阴阳,……人死后开死者之生年月日,谓之'开殃书',又名'殃榜',书上率为'择于某日时入殓,停柩,某月某日安葬,并禁忌某相,亲丁不忌。'"若死者为意外死亡,则不开殃榜,这样的人就不能出城门入葬。因此人死之后,请

阴阳先生是第一件要紧事。阴阳先生开完殃榜即走,费用视丧家财力而定。若所给财物不能让阴阳先生满意,阴阳先生往往会设法作弄丧家。

天葬　亦称露天葬,还依具体情形称作鸟葬、树葬、风葬等,多流行于少数民族地区。我国古籍很早即对此有过记载《隋书·契丹传》载:"父母死,以其尸置于小树之上,经三年后,乃取其骨而焚之。"《唐书·肃慎传》记:"秋冬死者,或以其尸捕貂,貂食其肉,多得之"。天葬是藏族最普遍的葬法,藏语叫"杜垂杰哇",意思是"送到葬场",又叫"恰多",意思是"喂鹫鹰"。方法为:人死后,用腰带将其和衣捆绑,放在空屋或帐房边的角落,用布或衣物遮盖,点燃酥油灯,请来喇嘛念经、烧糌粑,选定出葬日期。送葬时,用马驮尸到喇嘛寺,让尸体仰卧于地。其时,喇嘛诵经击鼓,煨桑供神,秃鹫见到烟火,群集附近。司葬者便在专设的分尸台上,将尸体衣服剥去,按次序肢解尸体。其后司葬者吹起海螺或长啸,秃鹫一拥而上。等鹰鹫吃尽尸肉后,再将骨架捣碎,拌上糌粑喂鹫,直至尸体被吃光为止。本族人称之为"归天"。甘肃裕固族也有此葬法。

五不娶　也作"五不取",汉族古代的一种婚俗。按古礼,对五种人不得聘娶。《大戴礼记》载:"女有五不取,逆家子不取,乱家子不取,世有刑人不取,世有恶疾不取,丧妇长子不取。逆家子者,为其逆德也;乱家子者,为其乱人伦也;世有刑人者,

为其弃于人也;世有恶疾者,为其弃于天也;丧妇长子者,为其无所受命也。"五不娶作为一种择妇标准曾经很有影响。其中一些有其积极意义,应该师法,有一些(如丧妇长子不取)则颇为不合情理。

不来子 旧时汉族的丧葬用品,即丧葬活动中使用的人形纸扎,专指"童男。"在我国甘肃河西走廊等地区最为流行。古时以活人殉葬,后渐以木偶或陶偶为替代品,再后则演变为纸扎物品。人们已相信焚烧这些纸扎人形,便已为死者预备了阴间冥界的仆、婢。若将纸糊成童男童女各一人,焚烧后就如同道家仙人使役的"金童玉女"一般。"不来子"即这种纸扎的童男。河西走廊每逢老人亡故,家人都须请人糊两轮车、毛驴、赶车人。如果亡者曾有早夭的儿子或孙子,赶车人就以早亡丧的名字来命名;如果没有,就被称作"不来子"。孝子将纸制赶车人及车马烧掉,边烧边嘱托"不来子"驾稳车,勿使老人受惊。陕西华县、华阴地区则将纸扎金童玉女和死者同葬,或在墓前焚化,被称为"陪陵娃娃"。

不落夫家 又叫"坐家"、"坐娘家"、"长住娘家"。是原始母系社会的夫从妻居向父系社会的妻从夫居过渡时残留的一种婚姻居住规制。我国南方汉族及部分少数民族都有此俗。《中华全国风俗志》载:"不落夫家者,即云女子已嫁,不愿归男家也。"新娘结婚后就回娘家长住。此后每逢节日、农忙或男家有婚葬大事时,男方才派人接回新娘短住几天,这样夫妻分居的情况要持续一、二年,甚至十几年,直到女方怀孕,方可到夫家长住。生育后才算正式成家,有的地方这时娘家才送陪嫁。在不落夫家期间,有的民族的妇女还享有相当的性自由,如在此期间,黎族妇女有与没有血缘关系的男子有"放寮"的自由;布依族女子有"赶表"的自由;广西壮族妇女有参加歌圩的自由。布依族新娘新郎婚后不同住,新娘每天由伴娘保护。几天后,新娘名正言顺地回娘家住,少则二、三年,多则十几年。婚后几个月或一年左右要"回亲"。如果新娘的父母同意接走,晚上便打六升或一斗二升糯米粑,第二天叫女儿背去夫家。夫家把媳妇带来的粑粑烙好,请全寨的妇女来吃,庆贺坐家,让大家记住媳妇第一次回亲的日期。媳妇来夫家同宿一晚,第二天挑满一缸水即返回。丈夫家又要打加倍的粑粑送到女家,女家也以同样的方法表示祝贺。这样来往几次,直到怀孕或被戴上假壳(被夫家女子强行解发,戴上假壳)后,才与丈夫同居。

风葬 也叫"露天葬",其中包括树葬、挂葬、木架葬、崖葬、洞窟葬、悬棺葬等,即将死者遗体放在通风之处,使之风化的葬法。这种葬法主要流行于古代东北和西南少数民族地区,并一直延续到现代。在世界范围内,亚洲高原地区、日本、中南半岛、印度尼西亚、澳大利亚的某些民族以及北亚古老民族和美洲印第安人中都用过此葬法。据《魏书·东夷列传》记载，我国北朝时期，生活在今东北嫩江流域的失韦族，"父母死，男女众哭三年，尸则置于林木之上。"《新唐书·北狄列传》载唐代活动于辽河上游的契丹族："死不墓，以马车载尸入山，置于树颠。"《通典》记，鲜卑族的一支库莫奚，"其俗死者以苇薄裹尸，悬之树上。"《清稗类钞·丧祭类》载："东北边境人死，以刍草裹尸，悬之于树。俟其将腐，解下，敷以碎石，薄掩之，如其躯干之长短，盖风葬焉。"据记载，古代鄂温克人、鄂伦春人、赫哲人、珞巴人都实行树葬，通称为风葬。四川甘孜藏族自治州康定一带藏族人死后，挂在墙壁上风干，《西藏图考》卷八记："又有风干一类，不化不毁，悬于墙壁间如傀儡状。"有的民族对其图腾物也实行风葬，如鄂伦春族捕获到熊后，割下熊头祭祀，并将吃剩的熊骨排列在柳条笆上，并抬到葬地，架在两树间进行风葬。（参"树葬"、"悬棺葬"、"鸟葬"、"崖葬"）

化生　古代汉族的一种生育习俗，流行于古代长安（今西安）地区。化生即为一种祝愿妇女生男孩的蜡制婴孩像。民间俗信在夏历七月七日（七夕）那天，将此蜡像放在水中玩耍，便可令妇女生出男孩。据载此俗始于唐代，《唐岁时记事》云："七夕，俗以蜡作婴儿形，浮水中以为戏，为妇人宜子之祥，谓之化生。"有的地区将时间定为中元日（夏历七月十五）化生，《唐贤三体诗·薛能诗》曰："芙蓉殿上中元日，水拍银盘弄化生。"到宋代，化生演变为"摩睺

罗。"摩睺罗本是佛经上的一个神名，民间用土、木、玉等材料雕成小人形，并为它盛装，在七夕之日供牛郎织女，后演化为儿童玩具。《醉翁谈录·七夕》载："京师（汴京）是日多博泥孩儿，端正细腻，京语谓之摩睺罗。大小甚不一，价亦不廉。或加饰以男女衣服，有及于华侈者。"《武林旧事》云："七夕节物……泥孩儿号'摩睺罗'有极精巧，饰以金珠者，其直不赀。小儿女多衣荷叶半臂，手持荷叶，效颦摩睺罗，大抵皆中原旧俗也。"到南宋时，这种玩具已是以苏州生产的最为著名。

分痛　旧时汉族的民间生育习俗。我国中原、江南地区均有此俗。指孕妇进入临产前一月，在初一那天，娘家用银盆或彩盆盛一束粟秆，上面用绣花手帕或生色帕等盖好，再插上花朵，并用草织贴成5男2女的花样，送给孕妇。在北方则用盆装馒头送给产妇，以预祝顺利生产。

升号匾　又叫"贺号"、"升匾"，流行于湖北西部地区。在汉族人家中，升号匾仪式常在娶亲前一天举行，带有为男子举行成年礼的性质。这一天，父亲在堂中为其子命字取号。各位亲友制一牌匾，敲锣打鼓送到主家致贺道喜。上面写着"福如东海，禄位高升，鸾鸣在前，莺应其声。"然后举行升匾仪式。客人唱赞词，主家致答词。由两人抬着披红的彩匾爬梯挂匾。待匾挂好后，六乐合奏，鞭炮齐鸣，热闹非凡。当地土家族也有此俗。

长寿粽　旧时汉族民间的一种育儿习俗，在浙江等地最为常见。婴儿周岁时，外祖母要送粽子，其中一对又长又大，并用红绳系好，民间将其称为长寿粽。同时还要送"五代馒头"。（从小到大分为五等的馒头），其中最大的一对做成桃形，以示代代相传，永不断绝。

长明灯　丧葬用具的一种。人死后丧家立即赶制棉纸灯，蘸上香油，从死者床前点起，直到大门外，这便是"长明灯"，又叫"随身灯"、"引路灯"，意思是帮助死者前往阴间报到。这种习俗在宋代就相当流行，《金瓶梅》第六回载武大死时，"灵前点起一盏随身灯。"第六十二回李瓶儿死时，"西门庆率众小厮把李瓶儿用板门抬出，停于正寝，下铺锦褥，上覆纸被，安放几筵香案，点起一盏随身灯"。明代话本小说中也记有此俗。近代《民社北平指南》："旧式丧礼，人死更夜，停尸于床，合家举哀，焚纸锞，曰'领魂纸'。床前燃灯，曰'引魂灯'。"长明灯需带到墓地下葬。《山东民俗》记：灵柩到达墓地之后，下葬之前，由死者之子把中谷草或树条编的五谷囤放到墓壁一侧的坎内，另一侧坎内放一只陶瓷罐，罐上放一盏豆油灯，即长明灯。

长命锁　民间用来祝福婴儿健康长寿、保估婴儿消灾免病的象征性物品。长命锁也叫"百家锁"、"百家索"、"百家练"等。其形式多种多样，最简单的一种是用红线将铜钱编串起来，挂在小孩脖子上。有的则是用金银打制锁形的薄片，系金银索链

挂在小孩脖子上。还有的是银质、银质镀金、纯金的锁子。现在各地仍可见到含金镀铜的长命锁。长命锁一般在婴儿百天时，由家人或亲戚赠送。锁上常带有文字和图案，文字多为"长命富贵"，"长命百岁"等祝吉词语，图案则为象征福寿绵延不断的景物。本来意义的百家锁应是集百家的金银打制或是多家集体所送。《中华全国风俗志·江西》载："凑百家锁一事，尤为全赣之通行品，其法以白米七粒，红茶七叶，以红纸裹之，总计二三百包散给亲友。收回时，须备钱百文，或数十文不等。将集成之钱，购一银锁。"山东聊城地区集百家锁的方法较为严格，必须有"长、命、富、贵"四姓人参加，以讨吉利。长命锁的作用，是以此锁锁住婴儿的性命，使其健康成长、长命百岁。

长命鸡　流行于河北、山东等地的民间婚俗，是男女嫁娶中的聘物。《畿辅通志》引《定州志》，定亲时用雁或苍鹅，民间多用鸡，俗称"长命鸡"，取匹配不乱群之义。婚礼时，男言准备一只红公鸡；女方则准备一只肥母鸡，由未成年的弟弟或其他男孩抱着，随轿在公鸡未鸣之前赶到男家。传说母鸡未睡，公鸡在睡，因而母鸡可以压倒公鸡，今后新娘也不会受丈夫欺侮。男家还把公鸡交给抱鸡人，把两只鸡拴在一起，并不停地打公鸡。这两只鸡不得宰杀，直到自然老死，故称"长命鸡"。

六礼　我国传统的婚嫁程序的总概括。包括纳采、问名、纳吉、纳征、

请期、亲迎六个阶段。它对我国历代婚礼的演变始终起着主导作用，成为封建制度下婚礼的模式，甚至对当代新婚俗仪式仍发生影响。六礼在先秦时代业已形成，《周礼》、《礼记》、特别是《仪礼》，对此多有记载。当时的上层人家多是遵此六礼行聘行嫁的。自西周始，六礼为历代沿用，各朝代各地区只在内容、仪注上对六礼有所增减。如宋代时朱熹鉴于古礼繁缛、不易遵行，将六礼裁为三礼，即纳采、纳征（纳币）、亲迎，但大意未变。到近代，婚礼趋向简化，对古代的六礼又有所省减，但其中的一些仪注和习俗却更加变化多端。六礼是封建社会的产物，其繁冗和虚套，在封建时代即为人们所批评，当然也就更不应是当代社会所应遵行、提倡的。而其包办、买卖的性质和特点，则应是坚决废除和批判的。六礼除专指婚聘之礼外，在古代还指有关人生的冠、婚、丧、祭以及乡饮酒、相见六类礼仪。

讣告　即报表。按照古礼，由护丧、司书发出报丧的文书，把死讯告知死者的亲朋好友和同事。讣，先秦古籍多作"赴"，亦称"赴告"。古时讣告因死者身份的不同，行文亦不同。《礼记·杂记上》对国君、士大夫等各个等级的讣告作了详尽记载。旧时民间的讣告具多种形式，有口报、讣闻、迎门讣告等。人死之后，丧家叫人送给亲友一个白纸条，上面写着某人于某月某日某时去世，于某日送葬等，称口报；讣闻则等死者入殓之后，家人给亲朋送信，在上面正

告某人已死；迎门讣告又叫告条，是死者家属写个白纸条，按男左女右的次序贴于街门口。现在的讣告刊载于报纸或利用其他新闻媒介达致。讣告的内容一般较为规范。讣告除指报丧的行为以外，还指报丧的文字，叙述死者的生卒、履历、祭葬时地等，以告亲友。现在，讣告更多的是指这种报丧的应用文体。

火葬　葬法之一。方法是将尸体装殓以后，用火焚化，保存或扬撒骨灰。火葬在我国传袭已久，最早流行于古代的少数民族。《荀子·大略篇》记载氐族、羌族的俘虏被绳索捆绑，而担心死后不被焚烧，可见死后焚烧是氐、羌各族的习俗。《后汉书·南蛮东南夷列传》记："羌人死则烧其尸"；《墨子·节葬》中也提到秦国西边仪渠国的人在亲人死后，聚柴薪而焚之。另外，《北史·突厥传》、《南史·林邑传》、《隋书》中"赤土传"、"真腊传"、"石国传"都记载有以火焚尸的葬俗。古代汉族在一些特殊情况下，也对死者采取火葬的方法，比如战争或瘟疫造成疾病流行，便焚尸去病；死者有孕或生怪胎，也焚尸祛除不祥。火葬之俗与佛教在我国西北、西南地区的影响不无关系，至今青海土族、藏族多沿袭火葬。佛教流行我国后，佛教徒实行火葬，也对汉族人产生影响，中原地区早在宋代就有此俗，《宋史·礼志》记载过关于火葬的一番争论。但这种葬法与儒家礼教不合，明、清时被禁止。火葬经济、简便、卫生，是我国目前大力提倡并且逐渐走上主导

地位的葬法。

认大小　旧时流行于汉族地区的婚俗。《中华全国风俗志》载:新人"复登堂行家礼,俗谓分大小。自尊卑以及亲朋,皆受两人参拜"。《山东民俗》记,新人回门前,须行庙见礼。庙见的同时,要拜认公婆和本家的亲属,并要分给大家礼物。拜见时,新娘要在新郎的带领下,按男左女右、尊卑大小叩头行礼。长辈等亦或给新娘礼物。同样,一些地区新郎回门到岳家,也需认大小。这种习俗标志着双方家庭对对方的接纳,标志着一种新的身份的确立和新的家庭、亲戚生活的开始,也反映了传统中国讲究纲常伦理,重视从家庭到社会中的成员间的长幼、尊卑秩序。

水葬　葬法之一,即将尸体投于水中"安"葬。《南史·西南诸国·扶南国传》云:"死者有四葬:水葬则投之江流,火葬则焚为灰烬,土葬则瘗埋之,鸟葬则弃之中野"。我国只有西藏及其邻近地区流行。方法是先让喇嘛选定日期,葬时用牛驮到江边,喇嘛诵经之后抛入江中。有的是用木匣盛尸,到急流处打碎木匣,尸体沉没水中,有的干脆就碎尸江上。在一些多水地区,水葬也用来处理特殊死丧。四川大渡河沿岸的汉族,过去曾对患"疯病"而死的人实行水葬;云南傣族对暴死、难产而死、凶死和童丧者实行水葬。我国沿海还有将棺木放置于海滩,任凭海潮冲入海中的习俗。水葬污染水源,各代都力求废除,不应提倡。

夭折　也叫"夭死"、"夭殁"、"夭命"、"夭摧"、"夭殇"、"夭绝"。指短命、早死,通常是非正常死之。短折为夭,未三十为折。《释名·释丧制》载:"少壮而死曰夭,如取物中夭折也。"《荀子·荣辱》曰:"忧险者常夭折。"《汉书·外戚传赞》言:"至于史良娣、王悼后、许恭哀后,身皆夭折不幸。"《后汉书·朱浮传》载:"夫物暴长者必夭折。"《三国志·吴志·孙登传》云:"颜回有上智之才,而尚夭折,况民愚陋,年过其寿。"《列子·力命》载:"怨夭折者,不知命者也"。旧时夭死丧葬有诸多特别的仪俗,如汉族的不入祖坟、做冥婚等。

引魂幡　一些地区汉族民间葬礼中的一种仪俗。出殡前,尸体安排就绪,便在门前树起招魂幡,旨在出殡时将死者的灵魂引向坟墓。有时人们在树幡的同时,还要登上屋顶呼喊招魂。棺木下葬后,用大柳枝做成的引魂幡也半埋在墓中。若时令、气候适宜,柳枝便可成活,进而长成大树,造就一种独特的人文景观。

打狗饼　流行于我国北方的一种丧葬习俗。在人初终时,家人用绳子将死者双脚缠住,旨在防止炸尸。同时在死者的衣袖或手里,放几个白面饼和小棒子。传说人死后到阴间,要路过恶狗村,所以要给死者准备打狗饼和打狗棒。放在死者袖中或手中的白面饼称为"打狗饼。"

打新娘　流行于江西吉安等地的旧时婚俗。当新人交拜之后,新娘不能自己行走,必须由男长辈,如伯父、叔父等抱回屋中。这时,所有人都用木棒打击新娘后背、胳膊,新娘往往不堪忍受，所以迎娶那天都穿棉袄、棉裤，以抵御强力。这种风俗明显表现出对女性的不尊重。

归宁　指女子出嫁后回娘家归省父母的行动。宁，向父母问好之意。《诗·周南·葛覃》曰："归宁父母。"毛传："宁，安也。父母在，则有时归宁尔。"《左传·庄公二十七年》载："冬，杞伯姬来，归宁也。"杜预注："宁，问父母安否。"

生日　即出生之日，又称"诞辰"（多用于德高望重的要人）。每逢"生日"，全家人或邀亲友庆贺，称"过生日"，为我国各地都有的一种寿诞风俗。旧时孩子做生日往往要家宴庆贺。山东俗称小孩生日为"长尾巴，"中午的家宴要吃面条，称喝"长命汤"。生日里忌喝"米汤"、"粘粥"，否则就要"一年糊涂"。直到今天，较传统的家庭都不忘给孩子做碗"长寿面。"另外，孩子在这天往往不受打骂，否则"孩子不长。"40、50岁以上的生日，特别是逢五、逢十的整生日，往往称为"做寿"，礼仪比一般的生日要隆重得多。现在的生日仪式则有更多的外来内容，如举办生日晚会，备有生日蛋糕，上面插着红蜡烛等，多是求得喜庆热闹的气氛。（参见"寿礼"条）

半路夫妻　也叫半路。我国许多地方都有的一种婚姻形式。指一方丧偶或离异后，又找配偶重新结合的夫妻关系。

出阁　阁，指少女的闺阁。出阁即指少女离开闺阁。古时称皇室贵族、富家巨户女子出嫁为"出阁"，也泛指女子出嫁。《七女封公主制》中写道："虽秩华可尚，出阁未期，而汤沐先施，分封有据。"《红楼梦》第五十七回《慈姨妈爱语慰痴颦》中薛姨妈与紫鹃开玩笑道："这孩子急什么！想必催着姑娘出了阁，你也早些寻一个小女婿子去了？"

出妻　亦称"弃妻"，"出妇"，指男子遗弃妻子。这种风气周代即有，《孟子·离娄下》："出妻屏子，终身不养焉。"古代妇女地位很低，男子可轻易藉口离弃妻子，甚至明文规定"七出"之则：凡弃妻须有七出之状，一无子，二淫泆，三不事舅姑，四口舌，五偷窃、六妒忌、七恶疾。"妻子若犯其中任何一条，便可逐出婆家，手续一般为一纸休书。出妻是为维护封建夫权而制定的婚姻教条，已随封建制的结束而消失。

出殡　也叫"送殡"，即把灵柩抬到坟地埋葬。出殡是整套丧葬礼仪中极为重要的一环，不仅能显示死者的哀荣，更能显示生者的财力、地位，故极受人重视。过去，出殡时幡旗开道，执事、乐队、挽联、"纸活"、花圈等紧随其后，然后是鼓手，之后是和尚（或道士），死者家属镇后，将灵柩送至坟地。山东旧时出殡，先要请人查看《除灵周堂图》，或请阴阳先生"开殃榜"，定好出殡日期，再告亲友临丧。然后要备好各种"纸活，如金银山、摇钱树、聚宝盆、童男童女、马匹车轿等;搭好客棚，请来鼓手、抬杠者和执事人等。出殡礼仪由礼先生四人、礼老爷一人主持，安排出殡程序、送葬队形、确定抬棺人选。有的地方在出殡这天凌晨鸣炮报告出殡。出殡的乐队一大早就来到丧家，吹奏粗细乐曲"闹丧"。出殡的主要仪式之一是启灵。有的地方是死者的男亲属来到灵堂跪下，长侄端牌位，长孙打纸伞，次侄举引魂幡，次子持三根香火，长子脚下放一瓦盆，女眷则在屋内站立等候。吉时一到，司仪喊："里头戴布啦！"女眷便戴白布。又喊："各屋点灯啦！准备栗子枣啦！（喻人丁兴旺）打扫囚土啦！（棺材底下的土）随后，有人挥刀砍断灵堂门左边的碗（碗内有水，代表尘缘，碗口上横放柳枝和桑枝，代表挽留和不幸）。司仪同时喊："今日良辰吉日，斩丧大吉。孝子举哀。"于是死者亲属放声痛哭，背棺的人涌进灵堂。棺材背出灵堂后，便开始发引。司仪喊"起驾"，灵柩便离地而起，此时服孝长子摔碎瓦盆。传说这盆是死者的锅，只有一下摔得粉碎，死者才能带到阴间使用。出殡队伍随后浩浩荡荡，直至坟地。近几年，我国各地出殡铺张之风再次兴起。这与丧葬从俭的文明风尚不符，不应予以提倡。

发引 出殡活动中的一环节。启灵前的祭拜活动之后，司仪高喊起驾，灵柩便被抬起，随之有专人"摔老盆"。子女披麻戴孝，在哭声和哀乐声中缓缓行进。此时，棺木由孝子（或孝孙、孝重孙）执绋前导，即称发行。古时送殡用车，引即指挽车用的索，也叫靷，又称绋。后世则用整匹的白布，挽在车杠的两端，牵引行进，因此又叫"引布"。不用车时，则挽在枢杠上牵引前行。

百晬 即"百日礼"。俗倍百岁为吉，"百晬"音似"百岁"，这一天称贺，谓之"过百岁"、"做百日"。《东京梦华录·育子》载："生子百日，置会，谓之百晬"。《宛署杂记》云："一百日，曰婴儿百岁"。近世京城有称"百禄"的，《中华全国风俗志·京兆》云："一百日后，名曰百禄，请客与满月相同。"百日礼与庆满月仪式相近，亦是亲友携礼来贺，主家设宴款待。据《山东民俗》记，当地多在婴儿出生的第九十九天过百日礼，一般由姥姥、妗子、姨姨、姑姑等来庆贺，也有较亲密的街坊朋友。所送礼物除食品果蔬外，就是小儿衣饰，并送百家衣和百家锁。百家衣集众多人家的碎布头制成，状如僧衲，据说穿上它便能消病免灾、健康长寿。百家锁又叫长命锁，为孩子戴上，据说也可长命富贵。这些物品多具象征意义，其中寄寓着家长亲友的希望。浙江杭州一些地区为婴儿庆百岁时，杂有迷信做法，通常用神马一对，供上素菜10碗，斋王母寿星以希望得到神灵保佑。

压轿 民间婚礼上的一种仪俗。婆亲那天，首先是亲迎仪式。迎娶的轿子有两顶，新郎乘一顶，另选一个父母双全的全福小孩乘一顶，谓之压轿，前往女家迎娶。全福小孩被称作压轿童子、压轿孩儿、压轿生。轿内还放一公鸡，轿门上贴好红符，准备迎新。有的地区不请童子压轿，而是请一全福的老婆婆压轿，以图吉利。

有喜 民间对妇女怀孕的俗称，也是日常用语中一种婉转的称谓。中国传统的观念认为，生儿育女是家庭和亲族的一大喜事，因此，妇女怀孕被称作"得喜"、"有喜"。有喜以后，受古老传承的影响，各民族、各地方对孕妇有着不同的禁食、禁视、避讳等禁忌约束。成年男子忌讳谈论得喜之类的词句，中、老年妇女的习惯用语是"有喜了"、"有身子了"、"有身孕了"或"有春孕了"，年轻媳妇、姑娘们的悄悄话则简称"有了"。有喜与否，旧时一般凭经验判断，标志是妊娠反映，即通常所说的"害喜病"、"害口"。得喜期间，怀孕妇女常常谨小慎微、深居简出。

孝杖 即哀杖，俗称"哭丧棒"。我国一些汉族地区子女服丧期间，要柱孝杖，意思是悲痛无以自主，须靠孝杖支持，以示孝顺之情。北方一些地区的孝杖用柳树枝截成二尺左右的棍棒，上用白纸间隔缠绕。在灵前及墓地哭丧、行礼时，都要拄孝杖。遗体安葬后，孝杖插于坟丘四周。

再醮 即再嫁，寡妇改嫁，意思是再举行一次酒宴，是我国汉族民间婚俗，俗称"二婚头"。按封建礼制，寡妇再嫁不合礼法。先秦时允许寡妇再嫁，秦代时禁止，汉时寡妇又可再嫁；隋、唐、五代寡妇再嫁的事例也很多。但宋代理学反对再醮，认为再嫁便为失节，由此历代统治者都强调守节，致使世俗也认为改嫁为奇耻大辱。旧时寡妇再嫁须征得婆家同意，由婆家写好再嫁的契约，画押后由媒人交给娶方，娶方要付一笔财礼。写婚书时要在灰铺、庙堂等处，写毕毛笔要从身后抛出。如泉州寡妇改嫁要坐"黑轿"，上轿时是在路上或媒婆家里。上轿前，女的要将一双旧鞋留于路旁。据说是怕死去的丈夫跟着他，留下鞋可使男鬼认为妻子仍在。女子进门后要先在门后"启（拜）阿姐"，即拜见男方死去的前妻，以免她日后作祟。有的地方寡妇要守孝三年期满，方可再嫁。若寡妇将前夫子女带到新夫家，也会受到歧视。这些做法显然带有封建迷信的色彩，反映出人们对再醮的轻视与偏见，也表明了人们对再醮的矛盾心理。寡妇守节陋习，在清末民初受到冲击，但民间仍流行着"一女不吃两家饭"、"好马不吃回头草，好妻不嫁二夫"的说法。在我们今天的社会中，寡妇完全有再嫁的自由，但仍难免受到世俗偏见的非议。

过九 流行于我国许多地区的寿诞习俗。我国民间俗以九为数之极限，人寿逢九多有不利，故当采取种种禳解之法，俗称"过九"。过九一般在中年以后。逢九者需穿红袄、扎红腰带，或用其他方法禳解灾厄。在江苏等地，逢九那年的生日便要提前，且要隆重举行酒宴、仪式以表大庆。除与一般做寿时的程序一样外，在宴席散后，主人还要向亲友赠寿桃，并加赠一对饭碗，俗称"寿碗"。俗信得此寿碗，可沾上福气，能延年益寿。

过门 旧时对女子出嫁的称谓。女子从娘家的"门"过到婆家的"门"，因此叫"过门"。《窦娥冤》中写道:"孩儿也,他如今只待过门,喜事匆匆的,教我怎生回得他去。"

过礼 婚嫁仪俗之一,即女家把陪送女儿的妆奁品物等送往男家。过礼一般在婚典礼仪的前几天或前一天;旧时有黄昏迎娶新娘之俗,因此也有婚典当天过嫁妆的,甚至和新娘一起到男家的。过礼大多为女家派人送往男家,也有男家来取的。女家送嫁妆时需开一个"奁仪录",把陪嫁品一一列于其上,和实物一齐送往男家。旧时北京嫁妆论"抬",是由扛夫抬去的。也有一些地方用车,并且要派两个子弟跟车,一个叫"押车的",一个称"挂帘子的",还要请媒人坐于车上,俗称"压车头"。(参见"过嫁妆"条)

过关煞 旧时汉族的一种育儿习俗,流行于青海河湟地区。当地民间俗信小儿久病不愈是犯了关煞,若想让小儿痊愈,需过关煞。具体步骤是:选一属龙或属虎的人,把铡刀刀刃向下横挂在门的上方,再将一张犁铧尖朝天竖立在门的下方,让小儿的母亲(或父亲)抱着小儿从门走过,门旁有人问:"青龙关过了吗?"持刀的人答道:"过了。"然后按白虎、玄武、朱雀等关依次走过。最后,持刀人祝道:"青龙白虎玄武,凤凰勾陈朱雀,六关急闯,驱散病魔;关煞已过,百病如脱,健康成长,天真活泼。"民间认为这样做,便可被除小儿身上的邪祟,小儿便可痊愈。

过周年 一种祭祀活动。人死满一个年头谓之周年,满一年叫一周年,依次类推。周年祭祀亡灵谓之过周年,古时又称"小祥"祭。主要活动是丧主酹酒跪拜,宣读祭文,先祭列祖,次祭新亡者,然后主妇、亲戚供献祭品,众人向灵祭拜礼,礼毕痛哭,尽哀而止。过周年时还须另换灵牌,同时守孝者的丧服也发生变化。齐衰一年者可脱去丧服,换上常服。现在的过周年活动已不似古时那样繁琐,主要活动是到死者坟前或骨灰存放处敬献花圈、花卉、食品等,农村一些地区还要烧些纸钱。

过嫁妆 即送嫁妆,又称发奁,流行于汉族地区的婚嫁习俗。女子出嫁,讲究陪嫁,娘家为女儿准备衣物等日常用品。这些嫁妆品种繁多,通常有箱、柜、桌、椅、衣架、脸盆架、手炉脚炉、餐具、文房四宝等,现代的父母亦常为女儿准备被褥、缝纫机、自行车、彩电、冰箱等,也有的准备一笔钱。嫁妆的多少常常视女方家的经济情况来定,各个地区对嫁妆的要求也并不统一。如杭州地区要送子孙桶,有的地方则要送锡油灯,内装香油和蜜,象征夫妇亲密(蜜)甜美。旧时有钱人家也有用田地房产、店铺、工厂、股份来作为女儿的陪嫁,以此来抬高、巩固女儿在婆家的地位。旧时过嫁妆十分复杂,过嫁妆当天,需将陪嫁品列一清单,并将它们用红绸布等扎好,由媒人押往男家。到男家后,由一人报帖,送陪嫁的人要将陪嫁一一摆好让婆家过目,新郎亲自接奁。然后是主婚人道喜,主婚人设席款待女家人,最后由新郎出名谢帖。有的地方新郎还要随媒人同往女家,至上房中央,三叩首,不发一言地返回。女家家长迎立两旁,并不接送。过嫁妆仪式常常在婚礼前几天举行。现在的仪式多已简化。

成年礼　又叫"成丁礼"、"成年式",我国古代男子的成年礼叫"冠礼",女子叫"笄礼"。成年礼仪的形式因不同民族而各有特点,一般是借此礼仪向青年传授历史知识、生产技能和风俗习惯。汉族男子20岁时加冠转入成年阶段,这是人生历程上的一项大礼。在加冠前都是童子,此后便要担负起社会的责任与义务,并享有权利。古代对冠礼十分重视,先要选好良辰吉日,并选择为冠者举行冠礼的"大宾"。同时冠礼又是以后婚礼的基础。云南永宁纳西族实行穿裙礼、穿裤礼;云南西双版纳布朗族行报吉礼;云南麻栗坡瑶族行"度戒"礼;藏族女子行戴巴珠礼。傈僳族在正月初九、三月初七,对年满12岁的男女进行教育后,并让他们住进集体公房;高山族、仡佬族男女成年时拔掉上颌的犬齿一、两颗;凉山彝族实行"换裙"礼;朝鲜族实行"三加"礼,三次更冠。各族成年礼形形色色,成年与未成年大都以某种服饰或改变身体形态为标志。

问名　传统婚聘六礼的第二阶段。此阶段是求婚后请媒人问女方姓名及生辰八字以准备合婚。《礼记·士昏礼》记载此仪:"宾执雁,请问名",主人若同意便请宾入,授礼,宾客开始说问名辞:"某既受命,将加诸卜,敢请女为谁氏"。并询问女子

名号。问名之后要"加诸卜",即占卜男女双方生辰八字命相阴阳以合婚,来决定两人成婚的吉凶如何。古人信仰阴阳五行相生相克之说,又有属相相合相冲之说,男女双方的命相若有一事不合,婚事便无希望。比如金命克木命、土命灭水命、龙虎相斗、狗兔不合、鸡狗不到头等,属相命相相克,即不能缔婚。若碰到相生的命相,婚事才有进行的可能。在民间,婚姻命相还有更为复杂的内容;如面相、骨相、手相等。民间认为颧骨高的女人克夫,眼下有黑痣的女人会死孩子等。另外,随着私有制的发展,问名由生辰八字扩展到议门第、职位、财产、容貌、健康等多方面内容。经过问名占卜,确定可以结婚,便可进行纳吉礼。

早婚　指少男少女在身体未发育成熟就结婚。据《礼记》记载,当时男女的婚龄规定都比较大,一般在20、30岁,并不流行早婚。战国时期,婚龄开始下降。如越王勾践曾下令:凡男20岁、女17岁不嫁娶的,惩办其父母。汉惠帝曾发令:"女子十五以上不嫁者,五算(加5倍课税)。"魏、晋、南北朝都倡导早婚。晋武帝时规定:"女年十七父母不嫁者,长吏配之。"北齐后主规定:"女子二十四以下十四以上未嫁悉集省,隐匿者家长处死。"北周建德三年发布诏书:"自今以后男十五,女十三以上,所在军民须依时嫁娶。"唐、宋、明、清规定的适婚年龄都偏早。唐贞观令:男20岁,女15岁;唐开元令:男15岁,女13岁;宋天圣

令：男 15 岁，女 13 岁；宋嘉定令：男 16 岁，女 14 岁；朱子家礼：男 16 岁，女 14 岁；明洪武令：男 16 岁，女 14 岁；大清通礼：男 16 岁，女 14 岁。与此相应，民间也信奉和实行早婚。《中华全国风俗志》载：湖南汝南地区"结婚自童幼，大家无十岁未聘之子。"又记：奉天（今辽宁）满族的早婚"在全国可居第一，男女十三四岁即结婚"。时至今日，早婚在我国一些落后地区仍不少见。通览历史上早婚，对统治者来说，只有有了足够的人口，才会有充足的兵员、徭役来源，也才能发展生产，因此，出于政治上、经济上的需要，统治者提倡早婚；对于民众来说，基于"不孝有三、无后为大"、"早生儿早得继"等信念，以早婚来求得早生子，实现繁衍家族的愿望。如果说历史上的早婚对经济发展曾有过一定积极意义的话，那么今天的早婚则于国、于己无一益处，应当革除。

回门 又叫"回郎"、"回娘家"、"拜门"。指婚礼后，新娘回娘家，新郎随同前往拜见岳父母和女方亲戚。各地回门时间不一，有当日回门，二朝回门、三朝回门、五朝回门，甚至七日回门等，并无定制。但近代以来，因婚后三日回门者较为普遍，所以又叫"三朝回门"。北京旗人旧俗有"两日酒"。两日酒是四日回门，当日酒是两日回门。嫁女经过回门才是贞操确定的明证，女儿女婿的回门，是女方家庭的一种荣耀。一般新婚夫妇五更即起，新娘娘家来人接回门，多半是新娘的母亲。首先要陪新娘的婆婆到新房走一遭，以便呈验贞操证件，若经审查没有问题，新娘便开箱，分赠亲友小礼物，名曰"开箱礼"。夫家预备糕点，款待亲家母，名为"吃梳头酒"。新娘回到娘家，向家人亲友诉说男家、丈夫的情况。之后新娘在娘家再逗留一段时间，时间长短不定。回门时，女方要招待新郎，其间有的有惩罚新郎的内容。陕西南部旧俗，婚后次日晨新郎领新娘回门。女家在招待的早宴上盛一大块骨头，新郎必须把上面的肉全部啃光。中午，岳母端上辣饺子，新郎要替新娘吃，以表示能爱护、体惜妻子。福建泉州地区旧俗是婚后第五日上午，新娘回家会亲。傍晚，新郎才受请，先拜祭岳家祖先，再由平辈、侍老陪宴。最后会见岳父母，与新娘拜别，双双乘轿回男家。此俗今仍流行。

回娘家 通指妇女婚后回娘家拜见父母，并短期居住。古称"归宁"。一般是娘家逢节迎女儿回家，或在节日、农闲时女儿自己回家探亲。有的地方媳妇回娘家前要问公婆准许住多少日子，并按时返家。旧时新春正月的回娘家，常由夫婿偕同，此种生活反映在民间小戏、小曲中，构成一种习俗、文艺结合的民俗文化事项。（参见"回门"条）

吊丧 吊，旧写作吊，指哀掉死者。吊丧也称"吊唁"。吊和唁古时有所区别，吊指到丧家哀悼死者，唁指安慰死者家属。《礼记·礼运》载："诸侯非问疾吊丧而入诸臣之家，是谓君臣为谑。"《说苑·修文》曰："斩衰裳苴绖杖，立于丧次，宾客吊唁，无不哀者。"按古礼，吊丧时有一整套礼仪。这套礼仪在不同地区和年代中也有变化，但一般为：着丧服、酹酒、作冥纸、哭丧等。同时，主客之间在见面时还有相应的口头吊词和丧家的答词，这些问答在各种场合依不同关系都有不同。如有吊人父亡、吊人妻亡、吊人伯叔姑兄姊亡、吊人姨舅亡、吊人小孩亡、姑亡吊姑夫、姊妹之吊姊妹夫等等问答词。现代的吊丧活动已减去许多繁文缛节，据《山东民俗》记：亲族邻里往往结伴吊丧，一般是平辈鞠躬、晚辈跪拜，尔后痛哭一番。死者的亲属要在旁陪哭，最后要屈右膝跪拜亲友。死者的近亲，特别是姻亲，吊孝仪式较为隆重。他们携带菜肴、糕点、果品和挽联、哀帐等祭礼，有的则出钱包祭，由丧家代为料理，现在也有送花圈、花篮的。吊者头扎白布，在司仪的唱名声中趋步向前，献上哀帐、摆上供品，尔后上香、奠酒、磕头、趴在地上痛哭。陪灵之人要陪同磕头痛哭。

岁数纸　民间在死者尸体安排就绪后，在门前树起招魂幡，幡上缀一串纸钱，平民之家习用挑纸钱。因纸的张数与岁数相同（如死者62岁，就用62张），故称岁数纸。有的地方还需在实际岁数之外加上天、地各一张。然后将其捆扎、挂起，到接三那天烧掉。岁数纸是用以送死者升天的，因此有的地方也叫通天纸。

同偕到老　"同偕"即"同鞋"。流行于我国长江中下游的汉族地区的婚礼仪俗，源于东晋。马缟《中华古今注》载，东晋时，凡娶妇之家须先下丝麻鞵一緉，取"和谐"之意。后来丝麻鞵由"同鞋"（偕）所取代。在安徽芜湖，女家准备嫁妆时，必须制作两双鞋子，新娘、新郎各一双，并要将新娘的鞋置于新郎鞋中。新娘出嫁时，随身带至夫家；在合肥，则于新礼当日，新娘欲进洞房前，与新郎交换鞋子，双方穿着对方的鞋共入洞房。无论新娘鞋置于新郎鞋中，还是两方换穿鞋，都是"同鞋"。这种仪俗意在祝愿将来能夫妇同心和睦、白头到老。

男左女右　我国民间广泛流行的有关男女方位的俗信。即凡事男属左、女属右，男居左、女居右。中国古人一直有运用空间使人伦关系秩序化的习惯。男左女右的信念表现在许多方面：一般的民间礼仪活动大多以男左女右的规则来区分性别，信仰领域的活动亦复如此。男左女右的俗信更多地反映在人生礼俗中，诸如预测生男生女、婚娶仪式、合葬方位，无不如此。如：孕妇过门槛时经常先迈左腿主生男孩；先迈右腿主生女孩；生了孩子，生男"设弧于门左，左为"天道所尊"，生女"设帨于门右"，右为"地道所尊"；新人拜堂男居左、女居右，土葬合葬棺木男左、女右，男左女右的习俗具有深刻的社会文化意义，即男尊女卑、男主女从。古人尚左，左尊而右卑，故男左而女右。不过，我国先秦并非男左女右，而是女左男右，就是说，那时的习俗是尚右。当时的尚右风习，在人生礼俗以外的其他方面亦有反映。

合卺 又叫"合瓢"，旧时婚礼中的一种仪式，俗称喝交杯酒、喝交怀盏儿。《三礼图》对"合卺"下了定义："合卺，破匏为之，以线连柄端，其制一同匏爵。"即将匏瓜平分为两瓢，结婚时，新郎新娘各执一半，盛酒饮之。清人张梦元解释说："婚礼合卺同用匏，谓之卺，今作卺。用卺有二义，匏苦不可食，用之以饮，喻夫妇当同辛苦也；匏，八音之一，笙竽用之，喻音韵调和，即如琴瑟之好合也。"可见合卺有表示夫妇合为一体和同甘共苦两层含义。至宋代，合卺发展为喝交杯酒。所用器皿已经不再是古时的匏，而是普通的酒杯了。如南京，由"搀亲"（即伴娘）照顾新人互饮交杯酒。用彩结连结两盏，新人互饮一盏，或各饮少许，然后交换，再互饮一次。饮过交杯酒后，新人才入洞房。合卺之俗也衍及当代。其法除新郎新娘的酒杯用红绳拴系、共时共饮以外，还有手臂交叉、互喝对方杯中酒等方式。合卺与同牢、结发一样，都具有一定的契约性，都有寄寓、祝福新人同偕到老的用意。

合髻 即婚礼过程中的结发礼。古代婚礼在合卺后，常行"结发"礼，即新婚夫妻把头发共同束结为髻的仪式。此俗周时即已盛行，到唐宋时仍流行，《五代史·刘岳传》载："其婚礼亲迎，有女坐婿鞍、合髻之说，尤为不经。"到宋代，《梦粱录》记："行交卺礼毕，以盏一仰一覆，安于床下，取大吉利义。次男左女右结发，名曰合髻。"《东京梦华录》记："对拜毕，就床，女向左，男向右坐，男左女右，留少头发，二家出匹段钗子、木梳头须之类，谓之合髻。"行合髻礼时，夫妇同坐一床，故分男左女右。且此俗只行于首婚，再婚者不用。故后世常有结发夫妻之说，表示初婚的夫妇。结发之礼有祝福新人同偕到老的寓义，象征着夫妇永不分离。

合葬 人类婚姻制度发展到专偶婚后的一种葬制，专指有婚姻关系的人死后葬在一处，如夫妻合葬、夫妻妾合葬等。合葬制度，古已有之。我国现已发掘出商代的夫妻合葬墓，春秋战国时代合葬也很常见。《诗经·王风·大车》有"穀则异室，死则同穴"的诗句。考古学者认为，夫妇合葬习俗在我国的普遍流行是在西汉中叶以后。著名的乐府诗《焦仲卿妻》中有"两家求合葬，合葬华山旁"的句子。从正常情况看，夫妇并不会同时死亡，所以人们在挖墓穴时，或者虚左以待（男），或者虚右以待（女），以致造成合葬细节上的许多差别。一般来说，墓坑合葬有"并穴合葬"、"同坟异穴合葬"和"同穴合葬"，即两个墓坑挨在一起并排而葬，同一坟丘下挖两个墓穴合葬，在同一墓坑中并棺而葬。黄土高原地区盛行同穴合葬，夫妇中先去世者入墓后，待另一方去世时，再重新掘开墓穴，依男左女右顺序并列棺木，棺木上横搭一红布带，以示夫妇同心。在我国西南少数民族地区，还有夫妇同棺而葬的风俗，广西西北部白裤瑶的崖葬，便是如此。另外还有墓室合葬的情形，即先筑好墓室，一方死后，放入其棺椁，待另一方去世，再打开墓室门，放入后死者的棺木，以求合葬。合葬之俗有着深刻的文化根源。一方面，合葬习俗显示出人们的一些情感意愿，即借助于灵魂观念将婚姻关系维系到底。更重要的是，合葬制也反映出传统中国强烈的宗法观念和夫权观念。即妇女没有独立的社会身份，只是丈夫所在家庭的附属品，生是丈夫的人，死是丈夫的鬼。合葬宗墓，就如同将名字填入家谱一样，标志着妇女最终成为夫家的一员。

会亲 旧时汉族民间的一种婚俗，流行于全国各地，指新郎在婚后会见女家亲族的仪式。各地的会亲时间、地点、方式都不一致。有的地方是在新娘回门时，由岳家带新郎拜见亲族，同时设宴款待亲族；也有的是岳父和女方近房到女婿家，女婿设宴招待，并邀绅士作陪。此次岳家应携带礼品，广为分送；还有的在婚后第三天进行，仪式简单，只招待一道菜即告退；也有的在婚后10天，在男家由新人设宴招待新娘的父母和姐夫妹夫等。泉州旧俗为婚后第五天，新人回娘家会亲。会亲时坐四抬红呢大轿，前面有鼓乐彩旗，同时男家挑去各色糕点糖果，并备具若干衣料，供分送女家房亲。到女家后，入门向长辈行礼请安，向平辈小辈人问好，中午设宴招待女家亲友。

传席 我国一些地区婚礼上的一种仪式。结婚那天新娘被迎到男家门口，下轿后脚不履地，有人相递传铺毡毯或草席等，新娘踏席而行，故称传席。此俗古已有之，在唐代较为普遍。白居易《春深娶妇》一诗云：“何处春深好，春深嫁女家。……青衣传毡褥，锦绣一条斜。”《东京梦华录·娶妇》：“新人下车，担，踏青布条或毡席，不得踏地，一人捧镜倒引，引新人跨鞍、蓦草及拜上过门。”元代的《南村辍耕录》载：“今人家娶妇，舆轿迎至大门，则传席以上，弗令履地。”在此仪式中，新妇不得踏地，即不可得“地”，暗示女到男家，不可有权有势，反映出男尊女卑的观念。这种习俗至今仍存在于一些地区的婚礼中。

传袋 传席发展到一定阶段的替代仪式。仪式与传席的过程相同。只是以米袋代席铺地。《知新录》记：“今人娶新妇，入门不令足履地，以袋递相传，令新妇步袋上，谓之传袋；代、袋同音也。”清人笔记《不下带编》（卷二）载：“今杭俗用米袋承毯，名曰‘传袋’，又曰‘袋袋相传’，以袋隐代。”《中华全国风俗志》记录江浙习俗：“新妇进门，以布袋铺地，辗转更换，令步其上，谓之传袋，犹言传代也”，“出轿时，用米袋直铺至花烛前，新娘脚米袋，曰步步高、代代好”，表现了对多子多孙、世代相继的企望。近代风俗诗人谢告叔诗云：“箫鼓声中笑语哗，两行红粉迓香车。锦裀层送偏铺袋，为祝绵绵瓞与瓜。”其中“为祝绵绵瓞与瓜”一句,清楚明白地道出了传袋习俗的寓意。

行状 也叫"行述"、"事略"、"状"等。是记述死者世系、籍贯、生卒年月和生平事迹的文字,类似今天所讲的死者生平。一般在人死后,由死者的学生旧友、同事亲人撰写,供封建王朝议谥参考或供撰写墓志、史传的人采用。写法上往往多赞美之词。历史上行状也不乏优秀篇章,如唐代韩愈《赠太傅董公行状》,柳宗元的《段太尉逸事状》等。

迁葬 也叫"移骨",旧时的一种丧葬习俗。即把死者的遗骨从一处迁往另一处,目的是祓除灾祟。迁葬时还伴有鼓乐。此俗在南北朝时即有。《梁书·顾宪之传》还记载:"衡阳土俗,山民有病苦,辄云先人为祸,皆开冢剖棺木,洗枯骨,名为除祟是也。"水族民间也有迁葬习俗,但是因死者客死他乡,就地埋葬,以后再迁回家乡安葬。也有的在第一次安葬后,家里祸灾不断,死者的坟就此被认为罪魁祸首,只得另找吉地安葬。

自梳女 旧时广东广州、顺德、南海等地对当地终身不嫁、长住娘家的女子的称谓。这些女子常由"金兰会"组织保护,以免人单势弱,受人欺凌。自梳女大多不靠家庭,十七八岁即开始自谋生路。挣得的钱财除自己享用外,节余部分归"金兰会"姐妹使用。特别是待到自梳女病老之时,娘家不会收留(传说会给娘家带去晦气),就只能住进"金兰会"集体营建的"姑婆屋"。《西南旅行杂写》记,自梳女住在一起,组织严密,生前称住所为"姑婆屋",死后称为"姑婆山"。自梳女自愿结合,多则百人以上,少则十余人。平时由年长者掌事,负责安排屋内的日常起居饮食。自梳女的标志是将头发覆于耳上,不涂脂抹粉,以示毁容。

仰身直肢葬 世界各民族最普遍的葬式,即身体仰面朝上,四肢并拢伸展。这种姿势像是睡觉,意在让死者平稳安睡;同时还有让死者仍能便捷地与人世交流的用意。我国汉族土葬都采取这种葬式。北方一些地方土葬时,让死者头朝北,脚向南(棺材大头朝北,小头朝南),墓里灯放于头边,焰饭罐置于脚底,便于死者起坐就餐。墓外墓门在南面,便于死者起身外出行动。近年来逐渐趋于主导地位的火葬,火化前的遗体也采取这种姿势。在同时实行仰身直肢葬和屈肢葬的墓室中,采用仰身直肢葬的多为男性、主人,采用屈肢葬的多为女人、奴仆,由此可见两种葬式所代表的主人身份的差别。

字 根据人名中的字义,另取的别名叫字,是中国古人名的一种。字往往是古人行冠礼时取的,用以表德,又叫"表字"。如汉代班固字孟坚,三国时蜀国的诸葛亮字孔明。《礼记·曲礼》云:"男子二十冠而字。"旧时,取字以后,外人不再称名而称字,以示尊重。《仪礼·士冠礼》云:"冠而字之,敬其名也。"《礼记·檀弓上》载:"幼名,冠字,……周道也。"疏:"人年二十,有为人父之道,朋友等类,不可复呼其名,故冠而加字。"

守孝　指为亡人尽孝。古代有百日守灵尽孝的习俗。父母死后，百日之内闭门谢客，不问世事，甚至不能洗澡、理发。特别是大殓到出殡那段时间，子女等亲属要日夜守侍灵柩旁，男不剃头，女不梳发，食素寝苦，早晚烧纸焚香，以示孝心。更有甚者，古人还有孝子守孝三年的做法。但贫苦人家，由于生活所迫，常常不拘百日、周年、三年的老例，一般在圆坟或五七后即出门进行正常的生产活动。

守花烛　旧时汉族婚俗。花烛是婚礼专用的、绘有龙凤纹饰的大红蜡烛。新婚之夜，一对新人在洞房内对着花烛，通宵不睡，谓之"守花烛"。洞房内的花烛应成双陈列，因其只有一根芯，象征爱情专一，同甘共苦。有的地区不必新人亲自守花烛，可由攙扶和伴娘代劳。这时攙扶、伴娘便须时常进房察看花烛有无熄灭、损漏。民间有"左烛尽新郎先亡，右烛尽新娘先亡"的迷信，故若一烛熄灭，即将另一烛熄灭。中国人崇尚夫妻同偕到老，同生共死的境界，守花烛一俗也反映了这种意愿。据载，此俗魏晋时已有，一直流行到近代许多汉族地区。

冰人　古时对媒人的一种别称。事见《晋书·索统统》：孝廉令狐第梦见自己站在冰上，和冰下人说话。索统圆梦解释说，冰上为阳，冰下为阴，梦兆表明有阴阳之事。你在冰上和冰下的人说话，人阳语阴，主为人说媒。所以你该替人作媒，冰河开

了，婚姻也就成了。由此，后人称媒人为冰人，或简称冰。明代谢说《四喜记》中《忆双亲》记："这一曲《鹧鸪儿》，就是我孩儿的冰人月老"，《聊斋志异·寄生》记："父遗冰于郑，郑性方谨，以中表为嫌，却之。"后世除称作媒者为冰人外，又称婆亲时来往男女两家的轿夫为冰舆，仆人为冰从。

冲月　民间生育禁忌，流行于我国许多地区。妇女分娩后一月之内要"坐月子"，这期间除亲属外，男子一律不得进入产妇房内，否则就会"冲月"，既影响产妇、婴儿，也影响自己。这种习俗有一定的信仰因素，比如产褥禁忌、产妇不洁等；同时也有一定的科学道理，如保护产褥期妇女和初生的婴儿。

冲喜　旧时汉族地区的一种封建陋习。男女订婚后，男子若染上重病时，男家常抓紧时间筹办婚礼，将女子娶过门，想以"喜"冲走病患。具有极强的封建迷信色彩，往往给妇女的身心以极大的戕害，是应坚决革除的恶习。

产翁制　指男子模仿妇女生育孩子，以示子女归属父亲的行为，民族学、人类学把这种"男人分娩"、"男人坐月"的习俗称作"产翁制"。产翁遗俗，不仅我国古代有，在世界许多民族中都曾出现过，直到今天，也还有一些部落民族保留此俗。我国西南少数民族曾盛行过产翁习俗，据《太平广记》引《南楚新闻》记载，仡佬族、壮族的妇女生产三天后，便到溪流河川里洗浴，回来后伺候丈夫

吃喝，而丈夫则抱着婴儿，拥着被子，坐于寝榻。《马可波罗行记》记载傣族妇女产子，洗后裹以襁褓，产妇立起工作，丈夫则抱子卧床40日，卧床期间，受诸友庆贺。在"产翁"模拟分娩时，往往显出痛苦之状；之后便戴起头帕，捂严身子，做怕中风怕病状，并还要抱起孩子给他喂奶。产翁制习俗的出现，意味着两性繁殖观念的发端。过去，孩子一直是母亲的产物，现在通过这种方式，男性要证明孩子是父亲身上的血肉，当然继承父系血统。这种习俗实际上是人类社会由母系制向父系制过渡的产物。母系社会中，女性是生活的主宰，男子处于服从的地位。后来男性在社会生产中逐渐占据了主导地位，但妇女生子却是男子替代不了的，于是为了享有、取代女性的这一特权，确定子女的父系世系，以巩固父权的地位，产翁制便诞生了。

衣冠葬　我国古代葬法之一，即仅埋葬死者穿戴过的衣冠。这一葬法可追溯到氏族社会后期，当时部落间常发生战争，人们为纪念战争中死去的勇士，便营造出他们的衣冠冢，以祈求他们的灵魂保佑族人。古籍中对这种葬法也多有记载，如《汉书·郊祀志上》载："上曰：'吾闻黄帝不死，有冢何也？'或对曰：'黄帝以仙上天，群臣葬其衣冠。'"《岳阳风土记》云："又有宝慈观，乃张真人炼丹飞升之所，弟子葬其衣冠，俗谓之衣冠冢，丹灶遗亦尚在。"后来这种葬法流行于沿海地区，渔民出海打鱼遇难，尸体难以寻找，亲属们便在

陆地为他们建造衣冠冢，以表纪念之情。除这种尸体难以寻找的情形外，有的时候人们为表达对伟人、名人的崇敬、景仰之情，也在不同地区建造几个衣冠冢，以表哀思。

红娘　民间对媒人的一种称呼。故事出典于元剧《西厢记》。红娘是《西厢记》中女主角崔莺莺的婢女。贵族小姐崔莺莺与穷书生张君瑞恋爱，遭到莺莺母亲的反对，经红娘从中设谋撮合促成两人的结合。后来红娘便成为助人完成美满婚姻的人或物的代称。《十二楼》中有"绿波惯会作红娘，不见御沟流出墨痕香"的句子。红娘现亦指婚姻介绍人、婚姻介绍所、刊物觅偶专栏等，如"电脑红娘"、"电视红娘"、"报纸红娘"等。

买路钱　民间的一种丧仪，又叫送盘缠。一般在人死后的第三天，在村庄的十字路口烧许多纸货。传说关押在土地庙里的鬼魂，这天要启程西行，路上需要盘缠，亲人应及时送到。山东黄县等地的盘缠是几个纸包袱，里面装着金银纸折的元宝，上面写有死者名字，以防其他鬼魂冒领。送买路钱包括祀庙和拜祭两项内容。首先在土地庙前上供焚香，祈求土地爷不要刁难羁绊死者灵魂，以便能及时起程奔赴西天。然后是拜祭亡灵，点火烧盘缠，送死者鬼魂起程，大家三步一叩，五步一拜地向西走20步左右停下，节哀返回，至此仪式结束。

抓周　又称作"试儿"、"试晬"、"拈周试晬"，为流行于我国汉族许多地区的育儿习俗。是用来卜测幼

儿性情、志趣、前途和职业的一种仪式。婴儿过一周岁时，父母为他（她）陈列文具、玩具、生活用具等物品，任其抓取，或用盘盒盛这些物品让孩子抓周，这个盘盒就叫"晬盘"。俗信孩子所抓物品和他的品性、未来前途有关。据记载，此俗在北齐时即已出现。《颜氏家训·风操》云："江南风俗，儿生一期，为制新衣，盥浴装饰，男则用弓矢纸笔，女则刀尺针缕，并加饮食之物及珍宝服玩，置之儿前，观其发意所取，以验贪廉愚智，名之为试儿。"《梦粱录·育子》曰："其家罗列锦席于中堂，烧香秉烛，顿果儿饮食，及父祖谐敕，金银七宝玩具、文房书籍、道释经卷、秤尺刀剪、升斗等子、彩段花朵、官楮钱陌、女工针线、应用物件，并儿戏物，却置得周小儿于中座，观其先拈者何物，以为佳谶，谓之'拈周试晬'。"《东京梦华录》中也记载了这一"小儿之盛礼"。明代将此俗称为"期周"，到清代叫"抓周"、"试周"。《红楼梦》中就记有宝玉抓周的情节，贾政便因其抓了脂粉和钗环而骂宝玉将来必为酒色之徒。现代以来，此俗在民间仍有传承。

抢婚　也叫"掠夺婚"、"抢劫婚"。原始社会的一种婚姻习俗，即由男子通过掠夺别的氏族部落的妇女的方式来缔结婚姻。此俗产生于母系氏族向父系氏族过渡期。一方面，母系氏族解体时，妇女还不情愿从夫居，故只有靠掠夺；另一方面当时部落间冲突频仍，抢来战俘作妻子很普遍。《周易·屯》曰："屯如邅如，乘马班如，匪寇婚媾。"描述的即为抢婚场面。我国历史上的室韦、靺鞨等族都有此俗。旧时，景颇、傈僳、傣、高山、瑶、壮、哈尼、彝、土族等少数民族也曾流行过。抢婚最早带有掠夺性质，但后来演化为象征性的抢亲或自主式的抢亲。前者是仪式性的，带有明显的喜庆热闹气氛，如现在云南禄劝一带的彝族仍有抢婚习俗。娶亲那天，男家挑选精壮男子到女家抢亲，女家则组织姑娘守护新娘，打闹得难舍难分。最终胜利者必为男子，当小伙子背起姑娘撤走时，姑娘们在身后追，走过一、二里地，姑娘们转换为送亲角色，婚礼顺利进行。黎族抢婚也是如此。自主式抢婚多为事先征得女方默许，由男方约集伙伴佯作抢婚。这种行动多在男女青年的自主婚姻受到阻拦时发生的。《陔馀丛考》载："村俗有婚姻议财不谐，而纠众劫女成亲者，谓之抢亲。"

报庙　东北地区汉、满两族都有的丧葬习俗。辽宁满族地区，人死后须用麻纸掩面，人在其灵床前放一盂饭，插上三根筷子，灵床下点燃一盏灯。请人提着灯笼在前引导，子孙随后，同到附近的庙祠之中焚香化楮。来回途中还要大声哀唱号哭。东北三省的汉族地区也有报庙之俗。当地人认为人刚死时并未离开，其灵魂就在当地的土地庙中栖身。因此子孙每天三餐仍需前往庙中送"浆水饭"。人死三日后的傍晚，亡者的儿子要背着纸钱褡裢报庙。死者的儿子走在最前，亲属尾随其后，沿路哭号。并围着庙向左绕三圈,再向右绕三圈,然后在庙门口的地上划一圆圈,西南方向留一口,人们要在圈内烧化纸褡裢,上面洒上"浆水饭"。并借此火点烧扫帚,死者的长子拖着它围圆圈转,最后把扫帚立在板凳上,面向西南,呼唤亲人。

报喜 汉族及一些少数民族的生育风俗。中国传统观念认为添孩子即添喜,故称女婿前往岳父母家通报为"报喜"。我国各地报喜的具体礼俗不尽相同。最常见的是带喜蛋(红色)前去岳家报喜。安徽《叶集镇志》记:"富者生儿育女则大送红蛋报喜,以示多子多福。"有时报喜时所携东西带有生男还是生女的标志。浙江地区报喜时,生男孩另用红纸包毛笔一枝。女孩则另加一条手帕。陕西渭南一带报喜时带一壶酒,上拴红绳为生男,拴红绸为生女。安徽淮北地区则带喜蛋,单数为生男,双数为生女。湘西地区则提鸡报喜,提公鸡示生男,提母鸡示生女,双鸡表示双胞胎。塔吉克族的报喜方式颇为独特:生下男孩时,父亲冲天窗鸣三声枪,并将枪放在孩子的头下,一则报喜,二则祝愿孩子勇敢、能干;生女孩时,告示邻里,并在孩子头下放一把扫帚,祝愿孩子长大后勤俭持家。各地报喜的时间也并不一致。山东等地在生育后第三日;安徽淮北地区是在生育后第八日;安徽江淮地区则在生育当天或第二天。

抛新娘 流行于南方沿海地区的汉族婚俗,是传统渔民接亲的礼仪之一。迎亲那天,渔船悬灯挂彩,男女船上各挂一面铜锣,齐敲13响后,整夜擂击不息。第二天,男方接亲船和女家船间相距一米,并行排列。民间认为不得靠拢,否则不吉利。选派两名身强力壮、父母双全、子女双全、夫妻恩爱、家境富有的男子(利市人)分别站在两家船上。女家利市人要先喂新娘吃"离娘饭",喂一口,说一句利市话。吃毕,向男船喊:"千金小姐送上来。"男船接着喊:"皇孙公子站起来,珍珠凉伞撑起来。"与此同时,女方先放"招待炮",然后放"动手炮"。此时抛新娘的利市人拉过新娘,一手托背,一手托臀,向男船抛去,男船接住,让新娘站在船头铺着的袋子上。男船又放"进门炮",拔起船篙,撑船转三圈,驶向上游。新娘新郎立在船头拜天地。此俗原先为新娘端坐木盆中,由女家船浮至男家,到清代才演变为较复杂的"抛新娘"仪式。

抱瓶跨鞍 民间婚礼中的一种仪式。这种习俗古已有之,《坚瓠广集》中记载:"唐突厥默啜请尚公主,诏送金缨马鞍。默啜以鞍乃涂金,非天子意,请罢和亲。鸿胪卿知逢尧曰:'汉法重女婿而送鞍,欲安且久,不以金为贵。'默啜从之。今人家娶妇,皆用鞍与宝瓶,取平安之意,其来久矣。"《老北京的生活》中记到:"随着新娘下轿,八旗满洲因山婚俗则递'宝瓶',……令新娘抱持。宝瓶也是家伙铺预备。内装金银米(黄米、白米)、金银如意,上盖红绸,系以五色丝线。婚礼三天后才能倒宝瓶,仪式是新夫妇坐在炕上,由家人倒于兜中,以得金银如意者为有财气。新娘怀抱宝瓶,迈过雕鞍,足踏红毡,到天地桌前同参天地。"在这一仪式中,"瓶"与"平"谐音,"鞍"与"安"谐音,新人从花轿出来,跨过放于男方家门口的马鞍,取平安之义。旧时妇女从娘家到婆家是人生的一个关口,婚礼上抱瓶跨鞍而过,意味着超越了许多困难,在心理上有一种安全感。故有仪式歌云:"新人跨马鞍,一世得平安!"这种行为具有明显的象征意义,也带有迷信色彩。

坟墓 埋葬死人的墓穴和地面上的坟头。古时"墓而不坟",只有墓穴,不堆坟丘。据史料记载,坟丘的出现大约在春秋、战国之际,战国时期已很普遍。以后,"丘垄必巨"成为帝王陵墓的一个显著特点,坟成了地位的象征。因此各朝代对坟的规模(高度、范围)都有不同的规制,墓穴也因地理环境以及社会地位等的不同而有许多具体的样式。在我国最常见的是土坑墓,为一般士庶人家所用。其形制一般是一南北向的长方坑,坑壁有时凿龛、凿台,放焰饭罐、长明灯或殉葬品。富有一些的人家或皇族大族则筑墓室,即用砖石等构筑规制不一的墓坑。简单的在土坑壁垒以砖墙、顶部出穹顶,复杂的则俨然地下宫殿,有墓道、墓室等,面积也较大。

求子 有些地方又叫"祈子",即长期不孕的妇女或其家庭进行的祈求子嗣的礼俗活动。旧时妇女能否生育、生男还是生女,决定着自己的家庭地位和社会地位,也决定着家庭的宗法地位和社会地位。所以祈子求嗣的习俗,普遍受到乏嗣者的重视。过去在缺乏科学医疗条件和不了解生育知识的情况下,人们往往迷信神灵,祈求神灵和祖先赐予子嗣。求子的仪俗很多,有以下几个类别:一是求助于神灵,进行供神敬佛等媚神、求神活动,有的还辅以其他祈求子嗣的习俗活动,如拴娃娃、领抱、供送子观音等。第二是借助与神无关的习俗活动求子,如中秋节的摸秋、元宵节老北京的摸钉等。三是借助于生殖崇拜活动求子,比如许多地方不孕妇女钻山洞(女性生殖器崇拜),云南纳西、普米族的祈求"久木鲁"(男性生殖器崇拜),湖南长宁县的"求子洞"习俗(模拟性交)。求子活动的丰富多样以及人们对此的执著,反映了传统中国重视子嗣、"早生儿早得福"、"多生儿多得福"的民俗观念。

丧盆 旧时汉族的一种丧葬习俗。指专为死者焚烧纸箔的瓦盆。俗信死者到阴间也需花钱,因此要烧纸钱,为使自家的纸钱不被外鬼抢走,就须将纸钱在瓦盆中烧化。烧化的纸灰,用黄纸包好,入殓时放入棺内。出殡时由死者的长子或长孙摔盆起杠。旧时摔盆人可获继承权。《红楼梦》中秦可卿没有生育,丫环宝珠"摔丧驾灵",做了秦氏的义女。孔府孔令贻去世,其子年幼,便让老当差屠世奎代为摔盆、打哀杖。屠因此得了一座田庄。摔盆也有讲究,要一次摔破,越碎越好,因为传说瓦盆是死者的锅,摔碎了才能带到阴间去。

寿礼 民间用以祝寿的礼品,由贺寿的来客赠送,如寿桃、寿糕、寿面、寿烛、寿屏、寿幛、寿联、寿画、寿彩、万年伞等。这些礼品上往往都要加上象征长寿的图案或祝寿词。各地所流行的寿礼不完全一致,如山东掖县出阁女子为父亲祝寿,一定要送祝寿饽饽一摞(5个)用以祝寿,另外加一个供寿星。浙江海宁则须为老人做绸衣、绸裤、绸面鞋,用蚕丝祝福老人长寿。另外,寿礼还指寿诞礼仪,即"过生日"、"做寿"的礼仪。(参见"做寿"条)

寿联 专门用来祝寿的对联。寿联因男女、年龄的不同,措辞、用典也有不同,并有自寿他寿之分。自寿的寿联往往用来抒发个人怀抱、人生感慨,或用来自勉,往往题作"×十自寿"。日常生活中,为他人赠送寿联的更多。最常见的寿联有"福如东海,寿比南山。"儿女寿父的有:"椿树千寻碧,蟠桃几度红。"寿母的有:"萱草凝碧辉南极,梅花舒芳绕北堂。"70岁寿联有:"从古称稀尊上寿,自今以始乐遐龄。"儿孙寿90岁老人联:"人近百岁犹赤子,天留二老看玄孙。"寿联的写法多样,有的极具艺术性和个性特点,清代才子纪昀曾写有著名的"寿乾隆五十寿诞"联:"四万里皇图,伊古以来,从无一朝一统四万里;五十年圣寿,自今而后,尚有九千九百五十年。"革命家章太炎则留有"西太后七十寿辰讽"联:"今日到南苑,明日到北

海,何日再到古长安?叹黎民膏血全枯,只为一人歌庆有;五十割琉球;六十割台湾,而今又割东三省!痛赤县邦圻益蹙,每逢万寿祝疆无。"

寿幛 用来祝寿的整幅或大幅布帛,上面题有吉语贺辞向寿星祝贺。寿幛多为红色或金色,大小和中堂差不多,到明代才开始盛行幛词,形成目前的寿幛风格。

寿衣寿材 寿衣即"老衣",寿材又称"寿器"、"老房子"。我国许多地区都流行人到50岁时,子女便为父母做寿衣、寿材,以期百年之后穿、用。寿衣以棉布、麻布为主,一般忌讳用缎子和丝绸。剪裁一般选在"五富日",即把12个月分3组,和亥、寅、巳、申相配,一、五、九月选亥日,二、六、十月选寅日,三、七、十一月选巳日,四、八、十二月选申日。寿衣做好之后,要让老人在节庆日穿戴,俗信,活时穿什么衣服,死后也穿什么衣服,否则死后穿新衣,亡者不知道。寿材即棺材,只是民间生不称棺。一般选在闰月做寿材,俗话说"闰年闰月一百岁"。做寿材那天,要挂纱灯、燃龙凤烛、献寿桃、献净水、烧香叩头,为双亲敬长寿酒。做材须让木匠先用锛子将原木砍一下,凭木屑飞出的远近,估算人寿之长短。材成之日,要给木匠送礼,并邀请众乡亲举行上寿活动。备好了寿衣、寿材,老人的心里才能宽慰,认为老有所归了。(参见"穿老衣"条)

听房 旧时汉族一些地区流行的旧婚俗。指新婚之夜,新人就寝后,和他们比较亲近的亲友在窗外、门

外,悄悄等候偷听房中动静,并以此为乐。《汉书》载:"新婚之夕,于窗外窃听新妇言语及其动止,以为笑乐。"《后汉书·列女传·袁槐妻》载:"帐外听者为惭,盖俗之听房者。"此俗在近、现代仍有流行。这种习俗建立在一系列俗信之上,其目的除取乐之外,还有看新郎新娘是否和谐、有无生子之兆等用意。俗传,屋内新人交谈,新娘先说话生女孩,新郎先说话生男孩,新婚之夜不说话,将来的孩子是哑巴。因此新郎往往先找话说,新娘则拿点心与新郎共享。此时听房的人们常会起哄讨点心吃。传说新婚之夜有人偷听、开玩笑,有利于新娘怀孕,因此新人对听房人的玩笑往往不以为意,男家人则更以此为吉。

步步高 传统婚礼中的一种仪俗,即用象征性的登高活动祝福新人日后步步高升。苏州迎亲时要带两盘大的圆蒸糕,称"步步高",放于新娘床前。新娘穿新鞋踩在蒸糕之上,取步步登高(糕)之音示吉祥,祝福婚后生活蒸蒸日上。山东等地亦有此俗。此外也有的地方在新婚床(炕)下放一块石头,石上放半袋高粱(或半口袋高粱半匹白布),新娘登着上炕,取名为"步步登高"。这种寓有吉祥意义的象征行为,在当代婚礼中仍可见到,比如新郎背新娘上楼梯,亦称步步高。

伴娘 旧时嫁娶仪式中女方所请的陪伴新娘的年轻女子,一般为新娘未出嫁的族妹、表妹或女友,也有雇请有经验的女子来充任。现在则常常请与新娘关系密切的女友或亲戚。伴娘的品貌等无异于女家身份地位的标志,所以多延请品端貌丽、娴于应酬的女子担任。伴娘又被称作"女傧"、"女傧相"。其职责是伴随、护送、照料新娘从娘家到婆家,从轿中接出新娘,并在婚礼仪式上帮助新娘对付亲友的玩笑、嬉闹。有些地方在闹新房时,也有戏弄伴娘之风。《中华全国风俗志》载:"新婚之家,于未婚之前,必央求媒介寄语女家,聘请伴娘一个或二人,择容貌清丽、歌曲工雅者充之。俟亲迎之日,肩舆而来,于是一般作客者,使酒纵情,任意调戏,甚至偷香苟合,无所不至。少则三五日,多或一二月,随婚家之贫富为转移。至亲好友,微论远近,一闻伴娘之美丽,必连翩而来。"

传灯照亡 流行于我国一些汉族地区的丧葬习俗,是一种邀请僧尼、道士为死者超度亡灵的法事。传灯,原为佛教用语,指佛法能照亮众生的黑暗,以灯喻佛法。佛家弟子教化众人,辗转相传,叫"传灯"。《维摩经·菩萨品》:"无尽灯者,譬如一灯燃百千灯,冥者皆明,明终不尽。"俗信人死后进入冥冥阴间,佛法如明灯一盏,为亡灵扫除黑暗,带来光明,找到依托。所以人死后需做佛事。做法事时,僧尼还要伴以传灯动作。《红楼梦》第十四回记:"这日乃五七正五日上,那应佛僧正开方破狱,传灯照亡,参阎君,拘都鬼。"也有一说"传灯照亡"是在死者脚后燃灯,为亡灵照亮去路。

坐斗 也叫"踩斗"、"踏斗"，我国许多民族中都有的婚俗。四川一些汉族地区的女子在准备出嫁"上梳"时，在堂屋设席，席东放一斗，斗中盛一些米，用红纸盖好，上面扣以竹器，女子将脚放在竹器上梳头，传说如此做便会荣华富贵。当地民谣唱道："脚踩金斗四角方，荣华富贵米粮仓"。旧时鄂西土家族也有"踩升斗"习俗。也是出嫁那天，在堂屋放升、斗或豆腐箱子。新娘梳妆后，由其兄嫂或弟妹背出。经堂屋时，新娘须在升、斗、豆腐箱上留下脚印，然后出大门方可换上婆家的绣花鞋。此俗也为了祝福娘家五谷丰登，并有把财富留给娘家之用意。

坐月子 产妇分娩后，三日之内不下床，一个月之内不出屋门，或者不出街门，俗称之为"坐月子"。旧时产妇一般在第三天下床，有的地方第一次下床、出屋门、进灶台、上井台都要烧纸，以谢床神、门神、灶神、井神。许多地方三日这天要谢送生神，以谢生神爷爷、生神奶奶送子之恩。产妇"坐月子"期间，一般不再劳作，由别人伺候饮食起居。月子里的产妇穿得较为暖和，一般习惯包着头。饮食主要是煮鸡蛋、小米或糯米做的稠饭，再加上红糖，还要吃些猪蹄、鲫鱼汤之类的下奶和补养身体的食物。最好不吃盐味，以保证奶汁充足，忌吃豆制品，以免叉奶。月子里产房中有许多禁忌，主要是忌生人进屋。生人进入产房谓之"踩生"，据说会把小孩吓出脐带疯来。同时，没出满月的产妇也不能随便外出走动，据说产妇不洁净，污血会冲了神灵，使人晦气。

坐床压帐 汉族旧时婚俗。各地仪式不尽相同，有的地方谓之"坐富贵"。孟元老《东京梦华录·娶妇》记："新人下车担，……于一室内当中悬帐，谓之坐虚帐。或只径入房中坐于床上，亦谓之坐富贵。"苏州一带旧俗，新郎新娘都不愿先坐床，因为传说谁先坐日后谁受压。山东民俗则为：新娘被送入洞房，朝喜神所在方位坐下，谓之"坐帐"。以前坐帐要坐三天，为此新娘在婚前几天便要节食，以免坐帐时难堪，后改为一天，或象征性地坐一下午。新娘在洞房坐帐，亲朋来看新娘，并让其点烟、分送糖果、点心。洞房外，新郎则忙于酒席招待。

饭含 古代的一种丧俗。指在死者口中放米贝或珠玉。置米贝称"饭"；置珠玉叫"含"，又作"琀"或"唅"。古人视施行饭含之俗为尽孝之道。《公羊传·文公五年》何休注："孝子所以实亲口也，缘生以事死，不忍露其口。"饭含的具体物品有等级的区别，各代也不相同。周代时，天子、诸侯饭粱含璧，卿大夫饭稷含珠，士饭稻含贝；汉代时"天子含实以珠，诸侯以玉，大夫以玑，士以贝，庶人以谷实"；唐代时皇帝和三品以上饭粱含璧，四品、五品饭稷含碧，六品以下饭粱含贝；宋人饭粱含钱。饭含的习俗直到近、现代还存在，近年已不多见。

纳吉 传统婚聘六礼的第三阶段，是把问名后占卜合婚的好结果再通知女方的仪式。后世称为"订盟","订婚",是婚礼中关键的礼仪。郑玄注《礼记》记载:纳吉"归卜于庙,得吉兆复使使者往告,婚姻之事于是定。"纳吉(即订婚)之后,男女双方均要承担社会伦理的约束,不可再随意地终止婚姻。若中途有变,需经双方协商或外人调解。在宋代,纳吉要起细帖子,序三代名讳,议亲人有服亲田产官职之类。这一从议婚到婚定的阶段,又被叫做"小聘",俗称"送定"、"过定"、"定聘"、"过小礼"。旧式订婚多以戒指、首饰、彩绸、礼饼、礼香、礼烛为定礼,也有用羊、猪的。

纳征 又叫纳币。是订婚之后男方将聘礼送往女家,进入成婚阶段的重要仪礼,《礼记》载:"徵,成也,使使者纳币以成婚礼"。俗称送嫁妆、下彩礼、过礼,正规称法为"完聘"、"大聘",只有完成纳币礼,男方才可娶过女方。纳征在古代主要用皮帛等物,多为玄缥、束帛、俪皮(两张鹿皮)。到了汉代则多用金银,其后礼品日渐繁复,南北朝的颜之推《颜氏家训》记:"近世嫁娶,遂有卖女纳财,买妇输绢,比量父祖,计较锱铢……。"

纳采 我国传统婚姻程序的之一。纳采是议婚的第一阶段,即男家向女家提出缔结婚姻的请求,相当于后世所说的"提亲"、"说媒"。《艺文类聚》(四十)引郑众语云:"纳采,始相与言语可采择之时。"封建社会中,婚姻是为了"合二姓之好,上以事宗庙,下以继祖宗",当事人双方并没有发言权。到了男女婚娶年龄,男方家长请媒提亲后,女方同意议婚,男方便需携带礼物去女家求婚,礼物用雁。《仪礼·士昏礼》记载:"昏(即婚)礼下达,纳采用雁。"古礼用雁,有多种解释,较早的解释是因为雁是一种候鸟,"木落南翔,冰泮北徂",顺应阴阳,正是所谓"男大当婚,女大当嫁",比喻人应像雁那样适时择其所。后来民间又对用雁做了新解释:雁"从一而终",若一方死亡,另一方终生不再成双。古代纳采用礼是分等级的。周代规定公卿纳采用羊羔,大夫用雁,士用雉,以后才逐渐改为一律用雁。按古礼,雁一般还要用活的。后世纳采的礼物逐渐丰富,有合欢、鸳鸯、九子蒲、双石、五色丝、长命缕、蒲带、棉絮、卷柏、嘉乐、鱼鹿等,多达30余种。晚近时候的东南则用槟榔。这些礼物多有象征意义,如合欢取欢乐之意,胶漆象征夫妇如胶似漆,蒲苇喻妇人柔顺等。近代,纳采求婚仪式常与问名之礼合并进行,有的还以鹅代雁。现在我国民间的议婚更是将纳采、问名等程序合并进行,礼物品种也更加繁多。

灵床 也叫"尸床"、"临末床"。即入殓前的停尸之床。一般设置在死者居住的堂屋明间中央,床头正冲屋门。灵床供亡灵坐卧,有的用现成的木床,有的用门板或苇箔架在长凳上搭成,还有的临时用土坯垒成。旧时对灵床上的铺盖颇讲究,现在只需铺一床单或褥子即可。病人临终,由亲朋为其穿好寿衣,由长子抱头，次子抱脚，其他人帮扶，将病人从病床抬上灵床，儿女和亲属在这里等候病人归天，然后在灵床上进行小殓。灵床也指人死以后亲属为其虚设的坐卧之具。这是我国传统视死如生信念的反映。《吾学集·丧礼门》就记载过这样的事情："柩东设灵床，施帏帐枕衾衣冠带履之属。设颒盆帨巾于灵床侧，皆如生时。"

灵牌　即灵位。丧期内的祭祀仪式在灵堂或祖庙中举行，家人往往在灵堂的供桌上放置一块桑木牌，上面写着死者的姓讳、身份、官职、封谥等，旁题祭祀者的姓名，俗称"灵牌"，古时称为"神主"或"木主"。灵牌作为亡者的化身，接受晚辈亲友的祭奠。依古代丧礼规定，从初葬到服期结束，各种名目的活动中都需要向灵牌致意。按古礼，死者过周年后，需另换灵牌，原来的桑木灵牌换上了栗木灵牌，称为"栗主"。死者去世两周年举行大祥祭时，可将灵牌置于匣中，送至祖庙，与列祖的牌位同藏一室。

灵柩　即盛有死者尸体的棺材，《释名·释丧制》载："尸已在棺曰柩。柩，究也，送终随身之制，皆究备也。"《曹子建集》第五《赠白马王彪》一诗中写道："孤魂翔故城，灵柩寄京师。"《三国志·宗室传》中写孙贲："(孙)坚同产兄也，……坚薨，贲摄帅余众，扶送灵柩。"《西厢记》第一本楔子："将这灵柩寄在普救寺内。"

灵堂　即"孝堂"、"灵棚"。旧时汉族停放灵柩的处所。《续墨客挥犀·陈烈遵左礼》云："蔡君谟(襄)居丧……(烈)与十二余生望门以手据地，膝行号恸而入孝堂。"灵堂一般设在房内，但也有的在庭院旁搭棚，用以陈列灵柩，并在此接待吊唁者，这种棚被称为"灵棚"。

奔丧　古时的一种丧葬礼俗，指出门在外的子女得到亲人去世的消息后，迅急赶回家中服孝的习俗。子女听到丧讯后，先要大哭，然后就要穿上丧服、丧鞋、戴上丧冠，火速赶路，但不在夜间赶路。若是父母之丧，则见启明星一出便行，见星再宿。途中尽量避开繁华市井。奔丧者要哀哭不止，经过家乡所属州境、县境、城镇时都要哭。到家后，先到灵前跪拜、哭悼。因伤、病、临产等原因不能奔丧者，要寄物凭吊，在外服丧。《日知录》载："《记》曰：'奔丧者自齐衰以下。'是古人于期功之丧无有不奔者。"做官者逢亲戚亡故，应去职奔丧。特别是遇到父母去世，则必须离职奔丧。但在朝中担任要职或守边的武将，若遇父母大丧，皇帝往往特诏不得奔丧，朝延派专人前往吊唁。明代初年，鉴于百官因奔丧来去频繁，严重影响官僚机构的运转，期年奔丧制度被废止，并明令规定："今后除父母及祖父母承重丁忧外，其余期服不许奔丧。"由此，为父母、祖父母奔丧的习俗延续下来，以至今日。

拦门　亲迎礼中的一项仪俗。指男方到女家迎亲到女家门口时，女方亲朋要予以"拦门"，经男方行礼后方可接出新娘。有时花轿到男家也要拦门。拦门形式多种多样,有的要求回答问题,有的要求唱和喜歌。《儿女英雄传》中有婚礼中拦门三请的具体描述:新郎到新娘家门外,赞礼的傧相高声念道:"满路祥云彩雾开,紫袍玉带步金堦。这回好个风流婿,马前唱道'状元'来。"这是"拦门第一请"。请新娘上轿,念上轿喜歌:"天街夹道奏笙歌,两地欢声笑语和;吩咐云端灵鹊鸟,今宵织女渡银河。"这叫"拦门第二请"。请新娘下轿,唱下轿喜歌:"彩舆安稳护流苏,云淡风和月上初;宾灯双辉前导引,一枝花影倩人扶。"《东京梦华录·娶妇》中记:"迎客回至儿家门,从人及儿家人乞觅利市钱物花红等,谓之拦门。"有的地方拦门时双方新人或礼官比口才、比智慧。女方礼官讲输了就搬开桌子,让客人进屋;若男方礼官讲输了,便为女方封红包、送三茶六礼才能进屋。如解放前京西居住着许多养骆驼的居民,这些人家多无街门,嫁女时门前横一板凳,请能说会道的人把守。花轿到门,娶亲人叫门,守门人提出种种难题设问,答不出来就不能娶走新娘。有时问答在几小时以上,有时因口角冲突大打出手。因此请来的娶亲礼官必须善于词令。

拦车马 也叫"回车马"、"回神"、"回煞",旧时流行于四川、湖北等地的民间婚俗。湖北传说新娘出嫁时,本家之灵会跟随而至,为防煞神附身或冲撞男家,在亲迎之日,男家请来方士或庠生,在门外设香案,列酒、烛、鸡、米等供品。等新娘车马一到,方士便祝告天地和车马神,杀鸡禳邪。祷祝完毕,还要抓米撒向新娘花轿。新郎则向花轿四周行礼,以安抚众亡灵。在四川,轿到男家门口,新娘不下轿。男家宾客在大门口摆一桌子,上面摆满供品,并全用红纸封住,桌下挂黄白纸袋。主持人焚香拜祝祭酒,向轿作揖并撒米,口中念念有词,以驱除不祥。

招夫养子 即招养夫婚的一种形式,是一妻多夫婚的变异,在东北俗称"搭伙"、"拉帮套"。一般是已婚女子的丈夫患病或外出不能抚养妻儿老小,家境贫困,不得不另招一夫,共同承担家庭的重担。被招男子往往也是贫寒出身,无能力娶妻,有时双方也可订契约生子嗣。这种婚姻在法律上无明文规定,但在民间得到承认。富家贵族为维护礼教,曾予以禁止,《宗规》云:"夫亡无招赘,无招夫养子。"从清代到近代,民间有"招夫养子"、"招夫养老"、"招夫传后"、"坐产招夫"、"坐堂招夫"等名目。

披麻戴孝 指服重孝。一般多为死者的至亲所服,大略相当古礼"五服"之制中的斩衰齐衰。孝服多由极粗的生麻布做成,不锁边,外系一缕未绩的麻丝充当腰带。元代散曲《冤家债主》有"你也想着一家儿披麻带孝为何由"句。也称"披麻带索",《琵琶记》云:"老贼,你年纪八十余岁也不识做孝,披麻带索便唤做孝。"当今,农村有些地区,这种孝服及服孝的方式依然存在。

明器　又叫"冥器"，也作"盟器"，是依实物仿制的象征性随葬品。一般用陶土、布帛、竹木、石头制成，也有的是用玉和金属、纸制成的。《礼记·檀弓下》载："其曰明器、神明之也。涂车刍灵，自古有之，明器之道也。"从新石器时代开始，明器在历代墓葬中均有发现。在商代，奴隶主贵族死后，除用活人殉葬外，还往往以有实用价值的器物来陪葬。到了宋代，纸明器开始流行，时人称这种烧给死者使用的纸制器物为"冥器"。《云麓漫钞》（卷五）记："左之明器，神明之也。今之以纸为之，谓之冥器。"这之后，传统的陶、木、石明器在墓葬中逐渐减少。明代的明器又有了进一步发展，除盛行纸制明器外，还流行铅、锡制明器。在当代，纸做明器、实物模型均有存在，有的地方把纸扎的明器称作"社火"，有的则径称"纸货"。由于纸扎明器省工、省时、省料，并且好看，所以近现代农村多用纸扎明器。明器种类繁多，就其内容而言，可分作实用型和象征型。实用明器模仿人类日常生活器物，如房屋、田地、仓、井、衣鞋被褥、桌椅床铺、车马鞍鞯、锅碗盏碟等，近年来又有彩电、冰箱、洗衣机之类现代化电器。一般来说，亲友多取死者生前喜好之物与向往都未得到之物做明器。象征性明器多为聚宝盆、摇钱树等现实中并不存在的宝物。明器之用，显然和人们相信死后世界的存在以及视死如生，不死其亲的信仰、信念相关。虽属迷信活动，但也反映了人们的美好愿望。

明媒正娶　旧时汉族婚姻仪规，即正统的封建婚姻的缔结形式。我国自古以来婚姻遵从"父母之命、媒妁之言"，并在行为中遵循纳采、问名、纳吉、纳征、请期、亲迎六礼或其他既定的程序，由此缔结的婚姻为"明媒正娶"。明媒正娶所确定的规范化婚姻仪规主要有两个方面：即婚姻的撮合必经媒妁之言，同时要有一定的婚礼仪式，它的核心是维护封建的伦理道德规范。与此相对的自主婚姻则被认为是不合封建礼法的。现在应该从根本上废除它。

闹丧　装殓死者时的一种习俗。这种习俗建立在特定的社会关系上，即死者与监护人的关系上。我国民间每个人都有相应的监护人，比如男人和本族族长，已婚女子与其父兄。这种关系在发生纠纷或礼仪活动时显得比较重要。尤其是已婚子女和人主的关系，在丧礼上表现得十分突出。人死之后，必须报告人主，只有人主到来，问清死之原因和丧葬规格等，觉得没有奸诈欺骗，并操办合理的情况下，才准许入殓盖棺，否则不得入棺，倘若未得人主同意即入殓、下葬，人主有权要求丧家开棺、启墓。有些地方则不论如何，都要大闹一番，并约定成俗，一如婚礼中的闹房。山东有些地方则将送殡时鼓乐班子的吹奏叫做"闹丧"。在我国少数民族中，闹丧之俗也比较广泛。闹丧的意义大体可从两个方面看：一方面，人们视死丧为凶事，借闹丧以淡化神秘气氛，消弥不利因素；另一方面，在人际关系上闹丧则反映出一种权利、义务观念的影响，比如姑死舅来闹丧，明显带有舅权制的遗迹。

闹洞房　又称"闹房"、"闹酒"、"戏新娘。"是旧时结婚求喜庆、喜热闹的突出表现。闹房习俗古已有之，汉代已十分流行。《群书治要》引仲长统《昌言》云："今嫁娶之会，捶杖以督之戏谑，酒醴以趣之情欲。宣淫佚于广众之中，显阴私于族亲之间。污风诡俗，生淫长奸，莫此之甚，不可不断者也。"唐宋时期，闹房之俗愈加普遍。据《鸡肋篇》载宋代吴人婚俗："如民家女子，不用大盖，放人纵观，处子则坐于榻上，再适者坐于榻前，其观者称欢美好，虽男子怜抚之，亦喜而不以为非也。"此俗在今日乡村的婚礼上仍有存留，如喝和合茶、打传堂卦、喝交杯酒等。同时又增添了许多新内容，如唱歌、点烟，谈恋爱经过、咬糖、啃苹果等。听房也往往为集体行动。如河北农村有的事先将哈蟆放在新娘被里；有的让新人当众接吻；有的躲在窗外偷听谈话、起哄，甚至藏在新房柜中等。旧时闹洞房习俗主要是制造热闹火爆的气氛，使新郎新娘尽快地熟识、亲近，因为由"父母之命、媒妁之言"成婚的新人婚前一般未见过面，众人的哄闹有利于他们克服生疏感。不过，古今闹洞房都有一些失之文雅、乃至伤害新人身心之举，这是应该予以限制和摒除的。

闹新婿　汉族的一种婚俗，指婚嫁过程中女家亲友对新郎的逗耍戏乐。此俗一般在迎亲或回门活动中进行，可分为"文闹"、"武闹"两种。"文闹"有多种形式，如猜谜、唱歌、演节目，还有的当众品评新郎，专挑他的缺陷，尽情讽刺，有的在新郎必用的器具上搞花样，来出新郎洋相。"武闹"指新郎刚到女方村宅，便遭人打；有的进女家后，就要受女眷的殴打或抹锅灰。新郎在此过程中不可发怒，应始终保持微笑。

典妻　旧时买卖婚派生出的一种临时婚姻形式，又叫承典婚，即男方用财物租用已婚女子作临时夫妻，一如物品的承典、租赁。在这种租借婚姻中，男家往往出于子嗣的需要。女家则是迫于生计。承典者还须支付一定的钱财并规定承典时间，而出典者主要完成生子的任务。典妻风在宋代就有流行，元代盛行，明清沿袭成俗，近现代仍有发生。柔石的小说《为奴隶的母亲》即叙述了一个令人心碎的典妻故事。这种婚姻是彻头彻尾的买卖婚，反映着旧社会的黑暗，应该予以坚决革除。

周晬　即周岁。旧时婴孩满一岁时举行抓周礼仪，即古人所云："拈周试晬"。宋代孟元老《东京梦华录·育子》记："至来岁生日，渭之'周晬'。"（参见"抓周"条）

乳名　也叫"小名"、"奶名"、"小字"。指婴儿哺乳期所取的非正式名字，有时小儿长大后，长辈还沿用。此俗自古便有，如汉司马相如乳名犬子，三国魏曹操乳名阿瞒，蜀刘禅乳名阿斗等。《小名录》，专门收集秦到隋人物的小名。《宋史·选举志》三《宗学》记："（咸淳）九年，凡无官宗子应举,初生则用乳名给据,既长则用训名。"宋张邦畿编有《侍小儿名录拾遗》。《谈徵·名部》载"人有小名小字。"旧时民间命乳名十分郑重,有的地方由生父携带糖、饼之类请村中长者取名。名字要与长辈亲属的名字避讳,有的取吉字做名,如祥、贵、龙、虎、宝等,但更多的是取"贱名",或带有符咒意义,以期免灾,好养活。如"狗子"、"二猫"、"小臭"、"大傻"、"二愣"等。奶名在当代仍然存在,但多数奶名仅是大名中某字的重叠,已与旧时有所区别。

命名 指为新生儿取名。此为人生重要事件,故旧时要举行一定的礼仪,称"命名礼"。命名礼古已有之,《礼记·内则》就记载了古代卿大夫的命名礼仪:三月之末择日为婴儿剪发,并于是日妻以子见父。其父执子之右手,为其命名。其母记下丈夫所言,回去把婴儿交给师傅,师傅把名字告诉同族的各个妇女。其父将婴孩的名字告诉属吏,属吏将新生儿名字遍告同宗男子,并记录下婴儿生年月日,同时通告闾(25家为闾)史,闾史书写一式两份,一份存于闾府,一份上报州(2500家为州)史,州史再上报给本州的长官州伯,州伯命下属登记藏于州府。后来,命名礼逐渐简化,名一般由祖父母、父母等长辈来起。

念喜歌 旧时流行于北京、河北及东北地区的汉族风俗。指在婚礼(分娶亲和嫁女)、生子、贺新年、建屋、开张等喜庆场合下,念诵歌谣祝词的仪式,其中以贺娶亲歌最为流行。北京过去有念喜歌的人,演唱时,手持竹板,边打边念:"登贵府,喜气先,斗大的金字粘两边。大抬轿,大换班,旗罗伞扇列两边。掏喜顶,贺喜竿,新人下轿贵人挽。铺红毡,倒红毡,喜毡倒在喜堂前。一拜地,二拜天,三拜喜婆喜当然,四拜妯娌也是喜,五拜五子登科喜状元……"喜歌有固定的词,亦有即兴编唱的,主要是求吉利喜庆,讨主人高兴。

庚帖 也叫"八字帖",即旧时订婚帖。旧时男女两家订婚时,双方通过媒人互换帖子,用红纸作封套,上面写有订婚人出生的年庚(年、月、日、时)、籍贯等,所以称"庚帖"。《琵琶记》中《丞相教女》一节记:"合婚问卜若都好,有钞;只怕假做庚贴被人告,吃拷。"待男女两家收到庚帖后,把它压在灶王龛下三天三夜,若无不吉祥的事情,就该请算命先生占卜合婚了。

试刀 流行于豫北地区的民间婚俗。指新媳妇婚后第三天下厨做第一顿饭,必须做面条。对和面、擀面、切面都有要求,若新娘动作干净、利落、漂亮,会受到婆家人的敬重,否则则受讥笑。新娘试刀的面也叫喜面,寓意吉祥如意。头锅面要孝敬公婆,祝双亲健康长寿;二锅面敬给兄嫂,愿妯娌和睦;接着给新郎,愿情深意长,白头到老;最后是新娘自己吃,象征勤俭持家,细水长流。试刀的风俗是对新娘劳动技能的检验,同时也培养人尊老爱幼的伦理观。

诞生标志 婴儿初生时的一项礼仪活动。婴儿出生后，一般要在自己家门口挂出诞生的标志，诞生标志在各地有所不同，但一般都起到三方面作用：一是添喜的标志，在一定范围内起报喜的作用；二是标示出产妇和新生儿的住所，防止不知情者遽然闯入，带来邪秽之气或风寒病灾影响孕妇与婴儿的安康，也提醒那些特殊的人（如孕妇、戴孝者）自行回避；三是明确标示出新生儿性别。诞生标志往往悬挂在家门口（或产妇房间门口），一般是挂一块红布，上面附有弓箭、铜钱、大蒜、红枣、栗子、花生等，这些往往有象征意义，红布及其附属物有避邪、报喜的作用。《礼记·内则》里有"悬弧"、"设帨"的记载，即生男在门左挂弓，生女在门右挂佩巾。晋西北地区，生男在门外贴一对红纸剪的葫芦，生女则贴一对梅花剪纸。胶东地区添喜之后，一般挂一桃枝，上系红布条，或再贯以枣、栗、葱、钱等物。以桃谐逃，谓逃脱灾难；以枣谐早、栗谐立，谓早年成立；以葱谐聪、钱喻财，谓聪明而多财。有的地方还在门两边挂上红旗、对子等，用"名扬四海"、"文武双全"等字句寄寓对新生儿的厚望。锡伯族人家生男门首用红丝线悬挂一副小人弓箭，生女则挂红头绳。各地、各民族的诞生标志各不相同，但这些标志都有着十分鲜明的象征意义，特别透露出该地区、该民族的性别意识、性别角色期望，从而也显现出有关两性社会地位等方面的传统观念和生育观念。

泼水上轿 旧时婚礼迎娶过程中的一种习俗。这种习俗的基础在于俗话所谓"嫁出的女儿，泼出的水"的意识。其仪俗为：新娘上轿后，娘家人泼一盆（或瓢等）水在门外，以示嫁出去的女儿像泼出去的水一样，再也不能收回。山东临朐是新娘的弟弟妹妹为她送水，也称"送汤"。有些地方则由新娘的母亲或其兄嫂负责泼水。这一习俗表现出娘家对女儿的怜惜之情，一方面也说明新娘与娘家的种种关系的变化。女儿出嫁后意味着她在娘家原有的权利和义务相应地宣告结束。

屈肢葬 人类最古老的葬式之一。是在古代中国广泛流行的一种葬式。广西桂林甑皮岩古遗址、南宁贝丘遗址、四川巫山大溪文化、湖北屈家岭文化、青海乐都柳湾、甘肃景泰张家台新石器时代墓葬中都有屈肢葬。现代民族中，台湾高山族的许多支系和西南的独龙族、珞巴族等采用屈肢葬。西藏墨脱县门巴族，在民族改革前仍盛行屈肢葬，出葬前，把尸体捆成胎儿的样子，双手在胸前交叉，男子左手贴胸，女子右手贴胸，将尸体按蹲式置于室内，由亲人日夜守护，请喇嘛念经，两、三天后正式出殡。这种习俗在土葬、火葬、水葬中都存在。纳西族支系摩梭人殁后将死者扶成蹲坐式，下肢弯曲，膝盖并拢，两手在胸前交叉，再用两根白布条捆绑，先套住脚尖，绕过脖子到腰部，男子捆9道，女子捆7道，形成胎儿状。这种葬式透露着人们对待生与死的态度：怎样来到人间，便怎样离去。人们将死者还原成生命本初的形态，死者的灵魂便会快些转世，重新投胎降临人间。裕固族的亚拉格家和贺郎格家等部落在尸体未僵之前将腿和臂的关节收拢，捆成胎儿形，谓之"圆寂"。葬法与回复婴儿状态的用意一致。云南独龙族的屈肢葬则是为了让死者环火而眠。有的民族将死者捆绑入葬，并在上面盖上石板，是为了防止死者灵魂外出困扰生者。有的民族则是为了节约劳力，将墓坑挖得小些。而台湾高山族的一些支系是在死者的床下挖一深圆坑，将死者蹲踞竖放其中，象征死者和活着的家人一起在屋里生活。此外，屈肢葬有时候也是身份地位的反映。属于新石器时代晚期，处于父系氏族社会阶段的齐家文化甘肃永靖秦魏家、武威皇娘娘台墓地，女性殉葬者多为屈肢，男性则俯身直肢，表现女子对男子的依附和屈从。云南的怒族，近现代仍只对妇女实行屈肢葬，也是男尊女卑观念的反映。春秋秦国人，奴隶主多仰身直肢葬，殉葬奴多屈肢葬，主奴关系十分明显。

姑舅亲　表亲婚的一种，即姑姑和舅的孩子之间缔结婚姻关系。它是古老的血缘婚、亚血缘婚的一种遗风。姑舅亲有两种形式，一是舅家儿子娶姑家女儿，一是姑家儿子娶舅家女儿。前者常见于西南傈僳、水、苗、怒、布依、土家族中。傈僳族的"阿尼木底"婚即姑舅亲，其俗舅家用首饰订婚，舅父之子娶姑母之女有优先权，只有舅家不娶时，方可

另外嫁人。水族姑母之女外嫁还须付舅父一定的礼金，称"舅爷礼"、"舅爷钱"。后者在汉、满、拉祜等民族中都有流行。就舅家儿子娶姑家女儿这种表亲婚来说，更多地体现着舅权的影响。而另一种姑家儿子娶舅家女儿，则有更深刻的社会、经济原因，如加强亲族间的情感联系；便于兄弟姐妹间财产上的处理，不致使肥水流入外人田。另外，我国历史上姑舅婚层出不穷，也颇受人们封建社会关系的影响，旧时姑舅至亲间的少男少女接触机会较多，自然容易生出感情。但姑舅亲属于近亲结婚，不利于下一代的成长，我国现行婚姻法明令禁止。

赴告　报丧的一种形式。与讣告的书面形式相对，赴告更重于孝子本人亲往亲友家报丧，报告死讯及丧期、葬期、活动安排等有关事宜。民间丧俗中的赴告，和古代诸侯国之间以崩薨祸福相告的赴告是一脉相承的。《史记·周本纪》云："昭王南巡狩不返，卒于江上。其卒不赴告，讳之也。"可见当时诸侯国之间遇凶丧之事，通例是应该赴告的。当时，赴与告还曾经有所区别：凶事叫赴，其他的事情叫告，就是说，赴专指报丧。（参见"讣告"条）

相亲　汉族地区流行的一种议婚礼仪。过去的婚姻由父母包办，青年男女在亲友的带领下约定在某地见面，互视相貌，以议婚约。《梦粱录·嫁娶》载："男家择日备酒礼诣女家，或借园圃，或湖舫内，两亲相见，谓之相亲。男以酒四杯，女则添备双

杯,此礼取男强女弱之意。如新人中意,即以金钗插于冠髻中,名曰插钗;如不中意,则送彩缎二匹,谓之压惊,则婚事不谐矣。"相亲并非都是由男女青年当事人进行,而更多地是他人代办,当事人并不见面。有的则是媒人带亲双方家长相亲,有的是男家托年长亲属去女家相亲,看其体格、外貌、言谈、性格等。现代相亲多是由亲友介绍双方直接会面,建立恋爱关系。

树葬 流行于我国东北、内蒙一些地区的葬法,有时也叫风葬、挂葬。《魏书》曾记载失韦的父母死后置尸于树上;《北史·契丹传》记契丹族人死后,先置于树上,三年后再焚其骨架。《周书·异域志》记库莫奚人死后裹以苇箔,吊于枝下。近现代的鄂伦春人死后,以皮裹尸,架于树上,等尸肉烂后再将骨头埋葬。赫哲人的小孩死后,用桦皮包尸置于树上。鄂温克人死后,将尸体放在木架上,任风吹干。在西南地区,相传远古盘瓠时期,荆楚一带的人死后,也"置之于树"。古代玉溪蛮人死后,先埋土中,几年后取出遗骨,盛在小函里,或置于崖上,或挂于树上。贵州都匀的夭苗,清代时还流行将死者"以藤蔓束之树间。"广西大瑶山瑶族,小孩死后,用梂皮裹尸,置于筐中,挂在树上。树葬因其处理尸体的细节而产生不同地区、不同民族的特殊称谓。比如东北鄂温克人称其为风葬,因北方高寒、干燥、多风,尸体多不腐烂,而是风干,故称。西南侗族将未满月的丧儿包好后挂在树枝或竹枝上,称挂葬。此外,树葬大都要进行二次葬,一般是等尸肉腐烂,风干后,捡骨焚化或埋葬。

挂花 我国婚礼上的一种求子形式,指在婚礼上,把新娘和"孩子"一起迎进门。如福建崇武岛的风俗是,送亲队伍中配两名"挂花"(由男家请来或租来参加迎婆仪式的儿童),他们披挂鲜花,象征是神明送来的孩子,并祝福新人早日"挂花",生儿育女。

拴娃娃 民间求子形式,又称"拴喜"、"拴孩"、"叩儿"、"抱孩子"。拴娃娃一般是去碧霞宫、白衣庵、子孙堂、张仙庙之类神仙庙堂,参拜送子观音、送生娘娘和张仙等神祇。这些神祇往往手抱婴儿,属下有专司送生的。比如送生娘娘有位"送生哥哥",是个男仆模样,肩背一条装满泥娃娃的布袋子,他听从娘娘的命令,负责送孩子。神像的供桌上,有很多泥制男孩赤裸着身子。拴娃娃者在婆婆或者年长妇女陪伴下焚香祝祷之后,挑选一个泥娃娃,用红绳套住它的脖子,把娃娃的小鸡儿掐下来,带回家去冲水喝下,便认为是把娃娃拴下来了。庙里的尼姑可再做一个小鸡儿给娃娃安上。如果拴娃娃者碰巧生了孩子,还要再去庙里上供还愿。有的地方是把选中的泥娃用五彩线拴好,带回家去,当真孩子看待。

指腹婚 即"胎婚",山东有的地方称"指腹割襟",或"割襟换酒"。指两家女主人同时怀孕,其丈夫指腹相约,产后若一男一女,便结夫妻,若同一性别，便结为干兄弟或干姐妹。这是一种典型的封建家长包办婚姻形式。这种形式大约起于六朝，多发生于官宦之家。当时世族门阀观念极强，为保证儿女婚姻门当户对，确保两家门第规格对等关系的延续，兴起此俗。宋代这种陋俗成风，元代更加盛行，所以元代从法律上加以禁止："诸男女议婚，有以指腹割襟为定者，禁之。"但事实上，此俗屡禁不绝，直至现代还多有发生，应当坚决革除。

拾骨葬 又称捡骨葬。一般多为二次葬葬法之一。壮族在人死后，用质地疏松的木料或薄木做成棺材，浅葬以求尸体速朽。几年后开棺，去掉骨头上的腐肉，将尸架按坐姿放于陶瓮中，再葬入家族坟地中。开棺一般在三、五单数年时，忌双数年开棺。再葬时不应用陪葬品，尤其忌讳金属、布帛。火葬、树葬等葬法，也大多要进行二次捡骨葬。汉族土葬中，也有捡骨葬的，比如按规制不得入祖坟的死者，先将灵柩厝于别处，一直到可以入坟时，再捡骨葬入祖坟。

挑盖头 传统婚礼仪俗之一，即在拜过天地后，由新郎揭下蒙在新娘头上的盖头。盖头又叫"蒙头红"、"蒙头巾"、"埋头红"等。是入洞房前的整个婚礼过程中始终蒙在新娘头上的红巾。盖头要由新郎亲自揭去。一般是入洞房新郎直接用手揭去，或用秤杆挑去。用秤杆挑盖头，是因为旧秤一斤为十六两，十六个星，按南斗六星，北斗七星，再加福、禄、寿三星，共应十六之数，取"吉星合到大吉大利"之意。"有的研究者认为此俗乃原始婚俗之遗留。因为原始人婚礼，夫妇出会，不及明而别，至生子乃始相见。欧洲乡间过去也有新婚之夕二人不得觌面的习俗，在童话中甚至将婚夕窥夫视为禁忌。此类古风相沿下来遂有新婚以红巾遮面的仪俗。

挑灯拉话 汉族民间流行的新婚夫妇在洞房内的习俗，在陕西此俗尤为流行。当地民间俗信，新婚夫妇在新婚夜若不说话，将来的孩子便会是哑巴，因此在洞房花烛夜，新娘通宵都要与新郎拉话。

骨血倒流 表亲婚的一种类型。指舅家儿子娶姑家女儿。我国傈僳、水、苗、怒、布依、土家等少数民族都有此俗。但汉族禁止这样的婚姻，认为这样的婚姻是骨血倒流，不吉利。

拜人 晋北、陕北、内蒙古西部一些地区对"拜堂"的称呼，又叫"拜天地"、"拜花堂"。此俗仪式不只是"一拜天地，二拜高堂，三夫妻对拜"这三拜，而是新婚夫妇对前来贺喜、送礼的长辈都要行拜礼。结婚当日，新郎亲友，如姑、姨、舅、叔等，只要比新郎辈份大或年龄长的，都要放礼钱，俗称放"拜礼"。司仪按预先拟好的礼单唱名，司仪唱"××礼钱×块，磕下哇"，新人便要鞠躬行礼，或跪拜，俗称"拜人"。通过此种仪式，新人可从集中认识和了解众多亲友的远近亲疏关系。

拜花堂 即拜堂，俗称"拜天地"，汉族地区旧时婚俗。拜堂有时是三拜，"一拜天地，二拜高堂，三夫妻对拜"，有时也要拜族亲宾客，甚至要遍拜年长的街坊邻里。江南旧俗是新人男左女右，在掌礼唱词和引导下，跪拜天地和合，对内四拜，对外四拜，再相对四拜，然后按礼入洞房。福建泉州，在喜堂前搭起香案，陈列斋果，新郎新娘相见后，被引导到香案左边，双双作三跪九叩礼，以拜天地。此俗唐已有之。《封氏闻见记》载当时婚嫁中有拜堂之礼。《东京梦华录·娶妇》云："次日五更，用一桌，盛镜台镜子于其上，望上展拜，谓之新妇拜堂。"到了近世，拜堂之风仍在全国流行，只是形式有所差异而已。古人认为，男女相交自结婚始才有人伦之义，所以要拜天神地祇，也是自结婚始，女子才为男家一员，所以要拜祖先、父母；从结婚始，男女个体才合为一体，所以新夫妇要交拜；而拜宾客、亲友可以使新娘早日确认亲戚邻里关系的大小长幼、远近亲疏，有明显的社会化作用。

拜胡干爷　旧时汉族的育儿习俗，是承寄子女的一种迷信活动。流行于浙江杭州一带。传说中有个无常鬼是阎罗王派来拘摄死者之魂的鬼。民间的父母怕儿女活不长，又怕拜干爹娘费用太大，便常将儿女寄托于无常鬼。因民间弄不清"无常"二字，讹为姓"胡"，故俗称拜胡干爷。拜寄时，孩子父母需做白色新汗衫一件，到庙中换下胡干爷像身上的旧衣，供上烧酒、烧饼、香烛、银锭一起焚烧。同时请庙中和尚为孩子取个名字。这以后，每年夏历七月，逢胡干爷生日那天，孩子的父母都要带孩子前往庙中拜祭，直至孩子16岁为止。

看交盏　流行于我国许多汉族地区的闹房婚俗之一，在陕西耀县一带尤为典型。在新婚之日的黄昏，男家院中摆上方桌，备好酒菜，新人在此向四方参拜并喝交杯酒，村中男女老少在一旁观看。当地人称此为"看交盏"。人们在观看的过程中，还要推举一位能言善道的人即兴编些顺口溜，寻新人开心，非把新娘逗笑不可。据记载，有这样的顺口溜："拜南方，水漂船，两口子成亲没作难；拜北方，壬癸水，两口子睡觉嘴对嘴；拜西方，洒黄金，两口子过活一条心；北山核桃南山枣，女婿好比杨宗保；绿头萝卜白头葱，新娘子好像穆桂英"。据《山东民俗》载，山东地区喝交杯酒时也要闹房，人们在旁观看起哄，说俏皮话，并伴随有"啃苹果"、"报户口"、唱歌等活动。

重行花烛　汉族寿诞风俗，浙江台州地区有此俗。指元配夫妻婚后满60年时，若儿女、媳婿、孙子女、外孙、外孙女都齐全，即要再举行一次婚礼，此次婚礼比初婚时还要隆重。届期，老太太新娘妆束，从娘家乘轿到夫家，儿子和女婿出门迎接。老夫妇拜过天地、祖宗，再面向南坐在两把八仙高椅上，并请来10位"十全命"（60岁以上，丈夫、儿子、媳妇、女儿、女婿、孙子、孙女齐全）的老太太作陪。同时鞭炮、鼓乐齐鸣。后辈人上堂叩拜。若有亲友前来祝贺，两老就起身招呼。婚礼完毕后,还要招呼客人吃"暖房酒"。最后由孙子和孙女婿将两老送进洞房。第二天,还要办酒席请亲友来吃。

送子 流行于黄河、长江流域的汉族民间生育习俗。即向没有孩子的家庭送去含有象征意义的物品,以兆得子。"送子"的时间和具体仪式因地区而异。安徽沿江地区多在夏历八月十五中秋夜举行"送子"仪式。那天儿童到田间摘采南瓜(南瓜多子,且南与"男"谐音,俗信妇女得到南瓜,易生男孩),摘下瓜后,或在上面插上泥人,或在上面画婴孩图,送到结婚不久的人家。受南瓜的人家十分高兴,也用糖果回赠,一般认为送子队伍越大越好。皖南山区除送南瓜外,还要送子母芋头。人们在新婚之便便把瓜或芋头藏入新房被内。《中华全国风俗志·歙县纪俗诗》记:"送子中秋纪美谈,瓜丁芋子总宜男。无辜最惜红绫被,带水拖泥那可堪。"苏北淮安地区则在元宵节以后,龙抬头节(夏历二月初二)以前,为老年无子或婚后多年不育者送子。礼品是红纸灯笼或淮安城东门外麒麟桥头的烧砖。湖南、贵州等地还流行"偷瓜送子"的风习。中秋之夜,凡结婚几年未生育者,他的亲友便从邻居家的菜园中偷来一个冬瓜,用彩色画成成人脸状,又用衣服裹好,推举一位年长有福之人抱瓜,放鞭炮送到该家,将冬瓜放在床上,用被子盖好,口中念道:"种瓜得瓜,种豆得豆。"这家媳妇将此瓜吃下,俗信即可得子。

送亲 旧时婚礼仪式中,与男家"娶亲"相对,女家也有"送亲"人员。女家往往请来几位亲友,随着轿子护送新娘前往男家,参与婚礼仪式。山东临沂一带的"送亲"习惯是:在婚礼前一天晚上轿子就来到女家。轿夫们一起参加暖嫁,女家盛情款待,以便第二天的轿子能够稳当。"送亲"在山东还有另一种含义,即男家不派人去女家,而是由女家把新娘送来。

送产旗 汉族民间育儿习俗。流行于陕西潼关地区。指孩子满月时,外婆家等至亲好友为表示庆贺,都要送礼旗。产旗是在细竹杆的顶端,用金纸做成箭头,箭下挂一张竹弓,以红丝线做弓弦。箭头的左侧缀有绸、缎或布被面,垂挂下来便形成一面旗子。箭头的右侧悬上一支笔,一锭墨。在竹弓两头各吊一朵带缨穗的大红花。产旗送来后不进屋,而是依次列于大门外的墙上,让人参观。一般在送产旗的同时,还要送100个油饣饣馍,2斤红糖,20个鸡蛋。另外还要给小孩送些小衣服。主家要为送旗的客人招待两顿饭,客人走时要回赠25个蒸馍,25根麻糖。

送祝米 又叫"送米",流行于我国许多地区的汉族生育习俗。指生了孩子的人家向婴儿外婆家和亲友家报喜,收到消息的人家也回送礼品,以示庆贺。这些礼品中多有大米,因此得名。在不同地区,送祝米的时间和礼品种类也有不同。如在南方,孩子生下后,女婿备好荔枝、龙眼、花生、喜蛋等去外婆家报喜,外婆家则回送喜蛋、衣服等。安徽淮北地区则在孩子出生第12天赠送礼品，俗称"送钟美"。山东莱阳等地在婴儿出生后的第三天，外婆家赠送面饼、红鸡蛋等。四川许多地区在孩子出生后10天左右，女方的姑母、姑婆、母亲、妹妹等带上蛋、鸡、糖、肉、小儿衣物等，到婿家祝贺，俗称"送粥米"。我国许多地区还有为婴孩送银锁的习俗，称"长命锁"。江苏武进、江阴等地，婴儿出世后，婴儿的外婆、舅母和姨妈要"送汤"。

亲迎　婚姻六礼的最后一道程序。即新郎亲往女家迎娶新娘的仪式，相当于后世的婚礼大典。亲迎礼是婚礼中最为讲究的程序，过程也最繁复。据《仪礼·士昏礼》载，亲迎之日，新郎着黑礼服，乘黑漆轿，前面有人秉烛引路，身后有随从车队，同至女家。新娘父亲亲自出门迎请女婿和男方宾客。新郎将礼物交给女方，行礼而出。头蒙盖头的新娘随至车前，新郎亲自将驾车的绳索授与新娘，引她上车。先由新娘驾车，然后由专门驾车人代替，同至男家。至男家门前，新郎先乘车入门。新娘及其送行人到达后，由新郎将新娘接进家门。入宅"拜堂"、"合卺"等。《公羊传》载自天子至庶人都有亲迎，《左传》谓天子无亲迎礼。隋唐后，皇太子结婚行亲迎礼。宋代后，迎新娘多用轿，轿用红绿绸扎彩，称花轿。轿前有媒灯、绫旗、吹鼓手等。有些地方新娘此时必须哭泣，吉时到后，才出闺房，由舅父、父亲、哥哥背抱上轿。到了男家，男家及其亲友迎新人出轿，进门拜堂。此外，亲迎过程中，往往伴随有大量带有喜庆色彩和象征意义的习俗，如拦门、催妆、跨马鞍、障车等。亲迎拜堂、入洞房后，婚礼告成。

洗三　我国许多地区都流行的一种育儿习俗，也叫"洗三朝"。民间俗信新生儿出世三天，家人要采集槐枝、中草药煮水，请接生婆或老人为婴儿洗礼，并唱祝辞。洗完之后，用姜片、艾团擦关节，用葱打三下，取聪明伶俐之意。此俗在唐代即有。《金銮密记》曰："天复二年，大驾在岐，皇女生三日，赐洗儿果子。"《资治通鉴》云："上闻后宫欢笑，问其故，左右以贵妃三日洗禄儿对。上自往观之，喜、赐贵妃洗儿金银钱。"洗三的具体仪礼在不同地区也有变化。安徽寿春"婴孩三日后，必为之净洗，谓之洗三朝。置红鸡于床前，使产妇焚香祷告，谓之拜床公、床母。若产妇有病，令洗婆代拜。《中华全国风俗志·京兆》记北京的洗三礼："是日必招收生婆到家，酒食优待，然后由本家将神祇(俗呼娘娘祃儿)并床公、床母之像，供于桌上，供用毛边缸炉，(北京点心名)五盘。由收生婆烧香焚神祇，毕，将火煮之槐条水倾入盆内，旁置凉水一碗及两盘，一盘盛胰子、碱、胭脂、粉、茶叶、白糖、青布尖儿、白布数尺、秤权、剪子、锁镜等物，一盘盛鸡子、花生、栗子、枣、桂圆、荔枝等物，均用红色染过。诸亲友齐集床前，将各样果子，投密枚于盆内，再加冷水两匙，铜元数十枚，名为添盆。添毕，由收生婆洗小儿。洗罢，将小儿脐带盖于肚上,敷以烧过之明矾末,用棉花捆好。所有食物,全由收生婆携去。"此俗的意义一在幼儿的卫生需要,二有祝福之意,三还有被除灾祟的目的。

洗和气脸 流行于湘西苗族的婚俗。婚礼那天,新娘被迎至男家,吃过"团圆饭",男家的一位长辈便端上一盆清水,其中放一银手镯,全家老少与新娘一起用盆中清水洗脸,并共用一条毛巾,表示相互尊重,互不嫌弃,永久和睦。洗脸一般由婆家老人先洗,后到送亲郎、送亲娘、新郎及其兄弟们。全家洗完脸后,由新娘倒洗脸水,这便为洗"和气脸。"此俗源于当地一民间传说。据说当地曾有个爱传播是非的女人叫"娘牙",她常使出嫁的姑娘染上与婆家吵架的恶习。当地老祖先为了破除这种恶习,便脱下银手镯,放入盆中,让新娘与婆家人共同洗脸,以表和睦。这一传说流传下来,相沿成俗。

洞房禳解 流行于青海河湟汉族民间的一种婚俗。民间俗信新房当中常有邪祟,并会有妖怪侵扰,于是人们便采用一些"镇法"以被除不祥。通常的"镇法"有两种:一是在红纸上书写"姜太公在此"、"金毛狮子在此"等字样,并将红纸张贴在洞房墙壁上,借姜太公和狮王的威力震慑百兽和妖邪。另一种方法办置一坐斗,斗内装好粮食,四角插上四枝箭,中间搭有红布。据说,四角象征四象,箭代表武力镇压。

冠礼 古代对成年礼的通称,指男子20岁时加冠转入成年阶段的仪俗。此前都为童子,以20岁加冠为标志转入成年,并正式得到社会的承认,故20岁被称作"冠岁",刚够加冠年龄称为"弱冠",20出头叫"逾冠"。古代对冠礼十分重视,《礼记·冠义》云:"三加弥尊,加有成也;已冠而字之,成人之道也。见于母,母拜之;见于兄弟,兄弟拜之;成人而与之为礼也。玄冠玄端奠挚于君,遂以挚见乡大夫与乡先生,以成人见也。"对于这里所说的冠礼仪式,《古代的礼制和宗法》作了进一步的描述:"冠礼在宗庙举行。将加冠的青年的父亲先用筮(一种占卜方法)决定行礼的日期,并且用筮决定请哪一位宾来为青年加冠。确定后,把日期通知宾家。到行礼那一天,早晨将一切准备好,将加冠的青年立于房中。其父请宾进门,入庙就位,将加冠的青年出房就位,然后行礼。宾把规定的服饰加于青年,共行三次,称为始加、再加、三加,于是以酒祝青年。青年由西阶而下,去拜见他的母亲。见母后,回到西阶以东,由宾给他起一个字(名字的字)。于是礼成,青年之父送宾出庙门。被加冠的青年见他的兄弟姑姊,随后再见君和乡大夫、乡先生等。其父以酒款待所有的宾,送他束帛、俪皮,最后敬送出家门。"近代以来,传统的冠礼有罕见,《延安风土记》载,延安人在婚礼前3天行冠礼,"新郎挨户拜族里长者,为长者斟酒。亲朋共饮,新郎的父亲为儿子加冠。次日,用红纸写'乳名××,今值弱冠,更为官名'，贴在门前，表示成人。"这种个例已不常见，因冠礼业已湮没在婚礼之中，成年之礼与婚姻大礼在后世合为一体了。

室内葬　旧时高山族一些人的一种葬法，流行于台湾的北部、东海岸和南端地区，用于正常死亡亲属的埋葬。在排湾语中叫"努般"，卑南语叫"莫里勒特"。室内葬指在家中或庭院中埋葬死者。泰雅人常在家中床下或谷仓下，布农人可在家中任何地方，葬满后可葬在院中。邹人在家中央，未婚或离婚回来的女儿埋在后院。卑南人在南隅灶边。排湾人和卑南人还将男女墓分开，男后女前，男靠后墙，女靠窗下。除排湾人外，室内葬多为单人墓，墓坑方形竖向。对非正常死亡的亲属一般不埋入室内，或先埋葬在外，后拾骨葬于室内，从窗户中运入。在室内葬完亲人后，泰雅人马上弃屋迁居。鲁凯人在埋葬了难产、自杀、战死等非正常死亡的人后也毁宅迁移。排湾人在埋葬了自杀者后也弃家出走，另建新居。其他地区往往在全家死亡或同室已葬多人的情况下才毁宅迁居。从本世纪初起，这些地区已渐渐改为室外公墓葬。

穿老衣　旧时流行于我国广大汉族地区的丧葬习俗。指在人临终之前，家人以最快的速度为死者换上预先备好的新衣（即"寿衣"或"老衣"）。老衣要里外三新，衣裤鞋帽均需齐备。山东临朐的寿衣男性有黑色棉衣、棉裤、棉鞋和黑色长袍、马褂、瓜皮帽等；女性有红花对襟袄、蓝花百褶裙、红棉衣、红绣鞋、红头巾等。莒南的寿衣一般是白衬衣、青布棉袍，男性帽顶缀一红绒球，女性帽顶绣一白莲花。在山东死者若为男性，便通常由儿子、女儿来穿老衣；若为女性，则由女儿和儿媳来料理，有时也可请专门的人来做。淮北地区"穿老衣"时，要将亡者身上原有的衣服脱去，贴身衣服要扔到房上，待埋葬死者时烧掉，并不准恸哭，认为哭迷了路，死者的灵魂就走不了。安徽江淮地区和山东许多地区在替死者穿老衣时，都不可将眼泪掉在死者身上，否则就会变成走尸、僵尸。陕西等地换老衣前，还要为死者用温水净身，将换下的衣服扔到屋顶，听任风吹雨打，以被除不祥。

逊席　旧时汉族婚俗，浙江杭州一带最为流行。婚娶活动中要举办三朝礼，逊席是三朝礼中的活动之一。新媳妇拜见舅姑之后，舅姑便在厅堂正中设宴款待。婆婆居中席，行逊席礼，新娘跪在下面，做不敢担当状。双方互相搀扶牵引，按一定的规则谦让座位。新娘也到婆婆所在的东席回逊，最后坐在中位上。双方坐好后，婆婆举筷后正席说："新娘娘起箸。"新娘答应："老太太起箸。"以后席上各道程序都如是谦让。有的富贵人家席间还要演戏。此仪式通常在晚间举行，主要由婆媳二人做"主角"。这个仪式旨在强化婆媳二人的社会角色意识，使二人在未来共同的生活环境中，各守其本，互相尊重，共同承担家庭责任。

退婚 也叫"退亲"、"悔婚"。旧时的一种婚俗。过去男女若已订婚,婚姻就算确定,若一方主动提出中止婚约,便叫"退婚"。手续也相当烦琐。须由男家写出退婚文约,并退回女子庚帖,女家则退还男方聘金、礼物等。有的朝代只准男家提出此种要求,女方则无此权利。元代就曾禁止女方退婚。《元史·刑法二·户婚》:"诸有女许嫁,已报书及有私约,或已受聘财而辄悔者,笞三十七。"而"男家悔者,不坐,不追聘财。"反映出封建社会重男轻女的情况。

结发 原意指束发,后来引申为"童年"、"结婚"、"妻子"、"元配"等。古代男子成童时即开始结发,故称童年或年轻时为结发。结发又是结婚礼仪之一,即成婚当晚,男左女右共髻束发。三国魏曹植《曹子建集·种葛篇》写道:"与君初婚时,结发恩义深。"苏武也有诗云:"结发为夫妻,恩爱两不疑。"因此结发又是结婚的代名词。后又称元配为结发,如"结发夫妻"。《称谓录》中载:"俗称元配为结发。"

娃娃亲 婴幼儿时期所缔结的婚姻关系,山东等地俗称"娃娃亲"。指父母在儿女未成人,甚至婴儿时期,就为他们缔结婚约。《中华全国风俗志》载:湖北"黄陂儿童初生之时,即有媒人前来说媒。如双方满意,便请媒人饮筵,名曰呷准酒,以表示允许之意。于是就日择一吉日,排起筵席。席毕,将男女生辰书于庚帖之上,彼此各执一纸,以为证据。至结婚前一二年,男家每逢时节,必须送妆饰品及鱼肉等至女家,名曰送礼节。迨男女年龄至二十五、六岁时,始择期迎娶。"娃娃亲的缔结,是由于双方家庭父辈关系密切,意欲使这种友好关系传衍下去;同时,也是宗法意识的反映。这种习俗应当革除。

厝 一种丧葬习俗。指浅埋棺椁以待改葬,或停柩待葬。《寡妇赋》:"痛存亡之殊制兮,将迁神而安厝。"《与沈养吾书》中记:"山妻在殡,便欲权厝。"有的置厝与死者身份及死的情形有关。如死者为夭折,在其父母未去世前不能入祖坟,故厝而葬之,待父母亡后再行入坟安葬。

换帖 即换庚帖,换束,是男女两家初步落实婚姻意图的一种形式。经过议亲,双方都满意后,便要请阴阳先生来合婚,双方互换"年庚小帖",看男女在属相上是否有相克之处,凡相克又不能破解的不能结亲,如"白马犯青牛,鸡猴不到头"、"龙虎相斗,狗兔不和"等。

换亲 交换婚的一种形式。本是古代族外婚的一种形式,即由两氏族的男子议定互换其姐妹为妻,或互换女儿为媳。也表现在姑表婚的两代人交换上,姑先出嫁,生女后换回到舅家为媳,由此可节省彩礼。这种形式到后来发展为民间的"换亲",即两男子交换其姐妹,各以对方的姐妹为妻,或是家长将女儿与另一家的女儿交换,以为儿子换媳妇,如俗话所说:"姑娘调小子,两下都省事。"这种婚俗多在贫困或男子不健全的家庭间进行，双方形成互惠关系，无须媒人，也无须彩礼。这种婚姻形式，双方结合并非情愿，而是对家庭、兄弟作出的牺牲，因此婚后多无幸福。

圆坟　即圆满其坟的意思。死者葬后的第三天，或第二天，死者亲属为新坟添土，谓之圆坟，《满汉礼俗》记，圆坟那天黑早，丧家便到坟地去上祭。同秫秸作一个门，供上白面火烧，里面夹着木耳。丧家围着坟墓绕三个圈，嘴里喊着亡人，叫着说给您开门来了。传说中亡者埋在坟内，灵魂也在坟内。到圆坟时丧家为其开门，灵魂方能出来。《山东民俗》记，山东临朐等地，死者的儿子们带着铁锹和麦秸到坟地，先添土，再点燃麦秸，大家围着坟头正转三圈，倒转三圈，同时喊："爷（或娘），你出来救火，金银财宝交给我！"山东黄县等地，死者的子女带着斗或升，以及擀面杖、发面饼等去圆坟，到墓以后，用斗给坟墓添土，然后结队围着坟墓正、倒各转三圈，然后用擀面杖拍实坟堆上的新土，据说这是为死者的房屋挂瓦。有的人家还在坟堆上撒些种子，多是芝麻、菜籽等。此俗在各地都有，其仪注大同小异。

哭丧　我国民间丧葬礼仪的重要内容之一，即哭悼亡者。参与哭丧的除孝子外，还有亡人的其他亲属，尤以妇女为最。在我国传统的葬礼中，几乎每一仪式都有哭丧的场面，尤其出殡时最为重要。民间认为出殡时必须有全体后代特别是男人们的"唱哭"，否则即为不孝。另外还以

哭声大小来辨别后代的孝心如何，因此花钱请人哭丧也成为一种职业。从形式上看，哭丧时还伴以哭丧歌，可分"散哭"、"套头"、"经"三种形式。散哭可"随心翻"，内容主要是倾诉对死者的思念之情，自责对长辈的不孝，悲叹自己的身世。对象以哭丈夫、母亲和由自己带大的后辈为主。套头主要有"报娘恩"、"十二个寻娘"、"十二月花名"、"十苦恼"、"十二只药方"等。"报娘恩"和"十二个寻娘"专用于哭娘，"十二月花名"主要哭和自己关系不密切的人，如哭寄娘、舅妈等。哭的时候往往是哭讲别人的好处，自己的苦处等。"经"是结合丧葬仪式而唱的。病人断气时有"断气经"，替死者穿衣时，有"买衣经"、"寿鞋经"、"着衣经"。哭时眼泪不可滴在死者身上，否则死者会变成僵尸。入殓时，会唱的子女、亲属都要唱"哭丧歌"，根据自己身份哭不同内容的歌，以倾诉思念。盖棺后要唱"寿材经"、"热材经"。出殡那天清早，长房媳妇要哭"开大门"又叫"开地狱门"。民间认为，人死后要打入阴间十八层地狱，不哭"开大门"，死者就要陷地狱。哭丧行为大多饱含着生者对死者的感情，同时又掺杂有大量的迷信因素，并且也有大量的虚文假式存在。

笄礼　笄，指古代的一种簪子，用骨、象牙、玉等制成，用来挽起头发。笄礼即是女子用笄簪发，以示成年的礼仪。《仪礼·士昏礼》："女子许嫁，笄而醴之，称字。"这为发笄礼。周代礼俗，女子年过15便可出嫁，

须举行笄礼,由主妇主持,以示长大成人并身有所属。如年30仍未许嫁,也要举行笄礼。后笄礼同冠礼一样中衰,其有关仪俗渐与婚嫁之礼合并。

借寿　民间的一种寿诞习俗。俗信寿命在天,冥冥中早有定数,但寿数也可像借物一样借用。若遇家人有病,无可救药,人们便认为此人寿数已到,只能借寿给他,方可延寿。借寿者多是病人子女,或亲戚至交,且必须是自觉自愿,否则就不灵验。出借寿数者要斋戒沐浴,泣告上苍,表示愿自减若干年岁数以延长某人寿命。病人若痊愈,人们便认为神祇已准许借寿,就要焚香许愿,感谢上天。若病人仍撒手西去,出借寿数者也要烧香祷告,取消前愿,免得阎罗判官把出借的寿数误给了别人。

倒插门　即招赘婚,或招养老女婿,指男到女家从妻居的婚姻形式。这种形式大致有两种:一是女方家中无子,或因不忍爱女远嫁而实行入赘。这种情况下,男子要改随女姓,并赡养老人,有继承权。另一种入赘具有"服役婚"的性质,即男子家境贫寒,交不起彩礼,故可用服役来支付妻子的身价。但男子不必改姓,也非终身入赘。招赘的婚礼与一般的婚礼没有多少区别,但位置移至女家。旧社会中夫权思想很重,赘婿地位不高,入赘者往往为穷苦人。女家招女婿一是为养老,二是要传宗接代。有人认为赘婿入赘,如入布袋,无由出气;又有人说"布袋"是"补代"的讹传。入赘婚形式在我国和世界上许多民族中都存在过,如在我国汉、哈尼、白、傣、拉祜、羌、高山族都有此俗。国外的土耳其人也有此俗。解放后,我国许多民族仍有"入赘"现象(俗称"倒插门"),但无论在内容上,还是在形式上都与旧时有本质区别。

请期　古代婚礼的第五道程序,是男家向女家商定婚期的礼仪。《仪礼·士昏礼》记:"请期,用雁。主人辞,宾许告期。"纳征后,男家占卜择定合婚吉日良辰,派媒人持雁为礼物,到女家请求确定结婚日期,女家表示谦让推辞,媒人便把男家占卜的吉日告诉女家,以请求同意。故请期又俗称"下日子"、"送日子"、"提日子"、"探话"等。古礼请期用雁,后世则发展到送各样礼品,如"四色礼"(烟、酒、糖、茶)。请期过程中,常以占卜的方式选择适当的迎娶吉日、合婚良辰,和确定合适的迎亲、送亲之人。吉日良辰一般选在双月双日,如二月二、四月八、六月六等。但嫁娶月份又不能犯男女双方的属相忌讳,否则为"犯月";迎亲、送亲之人也不能犯属相。古时请期更多的是口头直接告期,如《明史·礼志》载皇太子纳妃:"请期,辞曰:'询于龟筮,某月某日吉,制使某告期。'主婚人曰:'敢不承命!'陈礼奠雁如仪。"后代则口头、书面并用。书面的请期文字叫婚书,各地不一。

冥婚　中国古代的一种特殊婚姻形式,指旧时男女两家为死去的子女联姻,俗称"鬼婚"。古代冥婚有迁葬和嫁殇两种方式,这两种风俗周朝时已有发生。《周礼·地官·媒氏》记:"禁迁葬者,与嫁殇者。"郑玄注:"迁葬谓生时非夫妇,死既葬迁之,使相从也。"孔颖达疏:"迁葬谓成人鳏寡,生时非夫妇,死乃嫁之。嫁殇者,生年十九已下而死,死乃嫁之。不言殇娶者,举女殇,男可知也。"先秦以来,社会上上下下均尚此俗,合婚时,卜告、制冠带,一切如仪。三国时魏明帝女淑死后与文帝甄皇后的亡重孙黄合葬成婚;唐中宗时,韦皇后为亡弟与萧至忠亡女冥婚合葬。宋、元、明、清,此风都很盛行。《陔馀丛考》便列举了自周至元明的十余例冥婚史实。近代以来,冥婚仍时有出现。北方人称其为阴婚、阴配、阴亲或娶骨女。《山东民俗》记,由于近世溺于无妻不继子、无子不继孙之说,冥婚之俗始盛。一般人家,未婚男青年死后,不能过继儿子,因而也就无人继承财产,无人奉祀灵位,此时可请鬼媒人(撮合冥婚者,宋已有之)寻找一新亡故的未婚女子,结为鬼亲。冥婚也须双方家长议定,有一定的婚姻形式,正式缔为姻亲。举行婚礼时,男家用轿和棺去女家迁女尸,抬牌位。由男家晚辈儿童抱牌位行结婚礼,然后将女棺合葬于男墓内。有的婚礼在墓地举行,用两魂幡交拜成礼。结为冥婚后,双方家庭亲戚往来如同正常婚姻。冥婚的成因大约有二,一是相信鬼世界的存在,对阴间、阳间等同视之;二是世俗人情的影响。冥婚的缔结不仅是死者间发生的关系,更是生者之间一种特殊社会关系的成立。

除丧 古代丧葬习俗之一。也叫"脱服"、"脱孝"、"除服"。指除去丧服的仪式。《礼记·丧服小记》曰:"故期而祭,礼也;期而除丧,道也。"《三国志·魏志·武帝纪》云:"葬毕,皆除服。"《孔子家语·本命解》载:"除服之日,鼓素琴,示民有终也。"指守孝期满,便可脱去丧服。

通脚 流行于上海近郊农村的汉族民间认亲婚俗。男女订婚后,相互到对方家庭作客认亲,叫通脚。此举的目的主要是考察对方的品行、外貌、性格、家境等方面是否如媒人所言。男女经媒人说合,自己又愿意,即可通脚。此俗清末便已盛行,打破了自古以来男女婚前不能相见的封建旧例。最初只有姑娘有权到男家认亲,去时带些礼物,通脚也可多次。后来发展到男方也可认亲。通脚过程中,若发现情况不属实,也可退婚。

挽发 死者入殓时的一种习俗。即为死者盖棺封钉时,孝子、孝妇将头发挽于钉尖,取"身体发肤受之父母、还之父母"的意思。用此仪式来连结生者与死者的感情,表明生者的心态。

挽联 也称"轙联"。轙本指助葬牵引丧车,泛用的意义是表示哀悼。挽联即指哀悼死者的对联。相传挽联始于赵鼎。《老学庵笔记》记云:赵元镇(鼎)被谪朱崖,病危之时,自书铭旌云:"身骑箕尾归天上,气作山河壮本朝。"挽联在形式上和一般联语无异,内容多是概括亡人生平、赞扬其品行、声望,叙戚谊关系,表哀痛之情的。如清代左宗棠挽潘吉斋夫妇联:"位跻极品,年过古稀,名德更赊千载远;生本自天,殁仍同日,唱随犹是暮春初"。挽联有自挽、他挽之分。他挽是最常见的,即某人殁后,亲友戚谊写来悼念、追思。从上述挽联的起源可知,自挽也是早已存在的,但在后世则多为变格,不为哀悼,而多用于自嘲。

接火种 旧时流行于浙江部分汉族地区的婚俗。当地在迎亲时,要将一铜制炭火炉放在花轿之中,置于新娘的座位之下,借此寓意新娘嫁到男家后,日子如炭火般红火。新娘的兄弟在送亲途中,借火炉的火点香,带回家放在灶间火缸之内,表示共同发达兴旺。也有的男家在发轿时便放上一只炭火炉,女家回轿时,再加上一只,火种取自男家之炉。新娘坐在轿上,双脚各踏一只。娘家兄弟或父亲送行一段,从火炉里点一袋烟回家,意为"接火种"。

教媳妇 流行于汉族农村许多地区的婚俗。指在新婚前夜,由新娘的嫂子或已婚姐姐,向新娘传授性知识以度过新婚之夜。汉族许多地区还有"教姑爷"的习俗,也是在新婚前夜,由新郎的已婚表兄或姐夫教其新婚知识。

崖葬 又叫岩葬,流行于我国西南少数民族的一种葬法。即将棺木安放在通风的岩洞里,或置于悬崖之壁。广西西北部的白裤瑶地区过去便将棺木放入岩洞里架好的木架上,洞口用草木遮掩,任尸体自然风

干。此外,广西、四川等地常见的悬棺葬也是崖葬的一种。崖葬所象征的阴间世界不在地下,而在天上,或山上,与道教的影响不无关系。四川崖墓流行于东汉到南北朝期间,正是道教在四川最普及的时期。崖葬远远高出地面象征高于地府。崖墓上还有众多雕刻,常见三足鸟、凤麒麟、朱雀、楼阙、云气纹等导引升天、伏羲女娲等图案,都是当时人们头脑中飞天成仙的伴侣和天堂的伴随物。在四川的崖墓里还发现了多种符号和组合性文字。与道教的早期符箓有关。东汉墓葬里,还常能发现"天帝使者"避邪印章和封泥。可见,道士曾直接参与了丧葬活动。

悬棺葬 古代南方少数民族的一种葬法,曾流行于古闽越、山越、瓯越、骆越、五溪蛮、夷人、僚人、仡佬、都掌蛮等族中,在我国福建、台湾、浙江、江西、安徽、湖南、湖北、广东、海南、广西、四川、云南、贵州及陕西等省区都有悬棺葬的遗迹。此葬法即将盛放死者的棺椁放于人迹罕至的悬崖峭壁上,使之风化。《临海水土异物志》记之:"悬著高山岩石之间,不埋土中作冢墩也。"棺木的放置方法多样,有的借岩壁间的缝隙架设棺木;有的在岩壁上凿孔,楔入木桩,支托棺木;有的凭借天然岩洞和人工挖凿的洞穴,把棺木放在里面。"悬棺"一名最早见于梁陈间顾野王。在不同的时代和地区,人们对它有多种称呼,如"敝艇"、"仙人屋"、"仙骨函"、"沉香船"、"亲家殿"、"凉骨坟"、"葬堂"等。现代考古

学家和民族学家称其为崖洞墓、崖墓、崖棺葬、船棺等。棺木多用独木凿成，呈长方形；有的把棺木作为船形，两头翘起，中间有船舱，舱内盛放尸体和随葬品；有的和一般棺材差不多。葬式有一次葬、二次葬、火葬等。悬棺葬法的成因，自古便众说纷纭。史籍中记述常以仙字名之，将此葬法和神仙信仰联系起来，近代研究者则认为这与古代南国之民的宗教信仰分不开，有的民族认为，人死后放得越高越好。也有的研究者认为此俗与南国多山多水的地理条件和依山靠水的生活习俗有关。

唱喜歌 婚礼中伴随各种仪俗的娱乐、祈祝活动。喜歌为仪式歌，除用于婚嫁外，还用于贺生子、新年、建屋、开张等。婚礼中，又有铺房喜歌、拦门喜歌、上下轿歌、撒帐歌、闹房歌、宴客喜歌等，用来表达一种欢快、祝福的心情。喜歌往往同各地较为定型的婚姻习俗相联系。有相当强的艺术感染力。汉族婚礼中唱喜歌者可以是司仪，也可以是亲朋好友，新郎新娘一般不唱。有的少数民族则新人亦唱，且具有对歌的性质，歌词也比较长，或与婚礼仪俗无关。近代广西博白县新夫妇拜堂时，常请两位年老、多子、幸福的夫妇做伴娘、伴郎。拜堂后，伴娘先念第一、二句歌词，递给新娘一熟鸡蛋，新娘吃一口；伴娘接着说第三、四句歌词，又递给新娘另一鸡蛋，新娘吃一口，不再吃。畲族婚嫁喜筵，对歌持续三天三夜。喜筵一开始，长辈和贺客在"行郎"（请来的歌手）的山歌中就

座。酒过半巡，行郎唱"劝酒歌"。酒筵一过，男女双方请来的行郎要对歌，对到天亮收歌台，行郎唱起"十二生肖歌"，传说这是"歌盖"，表示山歌被盖住，对歌方告结束。唱喜歌之俗，一是为了表示对新人及其家庭的祝贺，一是为增添婚礼的喜庆气氛，而畲族婚礼时的长夜对歌，相传是为了免得新娘被魔摄去。

唱赞礼 旧时汉族的婚姻习俗。陕西华县一带即有此俗。新娘迎来后，新郎揭去其盖头，由一名迎姑婆带着入洞房。路过厨房，看见预先扣在锅背上的瓷盆，迎姑婆便唱："媳妇见盆，骡马成群。"新娘则须拿起铁勺在锅里搅一下，迎姑婆接着唱："媳妇搅锅，越搅越多。"新娘入了洞房，看亲人向窗内扔一块瓷瓦，迎姑婆唱："隔窗撂瓷瓦，明年生胖娃。"接着又扔进一双筷子，迎姑婆又唱："隔窗撂筷子，明年生太子。"看亲人朝炕洞塞木墩，迎姑婆唱："炕洞里塞墩子，明年抱孙子。"看亲人抢炕上的核桃、红枣，迎姑婆就唱："七个核桃八个枣，娃子多来女子少。""吃了核桃枣，两口不准恼。白天恼，晚上好！"新人互换信物花后，在一旁唱："老魏呀（指外婆家），小魏呀，姑姑姨姨亲戚家，新人给你们行礼哩！"新人向大家磕四个头。乐手又唱："挑水的，担炭的，烧火的，擀面的，择葱的，砸蒜的，切菜的，剁馅的，掌勺的，端饭的，安桌的，铺毡的，倒茶的，散烟的，提着笼笼胡转的，新人给你们行礼哩！"新人听后再磕四个头。依此一路唱来，使得婚

礼气氛热闹非凡,表达家人的祝颂。

唱贺郎歌　贺郎歌为喜歌的一种。唱喜歌之俗流行于江西等地。在江西南昌的婚宴上,每桌都要推举出唱"贺郎歌"的人,轮流唱贺新人。《江西南昌的贺郎歌》一文中记录过两首歌谣:"此花生来两边排,八度神仙下凡来。十八罗汉来饮酒,麒麟送子一路来。"用此诗来祝愿新娘早生贵子。另一首为:"此花生得笑哈哈,娶得新娘会当家。一要缝补针线好,二要裁剪会挑花。三要夫妻都孝顺,四要来宾泡香茶。五要五男并二女,六要堂前放光霞。七要公婆招待好,八要无事不走家。九要天长并地久,十要丈夫外面夸。"用此来表达对新娘的祝愿和要求。

偷名　流行于广东一些地区的汉族命名习俗,借此为小儿祈求平安长寿。偷名需事先打听到某家人丁兴旺,然后请人到那家偷一只饭碗,一双筷子。偷名者返回时,小孩母亲抱小孩在门口迎接,偷名者呼名,小孩母亲代为应答。民间认为这样小孩便可无灾无病。

偷筷子　流行我国许多汉族地区的婚俗,尤其在黑龙江、吉林、辽宁、山东等地盛行。新娘离开娘家时,新郎前来接亲。临行前,新娘的父母要备酒宴款待新郎和伴郎,席间,伴郎要乘人不备,偷几双筷子放入怀中,悄悄带回新郎家。因"筷子"谐"快生子",故此俗的内在涵义在于盼新娘早生贵子,以兴旺家族。据《山东民俗》记载,山东黄县还有新郎窃物的习俗,即在酒宴结束时,新郎要偷偷地拿一只酒盅和一双筷子带回,取婚后早生忠孝之子意。

做寿　即"祝寿"、"贺寿",俗称"过生日",是各地普遍流行的寿诞习俗。此俗古已有之,《诗经·豳风·七月》云:"跻彼公堂,称彼兕觥,万寿无疆";《诗·大雅·江汉》云:"虎拜稽首,天子万年。……作召公考,天子万寿";《史记·项羽本纪》载:"沛公奉卮酒为寿。"可见汉代也有此俗。做寿一般要到40岁后才举行,各地的年龄并不统一。东北一些地区从40岁始,山东泰安人则从66岁开始庆寿,有的地方从有孙子时起做寿。但总体上看,岁数越大,所做的寿礼越隆重,逢5、逢10的整数之寿也较隆重。做寿也有一套仪规:设寿堂、摆寿烛、挂寿幛,且儿孙齐集共庆。做寿的最重要的活动便是寿筵。席上,寿星常端坐中堂,接受晚辈、亲友的祝贺和叩拜。来贺寿的客人也往往携带寿桃、寿面、寿糕、寿联、寿幛、寿画等寿礼以表心意。旧时寿礼上吃寿面,摆寿桃的场面必不可少,但现在西式生日蛋糕也常被置于生日饭桌上。

做道场　也叫"做七",是我国汉族的一种民间丧葬习俗。"道场"本是佛教设斋供奉、超度亡灵的法会场所,始限于佛门弟子,后被人们普遍接受,丧葬中设坛作法必不可少。民间丧葬习俗中的"做道场"是佛教文化与中国传统文化相结合的产物。佛经称,一般人已在死之后,未生之前,有"中阴身"(亦称"中有"),如童子形,寻求生缘。以7日为一期,若一期满,未得生缘,则更续7日,至第七个7日终,必生一处。民间相信此说,故在此期间僧侣做法事,以超度死者亡灵,以求再生。《窦娥冤》:"改日做个水陆道场,超度你升天便了。"《重修彭山县志》(卷二)曰:"至'五七'日则大设水陆,作佛事,放焰口,亲友亦以香楮联文致敬。即无力者于此日亦必召术士于家小为道场,谓之做五七。"

婚联 亦称喜联,是婚礼上运用最广泛的文学样式。婚联有自己写的,也有别人送的,有的贴在大门口,有的贴在厅堂正面,有的贴在洞房门上,也有张挂的,意在图吉祥、求喜庆、求热闹,或是表达祝愿,因而喜联的写法也或雅正恢宏,或趣味横生,不拘一格。贴在门口、庭堂、洞房乃至厨房的喜联多是指婚家自己的;别人送的喜联则张挂厅堂,以为装点的祝颂,并且有日后长久挂在内室以志纪念的。其内容如祝愿主人前程远大,便写"洞房花烛夜,金榜题名时";若祝愿主人多子多福,便写"红梅多结子,绿竹又生孙"。1890年光绪皇帝结婚,英国维多利亚女王赠送一座时钟,上面刻有喜联:"日月同明,报十二时吉祥如意;天地合德,庆亿万年富贵寿康。"婚联在当代仍然存在,而亲友所送具有鉴赏价值的婚联则倍受新婚夫妇喜爱、宝重。

祭文 也叫"祝文"、"嘱文"。古代祭祀时诵读的文章。祭文历史悠久,最早用于告祭天地、山川、社稷等神祇,后也用于丧事,用来告祭死者,主要以赞扬、哀悼为主。祭文有韵文体和散文体两种,韵文体祭文像陶潜的《祭程氏妹文》就很著名,另外韩愈的散文体祭文《祭十二郎文》和清代袁枚的《祭妹文》也相当出色。《文体明辨·祭文》载:"祭文,祭奠亲友辞,古之祭祀,止告飨耳。中世以还,兼赞言行,以寓哀伤之意,盖祝文之变也。"

脱新娘鞋 也叫"脱新人鞋",见于闹房过程中,是流行于山东淄博、安徽徽州等汉族地区的一种婚姻习俗。姑娘出嫁时,娘家需准备一双"新娘鞋",待新娘拜天地时穿用。民间传说若不穿"新娘鞋",会给婆家带来不吉利。闹房的人便在新娘来拜天地前,想尽办法得到这双鞋,迫使新郎拿出好烟、好糖果来求鞋。安徽休宁县,在新娘初进婆家门,新郎背新媳下轿时,闹房人便借机脱新娘鞋。新娘是忌讳脚沾地的,新郎就只得把她背在背上。黔县民间,新娘鞋在拜天地前由伴娘掌管,闹房人便通宵守在送新路上,以期夺到新娘鞋以博一乐。

寄名 又称寄名神佛,指父母将婴儿或幼子送到寺庙,请和尚、道士等命以佛门、道家中的名号,旨在把孩子寄托给神佛,从而建立圣俗的亲属关系。此风习的目的是为了保证自己的孩子健康长寿、幸福美满——因为在寄名以后,便将孩子置于神灵的保佑下,不易受到妖魔邪祟、祸患灾疾的侵害。我国寄名神佛的习俗很早就普遍存在,《中华全国风俗志》记述了近代寄名风俗:"大凡缺少子嗣之人家,忽然生下一个男孩,自然爱如珍宝,但是一方面却时时惶恐,或是多病,或是夭殇。因此,为父母者往往带领小儿,到庙中焚香祷告,求和尚给小儿起一名,俗称寄僧名。其意盖谓自此以后,此孩便算出家。寄僧名之孩,往往作僧人之装束。"当家长认为孩子度过灾难,能够抵御外来伤害的时候,寄名神佛的孩子便可"还俗"。"还俗"也往往是假借某种礼仪来完成,意在通过象征的礼仪行为使得人们在观念意识中将前后两个阶段的对象区别开来。在北京顺义,"还俗"礼仪是"跳板凳",即在孩子长大时,选一吉日,备礼到庙上进供,庙主找碴儿责罚小儿,小儿便跳过板凳,回家留发。在天津为小儿至12岁时跳墙还俗:"跳墙事前,必须择一吉日,买簸箕一只,毛帚一把,预备老铜钱八枚。及期,父母带领小儿,至神像前焚香祷祝,一面使小儿持簸箕及毛帚,拂拭香案,洒扫地下。事毕,即令理发匠为小儿留发,随后再使小儿立于板凳之上,左右手各持老钱四枚。旁观之人,喊声'老和尚',小儿便将手中所持钱向后撒去,跳下板凳,并不回头,直跑至家中。"(见《中华全国风俗志》)

离婚　即解除婚姻关系的行为。它是随着氏族外婚的发展而成立的,并有了存在的可能。在对偶同居时期的从妻居、望门居等形式中,离婚表现为母方(或女方)明确告知男方离开女家,可带走男方的东西回男方家里或重新择偶。在对偶婚形

式下,离婚才开始有真正意义上的存在,即向社会公开宣布。在我国封建时代,离婚只表现为男家"驱除"女方。那时把离婚叫"出妻",将已离婚的妻子叫"弃妇"。并明文规定离婚的条件。离婚后妇女改嫁也有若干条件限制,并不具备自愿性质。解放后,我国婚姻法保证男女双方都有权提出解除婚姻关系。

断奶　又叫"断乳",是我国汉族的民间育儿习俗。指终止母奶喂养,一般在婴儿一岁左右断奶。婴儿自五、六个月起逐渐加些粥、面、鸡蛋、牛奶、菜等食品,为断奶做好准备。过去小儿断奶也有选择吉日的习惯,大都将"优断日"为断乳吉日,而忌讳五月、七月断奶。

望门寡　指旧时女子订婚纳聘之后,尚未结婚过门,未婚夫因病或因意外死去,女子不能或不愿再嫁别人而守寡。

随喜　即随礼,俗称"凑份子"。指参加婚礼的亲友送新人礼品或礼金。《山东民俗》记,准备嫁娶过程中,亲友们要送喜礼。向男家送以"色"为单位,一对鸡一刀肉、一对鱼、二斤粉皮等都可算作一色礼。也可送干礼钱和喜帐。向女家送喜礼,常选被褥、衣料等日用品,也有送钱的。最普遍的是送果盒。亲友所送喜礼要记入喜帐簿,以备将来还礼。礼品的多少由关系的亲疏来决定。近年来,我国社会中随人情凑份子的风习仍十分严重。婚聘中的随喜之称,大约源于佛门的随喜:佛家以为行善布施可生欢喜心,故称随

人为善为随喜；后来也把游览佛寺称作随喜。

随葬品　我国古代许多民族都有的葬俗。指随同死者葬入墓中的物品。随葬品是私有制在丧葬礼俗中的体现，它标志着墓主的身份、等级。不同的时代、地区、社会和等级，也有不同的随葬品出现。最早的随葬品和生活密切相关，人们想让死者像生时一样生活，便陪葬粮食、工具、家畜家禽。后来奢侈品也进入随葬品的行列，如金玉器物、布帛绸缎、家具字画等。然后又有了货币、明器等。我国古代甚至还有以人随葬的现象。随葬品基本上是与土葬合一的。随着其他葬法的兴盛以及人们观念的变化，随葬品已不多见，其种类也转向具有纪念意义的物品。

陪嫁　女方家里陪送姑娘出嫁的穿戴、妆奁、日常用品、家具摆设等，又叫嫁妆、陪送。过去北京地区的陪嫁有8抬、10抬、12抬、16抬、24抬、48抬，直至300多抬，依女方家庭经济情况而定。山东从前的嫁妆，一般人家多是两铺两盖，桌椅、箱柜、座钟、脸盆等；贫穷百姓则只送茶具等桌上的生活用品。但照民间习俗，无论贫富，"长命灯"必不可少，直到今天也作为摆设照送不误。陪嫁在请期之后，就要整理、转送。旧时正式一些的场合往往将陪嫁嫁妆一一开列在"奁仪录"上，合成一册厚帙，奁仪录的封面封底都用厚纸文锦裱糊，装在盒子里，放在彩亭上，连同实物一同送给男家。嫁妆的

多少、好坏，往往决定女儿到婆家后的地位，所以娘家都会尽量把嫁妆办得体面些。近年来大规模送嫁妆的风气又有抬头之势，送嫁妆讲排场、比阔气的风气愈演愈烈。嫁妆和彩礼都带有买卖婚的色彩，不应提倡。

婚约　旧时汉族婚姻习俗，即订婚，指婚姻预先约定的行为。预定婚姻不能空口无凭，而是以"定帖"的形式固定于书面。帖上常列出双方家庭三代的官品、姓名、议亲人的排行、官职、生辰八字和拥有的钱财家产等。两家交换定帖，便为立下了婚约。结婚时依此兑现，如一方有假，婚约便算解除。（参见"订婚"条）

婚礼　男女结合成为夫妻的仪式，是人生大礼。这一礼仪标志着个人进入建立个体家庭、发展家族的重要阶段，为中国人所特别重视。《礼记·昏义》就婚姻及婚礼的意义指出："昏（即婚）礼者，将合二姓之好，上以事宗庙，下以继后世。故君子重之"；婚礼"所以成男女之别，而立夫妇之义也。男女有别，而后夫妇有义；夫妇有义，而后父子有亲；父子有亲，而后君臣有正。故曰：昏礼者，礼之本也。"古代婚礼分六阶段，称作"六礼"，近代则专称其中的"亲迎"为婚礼。婚礼往往礼仪繁缛，据《东京梦华录》、《梦粱录》等载，宋时婚礼已有草帖子、起细草贴子、缴担红、回鱼箸、插钗子、铺房、起担子、拦门、撒谷豆、跨鞍、坐帐、坐富贵、高坐、利市缴门红、牵巾、撒帐、合髻、饮交杯酒、拜堂等10多项仪俗。

传统婚聘六礼在时间上要持续好长一段时间。现代婚礼仪式项目比古礼简略，时间一般也只一两天。但对婚礼的重视程度与古代并无二致。

续弦　也叫"续亲"。指男子在丧妻后再娶。续弦一说源自《诗经》对夫妻的比喻。《诗经·周南·关雎》中有"窈窕淑女，琴瑟友之"的诗句，后世便以琴瑟比喻夫妻。丧妻便如同断弦，再娶好比续弦，取弦断复续之意。《通俗编·妇女》记："今俗谓丧妻曰断弦，再娶曰续弦。"

棺椁　丧葬中盛放尸体的器具。一般为木制，木材质料贵者用樟木或楠梓、楩楠等名贵木材，一般为松柏等。除木质棺椁外，尚有石棺（包括水晶）、瓦棺、金属（铁、铜乃至金）棺。古代棺椁有所区别，内棺外椁，棺外套椁。后来棺椁区别逐渐消失，大多有棺无椁，俗称棺材、寿材。旧时棺椁的使用有十分严格的贵贱等级差别。古代丧制不仅对棺椁的大小、色彩、层数做了规定，对棺椁的材料也有限制，这种限制完全按照等级来规定。《礼记·檀弓上》和《礼记·丧大记》规定：天子棺椁四重，诸侯三重，大夫二重，士一重。《礼记·丧大记》还记载："君大棺八寸，属六寸，椑四寸。上大夫大棺八寸，属六寸。下大夫大棺六寸，属四寸。士棺六寸。君里棺用朱绿，用杂金鐕。大夫里棺用玄绿，用牛骨鐕。士不绿。君盖用漆，三衽三束。大夫盖用漆，二衽二束。""君松椁，大夫柏椁，士杂木椁。"以后历代丧制大都依此为据，可见等级观念之强。同时，棺

椁也受丧家经济地位的限制。富家大族不仅棺椁俱全，用上好的材料，还要彩绘雕饰；贫民百姓则多有棺无椁，用不加彩绘的"素棺"，甚至用瓦棺敛尸。此外，棺椁主要用于土葬，也用于火葬存放骨灰或天葬、树葬二次捡骨葬等。

塔葬　又叫塔屋葬，我国古老的葬法之一，主要流行于僧侣阶层。按佛教习俗，有名望的僧人死后，常用药物将尸体处理，然后风干，放置于灵塔之内。从文献记载看，它在唐代开始流行。《旧唐书》载："杜鸿渐休致后病，令僧剃顶发。及卒，遗命其子依胡法塔葬，不为封树，冀类缁流，物议哂之。"唐时不仅僧侣用塔葬，一些皇室成员的丧事也采用塔葬。如《旧唐书·姜公辅传》记，唐安公主死后，便造一砖塔安置。

搭红　旧时流行在陕西武功一带的汉族民间婚俗。娶亲那天日出前，迎亲车到达男家村口，新郎便头戴礼帽，身穿长袍，骑上一匹带铃的马，绕车顺、逆向各绕三圈，然后下马，面向车侍立。唱礼人高喊让新郎向车内作揖；然后从车里要出新娘的花钗，让新郎含在嘴里，再招呼随车来的娘家兄弟和新郎对揖，并让娘家兄弟把带来的"红"（用红绢绸裁成的条子）斜搭在新郎左肩上。随后，新郎到村口招呼来宾排列于礼桌左侧，新郎亲自为他们搭红。搭红要按舅、姑、姨、姐、妹的辈份次序进行。每搭红一次，便要磕一次头。搭红完毕，新郎从嘴里取出花钗，唱礼人夹一点菜，让新郎全部吃下，最后

新郎方可上路迎亲。

摇钱树 明器的一种。为树状仿制的象征物。传说中摇钱树能结金钱，摇落可再生。作为明器的摇钱树枝叉上缀满锡箔或纸等闪光发亮的材料做成的银元和铜钱。我国至今发现最早的明器摇钱树是东汉时期的铜质树，植于陶质的底座上，枝叶上铸有西王母神话传说和吉祥图，枝上挂有铜钱，树下铸有用竹竿打钱或挑钱行走的小人。摇钱树是人们观念的产物，人们相信它能一说就有，一摇就得，也希望它能给死者带去富足。临葬时，人们将它烧掉。摇钱树除作为明器的一种以外，也用于喜庆之事。如北京旧俗，岁暮取松柏枝，插在瓶中，挂些纸钱、元宝、石榴花等，以寓吉祥。

馈女 也叫"暖女"、"馈敬"，是汉族的一种婚姻习俗。旧时姑娘出嫁后三天，娘家要到男家送熟食。《侯鲭录》载："世之嫁女，三日送食，俗谓之暖女。"《河南邵氏闻见后录》(卷二十七)记："(宋祁)常纳子妇三日，子以妇家馈食物书白。一过目即曰：'书错一字，姑报之。'至白报书，即怒曰：'吾薄他人错字，汝亦尔邪？'……子退检字书。《博雅》中出馈字，注云：'女嫁三日，饷食为馈女。'"魏晋南北朝时，馈女主要为送食品，到了宋代，也是如此。《东京梦华录·娶妇》曰："三日女家送彩段油蜜蒸饼，谓之'蜜和油蒸饼。'其女家来作会，谓之'暖女'。"同时此俗还发展为宴饮。到了南宋演化为三朝礼及"馈女会"。

铺房 也叫"铺床"。旧时汉族地区婚俗，指迎娶前一日，女家将备办的新房的家具器物送至男家，并与婆家一起铺设新人床铺、卧室等。《书仪·婚仪》记云："亲迎前期一日，女氏使人张陈其婿之室，俗谓之'铺房'，古虽无之，然今世俗所用，不可废也。床榻、荐席、椅桌之类，婿家当具之；毡褥、帐幔、帐幕之类应用之物，其衣服袜履等不用者，皆锁之箧笥，世俗尽陈之，欲矜夸富多，此乃婢妾小人之态，不足为也。"不同地区在不同时期，男女两家对铺设之物的准备亦有区别。《梦粱录·嫁娶》记铺床后，女家还要"亲压铺房，备礼前来暖房。又以亲信妇人，与从嫁女使，看守房中，不令外人入房，以待新人。"《山东民俗》记近世铺房全过程云："铺房主要是安床和铺床。其中有许多讲究。安床讲究的是床的安置方位及其走向。通常情况下，床都紧靠东墙或西墙，因为这两边称为山墙，靠墙就有靠山，婚时靠父母之山，以后靠儿女之山。有的地方还在床上搭一席棚，以便坐帐。铺床一般在婚礼前一天的晚上，由儿女双全的婶子和嫂子来铺床叠被。铺床时还要一问一答，唱着喜歌……有的地方在床的四角放上枣、花生和栗子。或者让小男孩在上面打个滚，以求得早生贵子。床铺好后一般不能空着，禹城是由公爹(无公爹者由大伯哥代替)先住一宿，有所谓'公爹压新房，儿女一大帮'的说法。沂蒙山区多在婚礼前一两天择双日铺床，铺的人须是上有父母、中有妻室、下有儿女的大伯或叔公，床上先铺高粱秸，根要向东，然后再铺豆秸、黄草或者麦穰。"铺床是娘家对女儿的最后一次照顾、关爱，同时也是女家财力物力、社会地位的展示，有一定的社会意义。

等郎媳 童养媳的一种形式，即在男家尚无儿子时，先抱养一个童养媳，俗称等郎媳，又叫"等郎妹"。男家抱养等郎媳一方面是想得到一个廉价的劳动力，另一方面也是头脑中存有以媳招子的民间信仰。这种童养媳需要等郎，等来了就结成"等郎婚"，否则再另嫁他人。有时，郎要到十二、三岁才能等来，男女婚龄便会出现差异，即俗所谓"十八大姐周岁郎"。

奠雁 古代婚聘六礼中的仪式。古时男家在行纳采、问名、纳吉、请期、亲迎礼时，都需用雁，称"奠雁"。俗信雁知时节、顺阴阳往来。《仪礼·士昏礼》云："昏礼。下达纳采。用雁。"《晋书·志第十一》曰："孝武纳王皇后，其礼亦如之。其纳采、问名、纳吉、请期、亲迎，皆用白雁、白羊各一头。"传承过程中，雁亦为其他品物所代替。《宋史·志第六十八》士庶人婚礼"其无雁奠者，三舍生听用羊，庶人听以雉及鸡鹜代。"江浙民间常用鹅代替。江苏地区新郎到女家亲迎时，向岳丈、岳母行四跪、四叩大礼，也叫奠雁。

渴葬 指未到葬期而提前埋葬。《公羊传·隐公三年》记："不及时而日，渴葬也。"注："渴，喻急也。"《释名·释丧制》载："日月未满而葬曰

渴。言渴欲速葬，无恩也。"南北朝时期，曾经流行渴葬。《南史·徐勉传》记："时人间丧事多不遵礼，朝终夕殡，相尚以速。勉上疏曰：'《礼记·问丧》云：三日而后敛者，以俟其生矣。顷来不遵斯制，送终之礼，殡以期日，润屋豪家，乃或半晷。衣衾棺椁，以速为荣。亲戚徒隶，各念休反。故属纩才毕，灰钉已具。忘狐鼠三顾步，愧燕雀之徊翔，伤情灭理，莫此为大。且人子承衾之时，志遑心绝，丧事所资，悉关他乎，爱憎深浅，事属难原。如觇视或爽，存没违滥，使万有其一，怨酷已多，岂若缓其告敛之辰，申其望生之冀。请自今士庶宜悉依古，三日大敛。如其不奉，加以纠绳。'诏可其奏。"《南史》所记徐勉上疏废止渴葬的理由是其不遵礼。事实正是如此。古礼渴葬只是一种应急措施，一般在凶死或其他不宜如期殡葬的情形才使用。后世的渴葬除以上情形外，多见于贫赢之家。

童子会 流行于川西一带的汉族生育民俗。即一种向神求子的庙会。相传东岳天齐大帝的三个妻妾专管人间生育，人称"三婆娘娘"或"子孙娘娘"，民间便常往东岳庙祈子。童子会的会期也不尽相同：有的在夏历正月初九，有的在二月，也有的在四月初一到十五，男女老幼都可参与。童子会由会首主持，先由已得子者酬还木刻童子。"童子"往往用檀木雕成，有长三尺的，也有一尺、半尺长的，身上还涂有油彩。会首将"童子"供于"三婆娘娘"的神像前

"开光"，以期启发灵气。到开会那天中午，会首向会场抛出"童子"，众人争相抢夺，抢到童子者将披红挂彩，在当日晚送到亲友中未生育的人家，并会受到热情招待。

童养媳 传统中国特有的婚俗，指有子嗣之家，抱养或买来人家的幼女做养女，待其子与养女达到婚龄，即令其成婚。我国历史上，三国以前便有童养媳的事例，《三国志》中即有童养媳的记载："该诅国女，至十岁，婿家即迎之长养为媳。"《后汉书》亦载：建安八年，操进三宪节华为夫人，少时待年于国。由此可知曹操娶的亲，便是童养媳。元、明、清，童养媳习俗已流行于全社会。童养媳在主家的地位比较特殊，既为养女，又是儿媳；既是姐妹，又是未来的妻子。童养媳在主家中的地位一般较低，劳务繁重，结婚时也常省去许多礼节，经济困难之家，往往在夏历"年关"令男女双方同房，或请一、二席酒了事。

属相 即俗话说的"生肖"。古人将十二地支和十二种动物相配为十二属相：子鼠、丑牛、寅虎、卯兔、辰龙、巳蛇、午马、未羊、申猴、酉鸡、戌狗、亥猪。民间俗信属相能影响人的命运，特别在婚姻中，属相还有相克相合之说。

媒人 介绍、说合男女婚姻之人。古时称"媒妁"，谋合二姓曰媒，斟酌二姓曰妁；又解释作男为媒，女为妁。媒人一般分两种：一为男女双方的亲友自愿充任，可以是临时性的；一为专业媒人，即以说媒为其职业。又因做媒人的多为中年以上的妇女，故俗称"媒婆"。在我国，媒人在古代聘娶习俗中的位置很重要，专司婚嫁双方的联络、协商等事宜。大体上说，媒人是随着私有制的产生而萌芽的，产生于专偶婚制时期。我国古代早在《诗经》中就反映出媒的习俗，《卫风·氓》中有"匪我愆期，子无良媒"的诗句，《古诗为焦仲卿妻作》中也有"阿母白媒人"的描写。在《周礼》中更有明确记载："媒氏掌万民之判，凡男女自成名以上，皆书年、月、日、名焉。"在《曹子建集·美女篇》中也有"媒氏何所营，玉帛不时安"的诗句，说明了媒的社会职能和特点。古代除媒人的记载外，还有媒官和媒互人的记载，《三国志》记有"为设媒官，始知聘娶"，是设立专门的官职，按正统的礼数指导、管理婚嫁。媒官又称"媒互人"，是官媒，是整个政府中独特的一员。媒人在历史上有许多别称，如月老、红娘、冰人等。媒妁是封建包办婚姻的组成部分之一，媒人往往与封建家长纠合在一起，不顾青年男女的意愿，客观上、甚至是有意地造成了无数婚姻悲剧。所以民间讽刺、咒骂、揭露媒人的口头歌谣很多。但媒人作为一种职业，并没有多高的社会地位。媒的习俗在现阶段呈现出两种状态：一是传统性质的媒人的残余，主要是农村沿袭旧俗，媒人为获取一定酬劳作媒谋婚；另一种是转变为适应新情况的"仲人"、"介绍人"，为自愿牵线搭桥，有媒的形式，无媒的实质。近年来，社会上又陆续出现婚姻介绍所、青年联谊会等多种形式的婚姻介绍团体,此外新闻媒体也充分发挥作用,出现报纸征婚、电视红娘等多种形式,这些都与封建时代媒人的性质有本质不同。

聘金　又叫"聘礼"、"聘财"、"彩礼"、"财礼"、"茶礼"。指男女订婚或结婚时,男家付给女家财物,以此作为婚姻关系成立的条件,具有强烈的买卖婚姻的味道。古人结婚以鸟兽为贽,《婚礼文》曰:"委禽奠雁,配以鹿皮。"后来又转为以布匹作聘礼,初时多用缁帛、玄纁、俪皮,诸侯加上大璋,天子再加上谷圭。宋代之后,聘礼更转化为直接用金银首饰,甚至银锭钱币行聘,民间也有用衣物、布匹、绸缎、牲畜、食物替代的。对此,许多文学作品都有反映。如《诗经·卫风·氓》云:"氓之蚩蚩,抱布贸丝。匪来贸丝,来即我媒。"一般来讲,女方一接受彩礼,婚约即告成立。《唐律疏义·户婚》载:"虽无许婚之书,但受聘财亦是。"古代法律称其为"聘娶婚",由此娶来的妻子称作"聘娶之妇"。因此聘金实质上是一种变相买卖婚姻的身价。我国一些农村地区目前仍有聘金现象,或以实物代聘金。婚姻关系建立在聘金之上,是封建买卖婚姻的反映,应当革除。

填箱　流行于上海市郊的婚俗。指送嫁妆前一天晚上,父母把陪嫁品,如被子、衣服、衣料、头巾等递给儿子、儿媳,再由儿子、儿媳一件件拿到箱子里去。这种行为有象征意义,意为妹妹出嫁的陪嫁品都是哥、嫂子同意的,以免姑嫂不和。填好箱后,母亲要唱哭嫁歌,哭唱父母家业薄,不能给女儿什么东西。并且无论贫富,都如此唱。随后女儿也哭唱父母的养育之恩,以示眷恋娘家。填箱的当夜还要做糯米汤圆,取团圆和睦之意。

墓碑　立在坟墓前面或后面的碑,上面刻有关于死者姓名、事迹等文字。我国最早的墓碑多为木质,但因木质疏松,不耐侵蚀,汉以后石墓碑便流行起来。木质的墓碑始于秦汉,它起源于下葬时用来牵引放下棺椁的丰碑。《释名·释典艺》载:"碑,被也。此本葬时所设也,设鹿卢,以绳被其上,引以下棺也。臣子追述君父之功美以书其上,后人因焉。"碑刻的出现始于东汉,其文体自成一格,有文有铭,有的还有序,后世达官贵人、皇亲国戚的墓碑大略一仍其制。普通墓碑多为长条形,碑头切成圆形,或雕出檐,下置碑座。简单的墓碑很少雕饰,正面刻文亦较简约,如"××之墓"或"先祖××之墓"。碑上还可刻上立碑人和立碑时间,刻在碑的左下侧,字体较小。讲究的墓碑的雕饰要多得多,比如碑头刻盘螭纹,碑沿刻忍冬、缠枝纹等,碑座也颇为讲究,甚至雕赑屃驮碑。相应地,碑文亦较复杂,包括姓名、籍贯、家世、经历、文章著作、逝世时间、某年某月葬于某地,最后是铭文,为概括性的赞语。立墓碑之俗流行后,其上的文字渐趋华丽、虚浮,有些死者亲属还专门请求名人撰写碑文"谀墓"。这除反映人们重视名誉、声闻的意识外,也体现了宗法、家族观念的强固。

墓志铭 旧时刻在石上埋入墓中的文字。包括志和铭两部分。志多用散文,叙述死者姓氏、生平等。铭是韵文,用于对死者的赞扬、悼念。一般为两块相合的正方石,平放在棺前。学术界认为墓志起源于西汉或东汉,魏晋南北朝时期即为一种重要的随葬品。那时的墓志多为方形石质(或砖质)、有盖顶盖,大多平放在墓室中墓门前、墓主头前或甬道中。碑上刻有铭文。此后,墓志在我国流行了1000多年。今天的墓志铭常刻在墓碑上,内容大体和旧时相同。明人王行撰有《墓铭举例》,选录各家墓志铭。墓志铭作为一种实用文字能经久不衰,反映了旧时重视名声的意识以及强烈的家族观念。

跳墙 流行于我国京、津汉族地区的育儿习俗。为了祈求独生子或体弱男孩平安长大,家长带他到庙中烧香祈祷,请求和尚(寄名僧)给男孩起一名,平日穿僧人装束,直到12岁行跳墙仪式还俗。一般此礼在春夏之交举行。选一良辰吉日,准备老铜钱8枚,簸箕、笤帚各一枝。父亲带男孩到所寄名的庙中,向神像焚香祷祝。并让小孩拿着簸箕扫地,擦香案;然后让他站在板凳上,左右手各拿4枚老铜钱,旁边观看的人齐声喊赶和尚,小孩便撒掉手中铜钱,跳下板凳跑出去,途中不能回头。礼毕便算还俗。(参见"寄名"条)

暖房 旧时社会交往中的礼俗活动,指备礼贺人新居或新婚。在婚姻礼俗中,暖房还指新婚前一天,女家到男家送礼、宴饮,有时候也包括铺房。意为次日新娘要到这里居处、生活,预以问存。《梦粱录·嫁娶》云:"前一日女家先往男家铺房,挂帐幔,铺设房奁器具、珠宝首饰动用等物。以至亲压铺房,备礼前来暖房。"与此用意基本一致的是,人们也把闹洞房叫做暖房,为新人排除冷清、生涩之感,增添温暖、喜庆气氛。

睡扁头 我国旧时的育儿习俗,流行于东北、山西、内蒙西部等地。指小儿出生后,让他枕着装有小米之类的枕头,仰面睡觉,使其头骨变得扁平。此俗最初源于满族先人,汉朝史书对此有过记载。《后汉书·三朝传》载:"辰韩人(满族先人之一)儿生欲令头扁,押之以石。"《满洲源流考》则记:"国朝旧俗,儿生数月,置卧具,令儿仰寝其中,久而脑骨自平,头形似匾,斯乃习而自然,无足为异。"满人入关后,此俗也传入汉族地区,至今仍被许多地区沿用。

催生 妇女接近蓐产期时,娘家派人带来礼物探望,谓之催生。宋代的催生,要送面做的眠羊、卧鹿,取其眠卧之意。近现代各地催生习俗已不普遍,礼物一般是鸡蛋、糯米、红糖、糕点之类的食品,为孕妇补养身体。有的地方,产前婆婆要去庙里烧香,默求送生娘娘保佑早降麟儿,母子平安,这也是类似催生的一种习俗。催生的目的,显然在于催促孕妇及时、顺利地生产。

催妆 旧时流行于汉族地区的婚俗之一。佳期临近，男家派人到女家催促准备嫁妆，俗称催妆。其目的是督促女家赶快准备，以不延误迎娶。《宛署杂记》云："娶前一日，婚家以席一雄鸡二并杂物，往女家，号曰催妆。"近世河北地区结婚时讲究所谓"催妆礼"，男女送龙凤饼、肉、衣物等礼品，由媒人陪同送到女方家里。女方要将嫁妆交媒人一同带回男家。当晚，请一位父母双全、丈夫健在的妇女到新房中安放被褥。《山东民俗》记山东此俗云："临近婚期，男家要向女家送催妆礼，或称"下催妆"、"下催妆衣"。德州一带催妆时要写催妆帖，并要备四色礼物，连同嫁衣（红袄、红裤、红盖头）一起，由媒人率人抬着送往女家。女家收到催妆帖后，要开发喜钱，款待媒人和送礼人，将送来的礼品留下两样，其余退回，表示知道去送嫁妆了。送催妆礼的同时，还要探询女家送嫁妆、送亲时到男家去的人数及性别，以便早做准备，届时招待。"催妆还有另一种内涵，即旧俗新娘出嫁时，要多次催促，才梳妆启行。《酉阳杂俎·礼异》记："鲜卑风气所染，而有催妆。"并说北朝婚礼，夫家领人挟车到女家，高呼"新娘子催出来"。等新娘上车始止。《山东民俗》也记："娶亲那一天也有催妆的，不过催的不是嫁妆，而是让新娘快快梳妆。"

催妆诗 旧时汉族婚俗，用于男家催促新娘行嫁的过程中。此俗在唐代上层社会中最为盛行。汉唐时代，新娘出嫁日，新郎须作催妆诗，传送给女方，也可由傧相代作。诗一般为五七言近体，内容多为催促新娘化妆，或夸赞女方，讨个吉利。《古今图书集成·礼仪典》中记有催妆诗："传闻烛下调红粉，明镜台前别作春。不须面上浑妆却，留着双眉待画人。"唐人陆畅有《云安公主下降诏作催妆诗》："云安公主贵，出嫁王侯家。天母亲调粉，日兄怜赐花。催铺百子帐，待障七香车。借问妆成未？东方欲晓霞。"唐人卢储也留有催妆诗："昔年将去玉京游，第一仙人许状头。今日幸为秦晋会，早教鸾凤下妆楼。"

新人 汉族地区将新婚男女称作新人。意指婚后男女都进入了一个崭新的人生阶段，进入了相对独立的生活领域。有时也特指新娘，《梦粱录·嫁娶》："新人换妆毕，礼官迎请两新人诣中堂，行参谢之礼。"（参见"新郎"、"新娘"条）

新郎新娘 新郎又称"新郎官"、"新郎君"。指结婚时或新结婚的男子。新娘又称"新娘子"、"新嫁娘"、"新妇"。指结婚时或新结婚的女子。新郎新娘有时又被称为新人。所以称新，意在表示一个新的家庭成员的到来，一种新生活的开始。对于我国传统的正宗婚姻规制——从夫居来说，妇女尤其如此。

满月 也称弥月。指婴儿出生后满一个月。满月后，产妇结束了"坐月子"的生活，可以正常行动，对婴儿的许多禁忌也已解除，一般人家这一天要"做满月"。亲友携礼而来，主家也要宴请客人。《魏书·汲固传》记:"时式子宪生始满月。"《土风录》载:"儿生一月,染红蛋衽先曰做满月。案唐高宗纪龙朔二年七月,以子旭轮生满月,赐酺三日,盖始于此。"此俗沿袭至今。山东地区是亲友送馒头、点心、衣物之类的贺礼。在山西和陕西北部以及内蒙西部等地区,贺满月的客人多为女性,贺礼多为小儿用品,如俗谚所云:"姑姑家的帽子,姨姨家的鞋,老娘家的铺盖拿将来。"山西河曲县还有这样的歌谣:"头首首,胖娃娃,亲戚朋友送吃喝。三天豆面十二天糕,大过满月人不少。四大盘,带水饺,每人吃片软油糕。"满月礼除设宴款待客人外,还有剃头和游走等仪俗。满月剃头也称"铰头"、"落胎发"。剃下的头发要收藏好。剃头礼多由舅舅主持,有时也可由外人操作。山东郯城是请邻居的三个年轻姑娘,手持剪刀在小孩头上比划着铰三下,接着由母亲再铰。浙江绍兴则由剃头师傅剃头,请来的师傅先将一把嚼烂的茶叶抹到小孩头上,据说涂抹后不生疮,头发好。剃头时额顶要留"聪明发",脑后要蓄"撑根发",眉毛全都剃光。(参见"满月游走"条。)

满月游走　又叫"满月逛街",是为婴儿祈求吉祥的活动,流行于广西靖西等地的壮族及一些汉族地区。靖西婴儿满月,外婆家的亲友带上婴儿的衣帽、鞋袜、壮锦背带等物品到婴儿家庆贺,婴儿家用糕点款待,并同吃水圆,取家庭和睦、生活甜美之意。还要请一少女用新的壮锦背带背婴儿逛街。出门时,少女拿

把雨伞,表示婴儿长大后有胆有识,走南闯北,风雨无阻;同时在小儿怀中放几张纸或书,表示日后小孩能读书知礼;另外,还要为小孩放几根小葱,表示孩子聪明能干。游走之后,还要在家中宴请一番。汉族在宋代即有婴儿满月"游行"的仪式。据《东京梦华录》记载,宋代满月礼落胎发后,"抱牙儿入他人房,谓之移窠"。移窠即挪窝,即由外婆或舅舅抱婴儿到自己家礼节性地小住。《中华全国风俗志》载,安徽寿春"婴孩满月剃头后,须请舅父怀抱,游行通衢之上,遇行人则谓小孩曰:'认得否? 弗要怕。'"又载浙江湖州"婴孩满月剃头之后,须与舅父怀抱前走,姑父撑雨伞遮于婴孩头上随之,赴街游行一圈。"此俗旨在使婴儿添胆识、见世面。

溺女婴　旧时流行于我国部分地区的生育恶俗。中国封建社会重男轻女,常常发生溺死女婴的现象。据记载,这种现象在先秦已有,晋、唐、宋、清时代也有发生。《韩非子·六反》记:"父母之于子也,产男则相贺,产女则杀之,此俱出父母之怀衽,然男子受贺,女子杀之者,虑其后便,计之长利也。"苏轼在《与朱鄂州》中写道:"岳鄂之间,田野小人,但养二男一女,过此即杀。尤讳养女,辄以冷水浸杀。其父母亦不忍之,率常闭目以手按之水盆中,咿嘤良久乃死。"《宋史翼·罗钦若传》云:"通判赣州。俗憎女,生则溺之。乃作溺女戒文,下十邑,悉禁民之溺女者。"此俗十分残忍,带有极浓重

的封建意识,已为我国法律所明令禁止。

裸葬 古代的一种葬式,也叫"亲土"。这种葬式与黄老思想有关。具体方法是死者不需棺椁,赤身而葬。《汉书·杨王孙传》记:"杨王孙者,孝武时人也。学黄老之术,及病且死,谓其子曰:'吾欲裸葬,以反吾真。'"《资治通鉴·魏纪》载:"邵陵厉公嘉平三年,"烧其印绶章服,亲土埋之。"胡三省注:"孟子曰:'比化者毋使土亲肤,亲土者,裸葬也。'"

塞婆嘴 旧时汉族的婚姻习俗。是人们用以调整婆媳关系的一种仪式,主要流行于安徽江淮地区。旧时民间婆婆常刁难、挑剔儿媳,做媳妇很难。为避免这种情形,新娘在婚礼过程中便加以预防。安徽寿春地区姑娘在出嫁前,用红布缝荷包放在怀里,荷包里装入黄豆之类的塞婆豆,带往婆家,以此来象征塞住婆婆的嘴。这种红荷包,俗称"塞婆嘴"。

聚宝盆 明器的一种,模拟实物形状做成。在民间传说、童话等幻想作品中,它是可以随人所欲不断提供金钱的宝物。《余冬序录摘抄》云:"旧传沈万山家有聚宝盆事,云在沈氏,贮少物,物经宿则满,百物皆然,他人试之不验。"作为明器的聚宝盆,其用意也在于让死去的亲人有生生不已的财物。聚宝盆一般类似盆形,又有所变化。这种象征性的宝物至今在农村的传统葬礼中仍可见到。

酸儿辣女 我国民间流行的预测胎儿男女的俗信。妇女在妊娠期间,

人们根据孕妇的某些行为来预测胎儿的性别。孕妇喜食酸物,预兆生男孩,喜食辣物,预兆生女孩,俗称"酸儿辣女"。直到现在,仍有人相信这种说法。其实,这种俗信是并无科学根据的。

撞名 民间的一种命名风俗。这种命名风俗有很大的随机性,据《中华全国风俗志·贵州》中记载,贵州盘县就有此俗:家长选黄道吉日在大道旁摆列果品,焚香烧钱,然后静候行人。第一个经过这里的,便被认作孩子的干父或干母。此人无论如何也不能推辞,必须承认,并为小孩更名换(己)姓,如果两家相邻,便会像亲戚一样来往,否则礼仪完毕,便算完结。当地人称此风俗为"撞名"。河北省一些地方也有这种风俗。这种命名方式与拜认干亲的习俗有很大关系,此俗的行为目的大概有二:一是怕孩子不好养活,借拜认干亲来保住孩子;二是怕孩子命相不好,克父克母,借拜认干亲来转移命相,以求大小平安,家道昌盛。

撒帐 汉族结婚旧俗。指把一些象征性的物品撒向床帐。传说此俗起于汉代。《说郛·戊辰杂钞》云:"撒帐始于汉武帝。李夫人初至,帝迎入帐中共坐,饮合卺酒,预告宫人,遥撒五色同心花果,帝与夫人以衣裙盛之,云得果多,得子多也。"《东京梦华录·娶妇》记云,新人对拜坐床后,"女向左男向右坐,妇女以金钱、彩果撒掷,谓之撒帐。"由以上材料可知,撒帐的用意在于祝福如意、祈求子嗣。而且后世常撒枣、

栗子、花生等，祈求早立子、花搭生，祈子的意义更显突出。《山东民俗》记新娘入洞房后上床，朝着喜神所在的方向坐下，谓之"坐帐"。这时，有人端来栗子、红枣、花生等撒在床上，边撒边念："一把栗子一把枣，明年生个大胖小。"撒帐一般都由司仪、伴娘、亲友或吉祥人进行，一手托盘，一手撒物。并口唱"撒帐歌"。湖北汉口和上海的撒帐要撒遍、唱遍床的东南西北。

撒谷豆　汉族一些地区流行的结婚礼俗，即在女子出阁时（多发生在新娘上、下轿时），请福寿双全的老太太，手拿米豆或盛满米豆的簸箕到处撒播，同时口说吉利话，孩子们争抢打闹。据载，此俗始于西汉儒生京房、翼奉。《陔馀丛考》引《新知录》云："汉京房之女，适翼奉之子，房以其日三煞在门。犯之损尊长，奉以为不然，以麻豆谷米禳之，则三煞可避。自是以米，凡新人进房，以麻米撒之，后世撒帐之俗起于此。"三煞是传说中的青羊、乌鸡、青牛，撒谷豆就是饲青羊、喂天鸡、神牛，免得其伤害新人。到两宋，撒谷豆已成为士庶之间流行的风俗。吴自牧的《梦粱录·嫁娶篇》记："迎自男家门首，时辰将正，乐官妓女及茶酒等人，互念诗词拦门。求利市钱红，克择官执花斗，盛五谷、豆、钱、彩、果，望门而撒，小儿争拾之，谓之"撒谷豆"，俗云压青羊等杀神也。"近现代民间仍有此俗。在河北民间婆媳妇是撒草。新娘下轿时，撒草人左手持升，升内盛满干草五谷，右手抓草随

处撒播，边撒边唱："一撒如花似锦，二撒金玉满堂，三撒咸亨庆会，四撒华阁兰堂，五撒夫命富贵，六撒永远吉昌，七撒安康祖寿，八撒子孙兴旺，九撒凶神远避，十撒八大吉祥。"其中既有祝福之意，又有避凶神之内涵。今山东淄博、泰安、济宁等地仍有撒谷豆之俗，有些地方还撒火烧和饽饽。撒谷豆一俗由驱邪治鬼而来，进而演变禳除和祝吉意义的习俗。现代婚礼中向新人撒花瓣之俗已与古俗的意义有很大不同，多表示欢庆与祝福。

颠轿　流行于我国各地的汉族婚俗。指迎亲时花轿迎往夫家途中，轿夫故意上下颠簸花轿，使新娘坐立不住，头晕眼花，轿夫和旁观者借以戏闹取乐，作为对新娘迟迟不肯上轿的惩罚。倘若太过分，新娘会将轿中盛灰的脚炉踢出轿门，以示警告。轿夫则会有所收敛。

憋性子　婚礼中对待新娘的一种特殊仪俗。指花轿到男家后，男家先关上大门、不让花轿进门。其意在于憋新娘的性子。江苏迎亲花轿来到时，男家闭门一小时，然后才让轿子进门。安徽六安地区则是新郎新娘拜过堂后，由全福之妇女伴送新娘进房，房中预备火炉一具，中烧木炭，故意火不旺，黑烟四出，让新娘围炉圆转。《山东民俗》亦记云：看热闹的男女老少簇拥着花轿来到男家的大门口。迎亲的人首先要对着花轿放一挂鞭炮，或者是三声响炮，然后花轿面对喜神所在的方位落定。此时，男家的大门紧闭，要让花轿在

门前停一会儿,谓之"勒性"、"憋性"、"顿生性"。传统中国多行大家庭制,婆媳、妯娌关系往往颇难协调,为使新妇过门后服从婆家管教,故借此俗象征性地"磨折新妇的性情",使其脾气温和、柔顺。

避讳 对君主、长老不能直呼其名而采取的一种回避方式。有"国讳"和"家讳"两类,前者不许臣民对当世及已死的七世君主直呼其名。若提到某位国君或先王,则要改字。如秦始皇名"政",《史记索隐》在《秦楚之际月表》"端月"下注称,因避始皇讳,改"正月"(和政谐音)为"端月"。又如东晋人为避晋文帝司马昭的名讳,把王昭君改为王明君。有的史书上遇到帝王名,故意空而不书,或写"某",或作"□",或直书"讳"字。有的则省略所避之字的最后一笔。"家讳"是对家庭中的尊长不得直呼其名。此俗起源于周,在秦汉时便已完备,在唐、宋、元、明、清各朝都很盛行。辛亥革命推翻帝制后逐渐消失。

避邪冲 旧时汉族婚俗,流行于我国北方地区。指婆亲那天,迎亲车轿所经之处,如遇井、庙等建筑物,必以红布、红绸或红毡遮盖,唯恐撞着邪煞,冲了喜气。

麒麟送子 我国民间流行的有关求子的传说和习俗。相传孔子降生的那天晚上,有麒麟吐玉书于其家,上写"水精之孙,衰周而素王"。汉代,未央宫中有"麒麟阁",上画功臣肖象,用来表示卓越的功勋和最高的荣誉。当时民间称男为"麟子"、"麟儿"。民间传说就是在此基础上编传的。民间还有"麒麟送子图",多为木板画,上刻对联"天上麒麟儿,地上状元郎"。另外,民间也有"麒麟送子"仪式,近代湖南长沙即有此俗:正月舞龙灯时,将龙围绕不孕妇女舞一圈,然后将龙身缩短,上边骑一小孩,在堂前绕行一周,表示麒麟送子。

岁 时 节 令

十不动 亦称"石不动"、"石头生日"、"石磨生日"等。旧时汉族民间岁时风俗。流行于河南、河北、山东等地。旧时夏历正月初十民间有"灵石崇拜"的活动，其形式为：在村落巷口门宅立"泰山石敢当"刻石，以求避邪镇妖，逢凶化吉。是日忌搬石头，凡磨、碾、碓、臼之类，皆忌移动，恐伤岁稼。河南济源县家家向石头焚香致祭，午餐必食馍饼，谓之"石落"，并认为食此烙馍一年内遇任何事，可十分落（得）钱。山东费县又称此日为"石婆婆睁眼"，忌动针。鄄城、郓城等地则有抬石头神之举。在鄄城，初九夜人们将一瓦罐冻结在一块平滑的大石头上，初十早晨，以绳系罐鼻，由10个姑娘轮流抬着瓦罐走，如石头始终不落地，则预示来年丰收。在郓城则由青年男子抬，如连石抬起则是丰年，抬不起则为歉年。

七夕节 亦称"乞巧节"、"情人节"、"少女节"等。汉族和部分少数民族民间传统节日。时在夏历七月初七晚间，故称"七夕节"。它源于古代神话传说，牛郎和织女因忤犯天条，被"王母娘娘"隔在天河两边，每年"七夕"才能相会一次（参见"鹊桥会"条），民间被此神话故事所感，遂演绎成隆重的民间节日。《梦粱录》（卷四）云："七月七日，谓之'七夕节'。其日晚晡时，倾城儿童女子，不论贫富，皆著新衣。"是夜，妇女多摆香案，设瓜果于庭内，敬牛郎、织女，并作"乞巧会"，以向织女乞求智巧，故又称"乞巧节"（参见"乞巧"条）。在广州一带更重此节，并有"拜七姐"之俗。届时家家陈列瓜果及各色香花、化妆用品、少女盛装等，于月下祭拜，称"拜七姐"。而闽东一带则于是日行"拜织女"之仪。届时，少女祈长得漂亮及嫁一如意郎君；少妇则希望早生贵子。此外，七夕节还有鹊桥会、香桥会、观天河、祈五谷、染指甲等习俗。是日，民间多以饺子、馄饨、面条、油果子等"巧食"为节日食物。

七十二候 古代黄河流域《物候历》。一年365天，分为春、夏、秋、冬四季，二十四节气。五天为一候，三候为一气（节气），每月分六候，全年二十四节气，共有七十二候。"物候"即动植物、自然现象随气候与季节变化而作出的反映，此种反映称为"候应"。七十二候的"候应"包括非生物和生物两大类。起源甚早。对农事活动曾起过一定作用。对了解古代华北地区的气候及其变迁，具有一定参考价值。（参见"二十四节气"条。）

二十四节气 亦称"二十四气"。我国民间传统节令。为季节更替和气候变化的计算方法。古代民间根据太阳在黄道上的位置（黄经）变化和地面气候演变次序（即"五日为一候，三候为一气"），将全年确定为二十四个交点时刻。每交点约隔半个月（即从冬至日起，太阳黄经每增加30度，太阳历时30天，便开始过到另一个"中气"。从小寒日起，太阳黄经每增加30度，亦大约历时30天，便开始过到另一个"节气"），分列在12个月里。上半年在每月六日或二十一日前后，下半年在每月八日或二十三日前后。月首叫"节气"，月中叫"中气"。"中气"与"节气"相间排，便构成夏历所排列的"二十四节气"。其名称和顺序为：正月立春、雨水；二月惊蛰、春分；三月清明、谷雨；四月立夏、小满；五月芒种、夏至；六月小暑、大暑；七月立秋、处暑；八月白露、秋分；九月寒露、霜降；十月立冬、小雪；十一月大雪、冬至；十二月小寒、大寒。民间谚语对二十四节气的名称和顺序概括为："春雨惊春清谷天，夏满芒夏暑相连，秋暑露秋寒霜降，冬雪雪冬小大寒。每月两节日期定，最多相差一两天。上半年是六·廿一，下半年来八·廿三。"在一年二十四个节气中，有八个标志阴阳四时始末的重要时令节日，即"四立"：立春、立夏、立

秋、立冬；"二至"：夏至、冬至；"二分"：春分、秋分。"二十四节气"的划分，起源于黄河流域，是我国历法特有的重要组成部分，各项农事活动多以此为依据，经历代传承而至今。

人胜节 亦称"人日"、"人节"、"人生日"等。旧时汉族民间传统节日。流行于全国各地。时在夏历正月初七。源于古代的占卜活动。古人相信"天人感应"，以岁后第七日为"人日"，看此日天气阴晴，占终岁灾祥。其日晴，则人丁兴旺，人身健康。阴则灾。汉魏以后发展成包括庆祝、祭祀等活动内容的节日。"人胜"，为一种人形饰物，多在正月初七佩戴，遂称"人胜节"。南北朝时，每逢人日，人们便以7种菜作羹，用彩布剪成人形，或镂刻金箔为人状，贴于屏风、床帐，或戴于头。同时制作各种"华胜"相互馈赠，以求祈福避灾。唐·李乂《奉和人日清晖阁宴群臣遇雪应制》诗有"幸陪人胜节，长愿奉垂衣。"之句。在西北地区初七这一天家人不得外出远走，故有"七不出，八不入"之谚。

九九歌 旧时汉族民间记录夏至和冬至后，各九九八十一天气候变化的歌诀。内容是：根据生产生活的实践，反映农事活动和天气变化规律。流行于全国各地。《豹隐纪谈》载有夏至"九九歌"："一九二九扇子不离手；三九二十七，吃茶如蜜汁；四九三十六，争向路头宿；五九四十五，树头秋叶舞；六九五十四，乘凉不入寺；七九六十三，夜眠寻被单；八九七十二，被单添夹被；九九八十

一,家家打炭墼。"而冬至"九九歌"更是丰富多彩。其中专述气候的有《帝京景物略》载:"一九二九,相唤不出手;三九二十七,篱头吹觱篥(竹制管乐器);四九三十六,夜眠如露宿;五九四十五,家家堆盐虎;六九五十四,口中呬暖气;七九六十三,行人把衣单;八九七十二,猫狗寻阴地;九九八十一,穷汉受罪毕。绵要伸脚睡,蚊虫嚘蚤出。"同时,据民间经验,冬至开始的"一九"天气若寒冷,则翌年"九九",即清明时节,天气便比较暖和;反之,如"一九"天气较暖,第二年"九九"天气就比较寒冷。因而有"头九寒,九九暖;头九暖,九九寒"之谚。而结合生产的"九九歌",如北京地区《九九谚》:"一九二九不出手;三九四九冰上走;五九六九,养花看柳;七九河开;八九雁来;九九加一九,耕牛遍地走。"等。但因各地季节变化存有差异,农事亦有先后,故"九九歌"之内容因地而异。

三元　旧时汉族岁时节令称谓。"三元",即夏历正月十五上元,七月十五中元,十月十五下元,合称"三元"。源于道教。据说道教所奉之神谓"三官",即天官、地官、水官。《唐六典》(卷四)"祠部郎中云:"(道士有)三元斋,正月十五日天官为上元,七月十五日地官为中元,十月十五日水官为下元,皆法身自忏罪愆焉。""三元"之日,道观和僧寺均作法事、诵经等宗教活动。《春明退朝录》:宋太宗时"三元不禁夜,上元御乾元门,中元、下元御东华门。"旧时

各地大都建有"三官庙"、"三官殿"等。谓天官能赐福,地官能赦罪,水官可解厄,故香火极盛。此外,旧时术数家以六十甲子配三官,180年为一周始,第一甲子称"上元";第二甲子称"中元";第三甲子称"下元",合称"三元"。"三元"也指"三元之日",即夏历正月初一。民间俗谓此日为岁之元,月之元,四时之元,故称:"三元"。

三伏　民间传统节令。伏:隐伏避暑之意。按夏历规定,以"干支纪日法"推算,夏至后第三个庚日起为初伏(头伏),第四个庚日起为中伏(二伏),立秋后第一个庚日起为末伏(三伏)。合称"三伏"。每伏10天,共30天。为一年中最炎热的时期。《闲清偶寄》(卷十五)也载:"一岁难过之关惟有三伏,精神之耗,疾病之生,死亡之至,皆由于此。"入伏后,因天气炎热,睡眠缺乏,厌食,人们体力消耗较大,且易生病。故民间多注意饮食,以"贴伏膘"。俗有"头伏饺子、二伏面、三伏里头吃鸡蛋"之谣。同时多注意纳凉、休息,以防中暑。

大暑　岁时节气名。意为炎热至极。二十四节气之一,称"中气"。时在夏历六月(一般为公历7月23日或24日),太阳到达黄经120°时开始。这时正值中伏前后,我国大部分地区处于酷暑季节的高峰,也是喜温作物生长速度最快的时期。故农业生产上多行田间灌溉,以"灌浆"。谚曰:"大暑不浇苗,到老无好稻。"酷暑季节,民间有饮伏茶、晒伏姜、

烧伏香等俗。此外,大暑季节为播种绿豆的最佳时机。农谚有:"大暑前、小暑后,两暑当中种绿豆。"大暑季节,古代黄河流域与之相应的"物候"现象为"腐草为萤、土润溽暑、大雨时行。"

大雪 岁时节气名。《三礼义宗》:"大雪为节者,形于小雪为大雪。时雪转甚,故以大雪名节。"二十四节气之一,称"节气"。时在夏历十一月(一般为公历12月7日或8日),太阳到达黄经255°时开始。此时黄河流域一带渐有积雪,农业上多行副业。如轧花、榨油、编织等,并开展冬季积肥活动。民间俗信大雪季节气候仍暖,则来年人多疾病。此时古代黄河流域与之相应的"物候"现象为"鹖鴠不鸣,虎始交,荔挺出。"

大寒 岁时节气名。《三礼义宗》:"大寒为中者,上形于小寒,故谓之大……寒气之逆极,故谓大寒。"二十四节气之一,称"中气"。时在夏历十二月(一般为公历1月20日或21日),太阳到达黄经300°时开始。《吕氏春秋·慎人》云:"大寒既至,霜雪既降,吾是以知松柏之茂也。"这时我国大部分地区普降霜雪,开始进入一年中严寒季节的高峰。同时,大寒过后,临近过年。俗有"小寒大寒,就要过年;杀猪宰羊,皆大喜欢。"之谚。农业生产上则多积肥,以备来年之用。大寒季节,古代黄河流域与之相应的"物候"现象为"鸡乳,征鸟厉疾,水泽腹坚。"

下元节 亦称"下元日"。旧时汉族民间传统日。流行于全国大部分

地区。时在夏历十月十五日。原为道教节日。《道家大词典》"下元"载:"《唐六典》十月十五日,水官大帝诞辰为下元。"而水官大帝为管理水域之神。《历代神仙通鉴》(卷四)云:"敕下元为五气三品水官。"道教认为"下元"为水官解厄之日。是日道观皆作法事,以纪念水神诞辰。《帝京岁时纪胜·十月·安期》云:"十五日下元之期,庵观寺院课经安期起,至次年正月廿五日,百日期满。"民间各地在"下元节"期间多举行各种纪念活动,或备丰盛菜肴,享祀祖先、神灵,以祈福禄。或祭山神,举行迎神赛会等。此外,下元节期间民间不杀牲,禁渔猎,罪犯不判极刑。现此节习俗已不复流行。

干冬湿年 汉族民间岁时谚语。流行于江南一带。为入冬(冬至)后预测气候变化之俗。根据气候变化之观测,一般在冬至前气候偏暖,冬后必寒冷。谚曰:"连冬起九验天寒,只怕寒消九九难。第一莫贪头九暖,连绵雨雪到冬残。"而冬至前后如天气晴朗,春节前后必有雨雪,故称"干冬湿年"。《中华全国风俗志·江苏》引《吴中岁时杂记》:"俗以冬至前后逢雨雪,主年夜晴。若冬至晴,则主年夜雨雪,道途泥泞。谚云:'干净冬至撇搔年。'"

上巳节 亦称"三巳"、"上巳"、"元巳"等。旧时汉族民间传统节日。"上巳"指夏历三月上旬巳日。此节起源甚早,一说源于周公曲水之宴;另谓源于周时水滨祓禊之俗。汉时,上巳确定为节日。魏晋以后,上巳节

期改为三月三日。晋王羲之兰亭修禊，饮酒赋诗，流觞曲水，对后世产生很大影响。唐时赐宴曲江，倾城禊饮踏青。此外，上巳节期间还有"祈年"之俗。《古今图书集成·岁功典》三十七《上巳》："三月三上巳日，听蛙声占水旱。"《燕京岁时记·三月》也载："俗谓栽壶卢者，必于三月三日下种，否则结实不繁。"明清以后上巳节逐渐演变为以春游为主。谚有"寻春直须三月三"。

小满 岁时节气名。以农作物籽粒开始饱满，故名。二十四节气之一，称"中气"。时在夏历四月（一般为公历 5 月 21 日或 22 日），太阳到达黄经 60°时开始。此时我国北方夏熟作物籽粒渐满，南方则进入夏收夏种季节，故有"小满三夏望麦黄"之谚。民间俗信此日宜雨，谓有雨对籽粒饱满有利。江南地区于是日始"动三车"（缫丝车、磨油车、水田车）。小满季节，古代黄河流域与之相适应的"物候"现象为"苦菜秀，蘼草生，麦秋至。"

小暑 岁时节气名。《月令七十二候集解》云："（夏历）六月节……暑，热也，就热之中分为大小，月初为小，月中为大，今则热气犹小也。"二十四节气之一，称"节气"。时在夏历六月（一般为公历 7 月 7 日或 8 日），太阳到达黄经 105°时开始。这时正值"三伏"中初伏前后，我国大部分地区开始进入酷暑季节。农业生产上多忙于夏秋作物的田间管理和播种秋熟作物。民间俗信此日宜雨。农谚有"小暑一滴雨，遍地是黄金。"在江南一带，小暑日忌西南风，认为西南风刮，庄稼歉收。小暑季节，古代黄河流域与之相应的"物候"现象为"温风至，蟋蟀居壁，鹰始挚。"

小雪 岁时节气名。《群芳谱》云："气寒而将雪矣，第寒未甚而雪未大也"。故称"小雪"。意为到了下雪的季节。二十四节气之一，称"中气"。时在夏历十月（一般为公历 11 月 22 日或 23 日），太阳到达黄经 240°时开始。这时黄河流域已开始下雪。农业上忙于冬耕和冬季造林。农谚有："（小麦）小雪不出土，大雪不分股。"民间多于此时腌制咸菜，曰"寒菜"，并做各种过冬准备。小雪日若晴，则日后多雨。故气象谚有："小雪现晴天，有雨到年边。"此时古代黄河流域与之相应的"物候"现象为"虹藏不见，天气上升，闭塞成冬。"

小寒 岁时节气名。冷气积久而为寒，为天气寒冷尚未达到极点之意。《汉书·律历志》云："玄枵，初婺女八度，小寒。"二十四节气之一，称"节气"。时在夏历十二月（一般为公历 1 月 5 日或 6 日），太阳到达黄经 285°时开始。这时正值"三九"前后，我国大部分地区开始进入严寒时期。农谚有"小寒大寒，冷水成团。"农业上开始对越冬作物如三麦、油菜等进行开沟、培土，以防冻损。小寒季节，古代黄河流域与之相应的"物候"现象为"雁北乡，鹊始巢，雉鸲鸲"。

乞巧 汉族民间岁时风俗。流行于全国各地。为夏历七月七日"七夕节"主要习俗之一。民间传说织女是一位心灵手巧、擅织布的能手，故每逢七月七日妇女多行乞巧活动。此俗起源甚早。《西京杂记》云："汉彩女常以七月七日穿针于开襟楼，俱以习俗也。"《荆楚岁时记》："是夕，妇女结彩楼，穿七孔针，或以金、银、输石为针，陈瓜果于庭中乞巧。"而民间各地乞巧活动更是各具特色。如胶东地区有"拜七姐"之俗，年轻女子在七夕节着新装，聚一堂，月下结盟七姐妹。明清以来，各地还流行"丢巧针"之俗，以此法测定得"巧"与否。《帝京景物略》："七月七日之午，丢巧针，妇女曝盎水日中，顷之，水面生膜，绣针投之则浮，则看水底针影，有成云物花头鸟兽形者……谓乞得巧。"民间俗传《乞巧歌》："乞手巧；乞貌巧；乞心通；乞容颜；乞我爹娘千百岁；乞我姊妹千万年。"七夕节"乞巧"之俗，反映了民间妇女追求心灵手巧、美丽迷人、热爱生活的美好愿望。

女儿节　旧时汉族民间传统节日。明清时期对端午节和重阳节的别称。流行于南北部分地区。为节日期间妇女的"归宁"活动。所谓"归宁"即回娘家。指已婚女子择日回娘家，以看望父母。端午节称"女儿节"始于元代。明代盛行。《宛署杂记》云："燕都自五月一日至五日，饰小闺女，尽态极妍，已出嫁之女，亦各归宁，俗呼是日为女儿节。"而重阳节称"女儿节"亦盛于明代。《帝京景物略》载："九月九日……父母家必迎女来食花糕（即重阳糕），亦曰'女儿节'。"此节至清代仍流行。今此节虽已不甚注重，然已嫁妇女回娘家之俗却广为流行。尤其正月初二回娘家，几成定式，盛况空前。

历书　亦称"皇历"、"黄历"。指按一定历法排列夏历年月日，并辑录有关资料，供民间使用的书。古时，历书多由朝廷命官"钦天监"颁印。除年月日、时令外，尚有祭祀、建屋、迁居、婚丧、开市、交易等选择"黄道吉日"的内容。清代，朝廷颁发的历书（俗称"皇历"），即记载了农时节气，及有关"宜"和"忌"之内容。如某日"吉神"（喜神、财神、贵神、吉门等）在何方，某日宜"祭祀"，某日忌"婚嫁"等。现历书多由国家出版部门编印。内容则推陈出新，包括夏历和公历的年月日、星期、节气、月相、日月食和纪念日等，删去过去历书择日"宜"、"忌"等迷信项目，还辑录与岁时节令有关的各种生产、生活常识，成为人们喜欢购藏的日用知识手册。

历法　推算日月星辰、定岁时、计算年月日的方法和体系。产生于人们对天象的观测。太阳的出没、月亮的盈亏规律，最早被人们作为制定历法的依据。昼夜交替的周期为一"日"，月相变化的周期为一"月"（即"朔望月"），以寒暑交往，禾谷成熟为周期，称为"年"。同时，民间也以北斗星斗柄旋转所指的方位来确定月份。而年的概念则因朝代的更替而改变。与之相适应，月份的次序也更改一次。至汉武帝时，由于以前数次改历,历法不准,故命司马迁等人综合前历,改为"太初历"(亦称"八十一分律历")。后代虽对历法多次修订,但基本以"太初历"为蓝本,历代沿用。现我国历法通用阴历(夏历)和阳历。阴历以"朔望月"为单位,将一年分为十二个月,六个大月各三十天,六个小月各二十九天,全年总共 354 天,比一个太阳年(365$\frac{1}{4}$日)少 11$\frac{1}{4}$日,故三年要设置一个闰年。同时,为了反映四季、气温、降雨(雪)、物候变化等,我国古代将一年分为四季,并依此将十二个月分为二十四节气。此外,我国民间还有"干支纪年法",以及某些少数民族独特的历法。如彝族的"彝历",傣族的"傣历"和藏族的"藏历"等。历法的产生和应用,与农业生产和人民生活密切相关。

元旦 亦称"元日"、"元辰"、"端日"、"岁旦"、"岁首"、"岁朝"、"三元"等。汉族民间传统节日。流行于全国各地。辛亥革命前,"元旦"是指夏历正月初一,即现在所指的"春节"。辛亥革命后,改用公历纪年,"元旦"则为公历 1 月 1 日。"元旦"最初为传说中的"三皇五帝"之一的颛顼规定的。《俗语典·丑集》云:《晋书》:颛帝以孟春为年,其时正朔旦立春,后世称正月初一为元旦,本此。"元"为"开始"、"第一"的意思;"旦"即早晨,一天之意。"元旦"即一年的开始,一年的第一天。故又称"岁首"。由于历法不同,历代岁首(元旦)日期亦各异。《史记》载,夏朝为正月初一,商代在十二月初一,周代在十一月初一。而秦和汉初则以十月初一为岁首。汉武帝太初元年(公元前 104)废《颛顼历》,行《太初历》,规定夏历正月初一为"元旦",始为历代沿用。《四民月令》云:"正月之朔,是为正日。"至南北朝时,始有"元旦"之称。南朝梁·萧子云《介雅》诗:"四气新元旦,万寿初今朝。"唐宋以后,"元旦"多见于史籍。《梦粱录》云:"正月朔日,谓之元旦,俗呼为新年。一岁节序,此为之首。""元旦"为我国古代民间重要节日,庆贺形式甚为隆重,主要是举家团聚、祭祖祀年,并有亲友之间互相"拜节"之俗。至明清,我国仍以正月初一为"元旦",节日风俗更趋多彩。届时人们燃爆竹、吃年糕、饮年酒、乞如愿、送贺年片等,热闹异常。辛亥革命后,我国开始使用公历纪年。1 月 1 日始称为新年元旦。

元宵节 亦称"上元节"、"灯节"、"元夕"、"元夜"等。汉族民间传统节日。流行于全国各地。时在夏历正月十五日。是日古称"上元",夜谓之"宵",又是一年中第一个月圆之夜,故亦称"元夕"。旧时,是日通宵张灯,又称"灯节"。元宵节起源于远古时代人们以火把驱邪之仪式。汉时借以祀太乙神。《史记·乐书》云:"汉家常以正月上辛祀太一甘泉,以昏时夜祀,至明而终。"东汉永平年间(公元 58——75),明帝提倡佛教,于上元夜在宫廷、寺院"燃灯表佛",令士族、庶民一律挂灯,遂相沿成俗。隋时每年举行盛大灯会。据唐·魏征、长孙无忌等《隋书·音乐志》载:"每当正月,万国来朝,留至十五日,于端门外建国门内,绵亘八里,列为戏场。百官起棚夹路,从昏达旦,以从观之,至晦而罢,其歌舞者多为妇人服,鸣环佩饰以花毦者,殆三万人。"唐时奉道教为"国教"。而"上元"又为道教三官大帝中"上元赐神天官紫微大帝"的诞辰日、"上元"与"放灯"相结合,遂演变为民间盛大的元宵佳节。张灯时间亦从一夜增至三夜。到北宋时,放灯增至五夜,南宋则又增至六夜。明代"元宵节自十一日为始,赐节假十日。"为我国历史上最长之灯节。元宵节期间,民间多食元宵(汤圆),象征家人团聚。此外,尚有闹社火、猜灯谜、祭蚕神、迎紫姑、走百病,以及高跷、舞狮、龙等"闹元宵"之俗。此节经历代流传至今,仍十分盛行。每至元宵佳节,各地多举行盛大游园灯会,尽情欢度。

天灸日 亦称"天医节"。旧时汉族民间风俗日。时在夏历八月一日。是日以草尖露水磨墨点小儿额头或腹部,谓能祛百病。汉时已有此俗。《风俗通义》:"八月一日是六神,以露水调朱砂蘸小指,宜点灸,去百疾。"南北朝时,民间有收露水做眼明囊和天灸的风俗。《荆楚岁时记》:"八月十四日,民以朱水点儿头额,名为天灸,以厌疾。"至清代,此俗仍行。清·张华《沪城岁时衢歌》咏此俗自注云:"八月朔,俗谓天灸日。黎明,以花枝露,以古墨研匀,取净管蘸墨,凡童稚之数岁之内者,印圆圈

于两太阳及四支诸穴,谓免百病"。关于"天医节"称谓,据民间传说,中华民族的始祖黄帝曾询问歧伯,自此,人间始有医书。后奉歧伯为神,民间祭之,故称"天医节"。《说郛》(卷三十二)《潜居录》云:八月朔,"古人以此日为天医节,祭黄帝、歧伯。"此外,天灸日民间忌雨,故有"八月初一下一阵,旱到来年五月尽。"之谚。

天贶节 古代汉族岁时节日。时在夏历六月初六。"天贶"原为道教称谓,即"天赐"之意。《道教大辞典》载:天贶节:"夏历六月六日也,宋时以天书降于是日,故名。"北宋时,真宗在辽萧太后及圣宗耶律隆绪率兵进攻中原时,畏敌求和,曾遣曹利用为宋使臣,与辽订立"澶渊之盟",议定宋每年向辽纳岁币银十万两,绢二十万匹。后真宗耻于"澶渊之盟",乃伪托"天书封祀",以掩"澶渊之辱"。《中国历史大辞典·宋史》云:"天书封祀:宋景德五年,真宗用王钦若建议,欲以封禅为'大功业',掩澶渊议和之辱,乃伪称梦见神人,谓将降天书《大中祥符》三篇。旋与宰执王旦、王钦若等在承天门举行受天书仪式,命内侍升屋,取下预置'天书'。因改年号为'大中祥符'。"并规定夏历六月六日为天贶节。《宋史·真宗纪》曰:"真宗四年,诏以六月六日天书再降日为'天贶节'。"在泰山岱庙修建"天贶殿",每年行香以祭。天贶节期六月六日,正值盛夏,阳光炽烈,故是日民间多晒经书、衣物等。而天贶节仅限于伪托

"天书封祀",故该节逐渐演变为"六月六"节。六月六日民间尚有妇女回娘家、浴象、浴猫犬和驱雨求晴等俗。

天穿日 亦称"天穿节"、"天饥日"。旧时汉族民间风俗节日。流行于全国多数地区。时间不一。一般在夏历正月二十五日前后。以正月二十日为多。源于神话传说人类始祖"女娲"的"炼石补天"故事。传说女娲创造人类之后数年,天穹的四边突然毁坏,一时洪水奔流,烈火不灭,猛兽鸷鸟危害着人类安全。女娲目睹惨景,十分痛心,为拯救人类,便挑著许多五色石子,烧成石浆,炼成胶糊状,填补好天上的窟隆,终使人类得以安居乐业。民间怀念"女娲",遂形成了"天穿节"之风俗日。《坚瓠集补》(卷五)云:"宋以前以正月二十三日为天穿节。相传女娲氏以是日补天。以煎饼置屋上,名曰补天穿。"《事文类聚》也载:"江东俗,号正月二十日为天穿日。"届时,民间多行"补天穿"之俗(参见"补天穿"条)。

开门炮仗 汉族民间节日风俗。流行于全国各地。即除夕夜及大年初一早晨燃放鞭炮,以求新年吉利的活动。燃放鞭炮的最初形式是爆竹,即把竹节置火中烘烤,使之爆裂发声,用来驱鬼避邪。《神异经》云:"西方山中有人焉,长尺余,一足,性不畏人,犯之则令人寒热,名曰山魈。以竹著火中,烨爆有声,而山魈惊惮。"《荆楚岁时记》也载:"正月一日是三元之日也,春秋谓之端日,鸡

鸣而起,先于庭前爆竹,以辟山臊恶鬼。"宋以后,纸制鞭炮取代爆竹,并由"避邪"、"崩穷"——迎吉利市,逐渐演变为一种具有民间特色的群众性喜庆用品。《清嘉录》载:"岁朝,开门放爆仗之声,云辟疫疠,谓之'开门爆仗'。"现全国城乡在除夕夜守岁,待新年旧岁交替之时,鞭炮齐鸣,辞旧迎新,节日气氛异常炽烈。

中元节 亦称"盂兰盆节"、"鬼节"。俗称"七月半"。旧时汉族及部分少数民族传统节日。流行于全国各地。时在夏历七月十五日。原为宗教节日,一说始于道教。道教以七月十五日为中元,系"地官"生日,又为地官赦罪之辰,故是日道观多作斋醮等会。东汉《老子章句》引《道经》曰:"七月十五日,中元之日,地官校勾搜选众人,分别善恶……于其日夜讲诵是经。十方大圣,齐咏灵篇。囚徒饿鬼,当时解脱。"一说始于佛教。此日为佛家僧民举行盂兰盆会之日。"盂兰盆"为天竺语,意为"解救倒悬"。俗传释迦牟尼弟子目莲曾于七月十五日设百味果食,供养十方僧众,救母于倒悬之中,佛教据此自南朝梁武帝时(公元502——549)兴起盂兰盆会。至唐时始成为民间节日。《岁华纪丽·中元》曰:"道门宝盖,献在中元。释氏兰盆,盛于此日。"并在民间广为流行。中元节期间,民间有"放河灯"之举。《帝京景物略》曰:"十五日,诸寺建盂兰盆会,夜于水次放灯,曰放河灯。"此节至清代更为盛行。《燕京岁时记》载:"至中元日,例有盂兰盆

会，扮演秧歌、狮子诸杂技。晚间沿河燃灯，谓之"放河灯"。另，七月十五中元节，从正月十五上元节算起，正好过去半年，故又称"半年节"。而此日民间亦多于路旁焚烧纸钱，以追荐死者，祭祀祖先，故亦称"鬼节"。今民间已不重此节。

中和节 旧时汉族民间传统节日。流行于华北地区，尤以北京为盛。时在夏历二月初一。相传始于唐朝中叶。据《唐书·李泌传》载，唐中叶以前，春天仅三个节日，正月两个，三月一个，独二月无节。唐德宗时，三朝老臣李泌上书，奏请在春分前后增设节日，以便君臣同乐，共祈丰年，始以二月一日为"中和节"。是日，民间多以"太阳鸡糕"作节食，并有"供太阳"之举。《春明岁时琐记》曰："二月朔日，唐后为中和节，今废而不举。相传为太阳真君生辰，太阳宫等处修崇醮事。人家向日焚香叩拜，供夹糖糕，如糕干状，上签面作小鸡……谓之'太阳糕'。"此外，节期亦有"献生子"之俗。《帝京岁时纪胜》："（中和节）赐民间以襄盛百果谷瓜李种相向遗，号献生子。"此节今已不行。

中秋节 亦称"仲秋节"、"团圆节"、"八月节"、"女儿节"等。汉族和大部少数民族传统节日。流行于全国各地。时在夏历八月十五日。因此日恰值"三秋"之半，故名"中秋"。又因此夜皓月当空，民间多于此日合家团聚，故又称"团圆节"。中秋节起源于我国古代秋祀、拜月之俗。两汉时已具雏形，唐时，中秋赏月之俗始盛行，并定为中秋节日。欧阳詹《长安玩月诗》序云："八月于秋，季始孟终，十五于夜，又月之中。稽于天道，则寒暑均，取于月数，则蟾魄圆。"故曰"中秋"。宋时此节更为普遍。《梦粱录》曰："八月十五日中秋节，此日三秋恰半，故谓之'中秋'。……王孙公子，富家巨室，莫不登危楼，临轩玩月……至如铺席之家，亦登小小月台，安排家宴，团圆子女，以酬佳节。"明清以来，民间更重中秋节，《西湖游览志余·熙朝乐事》云："民间以月饼相遗，取团圆之义。是夕，人家有赏月之宴，或携榼湖船，沿船彻晓。苏堤之上，联袂踏歌，无异白日。"中秋节与元宵节、端午节并称为我国三大传统佳节。究其来源，与"嫦娥奔月"、"吴刚伐桂"、"玉兔捣药"等神话传说有着密切联系。故中秋佳节民间习俗多与月亮有关。赏月、拜月、祭月、吃团圆月饼均源于此。并衍出诸如"摸秋"等种种习俗。现民间仍重此节。

分龙日 亦称"分龙节"。旧时汉族民间岁时风俗。流行于全国多数地区。时间各异，多在夏历五月二十日。俗谓五月多雨，龙各分域。民间相传夏历五月二十日天上的小龙离别老龙，去自己管辖的区域发号施令，故是日称"分龙日"。有些地区则在夏至后第一个辰日。宋代已有此节。《避暑录话》曰："吴俗，以五月二十日谓分龙日。"《占候书》云："两浙以四月二十日为小分龙，五月二十日为大分龙。闽俗以夏至后为分龙。"民间认为分龙节次日如雨，则多大水。《清嘉录》引蔡云《吴歈》："南阡朗日节长虹,北陌顽云斗疾风。偶凑分龙得新雨,山村水荡说年丰。"《津门杂记》(卷上)也载:"六月十三日曰分龙兵,有勤龙、懒龙之分。是日雨,为久雨之兆;不雨,为久晴之兆。"江南地区有以此日演习救火之俗。《浙江风俗简志·金华篇》载:"……分龙之俗,实为消防演习。"同书《嘉兴篇》也载:"俗重五月二十分龙会,各救火会的水龙都要当众演习,相互比试。"诗云:"节届分龙演水龙,一班铜鼓领前锋,仗排后队旗明彩,百道长波喷雨浓。"

引龙回 旧时汉族民间岁时风俗,流行于全国部分地区。俗以夏历二月初二为"龙抬头"日,各家以石灰在户外水井撒一圈,然后引向屋内墙根灶脚等处,弯弯曲曲像龙蜿蜒入室,以祈吉祥。一般在二月初二前后,春季来临,雨水、惊蛰,草木复生,蛰虫萌动。在此之际,人们"引龙回",目的是请"龙"回来,兴云播雨,祈求农业丰收。同时,民间认为"龙为百虫之精,龙出,则百虫伏藏。此俗元代已有,明清更盛。《宛署杂记·民风一》曰:"都人呼二月二日为'龙抬头',乡民用灰自门外蜿蜒布入宅厨,旋绕水缸(缸),呼为'引龙回'。"《宛平县志》云:"二月二日曰'龙抬头',因荐韭之馀,家各为荤素饼馅,以油烹而食之,曰'熏虫儿',谓引龙以出,且使百虫伏藏也。"

办年货 汉族民间岁时风俗。流行于全国各地。为春节前民间置办过年用品的活动。一般从腊八之后,有关店铺开始售卖神祃、香烛等敬神敬祖的用品。腊月十五日后,各种年货摊逐渐增多。因除夕各家天地桌要排五碗"蜜供"、一堂"平安吉庆"(苹果、橘子之谐音)、各类干鲜果品,以及过年的吃食等,故多数人家在腊月二十五、六日前一定置办齐全。《东京梦华录》(卷十)"十二月"云:"近岁节,市井皆印卖门神、钟馗、桃板、桃符,及财门钝驴、回头鹿马、天行贴子,卖干茄瓠、马牙菜、胶牙饧之类,以备除夜之用。"清代此俗更盛。《清嘉录》(卷十二)"年市"载:"年夜以来,市肆贩置南北杂货,备居民岁晚人事之需,俗称'六十日头店'。熟食铺、豚蹄鸡鸭,较常货买有加。纸祃香烛铺,预印路头财祃,纸糊元宝锭足,多浇巨蜡、束名香。街坊吟卖箸镫镫草、挂镜、灶牌、灶帘,及箪瓢箕帚竹筐,磁器缶器,鲜鱼果蔬诸品不绝。锻磨磨刀杀鸡诸色工人,亦应时而出,喧于城市。酒肆药铺各以酒糟、苍术、避瘟丹之属,馈于主顾家,总谓之'年市'。"现年货多指食品、烟酒、餐具、炊具等。春节前数日,商店、摊群忙碌空前,购者争先恐后,人流如潮。

艾虎 汉族端午节压胜物。即用艾草作成虎形的饰物。流行于全国部分地区。"艾草",为菊科多年生草本植物。古代针灸学里就有以艾草的老叶制成的艾绒,用来灸疾除病的方法。故民间俗信佩藏艾草可避邪驱瘟,禳毒气。《岁时广记》(卷二十一)引《岁时杂记》云:"端午以艾为虎形,至有如黑豆大者,或剪彩为小虎,粘艾叶以戴之。《端午帖子》云:'钗头艾虎辟群邪,晓驾祥云七宝车。'"清代此俗仍盛。《燕京岁时记》:"每至端阳,闺阁中之巧者,用绫罗制成小虎及粽子……以彩线穿之,悬于钗头,或系于小儿之背。有诗云:'玉燕钗头艾虎轻',即此意也。"现此俗已不多见。

打灰堆 亦称"令如愿"、"捶粪"。古代汉族民间岁时风俗。流行于南北各地。每年夏历正月初一日晨(也有在元宵节之夜)举行。是时人们把串起的铜钱绑在竹竿末端,捶打粪土堆,呼叫"如愿",故称"打灰堆"。民间俗信此举可使人富裕。此俗起源甚早。《荆楚岁时记》曰:"正月一日……以钱贯系杖脚,回以投粪扫上,云令如愿……今北人正月十五日夜立于粪边,令人执杖打粪堆,云云,以答假痛。意者亦为如愿故事耳。"相传"如愿"为一贤慧女子。《初学记》引《录异传》:"庐陵欧明从贾客递经彭泽湖,每以舟中所有多少投湖中,云以为礼。积数年后复过,忽见湖中有大道,上多风尘,有数吏乘车马来候明,云是青洪君使要(邀)。须臾达,见有府舍,门下吏卒,明甚怖。吏曰:'无如怖,青洪君感君前后有礼,故要(邀)君,必有重遗,君皆勿取,独求如愿耳。'明既见青洪君,乃求如愿,使随明去。如愿者,青洪君婢也。明将归,所愿辄得,数年大富。"另,《荆楚岁时记》引《录异记》:"……后至正旦,如愿起晚,乃打如愿,如愿走,入粪中,商人以杖打粪扫,唤如愿,竟不还也。此如愿

故事。"南宋·范成大有《打灰堆》词:"除夜将阑晓星烂,粪扫堆头打如愿。杖敲灰起飞扑篱,不嫌灰涴新节衣。老媪当前再三祝,只要我家常富足。……每年婢子挽不住,有耳就能闻我语。但如吾愿不呼汝,一任汝归彭蠡湖。"

打灯谜 传统娱乐活动,常见于正月十五元宵节,近来也见于新年等其他节庆活动。谜即谜语,古称"瘦词"。《文心雕龙》:"自魏以来,颇非俳优,而君子嘲隐化为谜语。谜也者,回互其词,使昏迷也。"正月十五元宵节的谜语是将谜条贴在灯上供人猜射的,故称灯谜,中者扯下谜条,领取谜赠。谜语起源很早,打灯谜之举唐宋即盛行。《春谜大观·序》云:"旧籍相传,宋仁宗时,……上元佳节,金吾放夜,文人学士相与装点风雅,歌颂升平,拈诗成谜,悬灯以招猜者。"《东京梦华录》和《武林旧事》也都谈到了宋代的这种习俗。其后,此俗盛行不衰,以迄于今。《在园杂志》记康熙时的这种习俗云:"灯谜本游戏小道,不过适性而成。京师、淮、扬于上元灯篷,用纸条预先写成,悬一纸糊上棚,上粘各种。每格必备,名曰'灯社'。聚观多人,名曰'打灯谜虎'。凡难猜之格,其条下亦书打得者赠某物,如笔墨、息香、白扇之类。

扑蝶会 亦称"花朝"。汉族民间岁时风俗。流行全国部分地区。时在夏历二月十五日。此日为花朝节,又称"百花生日"。民间多在此日聚会扑蝶。此俗起源甚早。《荆楚岁时

记》："长安二月间，士女相聚，扑蝶为戏，名曰'扑蝶会'。"据《崇阳县志》载，在湖北崇阳、应县等地，是日女孩穿耳孔，孩童始留发。民间嫁、娶、纳采、问名均以此日为吉。园丁移花接树木花果，老农看天气晴雨，卜岁之丰歉，妇女相邀踏青。河南开封亦有"扑蝶会"之俗。

龙头节 亦称"二月二"、"春龙节"、"龙抬头日"。汉族民间传统节日。流行于南北各地。时在夏历二月初二。民间传说，每逢二月二，为"龙王"抬头的日子。而"龙王"又是天上管下雨的神。此时亦值"惊蛰"节气，民间俗谓"惊蛰龙抬头"。即自"冬至"后，"龙王"进入冬眠。到惊蛰日，春雷轰鸣，惊醒"龙王"，始抬头，故民间亦称二月二为"春龙节"和"龙头节"。从此以后，雨水逐渐增多。关于龙头节，民间尚有许多传说。其中之一为：唐朝武则天（武曌）自封为"大周神圣皇帝"，激起天上玉帝愤怒，故传谕四海龙王三年内不准向人间降雨，而司管天河的"春龙"眼看河竭稼枯，百姓生路断绝，便违抗玉帝旨意，为人间降了救命的雨水。此后，民间为纪念春龙降雨，每年二月二日都要焚香设供，祭祀龙神，求龙按时抬头播雨，以祈丰年。民谚有"二月二，龙抬头，大仓满、小仓流。"和"金豆开花，龙王升天，兴云布雨，五谷丰登。"部分少数民俗亦行此俗。二月二民间习俗有撒灰引龙、扶龙、熏虫避蝎、剃龙头、忌针刺龙眼；以及吃龙鳞、龙须面、掌腰糕、烙饼和煎焖子等。

龙舟竞渡 汉族及部分少数民族节日风俗。流行于全国部分地区，以江南水乡为盛。起源甚早，战国时代已有此俗。《事物纪原·端阳》云："越地传云，竞渡之事起于越王勾践，今龙舟是也。"后民间把端阳竞渡与纪念爱国诗人屈原联系起来，遂成为端午节的重要习俗。《续齐谐记》曰："楚大夫屈原遭谗不用，是日（夏历五月初五）投汨罗江死，楚人哀之，乃以舟楫拯救。端阳竞渡，乃遗俗也。"古代竞渡场面十分壮观。唐·张建封《竞渡歌》："鼓声三下红旗开，两龙跃出浮水来，棹影斡波飞万剑，鼓声劈浪鸣千雷。鼓声渐急标将近，两龙相望目如瞬。坡上人呼霹雳惊，竿头彩挂虹霓晕。前船抢水已得标，后船失势空挥桡！"赛龙舟前，需行请龙、祭龙仪式。《中华全国风俗志·下篇》(卷五)"江西萍乡"曰："午饭后，赛船之人咸集龙王庙，焚香燃烛，祭祷龙王后，披红巾于龙王首上，然后将龙舟龙尾迎下小舟。"明清时代，龙舟竞渡之俗更盛，且不限于端午一天，而历时经月。今此俗仍存，并成为群众性娱乐活动。每届端午，在汨罗江畔都要举行隆重的竞渡活动。一般龙舟最长有近40米的，短者也有20多米。划动时有如游龙戏水，加之锣鼓声声，旌旗招展，热闹异常。广州、香港等地每年有国际龙舟大赛，许多外国龙舟队参加，龙舟竞渡这一古老娱乐项目正作为新兴竞赛运动走向世界。

四时八节 一年中主要节令的泛称。唐·杜甫《短歌行赠四兄》诗：

"四时八节还拘礼,女拜弟妻男拜弟。"我国史前时代已有历法知识。同时,根据农耕和牧放的实践,对一年四季(四时)已经掌握。"四时",即春、夏、秋、冬四季。《礼记·孔子闲居》曰:"天有四时,春、秋、冬、夏。"每"时"各三个月。夏历正月、二月、三月为"春"(分为孟春、仲春、季春);四月、五月、六月为"夏"(分为孟夏、仲夏、季夏);七月、八月、九月为"秋"(分为孟秋、仲秋、季秋);十月、十一月、十二月为"冬"(分为孟冬、仲冬、季冬)。每三个月中的第三个月份为"季月",故"四时"又称"四季"。"八节",又称"八正"。《尚书·尧典》中有"四仲中星"岁时的划分。"四仲"即春分、夏至、秋分、冬至四节气。后来发展为八节,即民间传统节令中之四立(立春、立夏、立秋、立冬)、两分(春分、秋分)、两至(夏至、冬至)。此外,民间也有以春节、元宵节、清明节、端午节、中元节、中秋节、冬至节、除夕等民间传统佳节为"八节"之说。

白露 岁时节气名。因此时水气凝结为露,色白,故名。二十四节气之一,称"节气"。时在夏历八月(一般为公历 9 月 7 日或 8 日),太阳到达黄经 165°时开始。这时我国大部分地区天气渐凉,秋作物即将成熟,并着手栽种过冬蔬菜。民间俗信,白露前后若有雾,则主稻穗饱满。如有雨则主歉收,故有"白露白迷迷,秋分稻莠齐。""白露天气晴,谷米白如银。"之谚。而在棉产区,是日则忌起风。农谚有"白露日西北风,十个铃

子(棉铃)九个空;白露日东北风,十个铃子九个浓。"白露季节,古代黄河流域与之相应的"物候"现象为"鸿雁来,玄鸟归,群鸟养羞。"

处暑 岁时节气名。"处",意为躲藏,表示暑气将逐渐消失,故名。二十四节气之一,称"中气"。时在夏历七月(一般为公历 8 月 23 日或 24 日),太阳到达黄经 150°时开始。此后我国大部分地区气温逐渐下降,雨量减少。但处暑虽已过立秋,因地球散热较慢,我国多数地区仍处于炎暑之中。约再过 18 天后方始凉。故有"处暑十八盆"之谚,即再以冷水沐浴 18 日后方截止。此日宜种萝卜。江南地区有"处暑萝卜白露菜"之谚。民间俗信此日宜雨,谓主丰收。农谚有"处暑若遇天不雨,纵然结实也难收。"处暑季节,古代黄河流域与之相应的"物候"现象为"鹰乃祭鸟,天地始肃,禾乃登。"

冬至 亦称"长至"、"短至"、"至日"。岁时节气名。"至"为到达极点之意。是日起,严寒将至,故称"冬至"。二十四节气之一,称"中气"。时在夏历十一月(一般为公历 12 月 21 日或 22 日),太阳到达黄经 270°时开始。"冬至"与"夏至"统称为"二至"。早在春秋时已测定。天文学上规定冬至为北半球冬季的开始。此日太阳的直射点移至地球的南回归线上,北半球所受日照最少,故此日在一年中夜最长,昼最短,古称"日短至"。其后阳光直射位置从南回归线向北移动,日照渐多,白昼渐长,故称"日长至"。但因地球吸热散热

有一个过程,冬至之后虽日照渐多,仍是北半球全年最冷时期。农业生产上,我国大部分地区继续进行防冻、积肥和深耕土地等。旧时,民间极重冬至,汉代始列为重要节日,俗有"冬至大如年"之说。并由此而繁衍出各种民间岁时风俗。冬至季节,古代黄河流域与之相应的"物候"现象为"蚯蚓结,麋角解,水泉动。"

冬至节 亦称"冬节"、"长至节"、"亚岁"、"贺冬节"等。汉族民间传统节日。时在夏历十一月间(公历12月22日前后)。汉代始列为令节,称"冬节"、"日至"。是日,家人团聚,备办佳肴,享祀先祖,庆贺往来,一如年节。《四民月令》云:冬至之日,"进酒肴,及谒贺君师耆老,如正旦。"到唐宋时,更以冬至与岁首并重。《梦粱录》曰:"十一月仲冬……大抵杭都风俗,举行典礼,四方则之为师,最是冬至岁节,士庶所重,如馈送节仪,及举杯相庆,祭享宗祖,加于常节。"明清仍承此节。《帝京岁时纪胜》载:"长至南郊大祀,次旦百官进表朝贺,为国大典。"冬至节期间,民间有吃汤团、送冬至盘、祭祀先祖,画"九九消寒图"等俗。

冬狩 古代岁时节令称谓。"四时"之一。"四时"亦称"四季",即春、夏、秋、冬四季。冬狩,即指冬季。"狩"指狩猎,即打猎。民间一般在冬季农闲时节出外打猎,故称"冬狩"。《后汉书·杨赐传》:"今城外之苑,已有五六,可以逞情意,顺四节也。"注:"谓春蒐、夏苗、秋狝、冬狩也。"今山地乡村仍有冬季狩猎之俗。届时,人们藉寒冬天气,野兽蛰居或冬眠之际,手持猎枪、工具,带上干粮,相约进山,连续数日搜索、捕获猎物,并沿习成俗。

立春 岁时节气名。"立"即"开始"的意思。《群芳谱》云:"立,建始也。春气始而建立也。"故名。二十四节气之一,称"中气"。时在夏历正月(一般为公历2月4日或5日),太阳到达黄经315°时开始。"立春"为二十四节气的第一个节气,春季的开始。农谚有"春打六九头"、"交春一日,水暖三分"、"立春三日,百草发芽"等。这时气温开始回升,草木复苏,预示农事活动即将开始。宋·张栻有《立春偶成》诗:"律回岁晚冰霜少,春到人间草木知。便觉眼前生意满,东风吹水绿差差。"立春季节,古代黄河流域与之相应的"物候"现象为"东风解冻,蛰虫始振,鱼陟负冰。"

立夏 岁时节气名。《礼记·月令》云:"是月也,以立夏。"二十四节气之一,称"节气"。时在夏历四月(一般为公历5月5日或6日),太阳到达黄经45°时开始。"立夏"一般作为春季的结束和夏季的开始。此时我国大部分地区气候温暖,农作物生长日益旺盛,田间管理更趋繁忙。我国北方农谚:"早晨立了夏,中午虫虫会说话。"故又有"立夏三朝遍地锄。"之谚。南方农谚:"立夏小满家家忙,男女下田去插秧。"此外,民间以立夏日之阴晴,占一年之丰歉。如立夏日无雨,则认为主干旱,有"立夏不下雨,犁耙高挂起。"

之谚。立夏季节，古代黄河流域与之相应的"物候"现象为"蝼蝈鸣，蚯蚓出，王瓜生。"

立秋 岁时节气名。意为秋季的开始。二十四节气之一，称"节气"。时在夏历七月（一般为公历 8 月 7 日或 8 日），太阳到达黄经135°时开始。时值末伏前后，气温开始下降。北方农谚："早晨立了秋，晚上凉飕飕。"此时秋收作物进入成熟期。农谚："立秋三天遍地红，"即形容高粱成熟的景象。我国中部地区早稻开始收割，后季稻进行移栽和管理。江南地区农谚："立秋处暑地起忙，收了早稻种杂粮。"立秋季节，古代黄河流域与之相应的"物候"现象为"凉风至，白露降，寒蝉鸣。"

立冬 岁时节气名。《月令七十二候集解》云："冬，终也，万物收藏也。"二十四节气之一，称"节气"。时在夏历十月（一般为公历 11 月 7 日或 8 日），太阳到达黄经225°时开始。民间习惯以立冬表示冬季开始。这时黄河中下游地区即将结冰。农业上，作物收割后开始收藏。并进行防冻、积肥、消灭越冬害虫和农田水利基本建设等活动。农谚有"立冬不起菜，必定要受害。"同时，民间俗信立冬日若雪，则日后多晴。故气象谚有"立冬白一白，晴到割大麦。"立冬季节，古代黄河流域与之相应的"物候"现象为"水始冰，地始冻，雉入大水为蜃。"

圣诞节 中国的"圣诞节"则多有所指，时间亦各有异。旧时指在帝王诞生之日举行的祭祀活动。《元史·世祖纪三》曰："敕二分、二至及圣诞节日祭星于司天台。"其次圣诞节也指纪念佛教创始人释迦牟尼诞辰的活动（夏历四月初八）；或指孔子生日。道教圣诞则指道教尊祖和各位祖师的诞辰日，节期，道观均举行庆祝活动，一年多次。常见之圣诞活动分别为夏历正月初九"玉皇圣诞"；夏历二月十五"老君圣诞"；夏历三月初三"西王母圣诞"（俗称"蟠桃会"）；夏历四月十四"吕祖圣诞"；其他诸如"丘处机圣诞"（夏历正月十九，俗称"燕九节"）；"东华帝君圣诞"（夏历二月初六）"张天师圣诞"（夏历三月十五）；"关圣帝君圣诞"（夏历六月二十五）；"财神圣诞"（夏历九月十七）等等。一般举行圣诞时，道观要举办大型道场，供奉礼拜，斋醮赞颂。并由此而形成庙会活动。较为著名的是北京白云观庙会。（参见"燕九节"条）

芒种 岁时节气名。《三礼义宗·仲夏之月》云："五月芒种为节者，言时可以种有芒之谷，故以芒种为名。"二十四节气之一，称"节气"。时在夏历五月（一般为公历 6 月 5 日或 6 日），太阳到达黄经75°时开始。这时我国长江中下游地区将进入梅雨季节。《清嘉录》曰："芒种后遇壬，为入霉。"农业生产上多忙于夏收夏种。民间俗信此日宜雨。谓"芒种无雨，山头无望。"而农作物播种亦应掌握农时，谚有"过了芒种，不可强种。"芒种季节，古代黄河流域与之相应的"物候"现象为"螳螂生，鵙始鸣，反舌无声。"

扫尘 亦称"扫年"、"扫垢"、"扫房"、"除尘"、"扫埃尘"等。汉族及部分与汉族杂居的回、满、蒙等少数民族岁时风俗。流行于全国各地。一般在腊月二十三祭灶前后。民间有"腊月二十四,掸尘扫房子"之谚。每临春节,家家户户都要清洗家具,拆洗被褥,洒扫庭除,以除旧迎新,被除不祥。《梦粱录》曰:"十二月尽,俗云'月穷岁尽之日'谓之除夜。不论大小家,俱洒扫门闾,去尘秽,净庭户……以祈新岁之安。"清代仍承此俗。《帝京岁时纪胜·岁暮杂务》云:"送灶神后,扫除祠堂舍宇。"旧时民间"扫尘"要翻查"宪书"(皇历)选择良辰吉日。扫尘之俗,去除迷信色彩,实际上反映了我国劳动人民爱清洁、讲卫生的习惯传统,并随着岁月的推移而得到发扬。今全国城乡每逢新春普遍扫房、清尘、刷墙、拆洗,干净整洁地迎接春节。

老郎会 亦称"老脸会"。旧时汉族民间风俗。为妓女集会日。一说为祀管仲。管仲为春秋时期齐国(齐桓公时)相,在位期间曾设女闾三百,为妓业之始作俑者;一说为祀唐明皇。唐明皇爱好戏曲,曾设梨园,而乐妓即为梨园子弟,故称唐明皇为"梨园祖师"。此俗流行于南北部分地区,且以具一定规模的都市为主。旧时在戏园后台均设"老郎像",逢上演戏曲,艺人必至像前祭拜。《中华全国风俗志·江苏》引《南京采风记·岁时琐志》载:"妓女有老郎会之举,俗传为老脸会。每年三次,正月、六月、十一月,皆在十一日。或谓所祀为管仲,以女闾三百故。或谓所祀为唐玄宗,以梨园子弟故……会时诸妓极意修饰,陈设鲜妍,要求平日所欢者为之设宴张乐,谓之作面子。妓女名愈噪者,酒宴愈多。六月十一日之会为尤盛。灯红酒绿,丝竹嗷嘈,是时秦淮河一带,两岸则窗开水阁,鬓影衣香,河中则画舫灯船,往来梭织,……一日夜之间,所耗不止中人产焉"。30年代此俗失去传承。

老鼠嫁女 亦称"老鼠娶亲"、"鼠纳妇"。旧时汉族民间岁时风俗。流行于全国各地。其日期因地而异。民间有"初一场、初二场、初三老鼠娶新娘。"之谣。是夜,民间避点灯,早入睡,以免打扰老鼠的喜事。《中华全国风俗志》(卷七)引《延绥镇志》曰:"十日(新正)名老鼠嫁女,是夜家人灭烛早寝,恐惊之也。"实际上经过"忙年""守岁"、"拜年"等一系列节日活动,人们多疲累不堪,至初三晚自然早早熄灯入睡。人生自然规律与民间风俗的自然结合,极为巧妙。天津杨柳青年画有"老鼠娶亲图",描绘一群老鼠穿着红绿衣服,肩旗打伞,敲锣吹喇叭,抬着花轿迎亲。构思新奇,富有情趣。另,江南一带民间在"老鼠嫁女日"于老鼠出入处置食物,并敲打锅盖、簸箕等,为老鼠催妆,并在次晨将鼠穴塞住,谓自此以后老鼠可绝迹。《光绪武进阳湖县志》(卷一)曰:"(正月初一)遇雨,晚不燃灯而卧,曰'老鼠嫁女'。"俗恶老鼠咬啮衣物,故该夜遣嫁出门,以求吉利。

过半年 亦称"半年节"。旧时汉族及部分少数民族岁时风俗。流行于南北部分地区。时在夏历六月初一,为一年的一半,故称"过半年"。相传此俗是为了消灾化难而提前过年。《中华全国风俗志·直隶》载:"宁津人民,每逢阴历六月初一日,家家皆食馄饨,名为过半年。究其源流,盖因前清光绪年间,此地瘟疫流行,死伤之人甚多。当时相传,曾有神仙点化,云此灾非过年不能消灭。其时正五月中旬,距度新岁尚有半截,于是人民益加恐惧,云瘟疫传来数日,已死人无算,倘再过半年,必至阖邑死尽。于是大家决议于六月初一日照正月元旦之例,备些食品过节,以当年节,藉免灾疫。自此以后,每到夏季,即有人传说灾疫,大家便照例过半年,以冀免灾,遂成为习惯。每年六月初一日必过半年也。"在山东、湖北等地,则为庆贺庄稼丰收而进行。山东部分地县在半年节之日,有以新鲜水果、新粮食品敬天、祭祖、走亲戚之俗。

压岁钱 亦称"押岁钱"、"守岁钱"、"压胜钱"、"压祟钱"、"带岁钱"等。汉族及与汉族杂居的回、满等少数民族岁时风俗。流行于全国大多数地区。因"岁"与"祟"谐音,"压岁"即"压祟",故有压邪驱鬼、保小儿岁岁平安之意。又因在守岁之夜给钱,故又称"守岁钱"。汉魏六朝时已有此俗。除夕,吃罢年夜饭后,长辈用红纸包钱,送给晚辈,或等小孩睡着后塞在枕头底下。也有小孩齐集厅前列队向尊长拜年,由尊长一

分送。旧时则以红线穿编铜钱成串,挂于小儿胸前,或置于床脚,如所挂铜钱数目与小孩岁数相同,则称"带岁钱"。《燕京岁时记》载:"以彩绳穿钱,编作龙形,置于床脚,谓之压岁钱。"在小儿拿到压岁钱之后,无不喜笑颜开,欢乐异常。《成都年景竹枝词》云:"儿童行礼说辞岁,长辈分他压岁钱。一见簇新原辫子,磕头领去喜连天。"今民间仍行此俗。然已代之以纸币。供儿童购买玩具之用。

地藏节 中国传统宗教节日。时在夏历七月三十日。为纪念"地藏菩萨"而举行。地藏,俗称为"地藏菩萨",中国佛教四大菩萨之一。《地藏十轮经》谓其"安忍不动如大地,静虑深密如秘藏。"故名。原为新罗国王族近宗,名金乔觉。唐开元年间(一说高宗永徽四年),渡海来唐,卓锡九华山,辟庵说佛。唐贞元十年(794)99岁圆寂。相传九华山之月(肉)身殿即为其成道处,建有塔,明万历皇帝赐塔名"护国月身宝塔。"又谓地藏为释迦牟尼既灭以后,弥勒佛未生以前,世间众生赖以救苦的一尊菩萨。地藏曾发誓必普度众生,拯救诸苦,始愿成佛。故民间多以地藏作为解脱苦难的精神寄托。相传安徽九华山为地藏菩萨成道处,而南京清凉山为地藏菩萨修炼之所。又传夏历七月三十日为地藏菩萨诞辰日,故每届此日,佛门信徒均到安徽九华山或南京清凉山烧香朝拜。安徽、浙江、江苏、河南、湖北、江西等地民间居家信佛者也多于此

日前后进山朝拜。此节民国年间仍盛。旧时北京还有祭祝地藏菩萨诞辰的庙会活动，称"地藏会"。《帝京岁时纪胜》曰："七月三十日，传为地藏菩萨诞辰，都门寺庙，礼忏诵经，亦扎糊法船，中设地藏王佛及十地阎君绘像，更尽时施放焰口焚化。街巷遍燃香火莲灯于路旁，光明如昼。"

曲水流觞　旧时汉族岁时风俗。流行于全国多数地区，为夏历三月三日上巳节期间的一种游戏活动。觞，即酒杯，一般为木制，故可在水中漂浮。每年三月三上巳节，人们坐在环曲的水渠旁，在上游放置酒杯，任其顺流而下，杯停在谁的面前，谁即取饮，以此为乐，故称"曲水流觞"。此俗起源甚早，周代已有。《三才图会·时候类·上巳》："《十节录》云：'昔周幽王淫乱，群臣愁苦之，于时设河上曲水宴……从此始也'。"汉代也有"引流行觞，遂成曲水。"之说。晋永和九年三月初三，王羲之在会稽（今绍兴）兰亭修禊，吟诗、饮酒，遂作《兰亭集序》："又有清流激湍，映带左右，引以为流觞曲水。"对后世影响较大。晋以后，此俗逐渐传到民间。《荆楚岁时记》云："三月三日，士民并出江渚池沼间，为流杯曲水之饮。"但清代以后则仅限于宫廷举行。今北京潭柘寺、中南海、故宫等处均存"流杯亭"之建筑。

伏日　亦称"伏天"。岁时节气名。为一年中最炎热的时期。夏至后第三个庚日入初伏，第四个庚日入中伏，立秋后第一个庚日入末伏，俗称"三伏"。初伏、末伏均为10天。若立秋在夏至后的第四个庚日以后，中伏即为10天，但立秋在夏至后的第五个庚日以后，中伏则为20天。从入伏到出伏，约相当于公历7月中旬到8月中下旬。此期间统称"伏日"。清·李慈铭《与顾河之孝廉书》曰："比维伏日蒸霖，海上烦热，动静多预，亮无亏摄。"伏天气温高，尤以中伏为甚，故民间有"热在中伏"之谚。另，"伏"即隐伏以避盛暑之意。《后汉书》云：伏日"尽日闲，不干他事。"《梦粱录》也载：南宋人"伏日往来风亭水榭"。伏日，人们往往食欲不振，故民间多吃汤饼，饮伏茶，以去暑。

灯市　汉族民间岁时风俗。流行于全国各地。"灯市"，即元宵节前后专门售物和放灯的地方。始于宋代，《乾淳岁时记》曰："天街茶肆渐已罗列灯球等求售，谓之'灯市'。自此以后，每夕皆然。"一般在夏历正月十五元宵节前夕，民间纷纷搭灯棚，系花彩，狮龙并舞，预演元宵节目，称为"试灯"。而街头摊贩，也竞售各色纸灯，争奇斗艳，目不暇给，称为"灯市"。宋·范成大《灯市行》云："吴台今古繁华地，偏爱元宵灯影戏。春前腊后天好晴，已向街头作灯市。"此俗历代相承，至明清更盛。《帝京景物略》记述明代京师从正月八日到十八日，东华门外设"灯市"；《西湖游览志余·熙朝乐事》也记载明代杭州从寿安坊下至众安桥一带设"灯市"，出售各式花灯。《清嘉录》（卷一）更描绘了苏州灯市的热闹情景:"吴趋坊、申衙里、帛桥中市一带,货郎出售各色花灯,精奇百出,如像生人物,则有老跎少、月明度妓、西施采莲、张生跳墙、刘海戏蟾、招财进宝之属;花果,则有荷花、栀子、葡萄、瓜、藕之属;百族,则有鹤、凤、鸡、鹊、猴、鹿、马、兔、鱼、虾、螃蟹之属;其奇巧,则有琉璃球、万眼罗、走马灯、梅里灯、夹纱灯、画舫龙舟品目,殊难枚举。至十八日始歇,谓之灯市。"在北京灯市口、前门外、厂甸一带都开设灯市。而从灯市口至东四牌楼,家家店铺均悬挂彩灯,争奇斗胜。今此俗尚存,每逢正月十五,乃至春节前夕,各地开设灯市,售卖灯品,购者如潮,间或路见小儿手提大红鱼灯,兴高彩烈。

忙月　亦称"农忙之月"、"农忙时节"。汉族民间岁时节令称谓。一般在夏历四月中至七月中。《旧唐书·宇文融传》曰:"每至雨泽之后,种获忙月"。《嘉兴府志》也载:"四月望至七月望日,谓之忙月。"俗谓"五黄六月,龙口夺食。"此时正值麦收季节。一般麦子进入"蜡熟"期(约3——5天)后,麦粒已经饱满,叶片干枯,茎杆亦逐渐变成金黄色。如果拖延收割期,产量将会下降。故我国自古即已掌握这一规律,抓紧收割。《三国志·吴书·华覈传》曰:"六月戊已……加又农月,时不可失。"唐·王维《新晴晚望》诗亦有"农月无闲人,倾家事南亩。"之句。

忙年　汉族民间岁时风俗。流行于全国各地,为迎接传统新春佳节,一进夏历腊月(十二月)家家户户就开始忙碌,准备过年。旧俗过了腊八便有了过年的气氛,所谓忙过年,过年忙,人们忙忙活活地准备敬神敬祖的供品,买糖果、办年货,采买各样食品。北京等地流传的民谚形象、具体:"老婆,老婆你别馋,过了腊八就是年。腊八粥过几天,漓漓拉拉二十三。二十三糖瓜粘,二十四扫房日,二十五炸豆腐,二十六炖羊肉,二十七宰公鸡,二十八把面发,二十九蒸馒首,三十晚上熬一宵,大年初一去拜年。"而在腊月三十这一天,还要忙于做除夕夜之团圆饭,然后又有"初一饺子、初二面、初三合子往家转、初四烙饼炒鸡蛋……。"往往是吃了上顿,忙下顿,间或亲朋互拜,迎来送往,几无暇时。故以"忙年"谓民间一系列辞旧迎新活动,甚为贴切。今此俗仍存,且愈演愈烈。但一些领风气之先者免去诸多忙碌,年三十晚举家赴酒楼吃团圆饭之俗悄然兴起。

守岁　汉族民间节日风俗。流行于全国各地。部分少数民族也行此俗。除夕"一夜连双岁,五更分二年,"民间此时吃罢年夜饭,全家男女老少围炉而坐,边吃瓜果,边叙旧事,通宵不眠,谓之守岁。此俗晋代已十分盛行。《清嘉录》引晋周处《风土记》云:"蜀之风俗,至除夕,达旦不眠,谓之'守岁'。"唐代则增加了庭燎、歌舞等活动。张说《岳州守岁诗》曰:"除夜清樽满,寒庭燎火多。舞衣连臂佛,醉坐合声歌。"宋时此俗更盛。《东京梦华录》:"是夜禁中爆竹山呼,声闻于外。士庶之家,围炉团坐,达旦不寐。"明清继前代旧俗。《帝京景物略》引丘瑜《长安除夕》诗:"柏酒辛盘此夜情,虚堂无梦亦三更,帝城团鼓迎年急,邻院松盆炬岁明。"此俗至今仍盛行,且增添许多新的内容。守岁时,家人团聚,下棋、打牌、畅叙古今。尤其是观看春节晚会丰富多彩的电视节目,更把除夕之欢乐推向高潮。

冰灯节　汉族及满、回等少数民族民间传统节日。流行东北地区,尤以哈尔滨为盛。时在夏历正月间。冰灯节颇具地域特点。在中原和其他地区,正月十五"灯节"期间民间多悬挂彩灯,以庆"元宵"。然东北黑龙江一带一般气候严寒而冰多,故自然形成"冰灯"之俗。《黑龙江外纪》曰:"上元,城中(齐齐哈尔)张灯五夜。有镂五六尺冰为寿星灯者,中燃双炬,望之如水晶。"冰灯的制作分为冷冻和冰雕两类。冷冻,即用不同形状的模具注满水,放在室外冻结。待模具中间的水尚未完全冻实时,便取入室内,将中间的水倒出,取其冰壳,中间燃蜡烛,便成冰灯。冰雕,即以天然冰块堆砌、雕刻,再经过灯光、装潢等,便成为绮丽多彩、神态各异的冰雕。冰雕一般多为冰楼、冰峰、冰兽、花卉等大型艺术品。清代以前,冰灯仅限东北地区节日用物。清入主中原后,冰灯亦随之传入。《燕京岁时记》云:"市人之巧者,又复结冰为器,裁麦苗为人物,华而不侈,朴而不俗,殊可观也。"至1963年正式定名为"冰灯节"。在东北地区,每年元宵佳节前后均举行大型冰灯游园会。各式冰灯、冰雕和大型冰雕建筑交相辉映,吸引着无数中外游客,民间叹为北国"冰凌奇观。"

观莲节　亦称"莲花生日"、"荷花生日"。旧时汉族传统节日。流行于我国部分地区,以江苏为盛。夏历六月为荷花盛开时节,每年六月二十四日民间有赏荷之举。《清嘉录》"荷花荡"云:"是日,又为荷花生日,旧俗,画船箫鼓,竞于葑门外荷花荡,观荷纳凉。"《吴郡记》也载:"荷花荡在葑门之外,每年六月二十四日,游人最盛,画舫云集……苏人游冶之盛,至是而极矣。"山东济南也于是日在大明湖举行荷花展览,供游人观赏。也有在六月四日或六月六日者。《中华全国风俗志·江苏》引《南京采风记·岁时琐志》曰:"六月初四日,俗谓荷花生日。凡有池塘植荷者,以纸作红,燃之放于中流,"祝祭荷花神。现北京等地亦有观莲赏荷之举。

弄潮　古代汉族民间娱乐活动,流行于浙江杭州地区,指在江潮汹涌的水面作戏。南宋时每年夏历八月十八日钱塘江有观潮之举。当潮水涌来之际,善泅者往往以大彩旗或小清凉伞、红绿小伞儿,并将彩缎等系于竹竿上,百十为群,执旗泅于水上,或有手脚执五小旗浮潮头而弄,称为弄潮之戏。先为迎潮神之举,后逐渐以此博取观潮者的赏赐,发展为牟利事业。苏轼《中秋夜观潮》诗云:"吴儿生长狎涛渊,冒利轻生不自怜。"这些"冒利轻生不自怜"者被称为"弄潮儿"。《武林旧事》亦云:是日,"吴儿善泅者数百,皆披发文身,手持十幅大彩旗,争先鼓勇,溯迎面上,出没于鲸波万仞中"。旧时也有在端午竞渡时弄潮的,宋·苏辙《栾地集》"竞渡"诗记云:"父老不知拈屈恨,少年争作弄潮游"。俗传弄潮之举是迎接潮神的。《梦梁录》载:春秋时吴国大夫伍子胥反对吴王夫差答允越王勾践求和,被抛入钱塘江中淹死,死后化作波神,浙江一带的弄潮之举便是迎接随钱塘大潮到来的伍子胥的。

走百病 亦称"游百病"、"走桥"、"脱晦气"、"踏太平"等。旧时汉族民间岁时风俗。流行于南北各地。夏历正月十五或十六日,妇女盛装相邀出门走桥,谓"走百病"。起源较早。《荆楚岁时记》曰:"燕城正月十六夜,妇女群游,其前一人,持香辟人,凡有桥处,相率以过名走百病。"至清代仍十分盛行。康熙《大兴县志·岁时》云:"元宵前后,赏灯夜饮,金吾禁弛……妇女结伴,游行过津桥,曰'走百病'。"《中华全国风俗志·下篇》(卷五)"安徽"也载:元宵节,"城乡男女,皆空户出游,谓之走百病。"在东北地区,妇女则有在地上打滚之俗,认为可脱晦气。《中华全国风俗志·下篇》(卷一)曰:"十六日,满洲妇女,群步平沙,曰走百病。或连袂打滚,曰脱晦气,入夜尤多。"在江苏南京、四川成都及山东等地,还流行春游登城之俗。妇女元宵之夜结伴遍游城墙。《金陵岁时记》:"正月十六日登城,谓之'踏太平',又称'走百病'……。"民间云,

不走百病,易患"臂枯眼暗兼头风"等病症。

花朝节 亦称"挑菜节"。汉族民间传统节日。流行于全国大部分地区。相传该日为"百花生日",故称花朝节。节期各地不一。分别为夏历二月十五日、二月十二日和二月初二。以其时令正当春暖花开之际,故民间自然形成赏花、踏青等活动。宋代始重此节。《梦梁录》云:"仲春十五日为花朝节,浙江风俗,以为春序正中,百花争放之时,最堪游赏。都人皆往钱塘门外玉壶、古柳林……玩赏奇花异木。"北京地区在夏历二月十二行花朝节。《帝京岁时纪胜》曰:"幽人雅士,赋诗唱和,并出郊外各名园赏花。"清·张春华有《沪城岁时衢歌·咏花朝》诗:"春到花朝碧染丛,枝梢剪彩袅东风,蒸霞五色飞晴坞,画阁开尊助赏红。"在洛阳等地,夏历二月二日举行,称"挑菜节"。《广群芳谱》引《翰墨记》云:"洛阳风俗,以二月二日为花朝节。士庶游玩,又为挑菜节。"此外,民间有以花朝日占阴晴之俗。谓该日晴,则主百花繁盛。花朝节期间各地还有"赏红"、"扑蝶会"等俗。近年则已发展为赶花会及花木展销等习俗。

进椒盘 亦称"献椒盘"。旧时汉族民间岁时风俗。流行于全国各地。"椒盘"即把花椒放入盘中,饮酒时撮一点放入杯中,故称"椒盘。"又因元旦日子孙进椒(柏)酒于其家长,以祝长寿,故又称"进椒盘。"此俗起源甚早。古人俗信椒是"玉衡星精",柏是"仙药",用花椒籽实及柏叶浸

酒,服之可驱寒去湿,延年益寿。《四民月令》曰:"元旦进椒酒柏酒,"即谓此。《荆楚岁时记》也载:"俗有岁首用椒酒。椒花芬香,故采花以贡樽。"宋·范成大《癸巳元旦》诗句有:"迎地东风劝椒酒,山头今日是春台。"明清仍承此俗。《中华全国风俗志·上篇》(卷三)"浙江"引《西湖游览志余》云:"正月朔,为椒柏酒,以待亲戚邻里。"《帝京岁时纪胜·正月·元旦》载:"士民之家……焚楮帛毕,昧爽阖家团拜,献椒盘。"

时令 亦称"时序节令"。"时"指"四时",即春、夏、秋、冬"四序"。"令"指"节令",即将四时分为十二个月,每月两节,共"二十四节气"。一般把两节气相交接之日时定为交节,并由此而转意为节日,指没有民俗意义的节日,称"节气"节日。古时亦称各个季节的农事等政令为时令。后泛指季节、节气、物候等。在自然界中,农业生产的季节及农时节令,每年均周而复始地循环。我国古代根据天文和历法知识来划定一年中的时序节令,从而将生产活动和日常生活纳入自然规律之中。《吕氏春秋·贵因篇》云:"审天者查列星而知四时,推历者视月行而定晦朔。"一年中时序的变换,直接影响到社会的生产和生活。所以,民间俗信无论是生产或生活,均不能违反自然规律。如农业生产中对气候、节令的要求甚严。误了农时,则庄稼无收。故唐·白居易《赠友》诗有"时令一反常,生灵受其病。"之句。而随着季节的转换、气候的变化,农作物的

种植与收获及人们生活、生产的需要,民间多举行一些具有特殊日期的活动,从而产生一系列以时序为线的岁时节令习俗。

谷雨 岁时节气名。意为"雨利百谷"。二十四节气之一,称"中气"。时在夏历三月(一般为公历4月20日或21日),太阳到达黄经30°时开始。谷雨前后,全国大部分地区气候较稳定,雨量充沛,为谷物生长提供了条件。是我国北方春季作物播种、出苗的重要季节。闻名中外的洛阳牡丹也在谷雨时节开花。俗谓"谷雨看花局一新"。农谚有"要得棉,谷雨前"。"谷雨前后,种瓜点豆。"和"清明忙种麦,谷雨种大田。"等。江南一带则在谷雨前采茶,其茶新鲜细嫩,质好,称"雨前茶"。谷雨季节,古代黄河流域与之相应的"物候"现象为"萍始生,鸣鸠拂羽,戴胜降于桑。"

迎春 汉族民间岁时风俗。流行于全国各地。立春,为二十四节气的第一个节气。俗谓"一年之计在于春"。春季,预示着一年农事活动的开始,故历代王朝每年立春前一日,均举行隆重的迎春大典。此俗起源甚早。《礼记·月令》曰:"立春之日,天子亲帅三公、九卿、诸侯、大夫,以迎春于东郊。"《后汉书·祭祀志》载:"立春之日,迎春于东郊,祭青帝句芒,车旗服饰皆青。"青色,表示万物生长之意。宋以后,此俗更盛。《梦粱录》曰:"立春前一日,以镇鼓锣吹妓乐迎春牛,往府衙前迎春馆内。"明清继前俗。明时,北京城东直门外五里,建立春场和春亭,每年立

春前一日,举行迎春活动。清嘉庆《滦州志·岁时》云:"立春先一日,官戒于东门外,农商百艺各持器以往,选集优人习剧。谓之'演春'。届期,合城官员往迎,鼓乐交作,前列武戏,殿以春牛,老稚趋观,谓之'迎春'。"民国时此俗仍行。民国《铁岭县志·岁时》:"立春为国家盛典。前一日,守土官率僚属,盛陈卤簿仪仗,杂以秧歌、龙灯、高脚、旱船等剧,并具芒神、春牛往东关高台庙拈香行礼,俗曰'演春',即迎春于东郊也。"

迎富　亦称"迎富贵",旧时汉族民间岁时风俗。流行我国南北部分地区。此俗起源甚早。唐末五代时已有记载。《岁华纪丽·二月》"巢人乞子以得富"注:"昔巢氏时,二月二乞得人子,归养之,家便大富。后人以此日出野,采蓬叶,向门前以祭之,云迎富。"此俗至清时仍盛行。《十驾斋养新录》(卷十六)云:"今人但知送穷,不知迎富,亦有故事。魏华父有《二月二日遂北郭迎富故事》诗云:'才过结柳送穷日,又见簪花迎富时'。"而陕西关中一带,是日人们携鼓乐到郊外,朝往暮回,谓迎富。今日此俗已消失。

作菊枕　旧时汉族民间医药风俗。流行于全国各地。《岁时广记》卷三十四"作菊枕":"《千金方》:常以九月九日取菊花作枕袋枕头。大能去头风,明眼目。"陈钦甫《九日》诗:"菊花堪明眼,茱囊可辟邪。"陆游《老态》诗之一亦云:"头风便菊枕,足痹倚藜床。"菊花有一定的药用价值,菊枕之俗有一定的科学道理。

补天穿　亦称"补天漏"、"补天地"等。汉族民间岁时风俗。流行于全国多数地区。时间不一。一般在夏历正月间举行,以正月二十五日前后为多。相传此日为女娲炼石补天日,故"补天穿"之俗实为女娲信仰之遗风。俗传"二十日天穿,二十一日地穿"。又因天穿日与二十四节气中之"雨水"日相近,民间为祈祷苍天保佑"雨水之日,屋无穿漏。"故多行"补天穿"之俗。此俗起源甚早。《荆楚岁时记》云:"江南俗正月二十日为补天日,以红丝缕系煎饼置屋上,谓之补天穿。"苏轼诗句有"一枚煎饼补天穿。"此俗清代仍流行。清康熙《广东通志》(卷九十二)云:"(夏历正月)十九日,挂蒜于门以辟恶,广州谓为天穿日,作馎饦祷神,曰'补天穿'。"现此俗已不复流行。

鸡日　汉族民间岁时节令称谓。流行于全国多数地区。时在夏历正月初一。起源于古代的"占卜"活动。《西清诗话》引汉东方朔《占书》云:"岁后八日,一日鸡,二日犬,三日豕,四日羊,五日牛,六日马,七日人。"道教解释此说为:天地先生鸡、次狗、次猪、次羊、次马、始生人。后此说历代流传,并有所发展。《清嘉录》记吴越风俗:"俗以七日为人日,八日为谷日,九日为天日,十日为地日,人视此四日之阴晴,占终岁之灾祥。"民间俗信,此几日如晴,所主之物育,阴则灾。如正月初一天气晴朗,阳光明媚,所养之鸡则繁育;若天气阴雨，则不繁。二日兆狗，三日兆猪，依次类推，而七日天晴，则"占卜"之家人丁兴旺。故每逢夏历正月初一"鸡日"，民间戒宰鸡，且精心喂养，以祈求鸡群繁衍兴旺。至正月初七"人日"，则作七种菜，剪彩为人形，贴于屏风或戴于头上，俗谓"剪贴彩胜"，认为此举可避灾求祥。今此俗已不复流行。

雨水　岁时节气名。《后汉书·律历志》云："雨水，节气也。"二十四节气之一，称"中气"。时在夏历正月（一般为公历2月19日或20日），太阳到达黄经330°时开始。这时我国大部分地区严寒将过，雨量逐渐增加，草木开始发芽生长。《吕氏春秋·仲春》云："其祀户，祭先脾，始雨水，桃李华。"注："自冬冰雪，至此土发而耕，故曰始雨水也。桃李之属皆舒华也。"农谚有："雨水节，接柑桔。""雨水有雨庄稼好，大春小春一片宝。"雨水季节，古代黄河流域与之相应的"物候"现象为"獭祭鱼，候雁北，草木萌动。"

雨节　旧时汉族民间风俗日。流行于全国各地。时在夏历五月十三日。传说此日为三国蜀大将关羽（关公）诞辰日。关羽，字云长，河东解州（今山西运城）人。以其忠义立世，死后为神，谓能御灾除患。尤其经罗贯中《三国志通俗演义》之描写，更为后人所崇拜。又谓该日多为雨天，农谚曰："大旱不过五月十三。"此与祀关帝之俗相结合，谓关帝此日单刀赴会，普降甘霖（旧称"关公磨刀雨"），故称此日为"雨节。"旧时，各

地建有关帝庙、老爷庙、关王庙，每逢五月十三"雨节"，民间多举行关帝庙会，祭祀关帝，祈求降雨，香火鼎盛。

画额　汉族民间岁时风俗。流行于全国多数地区。为夏历五月端午习俗之一。始于明。民间俗信五月为"毒月"，毒虫肆虐。而雄黄具有杀虫驱毒之作用，故人们多以雄黄涂耳鼻，谓可避虫害。《本草纲目》曰："雄黄味辛温有毒，具有解虫蛇毒、燥湿、杀虫驱疾功效。""主治百虫毒、蛇虺毒。"同时，民间还以白酒浸雄黄，加入白矾，待酒挥发，便制成雄黄矾，用以杀菌消毒。因此，每逢端午节期，人们为灭杀毒虫，多于房内洒雄黄水。据《闽越搜奇谈》载，福建等地在端午节时以雄黄浸水，蘸之，在儿童额头上书写"王"字，此俗民间称作"画额"。

卖春困　汉族民间岁时风俗。流行于南北各地。春季，人们往往容易发困，俗有"春困、秋乏、夏打盹"之谓。旧俗，在立春日行"咬春"之俗时，认为咬一口生萝卜即可消除春困。《酌中志》云："立春之时，无贵贱皆嚼萝卜，名曰咬春。"《燕京岁时记》也载："是日……妇女等多买萝卜而食之，曰咬春，谓可以却春困也。"与此相联系，有些地区，如山东莱阳等地立春日忌挑水，认为挑了水，一年当中精神不振，常发困。此外，南宋诗人陆游在他的作品中曾描绘了江南儿童立春日早起"卖春困"的情景。

盂兰盆会　亦称"盂兰盆斋"、"盂

兰盆供"等。旧时汉族民间岁时风俗。流行于全国多数地区,每年夏历七月十五"中元节"举行。"盂兰盆"为梵文音译,意为"解救倒悬。"此俗来源据佛教《盂兰盆经》载,释迦牟尼弟子目莲来到地狱,见死去的母亲化为饿鬼,于地狱受苦,如处倒悬,求佛祖救度。释迦牟尼告之必在七月十五日备百味五果,置于盆中,供养十方僧众,可使母解脱,据此形成盂兰盆会。南北朝时梁武帝萧衍始设盂兰盆斋。唐宋以来更为盛行。《唐书·王缙传》曰:"代宗七月望日,于内道场造盂兰盆,饰以金翠,所费百万。"宋代始演变为民间祭祖和预卜冬天气候的活动。《岁时广记》引《岁时杂记》云:"律院多依经教作盂兰盆斋,人家大率即享祭父母、祖先……又以竹一本,分为四五足,中置竹圈,谓之盂兰盆,画目莲尊者之像插其上,祭毕加纸币焚之。"《老学庵笔记》(卷七)也载:"故都残暑,不过七月中旬。俗以望日具素馔享先,织竹作盆盎状,贮纸钱,承一竹,焚之,视盆倒所向,以占气候。谓向北则冬寒,向南则冬温,向东则寒温得中,谓之盂兰盆。"清代以来,此俗仍盛,并演变为放河灯、放焰口等俗。

闹年　汉族民间节日风俗。流行于全国各地。夏历除夕夜守岁时,家中各室均燃灯,通宵不灭,人们燃放爆竹、饮酒、嬉闹至天明,故称"闹年"。《帝京岁时纪胜》曰:"除夕之次,夜子初交,门外宝炬争辉,玉珂竞响。肩舆簇簇,车马辚辚……闻爆竹声如击浪轰雷,遍乎朝野,彻夜无停。"热闹异常。今此俗仍盛。每逢除夕夜,家家户户灯火通明,举家畅饮,笑语欢声。继之燃放烟花火炮,高潮迭起。幼童则纷打各式灯笼,上街游逛,彻夜不眠。

闹元宵　汉族民间岁时风俗。流行于全国各地。时在夏历正月十五元宵节前后。一般从正月初一开始,到正月十五,将近半个月时间。在此期间,民间多休闲,故尽情娱乐,谓之"闹元宵"。主要活动有舞龙灯、闹社火、耍狮子、扭秧歌、踩高跷、跑旱船、打太平鼓、猜灯谜等。至正月十五,为闹元宵之高潮。《清嘉录》云:"看残烛火闹元宵,划出旱船忙打招。不放月华临下界,烟竿火塔又是桥。"《中华全国风俗志·下篇》(卷三)"江苏"引《吴中岁时记》曰:"元宵前后,比户以锣鼓铙钹,敲击成文,谓之闹元宵。"其鼓点节奏明快,气氛热烈。曲名"有跑马、雨夹雪,七五止三,跳财神,下西风诸名。或三五成群,各执一器,儿童围绕以行。且行且击,满街鼎沸,俗呼走马锣鼓。范来宗锣鼓诗云:'衮连爆竹近还遥,到处喧阗破寂寥。听去有声兼有节,闹来元旦过元宵。'"今闹元宵之俗仍十分盛行。届时各地举行元宵晚会,烟花爆竹,彩灯竞放,锣鼓喧天。各种民间花会争相献艺,观者如潮。

供太阳　汉族民间岁时风俗。流行于全国部分地区。为祭太阳生日之俗。各地因时而异。河北、天津一带在夏历六月十九日。《中华全国风俗志·直隶》"宁津六月之两节"载："六月十九日，宁津有接太阳之风俗。每年至六月十八日晚，各村寺庙锣鼓喧天，颇为热闹。村庄老年妇人集成一会，于是晚住在庙中，念经诵佛，直到天将明之时，排列供案，燃烛焚香，向东致祭，至太阳出来始止。若值天晴，清晨放出阳光，大家欢喜；若是天阴，便云不吉，异常懊丧也。其俗如何缘起，无从考究，或曰六月十九日太阳生辰故。"而北京、江苏等地则在夏历二月一日。是日人们供太阳鸡糕。《燕京岁时记》云："二月初一日，市人以米面团成小饼……上贯以寸余小鸡，谓之太阳糕。都人祭日者，买而供之，三五具不等。"浙江等地则在夏历三月十九日。《浙江风俗简志·宁波篇》曰："三月十九日，宁波俗说太阳生日，旧时各寺庙设醮诵经。"而广东潮汕地区又在夏历九月初九。是日家家户户清扫室内外环境，一切污物均置背阴处，待早上摆出糖果，拜太阳后方拿出。此俗反映了民间对太阳的崇拜。

肥冬瘦年　汉族民间岁时风俗。流行于江南一带。"冬"即冬至，"年"即元旦（春节）。古有"冬至大如年"之说，故民间过冬至节重于过年，俗呼"肥冬瘦年"。《东京梦华录》（卷之十）"冬至"云："十一月冬至，京师最重此节，虽至贫者，一年之间，积累假借，至此日更易新衣，备办饮食，享祀先祖。官放关扑（即地方政府于节日期间在庙会等地允许以赌博形式赊卖物品），庆贺往来，

一如年节。"此俗明清仍盛行。《西湖游览志余·熙朝乐事》曰："冬至谓之亚岁，官府民间，各相庆贺，一如元旦之仪。吴中最盛，故有肥冬瘦年之说。"《中华全国风俗志·江苏》"吴中岁时记"云："（十一月）郡人最重冬至节。先日，亲朋各以食物相馈遗，提筐担盒，充斥道路，俗呼冬至盘。节前一夕，俗呼冬至夜。是夜，人家更速燕饮，谓之节酒。女嫁而归宁在室者，至是必归婿家。家无大小，必市食物以享先。闻有悬挂祖先遗容者，诸凡仪文，加于常节。故有冬至大如年之谣。蔡云吴歈云：'有几人家挂喜神，恩恩拜节趁清晨。冬肥年瘦生分别，尚袭姬家建子春。'"

宜春贴　亦称"贴宜春方字"、"春帖"等。汉族及多民族杂居的回、满等少数民族民间节日风俗。为立春及春节期间的祈吉活动。流行于全国各地。此俗起源甚早。秦代离宫已有命名为"宜春宫"、"宜春苑"的建筑。"宜春"，即称颂春天之义。春季，阳光明媚，草木发芽，大地一片嫩绿。届时，人们把彩绸剪成燕形，贴"宜春"二字，以赞美春天。而"燕"又为春天的象征，俗谓"八九燕来"，故剪以燕形作头饰，象征春天的到来。《荆楚岁时记》云："立春日，悉剪彩为燕戴之，帖'宜春'二字。"唐宋以后，此俗更为盛行。一般人家每逢立春或春节，均贴"宜春"字于门户，以增添喜庆气氛。《千金玉令》曰："立春日贴宜春字于门。"此俗后演变为贴"福"字，及"福禄寿喜"等。《帝京岁时纪胜·皇都品

汇》载:"门张联副,宜春百福字销金。"现此俗纳入"春联"一类,每逢春节家家争相张贴,一般为"抬头见喜"、"吉庆有余"、"新年大吉"等。形状为长方形,长约一尺余,宽约三、四寸,红纸、竖写。

放风筝　民间的一种娱乐活动。风筝又称"纸鸢"、"鹞子"、"纸鹞"、"风禽"等,为民间可供玩赏的工艺品、玩具。起源颇早,相传春秋时公输般作木鸢以窥宋城。又传风筝为韩信所作,《燕京岁时纪》引《日下旧闻考》称:"五代日季,李邺与隐帝作纸鸢于宫门外放之。"后于鸢首以竹为筒,使风入竹如筝鸣,故称风筝。唐代起风筝成为一种娱乐玩具,但只限于皇宫和贵族府第。北宋后才流行于民间。明清以来,风筝制作日趋精巧,曹雪芹专著《南鹞北鸢考工记》中,记载了几十种扎制、施放风筝的扎、糊、绘、放的工艺。风筝制法:先用细竹或竹片等扎成骨架,做成蝴蝶、蜈蚣、凤凰等禽、鸟、鱼、虫等形状,糊上棉纸或薄绢,上画图案即成。玩时用麻线牵引,利用风力托举、飞升天空。牵引线上可悬挂装有滑轮的小灯,随风飘上,黑夜望去,好似星长。有的在风筝上装风笛,鸣鸣作响,声如筝鸣,故称"鹞琴"。上海郊区,放风筝忌讳断线,旧时如断线落入农家房屋,视为不吉,必须用"猪头三牲"祭祀消灾。但有的地方春日放风筝,人们都剪断绳线,使其随风飘去,以为可将灾难、恶运甚至病苦放去而不复返。放风筝之俗至今仍在民间流行,不仅农村有之、都

市亦有之,并且在继承传统的基础上有所发展。丽日和风的天安门广场常有人放风筝,形成首都独特的时令人文景观。而山东潍坊等地常有"国际风筝节"活动,潍坊还建有风筝博物馆。

放河灯　亦称"放水灯"、"照冥"。旧时汉族民间岁时风俗。流行于全国多数地区。每年夏历七月十五中元节举行。原为一种宗教仪式,目的是追荐亡魂,为"屈死鬼"照明引路。《帝京岁时纪胜·七月》云:"(中元)点燃河灯,谓以慈航普渡,如清明仪,异请都城隍像出巡,祭厉鬼。闻世祖朝……自十三日至十五日放河灯,使小内监持荷叶燃烛其中,罗列两岸,以数千计。又用琉璃作荷花灯数千盏,随波上下……至今传为胜事。"放河灯之俗起源较早。《帝京景物略》(卷二)曰:"十五日,诸寺院建盂兰盆会,夜于水次放灯,曰放河灯。"放灯时一般以木板钻孔,上置各式灯笼,多为莲花灯。灯中燃烛,放于水面,届时河面灯火通明,灯具飘曳摇动,宛若银河点点繁星。沿河两岸,观者如潮,蔚为壮观。现此俗渐次演变为中元节期间民间娱乐活动。

放焰火　亦称"放烟花"。汉族及部分少数民族传统节庆风俗。流行于全国各地。"焰火"即"烟火"、"烟花"。系包扎品,内装药剂。一般分为低空烟花、高空烟花、旋转升空烟花、地面烟花、水面烟花、手持烟花、吊线烟花、造型烟花等八大类。相传焰火由爆竹演变而成,始于隋唐,盛

于宋。《武林旧事·元夕》曰:"宫漏既深,始宣放烟火百余架。于是乐声四起,烛影纵横,而驾始还矣。"烟花不但宫中放,民间也放。放时,庭院通衢焰火喷射,五颜六色,蔚为壮观。至清代,放焰火的活动更盛。《燕京岁时记》云:"每至灯节,内廷筵宴,放烟火,市肆张灯……花炮棚子制造各色烟火,竞巧争奇……富室豪门,争相购买,银花火树,光彩照人。"旧时,有些地区还搭架放演烟火,各种楼阁或戏曲形象,显现夜空。达官显贵、庶民百姓皆走出家门,涌上街头,观看焰火,一时车马喧嚣,通宵达旦。此俗今仍盛行,并做为"礼花",在节日庆典时放用,以增添欢乐气氛。

张灯　亦称"放灯",汉族民间岁时风俗。流行于全国各地。为夏历正月十五元宵节期间主要活动。此俗起源甚早。汉初,皇帝为求一年风调雨顺,在年初正月于宫中点灯祭祀"太乙"神(即"太阳神",道教称"太乙真君"),遂形成民间"张灯"之俗。《初学记》:"《史记·乐书》曰:汉家祀太一,以昏时祀到明。今人正月望日,夜游观灯,是其遗事。"《七修类稿》(卷二十七)《元宵灯》也载:"上元张灯,诸书皆以为沿汉祀太乙,自昏至明,今其遗事。"至唐宋时,张灯之举盛况空前。《岁时广记》(卷十)引唐《两京新记》曰:"正月十五日夜,敕金吾驰禁,前后各一日,以看灯。"即为使市民观灯,将夜禁甚严之制予以撤销。崔液《上元夜》诗:"玉漏铜壶且莫催,铁关金锁彻夜开;谁家见月能闲坐,何处闻灯不看来。"诗中描写的即为朝廷撤除宵禁,允市民观灯之情节。宋时张灯,数量大增。《武林旧事》云:"一入新正,灯火日盛。""山灯凡数千百种,极其新巧,怪怪奇奇,无所不有。"至明代则规定元宵节张灯10夜,时北京王府井大街灯市口白天列市,入夜张灯,花灯照耀,通宵达旦。清代京师张灯更为壮观。梁元颖《元夕前门观灯》诗:"细马轻车巷陌腾,好春又是一番增。今宵闲杀团团月,多少游人只看灯。"今此俗仍盛。每届元宵佳节,各地举行灯会和游艺活动,人流如织,热闹异常。

春分　岁时节气名。二十四节气之一,称"中气"。时在夏历二月(一般为公历3月20日或21日),太阳到达黄经0°(春分点)时开始。此日阳光直射赤道,昼夜几乎等长,故又称"日夜分"。其后阳光直射位置始向北移动。《春秋繁露·阴阳出入上下篇》云:"春分者,阴阳相半也,故昼夜均而寒暑平。"意即"春分"季节为整个春季90天的一半;而"春分"这一天又为昼夜平分,阴阳相半,故称。此时我国绝大多数地区越冬作物进入春季生长期,故农谚有"春分春分,麦苗起身。""春分麦入土,清明地头青。"等。春分季节,古代黄河流域与之相应的"物候"现象为"玄鸟至,雷乃发声,始电。"

春牛　亦称"土牛"。汉族立春日象征春耕开始的土牛。流行于全国各地。汉代已有塑土为牛,以策励春耕之俗。至元时,对春牛的制作始有统一规定。其样式每年依年月干支塑之。《帝京景物略》云："造芒牛法……辰日取土水木于岁德之方。木以桑柘，身尾高下之度，以岁八节四季，日十有二时，踏用府门之扇，左右以岁阴阳，牛口张合，尾左右缴，芒立左右。"清初更有造春牛之方，称"春牛经"。乾隆《协纪辨方书·公规·春牛经》："造春牛芒神，用冬至辰日，以岁德方取水土成造，用桑柘木为胎骨。牛身高四尺，象四时，头至尾长八尺，象八节。"至清朝末年，春牛改为纸扎。即以竹作骨，外糊以纸，里面装五谷。立春日，行迎春仪式，人们抬着身上披红挂绿、头插金花的春牛，由"句芒神"牵行。伴随鞭春牛之仪，牛倒、纸烂、五谷流散，象征打出了一年的五谷丰登。

春节 汉族及多数少数民族最为隆重的传统佳节，俗称"过年"。流行于全国各地。时在夏历正月初一。春节，源于原始社会的"腊祭"。《左传·僖公五年》曰："虞不腊矣。"西晋·杜预注："腊，岁终祭众神之名。"为年终祝贺丰收的喜庆日子。《春秋谷梁传·桓公三年》也载："五谷皆熟，为有年也。""年"字原是"稔"字的初义，五谷丰稔之意。而禾谷一般为一年一熟，"年"作为岁名和"稔"的初文，便引申为"年"。古时所谓春节（年）亦为春天的节序，曾指二十四节气中的"立春"，乃至泛指整个春季。至西汉武帝时，行"太初历"，始确定夏历正月初一为岁首，并定此日为夏历"新年，"古代多称为"元旦"（参见"元旦"条）。辛亥革命后，

我国使用公历纪年，定公历 1 月 1 日为"元旦"，称"新年"。夏历正月初一为春节，相沿至今。其节期之长（一般在腊月二十三"祭灶"开始，至正月十五日结束。）节日内容之丰富，胜于其他各节。而以"除夕"和"闹元宵"为其高潮。节前，人们多忙于"祭灶"，清扫房屋，洗涤衣物（参见"扫尘"条），置办年货（参见"办年货"条），杀猪羊，宰鸡鸭，做年糕，蒸馒首，大年三十还要贴窗花，挂年画，贴春联，房屋装饰一新（参见"忙年"条）。中午，家人或亲友欢聚一堂，吃丰盛的"团圆饭"。除夕夜要吃"年夜饭"，饮屠苏酒，燃放爆竹、烟花，通宵不寐，以"守岁"。正月初一始，则串亲访友，相互拜年。而春节期间民间娱乐活动更是丰富多彩，盛况空前。

春社 旧时汉族民间岁时风俗。为古代汉族民间祭祀社神（土地神），以祈求农业丰收的仪式。时在立春后第五个戊日，约在"春分"前后。汉以前已有此俗。每逢春社日，乡邻举行祭祀社神仪式，随后，以祭祀所用酒肉会聚宴饮。《荆楚岁时记》曰："社日，四邻并结综会社，牲醪，为屋于树下，先察神，然后飨其胙。"唐宋以来，此俗尚存。唐·王驾有《社日》诗："桑柘影斜春社散，家家扶得醉人归。"宋·陆游也有《游山西村》诗："箫鼓追随春社近，衣冠简朴古风存。"之句。此外，宋·梅尧臣也曾专作《春社》诗，谓："年年迎社雨，淡淡洗林花。树下赛田鼓，坛边伺肉鸦。春醪酒共饮，野老幕相

哗。燕子何时至,长皋点翅斜。"

茧卜　亦称"迎紫姑"。汉族民间岁时风俗。流行于南北各地。多在夏历正月十五日进行。"茧卜"即在江南蚕乡借"迎紫姑"之俗,以占蚕桑。《荆楚岁时记》曰:"正月十五日,其夕迎紫姑以卜将来蚕桑。""紫姑"为上古时代一位被大妇妒害的女子。据《异苑》等载,紫姑为莱阳人,姓何名媚,字丽卿,寿阳李景纳其为妾,为李景妻(大妇)曹氏所妒忌,正月十五日夜,阴杀于厕间(指猪圈)。上帝悯之,命为厕神。故世人以其日作其形于厕间,迎祝,以占众事。《清嘉录》(卷一)云:"望夕,迎紫姑,俗称接三姑娘,问终岁之休咎。"《中华全国风俗志·安徽》载:"正月初九日,妇女相聚迎九娘神,卜将来蚕桑及一切杂事,或曰九娘神即紫姑神也。"在江浙一带,养蚕妇女每年正月十五清晨,沐浴焚香,红裙素手,煮粥,并把白肉盖在上面,涂于屋梁,祭祀蚕神,祈求蚕茧丰收。《续齐谐记》曰:"吴县成诚夜起,忽见一妇人立于宅上南角……妇人曰:'此地是君家蚕室,我即是此地之神。明年正月半宜作白粥,泛膏于上。祭我也,必当令君蚕桑百倍。'言绝失之。诚如言作膏粥,自此后大得蚕。"山东等地正月十五亦祭蚕神,以麻杆扎成人形,穿衣如紫姑神,上街游行,俗称"拉七姐",认为此举可得蚕茧丰收。

荐新　亦称"献新"、"见新"。旧时汉族民间岁时风俗。流行于全国各地。时在阳历5月6日前后。此时正值立夏,夏收作物成熟,新鲜蔬菜、瓜果亦开始采摘。为庆贺"新物"丰收,民间多于此日备新粮、瓜菜等,以酬谢神灵,故称"荐新"。因地域和物产不同,各地"荐新"形式、内容亦呈多样。在皖南山区,是日以苋菜馅饼、樱桃、青梅祀祖敬神,俗称"立夏见三新"。山东莱阳、黄县等地,此日则荐新麦,以水煮新麦粒食之,谓"荐新"。而在芜湖等地则以大麦、小麦、蚕豆、油菜籽、鲥鱼、青梅、玫瑰花、雨前茶、金银花等10种时新物祀祖敬神,谓之"见十新"。

封井　亦称"封年"、"封门"、"封印"、"封彩"等。汉族民间岁时风俗。每逢夏历腊月三十晚上"接神"之后进行。《上海风物志》:除夕,"有井的人家,还得设酒果置井栏上祀井神,称为'封井',至初三才开。"其形式为:在竹筛内放一"井泉童子神马"画像,以三果一盘、三蔬一盘,小烛台、小香炉等,合置于大盘中,放在地上祭祀。另供净茶一杯,以红纸长条纵横粘于井栏上。家家户户还在家具上贴红纸剪成的彩线,天明启用。在中原地区,商号于除夕贴过春联后,歇业休息,称封门。官员府第,除夕将官印置于印囊,用朱红纸楷书"封印大吉"。粮行则用红纸将斗口封上,停止营业,称封斗。裁缝则用红线绳将剪刀缠在一起,停止营业,称封剪。

挂年画　亦称"贴年画"。汉族民间节日风俗。流行于全国各地。年画由古时的门神演化而来。《荆楚岁时记》曰:"正月一日,绘二神,贴户左右,左神荼,右郁垒,俗谓之门神。"原意是为了除祸降福。随着木版印刷术的发明,隋唐时木刻年画始兴起。宋时又出现着色和套色年画。明末清初木版年画趋于全盛,出现了驰名中外的天津"杨柳青"、苏州"桃花坞"、山东潍县三大民间木版年画。挂年画的习俗由此而风靡全国城乡。每逢新春佳节,家家户户将色彩绚丽的年画贴于门户,或挂于厅堂、卧室墙壁,以辞旧迎新,增添节日气氛。近年民间又兴"挂历年画"之俗。传统年画与新年画交织贴挂,使"年味"更趋浓厚。

拽冰床 传统冬令户外游乐活动,流行于北方各地。老北京的冰床也叫拖,木制,下装铁条,以人力挽拉。一些地区的冰床较小,仅坐一人,又称冰车,是由坐车者自己用冰锥戳冰推动前行的。清代,拽冰床之戏盛行于北京。《燕京岁时记》云:"冬至以后,水泽腹坚,则十刹海、护城河、二闸等处皆有冰床。一人拖之,其行甚速。长约五尺,宽约三尺,以木为之,脚有铁条,可坐三四人。雪晴日暖之际,如行玉壶上,亦快事也。……按《绮晴阁杂抄》:明时积水潭,常有好事者联十余床,携都蓝酒具,铺氍毹其上,轰饮冰凌中以为乐。"据载,慈禧太后在北海观军队冰上竞技亦坐冰床。冰床除了供游乐之外,还是北方常见的冰上运输工具。

咬春 汉族民间岁时风俗。流行于京津、河北等地区。《燕京岁时记》曰:每逢立春日"妇女等多买萝卜而食之,曰咬春,谓可以却春困也。"同时,民间认为借此还可免除疥疾,预防病患。是日,除食萝卜外,一般人家多烙"春饼",卷以豆芽、青韭、粉丝、酱肉等咬食之,故此俗又称"食春菜"。《帝京岁时纪胜》云:"新春日,献辛盘,虽士庶之家,亦必割鸡豚,炊面饼,而杂以生菜、青韭菜、羊角葱,冲和合菜皮,兼生食水红萝卜,名曰咬春。"光绪《遵化通志·岁时》也载:"立春日,啖薄饼,曰春饼,食生菜,饮春酒。"此俗民间至今犹存。每逢立春之日,家家烙白面饼,佐以炒豆芽、炒鸡蛋等。并炸食卷圈,俗呼"春卷"。

咬秋 汉族民间岁时风俗。流行于河北、天津等地。时在夏历七月(阳历8月8日前后)立秋日举行。此时正值"末伏"前后,酷暑将尽,气温转凉。人们经"热在三伏"之后,往往一图凉快,而疏忽季节交替所带来的气候变化。故是日民间多食西瓜,谓可免今冬明春腹泻疾病。《津门杂记》:"立秋之时食瓜,曰咬秋,可免腹泻。"此俗实际意义疑为提醒人们夏季已过,秋凉将至,应适时添加衣被,注意饮食,防止着凉、腹泻。今此俗尚存。每逢立秋日,西瓜市场生意兴隆,家家争购优质西瓜,于晚饭后围坐食之。

贴门神 汉族民间节日风俗。流行于全国多数地区。门神是由驱鬼避邪的"桃符"演变而来。汉代开始,家家户户将绘有门神(神荼、郁垒)形象的画贴于门板上,故名。《东京赋》云:"度朔作梗,守以郁垒,神荼副焉,对操索苇。"其意仍是为了驱邪镇鬼。唐末五代时,民间始以钟馗作门神。《清嘉录》引《杨慎外集》曰:"俗画一神像贴于门,手执锥以击鬼。"《五代史·吴越世家》也有"岁除,画工献钟馗击鬼图。"的记载。宋以后,民间多以唐代开国功臣秦琼(字叔宝)、尉迟恭(字敬德)作门神,称为左"门丞"、右"户尉",以镇邪。而《燕京岁时记》则载:"门神皆甲胄执戈,悬弧佩剑,或谓神荼、郁垒,或谓为秦琼,敬德,其实皆非,但谓之门神可矣。"门神一般每年更换一次,除夕夜两年相交的亥子时张贴,同时要燃放爆竹、焚香等。解放以来,门神换成门画、年画等,沿习至今。近年,旧式门神传统绘画又推陈出新,为民众所喜爱,春节期间多争购、张贴,以增添节日气氛。

贴门签 亦称"贴挂签"、"贴吊钱"、"挂成"等。汉族民间节日风俗。流行于全国各地。门签,为节日吉祥装饰物,主要用于春节贴门楣,象征新年吉祥如意。传说古时姜子牙封妻为"穷神",因怕她坑害穷人,故令她"见破即回"。后人为避穷神,将纸剪破,贴在门上,遂形成贴门签之俗。每逢春节(一般在腊月二十九)家家在门楣上贴门签,其形状为长方形红纸,周围镂有图案,下呈穗状,中间则镂刻"四季平安"、"合家欢乐"、"福禄寿禧"、"五谷丰登"、"吉庆有余"等字样。在云南等地有纸扎"签球"挂于门楣之俗,状如绣球,名曰:"挂成",此物近年在津地风靡,但多为童稚作"气球"赏玩。

贴春联 亦称"贴对联"、"贴门对"、"贴对子"等。贴在楹柱上的春联又称"楹联"。汉族及部分少数民族节日风俗。流行于我国大部分地区。春联起源于早期"桃符"和"门贴",为镇邪、伏恶、驱鬼之物。北宋·王安石《元旦》诗云:"爆竹声中一岁除,春风送暖入屠苏,千门万户瞳瞳日,总把新桃换旧符。"至五代十国时,蜀后主孟昶在桃符板上题写联语"新年纳余庆,嘉节号长春。"一般认为这是我国最早的一幅春联。明代正式在民间流行。《簪云楼杂话》曰:"春联之设,自明太祖始。""帝都金陵,除夕前忽传旨,公卿士庶家门口上须加春联一副,帝微行出观。"清代贴春联之风更盛《燕京岁时记·春联》载:"春联者,即古之桃符也。自入腊以后,即有文人墨客,在市肆檐下书写春联,以图润笔。祭灶之后,则渐次粘挂,千门万户,焕然一新。"此后,贴春联便成为春节的一种风俗进一步流行开来,并在应用范围上逐渐扩大至婚嫁喜庆。一般人家春联要贴两幅。一幅贴在两扇门心,四、五字一句。如"忠厚传家久,诗书继世长"。另一幅贴在两旁门框上,多属七字句。如"天增岁月人增寿,春满乾坤福满门。"此外,厨房门、后门等处也贴春联。而商号所贴对联则书"生意兴隆通四海,财源茂盛达三江"等。春联的张贴,抒发了民间对美好生活的愿望,更为新春佳节平添了浓郁气息。

秋分 岁时节气名,为秋季三个月的一半,故名。二十四节气之一,称"中气"。时在夏历八月(一般为公历9月23日或24日),太阳到达黄经180°(秋分点)时开始。此日同"春分"一样,阳光由北半球回归直射赤道,昼夜几乎等长。《春秋繁露·阴阳出入上下篇》云:"秋分者,阴阳相半也,故昼夜均而寒暑平。"此后,阳光直射位置始向南移动。这时,我国北方地区农村进入秋收秋种之大忙季节。农谚有"白露早、寒露迟,秋分种麦正当时。"民间俗信此日宜雨,谓主来年庄稼丰收,故气象谚有"秋分有雨来年丰。"秋分季节,古代黄河流域与之相应的"物候"现象为"雷始收声,蛰虫坯户,水始涸。"

秋社 旧时汉族民间岁时风俗。古代汉族祭祀社神(土地神),以祈求农业丰收的仪式,时在立秋后第五个戊日。明·张自烈《正字通》云:"立秋后逢五戊为秋社。"每逢秋社,人们一般带着米酒、社饭等,先祭祀社神,然后聚集会餐。《东京梦华录·秋社》曰:"八月秋社,各以社糕社酒相赍送。贵戚宫院以猪羊肉、腰子、奶房、肚肺、鸭饼、瓜姜之属,切作棋子片样,滋味调和,铺于饭上,谓之社饭,请客供养。"秋社与春社互为因果,其目的主要为通过祭祀活动,祈望丰年。《梦粱录》卷四:"秋社日,朝廷及州县差官祭社稷于坛,盖春祈而秋报也。"

拜月 亦称"祭月"、"礼月"、"夕月"等。旧时汉族民间岁时风俗。流行于全国各地。时在夏历八月十五中秋节之夜。原为古代天子祭拜月神的礼仪活动。宋时流行为民间风俗。《新编醉翁谈录》云:京师中秋夕,"倾城人家子女,不以贫富,自能行至十二、三,皆以成人之服服饰之,登楼或于中庭焚香拜月,各有所期:男则愿早步蟾宫,高攀仙桂……,女则愿貌似嫦娥,圆如皓月。"拜月的方式很多,或向月亮跪拜,或供"月光神祃",还有以"木雕月姑"为偶像者,但都把神像供或挂在月出的方向,设供案、摆供品,所供为应时瓜果和月饼。《帝京景物略》(卷二)曰:"八月十五日祭月……家设月光位,于月所出方,向月供而拜。"清代以来,此俗仍存。《中华全国风俗志》(卷三)载"江苏":"中秋节晚间焚香拜月,小儿则以瓜果菱芡之类,供于中庭。"旧时,拜月多由妇女主祭,民间有"男不拜月,女不祭灶,"之谚。在山东等地拜月时老年妇女还一边磕头,一边祷告:"八月十五月正圆,西瓜月饼敬老天。敬的老天心欢喜,一年四季保平安。"

拜冬 亦称"贺冬"。旧时汉族民间岁时风俗。流行于全国多数地区,尤以江南为甚。一般在冬至日,民间多悬挂祖师像,届时师生依次拜之。拜毕撤除,跪而焚烧,然后行弟子拜先生、同窗互拜之礼,此俗谓之"拜冬"。起源较早,汉时已有记载。《四民月令》云:"冬至之日,进酒肴,贺谒君师耆老,一如正旦。"此外,旧俗有"冬至大如年"之说,故每逢冬至日,家家男女悉更换新衣,设宴欢聚,先由小辈向长辈拜节,然后四出交拜。《清嘉录》(卷十一)曰:"至日为冬至朝。士大夫家，拜贺尊长，又交相出谒。细民男女，亦必更鲜衣以相揖，谓之'拜冬'。"民国以后，此俗尚存。今则不行此俗。

拜年 亦称"拜节"、"贺年"、"贺正"、"贺岁"、"走春"、"探春"、"见节"等。春节期间民间相互拜贺，口称"恭喜发财"、"四季平安"等吉祥语，以示辞旧迎新的习俗。流行于全国各地。《清嘉录》云："男女以次拜家长毕，主者率卑幼，出谒邻族戚友，或止遣子弟代贺，谓之'拜年'。"此俗起源甚早，传说远古时代有一种叫"年"的怪物，每逢腊月三十晚上出来，挨家挨户蚕食人群。人们只得把肉食放在门口，然后关上大门，躲在家里，直到初一早上，人们见了面，作揖道喜，互相祝贺未被"年"吃掉，"拜年"之风乃遗俗也。而作为岁首朝贺，自秦汉以来即已盛行。《荆楚岁时记》曰："正月一日是三元之日也……鸡鸣而起，先于庭前爆竹……长幼悉正衣冠，以次拜贺。"宋代此俗更盛。《东京梦华录》载："正月一日年节，开封府放关扑（地方政府于节日期间允许以赌博形式赎卖物品）三日，士庶自早互相庆贺。"《梦粱录》也载："正月朔日，谓之元旦……士夫皆交相贺，细民男女亦皆鲜衣，往来拜节。""拜年"的次序一般为：初一拜本家和邻里；初二、初三拜母舅、姑丈、岳父等；其他亲朋则依次拜至正月十五，所谓"拜个晚年"。亦有使用名帖相互拜年者，以免耗费时日，《燕京岁时记》即有"亲者登堂，疏者投刺而已，"之记

载。名贴，亦称名刺。接贴之家往往粘红纸袋于门，号为"门簿"。明代文学家文征明有《拜年》诗："不求见面惟通谒，名纸朝来满敝庐，我亦随人投数纸，世情嫌简不嫌虚。"现此俗仍盛，方式依旧，岁末邮寄贺年片、贺年信，电话拜年的也逐渐增多。机关团体多行团拜，或向劳动模范、烈军属、边防战士拜年、慰问。

鬼节 亦称"冥节"。旧时汉族民间祭祀节日，清明节、中元节、寒衣节之别称。分别在夏历三月（公历4月5日前后）、七月十五和十月初一。民间传说，七月十五是"阎王爷"给鬼魂放假的日子，同时允许活人以送衣、送食之形式，与鬼魂晤面，故称"鬼节"。该日，民间乐善好施之妇女，多以箔银、楮钱，祭祀一些无家祭祀的孤魂、野鬼，谓之"结鬼缘"。另据《旧京风俗志稿本》云："十月初一日，京俗为鬼节，谚云：'十月一，鬼穿衣'，盖言天气渐冷，已死之人亦须穿衣也。"故此日民间有焚纸"送寒衣"之俗。

顺星 亦称"顺星日"、"祭星"。旧时汉族民间岁时风俗。流行于北京等地。每年夏历正月初八晚间举行。民间俗信此日为众"星君"聚会之期，其祭拜的仪式称作"顺星"。《燕京岁时记》云："初八日，黄昏之后，以纸蘸油，燃灯一百零八盏，焚香而祀之，谓之顺星。"在北京白云观西路有"无辰殿"，俗称"顺星殿"。殿中根据天干地支计年法，塑有60位星宿像。依照星象家之说，每人每年有一位星宿值年，一年命运如何，全操

在那位值年星宿的手里。香客这一天到"顺星殿"找到自己的"本命星",如生于甲子年,就到"甲子太岁"塑像前跪拜烧香布施,谓可保一年顺遂。至晚,观中道士鸣钟鼓诵经,举行"祭星大典"。《帝京岁时纪胜》详细纪载了民间"顺星"的仪式:"初八日传为诸星下界,燃灯为祭。灯数以百盏为率,有四十九盏者,有按《玉匣记》本命星灯之数者。于更初设香楮,陈汤点,燃而祭之。观寺释道亦将施主檀越年命星庚记住,于是夕受香仪,代具纸疏云马,为坛而祭,习以为常。"民间此日也有在家中用红黄等色棉纸裁剪成齿状之灯花。灯花处蘸香油,于茶盘中点燃,同时焚香叩头,以求星君垂佑。

重阳节 亦称"重九节"、"登高节"、"女儿节"、"茱萸节"、"菊花节"等。汉族民间传统节日。流行于全国各地。时在夏历九月初九,我国古代以"九"为阳数,九月九日,两阳相重,又名"重阳"。战国时已有此称谓。屈原《远游》有"集重阳入帝宫兮"之句。魏晋时正式列为"重阳节"。三国魏·曹丕《九日与钟繇书》云:"岁往月来,忽复九月九日。九为阳数,而日月并应,俗嘉其名。"并由此而形成登高、赏菊、插茱萸、吃重阳糕、饮菊花酒、射兔等种种习俗,历代相沿。《续齐谐记》曰:"汝南桓景随费长房游学累年,长房谓之曰:'九月九日,汝家当有灾厄,宜急去,令家人各作绛囊,盛茱萸以系臂,登高,饮菊花酒,此祸消。'景如言,举家登山。夕还,见鸡牛羊一时暴死。长房闻之曰:'此可代也。'今世人每至九月登高、饮酒,妇人戴茱萸囊,盖始于此。"《燕京岁时记》载:"京师谓重阳为九月九日。每届九月九日,则都人士提壶携榼,出郭登高……赋诗饮酒,烤肉分糕,洵一时之快事也。"毛泽东《采桑子·重阳》词:"人生易老天难老,岁岁重阳,今又重阳,战地黄花分外香,一年一度秋风劲,不似春光,胜似春光,寥廓江天万里霜。"为脍炙人口的咏重阳之光辉篇章。今重阳节又被定为"老人节"。届时,机关厂矿多组织离退休人员举行各类活动,以表示对老年人之尊敬。

送穷 亦称"送穷鬼"、"倒五穷"、"送五穷"等。旧时汉族民间岁时风俗。流行于全国部分地区。一般在夏历正月三十,也有的在二十九日。《中华全国风俗志·广东》云:"正月晦送穷。"此俗产生甚早,唐《四时宝鉴》载:"高阳氏子,好衣弊食糜,正月晦,巷死。世作糜,弃破衣,是日祝于巷曰,除穷也。"《坚瓠集》:"池阳风俗,以正月二十九日为穷九,扫尘投水,谓之送穷。"常见的送穷方式为打扫房屋院落,将垃圾称为"穷神",或投之于流水,或倾倒街头。有些地方送走穷神后,为不空手而回,常从河边捡拾鹅卵石,称"拾得元宝归。"后来送穷日由晦日变成了"破五"(正月初五)日。山西、河北等地民间在初五这一天家家户户五更起床,掀开炕床,把炕底尘土打扫干净,然后用簸箕撮出,倒在街上,并燃放鞭炮,叫做"破五崩穷"。

送百虫　汉族民间岁时风俗。流行于江浙一带。时在夏历清明前后。为民间驱虫之仪式。是日家家将写有"清明送百虫，一去永无踪"的红纸条斜贴于墙，并至田间放野火，意为灭杀害虫，故称"送百虫"。在浙江台州地区，届时还有盛大的"送百虫"仪式。人们用篾扎成"大百足虫"，纸糊、彩绘，首、尾、身共9节，长近7米余，每节用短木相接，可活动。仪式开始后，先由两人燃放爆竹作前导，9人分入9节虫身，手脚触地，作大虫状，缓缓爬行。虫后有两人手挥扫帚，唱"驱虫歌"，其后4人，一路撒盐米，驱逐虫神。紧接着是一大群手执柳枝助威的男女老少呼喊口号。最后3人，一人扮银盔铁甲大将军，两人扮侍卫，威风凛凛，押送瘟虫。"百足虫"送出郊外后，举行火化，观者人山人海，热闹异常。

祓禊　亦称"修禊"、"祓除"。古代汉族岁时风俗。流行于全国各地。原为上已节消灾求吉而举行的一种仪式，起源甚早。《周礼·春官·女巫》曰："女巫掌岁时祓除衅浴。"郑玄注："岁时祓除，如今三月上已，如水上之类；衅浴谓以香熏草药沐浴。"祓，指祓除；禊，指净身、修洁，即拂除病气除去凶病，使之纯洁的意思。《后汉书·礼仪志》云："是日上已，官民皆洁于东流水上，曰洗濯祓除，去宿垢疢，为大洁。"唐宋以后形成民间风习。《浙江风俗简志·绍兴篇》载："以后，修禊的本意渐去，而成为文士雅会之期。"祓禊一般在春秋二季举行，分为春禊和秋禊。唐

·江总《三月侍宴宣猷堂曲水》诗："上已娱春禊，芳辰喜月离。"是为春禊；秋禊则在每年夏历七月十四日举行。也有在岁首于宗庙或社中举行的。但三月三日在水边祓禊仍最为流行。纳西等少数民族也行此俗。

染指甲　汉族及部分少数民族民间岁时风俗。流行于全国许多地区，江南尤盛。时在夏历五月初五及七月初七。是日年轻妇女将凤仙花（一名指甲花）捣碎、取汁，敷在指甲上，一夜时间，即将指甲染红。宋代已有此俗。《癸辛杂识》云："凤仙花红者，用叶捣碎，入明矾少许在内，先洗净指甲，然后以此敷甲上，用片帛缠定过夜，初染色淡，连染三五次，其色若胭脂，洗涤不去，可经旬，直至退甲方渐去之。"民间俗信端午日染指，可避邪驱魔；而七夕染指，劳作时不缩筋。清代此俗仍盛。《燕京岁时记·染指甲》载："凤仙花即透骨草，又名指甲草。五月花开之候，闺阁儿女取而捣之，以染指甲，鲜红透骨，经年乃消。"白族在火把节期间亦有用凤仙花染指甲之俗。今俏女佳娘用指甲油染红指甲之俗风行一时，其意仅为修饰美容，原始意义荡然无存。

结缘　汉族民间岁时风俗，流行于全国各地。为浴佛节习俗。相传四月八日为释迦牟尼生日，届时寺院要举行浴佛、斋会、结缘、放生等活动，并在民间广为流传。"结缘"原为佛家语，指与佛法结缘。此借用为舍豆结缘。即在四月八日作佛事时，以舍豆的形式，祈求结来世之缘。

《帝京景物略》(卷二)曰:"(四月)八日,舍豆儿,曰'结缘'……先是拈豆念佛,一豆,佛号一声,有念豆至石者,至日熟豆,人遍舍之,其人亦一念佛啖一豆也。凡妇不见容于夫姑婉若者,婢妾挨于主及姥者,则自咎曰:'身前世不舍豆儿,不结得人缘也。'"清代更行此俗。《隩志》云:"京师僧俗念佛号,辄以豆识其数,至四月八日佛诞生之辰,煮豆,微撒以盐,邀人于路,请食之,以为结缘也。"此俗反映出我国民族重缘分、讲情义的风尚。

除夕 亦称"除日"、"除夜"、"岁除"、"岁暮"、"岁尽"、"年三十夜"、"大年夜"等。汉族和部分少数民族传统岁时风俗。流行于全国各地,指夏历十二月(腊月)最末一日,春节的前夜。"除",为除旧布新之意。指旧岁至此而除,新岁自此而始。宋·王安石《元旦》诗有"爆竹声中一岁除,春风送暖入屠苏"之句。而"除夕"二字,最早见于《风俗通义》(卷八)"桃人苇茭、画虎"曰:"常以腊除夕饰桃人,垂苇茭,画虎于门,皆追效于前事,冀以御凶也。"即仿周代已有之驱傩之俗,意为驱邪求福。南北朝时,在继承前俗的基础上,更有所发展。《荆楚岁时记》云:"岁暮(除夕),家家具肴蔌诣宿岁(守岁)之位,留宿岁饭,至新年十二日,则弃之街衢,以为去故纳新也。"唐代则称"除夜"。唐·王建《宫词》云:"金吾除夜进傩名,画袴朱衣四队行。"到宋代,"度岁"成为年终大事。《梦粱录》(卷六)载:"十二月尽,俗云'月穷岁尽'之日,谓之'除夜'。士庶家不论大小家,俱洒扫门间,去尘秽,净庭户,换门神,挂钟馗,钉桃符,贴春牌,祭祀祖宗。遇夜则备迎神香花供物,以祈新岁之安。"明清,活动内容更趋丰富。《帝京岁时纪胜》载:"除夕之次,夜子初交,门外宝炬争辉,玉珂竞响。……闻爆竹声如击浪轰雷,遍乎朝野,彻夜无停。"今民间各地仍重除夕。届时有挂年画、贴春联、祀年、辞岁、守岁、吃年夜饭、喝分岁酒、给压岁钱等风俗。民谚称除夕曰"一夜连双岁,五更分二年。"此外,除夕亦称"年关"。旧时,工商业者视端午、中秋、除夕为三大"年关"。而以除夕为最重。此前要结清帐目,核实盈亏,规划来年。百姓则要交租、交税、还清赊欠,如度"鬼门关"。今随着经济的发展和人民生活的提高,除夕成为人们年年欢度、辞旧迎新、阖家团聚的欢乐之夜。

恶日 旧时汉族岁时节令称谓。流行于我国北方地区。指夏历五月五日。古代以五月五日为"恶日"。因该日正值夏至刚过的盛夏之时,故有五月五日驱邪避恶之俗。《后汉书·礼仪志》云:"(五月五日)以朱索五色为门户饰,以止恶气。"《荆楚岁时记》也载:"(五月五日)采艾以为人形,悬于门户上,以禳毒气。"隋唐以后,五月五日作为端午佳节,各种风俗在形式上渐次流传,而从性质上则淡化了"恶日"的世俗观念,《宋书·王镇恶传》即有一反"不举五月子"之旧俗。谓五日生子成大器之记载："镇恶以五月五日生，家人以俗忌，欲令出继疏宗。猛见奇之，曰'此非常儿。昔孟尝君恶日生而相齐，是儿亦将兴吾门矣。'故名镇恶。"

恶月　亦称"毒月"、"凶月"。旧时汉族民间岁时节令称谓。指夏历五月。《荆楚岁时记》曰："五月俗称恶月，多禁，忌曝床荐席。"《浙江风俗简志·金华篇》也载："俗传五月是'恶月'"。此时正值酷暑来临，毒虫滋生的季节，故瘟疫流行，人易得病，民间多于此月注意饮食、防病。此外，"恶月"多有禁忌。《帝京岁时纪胜·五月》"宜忌"云："京俗五月不迁居，不糊窗槅，名之曰'恶五月'。以艾叶贴窗槅，谓之'解厄'。五月多不剃头，恐妨舅氏。"五月酷暑，庄稼地里杂草丛生，久锄不断，如遇雨，则更蔓延。故五月喜旱，农谚有"有钱难买五月旱，六月连阴吃饱饭。"

夏至　岁时节气名。以日影最长至终极，夏季开始，故称。二十四节气之一，称"中气"。时在夏历五月（一般为公历6月21日或22日），太阳到达黄经90°（夏至点）时开始。此日，太阳几乎直射北回归线，北半球所受日照最多，白昼时间最长，标志酷暑到来。此后阳光直射位置始向南移动，日照渐少，白昼由此渐短。《白虎通义》云："夏节昼长，冬节夜长。"此时，由于太阳辐射到地面的热量仍比地面向空中散发的多，故在短期内气温继续升高，夏熟作物生长渐盛。但杂草病虫也随之迅速滋长蔓延。故农村多忙于田间

管理，中耕除草。农谚有"过了夏至节，锄地不能歇"。同时，农家把夏至的十五天分为头时（上时）、二时（中时）、末时（段，称为"三时"。头时三天、二时五天、末时七天。）民间忌每"时"的最后一天降雨，谓对庄稼不利。夏至季节，古代黄河流域与之相应的"物候"现象为"鹿角解、蜩始鸣，半夏生。"

破五　亦称"破五节"、"小年"。旧时汉族民间岁时风俗。流行于华北、东北等地区。指夏历正月初五日。《中华全国风俗志·京兆》云："自元旦（春节）日至初五日五天，谓之破五。于此五日内，妇女不许往人家，谓之忌门，去则以为不祥。"在此期间，妇女不能动针线，为"忌针日"。"破五"之前，民间许多活动、行为，也多禁忌，须在"破五"之后才能进行。《燕京岁时记》曰："至初六日，则王妃贵主以及各宫室等冠帔往来，互相道贺。新嫁女子亦于是日归宁。春日融和，春泥滑迭，香车绣幰，塞巷填衢。而阛阓诸商亦渐次开张贸易矣"。《中华全国风俗志·陕西》载："贫者亦过破五。"是日家家户户吃饺子，意为补破五之"破"。民国《海城县志·岁时》云："初五日，俗称'破五'。家家食蒸饺，曰'揑破五'。"破五日，民间有"夜晚不串门，在家剁小人"之谚。此俗至今仍流行。"破五"日，家家剁馅包饺子，饭时燃放爆竹，俗谓"过小年"。

捕蟾　传统民间采药风俗。一般在农历五月五日捕蟾，俗说是日所捕之蟾最有药用价值，到初六就没

有效用了，故谚云"六月蟾蜍乖世运"。捕蟾制药的习俗至晚在汉代就已经形成，一直传承到明清。相传端午的蟾蜍颇有效用，能够治疮、辟兵、延寿。端午节把古墨装到蟾蜍腹内，放在太阳下曝晒，其墨可以治病。《药性论》称："端午，取虾蟆眉脂，以朱砂麝香为丸，如麻子大。孩儿疳瘦者，空心一丸。如脑疳，以奶汁调滴鼻中，立愈"。

真元节 宗教节日。为祀道教祖师老子诞辰之节日，宋代始立。道教关于老子传记之书如《犹龙传》、《混元圣纪》、《太上老君年谱要略》等（已收入《道藏》）皆谓老子生于殷武丁九年二月十五日。老子，姓李，名耳，字伯阳，谥曰聃。春秋时期楚国人，曾任东周"史官"，管理王室藏书。所著《道德经》为其思想体系之代表。他所阐述的"对立统一"规律，及"柔弱胜刚强"等观点，为后世产生了积极作用。后人尊老子为道家学派的创始人和"三清尊神"之一的"道德天尊"。北宋时，真宗、徽宗均信奉道教，但大宋王朝本赵姓，不能以老子（李姓）为祖，故于真宗政和三年（公元1113年）创造一道教之祖，呼曰"赵玄朗"，定夏历二月十五日"太上老君混元上德皇帝"（老子）诞辰日为"真元节"。并于京师建玉清昭应宫、会灵观，管以宰相职。各路亦遍置宫观，以侍从诸臣退职者领之，号为祠禄。后世诸道观皆于此日作道场，诵《道德真经》，以示纪念。

赶乱岁 汉族民间岁时风俗。流行于北方地区。旧时北京等地称夏历十二月二十五日至除夕为"乱岁日"，亦称"婚嫁吉日"。《帝京岁时纪胜·乱岁日》云："廿五日至除夕传为乱岁日。因灶神已上天，除夕方旋驾，诸凶煞俱不用事，多于此五日内婚嫁，谓之百无禁忌。"民间俗信辞灶后，诸神上天，百无禁忌，另古代亦称大寒后十日为阳宅乱岁，嫁娶无禁，故家贫不能成礼者多抢在此几日内嫁娶，谓之"赶乱岁"。此俗民间至今尚存，佳男俏女多选年底成婚，以伉俪新婚迎接新春佳节。而内中迷信色彩及贫富观念已然淡漠。

荡秋千 我国传统民间娱乐活动，亦称"打秋千"。据传，秋千并非中原产物，而是北戎的一种健身游戏，目的是锻炼敏捷性。《古今艺术图》云："秋千，北方山戎之戏，以习轻矫者"。秋千大约在民族交往频繁的南北朝时传入内地，人们多在春天"悬长绳于高木，士女袨服，坐立其上，推引之"（《荆楚岁时记》）。到唐代，荡秋千的习俗在宫禁苑囿中十分盛行，唐玄宗曾戏称其为"半仙之戏"。诗人王建曾有《秋千词》一首咏其风之盛："长长丝绳紫复碧，袅袅横枝高百尺。少年儿女重秋千，盘巾结带分两边。身轻裙薄易生力，双手向空如鸟翼……"晚近以来，荡秋千的游乐活动仍然十分流行，西南纳西族还有完整的"秋千会"。旧时秋千除了利用自然树木以外，还有专门栽秋千杆的；秋千绳有的仅是一缕麻、毛或皮绳，不设踏板，荡时人坐或踏绳，有的则有踏板，比较舒适。近年来,荡秋千之举在内地除作为儿童游戏外已经比较少见。

晒经日　亦称"曝书日"。汉族民间岁时风俗日。流行于全国各地。时在夏历六月初六。相传唐僧玄奘西天取经,返回途中于夏历六月六日不慎将经书掉入海中,时值酷暑,经众徒全力打捞,置于烈日下,一一晒干,方得以保存。故民间称此日为"晒经日"。每逢六月六日,各寺院照例翻晒经书。民间亦有"翻经会"之俗。《中华全国风俗志·江苏》云:"六月六日,诸丛林各以藏经曝烈日中,僧人集村姬,为翻经会,谓翻经十次,他生可转男身。"明代内府"皇史晟"也于每年六月六日曝晒圣典。《万历野获编》(卷二十四)"风俗"云:"六月六日本非令节,但内府皇史晟晒曝列圣实录,列圣御制文集诸大函,每岁故事也。"此外,四川等地是日由僧人及善男信女聚集成会,搭台演戏,热闹非常。

祭灶节　亦称"小年节"、"祀灶节"等。汉族民间传统节日,流行于全国各地。时在夏历腊月二十三日,为祀灶王的节日。"灶王"亦称"灶君"、"菩萨"、"锅灶神君"等。灶君究指何人,自古传说各异。但灶王爷为玉帝派至人间监督善恶之神,则为民间俗信。人们尊其为"灶君"或"东厨司命",每年腊月二十三(或二十四)"灶王爷"必上天向玉帝回报,谓之"白人罪"。至除夕半夜子时返回。故民间为讨好灶王爷,多于腊月二十三日为其设祭饯行,谓之"祀灶"。汉以前祀灶是在夏天举行。《白虎通义》曰:"夏祭灶者,火之主,人所以自养也。夏以火正,长养万物。"至汉时,始改腊月二十三日举行。《后汉书·阴子方传》曰:"阴子方腊日晨炊,而灶神形现,子方再拜受庆,家有黄羊,因以祀之。至是以后,暴至巨富……故后常以腊日祀灶。"是日,家家在灶前贴一两只灶君升天时骑的"纸马",摆祭品,并敬以胶牙糖,意为把灶神的牙齿粘住,不使其乱说。或将酒糟抹于灶门,以醉灶神。祭毕,将灶君旧像揭下烧掉,至腊月三十日换新像,并贴"上天言好事,下界降吉祥"对联,另加一幅横批"一家之主"。此节明清以来仍盛行。《燕京岁时记》载:"十二月二十三日祭灶,……祭毕,将神像揭下……至除夕接神时,再行供奉。"《中华全国风俗志》也载:"十二月二十三日,家家具酒果饴糖,送灶神上天,置刍豆于灶前,以秣神马,其置饴糖者,俗意为寒满口,使之上天不得多言也。"现民间多于是日购"糖瓜",谓"糖瓜祀灶,新年来到。"

耗磨日　亦称"耗日"、"耗磨辰"。旧时汉族岁时风俗日。时在夏历正月十六日。"耗"即"耗鬼",古代称"魃"。"耗磨日"意义由"耗鬼"使财物虚耗之日。唐时已有此俗。张说《耗磨日饮》诗:"上月今朝减,流传耗磨辰"。是日民间忌磨茶、磨麦等。官司不开仓库。《丹铅总录》(卷三)曰:"正月十六日,谓之耗磨日,此日必饮酒,官司不令开库。"《中华全国风俗志·顺天》也载:正月"十六日为耗磨日,宜饮酒,忌开仓库"。此日,民间尚有"撵虚耗"之俗,谓此举可将"耗鬼"撵跑。

朔望 岁时节令称谓。指夏历每月的一日和十五日。我国古代以月亮的一次圆缺为一个月,称"朔望月"。一个朔望月的平均值为29.5306日。"朔",为月球和太阳的地心黄经相等的时刻。此时月球运行到地球和太阳之间,大体上和太阳同时出没,月球朝向地球的一面因照不到阳光,在地球上完全看不到月亮。中国古代历法把包含朔时刻的这一天定为每月的初一日,叫做"朔日",即每个月的开始。"望",为月球和太阳的地心黄经相差一百八十度的时刻。此时地球处于太阳和月球之间,月球朝地球的一面照满阳光,所以从地球上看起,月球是光亮的圆形,叫做"满月"或"望月"。中国古代历法把"满月"的这一天定为每月的十五日,叫做"望日",即每个月的月中。

浴象 汉族民间岁时风俗。流行于我国部分地区。尤以北京为盛。为夏历六月六"天贶节"时民间活动。夏历六月六日前后正值盛夏,酷暑难耐,且发病率高,故有人畜洗浴消暑去疫之俗。《中国地方志民俗资料汇编·华北》引清抄本《大兴县志》云:"三伏日洗象,銮仪卫官以旗鼓迎象出宣武门,浴响闸。象次第入河,如苍山之秃(颓)也。额耳轩昂,舒鼻吸嘘水面,矫若蛟龙。象奴挽索据脊,时时出没,观者如堵。浴未须臾,象奴辄调御令起,浴久则相雌雄致狂。"

浴兰节 亦称"浴兰令节"、"浴兰时序"。旧时对端午节的别称。时在夏历五月五日。五月俗谓"毒月"。各种毒虫肆虐,人多疾病。故是日民间多以兰草汤沐浴,谓能洁身净体,驱邪除病。《楚辞》云:"浴兰汤兮沐芳。"此俗起源甚早。《大戴礼记·夏小正》曰:"五月,……蓄兰为沐浴也。"《荆楚岁时记》也载:"五月五日,谓之浴兰节,荆楚人并踏百草。又有斗草之戏。"宋时,又称"浴兰令节"。《梦粱录》(卷三)载:"五日重午节,又曰浴兰令节。"是时除兰汤沐浴外,各地尚有"采药"之俗。《大戴礼记·夏小正》云:"是月蓄药以蠲除毒气。"

浴佛节 亦称"浴佛会"、"佛诞节"、"灌佛"等。旧时佛教传统节日,流行于全国各地。俗传夏历四月初八为佛祖释迦牟尼诞生日,其时有九条龙口吐香水,洗浴佛身。据此,每逢此日,各寺庙均以香汤灌洗佛像,谓之浴佛、灌佛,以纪念佛祖诞辰。此节产生甚早,汉时已有。但因地区不同,其名称及活动内容亦不尽相同。《岁华纪丽·四月八日》"浴释迦"注引《荆楚岁时记》曰:"荆楚以四月八日诸寺各设会,香汤浴佛,共作龙华会。"南宋时,此日在京师临安(今杭州)西湖作"放生会"。《武林旧事》云:"四月八日为佛诞日……是日西湖作放生会,舟楫甚盛……竞买龟鱼螺蚌放生"。《醉翁谈录》(卷四)载:"八日,诸经说佛生日,不同其指,言四月八日生者为多。……故用四月八日灌佛也……

浴佛既毕，观者并求浴佛水饮漱也。"至清代仍过此节日。《清嘉录》曰："(四月)八日为释迦文佛生日，僧民香花灯烛，置铜佛于水盆，妇女争舍钱财，曰'浴佛'"。在藏族地区，浴佛节日各喇嘛教寺院浴佛仪式更盛。此外，浴佛节期间民间亦行斋会、放生、结缘、求子、食米糕等俗。

浴猫犬　亦称"猫狗洗浴日"，"猫狗生日"等。汉族民间岁时风俗，流行于南北各地。为夏历六月初六"天贶节"习俗。《浙江风俗简志·宁波篇》云："六月六，俗称'狗浴节'，亦称'猫狗洗浴日'。这天，人们捉猫狗洗浴。"《燕京岁时记》也载："六月六，猫儿狗儿同沐浴。"顾禄《清嘉录》亦云："谚云：'六月六，狗颟浴'。谓六月六日牵猫犬浴于河，可避虱蛀。"是日，民间还有妇女洗发，小孩沐浴之俗。《浙江风俗简志·宁波篇》载："民间于是日替小儿洗浴，说这天洗了，将来如猫狗一样活泼，无病无痛。"《帝京岁时纪胜》曰："妇女多于是日沐发，谓沐之不腻不垢。"

浣花日　亦称"浣花夫人生日"、"浣花天"。汉族民间岁时风俗日，流行于四川成都等地。时在夏历四月十九日。相传该日为"浣花夫人"生日。"浣花夫人"为唐代成都地区的一位女英雄，后嫁于剑南西川节度使崔宁为妻。因其在平叛"安史之乱"中的功绩，被皇帝封为"冀国夫人"。死后，当地为其修建了"冀国夫人祠"(亦称"浣花夫人祠")，每逢四月十九日，人们均前往祭祀。此日，蜀人还有游宴于浣花溪之俗，故谓之"浣花日"。《老学庵笔记》(卷八)曰："四月十九日，成都谓之浣花日，邀头宴于杜子美(杜甫)草堂沧浪亭，倾城皆出，锦绣夹道。自开岁宴游，至是而止；故最盛于他时。"此外，是日多晴不雨，时值初夏，乃宴游的极好时机。

消寒图　亦称"九九消寒图"、"九九消寒画"、"九九消寒表"等。古代汉族民间用来计日和测阴晴雨雪的方法。九九消寒图分为三种。其一为"画梅花"。《帝京景物略》曰："冬至，画素梅一枝，为瓣八十有一，日染一瓣，瓣尽而九九出，则春深矣，曰九九消寒图。"即从冬至起，每天用红颜色在素梅上染一个花瓣，直到九九八十一个花瓣染完，素梅变红梅时，便冬尽春来矣。其二为"画圆圈"。《燕京岁时记》曰："消寒图乃九格八十一圈。自冬至起，日涂一圈，上阴下晴，左风右雨，雪当中。"即从冬至起，按日期每天在印有九九八十一个圆圈的纸上依序涂半圈，记下天气情况，至九九八十一圈全点尽，则格满寒消，故又称"九九消寒表"。民间口诀谓："下点阴天上点晴，左风右雨雪中心。墨点画得字尽黑，方知门外草青青。"其三为"填影格字"。《清稗类钞·时令类》云："宣宗御制词，有'亭(民间有作'庭'字者)前垂柳珍重待春風(风)'二句，句各九言，言各九画，其后双钩之，装潢成幅，曰九九消寒图……自冬至始，日填一画，凡八十一日而毕事。"即在一张印好九个中空影格字上描红，每个字均为九画，合起来计九九八十一画,每天用红笔描一画,九天描完一个字为一"九",八十一天描完,故又称"九九消寒句"。消寒图的应用,为我国民间的一大创造。既方便了记日、测定气候,又为人们冬季居家增添了乐趣。

接神 旧时汉族民间岁时风俗。流行于全国多数地区。各地接神的时间、仪式多有不同。而接神又以接"财神"为主。俗以正月初五为财神生日,人们一年中之财运都由财神爷决定。因此,民间将财神生日的前一天,即正月初四作为迎神之日。所谓"财神",分为"正财神"(赵云坛)、"偏财神"(五路财神,亦称路头神)、"文财神"(财帛星君)和"武财神"(关云长)。一般在腊月二十四送诸神上天之后,到正月初四诸神再下凡,继续监督民间。"接神"多推迟至午后。俗有"送神早,接神迟"之谚。供品有香、食品,放爆竹、烧神祃,象征"请神"。《中华全国风俗志》曰:"正月初四日,接财神,具三牲脔籛,谓之'财神请酒'"。《清嘉录》引蔡云竹枝词云:"五日财源五日求,一年心愿一时酬;提防别处迎神早,隔夜匆匆抢路头。"商号多在接神翌日(正月初五)清晨开门营业,以求是年生意兴隆,财源茂盛。

黄道吉日 亦称"黄道日"、"黄道六辰"、"黄道好日"。旧时汉族对吉日的称谓。"黄道"原为中国古代天文学的一个术语,即日月运行的轨道之一。古人以地面为宇宙的观测点,把一周年中太阳在诸恒星之间的运行轨迹称作黄道,把月亮的同

类运行轨迹称作黑道。民间迷信星命之说,星占术家便以吉凶灾变附会于黄道黑道,谓黄道主吉,黑道主凶。其推算方式主要是按日辰的干支数,配备12个值日天神,每12天各神轮值一次,其中青龙、明堂、金匮、天德、玉堂、司命等六辰都是"吉神",所值之日为黄道日。谓黄道日诸事皆宜,可不避凶忌,故称"黄道吉日。"元·方回《寓杭久无诗长至后偶赋》云:"野曝尚分黄道日,春耕欲老紫阳山。"《金瓶梅词话》第五十三回也载:"王姑子道,来日黄道吉日,就我庵里起经。"旧时,民间婚嫁、建屋、出行等,均事先翻阅"皇历",选择"黄道吉日。"

眼明襄 民间传统医疗用品。俗传农历八月初一为天灸日,是日露水可疗疾明目。旧时,人们在八月初一制作小锦囊,承露拭目,俗谓可以明目,故称。制作眼明襄之举至晚梁代已经存在。梁简文帝曾作《眼明襄赋》,其序云:"俗之妇人,八月旦多以锦翠珠宝为眼明襄,因竞凌晨取露水以拭目。"

清明 岁时节气名。《后汉书·律历志》云:"清明,节气名。"二十四节气之一,称"节气"。时在夏历三月(一般为公历4月4日或5日),太阳到达黄经15°时开始。汉·刘安《淮南子·天文训》曰:"春分后十五日,斗指乙为清明。"此时我国大部分地区气候温暖,雨水充沛,谓"清明时节雨纷纷。"而草木亦于此时开始萌芽生叶,一改冬季寒冷枯黄之大自然景象。民间值此季节开始春

耕春种,植树造林。农谚有"清明谷雨两相连,浸种耕种莫迟延。""清明前后,植树插柳。"和"清明东风动,麦苗喜融融。"等。"清明"又为民间扫墓、踏青之季节。清明季节,古代黄河流域与之相应的"物候"现象为"桐始华,田鼠化鴽,虹始见。"

清明节 亦称"插柳节"、"踏青节"、"植树节"等。汉族及部分少数民族传统节日。为民间缅怀先人,祭扫陵墓的日子。时在夏历三月间(公历4月5日前后)。此节起源甚早。秦以前民间已有祭墓之事。汉时始有"清明"之记载。《淮南子·天文训》曰:"春分后十五日,斗指乙为清明。"唐以后始盛行。《旧唐书·玄宗纪》载:开元二十年(公元732年)"五月癸卯寒食上墓,宜编入五礼,永为恒式。"该日,民间纷纷祭祖、拜扫坟墓,以追思先人。杜牧《清明》诗:"清明时节雨纷纷,路上行人欲断魂。借问酒家何处有,牧童遥指杏花村。"形象地记述了人们上坟归来时的心情。宋代,朝廷还规定"寒食"至"清明"三日,各地均须祭扫陵墓,以表对死者的悼念。《梦粱录》曰:"官员士庶,俱出郊省坟,以尽思亲之敬。"宋·高翥有《清明》诗:"南北山头多墓田,清明祭扫各纷然。纸灰飞作白蝴蝶,泪血染成红杜鹃。日落狐狸眠冢上,夜归儿女笑灯前。人生有酒须当醉,一滴何曾到酒泉!"明清以来,民间更重此节。《帝京景物略》(卷二)"春场"载:"三月清明日,男女扫墓,担提尊榼,轿马后挂楮锭,粲粲然满道也。拜者,酹者,哭者,为墓除草添土者,焚楮锭次,以纸钱置坟头。望中无纸钱,则孤坟矣。哭罢,不归也,趋芳树,择园圃,列坐尽醉。"除祭祖、扫墓外,因清明正值暮春三月,气温升高,风和日丽,雨水增多,故民间尚有踏青、植树、插柳等俗。此节流传至今,仍为民间所重视,并寓以新的内容。该日前后,家家除祭奠先人,自解放以来,每届清明,机关、厂矿、部队、学校及民间团体常有组织开展谒陵活动,祭扫烈士陵园,以缅怀先烈,激励斗志。

添火 旧时民间岁时风俗,流行于中原地区。"添火"即添设炉火,以御寒取暖,时在夏历十月初一。《岁时广记》引《东京梦华录》曰:"十月朔,有司进暖炉炭,民间皆置酒作暖炉会。"南宋·范成大《吴郡志》(卷二)也载:"十月朔……是日开炉,不问寒燠皆炽炭。"清代仍承此俗。《燕京岁时记·添火》载:"京师居人例于十月初一日添设煤火,二月初一日撤火。火炉系不灰木为之,白于樊石,轻暖坚固。"《帝京岁时纪胜·十月》也载:"熏炕:西山煤为京师之至宝,取之不竭,最为便利。时当冬月,炕火初燃,直令寒谷生春,犹胜红炉暖阁。"另,民间添火取暖方式甚多,主要有"炕",为通火取暖的床,一般有火道数条,内连灶台,又称"锅灶连炕"。砌法为外接烟道,效用为:灶生火,火生热,热暖炕,以取暖,"地灶"(亦称地炕),火灶与土炕连在一起叫灶炕,多置于卧室。而地灶多置于客厅。冬天将地灶生火,整个地面烘热,故室内暖和舒适。"地炉",即在屋内挖坑,与地面平,以砖砌炉,侧有灰坑,燃煤取暖。此外,民间也有以炭火盆、火笼、手炉等却寒取暖之俗。今添火取暖期亦有较为统一之俗定。一般家庭(以京津地区为例)大约在"立冬"前后添火,"春分"前后撤炉。

添仓　亦称"填仓"、"天仓"。汉族民间岁时风俗。流行于全国各地,尤以北方地区为盛。时在夏历正月二十五日添仓节举行。为民间祈求五谷丰登之俗。"添仓",即填满谷仓之意,俗传此日为"仓神"诞辰。民间藉此祭祀之日,必烹饮食,改善生活。同时,人们于是日多求缸满、囤满、处处满,以祈人寿年丰,生活美满。《帝京岁时纪胜》曰:"念五日为填仓节……京师居民不事耕凿,素少盖藏,日用之需,恒出市易。当此新正节过,仓廪为虚,应复置而实之,故名其日为填仓。今好古之家,于是日籴米积薪,收贮煤炭,犹仿其遗意焉。"(参见"添仓节"条)

添仓节　亦称"填仓日"、"天仓日"。旧时汉族民间风俗日。流行于全国各地,尤以北方地区为盛。时在夏历正月二十五日。为民间象征新年五谷丰登之节日。起源较早。《东京梦华录》曰:"正月二十五日,人家市牛羊豕肉,恣飨竟日,客至苦留,必尽饱而去,名曰填仓。"谓以"仓"讹"嗓",曰"填嗓",故此日多美食。添仓,亦为填满谷仓之意。俗传此日为"仓神"诞辰日,故民间多于该日籴米积薪,收贮煤灰为填仓。而星名

"天仓"音近"添仓",故取其义,行"打灰囤"之俗。即以灶下柴草灰在场院撒成粮囤状,中间放置少许粮食,象征围仓,称"填仓"。在山西各地,是日人们要把水缸盛满,煤池加满,粮囤添满,谓此举可保丰年。华北农村在添仓节期间有吃小米饭、杂面汤之俗,以庆贺节日。谚曰"填仓、填仓,小米干饭杂面汤。"或曰"天仓二十五,白菜熬豆腐。"民间俗信此日宜晴。天晴则主年丰,故有"收不收五谷,单看正月二十五"之谚。

惊蛰　岁时节气名。二十四节气之一,称"节气"。时在夏历二月(一般为公历3月5日或6日),太阳到达黄经345°时开始,此时气温上升,春雷震动,冬眠动物行将出土,故名。这时我国大部分地区春耕活动陆续开始。农谚有"过了惊蛰节,春耕不停歇。"旧时,民间俗信惊蛰日有雷声,则主年丰,故有"惊蛰闻雷,谷米贱似泥"之谚。民间此日还有咒雀之俗。《中华全国风俗志·云南》曰:"惊蛰为旧历二月节。是日清晨,农家之家长听见雀鸣,即唤起牧童,往田间咒雀。"谓咒过之后,鸟雀在谷熟结穗时不会叨啄。惊蛰季节,古代黄河流域与之相应的"物候"现象为"桃始华,仓庚鸣,鹰化为鸠。"

剪贴彩胜　旧时汉族民间岁时风俗。流行于全国各地。彩胜,一种用彩绸或彩纸剪成燕形或幡形的头饰,妇女每年夏历立春之日佩戴。《汉书·司马相如传下》颜师古注:"胜,妇女首饰也,汉代谓之华胜。"

《荆楚岁时记》也载:"立春之日,悉剪彩为燕戴之。"是日人们还剪春幡、春燕、春蝶等各种幡胜,或戴头上,或挂柳枝上,或贴屏风上,以庆祝春日来临。另,魏晋以来,民间流行以夏历正月初七为"人日",人们剪彩为人,以求吉祥。《荆楚岁时记》云:"正月七日为人日,……剪彩为人,或镂金箔为人,以贴屏风,亦戴之头鬓。"唐·李商隐《人日》诗:"镂金作胜传荆俗,剪彩为人起晋风。"此俗后演变为贴剪纸。《名义考》载:"北俗,元旦剪乌金纸,翩翩若飞翔状,戴之,谓之黑龙婆,即彩燕之遗意也。"剪纸分为窗花、墙花、门笺、灯笼花、衣饰绣样等。今民间多在春节期间贴用,以烘托节日喜庆气氛。

插柳　亦称"戴柳"。旧时汉族民间岁时风俗。流行于全国各地,尤以南方为盛。时间多在清明节前后。此俗起源甚早。南北朝时,民间于元旦日插柳,谓能避鬼。《齐民要术》(卷五)云:"术曰:正月旦取柳枝著户上,百鬼不入家。"后多于寒食节或清明日为之。因清明又称"鬼节",值此柳枝发芽时节,民间插戴柳枝,用以避邪。《酉阳杂俎》曰:"三月三日,赐侍臣细柳圈,言带之免蛆毒。"宋代此俗更盛。清明日,民间有卖柳条者,沿街叫卖,人家买之插于门上。《东京梦华录》载:"清明节……用面造枣锢飞燕,柳条串之,插于门楣。"《梦粱录》也载:"家家以柳条插于门上,名曰'明眼'。"明清仍盛。《西湖游览志余》云:清明,"人家插柳满檐,青茜可爱,男女亦咸戴之。谚云:'清明不戴柳,红颜成皓首'。"《清嘉录》(卷三)"插杨柳"云:"清明日,满街叫卖杨柳,人家买之插于门上,农人以插柳日晴雨占水旱,若雨主水。"此俗今民间仍存。每逢清明节,少年儿童有组织地戴柳为冠,前往烈士陵园扫墓,以缅怀先烈。

插茱萸　亦称"戴茱萸"、"佩茱萸"。汉族民间岁时风俗。流行于南北各地。时在夏历九月九日重阳节期间。"茱萸",又名"越椒"、"艾子",落叶乔木。分为山茱萸(开小黄花、果实椭圆、红色、味酸)、吴茱萸(开黄绿色小花,果食红色)、食茱萸(开淡绿色花,果实味苦),均可入药。其果实香气浓烈,有驱虫、除湿、逐风邪、治寒热、消积食、利五脏等功效。故古人将茱萸视为驱邪的神药。《齐民要术》(卷四)云:"舍东种白杨、茱萸三根,增年益寿,消患害也。"每年夏历九月初九重阳节时,民间采茱萸戴头上,或用茱萸制囊佩于身,以驱邪防病。《西京杂记》(卷三)曰:"汉武帝宫人贾佩兰,九月九日佩茱萸,食蓬饵,饮菊花酒,云令人长寿。"《风土记》也载:"俗于此日以茱萸气烈成熟,尚此日折茱萸以插头,言辟恶气而御初寒。"唐代以来,插茱萸之俗还增加了装饰美容、寄托离情的含义。如李白《宣州九日寄崔侍御》:"九日茱萸熟,插鬓伤早白,"王维《九月九日忆山东兄弟》诗:"独在异乡为异客,每逢佳节倍思亲。遥知兄弟登高处,遍插茱萸少一人。"以及孟浩然"茱萸正少佩,折取寄情亲。"等。北宋时,京师(今河南开封)妇女则剪彩缯为茱萸以相馈赠。而明代申时行《吴山行》诗更有"拍手齐歌太平曲,满头争插茱萸花。"之句,反映出插茱萸习俗之盛行。重阳节作为传统节日,至今民间仍年年欢度。但插茱萸以驱邪等俗,随着现代医学的发达,已流于形式。

赏月 亦称"望月"、"玩月"。汉族及部分少数民族岁时风俗。为中秋节的赏月活动。流行于全国大多数地区。中秋之际,天高气爽,皓月当空,民间多于此日庭院设案,赏月谈趣,分享供品。此俗起源甚早。魏晋时已有赏月之举。唐时,每逢中秋,上自皇帝,下至庶民,均居家或出外玩赏月景。唐·王廷《十五望月》有:"今夜月明人尽望"之句。宋代此俗更盛。《东京梦华录》(卷八)云:"中秋夜,贵家结饰台榭,民间争占酒楼玩月。"观赏月色,曾使历代诗人写下许多动人诗篇。宋·苏东坡《水调歌头》:"明月几时有? 把酒问青天。不知天上宫阙,今夕是何年? 我欲乘风归去,又恐琼楼玉宇,高处不胜寒! 起舞弄清影,何似在人间? 转朱阁,低绮户,照无眠。不应有恨,何事长向别时圆? 人有悲欢离合,月有阴晴圆缺,此事古难全。但愿人长久,千里共婵娟。"此外,在黄河中下游地区,是夕老幼登高望月,以月亮之显晦,卜来年元宵节之阴晴。故农谚有:"云掩中秋月,雨打上元灯。"及"八月十五云遮月,正月十五雪打灯。"

赏红 旧时汉族民间岁时风俗。流行于全国多数地区,以江南为盛。时间不一。有在夏历二月初二,或二月十二等。是日为花朝节(即百花生日)。届时,除赏花、种花之外,民间有"赏红"之俗。江南一带以二月十二日为"百花生日"。《中华全国风俗志》(卷三)曰:"二月十二日,为百花生日,闺中女郎,剪五丝缯,沾花枝上,谓之赏红。"后此俗渐简化,一般人家仅用红纸裹在花枝上,或在花坛、花盆中插红色小红旗,以赏红。安徽江淮等地,则在夏历正月十五。和县、含山县最盛。届时各村庄举行舞龙活动,未育妇女以红布、彩绫等向龙身披挂、结彩,称为"赏红"。民间以为此俗能求得龙王爷的保佑,而丰收、得子。

赏菊 汉族民间岁时风俗。流行于全国各地,时在夏历九月九日"重阳节"期间。菊花,又名黄花,属菊科。深秋之际盛开,花色娇妍,赏之令人心旷神怡。故民间多行重阳赏菊之俗。历代对赏菊多有记述。《中国美术全集·年画》"(晋)陶渊明爱菊"云:"九月秋菊各色新,朵朵青香可爱人。盛夸此菊开不尽,家童又送花两盆。"而唐朝农民起义领袖黄巢《菊花》诗:"待到秋来九月八,我花开后百花杀;冲天香阵透长安,满城尽带黄金甲。"更为脍炙人口。《东京梦华录》曰:"九月重阳,都下(开封)赏菊有数种:其黄白色蕊若莲房,曰'万龄菊';粉红色曰'桃花菊';白而檀心曰'木香菊';黄色而圆者曰'金铃菊';纯白而大者曰'喜容菊';无处无之。酒家皆以菊花缚成洞户。"

明清仍承此俗。《金瓶梅词话》（六十一回）记有西门庆与诸家眷重阳赏菊之情节。《中华全国风俗志·江苏》载："是时菊花大放，有茶肆招徕生意，用五色菊花堆叠成山，高下参差，颇有可观，动至数百盆云。"届时倾城出动观赏。今此俗仍盛。每逢重阳节前后，各地举行菊花大展，品种齐全，争奇斗艳，观众留连忘返。

腊八节　汉族民间传统节日，流行于全国各地。时在夏历十二月（腊月）初八日。古代，"腊"为一种祭礼。一般在冬月将尽时，人们用猎获的禽兽祭祀祖先、神灵，以避灾求祥。《史记正义》云："十二月腊月也……猎禽兽以岁终祭先祖。"而"猎"与"腊"相通，"腊祭"即"猎祭"，故将腊祭之月称作"腊月"。南北朝时，始定夏历十二月初八为"腊八节"。《荆楚岁时记》曰："十二月八日为腊日。"并与佛教传说相结合，形成吃"腊八粥"之俗。据传，十二月初八为佛祖释迦牟尼修行得道日。释迦修行时，曾饿倒在地，一牧女送他一碗用各种粘米煮成的粥。释迦食后，于河中沐浴，并静坐菩提树下沉思，十二月八日得道成佛。为纪念此事，佛教徒每于腊八均熬制"腊八粥"供佛。《梦粱录》载：十二月"八日，寺院谓之腊八，大刹等寺，俱设五味粥，名曰'腊八粥'"。至明清时更重此节，且在民间广为流行。《帝京景物略》（卷二）云："是日，家效庵寺，豆果杂米为粥，供而阖食，曰腊八粥。"《清嘉录》（卷十二）也载："八日为腊八，居民以苹果入米煮粥，谓之腊八粥。或有馈自僧尼者，名曰佛粥。"民间俗传冬季食用腊八粥有健身防病之功效。南宋·陆游即曾作《食粥》诗："世人个个学长年，不悟长年在目前。我得宛丘平易法，只将食粥致神仙。"今每逢"腊八"，民间仍有吃"腊八粥"，腌制"腊八蒜"等俗。

寒露　岁时节气名。《礼记·月令》疏："九月节寒露"，"谓之寒露者，言露气寒，将欲凝结。"寒是露水化为气，先白而后寒，意为天气逐渐转冷，霜冻将至。二十四节气之一，称"节气"。时在夏历九月（一般为公历10月8日或9日），太阳到达黄经195°时开始。这时我国大部分地区天气凉爽，乡村忙于秋收秋种。《清嘉录》云："寒露乍来，稻穗已黄，至霜降乃刈之。"农谚有"九月寒露霜降到，摘了棉花收晚稻。""过了寒露，秋粮入库。""寒露蚕豆霜降麦，种了小麦种大麦"等。寒露季节，古代黄河流域与之相应的"物候"现象为"鸿雁来宾，雀入大水为蛤，菊有黄华。"

寒衣节　旧时汉族民间传统节日。流行于北方地区。时在夏历十月初一。俗谓此节源于纪念孟姜女为丈夫范喜良千辛万苦送寒衣的传说。秦始皇时，为修筑长城，江南范喜良被官府抓走，送往北方充劳役。一晃数年，杳无音讯。其妻孟姜女思念丈夫，决心背负寒衣，前去找寻。当她历尽艰辛来到长城脚下时，得知丈夫已于去冬冻累而死，终于酿成人间一大悲剧。为此，民间流传小曲一首："十月里芙蓉十月一，家家户户缝寒衣。人家丈夫把寒衣换,孟姜女万里寻夫送寒衣……。"此时在北方地区一般为"立冬"季节,气候寒冷,人们多添置棉衣以御寒。加之孟姜女万里寻夫送寒衣的动人传说,故民间称十月初一为"寒衣节"。此节明清时仍盛。《帝京景物略》曰:"十月一日,纸肆裁纸五色,作男女衣,长尺有咫,曰寒衣……呼而焚之其门,曰送寒衣。"《帝京岁时纪胜》也载:"十月朔孟冬……晚夕,缄书冥楮,加以五色彩帛作成冠带衣履,于门外奠而焚之,曰送寒衣。"俗有"十月一送寒衣"之谚。今民间尚有此日烧冥纸以祭奠亲人之俗。

寒食节　亦称"禁烟节"、"冷节"、"熟食节"等。汉族民间传统节日,流行于全国各地,尤以山西为盛。时在"清明"前一、二日。是日民间禁烟火,吃冷食,故称"寒食节"。传说此节为纪念介子推。春秋时,子推辅佐晋公子重耳流亡列国19年,曾迷路于山中,粮绝无援,重耳陷于困境。一日,子推自割股肉,用火烤熟,献于重耳充饥,重耳大为感动。后重耳归国当上晋文公,大封功臣,唯忘介子推。介子推不求利禄,携老母隐居绵山(今山西介休县内)。后晋文公想起"割股奉君"的介子推,深感内疚。为补过失,遍寻子推,子推不出,便放火焚山逼其出,大火三日而不熄,但见子推已抱木而死。晋文公为追缅子推,将其葬于绵山,修寺立庙,改山名为介山,并下令子推死亡日禁火寒食,以寄哀思,遂相沿成俗。唐·孟云卿《寒食》诗:"三月江南花满枝,他乡寒食远堪悲。贫居往往断烟火,不独清明为子推。"实际上禁火之举周代已有。《周礼·秋官·司烜氏》云:"仲春以木铎修火禁于国中。"《后汉书·周举传》也载:"惧火之盛,故为之禁火。"当时有逢季改火之习,季春之前禁生火,食冷食。《四民月令》载:"齐人呼寒食为冷节。"后人将禁火旧制与纪念介子推相联系,除上述传说故事外,东晋·陆翙《邺中记》曰:"并州之俗,以冬至后一百五日,为介子推断火,冷食三日,作干粥。"后因寒食节时近清明,故民间亦将其视作清明节习俗之一,谓之"清明寒食。"

游九曲　传统民间节庆游乐活动,流行于黄河中上游地区。九曲,也叫"九曲黄河阵",是模拟九曲黄河而列的迷阵。旧时,每当元宵节前的3——4天,便用高粱杆或树枝(今有专用钢筋制做的)做成的灯杆在一片空地上栽9个"回"字形的矩阵,成九曲阵。夜晚每杆燃灯,男女老少提灯转走其间,以先出为佳。九曲阵的阵形各地、各时不一,回环复杂,人们置身其间,往往难以一时转出,故此通宵达旦、越形热闹,尤以正月十五元宵夜为最。近年,此举仍流行于民间,不仅吸引了广大群众,并且引起了研究者的注意。

登高　亦称"踏高"。汉族民间岁时风俗。流行于全国各地。时在夏历九月九日"重阳节"期间。此时秋高气爽,云淡山青,是郊游的极好时节。故民间多于此前后登临高处,在晨熹或晚霞之中远眺山间锦绣,故称踏高。此俗起源于远古时期的采集和狩猎。后随着农耕的普及，人类较少涉足高山密林，在西汉时遂演变为民间习俗。《西京杂记》曰："三月上巳，九月重阳，士女游戏，就此祓禊登高。"《千金方·月令》云："重阳，必以肴酒登高远眺，为时宴之游赏，以畅秋志。"踏高之日，历代诗人写下许多佳作。唐·李白《九日登巴陵望洞庭水军》诗："九日天气晴，登高无秋云。造化辟山岳，了然楚汉分。"明清以来，此俗仍流行。《帝京景物略》（卷二）曰："九月九日，载酒具、茶炉、食榼，曰登高。香山诸山，高山也；法藏寺，高塔也；显灵宫、报国寺，高阁也。释不登，赏园亭，闉坊曲，为娱耳。"今此俗尚存。民间多于重阳节期间组织郊游、登高活动。

隔辙雨 亦称"分龙雨"。民间俗传夏历五月二十"分龙日"后，小龙离开老龙，至二十五日会聚，两龙高兴得落泪，故是日多大雨，称"分龙雨"。而夏日多雨，"龙"各分域，天上水龙分片行雨，雨阳往往隔辙而异，故称"隔辙雨"。《燕京岁时记》云："京师谓五月二十三日为分龙兵。盖五月以后，大雨时行，隔辙有雨。"民间亦有"夏雨隔爿田"、"夏雨隔牛背"之谚。此外，民间俗信分龙节后之雨主风调雨顺，五谷丰登，故农谚有："二十分龙廿一雨，水车搁拉弄堂里。二十分龙廿一雨，石头缝里都是米。"在沿江圩区，民间还多于此前修堤挖渠，以防涝灾。

摸钉 亦称"摸门钉"。旧时汉族民间岁时风俗。流行于全国部分地区。指求子妇女摸城门钉的习俗。每逢上元节夜晚，妇女结伴出游走百病，年轻已婚妇女必到城门处摸城门铜钉，以"钉"谐"丁"，祈生男。此俗反映出原始性崇拜的某些痕迹。《帝京景物略》云："妇女着白绫衫，队而宵行……京城各门，手暗触钉，谓男子祥，曰'摸钉儿'。"《帝京岁时纪胜·走桥摸钉》也载："元夕妇女群游，祈免灾咎……凡有桥处，三五相率以过，谓之度厄，俗传曰走桥。又竞往正阳门中洞摸门钉，谶宜男也。"时各城门都有兵卒守卫，想摸门钉还得"手携钱贿门军"。

蒲剑 亦称蓬鞭蒲剑。旧时汉族端午节压胜物。流行于中原和江南地区。因菖蒲叶形状像剑故名。民间俗谓"五瑞"之首，每逢夏历五月初五端午节，人们把菖蒲挂在门上，认为可消除邪气。《清嘉录》（卷五）曰："截蒲为剑，割蓬作鞭，副以桃梗蒜头，悬于床户，皆以却鬼"。《燕京岁时记》也载："端午日，用菖蒲、艾子插于门旁，以禳不祥，亦古者艾虎蒲剑之遗意。"

鹊桥会 亦称"鹊桥渡"、"鹊桥渡河"。旧时汉族民间岁时风俗。流行于全国各地。时在夏历七月七日。民间传说，天上有条河，河西牛郎星，河东织女星。牛郎织女本是一对夫妻，后被王母娘娘银河隔开，从此两人隔河相望，只有每年七月七日夜晚经喜鹊在天河上搭桥，夫妻才能相会，故称"鹊桥会"。唐·杜甫《牵牛织女》诗："牵牛出河西，织女处其东。万古永相望，七夕谁见同。"人们同情牛郎织女隔河相望，一年才能相会一次，故而感动了鸟鹊，群集为桥，为之相通。《岁时广记》引《淮南子》曰："鸟鹊填河成桥渡织女。"民谚也有："七月七，牛郎织女会一夕。银河纵横断，自有鹊桥通。"由于神话传说的流传，人们常用来比喻人间离别的夫妻相会。宋·秦观《鹊桥仙》云："纤云弄巧，飞星传恨，银河迢迢暗渡。金风玉露一相逢，便胜却人间无数。柔情似水，佳期如梦，忍顾鹊桥归路！两情若是久长时，又岂在朝朝暮暮！""鹊桥会"之际，民间还有许多民俗活动。在浙江等地，是日各家孩童解下端午所系五彩线，串上稻穗，抛向屋顶，谓之"鹊桥渡。"意为让喜鹊饱食，以便上天架设鹊桥。

献生子 旧时汉族民间节日风俗。流行于华北地区。时在夏历二月初一中和节。是日民间多食太阳鸡糕，并以青囊盛果物，互相馈送。唐时已有此俗。《南楚新闻》曰："李泌请以二月一日为中和节，人家以青囊盛百谷果实更相馈遗，务极新巧，宫中亦然，谓之献生子。"《帝京岁时纪胜》也载："二月初一为中和节，传自唐始。李泌请以二月朔为中和节，赐民间以囊盛百果谷瓜李种相同遗，号献生子。"

跳绳 传统民间娱乐健身游戏。明代称"跳百索"，清代称"绳飞"。有短绳和长绳之分。短绳可单人跳或双人跳，长绳为集体跳。跳时常唱歌戏乐或吟诵儿歌。《松风阁诗钞》云：元夕，"太平鼓，声冬冬，目光如轮舞索童。一童舞索一童唱，一童跳入光轮中。《宛署杂记》载："以一绳长丈许，两儿对牵，飞摆不定，令难凝视，似乎百索，其实一也，群儿乘其动时轮跳其上，以能过者为胜，否或为索所绊，听掌绳者以绳击之示罚，名曰：'跳百索'"。清《有益游戏图说》："用六尺许麻绳，手执两端，使由头上回转于足下，且转且跃，以为游戏，是谓绳飞。"晚近以来，跳绳之举仍然十分流行，且进入学校体育活动行列。除一般游戏外，还有见于体育比赛的，一般是单人跳，以每分钟所跳次数多少决定胜负。此外，成人亦有跳绳锻炼的。

照田蚕 亦称"照田财"、"烧田蚕"、"烧田财"，汉族民间岁时风俗。流行于江浙沪一带。除夕或正月十五日夜举行。《上海风物志》云："大除夕……在农村里，这晚上田间也点燃烛焰，叫做'照田蚕'。为祈求桑蚕丰收之活动。"此俗起源较早。宋时每年夏历十二月二十五日至除夕进行。《吴郡志》(卷二)曰："是夕(指十二月二十五日)爆竹及傩，田间燃高炬，名照田蚕。"至清代，此俗始变异。《清嘉录》引方鹏《昆山志》载："岁朝或次日，束薪于长竿，为高炬，视火色赤白，以占水旱，争取余烬置床头，谓宜蚕，名'照田蚕'"。浙江杭嘉湖地区则在正月十五日举行。是时各村落束薪捆竹，上挂彩帛，到夜间，在金鼓齐鸣中，念唱祈求蚕桑丰收赞词。然后点火把、放爆竹，聚而焚之，俗谓"烧田蚕"。四川东部是夜树灯于田间，插香烛于田坎周围，认为可消除虫害,祈望庄稼丰收。《上海风物志》引秦荣光竹枝词:"锣鼓年除夜闹街,照田蚕烛列村排。抱儿有个贫家妇,此夕还忙手做鞋。"

辞青 汉族民间岁时风俗。流行于全国多数地区。时在夏历九月九日重阳节期间。此时正值"寒露"、"霜降"节气,天气转凉,大地一片青翠的自然景象将为草木枯黄的严寒冬季所取代。故民间多行登高赏菊以辞青之俗。《帝京岁时纪胜·九月》曰:"都人结伴呼从,于西山一带看红叶,或于汤泉坐浴,谓菊花水可以却疾。又有治肴携酌,于各门郊外痛饮终日,谓之辞青。"

辞岁 亦称"辞年"、"别岁"、"送残年"。汉族民间节日风俗。流行于全国各地。除夕夜,家家户户置供品祭祖,备丰盛肴珍吃年夜饭,焚香燃烛敬天地,以辞别旧岁,迎接新年,故称"辞岁"。宋代已有此俗。苏东坡《守岁、馈岁、别岁》诗序:"岁晚相与馈问,为馈岁,酒食相邀,呼为别岁。"明清此俗更盛。《帝京景物略》(卷二)云:"三十日……悬先亡影像,祀以狮仙斗糖,麻花馓枝,染五色苇架竹罩陈之,家长幼毕拜,已各自拜,曰'辞岁'!"《清嘉录》也载:"卑幼行礼于尊长,以别岁,俗称辞年。"此为南方习俗。而在北方,则含多种习俗。《燕京岁时记》曰:"凡除夕,蟒袍补褂走亲友者,谓之辞岁。家长叩谒尊长,亦曰辞岁。新婚者必至岳家辞岁,否则为不恭。"民国以后,则以晚辈向尊长辞拜,尊长赐赏小孩压岁钱流为习俗。辞岁之举,反映了民间珍惜年华,重视人情的淳厚风俗。

溜冰 传统冬令户外游乐活动,流行于北方各地。晚清北京的溜冰,最简单的,是穿一双老头乐的毛窝,直接在冰上滑擦。有的在木板上安一根大铁条,然后绑到鞋上滑。宫廷贵胄的冰鞋则要精致得多。当时的溜冰除了"速滑"之外,有时候也有花样,如"苏秦背剑""金鸡独立"、"凤凰单展翅"等。有些地区,溜冰并无专门的溜冰鞋,而是用所穿之鞋直接在冰上滑溜,俗称"打滑溜擦"。溜冰之举现在仍然十分盛行,已成正式体育比赛项目,冰鞋已是特制的,除了自然冰以外,还有人工冰场。

数九 亦称"九九"、"交九",旧时汉族民间一种以九计日的传统计时法,流行于全国各地。夏历"二十四节气"中的"夏至"和"冬至"均处于季节气候更变的转折点。我国古代将夏至后的八十一天分为九个段落,每段九天,称为"夏九九";将冬至后的八十一天也分为九个段落,每段九天,称为"冬九九",并以此记录日期和气候变化,其数序为头九、二九、三九、四九、五九、六九、七九、八九、九九。但通常所说的"数九"是指冬九九而言,俗云"数九寒天"。旧俗以"冬至"为"入九"。从冬至翌日开始数九。一般在三九或四九(约夏历春节前后)为冬季最寒冷的时期,故有"冷在三九"之谚。六九一般进入春季,俗有"春打六九头"之谚。而最后一个九天则春风送暖,寒气全

消,故又有"九九艳阳天"之说。民间数九各地流传有不同的歌诀。(参见"九九歌"条)

缠五色丝　汉族民间岁时风俗。流行于全国多数地区。为夏历五月初五端午节习俗。"五色丝"又称"朱索"、"百索"、"长命缕"、"辟兵缯"等。《风俗通义·佚文》曰:"五月五日以五彩丝系臂,曰长命缕,一名续命缕,一名辟兵缯,一名五色丝,一名朱索。"即以红黄蓝白黑五色丝线或绒线拴于儿童手臂、手腕,或用彩丝垂金锡成钱锁,悬儿童胸前等。约始于汉代。《后汉书》中已有朱索连桃印饰门户之记载。《酉阳杂俎》云:"北朝妇人……是日又进长命缕、宛转绳,皆结为人像带之。"也有缠纸帛折菱方,缀于胸前,或缠粽子,相互馈赠。《荆楚岁时记》曰:"人并以新竹为筒粽,练叶插五彩系臂,谓为长命缕。"民间俗信谓此举可驱邪避瘟,使人健康长寿。今此俗又有回潮。每逢端午佳节,市场贩卖手工制作菱角方胜等饰物,人们争相选购,送童幼以作玩物。

端午节　亦称"端阳"、"重五"、"重午"、"蒲节"、"地腊"、"天中节"、"天长节"、"沐兰节"、"粽包节"、"女儿节"、"五月节"、"诗人节"、"龙船节"、"女娲节"等。汉族民间传统节日,流行于全国各地。部分少数民族也流行此节。时在夏历五月初五。古代"初"、"端"同义,《太平御览》(卷三十一)引晋周处《风土记》云:"仲夏端午。端,初也。"指五月的第一个五日。夏历正月为建寅月,按地支顺序推算,"五月"为"午月",古人常把五日写成"午日",故初五作端午。午时为"阳辰",所以端午又称"端阳"。而"午月"、"午日"两个"午"字重复,又称"重午"。端午节之起源,为古代的原始崇拜和迷信禁忌。依据闻一多《端午考》和《端午节的历史教育》之考证,端午节原为古代吴越民族祭祀"图腾"——"龙"的活动日。每年五月初五该民族都要举行一次盛大的图腾祭。其活动形式为:将各种食物用树叶包裹,扔向水里,并在急鼓声中划着刻画成龙形的独木舟在水面上竞渡。后来此项活动演变为吃粽子和赛龙舟。而《大戴礼记·夏小正》又载:五月五日古人用兰草汤沐浴("蓄兰为沐浴也。")以驱邪避恶。故周代以来,民间有以朱索(结股五色丝)和五色桃印(以桃木作印,五色书文,长六寸,宽三寸)等悬于门上;系五色丝于臂上,挂纸书赤灵符于心前等禳灾避邪习俗。此外,端午节尚有源于"恶日"、"夏至"及祭"地腊"等说。源于"恶日"之说,依据是《风俗通义》、《论衡》、《后汉书》等关于"不举五月子"的记载;源于夏至之说,依据是《后汉书·礼仪志》中有关汉代五月五日风俗源自夏、商、周时的夏至节之记载。源于"地腊"的依据是《道枢》曰:"五月五日为地腊……,此日可谢罪,求请移易官爵,祭祀先祖。"至汉末魏晋时,端午节由原始崇拜、禁忌等逐渐演变为祭奠有关历史人物。其中包括越王勾践(此日操练水军)、介子推(《邺中记·附录》云:"并州俗,为介子推五月五日烧死，世人为甚忌。"），伍子胥（《荆楚岁时记》引邯郸淳《曹娥碑》曰："五月五日，时迎伍君。"），曹娥（《后汉书·列女传》载："孝女曹娥者……汉安二年五月五日于县江泝涛婆娑神，溺死。"）等。而流传最广、最富影响的是纪念大文学家、爱国诗人屈原。据《续齐谐记》："屈原以五月五日投汨罗而死，楚人哀之，每于此日，以竹筒贮米祭之。"魏晋南北朝时，由于民族融合，南北习俗也逐渐趋于统一。又由于屈原爱国主义精神及其诗词歌赋的深远影响，端午节祭奠屈原便由楚地而传播全国。唐宋以后，以端午节纪念屈原更为大部分地区所公认。唐代文秀《端午》诗有"节分端午自谁言，万古传闻为屈原"之句。宋时则追封屈原为忠烈公，传谕全国纪念，并令民间各佩香袋，以表示屈原的品德、节操如馨溢世，流芳千古，端午遂成为一个固定的节日。至于端午节的别称，也各有其含义。《西湖游览志余》（卷二十）云："端午为天中节，人家包黍秫以为粽，束以五色丝。"康熙《大兴县志》载，是日少女须佩灵符，簪榴花，已嫁之女各归宁，故称"女儿节"。近代以来，端午节还有纪念革命女诗人"鉴湖女侠"秋瑾之意。秋瑾为光绪三十三年六月五日殉国，后人敬仰其诗，复哀其忠勇，乃与诗人节（端午节别称）合并纪念。端午节民间习俗有吃粽子、赛龙舟、饮雄黄酒、躲午、沐香汤、插菖蒲、戴艾蒿、贴天师符、斗百草、驱五毒、缠五色丝、挂长命缕、挂

老虎索、佩香囊、吟诗等。解放以后，经移风易俗，许多旧俗虽形式尚存，但已淡化了本来意义。唯吃粽子仍为佳节不可或缺的馈赠食品。龙舟竞渡更成为端午佳节民间喜爱的竞技活动。同时，随着这一活动的盛行，又为世界许多国家和地区所效仿，成为各国人民友好交往的重要活动。

踏青　亦称"春游"。汉族民间岁时风俗。流行于全国各地。时在清明节前后。为清明时节野外春游的活动。时值仲春，草木发芽，绿草如茵，气候宜人，大地一派生机勃勃。民间趁此时机竞相到郊外踏青，观赏嫩绿景色，令人心旷神怡。唐代已有此俗。《旧唐书·代宗纪》曰："（大历二年）二月壬午，幸昆明池踏青。"届时，各家先往祖坟祭祀添土，然后结伴游赏郊外胜景。唐·杜甫《绝句》："江边踏青罢，回首见旌旗。"《踏青》诗："江上冰消岸青青，三三五五踏青行。"柳永《木兰花慢·清明》词："……盈盈斗草，踏青人艳，冶递逢迎。向路傍，往往遗簪坠珥，珠翠纵横。欢情对佳丽，地化金罍竭玉山倾。拼却明朝，永日画堂，一枕春醒"。明清均承此俗。《帝京景物略》（卷二）曰："三月清明日，男女扫墓，……是日簪柳，游高粱桥，曰踏青。"在南方，也有在上巳节进行者。据《清嘉录》（卷三）载，吴俗女子邀游，上巳日为最盛。又引邵长蘅《冶游诗》："二月春始半，踏青邀女伴。小桃虎丘红，新柳山塘短。"旧时在春游踏青之际常发生一些爱情故

事。《唐诗纪事》中曾有关于"人面桃花"故事的详细记载。诗曰："去年今日此门中,人面桃花相映红。人面不知何处去? 桃花依旧笑春风!"现民间春游踏青已成风俗。一般在清明前后集体组织,开展各种娱乐活动。既欣赏了大自然的美好风光,又增进了人们的友谊,是一件十分有意义的活动。

踏青节　汉族民间传统节日。流行于全国各地。节期因年代、地区而异。有以夏历三月初三、二月初二、正月初八为踏青节,但一般多为清明节期间。是日人们藉春光明媚,大地返青之际,结伴郊游,故谓之"踏青节"。此节源于古代的踏青活动。唐代最为盛行。杜甫诗句有"江边踏青罢,回首见旌旗。"之句。至宋代"踏青节"之名正式著录史籍。《壶中赘录》云:"蜀中风俗,旧以二月二日为踏青节。"诗人张先也有"芳草拾翠暮忘归,秀野踏青来不定。"之诗句。《清明上河图》曾形象描绘了东京(今开封)清明节时人们扫墓踏青归来的情景。一般踏青时,人们还进行各种娱乐活动,然后围坐饮宴,抵暮而归。此节经历代流传至今,逐渐演变为民间春游活动。

踩高跷　亦称"高跷"、"踏高跷"、"扎高脚",汉族传统节日和民间社火、花会中的一种表演活动。表演者双脚缚木制跷棍,最高者约一米,化装成各种人物表演动作。高跷历史悠久,《列子·说符篇》里已有记载:"宋有兰子者……以双枝长倍其身,属其胫,并驱并驰"。汉魏六朝百戏中称"跷技",《山海经》注称为"乔人"。宋代叫"踏桥"。清代以来称为"高跷"。北京称为高跷或高跷会。黄河流域称此俗"扎高脚"。《清代北京竹枝词·百戏竹枝词·扎高脚》序并诗云:农人扮村公村母,以木柱各二,约三尺,缚踏足下,几于长一身有半矣。所唱亦秧歌类。词云:"村公村母扮村村,屐齿双移四柱均。高脚相看身有半,要知原不是长人。"高跷有文跷、武跷之分。文跷以走唱为主,有简单的舞扭动作。所扮故事有《西游记》、《白蛇传》等,人物如孙悟空、唐僧、沙僧、猪八戒、白娘子、小青、许仙及虾兵蟹将等。舞蹈时有锣鼓伴奏。武跷以惊险动作取胜,一般表演倒立、跳高桌、叠罗汉、劈叉等动作。踩高跷至今仍是流行于民间节庆、游艺活动中的重要节目。

踢毽子　也称"踢箭子"、"踢踺子",我国民间娱乐活动,流行于全国各地。由古代蹴鞠运动演变而成。据《事物纪原》记载:"今时小儿以铅锡为钱,装以鸡羽,呼为毽子,三五成群走踢,有里外廉、拖枪、耸膝、突肚、佛顶珠、剪刀、拐子各色,亦蹴鞠之遗事也"。毽子以布或皮缝裹小铜钱为底座,上插一束鸡毛。踢法有盘踢、拐踢、蹦踢、间踢等。比赛分为单人、集体两种。旧时北京有专门擅长踢毽子的,技艺十分高超。《帝京岁时纪胜》记云:"都门有专艺踢毽者,手舞足蹈,不少停息,若手若面,若背若胸,团转相击,随其高下,动合机宜,不致坠落,亦博戏中之绝技矣。"清人管枪还有诗专咏《毽子》,

称其"便逾猿捷常依井，势比鸾翔拟踏梯。"清末以来北京一带儿童踢毽常伴以儿歌，如"一个毽儿，踢两半儿，打花股，线花线儿，里踢外踢，九十九个，一百"之类。踢毽现在仍是群众喜欢的健身运动。

燕九节　亦称"烟九"、"筵九"、"宴九"、"宴邱"等。旧时汉族民间传统节日。流行于北京地区。时在夏历正月十九日。源于纪念邱处机。《帝京岁时纪胜·正月》"燕九"曰："考元大宗师长春真人邱处机赴元太祖召，拳拳以止杀为戒。时有事西征，则云，一天下在不嗜杀人。"故深得元太祖器重，赐号"神仙"，封为大宗师，掌管天下道教，居大都（今北京）太极宫（后改名白云观），死后葬于观内。因邱的诞辰为夏历正月十九，为纪念此有功之臣，将太极宫改为长春宫，塑邱处机像以祭，并进行纪念活动，后逐渐演变为燕九节。《帝京景物略》云："今都人正月十九，致浆祠下游冶纷沓，走马蒲博，谓之燕九节。"清代谒白云观之俗更为盛行。《燕京岁时记》载："每至筵九，皇上幸西厂子小金殿筵宴，看玩艺掼跤……民间无事可纪，游赏白云观者，谓之'会神仙'焉。……相传十八日夜内必有仙真下降，或幻游人，或化乞丐，有缘遇之者，得以却病延年。故黄冠羽士，三五成群，跌坐廊下，以冀一遇。究不知其遇不遇也。"今北京白云观每年正月十九日游人仍络绎不绝。京津地区民间还有"大燕九"、"小燕九"（正月初九）之分。

镜听　俗称"凡镜听"、"听响卜"。古代汉族民间岁时风俗。流行于全国各地。最早记载见于唐·王建《镜听词》："重重摩挲嫁时镜，夫婿远行凭镜听。"《曲洧异闻》也载："谓怀镜于通衢间，听往来之言，以占休咎。"明清仍承此俗，时间多在除夕之夜。《西湖游览志余·熙朝乐事》云：除夕，"更深人静，或有祷灶请方，抱镜出门，窥听市人无意之言，以卜来岁休咎。"《通俗编》（卷二十九）曰："除夕夜，深祝灶，请方镜出门，潜听市人偶语，以卜终岁休咎。"其形式为：先行洒扫，在灶神前置灯烧香，锅中放满水，把杓放在水上，然后"虔礼拜祝，拨杓使旋，随杓所指之方，抱镜出门，窥听人言，第一句即是卜者之兆。"（见《中国文化大博览》引《月令萃编》）另一形式为："先觅一古镜，锦囊盛之，独向神灶，勿令人见，双手捧镜，诵咒七遍，出听人言，以定吉凶。又闭目信足走七步，开眼照镜，随其所照，以合人言，无不验也。"（见《中国文化大博览》引《娜嬛记》）。在山东淄川、招远等地在辞灶之后有"卜灶"之俗，即悄悄外出听人说话以为休咎，即镜听之遗俗。

避五毒　亦称"驱五毒"。汉族民间岁时风俗。流行于全国多数地区。为夏历五月初五端午节辟邪、驱疫习俗。民间俗信五月为"毒月"，此月多灾多难。又值初夏，病毒渐趋猖獗，因此有"避五毒"之俗。"五毒"即蛇、蝎子、蜈蚣、蜥蜴、癞蛤蟆。民间认为此"五毒"都从端午日午时起开始孳生，通常人们均于此日午前在屋角及各阴暗处洒石灰,喷雄黄酒,燃药烟,以灭"五毒",驱邪气。并有插菖蒲、悬艾、佩香囊、戴老虎索、贴午时符、沐浴兰汤等俗。"避五毒"之俗起源较早。《言鲭·谷雨五毒》曰:"古者青齐风俗,于谷雨日画五毒符,图蝎子、蜈蚣、蛇虺、蜂、蛾之状,各画一针刺,宣布家户贴之,以禳五毒。"

履长节 古代汉族岁时风俗日。每年冬至日举行。此节汉代已流行。《中华古今注》云:"汉有绣鸳鸯履,昭帝令冬至日上舅姑。"三国魏·曹植《冬至献袜颂表》也载:"亚岁迎祥,履长纳庆。""亚岁"即"冬至"。"履长",喻冬至日长。而"履"为鞋袜之古称,"长"也指"长辈"。故"履长"亦为献鞋袜给长辈之意。《中华全国风俗志·浙江》载:"冬至俗多亚岁。人家互相庆贺,一如新年……妇女献鞋袜于尊长,盖古人履长之义也。"一般在冬至日,严寒将临,晚辈于此时献鞋袜给尊长,一为贺节,一为进送温暖,以示对长辈之敬意。

霜降 岁时节气名。《通纬·孝经援神契》云:"寒露后十五日,斗指戌,为霜降。言气肃露凝结而为霜矣。"二十四节气之一,称"中气"。时在夏历九月(一般为公历10月23日或24日),太阳到达黄经210°时开始,这时我国黄河流域一般出现初霜。江南地区则忙于秋收秋种,及农田基本建设。谚曰:"霜降到,稻子老少一起倒。""霜降到立冬,翻地冻害虫。"此日,民间俗信宜霜,认为"霜降见霜,米谷满仓"。无霜则主来年庄稼歉收。霜降季节,古代黄河流域与之相应的"物候"现象为"豺乃祭兽,草木黄落,蛰虫咸俯。"

鞭春 亦称"鞭春牛"、"鞭土牛"、"打春牛"等。旧时汉族民间岁时风俗。流行全国多数地区。满、蒙等少数民族也行此俗。为立春日祈丰年的活动。起源较早。《周礼·月令》云:"出土牛以送寒气。"唐宋两代始盛行,但仪式改为立春日,故称"鞭春"。《东京梦华录》(卷六)曰:"立春前一日,开封府进春牛入禁中鞭春。开封、祥符两县,置春牛于府前。至日绝早,府僚打春,如方州仪。府前左右,百姓卖小春牛。"含预示农事,劝民春耕之义。宋·程公许有《沧州尘缶编·立春诗》载:"月堕霜空发上亭,土牛今日却鞭春。"明清两代仍沿此俗。《帝京景物略》曰:"立春候,府县官吏具公服,礼句芒,各以彩杖鞭春牛者三,劝耕也。"康熙《济南府志·岁时》也载:"立春日,官吏各具彩杖,击土牛者三,谓之鞭春,以示劝农之意焉。"一般在鞭春牛时,民间百姓有拾取春牛身上落下的土块和牛肚子里流出的谷粒之俗,谓春牛碎土,可以治病;和水涂大灶、牛棚,可使六畜兴旺;而谷粒入仓,可预祝五谷丰登。在东北地区,鞭春牛时人们还边打边唱:"一打风调雨顺,二打地肥土暄,三打三阳开泰,四打四季平安,五打五谷丰登,六打六合同春。"之谣,反映了民间祈望丰年的美好祝愿。

曝书节　亦称"曝书日"、"晒霉"、"曝衣"、"晒伏"等。汉族民间岁时风俗日。流行于全国各地，尤以江南为盛。时在夏历六月初六。相传此日为"龙王"晒鳞的吉日。又谓该日为佛祖释迦牟尼于日中曝晒佛经日。其说各异。但此日一般阳光强烈，气候干燥，故每逢此日凡有藏书者皆曝列日下，寺庙祠堂亦翻晒经书、族谱，谓晒过之后不易发霉、虫蛀。又因江南一带六、七月间进入梅雨季节，衣物易生霉变，故民间也多于是日曝晒衣物，谓可以防霉、防虫蛀。《中华全国风俗志·湖南》云："六月初六日曝书晒衣，妇女将清水曝热，为孩子洗浴，谓可免疮疖。"民间亦有"六月六，晒古旧"之谚。

居 住 器 用

一颗印 又称"四水到堂"，传统民间居住方式之一。一颗印的结构特点是将正房、厢房和倒座房连成一体，组成一个紧凑的四合院，或三合院加一面院墙的形式。院的平面呈口字形，像一颗印，故名之。因其四面屋面联结处构成四个槽，下雨时雨水顺槽从四面流入院内，故又称"四水到堂"或"四水投堂"。一颗印住宅为二层或一层穿斗架房屋的组合，形成若干单元组成的口字形平面。一颗印住宅整体强度增大，各屋框架之间互相依靠，既可防止东倒西歪，又可防止南北倾斜，具有良好的抗震性能。

七檩房 旧式梁架结构的一种。这种结构的每架山包括前后檐柱、前后金柱、金柱上置大梁，大梁上置两根短柱，短柱上置二梁，二梁正中立脊柱。七檩房从檐柱起每一面三组檩，加上脊檩，前后共七组檩，故称七檩房。从檐柱到金柱的档距称"檐步"，从金柱到二梁短柱的档距称"金步"，从二梁短柱到脊柱的档距叫"脊步"，每一步升高距离与水平距离的比例称为"举"。按清代《工程作法则例》，檐步为五举，即升高距离是水平距离的 50%，金步为七举，脊步为九举。这种自檐步以上各步架档距自外向内逐步缩小的做法叫"推山"，其效果是使屋面呈曲线形，反映了我国劳动人民的审美意识。七檩房架是民间住宅中广泛使用的一种结构形式。

卜宅 风水术的别称之一。中国古代有许多用占卜来选择住处或决定建造城邑活动的记载。"卜宅"一词最早见于《尚书·召诰》，其曰："太保朝圣于洛，卜宅。厥既得卜，则经营"。又《礼记·杂记》云："大夫卜宅与葬日"。《五行禄命葬书论》中说："《易》称上古穴居而野处，后代至人易之宫室，盖取诸大壮。逮乎殷周之际，乃有卜宅之文。故《诗》称相其阴阳，《书》云卜惟洛食。此则卜宅吉凶其来尚矣。"实际上殷商卜辞中有大量关于占卜建筑的记载。卜宅的内容是用占卜来决定是否兴建，建于何处，建于何时。卜宅是风水术之滥觞，也是风水术的理论基础之一，因此后世人们也称风水为卜宅，甚至把卜宅引申为置买房产的意思。如陶潜《移居》诗："昔欲居南村，非为卜其宅。杜甫《秋野》诗："系舟蛮井络，卜宅楚村墟"。

几 用以倚靠身体或摆放物件的

矮小桌子，因用途各异又有"凭几"、"花几"、"茶几"、"香几"等不同形制和名称。《礼记·曲礼上》曰："谋于长者，必操几杖以从之"。孔颖达疏："杖可以策身，几可以扶己，俱是养尊者之物。"这是说古代的几是老人倚靠身体用的，后世常用几来摆放物品。承放香炉的香几多为圆形，三弯腿，足下有"托泥"，造型优美。摆放花盆或盆景的叫花几，有圆形的也有方形的，而且高矮及式样的变化也较多。日常用的茶几一般与椅子配套，做法与装饰都相同，有方形和圆形两种。还有一种可以从大到小套叠起来的套几，除最小的一个外，其余各件均少一面横枨，便于套入小几。套几有"套三"、"套四"之分。搁几是在两个几架上横放一块长搁板，成一长案，也叫"几案"、"条几"，可以随时拆装。

八仙桌　又称"八仙案"，传统家具中一种桌面较宽的方桌，一般为110厘米见方，每边可坐两人，四边一周共坐八人，故称八仙桌。关于八仙据说是指历史上善饮酒的李白、贺知章、李适之、李琎、崔宗之、苏晋、张旭、焦遂八人。《通俗编》曰："晁补之《鸡肋集》有八仙案铭云，东皋松菊堂，饮中八仙桌。……按此桌名，自北宋有之，而所谓八仙，乃饮中八仙也。"八仙桌多用硬木制成，桌面用攒边作法，桌面框与牙条之间有"束腰"。束腰以下有装牙板的，也有装罗锅枨的，以短柱与上部相连，既美观又可增加强度。四条直腿，脚式用"关刀脚"。民间有一种八仙桌，桌面可卸下，脚架枨横向交叉，中间装轴可折叠，便于移动。八仙桌多放置堂屋正中，两侧配置太师椅。

下镇物　又称"镇宅"，传统建房风俗之一，即在起盖房屋的地基中或墙体屋顶上放置石刻等物的压胜法。《荆楚岁时记》云："十二月暮日，掘宅四角，各埋大石为镇压。"青海地区建房前"下宝瓶"也属于这种风俗。出于同一种信仰，也有因仇视房主而偷放不祥镇物的。旧时雇工人盖房，工人如果认为雇主苛刻，就在房地基中偷放镇物以为报复。如放木刻男女裸像咒主家妇女不贞，放二木刻人作斗殴状咒主家家宅不安，埋倒扣一罗碗咒主家财水外流等。《西墅杂记》曰："皋桥韩氏从事营造，丧服不绝者四十余年。后以风雨败其垣，壁中藏一孝巾，以砖弁之，其意以为砖戴孝也。又常熟某氏建一新屋，最后生女多不贞，二三世如之。一日，屋蔽而缮之，于椽间得一木人，为一女子，三四男勾引淫亵……？这类将人事与下镇物联系起来的传说，使人们对这种习俗的结果更加相信。另外下镇物的人还认为，不祥镇物必须偷放，被人发现就不灵了。

大杂院　旧社会北方城市贫民及下层劳动人民聚居的形式之一。与大杂院相对的是独门独院，因此大杂院的特点是杂：一是居民杂，一个院中往往几户或十几户同住，职业不同、经济来源不同、家庭状况和组成不同，但以城市下层民众为主；二是住房及院落形式杂，大杂院可以是面目全非的四合院，即原来的四合院经过拆搭接盖以后的状态，也可以是在城市隙地或边缘接盖成院的。由于大杂院不是事先规划的院落，所以杂乱无章。总的来说，大杂院房屋简陋、破旧，院内空间拥挤狭小，上下水等生活设施缺乏，反映了旧社会劳动人民贫苦的生活状况。

上梁 又称"升梁"，中国传统建筑房屋时立架中的主要工序，是检验预制构件的组装效果、检验瓦、木、石工的配合成果（即使梁枋中线与柱顶石中线对正）的时刻，也是木工起重的表演。中国古代传统建筑有大量附会风水的习俗，其中上梁就得选择良辰吉日。《涉异志》云："明南司寇余姚滑南廓营第邑之南隅。夜半将上梁，木工报以未及吉，公就冠带坐以待"。可见上梁不但决定建筑的质量，又是主人对日后家运兴旺的希望寄托。古代无论是官方建筑还是民间建筑，上梁时常要举行一些仪式，例如鸣放鞭炮、梁木披红、诵唱吉祥语、焚香化表、宴饮匠人等。江苏建房的习俗是，亲友皆挑条盒，内装糕粽前去祝贺，意为"高中团圆"。上梁时有抛梁的习俗，即由泥木匠人在梁上向四面抛掷糕粽团，一边高呼"抛梁抛仔高，子子孙孙中阁老"。来观者群相抢拾。各地都有或多或少类似的程序。如北方上梁时抛小馒头。

门闩 又称"门栓"，传统建筑中从内闭锁门扇的装置，用于左右对开的城门、院门、房门等。一般在大门内框两侧适中的地方装置门闩的槽托，门闩是一根粗大的方楞木棍，门关上以后将门闩横放入两侧槽托中，门就推不开了。门打开后，门闩必须放在固定的位置，有的住宅在门后专设门闩和门槛的插座，不能随便移作他用。有一种较小的门闩，一般用于房门，在两扇门对口两侧装槽托，门闩较短，达不到两侧门框，关门后将门闩横推入对面槽托中即可。这种门闩的缺点是，门外边的人可以从门缝中用工具将门拨开。为了防止从门外拨开，有些门闩另有销子。

门钉 传统建筑大门上联结门板与穿带的铁钉。起初门钉的钉帽部分锻打成蘑菇状，后来钉帽逐渐变大，最终成了单独的装饰构件。钉帽的材料有铜、铁、木等，显贵的住宅则用铜鎏金门钉。有的钉帽中心有眼，套钉在门上，有的钉帽则另外嵌在门钉上。门钉的路数与门背后的横带数相同，但早期门钉的路数与每路的钉数不一定相同。如唐代五台山南禅寺大殿的大门，三条横带钉三路，每路七钉，五台山佛光寺东大殿的大门，钉五路，每路九钉。到了清代规定门钉的路数与每路的钉数要相同，如门钉七路，每路七钉。最多者为九路九钉，天安门、午门、太和门皆为八十一钉。

门楼 传统建筑中有顶和过道的门。门楼一般用于院落的入口处，相当于一间没有前后檐墙的单独房屋，其顶部结构和作法与正房相同，门框和门扇装在中间，前后形成甬道.门楼一般高出地面,里外铺台阶形成高台,门外两侧靠门柱处安放各种石制门墩,有的是石雕抱鼓石,有的是石刻怪兽,或只简单地置两块方石.门楼两侧山墙也可以同时是相邻两侧倒座房的山墙,大门内山墙上可开门窗与守门人的门房相通.讲究人家的砖檐上采用大量精美的砖雕,如北方常见的垂花门常有各种图案的砖雕.大门两侧的门框或门扇上要写对联,有的门楣枋木断面成正六边形,上写福字等.门过道一侧置放春凳供看门人休息,门楣上悬挂灯,灯上写某宅、某第、某府等字样,一般富户写某宅某寓,有官职的写某府,王侯家写某第.普通院落的门楼可以简化为过道门楼、脊架门楼和土坯门楼等.

飞檐　又称"出檐",传统建筑屋顶檐部的形式之一.指屋顶伸出建筑物的外墙或檐柱,形成轻巧美观檐口的屋顶形式.张衡《西京赋》中"飞檐槭槭"就是描写飞檐高挑的形态.抬梁式结构利用斗拱和挑檐桁尽量外举造成飞檐效果.穿斗式结构则利用穿过柱子的挑枋承托挑檩,一挑可出檐1米,三挑可达3米.飞檐屋顶不但美观,而且可以使檐头的滴水尽量远离墙面,尽量使雨水不至打湿墙柱和窗纸,夏天则可以遮挡阳光,因此尤其适用于夏日炎热,雨水充沛的地区.

女儿墙　又称"压檐墙"、"女墙"、"女垣"、"睥睨",指城墙上的矮墙.《释名·释宫室》云:"城上垣,曰睥睨……亦曰女墙,言其卑小比之于

城".女儿墙是城墙防守者观察窥测时的屏障.旧社会农村富豪院落房顶外侧檐部修砌压檐墙(即女儿墙)作为巡视防守的工事.女儿墙和山墙处的封火墙往往连成一体,使整个院落屋顶形成一个封闭的围墙.有的女儿墙用花砖砌法,还有的用雕刻的砖仿制各种木栏杆,既减轻重量,又有装饰效果.

井　为取用地下水而凿的人工深穴.《周易·井》云:"改邑不改井".疏:"古者穿地取水,以瓶引汲,谓之为井".井的深度根据地下水位的高低而不等,平原地区浅井仅几米深,深者可达数十米.井壁一般用砖或石块垒砌,也有瓦制的.井的直径约1米左右,下面大上面小,井口有木制方形的,也有用整块石板盖住,上开一个可放入水桶的圆口.井口有井栏,也叫"井干".《庄子·秋水》曰:"吾乐与,出跳梁乎井干之上."汉代出土的井栏多有陶制的.汲水的方法很多,可以用绳子吊桶用手提,也可以用辘轳或用桔槔提水.传说中有一种不凿自成的"浪井".《太平御览》(卷八七三)曰:"孙氏瑞应图曰,王者清净则浪井出,有仙人主之".由于井水比较清洁,所以成为我国人民主要的饮水来源,不管是乡村城镇,井是必不可少的生活设施.如明清时期皇宫中上万人的饮水主要靠井水,故宫中有带井亭的井.井有时成为城镇的代称,如"市井",也有时作为聚落的代称,人们用"背井离乡"来表示离开家乡,反映了井在人们心目中的地位.

天井 亦称"院子"，四面或三面围合的房屋、围墙当中的空地，也指室内露天的小空地。据说唐代就已有了院子的称呼。《直话补正》云："今人阶下露地曰天井，亦曰院子。……院子之称，唐有之矣"。传统风水术对天井有特殊要求。《相宅经纂·天井》曰："凡第宅内厅、外厅，皆以天井为明堂，财禄之所"，"房屋天井固忌太狭致黑，亦忌太阔散气，宜聚合内栋之水，必从外栋天井中出，不然八字分流，谓之无神。必会于吉方，总放出口，始不散乱。天井戴树木者不吉，置栏者不吉"。就是说天井不可太小，也不可太大，排水要集中，不能栽树和置栏杆。实际上这些用玄虚的理论规定的原则有相当大的合理性，也实际指导着历代民居的实践。如天津地区天井中都不种树，只摆盆栽石榴树和鱼缸，这样有利于采光。另外天津四合院天井内不见黄土地，大户人家用方砖墁地，小户人家则用长条砖墁地，这样可以保持院内清洁。有的住宅夏季在天井中搭天棚遮阳，冬季拆去增加日照。

天花 又称"顶棚"，古代又称"承尘"、"仰尘"、"重橑"、"平机"、"平棋"、"平暗"等，传统建筑中的梁下屋顶内装修。天花有三种做法：平暗作法是用小方椽十字相交做成许多小而密的方格，上面覆以木板；平棋的作法是先用木条（桯）做成矩形或方形格，上覆以彩绘或雕刻的天花板，平棋又叫天花或井口天花，多用于宫殿、庙宇等大型建筑；海漫天花是用木条钉成方格网架，上糊花纸，民间有在方格中钉秫秸再糊纸的，海漫天花属于一般民居顶棚，三种做法中平棋为最高级。宫廷建筑中往往使用高级楠木做天花板，天花的图案丰富多彩，有雕刻的有彩绘的。天花的图案有盘球、斗八、叠胜、琐子、簇六球纹、六入团花、簇六雪花及东钏球纹等。天花的作用是承接梁上落下的尘土，隔热保温和装饰美化。

天花彩画 中国传统建筑天花板的装饰图案。天花彩画一般分为三类：软天花是用高丽纸或双抄纸画好图案后托裱在天花板上；硬天花是按井口尺寸配成木板，按顺序编号，用油漆涂刷并彩绘后按号安装；死天花是固定的，只能在屋顶仰面作画。天花彩画的形式一般是在方形格内套一圆形图案，称为"方圆骰子"，圆骰子内的图案有龙、凤、团鹤、佛梵字、汉瓦、西番莲草和其它花卉等。方骰子和圆骰子之间的叉角图案要根据圆骰子内的图案内容而定。如果圆骰子内画龙凤，叉角则画云头图案，圆骰内如画花卉，叉角则画夔龙、夔蝠、卷草等。天花圆骰子内一般都刷青色地子，方骰子内刷二绿地子，方骰子外边刷砂绿，井口和支条刷绿色。天花彩画的等级为片金天花、金线天花、金琢墨天花、烟琢墨天花以及无金红线、无金墨线、无金黄线等做法。

开间 传统梁架式建筑计算间架的单位，两个檐柱之间为一个开间，因此一个开间也就相当于一根檩的长度。传统梁架式建筑一般为长方形，随着屋规模的增加，间架连续向两侧横向延展。单开间至少要两付梁架，每增加一个开间就要增加一付梁架。房屋迎面相邻檐柱中心与中心的档距叫"面阔"，每个开间的面阔根据房屋的规模和房间在整体建筑中的位置，而有固定的模数。在封建社会，建筑间架的多少，即开间的多少，被认为是关乎礼制的重大问题，而且开间数也是衡量居住者身份等级的标志。宋代《营造法式》把十三间作为最高等级，其次是十一间、九间、七间、五间等，一般间数越多，进深也相应加大。正中的一间称为"明间"，两侧为"暗间"，再两侧依次为"梢间"、"廊间"。明间的面阔最大，暗间次之，梢间又次之，余类推。开间的固定模式既是我国古代劳动人民经验智慧的结晶，又是封建社会尊卑主从观念的体现。

瓦当　又称"瓦挡"、"瓦头"，传统建筑屋顶檐头筒瓦前端突出的唇舌。"当"有阻挡、遮拦的意思，瓦当的功能就是阻挡上面的瓦不致滑下，遮盖筒瓦间的缝隙，起束水作用，同时又是一种建筑装饰。瓦出现在西周，东周时开始出现瓦当。当时的瓦当为半圆形，称为"半瓦当"，表面有凸起的饕餮纹、涡纹、卷云纹、铺首纹等。战国以后瓦当发展成圆形，秦汉瓦当图案非常丰富，有云纹、葵纹、动物纹、植物纹及文字等，如陕西出土的汉代未央宫瓦当中有青龙、白虎、朱雀、玄武的四象造型。魏晋南北朝时期的圆瓦当以云纹图

案为主，北魏后期乃至隋唐时期莲花纹较常见。宋元明清时期多用兽面纹及福禄寿等文字。瓦当的图案及文字寄托着民间的吉祥企望和审美观，其图案变化也是各历史时期社会文化倾向的反映。

瓦钉　传统建筑中一种固定屋面瓦的构造，可以防止屋面瓦片被风吹落或因重力而下滑。瓦钉在西周时即已出现，当时的瓦钉附在瓦片上，与瓦身成一整体。战国以后，瓦钉开始脱离瓦身单独烧造，其钉身为尖锥形，一端为蘑菇形的钉帽，钉帽表面印有菱状凸纹、星角凸纹等几何图案。瓦钉穿过瓦片上的钉孔钉入瓦下的草泥层使瓦固定。后来有的瓦钉为陶帽铢身，明清用琉璃钉帽。带瓦当的檐头瓦一般都要使用瓦钉，为了瓦的稳定，屋顶中间也要间隔使用瓦钉。宋代《营造法式》规定："六椽以上屋势紧峻者，于正脊下第四瓩瓦及第八瓩瓦背当中用著盖腰钉"。

太师椅　又称"圈椅"，中国传统扶手靠背椅之一种。其特征是圈背连着扶手，从后到前一顺而下，用一根整料弯成。相传宋代即有太师椅，宋张端义《贵耳编》曰："今之校椅，古之胡床也。自来只有栲栳样，宰相侍从皆用之"。栲栳样即两扶手与靠背连成一体的椅圈。《万历野获编·玩具物带人》载："椅之栲栳联前者，多太师椅"。栲栳又作"杯圈"，指像杯盆一样弯曲的椅圈。明代太师椅一般用黄花梨等硬木制作，造型简洁，月牙状扶手光洁平滑，各档接榫

处装"券口牙子"装饰,背板上有镂空雕刻,四条直脚间踏枨靠近地面。清代太师椅上部变化不大,只是四足稍呈曲形,踏脚枨完全落地。太师椅皆成对,置于八仙桌两侧,为堂屋或客厅必备的家具陈设。

支摘窗 又称"和合窗",传统建筑小木作窗的一种,是一种用于外檐,可以向内或向外支起,可以落下的活动窗。北方住宅的支摘窗一般分为两部分,在槛墙正中立间柱。每一面支摘又分为上下两半段,上半段可支起,下半段可以摘下,也可以是固定的。清末北方支摘窗的下半段镶玻璃,京津地区多镶三大块玻璃,俗称"三块瓦"。南方的支摘窗有每开间加二三根间柱,将窗分成三四部分的,每一面上下也分三段。有的窗在下段再加一根小间柱,装两扇小窗。支摘窗的格心以灯笼框、步步锦花格为多,窗棂上糊窗纸。支摘窗在民间使用广泛,并有在窗上粘贴各种窗花的风俗。

水法 又称"观水口",传统风水术选择基址和环境布局的原则之一。俗语说"未看山时先看水,有山无水休寻址"、"入山首观水口",水口是水的来源处与排出处。风水术视水口为"生旺死绝之纲"、"风水之法水为上"、"吉地不可无水",可见其重要性不亚于觅龙。把寻找水源作为聚落选址的首要条件,至今仍是规划建设中的原则之一。风水术把水的来源处叫"天门",把水流去处叫"地户",《入山眼图说》记:"凡水来处谓之天门,若来不见源流谓之天门开;水去处谓之地户,不见水去谓之地户闭。夫水本主财,门开则财来,户闭则财用不竭"。水法的原则是,水流入的天门越开大越好,水流出的地户越封闭越好。《地理大书·山法全书》载:"源宜朝抱有情,不宜直射关闭,去口宜关闭紧密,最怕直去无收。"水流去处应当有水口砂山形成门户挟持之状,所谓"水口砂者,水流去处两岸之山也。切不可空缺,令水直出;必欲其山周密稠叠,交节关锁"。最佳的选址在水流三面环绕的河曲处,谓之"金城环抱"。传统水法理论虽然夹杂有一些迷信说法,但与今天城镇规划中的给排水设计有许多相通之处。

水烟袋 传统吸烟用具之一。水烟袋由吸管、烟管、烟锅和水壶组成。水壶为一密容器,内盛半壶水,烟管一头潜入水下,一头引出壶外顶端装一个烟锅,吸管连通壶体,但不潜入水下。使用时在烟锅中装烟点燃,烟通过烟管进入水壶,经过水中过滤,再经过吸管吸食,烟气经过水时发出呼噜的响声。水烟袋一般用金属制成,吸管或长或短,水壶形状各异,有的还有雕饰或各种镶嵌,功能都一样。南方有一种竹制的简易水烟袋,用碗口粗的竹筒制成,竹筒内打通留底,在靠底部的竹节处留一适当的竹枝叉,与大筒贯通作烟管,枝头装一小烟锅。使用时向大筒内装水浸过小枝叉接口处,在烟锅上放烟点燃,把整个脸贴近竹筒口吸食,效果与金属水烟袋相同。

手杖 又称"拐杖",老人及病残

人辅助行走的器具。《礼记·曲礼上》云:"大夫七十而致事,若不得谢,则必赐之几杖。"意思是如果70岁的老人告老退休而不得准,一定要赐以几和杖。手杖在民间是十分常见的器具,品种繁多,材料和造型各异。以形态命名的有以龙头形状为装饰的"龙头杖",杖头刻鸠的"鸠杖",以植物根为杖头的"芙蓉杖"等。以材料分,竹制的有"邛竹杖"、"寿星杖"、"云竹杖"、"方竹杖"等;木制的有"乌木手杖"、"百寿杖"、"百龄杖"等。较长的手杖可以高过头顶,较短的只有齐腰高。山地居民或登山旅行者皆有持手杖的习俗,不但可以作爬山的辅助工具,也可以防止手腕肿涨。手杖的装饰工艺有镶嵌、雕刻、绘画、涂漆等,是传统的精美工艺品和常见的旅游纪念品。

风门 又称"风门子",传统建筑中槅门外安装的用于冬季挡风的门,多用于北方建筑。门为单扇,向外开启,门形矮而宽,下半装裙板,上半为格心,裙板与格心高度比例为1:1。风门的格心多做步步锦、灯笼框等。风门的门框叫"帘架",附在槅扇门的外侧,与开启的两扇槅扇门大小相同,因夏日可在上面挂竹帘,故名。风门的门框很容易装卸,槅扇门槛外装两个槽可将门框下端插入,门楣上有相对的两个活销,叫"蛤蟆销子",将风门框销紧。有的风门大框内再做一小门框,使风门小于后面的槅扇,有利于挡风保温。大门框下半部也做裙板,上半部做格心。这样的门框实际上是一个中间开门的大隔扇,附装在原槅扇门上。

风斗 传统民居窗户上安装的通风构造。《乡言解颐》云:"出烟恐入室,故穴窗纸,外安风斗。"华北城市中使用炭火盆及后来烧煤球炉的家庭普遍使用风斗。旧时冬季取暖用的炭火盆或敞口煤球炉没有烟筒,为了防止煤气中毒,窗上都要装风斗。风斗的做法是用木条或秫秸竿做成一个正面为长方形,两侧为三角形的框架,一面钉在窗上外侧,与室内相通,另一面和两个三角形侧面糊纸,上方开口。风斗上方开口利于室内空气流通,室外之风又不至径直灌入。

风水术 又称"堪舆"、"地理"、"阴阳"、"形法"、"青囊术"、"青乌"等等,是我国古代选择和解释聚落环境、方位的理论和方法。风水一词最初见于《葬经》,相传为晋代郭璞所著,书中说:"经曰:气乘风则散,界水则止,古人聚之使不散,行之使有止,故谓之风水。风水之法,得水为上,藏风次之。"就是说风水术的出发点在于"气"。气是我国古代哲学的基本概念之一,是主宰人与自然万物的根本要素。风水术用风和水等解释气的状态,并以此为原则来选择和解释基址的状态。《风水术》中说:"所谓风者,取其山势之藏纳,土色之坚厚,不冲冒四面之风与无所谓地风者也。所谓水者,取其地势之高燥,无使水近夫亲肤而已;若水势曲屈而环向之,又其第二意也。"精微之旨,尤致祥于龙穴沙水"。风水术在其历史发展沿革中产生过许多流派。汉代有所谓"形法"与"堪舆"之分，唐宋以后衍为"形势宗"与"理气宗"两大派别。到了清代，风水理论纷杂繁乱，但总的来说还是分为两大派。一派称"江西派"，又称为"形势派"、"峦体派"。《青岩丛录》中说："江西之法，肇于赣人杨筠松、曾文辿；及赖大有、谢之逸之辈，尤精其学。其为说主于形势，原其所起，即其所止，以定向位，专注龙、穴、砂、水之相配，其它拘忌，在所不论。"形势派注重具体环境的分析，其理论和实践中的合理成份相对较多些，因此流传较广。另一派称"福建派"，又称"宗庙法"、"屋宇法"。《青岩丛录》说："宗庙之法，始于闽中，其源甚远，及宋王伋乃大行。其为说主于星卦，阳山阳向，阴山阴向，不相乘错，纯取五星八卦以定生克之理。"风水理论的基础是中国传统的阴阳、五行、八卦等哲学思想，体现了中国传统文化中"天人合一"的基本观念。风水理论中有相当多的迷信和玄虚的成份，但其内涵涉及地理、地质、水文、生态、小气候、景观、美学等领域，对中国古代城市、村镇聚落、住宅民居、陵墓等的选址布局、规划设计及营造方式等有深刻的影响，是认识中国传统建筑文化的基本知识。

凶宅 传统风水术认为对主人不利的建筑形式。凶是吉的对应词，风水术中决定凶宅的因素很多，比如在邻里关系方面，忌于众人屋向相反，称为"众抵煞"；在种植树木的规则方面，"宅东有杏凶，宅北有李，宅西有桃皆为淫邪"等。凶宅的具体布局分为内形和外形。内形指房屋的布局，如房东头接小房者名"单耳房"，主小口马牛有伤；堂房两头各接小房名为"双耳房"，主家人大小暗风、黄肿、咳嗽血光之疾；堂房西头接小房名"孤独房"，主家荡人亡；破屋大漏称"露星房"，主官灾横事，人口血财不旺；堂房东头靠山横盖房名单侧房，主横灾。其它布局还有：北房西头又有西房的"暗笑房"、再接重厦的"再插焦耳房"、盖房不截房檐木的"露骨房"、经年未盖完的"晒尸房"、堂屋东间连盖东房的"披头插尾房"、只有一间房的"孤阳房"、拆一半留一半的"瘫痪房"、只有东房和北房的"纯阳房"、西房北头垂下厦的"白虎畔边哭"、东房南头插小房的"青龙举过头"、北房西头接厦的"朱雀举翅"、宅东北角有一小房的"腾蛇举头"、堂屋前中央有正房的"小字房"、前高后低的"过头房"等都被认为是凶宅。外形指院落的布局与环境，如"左短右长不堪居，生财不旺人口虚，住宅必定子孩愚，先有田蚕后也无"；"此宅修在涯水头，主定其地不堪修，牛羊尽死人逃去，造宅修茔见祸由；""前宽后狭似棺形，住宅四时不安宁，资财破尽人口死，悲啼呻吟有叹声"。类似的外形布局还有"卯地有丘坟"、"左边水来射午宫"、"西北乾宫有水池"、"前有大山"、"四角有林桑"、"前后有坟林"、"左边孤坟"、"东有大山"、"前山后山"、"四面交道"、"左边大道"、"两边白虎"等等皆为凶宅。把这些内外形布局与家破人亡联系起来显然是具有牵强附会的迷信色彩，但是这些房屋和院落的形式，不是环境不好，就是结构不合理，至少外观不好看。剔除其迷信成份，它在建筑布局、建筑美学、环境选择等方面还是有可取之处的。

斗拱　又称"枓栱"、"栌㭿"，我国传统梁架式木结构建筑中的一种支承构件。斗拱是由方形木块——斗，和向前后左右挑出的臂形横木——拱，纵横交错层迭构成的上大下小的托座。它可以传递载荷，将建筑物顶部构件的重量平均分配在这一托座的构架上，以分散横梁在与立柱衔接部位所受的集中剪力，而不易折断。由于斗拱有逐层挑出的作用，可以使屋檐大量外伸，既增加了屋顶的覆盖面积，又使建筑的形式美观，形成独特的风格。斗拱技术的形成源远流长，早在西周初期的器物"令毁"，就曾出现了斗拱的原始形态。汉代，斗拱的结构得到了较多的应用，当时有"短者以为朱儒枅栌"（《淮南子·主术训》）和"结重栾以相承"（《西京赋》）的说法。"栌"和"栾"就是斗拱。在山东、四川出土的东汉墓中也发现了较多的在柱头上使用斗拱的实例。唐以后斗拱的结构日趋复杂化，在建筑上的应用日臻成熟，斗拱在室内结构上和建筑形象上的作用更为突出。从宋代开始到明清时期，斗拱结构在建筑整体木构架中所占的比例逐渐缩小。斗拱技术也日趋规范化、程式化。斗拱分为内檐斗拱和外檐斗拱，从应用位置上又分为柱头斗拱，柱间斗拱和转角斗拱。复杂的斗拱技术往往应用于高大的特殊建筑，如宫殿、庙宇等，用于民居的则是大大简化的形式。斗拱是我国传统建筑技术的重要组成部分，也是传统建筑风格的重要特征之一。

火炕　又称"炕"，北方乡村和城镇冬季主要取暖方式。《北盟会编》（卷三）云："环屋为土床，炽火其下，与寝食起居其上谓之炕，以取其暖"。火灶是用砖或土坯搭成的，内有炕洞，炕洞一头连着烟囱，一头连着室内的灶膛。连三间的居室，灶放在堂屋，灶膛穿过隔断墙连通次间的炕洞。里外间居室，灶在外间。一间屋子的居室，炕头隔出一块灶台，上有一木架与炕平，白天做饭，晚上搭上木板可睡人，灶膛与炕洞相连，京津地区称"炕箱子"。有一种没有灶台的火炕，在炕前挖一深坑，炕墙上开烧火口，烧过炕后在坑上盖一木板与地平，称"地炕"。地炕的烧火口也可以开在室外。乡村中独间屋火坑多在炕头砌一矮墙，墙外隔出灶台，矮墙上可放置烛台、油瓶等杂物。灶火一般用粮食作物的茎秆或柴草作燃料，热气随着烟一起流入炕洞，使砖或土坯加热，然后烟从烟囱排出。在烟囱根底下有一个"烟脖"，防止呛风，并能防止炕洞内的热气散失太快。大多数民居炕灶连用，取暖做饭一把火。为了使烟气进入灶洞，灶面一般低于炕面，俗话"七行锅台八行炕"就是说的这种情况,即锅台砌七层砖,炕砌八层砖。炕烧热后,室内也可以保持适当的温度,所谓"炕热屋子暖"。北方冬季烧火炕的屋子来客人时,如果是男客就在堂屋接待,如果是女客则让入暗间,请客人上炕,并在靠近灶膛的炕头坐以示礼貌,因为炕头最暖和。炕可以烧炭,在靠近产煤区的地方可以烧煤。火炕的形式在清乾隆年间已成熟,这是我国古代劳动人民创造的节约能源的采暖技术。

火盆 盛炭火的盆子,古代称"炉"或"薰炉"。火盆用来取暖或烘烤衣服,《初学记》(卷二十五)曰:"煨,盆中火也。"煨是熟烤食物的意思,古时火盆也用于烹饪。火盆至少在春秋时代已经出现,出土的实物以长方形为多,如河南新郑出土的"王子婴次之燎卢"火盆,卢即炉字。这是一件长方形的容器,铜质平底大口,四旁有环作耳。火盆一般用铜或铁等金属制成,也有陶制的,如河南洛阳烧沟汉墓出土的陶炉,圆形高圈足。当烧煤尚不普遍时,我国北方在冬季除有火炕、火墙、火地之外,也用炭火盆取暖。点火时先要在院中用木柴引燃木炭,待烟气散尽再放入室内,中间续炭时再搬出。烧火盆的室内一定要装风斗,以免被煤气薰着。炭火盆在室内置于一个专用架几上,几高一米,架顶为平面,当中有圆洞,洞周围有铜圈口,放置火盆。几中腰有一抽屉,内放火镰、火石、火绒、炭夹子等物。抽屉下为一方箱子,内放炭渣,正面有插门。火盆几上有盖,夏天盖上后可做小桌使用。有的火盆上罩镂空铜罩,高50—60厘米,叫"薰笼",薰笼周围有一个用竹杆编成的小架子,以备烘烤小件衣物等。《太平御览》(卷一七〇)载:"太子纳妃有漆画手巾薰笼、大被薰笼等"。

火镰 传统取火用具,为一月牙形铁块,长约8厘米左右,一般装在盛火绒的小皮袋上。取火时火镰与燧石、火绒一起使用,先将用艾绒和硝制成的火绒放在一小块燧石上,使力用火镰敲击燧石,使其发出火星,引起火绒燃烧,作为火种。火绒的阴火可以直接点燃烟袋锅,故吸烟人常随身携带火镰。如果生火做饭,还得用其它引火物燃成明火再点燃烧草。火镰是火柴出现之前家常必备的取火用具。《元曲选·张生煮海》(三)唱:"家僮将火镰、火石引起火来,用三角石头把锅儿放上,"就是提及火镰引火的习俗。

正房 传统住宅中主要的建筑物,指座落在院落中轴线上的房屋,如四合院中面对大门的房屋,正房一般座北朝南。《晋书·淳于智传》云:"堂屋五间,拉然而崩"。这里的堂屋与正房的意义相同,不过有时堂屋仅指正房或厢房正中的一间,如正房三间一明两暗,明间称堂屋,两暗为耳房。正房供长辈或家庭重要成员居住,长辈一般住正房东次间,西次间住伺候丫环或陪房,也可以住长子长媳或长孙等。正房两侧的房间为厢房,称东西厢房,由晚辈居住。正房是四合院的核心部分,接待客人、宴饮或其它家庭中的重大活动都在正房举行。

龙脉 传统风水术选址的基本概念之一,一般指山脉起伏连绵之象。《管氏地理指蒙》云:"指山为龙兮,象形势之腾伏"。按照风水理论,昆仑山是天下之主山,向中国伸出三条主干:北干、中干、南干。各条干脉派生出支脉,支脉再派生支脉,像血管一样遍布中国。风水术内容中最先要做的就是"觅龙",即考察与基址有关系的山峦的"来龙去脉",以便"寻龙捉脉"。《地理人子须知》认为龙脉审辨之法"以水源为主,故大干龙则以大江大河夹送,小干龙则以大溪涧夹送,大枝龙则以小溪小涧夹送,小枝龙则惟田源沟洫夹送而已,观水源长短而枝干之大小见矣。"城镇村落的选址,一般在所谓龙脉生气的聚处,即山峦环抱的穴位处,"大聚为都会"、"中聚为大郡"、"小聚为乡村、阳宅及富贵阴地"。城镇聚落倚傍之山,从干龙或支龙而来者称"来龙"、"来脉"、"主山"、"镇山"。来龙又以分枝布叶、横向展开扩大,形成屏帐之势为佳,称为"大帐",来龙两翼"分障包罗于外形成大局者"称为"罗城"。龙脉审辨之法称"观势喝形",所谓"千尺为势,百尺为形","远为势,近为形","势言其大者,形言其小者。"观势的方法很多,如"九势"说有回龙、出洋龙、降龙、生龙、飞龙、卧龙、隐龙、腾龙、领群龙之分;"五势"说有飞势、侧势、逆势、顺势、回势之分。喝形是凭直觉观测,将山比作某种动物或器物,更多地用于砂山的观测与命

名。风水术中寻龙捉脉的理论是我国传统农业社会中,人们追求最佳生态环境、完美景观及心理空间的原则。

扑满 又名"闷葫芦罐",民间储蓄硬币用的器具,有竹制、泥制、陶制、石膏制之分。扑满古称"缿",《说文·缶部》云:"缿,受钱器也。古以瓦,今以竹"。《西京杂记》"扑满者、以土为器,以蓄钱,具有入窍而无出窍,满则扑之。"扑满中间是空的,四壁完全封闭,只在背部开一投币槽口,能入不能出,逢年过节要用钱时把罐子砸破。扑满反映了我国人民勤俭持家的良好习惯。扑满常塑成各种动物的形象,既是陈设品,又是儿童玩具。

平顶房 北方传统民居形式之一,其特点是房顶不起脊,房架由梁、檩、椽构成,北方各省较为常见。平顶房的房顶可以用来晾晒粮食等物,如北京郊区出产的干果蜜饯,旧时就是在房顶上晾晒而成的。一般平顶房上下都用梯子,山西的平顶房两侧有上下房的固定通道。平顶房一般分布在雨水较少的地区,因此排水的要求不明显。平顶房的屋顶一般较厚,有利于防寒、保暖、防晒,封闭式的天井院落又有利于防风。故平顶房适合于风沙大、温差大、气候干燥的地区。

石敢当 又称"泰山石敢当",汉族民间居住生活的镇符之一。石敢当是一块长方形石碑,嵌入墙中或独立而置,上刻"石敢当"或"泰山石敢当"字样,通常布置在村落入口

处、河川池塘岸边、门前巷口、又路直冲处、或所谓凶宅附近正对吉方处。石敢当意味着可以镇慑百鬼、禁厌灾祸。石敢当一词初见于西汉史游《急就篇》,云:"师猛虎,石敢当,所不侵,龙未央"。颜师古注:"敢当,言所向无敌也"。关于石敢当的传说很多,有女娲制服蚩尤以炼石说,有西周"石将军"神名说,也有五代力士说。明杨信民《姓源珠玑》有诗:"甲胄当年一武臣,镇安天下护居民,捍冲道路三叉口,埋没泥涂百战身。铜柱承培间紫塞,玉关守御老红尘,英雄往往休相问,见尽英雄来往人。"这里描写的显然是人格化的石敢当形象。据说凿立石敢当应选择吉日,明代《鲁班经》中说:"凡凿石敢当,须择冬至日后甲辰、丙辰、戊辰、庚辰、壬辰、甲寅、丙寅、戊寅、庚寅、壬寅,此十日乃龙虎日,用之吉。至除夕用生肉三片祭之,新正寅时立于门首,莫与外人见,凡有巷道来冲者,用此石敢当。"故而立石敢当在古时也是十分慎重的事。

四象 传统风水理论中关于选择环境系列的四种象征,指左青龙、右白虎、前朱雀、后玄武。《阳宅十书·宅外形地第一》云:"凡宅左有流水,谓之青龙;右有长道,谓之白虎;前有污池,谓之朱雀;后有丘陵,谓之玄武,为最贵地。"《葬经》曰:"玄武垂头,朱雀翔舞、青龙蜿蜒、白虎驯俯"。这是描写的理想的四象形态,四象只是象征性概念,并不特指某种具体的事物,但是具体事物都可以附会成四象。四象来自中国古代天文术语中的天象概念,即用东方苍龙之象、北方玄武之象、西方白虎之象、南方朱雀之象来划分四大星区。在风水理论中,四象一般不固定指东西南北方向,而只是以左青龙、右白虎、前朱雀、后玄武来表示相对方向。在聚落选址时,穴位后面的主山为玄武,又称后山、后龙等;左右的砂山为青龙、白虎,又称左右臂、左右腕、左辅右弼等;前方朱雀应当有水池河渠,是河水流去的方向,有案山、朝山、水口山等砂山。在具体住宅选址时,宅后房屋的屋脊视为来龙,即玄武,左边的流水为青龙,右有大道为白虎,前面的水池或街道为朱雀,这是最理想的格局。实际上具体住宅的环境往往复杂多变,阳宅理论就是用四象附会各种景物加以解释吉凶。四象理论中有许多迷信和牵强附会的成份,但也反映了"负阴抱阳"的选址理想,在实践中有许多合理成份。

四合院 我国传统的院落住宅形式。其布局特点是围绕一个院子,四周为正房、厢房、倒座房、厨房、厕所、杂房等。北京的四合院最有代表性。一般四合院多用南北向的中轴线,风水术中称为"坎"宅,大门开在东南方,称为"巽"门。四合院有大小之分,大四合院由大门、外院、二门、内院、后院和若干跨院组成。进大门正对面有影壁,通过一个侧门进入外院。外院是从大门到二门之间的过渡院,外院南侧有一排房屋称"倒座",北侧为内院院墙。二门是进入内院的入口,多为有过道的垂花门。

内院由正房、左右厢房、两侧抄手游廊和天井院组成，后院又叫"小后院"，与内院格局略同。小四合院没有外院和后院，只有一个院落，由正房、左右厢房和倒座南房组成。传统风水术认为这种四面围合的院落形式是有利于聚气的最理想的吉宅格局。

四白落地　北方民居的室内装修方式之一，指房屋内顶棚和墙壁都用白纸裱糊的形式。《中国社会史料丛钞·糊匠》云："燕中糊裱之技最精，燕京杂记云：京师房舍、墙壁、窗牖俱以白纸裱之。屋之上用高粱秸为架，秸倒系于桁椽，以纸糊其下，谓之顶棚。不善裱者辄有绉纹，京师裱糊匠甚属巧妙，平直光滑，仰视如板壁横悬，或间以别纸点缀为丹楹，刻桷状，真如油之漆之者然。"旧时北京多用"大白纸"，天津则用"粉间纸"，即一种涂白粉的纸。不管糊何种纸，都得先糊一层衬纸打底，再往上糊白纸。房间如此裱糊一次可以保持许多年。

四开光坐墩　明清家具中坐墩工艺之一。开光是明清家具中为了增加装饰效果，在家具的某些部位上镂刻出各种图案孔洞的工艺。四开光则是在坐墩的四面镂孔雕刻。木制坐墩一般是榫拼合而成的，四面开出的孔洞减轻了木墩的重量，而且图案雕刻又增加装饰效果。四开光坐墩圆浑、轻便，具有整体感。

四出头扶手椅　中国传统扶手椅之一种。所谓四出头是指椅背最上端的横梁，也叫"搭脑"，两端出头，左右扶手的前端出头。扶手椅的后背装一块弯曲的靠背扳，两侧扶手中间各装一根"连帮棍"。明式四出头椅多用硬木制作，椅背扶手皆带曲线，两扶手中间向外凸出，连帮棍也自下向上凸出，靠背板呈"S"形，使椅中间形成一自然舒适的空间。椅盘以下皆为直构件，迎面券口身子采用壶门券口做法。

仙人走兽　我国传统建筑屋脊上的雕塑装饰物，通常置于戗脊或垂脊的檐角处。汉代的明器上已经有以动物形象装饰屋顶的图画。屋脊上置仙人走兽形象本来是作为厌胜物，后来演变成一种固定的建筑装饰，从宋代开始就有关于仙人走兽的定制。宋代《营造法式》规定除在檐角处立的仙人之外，其余的走兽必须是三、五、七、九的单数，九件为最高数，其顺序是龙、凤、狮子、海马、天马、押鱼、狻猊、獬豸、斗牛。故宫太和殿垂脊上"走九"之外又加"行什"一件，连同檐角仙人一共十一件，是一种特例。地方建筑中置放仙人走兽的顺序和内容均有许多变化。

立柜　又称"角柜"，传统家具之一种。立柜一般高 1.6～1.9 米，框架式结构，两侧和后背装板，正面装门，四框通足落地，两足间各装拖脚。立柜分"圆角柜"和"方角柜"两种。圆角柜转角处木料为圆弧形，柜顶装"柜帽"，向四边突出，四条边框向外挖出，使柜体上小下大，腿脚与柜帽外沿取齐。柜门不用合叶，采用门枢结构。方角柜较大些，没有柜帽,上下垂直,转角处木料为直角,门采用铜活明合叶。立柜的门多用整板,但也有分四段装板的五抹门,有的柜门上还有雕饰。立柜顶上配顶箱的称为"顶箱立柜",因取放顶箱里的存物必得登高,故顶箱立柜一般配有高凳。两组顶箱立柜的联体称为"四件柜",四件柜很像今天的组合家具。有的立柜内装抽屉暗板,可藏珍贵物品。

穴法 又称"点穴"、"查穴",传统风水术中选择理想位置的方法。穴有"点"的含意,风水术中的穴和中医在人体上的点穴在理论上是相通的,所谓"穴者,山水相交,情之所钟处也","夫山止气象名曰之穴"。确定穴位的根据是龙、砂、水、形等综合因素,即"以龙证穴"、"以砂证穴"、"以水证穴"、"因形似穴"等。在考察了龙、砂、水、形之后,根据前案山、朝山与来龙距离适当的横线,与左右砂山距离适当的纵线十字相交,形成所谓"天心十道",两条线相交处即是穴位或称"龙穴"的位置。穴位是选址最佳位置的中心点,风水先生在点穴时经常使用一把可以折叠的尺作为工具。阳宅的穴位又称"明堂",《地理五诀》说明堂"乃从砂聚会之所,后枕靠,前朝对,左龙砂,右虎砂,正中曰明堂"。穴位还可以具体到住宅、聚落或城市的某一位置,"京都以朝殿为正穴,州郡以公厅为正穴,宅舍以中堂为正穴,坟墓以金井为正穴"。可取的穴称为"吉穴",吉穴分为上上吉、上吉、中吉、下吉等。点穴是风水术选址的最后结果,穴位的准确与否与龙砂水的解释密切相关。

吉宅 传统风水术认为对居住主人有利的建筑形式。吉是凶的对应词。决定吉宅的因素很多,在邻里关系方面有"门不相对"等原则;在适当的绿化方面有"东种桃柳,西种栀榆,南种梅枣,北种李杏","中门有槐,富贵三世,宅后有榆,百鬼不近"等说法;宅门位置的原则是,以离(南)、巽(东南)、震(东)三个方向为吉方。在具体布局方面分为内形和外形,吉宅的内形为四面围合,天井正中的四合院,这样的布局被认为"此个人家大发财,猪羊六畜自然来,读书俊秀人丁显,气候纷纷眼疾催"。松竹环绕的房屋也是吉宅,如"青松郁郁竹漪漪,气象光容好住基,人丁大旺家豪富,积玉堆金着紫衣"。类似的说法很多。在宅外形方面的吉宅有"坤地(西南)有丘坟"、"正北有丘坟"、"乾地(西北)有丘陵"、"前后有高沙"、"西高东下"、"方圆四面平"、"辰巳(东南)有水塘"、"前后高山左右水渠"、"后有山,左短右长"、"四面高"、"东流水西大道"、"西南有水"、"朱玄龙虎四神全,男人富贵女人贤"、"宅前林木在两旁,乾(西北)有丘艮(东北)有冈"。等等。城镇中的吉宅也是根据风水理论中龙、砂、水、穴等原则加以附会。如将屋当作来龙"万瓦鳞鳞市井中,高过屋脊是来龙";将街道比作水,房屋比作砂"一层街衢为一层水,一层墙屋为一层砂,门前街道即是明堂,对面屋宇即是案山"。无疑,吉宅把家庭人财兴旺归诸于宅室和院落形态的说法充满迷信色彩,但其中也蕴含着符合传统社会的秩序和谐、观念理想和自然生态规律的经验结晶。

耳枕　又称"青蛙枕",民间卧具枕头的一种,也可以做儿童玩具,流传于全国各地。耳枕是在普通方枕中间留一杯口大小的孔,枕用时将耳朵置于孔中,使耳朵不受挤压,既保护听力,又可透风走气。青蛙枕用布制成蛙的形状,绿背、白脸、大眼、红唇,配四只小白爪。枕心的孔为海棠形、红色,蛙背上绣四组"七星"图案。陕西长武县的青蛙枕最著名,通常作为向老人祝寿的礼品。南方还有用藤编制的耳枕和外包油漆布的耳枕,形制较简单,都是夏天用的凉枕。

耳匙　俗称"耳挖勺",日常掏耳屎,即耳耵聍用的器具,一般为长二寸左右的小竹棒,一头用火烤成小弯头,挖成勺状。使用时伸入耳中清除耵聍,并解痒。有些精制的耳匙用银、铜、骨、象牙制成,雕以纹饰,有的银耳匙另一端磨成钝尖,做牙签用。旧时卖耳匙的小贩还卖一种带柄的小绒球,绒球用猫、兔的毛制成,为掏完耳朵清扫耳道用。有些老人往往视耳匙为须臾不离的玩物,作为衣服上随身携的挂件之一。还有些妇女发簪上别针的一头也插一个耳匙。医学上认为掏耳朵是一种不卫生的习惯,容易导致耳道感染。

扫帚　又称"条帚"、"笤帚",清除地面尘污的工具,用细竹条或高粱穗扎成束,上端为柄,下端为苗,以苗扫拂地面。扫帚一般用竹篾扎成,比较长大,用于扫院子;笤帚多用高粱穗扎成,比较短小,需另按一个竹柄或木柄,用于清扫室内地面。《三才图会》(卷10)云:"帚今作箒,又谓之篲。集韵云:少康作箕帚,其中有二,一则编草为之洁除室内,制则扁短谓之条帚;一则束篠为之拥扫庭院,制则丛长谓之扫帚。"还有一种更短小的称为"炕条帚",用于清扫床面和衣物,常见者为高粱穗扎成,也有用棕树皮劈成纤维为帚苗者。

团花藻头　中国传统建筑装饰图案程式之一。团花是一种放射状或旋转式的圆形图案,早在商周时代的铜器上已经有了团花雏形,同时团花图案也广泛应用在传统刺绣和彩绘中。藻头也叫"找头",明清时代的梁枋土木彩画,将各梁枋的全长分成三段,中间部分叫"枋心",左右对称部分叫"找头",即藻头。藻头部分彩绘圆形的团花图案,就叫团花藻头,如旋子彩画的藻头部分一般采用中间团花外围旋子的图案。明清的团花多由莲花、石榴、西番莲等图案组合而成,姿态各异,构图简练明确。

伞　传统遮阳障雨的用具,也是一种仪仗,古代称"伞盖"、"华盖"。伞的起源很早,《伞物纪原》云:"六韬曰:天雨不张盖幔,周初事也。通俗文曰:张帛避雨,谓之繖,盖即雨伞之用,三代已有也"。就是说夏商周时代就已经有伞,而且当时的伞是用丝帛制的。后代伞分成两种,一种是宫廷仪仗用的伞,柄很长,伞盖成圆形,四周围一圈裙幔,很华丽。《后汉书·何进传》曰:"莽乃造华盖九重,高八丈一尺,金瑵羽葆。"这种伞盖在民间花会中也可以见到,有时还成为表达民意的象征,叫"万民伞"。民间日常使用的伞是为了遮阳蔽雨的,可张可合,张开如盖,收拢如棍。民用伞从宋代起就用油纸覆面,活动骨架用竹制成,伞面常有绘制图画。油伞主要用于防雨,有桐油布伞和桐油纸伞两种,旧时有专门补伞的手艺人。遮阳伞多用绸布做成,又称"旱伞"。本世纪初旱伞成为城市中的时髦物,70年代流行折叠旱伞。我国南方传统制伞业以杭州、福州、温州、佛山和湖南最著名。

竹枕　俗称"凉枕",即用竹编制的卧具枕头。竹枕一般为长方形,四角浑圆,中腰略呈凹形,骨架用竹杆扎成,外层缀以细竹片,即有弹性,又可通风。竹枕手工制作的粗细程度不一,有的竹枕内用竹扎成马鞍形,四周嵌入各种精美的竹编图案,成为一件工艺品。另外还有一种如小板凳状的竹枕,腿可以折起来,北方夏季人们在院内纳凉、小憩时使用。

多宝架　又称"博古架"、"多宝橱子"、"集锦橱子"等,传统家具形式之一。多宝架是一种类似书架的家具,因格内主要摆放古玩、文物等,所以叫"多宝架",是一种常见的室内装饰性家具。多宝架的特点是构架形式变化较多,其横竖格板用各种榫接技术互相搭接,上下左右错落有致,使架正面形成图案效果。有的多宝架为半封闭式的,即在左右两侧和背部装板。有的则四面皆不装板完全敞开,透过格架和摆放的古董还可以看到架对面的景物,所以多宝架还有分隔空间的作用。有的室内槅断墙上开窗,窗上直接镶装多宝架,架与窗联成一体,很具园林建筑中花窗的效果。多宝架多用硬木作成,属小器作产品。

乔迁之喜　贺人迁居的习俗。乔迁一词出于《诗经·小雅·伐木》:"伐木丁丁,鸟鸣嘤嘤,出自幽谷,迁于乔木。"是说鸟儿迁往别的树木。中国人贵土重迁,迁居是很重要的事,迁往新居被看成喜事,亲朋友好往往要送礼祝贺。搬入新居前要燃放鞭炮,主人则要设宴招待,称为"温居"或"暖房"。这种风俗从唐代就有,唐王建《宫词》云:"太仪前日暖房来。"《歧路灯》载:"只是连日温居暖房的客,许多应酬。"江浙一带迁居要择时,还要举行许多仪式,内容都是吉祥发财之类。

交椅　又称"胡床"、"交床"。在我国北方少数民族和汉族民间流行的一种可以折叠的轻便坐椅。交椅的椅面用皮或布制成,椅腿交叉,中间有转轴连接,可以转动折叠,打开时可以坐人,合拢后便于携带。据说交椅是东汉时由北方少数民族传入中原地区的,《后汉书·五行志》:"灵帝好胡服、胡帐、胡床、胡坐、胡饭、胡箜篌、胡笛、胡舞,京都贵戚皆竞为之"。北魏敦煌257窟壁画中有双人坐胡床的画象，与后来的交椅不太相同。《世说新语·自新》记载"渊（戴渊）在岸上，据胡床指麾左右，皆得其宜"。后来胡床先后被称为"绳床"、"逍遥座"、"交床"、"交椅"等。《演繁露》称："今之交床，制本自虏来，始名胡床。桓伴下马据胡床取笛三弄是也。隋以谶有胡，改名交床"。《清异录·陈设门》载："胡床施转关以交足，穿便绦以容坐，转缩须臾，重不数斤。"《因话录》记："交椅谓之绳床"。在民间俗语中，交椅往往成为地位的代称，如称某某"坐第一把交椅"等。现存明代交椅有带靠背扶手式和直背不带扶手式两种。至于不带靠背的交椅，民间俗称"马闸"，使用相当普遍。

衣架 搭放衣物的家具，实际上是一个木架子，由两根立柱各自装上墩木，前后用壶瓶牙子使其稳定，两柱间用数条拱杆连接。明式衣架最上头的横杆两头出挑，并有云纹雕饰，中间拱杆间装饰雕刻精美的中牌子。这种传统衣架结构像一座没有装板的屏风框架。清末西式衣架传入我国，为三柱圆塔形，中腰和架顶三面有挂钩。这种衣架可以少占空间，因此逐渐取代了老式衣架。

衣箱 传统家具之一种，专供存放衣物之用。衣箱结构为板式大开盖，即先做成完整的六面围合的箱体，然后用锯开出箱盖，这种开盖与箱体配合严密。箱的四角用燕尾榫结合，箱口镶口条，有的箱底在箱壁上开槽装板，有的箱底装木框托泥。箱子正面装铜饰鼻钮，可以上锁，箱

背装绞链，左右两侧装拉环。有一种插门衣箱，在侧面装拉门，这种衣箱的优点是，在数只衣箱叠放时也可以从侧面开门，取放方便。衣箱以樟木箱最好，樟木的气味可以驱避蛀虫保护衣物。清代有大漆描金的大箱，属于宫廷豪华家具。

灯檠 又称"烛台"、"烛奴"、"蜡扦"，古代室内用的灯具。灯檠一词见北周庾信《对烛赋》："刺取灯花持挂烛，还却灯檠下烛盘"。宋苏轼《侄安节远来夜坐》诗有"梦断酒醒山雨绝，笑看饥鼠上灯檠"句。普通的灯檠为豆形，上有圆形灯盘，中间为托柱，下有圈足。豆形铜灯始见于战国，同期还有贵族使用的各种结构复杂的灯檠，较多见的为连枝灯。如战国十五连枝铜灯，上有15个灯盘，灯形如树，上雕群猴戏舞，座为虎足。汉代较著名的灯檠有长信宫灯、羊尊灯、铜牛灯、朱雀铜灯、鹤龟顶灯、雁足灯、鹅鱼灯等，造型十分丰富。还有一种吊灯，如东汉人形吊灯等。古代灯具多数点油，所以比燃烛灯盘较深较大。民间常用的灯檠有烛台、蜡扦两种，烛台用灯捻点油，灯捻在油盘边上探出点燃的称"灯碗"，灯捻在油盘中央空心灯桯子中探出点燃的称"灯盘"。蜡扦专插蜡烛，以锡和铜制较多。

汤婆子 又称"锡夫人"、"脚婆"、"暖足瓶"等，传统床上暖足器。汤婆子是用铜或锡制成的扁圆容器，上有小口，带盖，冬季灌入热水盖紧，放入被中取暖，与今之暖水袋作用相同。汤婆子至少在汉代已经使用，

《宣和博古图》曰："汉有温壶,为注汤温手足之器,与汤婆子同。"宋代称为"脚婆",宋曾几《茶山集·竹奴诗》云:"山谷(黄庭坚)既以竹夫人为竹婆,余亦名脚婆为锡奴焉"。元代有人称为"锡夫人",《东南纪闻》(卷三)云:"锡夫人者,俚谓之汤婆。"又说"有制大锡罐,热水注满,紧覆其口,彻夜纳诸被中,可以代炉,俗呼"汤婆子"。本世纪20—30年代曾流行马口铁制的汤婆子,后来市面上又多见瓷制腰圆形汤婆子,金属的不再多见,使用者多为老年人和体弱者。

如意　亦称"搔杖"、俗称"不求人"、"老头乐",柄端作手指状,可以搔背的搔痒器,因其可如人意故名。如意用骨、角、竹、木、铜、铁等制成,民间流行的多为竹制,长约30厘米,至今使用不衰。《事物异名录》引《稗史类编》云:"如意者,古之抓杖也。或用竹木,削作人手指爪,柄可长三尺许,或背脊有痒手不到,用以爬搔,如人之意。"《事物纪源·什物器用部·如意》曰:"吴时,秣陵有掘得铜匣,开之得白玉如意,所执处皆刻螭彪蝇蝉等形。胡综谓秦始东游,埋宝以当王气,则此也。盖如意之始,非周之日,即战国尔。"可见最迟到战国时即已出现如意。另一种说法认为如意为佛教道具,梵语对音阿那律,随佛教传入我国。僧人平时手持如意随意指划,讲经时也持如意,上记经文起备忘作用。这种如意已不再是搔痒器,后来逐渐演化为一种赏玩之物,长不过60厘米,柄

微曲,其端作灵芝形、云形,用金玉等贵重材料制成。《红楼梦》第十八回:"少时,太监跪启:赐物具齐,请验按例行赏。原来贾母的是金玉如意各一柄"。这种如意的形状也成为一种吉祥的象征物和装饰及工艺制作广泛采用的题材,如"平安如意"为瓶中插如意图形,"吉祥如意"为骑象童子手持如意图形等等。小康以上人家多喜欢在家中摆设如意,一是图吉祥,二是表示阔绰。旧时嫁女的妆奁中也多备有如意,预祝新婚夫妇事事如意,年年如意。

奁　古代一种盛梳装用品的盒子,多为漆木制,流行于战国至唐宋间。奁有圆形、长方形或多边形等形状,内部分为几层,一般直径在30厘米左右,如湖北襄阳擂鼓台出土的西汉彩绘圆漆奁,盖的直径为35厘米,高9.7厘米。有的奁盒内含子盒,如江苏邗江甘泉墓出土的汉代九子漆奁,盒内含九个子盒,分别放置梳篦、铜刷、毛笔、粉状颜料等。奁后来发展成一种可以开阖的梳妆匣,盖内装一面镜子,叫"镜奁"。

村　是最小的聚落单位,也是我国农业社会中最普遍的定居方式。《三国志·魏志·郑浑传》曰:"入魏郡界,村落整齐如一"。陆游《西村》诗:"数家临水自成村"。村的别称相当多,平原、山地、渔村各不相同,南方和北方也各具特色。北方平原地区有屯、营、庄、铺、堡、口、务、园、井、坟、场、台、后、堌等,山地有坡、岗、岭、沟等,渔村有洁、洼、淀、港、塘、堡、滩等。南方平原地区有坝、

坪、田、地、桥、社、寨等,山地有坂、墩、溪等,渔村有汀、桥、港、坞、浦、角等。在缺乏流动性的农业社会中,贯土重迁的农民往往形成一姓或几姓聚族而居的村庄,于是以家族姓氏为村名的现象十分普遍,如杨村、张庄、马家店、王徐庄、周李庄等。有的两三个村落距离较近,形成聚落群,反映在村名上如大张庄、小张庄、前辛庄、后辛庄、上河圈、下河圈等。由于农业生产方式对土地的依赖,人们不可能居住在离耕地太远的地方,因此村的规模受到限制,小的村只有十几户,大的村也不过一二百户。在南方,聚族而居的村都有祠堂,作为家族聚会、祭礼和议事的场所。村是社会组织中的社区单位,有自己的庙宇,如土地庙、药王庙、关帝庙等,有自己的坟茔,以及自己的社火组织,在节日、庙会期间表演各种民间花会。古代的村没有行政组织,只有半官方的里甲组织,村的领袖往往是乡绅、首富或族长。农业社会的村以自给自足的自然经济为主,若干村之间以定期集市的方式进行商品交换。乡村的分散和封闭限制了传统社会经济文化的交流和发展,但是也较多地保存了古代文化的遗迹。

杌凳　又称"杌子",民间使用的一种矮小的凳子。《宋史·丁谓传》曰:"帝遂赐坐,左右欲设墩,谓顾曰:有复平章事,乃更以杌进"。这说明宋代杌已成为宫廷的坐具。杌凳有方形、长方形和圆形的,一般为无束腰直腿式,也有结构为"四腿八挖"式的。杌凳的腿多用圆材或外圆内方材,明式家具中有的杌凳凳面下带束腰,马蹄式足底。杌凳一般为非正式坐具,旧时民居常在炕边放一只杌凳,供老太太上下炕蹬踏过渡,也是儿媳妇、晚辈等请安时的坐处。

形法　风水术的主要流派之一,选择和解释聚落和住宅环境的理论和方法。形法一词见于《汉书·艺文志》:"形法者,大举九州之势以立城廓室舍形、人及六畜骨法之度数、器物之形容,以求其声气吉凶。犹律有长短,而各征其声,非有鬼神,数自然也"。可见形法的范围涉及地理、城郭、室舍和人畜器物,也是解释其贵贱吉凶,但与堪舆术的区别在于"数自然",即根据具体事物的状态进行解释,而不是只根据五行八卦和分野说。《冢赋》中对形法家考察自然环境的情形作了具体描述:"载舆载步,地势是观。降此平土,陟彼景山。一升一降,乃以斯安。尔乃隳魏山,平险陆,刊蓁林,凿盘石,超险垄,扬大樽。高岗冠其南,平原承其北。列石系以修隧,洽以沟渎,曲折相连,迤靡相属"。形法家注重考察山川形势,讲究龙、穴、砂、水之相配,后来演化为"形势宗",也叫"峦体派"或"峦头宗"。宋代以后,与堪舆术一脉相承的理气宗屡遭批判,相反形势宗却得到皇家的器重,成为风水术中的主流。

苏式彩画　中国传统建筑梁枋彩画图案程式之一,起源于苏杭二州,故称。苏式彩画分南北两种,南方苏式彩画多采用雕塑与绘画相结合的方式,画面以锦纹图案为主,以木雕泥塑的人物故事或花鸟作陪衬。北方则采用锦纹图案作陪衬,其间加画花鸟鱼虫、山水人物等。南方苏画以园林建筑和民间祠堂为主,北方苏画多用于四合房、垂花门、亭、廊、榭、台等建筑上。苏画的枋心有两种,一种采用和旋子彩画一样的枋心,一种是将檩子、垫板、枋子三个木件连在一起,画成一个半圆形的枋心,叫"包袱",轮廓用"烟云"图案。烟云分为软硬两种,曲线条为"软烟云",直线条为"硬烟云"。找头当中的画活有青地、绿地两种,青地找头常绘聚锦图案,绿地找头以黑叶花卉和锦纹为图案。找头两端要绘制"卡子"图案,卡子也按曲线、直线分为软、硬两种。南方苏画变化较多,整体布局上不一定对称,梁枋中部的图案称为"搭袱子"(即北方包袱),左右箍头称为"包头",袱子和包头之间称为"地"(即北方找头)。檩条上的搭袱子一般采用对角菱形,也可以做成"堂子"(即北方枋心)。苏式彩画等级可以分为金琢墨苏画、金线苏画、黄线苏画和海墁苏画等。

旱烟袋 民间广泛流行的吸烟用具。因为烟袋管上常挂一烟荷包,故称"烟袋"。烟袋管一般用竹制成,一头装上金属制的烟锅,一头为玉或金属制的烟嘴。使用时在烟锅中装烟点燃,从烟嘴一头吸食。烟管越长,过滤烟油的效果越好。烟管和烟锅中的烟垢需要不时清除,因此把玩烟袋也是吸烟者的一种消遣。烟袋管的制作和材料五花八门,民间以白铜烟锅、象牙管、翡翠嘴的烟袋为贵。材料高贵制作精美的旱烟袋可以显示使用者的身份和财富,如传世的银制雕花烟袋、牙制雕花烟袋都属于这一类。清代满洲富贵人家妇女常使用一种长可逾一米的大烟袋,须由婢女代为点燃。

针 又称"引线",缝纫用具。《说文解字》云:"针,缀衣也。"《礼记·内则》曰:"舅姑衣裳裂,细针请补缀"。早在旧石器时代晚期,人们就开始使用针,如四川资江人遗址,北京山顶洞人遗址中就发现过骨锥和骨针。针是用骨角或金属制成的一端有孔,一端尖的细棒。俗语说"只要功夫深,铁杵磨成针",说明古时制造针需要长久地研磨。缝纫时将线穿入针孔,以针带线而缝,《淮南子》:"先针而后缕可以成帷,先缕而后针不可以成衣。针成幕,赍成城"。针是古代手工缝制衣物的主要工具,用针也是妇女缝纫水平的标志,《拾遗记》曰:"魏文帝美人薛夜来妙于针巧,虽处于深帷重幕之内,不用灯烛裁衣制立成,非夜来所缝制帝不服也。宫内号曰神针"。旧时新媳过门后,婆家要用种种方式考察其缝纫技术,作为评价媳妇的主要依据之一,因此妇女夏历有七月七日穿针的习俗。《西京杂记》云:"汉彩女常以七月七日夜,穿七针于开襟楼,俱以习之"。人们认为在这一天穿针可以提高缝纫技术,谓之"乞巧"。

坐墩 又称"鼓墩"、"绣墩"、"锦墩"、"瓜墩"等。坐墩是一种状如土墩的坐具，圆形，腹部大，上下头小，造型像古代的鼓，故又称"鼓墩"。有的坐墩在上下彭牙上做两道弦纹和鼓钉，还保留着蒙皮鼓面，挂帽钉的形式。坐墩一般为木制，古时有用竹、藤材料制成的坐墩，也有陶瓷制的。明式家具中有四周呈瓜瓣形的坐墩，称为"瓜墩"。清代有四开光坐墩，即在坐墩，称为"瓜墩"。清代有四开光坐墩，即在坐墩四周镂空雕刻成各种图案，如双鱼跳龙门等。有的四开光坐墩面上嵌石板，底下连托泥，有小足着地，成为精美的工艺品。古代常有将坐墩铺锦披绣的，故又有"锦墩"、"绣墩"之称。

灶 砖石砌成的烧水煮食的设备。原始社会中蒸煮食物和采暖最初是采用火塘，在龙山文化的遗址中开始有了灶的痕迹。灶的形式是在房屋的一个角落用砖石砌成方形灶塘，下面烧火，上面安锅，烟从专门的烟囱排出。乡村平民的居室一般都是采暖和炊事用一个灶，即灶与火炕相通。较为讲究的居室则将取暖灶和厨灶分开，专用的取暖灶又发展为火地和火墙。旧时乡村中夏季为了避免室内闷热，另在室外垒灶做饭，有固定式和移动式两种。固定式灶为方形，体积较大，可移动式灶叫"行灶"，体积较小。其中一种圆形的行灶俗称"锅腔子"，制作时中间先放一个花盆，用草和泥抹成后再将花盆取出，外涂青灰。锅腔子原为船上使用的灶。灶的主要燃料

是柴草，很容易收集。

床榻 一种狭长而较矮的床，可坐可卧，是民间常用的家具。《释名·释床帐》云："人所坐卧曰床……长狭而卑曰榻，言其体榻然而近地也。"《初学记》（卷二十五）载："服虔通俗文曰，床三尺五曰榻板，独坐曰枰，八尺曰床"。这里讲的是床与榻的尺寸区别。江苏邗江县蔡庄五代墓出土的木榻，长188厘米，宽94厘米，高57厘米。有一种尺寸较小的榻，叫"矮榻"，《长物志》（卷六）记："矮榻高尺许，长四尺。"《遵生八笺》曰："矮榻，高九寸，方圆四尺六寸，三面靠背，后背稍高如傍。"明式家具的榻三面有靠背，四条直腿，清代的榻形相似，只是制作更加复杂精致。榻的制作材料有木、竹、藤等。

庑殿 又称"吴殿"、"四阿式顶"，中国传统梁架式木结构屋顶形式之一。庑殿是中国古代最尊贵的屋顶式样，由五条脊和四个弯曲的斜面组成，一般用于王宫的正殿、寺庙的大殿等。庑殿在我国历史上渊远流长，早在甲骨文、铜器、汉画像砖、明器及北朝石窟中皆有反映。关于庑殿顶的作法在历史上形成许多成熟的模数，如北宋《营造法式》规定"八椽五间至十椽七间，并两头增出脊榑各三尺"，就是说庑殿顶垂脊近顶处向外逐渐屈出，使垂脊在45度角上之立面不成直线，而为曲线，这种作法又叫"推山"。庑殿顶推山的特点在宋辽时代尚不明显，至清代乃逐架递加其曲度，而臻成熟。我国历

史上有许多优秀的庑殿顶式建筑，如五台山唐代佛光寺为典型单檐式庑殿顶，河北曲阳北岳庙辽代德宁殿、北京昌平县明长陵棱恩殿和故宫太和殿都是重檐式庑殿顶。

杯 盛饮料的容器，如茶杯、酒杯等。古代杯的名称很多，宋李昉《太平广记》引《方言》云：㨶、槭、盏、䀉、㭬、盠，杯也。秦晋之郊谓之㨶；自关而东赵魏之间曰槭，或曰盏，或曰䀉；其大者谓之闯；吴越之间曰盠；齐古平原以东或谓之㭬杯，其通语也。这些名称后来都没有流行，叫得最多的还是杯，如《史记·项羽本纪》曰："幸分我一杯羹"。杜甫《客至》诗："隔篱呼取尽余杯"。原始社会就有陶制的酒杯，如龙山文化的黑陶高足杯，深腹高足，作喇叭形，制作精美。青铜器中酒具相当多，杯也是其中的一种。南北朝以后开始出现瓷杯，较小些的为酒杯，较大些的为茶杯，后世不乏精品。如元代的影青缕雕人物高足杯，明代成化斗彩葡萄纹杯等。作为工艺品，还有制作精细的金银杯、玉杯等，唐王翰《凉州词》云："葡萄美酒夜光杯，欲饮琵琶马上催"，描写的是甘肃酒泉著名的"夜光杯"，诗以杯名，杯以诗传，至今仍盛名不衰。

直棂窗 传统建筑小木作窗的一种，最早见于汉代明器。直棂窗是用竖向直棂做成的窗扇，窗棂条一般为奇数，7—13根不等。如果棂条过长，则在半腰上加横棂，如一码三箭式直棂窗，是在竖棂条的上、中、下部装三根水平横棂。直棂窗分为破子棂窗和板棂窗两种，破子棂窗棂条的断面为三角形，板棂窗棂条的断面为矩形。直棂窗是宋代以前常用的窗扇形式，宋代《营造法式》中有破子棂窗的制度，因其不能开关，故明清以后使用范围缩小，只在一些寺庙中还可以见到。

拂尘 又称"拂子"、"拂蝇"、"麈尾"，民间俗称"蝇穗"，用麈尾或马尾制成的拂除尘埃的器具。拂尘在汉末至南北朝时已流行，《世说新语·容止》云："王夷甫容貌整丽，妙于谈玄，恒捉白玉柄麈尾，与手都无分别。"说的是魏晋文人清谈时手执拂尘的样子。《释氏要览》曰："鹿之大者曰麈，群鹿随之，皆看麈所往，随麈尾所转为准；故古之谈者挥焉"。《北堂书钞》引许询《白麈尾铭》载："君子运之，探玄理微。因通无远，废兴可师"。也是说摆弄拂尘是名流雅士的习俗。《红楼梦》第十八回："又有执事太监捧着香巾、绣帕、漱盂、拂尘等物。"说明到清代拂尘也是宫廷贵族随身携带的物品。拂尘的柄一般用竹木制成，也有用玉、象牙、犀角等制成的。《清会典·舆卫·拂尘》记："拂尘，用朱氂，长二尺，结于木柄。柄长二尺一寸二分，围一寸五分七厘，上饰金龙首二寸五分，衔小金环以缀拂，下饰金龙尾三寸三分，末属金环，垂朱缕"。

拉哈房 我国东北黑龙江地区一种民居建筑方法，以黑性土和稻草作为主要建筑材料的土房。筑屋时先将地基夯实，将稻草浸入水中使其柔软，再混入泥中拧成泥草辫，叫

"拉哈辫",然后用这种泥草辫堆砌成墙壁。将拉哈辫子横堆叫"卧拉哈",直接竖堆在木框上叫"竖拉哈"。拉哈房墙壁厚30—40厘米,屋顶为双坡,先用柳条、秋秸作望板,再放几层拉哈,顶部苫草。拉哈房是一种经济耐久、施工简便的建筑方法。

厕所　又称"茅房"、"茅司"等,供人大小便的设施。《左传·成公十年》:"将食,张,如厕,陷而卒"。古代对厕所有种种解释,《三才图会》卷二:"厕,溷。说文曰:厕,清也。释名曰:厕,言人杂在上,非一也。或曰,溷,言溷浊也。或曰:闻至秽之处,宜常修治,使清洁也。礼仪曰:隶人温厕盖,名见于周初。"都是说厕所是肮脏的地方。古时大小便婉辞"更衣",所以厕所又称为更衣处,《论衡·四讳》曰:"夫更衣之室,可谓臭矣;鲍鱼之肉,可谓腐矣。然而有甘之更衣之至,不可为忌;肴食腐鱼之肉,不以为讳"。晋代富豪石崇家的厕所相当豪华,厕中设"绛纹裀帐甚丽","厕上常有十余婢侍列","有如厕者,皆易新衣而出",是古代地主阶级奢侈生活的写照。南方厕所设木座,中间挖一个圆洞,人坐在座上解手。妇女在家内使用带盖的木桶叫"木马子",也叫"马桶",每日清倒一次,然后在河边池塘刷洗干净,以备再用。北方的男厕多采用蹲坑方式,也有的另设一大壶或木桶充当尿槽,粪坑一般用砖砌成,也有的埋一些小水缸作粪坑。妇女使用"灰桶子",即一木桶,桶内置石灰,桶口有

用蒲草编成的桶圈。住宅的厕所有的男女轮流使用,北方大宅院中男女分设,男厕设在外院,女厕设在后院僻静处,男女分开的公共厕所本世纪初才在大城市出现。住宅的厕所由粪夫定期清粪,称"磕灰",城市中粪夫组织各占一定的街区,按期向住户收费。南方称磕灰行为"金汁行"。

玫瑰椅　传统家具中的一种矮靠背扶手椅。其特点是靠背较一般椅子低,与扶手高低相差不多,一般都陈设于窗台前,使靠背不致于高出窗台。明代玫瑰椅一般在扶手和靠背内圈装券口牙条,与牙条相连的横枨下又装短柱或结子花,椅面和四腿有花牙相连作装饰,靠背内有透雕的背板。此为玫瑰椅的基本形式,其余变化为局部的或装饰性的。玫瑰椅多陈设在客厅或书房。

环形土楼　福建客家人的一种集体住宅形式。建筑平面为正圆形,一般直径为20—30米,最大的直径可达60多米。土楼为整体的内外三层环形建筑,外高内低,外环高四层,中环高二层,内环高一层。土楼以夯土墙作承重墙,最外层高13米,厚1.8米,夯土富有粘性并掺入适量的碎石和细砂,打夯时又加入了竹筋,相当牢固。楼内部使用简单的木结构,并用隔墙隔出各种用途的房间,最多的一座土楼可达300间。环形土楼的下部不开窗,因此具有较好的防御功能。福建省南靖县田螺坑村现存一组五楼相连的土楼群,中间是一座方楼,四周环绕连接着

四座圆楼。中间的方楼只开一个大门供出入,只有一眼水井供饮用,有两条楼梯通向各层,除四角的房屋呈三角形外,其它各层房屋一律是长方形,排列整齐,如同一个回字。土楼总共有60多间房间,由各房子孙平均分配,每户都按垂直方向分到第一至第三层各一间,第一层是厨房、饭堂,第二层是仓库,第三层一律都作卧室。方土楼是先建成的,称"和昌楼",随着族的人丁兴旺,又在四周建起四座圆形土楼。土楼这种建筑形式是客家人历代与恶劣的社会环境斗争的产物。

封火墙 又称"防火墙",即房屋两侧高出屋面的山墙,属于硬山砖墙的一种。封火墙有防止火灾蔓延的作用。北方的硬山墙一般伸出屋面不多,而且封火墙常与压檐墙联在一起,形成整个院子封闭完整的屋顶围墙。南方的封火墙往往高出屋面3尺以上,最高可达5—6尺。封火墙的形式多样,称呼各异,如牌楼式又称"五滴水"、"五山屏风墙"、"五岳朝天"等,其余还有"人字形"、"观音兜"、"小僮帽式"、"如意式"、"平背式"、"三滴水"等。各种样式的封火墙与精致的砖雕相结合,形成了丰富多彩的南方民居风格。

图宅 传统风水术的别称,也是汉以后两大风水流派之一,与堪舆术同宗。《汉书·扬雄传》注中说:"堪舆,神名,造图宅书者"。这里所说的图宅书失传,东汉王充《论衡·诘术篇》引述了图宅术的主要理论和内容:"宅有八术,以六甲名之,数而第之。第定名立,宫商殊别。宅有五音,姓有五声。宅不宜其姓,姓与宅相贼,则疾病、死亡、犯罪、遇祸"。这里说的八术指住宅的八个方向,乾、兑、艮、坤为西四宅,离、震、巽、坎为东四宅;六甲指四时六十甲子之类,甲子、甲戌、甲申、甲午、甲辰、甲寅为六甲;五音、五声指声音有宫、商、角、徵、羽五声音级。图宅术就是用这些因素来推算吉凶,如《论衡·诘术篇》云:"商家门不宜南向,徵家门不宜北向则商金,南方火也;徵火,北方水也;水胜火,火贼金,五行之气不相得。故五姓之宅,门有宜向,向得其宜,富贵吉昌;向失其宜,贫贱衰耗"。把住宅诸种因素与主人姓氏发音联系起来判断吉凶祸福的方法叫"五音姓利"说。图宅术源于汉代谶纬之学,皆为牵强附会的内容,其流传远不如形势派广泛。

明三暗五 传统民居中一种五间并联的建筑形式。由于梁架式结构的限制,传统房屋规模增大以间架接连向横向延展最为简便,因此旧民居都是一排并联的形式,以三间并联为主。中央一间是堂屋或称明间,两侧为耳房或称次间,次间两侧再各延伸出一间叫梢间,这就形成了五间并联。在四合院中正房五间的两个梢间被院中的东西厢房遮住,或是不开窗,这样在院中正面只能看到明间和次间三间,因此叫明三暗五。其中明间的面阔较大些,次间较小些,梢间有的和次间相同,有的更小些。五联间的进深面阔,清代《工程作法》有具体的定分做法。

和玺彩画 中国传统建筑梁枋彩画图案程式之一，明清以来多用于宫殿建筑，作为皇权象征的各种飞龙翔凤是这种彩画的突出题材。和玺彩画的布局也是将梁枋的全长分为三部分（见旋子彩画条），各部分的分界皆用直线几何图形。找头图案有升龙、降龙、翔凤、轮草等，尺寸长者可画两条龙或一龙一凤，短者只画一条龙或一只凤，也可以加画"盒子"加以变化。箍头图案有锦地汉瓦、西番莲、长圆寿字、平安吉庆、福禄善庆等花纹。枋心图案有二龙戏珠、双凤朝阳、龙凤呈祥或是西番莲、轮草、佛梵字等。盒子图案有丹凤朝阳、夔龙夔凤、西番莲卷草和轮草等。盒子如画龙，则龙尾须朝枋心，画凤则凤尾朝箍头。和玺彩画的色彩规则为上青下绿、整青破绿，即青箍头间画整盒子，绿箍头后画破盒子，升青降绿，即青地画升龙、绿地画降龙。和玺彩画可以分为"金龙和玺"、"龙凤和玺"、"龙草和玺"、"金琢墨和玺"、"和玺加苏画"。和玺彩画的锦枋线皆用沥大粉贴金，枋心、找头盒子内的龙凤花纹多用沥小粉贴片金。和玺加苏画则将枋心、盒子、池子内的龙饰去掉，刷白地按苏画绘制。

卷棚 传统建筑梁架式屋顶形式之一，其特点是屋顶中央不用正脊檩，中间用前后回顶桁支撑，使两坡相交处形成一个弧形的曲面。卷棚顶也有卷棚歇山、卷棚悬山之分。卷棚顶轻巧曲线形的轮廓丰富了传统屋顶的造型，因此多用于南北方园林建筑中，如苏州园林中的各种轩大多使用卷棚顶。另外，卷棚顶还具有较好的室内反光效果，往往用于寺庙中的"罗汉堂"这种特殊建筑中，如北京碧云寺罗汉堂、成都宝光寺罗汉堂、苏州戒幢寺罗汉堂、昆明邛竹寺罗汉堂都是使用卷棚顶结构。

帘 又称"箔"，用布、竹、苇等编成的遮蔽门窗用具。帘的出现很早，《三才图会·器用十二》考证：《庄子》曰，有张毅者，高门悬箔无不走也；而《谈薮》有户下悬帘，明知是帘则悬，箔即帘也；《荀子》有局室芦帘之文。由此推之，疑三代物。《礼》曰，天子外屏，诸侯内屏，大夫以帘，士以帷"。帘一般挂在门窗处，布帘在室内，竹帘在室外。堂屋和耳房之间的门挂布帘。新婚的新房都挂红门帘、红窗帘，表示喜庆，普通民居在夏季挂竹帘、苇帘。竹帘、苇帘是半透明的，为的是防止蚊蝇等扰人昆虫进入室内，而又不影响通风。宫廷或贵族的宫室挂帘除了上述功能之外，还表示内外有别或礼制关系。古时大家闺秀不能随便抛头露面，如果乘车轿出游，或观灯看会，都要隔着一层门帘，使普通人看不清里面。封建王朝有女人不能参政的礼制，但历史上间有太后或皇后"垂帘听政"的事例，这个帘就纯粹是封建宫廷礼制的象征了。《旧唐书·高宗纪下》云："时帝风疹，不能听政，政事皆决于天后（武则天），⋯⋯上每视朝，天后垂帘于御座后，政事大小，皆与闻之"。非布质的帘一般用苇、竹作纬,线绳作经编成,也有一种用草珠或其它材料的珠子穿缀而成的"珠帘"。白居易《长恨歌》云:"珠箔银屏迤逦开"中的珠箔就是珠帘。帘可以作捕鱼工具,叫"苇箔",用时在河塘水浅处,用苇箔围成诸如"八挂阵"、"迷魂阵"等形式,使鱼游进去出不来。帘还指旧时酒店做招牌的旗帜,郑谷《旅寓洛南村舍》"白乌窥鱼网,青帘认酒家",青帘即是。

官皮箱 传统家具之一种,为古代梳妆用具,由宋代镜箱发展而来。官皮箱一般体积较小,现存明代官皮箱高 37 厘米,宽 35 厘米,厚 23.5 厘米。箱上面开盖,打开盖后下面有 10 厘米深的箱盒,箱正面有两扇门,打开门后面有三层抽屉,箱底有底座。门关上后即扣住抽屉,盖上箱盖后又把门扣住,箱盖正面有铜活鼻钮,可以上锁,箱子两侧有拉环。官皮箱箱盖里面如果装镜子就是镜箱,天津地区叫"梳妆盒子"。

夜壶 又称"虎子"、"厕马子"、"尿壶",传统溺器。夜壶的起源很早,实物在汉和魏晋随葬品中常有发现,以青瓷虎子为多。三国时代出土的青瓷虎子提梁作虎状,腹下有四肢。东晋盛行圆形平底虎子,但没有虎形装饰,器形较高。在文献记载中,虎子的来源更久远,《周礼·天官》云:"掌王之燕衣服衽床第凡亵器"。郑玄注:"亵器,清器,虎子之属。"《云麓漫钞》:"汉人目溺器为虎子。郑司农注周礼有是言。唐人讳虎,改为马,今之云厕马子者是也。故尔,唐代又将夜壶称为厕马子。虎子多在夜间使用,所以民间俗称为夜壶,江浙等地称"仰天尿壶"。夜壶男女式样不同,男式小口,女式大口。旧时北方城镇手工业作坊或商号学徒和从业人员一般住在店内,夜间普遍使用夜壶。夜壶都摆放在厕所内,由店内学徒每晚为师傅和大同事准备好,并在第二天早晨倾倒刷洗。直到出师或升职后,才将此项差事转给新来的学徒。

炕桌 一种可以放在炕或床上使用的矮腿小桌子。旧时盘炕的居室,炕要占全屋面积的一半左右,所谓"一间屋子半间炕",人们饮食起居活动主要在炕上进行,炕桌就成了吃饭、做针线活、读书写字的主要家具。炕桌的使用方便灵活,可以随时放在炕的任何位置,晚上睡觉时可以取走放在地上。吃饭时炕桌摆在炕中间靠炕沿一侧,炕桌内侧为上座,所以客人都得脱鞋上炕弯膝盘腿而坐,主人一般坐炕沿侧身双腿垂地,以便随时端送饭菜。炕桌分有束腰和无束腰两种,造型较矮小而精致的称为"炕几"。有的炕桌两侧装抽屉,可以放针头线脑及随手杂物等。

炕琴 一种放置在炕头上的传统家具。最简单的炕琴为一长条案,用两矮架支在炕头,高约 40 厘米,宽约 50 厘米,长短与从炕沿到檐墙的距离相同。案面下有一长方空间,用于置放枕头、被褥等物,案上则放一些随手用的东西。有的炕琴左右为两个小橱,装有抽屉、小门等,置放针线、女红等等,这种炕琴相当于一个小几案。炕琴是炕上固定的家具，平时不移动，如果顺着炕睡觉，脚可以伸入炕琴下面的空间，不妨碍使用面积。炕琴一般放置在次间炕上靠堂屋一面的墙边。天津及附近农村往往把娃娃大哥（一种求子偶像）供在炕琴靠外檐墙一侧。

炕围画　又称"墙围画"、"腰墙子"，民间一种画于室内炕周围壁上的装饰画。我国北方民居多用炕的形式，因此炕围画在北方比较流行。炕围画一般高出炕面尺许，有的地区高2.5尺。其制作过程是，首先做底墙，然后进行彩绘，最后要油漆。油漆后的炕围画可保持长久不脱落，这样既有装饰效果，也可以保护墙皮不被磨损，山西称为"油腰墙子"。炕围画的图案分边和空，边有"退色边"、"夔龙边"、"万不断"等等。中间留的空有"长方口空"、"圆形空"、"扇子空"。空中画的内容一般有戏剧人物、山水花鸟、吉祥图案等。京津地区室内墙壁多用白纸裱糊，而炕周围墙皮容易弄脏，因此多在炕面以上和窗板以下一段墙间贴纸印的炕围画，或是贴一种红绿色的蜡花纸以遮丑。这种炕围画一般只有尺许宽，正好与炕到窗的距离相同，杨柳青年画中有一种"三裁"，即相当于"宫笺"三分之一的规格，正好是炕围画的尺寸。

春凳　也叫"楎凳"，可供两人坐的一种凳子。古时民间嫁女时，上置被褥，贴喜花，作为嫁妆送入夫家。春凳为长方形，与床同高，生子后放床边可供婴儿睡觉用。凳面由大边和心板组成，面下有束腰和牙子，四条腿向内弯曲，腿间有横枨，马蹄足。旧时住宅大门洞内摆有供看门人休息用的春凳，结构为简单的四腿八挓式。这种春凳有的一侧做两挓，即侧面不挓，便于贴近墙壁。章炳麟《新方言·释器》云："今淮南谓床前长凳为楎凳，楎读如晴，江南浙江音如桱"。所以春凳又叫"楎凳"。

相宅　传统风水术的别称之一。相宅一词见于《尚书·召诰序》："成王在丰、欲邑洛邑，使召公先相宅"，"惟太保先周公相宅"。相宅是通过观测，测量具体环境，选择和解释基址的理论与方法。《礼记·王制》云："凡居民，量地以制宜，度地以居民，地宜民居，必参相得也。"相宅常用"土圭法"，即古代利用太阳投影确定方位的技术。《周礼·夏官司马》曰："土方氏，掌土圭之法，以致日景；以土地相宅，而建国都鄙；以辨土宜之法，而授任地者，王巡守，则树王舍"。与卜宅相比，相宅术已增添了根据自然方位与环境选择基址的实际内容，成为后世风水术的经旨之一。

砂法　又称"察砂"，传统风水术选择聚落环境的原则之一。砂又叫"砂山"，是聚落四周的山峦。《地理人子须知》云："沙者，古人授受，以沙堆拨山形，因名沙尔"。沙、砂相通。在传统风水格局中，最好的聚落基址应当被前后左右群山环抱，其中最主要的山是主山，又叫"来龙"，其余的山通称"砂山"。主山一定要高大雄伟，砂山则相对矮小。《青囊海角经》曰:"龙为君道,砂为臣道;君必位乎上,臣必伏乎下;垂头伏行,行无乖戾之心;布秀呈奇,列列有呈祥之象,远则为城为郭,近则为案为几;八风以之而卫,水口以之而关"。这里说的"城"、"案"、"几"、"水口"等都指砂山。砂根据所处位置不同而有许多不同的名称,如侍砂、卫砂、迎砂、朝砂,左边的山叫青龙,右边的山叫白虎,正面相对的山叫"案山"、"朝山",还有"罗城"、"护山"等。砂的具体名称往往来自"喝形",即根据山的形态而称为某种动物或器物,如宝椅、印斗、笔架、锦屏、玉台、华盖、狮、象、龟、蛇等。理想的砂山应当"皆以真面相向,无破碎尖射凶顽为融结","以其护卫区穴,不使风吹,环抱有情,不逼不压,不折窜"。总之是要使聚落处于群山重重环抱之中,像一个宝座一样,背后是主山,两侧是较低的砂前有朝山案山及水口,形成天然屏障。

缸 用陶、瓷制成的容器,比盆深,口大底小。早在南北朝时期就有了瓷缸制品,如北朝的莲瓣缸、覆梨形缸等都是缸中的精品。明代景德镇专门设有青龙缸窑,烧制宫廷用的大瓷缸,品种有青花白瓷缸、青花鱼缸、青色鱼缸、青龙四环戏潮水大缸、青双云龙宝相花缸等。民间使用的一般为陶制缸,而且都是大小成套的,大的有一米多高,直径60—70厘米,缸口不挂釉。缸的用途广泛,可以盛水、制酱、造酒、腌咸菜、贮存食物等。如旧时茶食店或大户人家使用一种缸,豆绿釉,高15—30厘米,名为"点心缸子",用来存放茶食。缸用得最多的是盛水,天津地区民居水缸前墙壁上常贴大鲶鱼年画,谐音"年年有余"。有的缸身上倒贴一"福"字,意为"福到(倒)了"。

香炉 燃香的容器。《洞天清禄集·古钟鼎彝器辨》云:"古以萧艾达神明而不焚香,故无香炉。今所谓香炉,皆以古人宗庙祭器为之。爵炉则古之爵,狻猊炉则古蜼足豆,香球则古之鬻,其等不一,或有新铸而像古为之者。唯博山炉乃汉太子宫所用者,香炉之制始于此"。最早的香炉当是汉代的博山炉,当时燃香是为了薰衣或使室内芳香。《汉官职仪式选用》云:"尚书郎,女侍史二人洁衣服,执香炉烧薰"。后来烧香成为迷信者供神奉佛的一种仪式,于是香炉就成为寺庙中和民间祭祀所不可缺少的器物了。清代人家供佛用的香炉,上口与下底等大,有三足的霁红、霁蓝釉者为香炉,大口收腹小底者为香碗。庙宇中大殿供奉的香炉多为铁制,有圆形、长方形等,其形制多仿照古代祭器,如鼎、鬲等。香炉还有铜质和瓷质的。比较有名的香炉为明代宣德年间工部所铸的铜香炉,简称"宣德炉",颜色有栗壳色、茄皮色、棠梨色、褐色、藏经色等,后世仿制者很多。

盆景 古称"些子景",一种传统的工艺陈设品,用石、植物和水在盆中布置成自然景观的缩影。盆景的雏形初见于汉墓壁画,唐代已有实物出土,元代称为"些子景",清代是盆景兴盛时期。《五石瓠》云:"今人以盆盎间树石为玩，长者屈而短之，大者削而约之；或肤寸而结果实，或咫尺而蓄虫鱼，概称盆景，元人谓之"些子景"。盆景可以分为山水和树桩两大类型。山水盆景又称"山石盆景"、"水石盆景"，以雕凿拼接山石，摹仿自然景观为主。树桩盆景又称"桩景"、"盆栽"或"盆树"，主要是修剪加工木本植物，使植物出现树干小而苍劲有力，枝叶繁盛的效果。盆景艺术在历史发展中形成许多具有地方特色的流派。如扬州的扬派树木盆景以观叶类的松、柏、杨树种为主，以枝叶成平仰状的云片形为特点，叶片平行而列层次分明，现有存活350年以上的古柏盆景。苏州的苏派树桩盆景，多在盆内栽植高不盈尺的古老松树，其形态或苍劲挺拔，或倒悬低垂；苏派山水盆景多用拳石片岩，表现湖光山色。川派盆景分为浑厚写实的川东风格和清秀写意的川西风格两种，竹类盆景品种繁多，是川派盆景的一大特色。徽派盆景有规则型和自然型两种，以梅花、黄山松、松柏为代表树种。岭南派盆景多采用"蓄枝截干"方式修剪，形式不拘一格，选用的木本植物以榔榆、崔梅、九里香、福建茶为代表树种。

祖山　又称"太祖"、"祖宗"，风水术中关于基址背后山脉中起始山的概念。寻龙捉脉是风水术选址的第一步，寻找并确定祖山则是寻龙捉脉的首要内容。祖山是聚落选址与龙脉联系的原始出发点，也是与该聚落有关的群山起源处。祖山可以分为"太祖"、"太宗"，祖之前有"少祖"、"少宗"，再往前才是"主山"或"父母山"。主山是聚落附近最高的山，直接屏护着聚落基址，只有确定了主山，才能解释环绕基址四周的砂山及其它因素。从祖山到主山，形成从大到小，层次深远的群山景观，同时又是该聚落的天然屏障。

祠堂　又称"祠庙"、"宗祠"、"家庙"、"神祠"、"先贤祠"等，旧时祭祀祖先或表彰贤良英烈的庙堂。祠堂一词见于《汉书·龚龙传》"勿随俗动吾冢种柏作祠堂"。宋司马光在《文潞公家庙碑》文中曾考证"先王之制，自天子至于官师皆有庙，……（秦）尊君卑臣，于是天子之外，无敢营庙者，汉世公卿多建祠堂于墓所"。是说从秦代以后，皇帝以下的贵族大臣只能建比庙的等级低的祠堂。民间祠堂是我国传统的祖先崇拜的产物，它体现的是封建礼教中的孝道，而孝道则是中国古代伦理道德体系的支柱之一。在我国传统农业社会中，聚族而居的家族往往构成某一乡村社会的主体，这时祠堂就具有与神庙一样的重要地位。每一祠堂组织有族长、房长，有家谱、家规。如果家族人口兴旺，可以分出一支谱系，另立祠堂，另立族长，续家谱，因此祠堂也是以血缘关系为主的社会组织状态的象征。建祠堂要占很多土地，工程量也很大，在封建社会末期，城居的大家族无法在城市中建立祠堂，就在宅院中单辟一间房屋作"祖先堂"，可以少占地亩。比祖先堂规模再小的就是模型式的家庙了。从祠堂到家庙的流变反映了大家族观念的衰落。还有一种由政府或民间为了表彰或纪念先哲英烈而立的祠堂。《后汉书·西南夷传》云："先武征文齐为镇远将军,于道卒,诏为起祠堂。又益州太守张翕,政化清平,得夷人和,诏书嘉美,为立祠堂"。这是政府立的表彰性祠堂。《后汉书·方术传》曰"赵炳东八章安令恶其惑众,收杀之,人为之立祠堂于永康"。这是民众立的纪念性祠堂。政府为官吏立祠堂一直延续到清末,如天津的聂公祠(聂士成)。当今的个人纪念堂与此类祠堂为同类事物。

亮格柜 传统家具形式之一,指一般上部有一层或两层四面敞开隔层的柜橱。亮格柜上的隔层前面不装门,两侧和后背也不装板,用来摆放陈设品或书籍等物。明代的双层亮格柜,下面的柜装有两扇门,门上并列三具抽屉,装卧槽平镜铜活,上部有两层敞开的槅层,三面装壶门式券口。明代家具中还有一种"万历柜",是只有一个槅层的亮格柜,三面敞开,只装后背板,正面和两侧装壶门式券口。民居中常在书房、客厅中摆放亮格柜。

前榆后槐 传统民间居住风俗之一,流行于甘肃河西走廊一带。榆树所结荚果称榆钱,谐"余钱"音,槐树所结之荚果多子,谐"怀子"音,故当地民居多于大门前栽榆树,宅院内栽槐树,以求吉利,并有"前榆后槐,必定发财"的俗谚。榆树和槐树的分布很广,各地民间关于榆树和槐树的解释也不尽相同。我国南方还有"中门有槐,富贵三世,宅后有榆,百鬼不近"的说法。因为槐树不耐阴,所以要种在住宅的南面,榆树则生长速度快,而且榆树叶有很强的吸附烟尘的性能,种于宅后可以防风,又能净化空气,故有"百鬼不近"之说。这些俗谚即说明我国民间重视绿化的习俗,也反映了百里不同俗的地方文化差异。

穿斗 传统建筑木构架之一。穿斗构架的主要特点是以柱承檩不用梁,而用若干穿枋穿过柱,斗成屋架。穿斗房架的构件主要由柱、穿枋、斗枋、纤子、檩子构成。柱子一般较细,柱间距离较近,大约一米左右一根。穿枋的多少看房架的大小而定,小房一般一穿,大房可以五六穿,一般三檩三柱一穿,五檩五柱两穿,七檩七柱三穿,九檩九柱四穿,十一檩十一柱五穿。斗枋和纤子都起固定斗排架的作用。穿斗构架以每根檩下均用柱子托檠为原则,但柱子和穿枋的配列有四种形式:第一种全用落地柱;第二种落地长柱与瓜柱相间使用,但瓜柱均穿立于最下一根穿枋上;第三种瓜柱只一枋而立于下面的穿枋上;第四种立柱和瓜柱同第三种,而下面两根穿枋只用短枋于近檐处穿过两柱。穿斗式建筑规模较小,但有时也可以和梁柱式混合使用,以两山用穿斗,中间用梁柱式,可以减少房屋中间的立柱。穿斗房的优点是用料较小,抗震性能好。

姜太公在此　旧时民居镇符之一。姜太公名姜尚,是西周建国名将,后来成为民间信奉的神祇。传统民居常用姜太公的名字作为压胜物,写刻在砖、木、石、纸上。如果住宅对面有高大建筑或街巷,则用木牌上书"姜太公在此"钉在墙上或门框上方。如果遇到驱鬼避邪的场合也要用黄纸写上"姜太公在此百无禁忌"。临时性的镇符写在纸上,如果是永久性的则要刻写在砖石上,砌入墙体。用神祇的名字作镇符,寄托了人们期望得到保护的愿望。

屏风　又称"屏障"、"扆"、"围屏"、"座屏"等,陈设于建筑物内挡风或遮蔽用的家具。佚名《燕丹子》卷下"八尺屏风,可超而越"。屏风在古代叫"扆",指帝王宫殿上设于户牖之间的屏风,《淮南子·齐俗训》云:"(周公)摄天子之位,背扆而朝诸侯。"刘承斡《南唐书补》注:"屏风可以障风,亦所以隔形,古者扆之遗象"。屏风分座屏、折屏两种。座屏是有底座不能折叠的屏风,古时置正座后部,或置于室内入口处,有"山字式"、"五扇式"、"插屏式"等。折屏又称围屏,无屏座,是可以折叠的屏风,放置时曲折如锯齿状,位置较自由,一般为四、六、八、十二片单扇装配连成。古时屏风大多有绘画装饰,称为"画屏",也有用书法、雕填、镶嵌、磨漆等作装饰的。苏轼《芙蓉城》诗:"珠帘玉案翡翠屏,云霞舒卷千傅停",说的是一种翡翠装饰屏,李益《长干行》:"鸳鸯绿浦,翡翠锦屏中",说的是又一种锦绣屏风。

架子床　传统家具中的一种卧具。架子床的特点是床四周有柱,上有挂檐框子,为了支挂帐幔,沿床的两侧和床背面有矮围栏。较贵重的架子,床用硬木制作,样式变化很多,装饰工艺也很复杂。明代家具中有的架子床做成月洞式门罩,床正面从上到下用四块花格扇拼成,中间留一月亮形圆门洞。床两侧和背面是完整的花枝围栏和挂檐,床身用高束腰,四脚用外翻马蹄足。一般架子床的装饰多在围栏和挂檐上下功夫,有的挂檐做成槅口卷子,有的做种种图案浮雕花板,也有的透雕花板,上面镂刻出花鸟龙凤等图案。

挂落　北方又称"倒挂楣子",传统建筑装饰构件之一。挂落是悬装于房间进深两柱和梁枋之间的木结构装饰板,与罩的安装部位以及花格和透雕的纹样相似,也有一些比罩更弱的隔断效果。挂落的使用范围要比罩广泛得多,如室内的梁柱之间,室外廊檐下,园林中游廊的廊檐下等。挂落的花格变化很丰富,南方主要有套万、万川、冰川等图案。挂落是一个整体的木框,框与梁柱之间有木销,可以拆装。如果透雕的花板或花格不是一个整体,而分开在柱和梁枋之间的两角处对称安装,称为花牙。花牙的图案纹路较罩和挂落更为灵活多变,使用范围也更加广泛。

挂笺　又称"门笺"、"挂钱"、"挂千"、古称"门彩"、"斋牒",春节时挂在门楣上的剪纸。挂笺宋代已有,《岁时广记》引《皇朝岁时杂记》云:

"元旦以鸦青纸或青绢剪四十九幡，围一大幡，或以家长年龄戴之，或贴于门楣。"幡就是当时的挂笺。挂笺是一张长33厘米宽23厘米左右的长方形红纸，上面剪出吉祥图案或吉祥语，贴在门楣外或窗外，有一种带八仙人图案的挂笺专门用来供佛。《燕京岁时记》曰："挂千者，用吉祥语镌于红纸之上，长尺有咫，粘之门前，与桃符相辉映。其上有八仙人物者，乃佛前所悬也。是物民户多用之。"南方将挂于门楣的挂笺称为"门彩"、"斋牒"，挂于梁间用于压胜的称"挂钱"，清光绪《杭州府志》载："琳宫梵宇，剪五色纸形如旗脚，贴于门额，上书"风调雨顺"、"国泰民安"等语，在在有之，"门彩"亦名'斋牒'。彩笺五张为一堂，中凿连钱文，贴梁间以压胜，曰'挂笺'。"天津称挂笺为"吊钱"，图案多为"连年有余"、"吉庆有余"或聚宝盆等。挂笺的源起及内容虽然多与迷信有关，但仍然不失为渲染节日喜庆气氛的装饰物。

挂巾面盆架 传统家具中的盥洗设备。面盆架一般为六足或四足，挂巾面盆架的后两足立柱与其它各足高出一倍以上，其它各足与普通面盆架相同。高出的两足上半部安横枨或花牌子，顶端的搭脑两端出挑，上雕饰各种花纹，搭脑上可以挂毛巾。有一种挂巾圆盆架，造型结构与前者相似，只是在盆架放面盆处有一圆形中空的面板。挂巾面盆架是明清家具中常见的类型。

格门 又称"槅扇"、"长窗"、"碧纱橱"等，传统建筑中一种门的形式。格门一般作外门或内部隔断，上部做成各种花式透空窗棂，下部安装裙板。也有下部不装裙板，全部做成窗棂的，叫作"落地长窗"。格门至少在唐五代时就已出现，早期的格门皆为单腰串，又叫"三抹头"，即上中下三条横档。五代时出现双腰串（四抹头）门，明清时则有三腰串、四腰串门。格门的裙板早期为平面，金代以后开始出现雕花裙板。棂窗的格心式样也逐渐发展，宋代《营造法式》中只有四斜球纹格和四直方格等少数几种，五代时出现斜方格、龟背板、十字纹等，金代则有菱花、球纹变体、柿蒂花、簇纹填华、龟纹十字锦、亚字勾交、卍字纹、拐字纹等数十种。明清又有一码三箭、步步锦、灯笼框、冰裂纹等，不胜枚举。格门每开间做两扇、六扇乃至八扇，宽与高清代为1：3或1：4，江浙一带有1：5和1：6的，较细长。格门均向内开，一般中间两扇开启，两旁做成死扇，也有的可全部开启，甚至全部卸下。

案 一种传统长桌面的家具，一指古代短足的食器。《周礼·考工记·玉人》云："案十有二寸。"《急就篇》曰："槃杆槃案杯闻碗"。注："无足曰盘，有足曰案，所以陈举食也。"这种案尺寸较小，所谓"举案齐眉"就是这种案。另一种案指狭长的桌子，如河南信阳长召关战国楚墓出土的漆案，长150厘米，宽72厘米，四个兽足高40厘米。唐代周仿画的《宫乐图》中有可围坐12人的长案。

按照用途案可以分为经案、香案、书案、画案等，按照制作材料分有木案、铜案、陶案、漆案等，形制上又有平头案、翘头案等。平头案有四条直腿，直腿间有横枨，纵向无枨，枨与案面都牙子承托。明式翘头案案面两头有翘起的"飞角"，腿间横向有镂花档板连接。民间流行的一般是结构较简单的"条案"，组合的条案称为"几案"，是由一条长案板和两只案几组成，可以随时拆装。放在炕头的矮几案叫"炕琴"。

瓶　长颈而大腹的容器，主要盛液体。瓶最初为汲水器，《汉书·陈遵传》云："观瓶之居，居开之眉，处高临危，动常近危"。这是用于井中汲水的瓶。早在原始社会陶器文化中，瓶是较普遍的器型。仰韶文化出土陶瓶器形一般为小口、细颈、长圆腹、尖底。这种尖底瓶显然是为汲水用的。制瓷技术发展后，瓶的用途增多，瓷瓶的型制变化也增多，如隋代有白瓷双螭柄双腹传瓶、双耳瓶等；唐代有长颈盖瓶、八棱瓶等；宋代有橄榄形瓶、葫芦形瓶；明代有天球瓶等。瓶一般用来装水、酒和油等，许多制作精美的瓶也是观赏品。在民间，瓶是一种吉祥物，如瓶和镜放在一起谐"平静"音，在"岁岁平安"图案中的瓶皆为开片瓷。"平升三级"是一只瓶子中插着三支戟的图案，"平升三级"在民间还用作压胜物安置在屋脊上或直对院门的厦子间屋顶上。"平安如意"则是在瓶中插一只如意。这些图案大量出现在各种工艺制品、装饰图案中。

瓷枕　古代瓷制的枕头，也有陶制的，始于隋唐，流行于宋。瓷枕较高，而且很硬，睡觉时可保持头饰不变形，因此瓷枕大多为妇女所用。瓷枕有长方形、腰圆形、云头形、椭圆形、八方形、银锭形等各种形状，枕上有彩釉绘制的各种图案和铭字。特殊造型的瓷枕以孩儿枕为多，枕形塑成一幼儿，俯卧在床榻上，民间流传很广。宋代定窑白瓷孩儿枕是瓷枕中的珍品。清代北方各地盛行瓷猫枕，一种为直卧猫，一种为侧卧回首猫，猫耳部附近有孔，夏季可灌水取凉。此外还有卧虎枕、狮子枕等造型。瓷枕以磁州窑制品最丰富，景德镇制品最精，现存景德镇瓷枕精品有宋代青白瓷童子荷叶枕、青白瓷卧女枕、元代青白瓷广寒宫枕等。

脊饰　传统建筑屋脊上的装饰构件。汉代一些重要建筑的屋脊上曾采用过朱雀、铜鸟等脊饰，北魏时鸱尾取代了雀鸟，到唐代又有了涂釉的大鸱尾，宋代除鸱尾外还有嫔伽、蹲兽、滴当、火珠等，明清则演变成为正吻、饕兽、仙人走兽等等。鸱吻一般装在重要建筑的正脊上，仙人走兽则用在饕脊或垂脊的近檐处。普通民居的脊饰简繁不等，北方多采用清水脊，仙人走兽的变化较少，南方多采用片瓦脊，脊饰的变化很丰富。片瓦脊的做法是在脊上用小青瓦堆砌出各种花饰，有神仙走兽，花鸟鱼虫甚至有故事和戏剧人物等。总的来说脊饰最初是作为压厌火灾的镇物，在长期的使用中其装饰意义逐渐超过镇物的含意，演化为成熟的装饰模式。

扇子 又称"摇风"、"凉友"、"箑",夏季引风取凉的用具,一为宫廷障尘蔽日的仪仗。《初学记》（卷二十五）曰:"扬雄方言曰:扇,自关而东谓之箑,自关而西谓之扇。世本曰:武王作翣。崔豹古会注:舜广开视听,求贤人以自辅,作五明扇,汉公卿大夫皆用之,魏非乘舆不得用。又曰:殷高宗有雊雉之祥,服章多用翟羽,故有雉尾扇。周制为王后夫人车服,辇车有翣,即缉雉羽为扇,以障翳风尘也。"就是说扇从殷周时就有了,作仪仗用的扇叫翣。翣的扇面较大,柄长 3 米以上,需要专人举持。民间使用的扇分为两种,一种是不能折叠的,如瓜形有柄的潮扇,圆形有柄的团扇,还有纨扇、羽扇、漆扇等。使用最多的是葵扇,用蒲葵叶制成,又叫"芭蕉扇",还有竹编扇和麦秸扇也是这一种。另一种为折扇,据说从日本或朝鲜传入,故又有"倭扇"之称。折扇可以反复折叠打开,多为文人雅士所用,一般长尺许,14骨、16骨的较多。扇骨用竹、木、牙、角等材料制成,扇面以纸为多。折扇的扇面上往往有书法和绘画作品,没有书画的叫"素扇"。折扇也有用羽毛或檀香木做成的。扇的使用广泛,传统制扇技术也很精湛。扇也成为文学作品的描写对象,如晋王献之《桃叶团扇歌》云:"七宝画团扇,粲烂明月光"。梁何逊《咏扇》诗云:"摇风入素手,招曲掩丹唇"。

梳篦 日常用梳发用具,古称"笓笞",齿疏者叫"梳",又叫"桄子",一面有齿,齿密者叫"篦",中间有木骨,两侧皆有齿。《事物异名录·器用·笓笞》云:"事物原始:神农作笓笞。按笓笞谓篦也。方言作编笞。"梳篦一般用木、竹制成,本世纪 30 年代开始有赛璐珞制的,也有用角、骨、银等精制的插于发际作首饰。杜甫《水宿遣兴奉呈群公》云:"发短木胜篦"句就是说的这种梳篦,北宋时将这种妇女发髻上常用的梳篦叫"冠梳"。直到本世纪 30 年代,新娘的陪嫁中还要有一把骨制或象牙制的贵重梳篦。我国有许多著名的传统梳篦制品,如明清两代作为贡品的常州梳篦,本世纪以来曾多次获得各种博览会奖。因此,常州、苏州的梳篦风行天下,伪冒者很多,连叫卖者都学常州人的口音喊:"刮子、刮子。"著名的梳篦还有桂林的竹篦、福州的角篦、衡阳的角篦等。

捧盒 一种底盖相合的盛器,形状有圆形、方形和多边形等。捧盒一般有漆饰,底胎有竹胎、木胎、锡铜金属胎不等,其工艺有雕漆、螺钿镶嵌、戗金、剔彩等。现存传世精品捧盒很多,如明代八仙图八方捧盒、明代对镜图嵌螺钿黑漆盒,明代剔红进狮图圆盒等。民间捧盒一般作送礼时摆礼品之用,长方形的称为条盒,平时居家不用,多在节日或喜寿日递送赠物时才使用。

悬山 又称"不厦两头"、"两厦"、"挑山"、"出山"等,中国传统梁架结构建筑屋顶形式之一。悬山是比歇山低一等的形式,由一条脊和两面斜坡的屋面组成,以屋顶两端伸出山墙之外为特点。汉代的雕刻绘画及模仿木结构的石雕反映出当时的住宅已大量使用悬山屋顶。许多寺庙建筑也使用了悬山屋顶，如大同华严寺海会殿、山西五台山佛光寺文殊殿、山西洪洞县广胜下寺大殿等都是保存下来的著名古代悬山建筑。有的悬山檐下设有通风窗孔，这种形式最初见于广州出土的汉墓明器上，实例见于山西大同华严寺海会殿。悬山的顶端有伸出墙外的檩头制约着山墙，稳定性强于硬山。为了挡住檩头等屋面结构，悬山顶山面檐部往往装挂檐板，山顶正中装悬鱼惹草式花板作装饰。

悬鱼　又称"垂鱼"、"山花板"，传统建筑中山墙上部人字形搏风板正中的装饰。至少在唐代建筑中，悬山顶和歇山顶山墙三角部分就有了垂鱼装饰，宋元的歇山顶也装饰悬鱼惹草，明清歇山顶向外移出，须支以草架子，为了遮挡草架柱子，就掩以山花板，其图案变化更为丰富。悬鱼通常是一个鱼形的木板倒悬在山面脊下，最初的意义是防火的镇物，后来逐渐成为装饰物，甚至连南方硬山封火墙的正中也要砌出悬鱼图案。悬鱼的图案据说不止千种，如草鱼、双鱼、倒如意、莲花、蝙蝠、蝴蝶等。

雀替　传统建筑中的一种木构件，在柱与枋相交处的短替板。雀替从柱的两侧挑出，形成枋的托座，借以缩小枋的净跨度，从而减少了柱头处对枋的剪力，与斗拱的作用相似。雀替表面一般有浮雕和彩绘，它

紧贴在柱与枋相交的角部，像花牙一样有很强的装饰效果。清式建筑中雀替多用在外檐柱和额枋的相交处，故宫太和殿、天安门城楼、雍和宫等建筑的檐柱上都装有雀替。

帷幕　又称"帐幕"，遮蔽用具，通常用布帛做成。《周礼·天官·幕人》云："常帷幕幄帟绶之事。"郑玄注："在旁曰帷，在上曰幕"。帷幕在室悬挂可以分隔空间，障隔内外，同时帷幕也是一种室内装饰品，不同质料和不同悬挂方式可以造成不同的气氛。白居易《牡丹芳》诗："共愁日照芳难驻，仍张帷幕垂阴凉"。南方架子床的四周都挂帷幕叫"帏"，《古诗十九首》云："明月何皎皎，照我罗床帏"。

盘　扁浅而敞口的容器。商周时期就开始流行，当时是一种盥洗用具，洗手时用匜浇水，用盘接水。小盘用以洗手洗脸，大盘可以沐浴，如西周著名铜器虢季子白盘，长130.2厘米，宽82.7厘米，就是用来洗浴的。商代的盘无耳圈足，西周的盘多有附耳，圈足或三足，战国时出现长方形的盘。当时的盘多有铭文，《礼记·大学》云："汤之盘铭曰：苟日新，日日新，又日新"郑玄注："盘铭，刻戒于盘也。"孔颖达疏："汤沐浴之盘，而刻铭为戒，必于沐浴于盘者，戒之甚也。"早期的盘都是青铜制品，南北朝后出现瓷盘，器形较小，主要作餐具盛菜用，或作茶具、酒具。一些精品可作陈设鉴赏，如做成花叶状的宋代哥窑菊瓣盘、耀州窑宋代青瓷荷叶盘、元代蓝釉白龙

盘、明代成化孔雀绿釉青花鱼莲纹盘等。民间盛菜的浅盘子叫"碟子"，常用的有五寸、七寸、九寸等尺寸。旧时民居几案上摆放水果的盘子叫"冰盘"，还有一种带盘架的"木瓜盘"上摆木瓜、佛手之类的果品，专为室内散发清香。

铜镜　我国古代铜制的照容用具，在玻璃镜出现以前的主要化妆用具。铜镜是遗留至今最久远的古器物类型之一，甘肃省4000多年前齐家文化遗址中就出土过两件铜镜，一面为素镜，一面为七角星纹镜，以后历代都有大量出土的或传世的铜镜保存到今天。铜镜的形状以圆形为主，也有方形、菱花形和有柄镜等。镜的正面平滑，经磨光后可照容，镜背常铸有各种纹饰和钮，反映了各时代的文化特征。战国时花纹多为图案，如山字纹、纯地纹、四叶纹、饕餮纹，甚至金错银纹等，钮小，镜身轻巧。汉代镜身厚重，钮成半球形，图案出现人和禽兽。唐代纹饰有花蝶、人兽、葡萄、海马等，镜身形制多样化。宋元铜镜重实用，铸造工艺较差。清代开始流行玻璃镜，铜镜逐渐被淘汰。

鸱吻　又称"鸱尾"、"蚩吻"，我国传统建筑屋脊上的雕塑装饰物。鸱吻一般安置在建筑正脊的两端，作为压厌火灾的镇物。《事物纪原》引《青箱杂记》云："海有鱼，虬尾似鸱，用以喷浪则降雨，汉柏梁台灾，越巫上厌胜之法。起建章宫，设鸱鱼之象与屋脊以压火灾，即今世鸱吻是也。"可见鸱吻来源于古代神话传说中鱼的形象。经过多年习俗相沿，鸱吻已经成为重要建筑上必备的装饰物了，而且形成了固定的制度。按照宋代《营造法式》中的规定：正脊每高一丈，吻高四尺。鸱吻只能装在主要建筑上，次要房屋的大脊和垂脊只安兽，不许用鸱吻。

廊　传统建筑形式之一，指在屋檐下、正房两旁，或独立的有顶通道。梁架式建筑在汉代已发展到成熟阶段，当时就有了附属于厅堂的廊，如汉代画像砖中出现的廊的形象。敦煌壁画中有一种廊院形式，在庭院中主要建筑的两侧用有直棂窗的回廊联接起来的格局。附属于厅堂两侧的廊叫"抄手廊"，旧时抄手廊是为了丫环、书僮、仆人等待召唤的休息处，有的抄手廊装置围栏，供人靠坐。廊尽头处的横墙称"廊心墙"，墙心或装镂空花窗，或作凸出的画框。后代廊由所谓"堂下周室"发展成独立的建筑，尤其成为园林建筑的主要组成部分。廊的结构为梁柱式，有的中央起脊，有的做成卷棚顶。按位置分，廊有水廊、沿墙廊、爬山廊等，按建筑形式分，有直廊、曲廊、画廊、波形廊、厦廊、楼廊等。李斗《扬州画舫录》载："随势曲折，谓之游廊，愈折愈曲，谓之曲廊；不曲者修廊，相对者对廊；通往来者走廊；容徘徊者步廊；入竹为竹廊，近水为水廊。"廊是园林中联系独立建筑的通道，也是园林景观的一部分，历来是文人墨客咏诵的对象，如唐李商隐《正月崇让宅》诗："密锁重关掩绿苔，廊深阁迥此徘徊。"

窑洞　黄河流域传统的居住方式。从原始社会开始就存在着挖地穴居或半穴居的居住形式,我国历史上东北、西北、新疆等处少数民族存在着大量穴居形式,黄河中上游黄土区域的土质坚韧,非常有利于开窑洞。从开挖形势上分,有两种窑洞:一种为靠崖窑,即在天然土壁内开凿挖洞,常常数洞相连,上下数层相错;另一种是在平冈上掘方形或长方形的深坑,再沿坑壁开凿窑洞,称为"地坑窑"或"天井窑"。多层靠崖窑一般成阶梯形错开,洞前为通道,地坑窑则要再修阶道通到地面,或掘隧道与外部相连。为了防止泥土崩塌,窑洞内有加砖券或石券的。窑洞可以向深处发展,成为前后套间,最深可达20米。延安窑洞洞前中心为正门,门左右两侧安窗,窗下砌砖墙,门以上半圆形洞口全部做成花窗。豫西窑洞仅在门上或拱券部位开窗,没有其它窗子。河南、晋中窑洞则在券口砌墙,在墙上再发券二三道串窗。陇东窑洞门偏在洞口的一侧,窗在另一侧。有的窑洞与房屋混合组成院落,或是在窑洞口接盖房屋。窑洞节省建筑材料,充分利用地形地貌,而且冬暖夏凉,因此至今在我国北方仍广泛应用。

剪刀　古代又称"剞刀"、"交刀",绞切织物或纸的工具。《尔雅·释言》云:"剞,剪齐也。"郭璞注曰:"南方人呼剪刀为剞刀。"《太平御览》引《释名》曰:"剪刀,剪进也,前也。"《三才图会》(卷十二)载:"此闺阁中物也。然剪除繁芜、书斋中亦不可少此。"剪刀在南北朝以前已经出现,据《齐书》记载:"范云幸于竟陵王子良,江祐求云女婚姻,因醋以巾箱中剪刀与云曰:且以为娉,云笑受之。至是祐贵,云又因醋曰:昔与将军俱为黄鹄,今将军化为凤皇,荆布之室理隔华盛。因出剪刀还之"。可见当时剪刀还可以作为聘礼。一般的剪刀为两面相对的刃,中间用轴连在一起,用后部的把手控制刃的张合。我国古代还有一种把一根钢条两头的刃弯成对头的连体剪刀,一般用于修剪指甲。剪刀是妇女日常女红和剪纸工艺必不可少的工具。

旋子彩画　中国传统建筑梁枋彩画图案程式之一。梁枋彩画一般将梁枋全长分为三段,中间部分为枋心,左右对称部分为"找头",找头两边是"箍头"。根据梁枋的长短,找头的图案可根据需要而增减,有不足一个旋子花的"勾丝咬",整旋花与半旋花重叠的"喜相逢",整旋花加两个半旋花的"一整两破",其它还有"一整两破加一路"、"一整两破加勾丝咬"、"一整两破加喜相逢"等变化。如果木件过长,可加画一道箍头形成四方形的"盒子",盒子内画龙凤草兽等图案。枋心部分可以用空枋心,也可画龙锦枋心、花锦枋心等图案。旋子彩画常采用沥粉贴金工艺,根据用金量多少和色彩繁简可分为:墨锦枋线、青绿颜色旋眼栀花心的"雅伍墨";墨锦枋线、沥二路粉贴金旋眼栀花心的"墨线大点金"和"墨线小点金";沥大粉贴金绵枋线、沥二路粉贴金旋眼栀花心的"金线大点金"和"金线小点金";还有用金更多的"石碾玉"、"金琢墨和石碾玉"、"雄黄玉"和"大点金加苏画"等。

提炉 一种可移动的带炉火的提盒。盒体共分三层,最上一层盛备用炭薪,最下一层一侧为炉火,下有火门,另一侧为暖酒的热水,中间一层为空格,放一只锅和一只茶壶,茶壶座在火口上,锅放在热水上。三层皆可分开,合起来成为一个整体,盒底有底托,左右各有一柱,上有横提梁。这是一种郊游野炊时携带的用具。另外一种提炉是仪仗中燃香的器具,底下为一铜香炉,内燃檀香末,炉上罩一镂空铜罩,香烟可从孔中散出。香炉两侧有环,上连一长柄,使用时由一个人用柄提着炉子前进,故称"提炉"。旧时庙会、花会、婚礼仪仗中常有这种提炉,可以增加喜庆气氛。

提盒 又称"食格",可提携的一种多层盛器。提盒一般为木制,长方形,一尺多长,半尺多宽,有一长方形底框,两头有柱,上安横梁。底框有糟,槽内卡两层木盒,盒与盒之间又有子口扣咬,盒上有盖,盒与盖都卡在两柱之间。提盒是一种携带饭菜的用器,类似今天的多层饭盒。科举时代生员下考场时多携带提盒,内装食物、水壶、笔砚等物,所以旧时读书人家多备此物。

硬山 中国传统民间建筑形式之一,全国各地民居中广泛使用。硬山房源于古代"两下五架"的做法,特点是两侧山墙与屋面齐平或略高出屋面,前后双面坡屋顶,中央可以起脊,也可以是卷棚式顶。硬山屋盖檩木两梢搭至山墙为止,山墙为承重墙。硬山在汉代即已存在,到清代已形成固定模式,清雍正时工部刊行的《工程作法则例》中规定了硬山建筑的模数。硬山除山墙承重外,其余中间房架与庑殿顶、悬山顶相同,也分九檩硬山、七檩硬山、五檩硬山及四檩卷棚硬山等,但其山墙结构要求较高。硬山墙下有台基,相当于1/3檐柱高处为群肩,群肩以下墙体较厚,相当于两个柱径加里进两寸。群肩处加砌腰线石,腰线石以上墙体收进。前后檐部砌挑檐石,挑檐石以上为墀头,墀头以上随山墙做三角形砖搏风板。搏风板有三种规格:小三才搏风用停泥滚子砖砍做,或尺二方砖开做,或用滚子砖陡砌;中三才搏风用尺二料半或尺四方砖整做;大三才用尺七方砖砍做。山尖部分中高以山柱高为准,加至屋脊望板上皮,减去下面墙身和群肩高,即山尖部分中高,中高乘以房屋通深,折半,即山尖部分的面积。墙身里外都有收分,按1%身高收分,群肩上下通直,不收分。

唾壶 又称"痰盂",承唾液的容器,《世说新语·豪爽》云:"王处仲每酒后,辄咏老骥伏枥,志在千里,烈士暮年,壮心不已。以如意打唾壶,壶口尽缺"。现存西晋出土的瓷唾壶,圆形,大口球腹,高圈足,与今天的痰盂已经很相像。清代的唾壶多为铜制、圆形,高圈足,上有盖,矮者尺许,高者近两尺,摆放在客厅或寝室。20世纪开始流行搪瓷痰盂，亦有圆形高圈足式样。

铺首　又称"兽环"、"金铺"、"铜蠡"、"门铺"等，传统建筑大门上门环的饰物。铺首大多为兽首衔环之状，如虎、螭、龟、蛇等形象。《汉书·哀帝纪》云："孝元庙殿门龟蛇铺首鸣"。铺首用铜制的为多，称为"铜铺"，又称"金铺"。如宋姜夔《齐天乐》词中的"露湿铜铺"句，晋左思《蜀都赋》："金铺交映"句。《文选·司马相如长门赋》："挤玉户以撼金铺兮，声噌吰而似钟音"。李善注："金铺，以金为铺首也。"吕延济注："金铺，扇上有金花，花中作纽环以贯锁"。古代称铜为金，这是说的门扇上有带花饰的铜铺首。民居大门上安装的铺首较简单，如北方民居中常见的内圆外八方形的铺首，有铜制也有铁制的。铺首的喻意是镇凶辟邪，实际应用时是唤门的敲击响器。

铺面　又称"街面房子"，传统城镇临街商店的房子。铺面在平面布置上与其它传统建筑物并无多大区别，与普通住宅不同的是在临街一面辟大门一间，店铺则在这一面营业。临街的店铺不用大门，铺面房同时又是店铺出入的通道。店铺临街一面往往多添出平顶房，称为"拍子"，其房顶的流水往后倾，避免雨天妨碍顾客出入。檐前的挂檐板又称"华版"，版面雕有各种花饰。铺面装修多将住宅内檐所用的槅扇置于外檐柱间，一方面增加光线，也便利出入，必要时可摘下以增加通道面

积。旧时北京的铺面形式可分为四种。牌楼式，即在铺面前立起高大牌楼，牌楼有随铺面间数的，也有三间铺面一间牌楼的。牌楼立柱上端高出楼檐之上，上饰安云罐或宝珠等，牌楼上有横匾和招牌晃子之类。拍子式，即用平顶拍子当铺面，拍子顶上往往要起朝天栏杆作装饰，上标字号，挂檐板上伸出夔龙挑头。重楼式，即多层数的店面，重楼的形式很多，有的临街一面成廊子状，也有的仅在拍子上立一座雨亭。栅栏式，一般为当铺的特征，特点是按铺间数分间立柱，柱间上下枋间安直棂，栅栏上有瓦顶，门开得多矮小，门上有门楼，楼上有幌子，有的当铺门前另立幌杆。铺面的功能一是增加店铺的开放性，二是装饰性，为了招徕顾客。

牌坊　亦称"牌楼"，古称"绰楔"，传统装饰性或纪念性建筑。牌坊一般作为古建筑群的附属部分，通常坐落在建筑群的导入处，其建筑式样可以追溯到汉代之阙、六朝之标、唐宋之乌头门、棂星门。古时统治阶级为宣扬封建礼教，对忠孝节义或科第寿考往往建立牌坊加以表彰，如贞节牌坊、功德牌坊等。《新五代史·李自伦传》云："其量地之宜，高其外门，门按绰楔，左右建台，高一丈二尺，广狭方正称焉。坞以白以赤其四角，使不孝不义者见之，可以悛心而易行焉"。绰楔就是牌坊，是为告诫不义者而建的。明中叶以前牌坊以木结构为主，用柱和坊额构成若干间，以四柱三门的为最多见。门

额以上施斗拱，其上盖瓦顶。旧北京的东四牌楼、西四牌楼以及颐和园正门外的牌楼都是木结构的。明中叶以后石牌坊的数量增多，也有琉璃瓦制或砖制的。明十三陵中长陵的明代石牌坊，是现存牌坊之最大者，共有五门六柱，莲花雕饰的柱础为方形，其上两人多高的方形抱柱石，有浮雕和兽形雕饰，柱身和梁枋皆为方形条石。每一座门上有一个楼顶，中间主楼最高，两侧次楼成阶梯形依次降低，五座楼皆为庑殿式，每两座楼之间正对柱顶的位置，有夹楼作过渡，最外端的夹楼也是庑殿顶。有的牌坊不用夹楼，如山西龙泉寺的石牌坊为三门四柱式，主楼和两座次楼皆为歇山式顶，主楼高悬在次楼顶上，次楼在主楼檐下紧贴内柱。牌坊实际为一组梁架支撑着横转90度的屋顶，为了保持其稳定性，除了使用抱柱石之外，有的牌坊每柱前后皆用扶木支撑。

窝棚 又称"窝铺"、"草棚"、南方称"滚地龙"、"窑棚"等，一种简陋的棚子，多用草和席搭成。乡村中的窝棚是在地头或场边搭的一种临时遮蔽所，在庄稼成熟季节，或收获后打场时，用于看守者遮阳蔽雨。这种窝棚用树枝或竹杆搭成人字形架，上面覆以草或苇席，也有的搭成只有顶棚的架子，没有四壁，便于观察。在城市中，窝棚则是城市贫民或乞丐的居所，旧中国的大城市中皆有这类居住区，如旧上海杨树浦、曹家渡、闸口等处的"棚户区"，旧天津各处的窝棚群。在大灾之后，城市中的窝棚特别多。南方城市中的窝棚多用木棍、木板、草、席、洋铁皮等搭成，北方城市中的窝棚多用树枝、竹篾编成半圆形的支架，上覆苇席或秫秸，外面抹一层草泥，两侧一头封死，一头开门，这种涂泥的窝棚用于过冬。窝棚矮小、潮湿，冬天寒冷，夏天闷热，是旧社会劳动人民悲惨生活的写照。

隔断 传统建筑中为分隔室内空间的构造，包括砖墙、板壁、格门、花罩、太师壁、博古架、书架等等。砖墙是分隔开间的最普遍方式。板壁俗称"板墙"，是在需要隔断的开间前后柱间立木框，在框内装木板，板上通常要绘彩画或糊纸做装饰。普通三联间民居的明间与次间常用砖墙或板壁隔开，板壁或墙上开门和窗。门一般开在与次间炕沿一齐的地方，窗则开在炕的一侧，窗上有布帘或纱帘。白天在炕上做活儿的主妇可随时通过窗户观察明间的情形，夜间睡觉时挂上窗帘。格门又名"碧纱橱"，装在需要隔开的房柱间，一般以八扇为多，中间两扇，或更多扇可以开启。罩是一种透雕的隔壁，中间留一处可通过的门，装饰性极强，多用于客厅或书房。太师壁是在后金柱之间立木框横装板壁，板壁两侧留小门可以通过。某些家具，如博古架和书架等也可起室内隔断作用，而且摆放形式灵活多样。隔断的形式变化丰富，工艺精美成熟，是传统建筑风格的重要组成部分。

席 用植物茎等编织成的铺垫用具。席的历史相当久远，早在6000

多年前仰韶文化遗址中就发现有织席的痕迹。织席的材料有苇、草、竹、藤等。我国北方盛产芦苇，苇席又称"芦席"，用途很广泛，主要是用于铺炕和苫盖粮食囤垛、搭盖凉棚等等。南方气候炎热，凉席是夏天必不可少的卧具，因此南方竹草编制的凉席品种繁多，著名的草席有广西龙须席、广东肇庆折席、湖南祁东草席、江苏浒墅关草席、广东高要蒲席。著名的竹席有上海嘉定竹席、安徽舒城竹席、湖南益阳竹凉席、四川安岳凉席、浙江文成竹席等。故宫有一床宫廷用的用象牙编织的凉席，是席中珍品。

摇篮　又称"摇车"，婴儿卧具，可左右摇动，帮助小儿入睡。摇篮一般都为竹制，也有藤制和木制的，形状多为椭圆形，也有长方形的。《家熟事亲》云："古人制小儿睡车，曰摇车，以儿摇则睡故也。"南方的摇篮有放在床上的和放在地上的，由大人在旁边来回摇动。东北地区则将摇篮悬于梁下，大人往来推送，使摇篮像秋千一样荡来荡去。这种方法推一下可以荡好长时间，因此比别种摇篮更省力。放在地上和放在床上的叫"摇车"，吊于房梁下的叫"摇篮"。母亲用摇篮哄小儿入睡时，常哼唱歌谣，即"摇篮曲"。

碉堡　汉代又称"邛笼"，羌族传统民居形式。《后汉书·西南夷》云："冉駹夷众皆依山居止，累石为室，高者十数丈为邛笼。"说明汉代已有此建筑，其具体结构古代也有记载，《舆地纪胜》（卷一四九）曰："茂州夷居，其村皆叠石为碉以居，如浮图数重，下级开门，以梯上下，藏货于上，人居其中，畜圈于下。高二三丈者谓之龙鸡，后汉书谓之邛笼。十余丈者谓之碉，亦有板屋土屋者。"又乾隆《保县志》（卷八）曰："地无城廓，有亦库小不居，皆依山冈为宫室，叠石架木，层级而上，形如箱柜，最后则修高碉，藏其珍宝兵甲，高至二十丈，有八棱者，坚牢深密，炮石不能破"。这种碉堡下层墙厚一米有余，用泥和石块砌成，一般为方形，也有多棱形的。如此坚固的建筑是冷兵器时代有效的掩蔽所，住宅具有如此强的防御功能是为了适应动乱的社会环境。

罩　传统建筑中一种装饰性极强的分隔室内空间的结构。它位于房屋进深两柱和梁枋之间，用各种纹样的木花格或精美的透雕组成三面围合的隔壁结构。隔壁的中间留一个或大或小的通道门，这一通道门一般为方形，或其它形状，如月亮门形的"圆光罩"等。宽敞的通道门并且透雕，造成罩两侧空间既分隔又通连的效果。按照制作形式和使用方式的不同，罩可分为几腿罩、飞罩、落地罩、栏杆罩、花罩、圆光罩等等。罩一般为木结构，上有玲珑剔透的镂空雕刻，有藤茎、碎冰纹、竹叶、雀梅、整纹等花样，构成瑰丽多彩的室内景框。罩多用于客厅或书房。

歇山　又称"厦两头"、"九脊顶"，中国传统木结构建筑屋顶形式之一。歇山顶在尊贵程度上仅次于庑殿顶，由一条正脊、四条垂脊、四条戗脊、四个斜面屋顶和两山三角形的垂直墙面（山花）组成，可以看成是"庑殿"与"悬山"相结合的形式。汉代到元代的歇山有由悬山顶和四周琇的腰檐结合成的形式，这种屋顶上下两层成阶梯形，如山西霍县东福昌寺大殿的屋顶。后代的歇山顶前后两侧的屋面各合成一面坡。单檐歇山顶的建筑有北京故宫社稷坛享殿，重檐歇山顶的建筑有河北正定龙兴寺摩尼殿，江苏吴县玄妙观三清殿，以及天安门城楼等。唐代资料中歇山顶的收山很深，明清时代乃向外端逐渐推出，大致于山墙取齐，故两山之三角部分加大。唐宋时起山面之三角部分就开始装饰悬鱼、惹草的装饰物，明清时代三角部则装饰山花板及悬鱼等。

照妖镜 旧时民间驱鬼镇妖的门楣饰物，实际是挂在门楣上的一面方形或圆形的小镜子。古人认为镜子可以使鬼魅现出原形，《洞冥记》云："望蟾阁十二丈，上有金镜，广四尺。元封中，有祇国献此镜，照见魑魅，不获隐形。"传统风水术认为，门是住宅的气口，宅之吉凶全在大门，因此人们常常在门上贴挂种种神符和神像乃至挂照妖镜，以求吉利。尤其是当住宅主人认为住宅周围环境出现凶煞因素时，就一定要挂照妖镜以降福消灾。照妖镜一般挂在大门门楣当中处，紧贴着墙壁。由于城镇中住宅与道路的兴建经常要改变住宅的环境，因此挂照妖镜的现象在城市中更为多见。

筷子 又称"箸"、"梜"、"挟"，夹取食物的餐具。最简单的筷子就是两根竹棍或木棍，起源于原始人类用竹木棍夹取食物的方式。尽管后来有金筷、银筷、铜筷、象牙筷，使用得最多的还是竹筷和木筷。使用筷子的记载很早，《史记·十二诸侯年表》载："纣为象箸，而箕子晞。"大臣箕子为商纣王的奢侈而悲哀，箸即筷子，古时"象箸玉杯"形容极度奢侈的生活。《礼记·曲礼上》曰："羹之有菜者用梜，其无菜者不用梜，"梜即筷子。杜甫《野人送朱樱》诗："金盘玉筋无消息。"筋是箸的异体字，玉筋就是玉作的筷子。民间有关筷子的习俗很多，比如吃饭须长辈或主人先动筷子，吃鱼时要长辈先用筷子夹第一块。全家在一起吃饭时不能将筷子直插在饭碗中，因为只有在上供时才直插筷子。甚至筷子的名称也来自民间讳俗，《菽园杂记》云："民间俗讳，各处有之，而吴中为甚。如舟行讳住、讳翻，以箸为快。"快即筷。筷子是最有中国特色的餐具，我国著名的筷子产地也很多。杭州的西湖天丝筷，筷身雕刻有山水花鸟、西湖风景、佛像、字画等图案，河南南阳冬青木烙花筷，上有诸葛亮全图、三国人物和山水花鸟等烙花图案，其它还有贵州黎平烙花筷、福州漆筷等。

槛窗 传统建筑小木作窗的一种，相当于不带裙板的半扇格子门。槛窗常与格子门并用，即明间用格子门，两侧次间用槛窗，槛窗上替桩横披、上槛等与明间格子门取齐，窗下的风槛、榻板安在砖砌的槛墙上。

房间多的民居明次间都安装格子门，再往两侧的梢间、廊间装槛窗，按开间大小，每间装2—6扇窗，均向内开。槛窗的格心图案做法与格子门相同，以保持整个建筑风格一致。

聚气 传统风水术选择理想聚落位置的原则。"气"是中国古代哲学中构成自然万物的基本要素。《相宅经纂》序："四正四隅，八方之中，各有其气，气之阳者，从风而行，气之阴者，从水而行。"所以说风水理论处处离不开气的概念。气除了分为阳气阴气之外还可分为吉气和凶气，《解难二十四篇》云："地有吉气，土随而起，化形之著于外者也。气吉，形必秀润、特达、端庄；气凶，形必粗顽、欹斜、破碎。"风水术认为山是气之源，"山气茂盛，直走近水，近水聚气，凝结为穴。"聚气的穴一定是山峦由远而近构成的环绕空间，这一空间后有龙脉，左右有龙虎砂山，层障夹紧，前有案山、朝山，唯一与外界相通的是"一方众水所总出"的水口。这是最有利于聚气的环境，反之则会"泄气"、"漏气"。中国传统城市、村落、住宅普遍采用围合环抱之势，都是风水理论中"聚气"原则的体现。

聚落 又称"居民点"，即为人所聚居的人文景观，如村落。聚落一词最早见于《汉书·沟洫志》："或久无害，稍筑室宅，遂成聚落。"现代人类学关于聚落的概念是：人类居住地的空间组织模式，包括居住地点、墓葬、手工业活动场所、贸易地点、宗教活动地点、道路、自然环境等。这样的聚落包括村落、集镇、城市以及各种规模的人类定居点。聚落产生于人类定居生活之后，人类由于生态环境不同，文化传统不同，生产方式不同，而形成不同的聚落形态。随人类的生产力与社会形态的发展，聚落的规模、聚落的构成以及聚落之间的关系都会发生有规律的变迁。例如随着近代工业革命而发生的近代城市化进程，就是人类发展史上最大的聚落变迁。

鞋拔子 也称"鞋溜子"，民间穿鞋时提鞋用的工具。《乡言解颐》云："男子之鞋只求适足，而欲其峭紧者，则用鞋拔……拔者，提之使上也。"鞋拔子为一椭圆形片状物，长0.9厘米，宽0.3厘米，中间凹下，手柄处向后弯曲，与脚后跟形状相似，表面光滑。鞋拔有铜质、角质、骨质、牙质等，近代多用赛璐珞制成。鞋拔子多用于穿布鞋，因布鞋后跟软，如果鞋太紧用手提困难时，就用鞋拔子插入鞋后跟，将脚踏入鞋跟后，再将鞋拔子抽出。民国初年，鞋铺每卖一双皮鞋常常赠送一只铜鞋拔子以招徕买主。民间嫁女的妆奁中一定有一只和篦子系在一起的鞋拔子，上贴小红斗方双喜字。

滴水 传统建筑屋面材料构件之一。在屋顶上每两陇筒瓦之间有一陇略带弧形的仰瓦，以承接筒瓦流下的雨水。仰瓦又称版瓦，在檐头的第一块版瓦的瓦头有略呈三角形的瓦头，这块瓦称为滴水瓦。滴水瓦的瓦唇朝下，起束水作用，目的是防止雨水渗透到屋面上。汉魏时已经有了花卉或锯齿状的花头版瓦,北齐时开始有了版瓦沿,唐代出现滴水瓦。后代的滴水瓦常常印有花卉,鸟兽等纹样,因此滴水也是屋面装饰的一部分。

褡裢 又称"搭裢"、"搭包"、"捎连"、"褡膊"、"毛连"等,汉族民间一种随身盛钱物的布囊。褡裢有布制的,也有毛制和皮制的,一般为长方形,中间开口,两头各有一袋兜,可装钱物,小的悬于腰间,大的可以搭在肩上,故称褡膊。有的褡裢在正面刺绣各种吉祥图案和字样等。褡膊是古时男子出门旅行时常携之物,《金瓶梅》四十九回:"那胡僧直竖起身来,向床头取过他的铁柱杖来柱着,背上他的皮褡膊,褡膊内盛着两个药葫芦,下得禅堂就往外走。"

漏窗 又称"花窗",传统园林建筑的一种装饰形式,通常是在墙上开挖的各种形状的空窗,或安装用砖、瓦镶嵌的或用石料镂刻成的花窗。各种造型的空窗不仅可以通风采光,还可以作为景框点缀园景,而有花饰的漏窗更可以起装饰墙面的作用。苏州园林中漏窗的形状数以千计,有方、圆、三角、八角、扇形、石榴形等,窗内花纹有连线、叠锭、鱼鳞、宫式、竹节、菱花、海棠等。

影壁 又称"照壁"、"照山"、"照墙",传统建筑大门外正对门处作屏障的墙壁。《红楼梦》第三回:"北边立着一个粉油大影壁"就说的这种影壁。旧式院落内正对大门处还立一面较小的单独墙壁,也叫影壁,作

用与门外的影壁相似。一般住宅门外往往没有修建影壁的空间,因此门内的影壁便必不可少。天津地区有将门内的称为影壁,门外的称为照壁的区别。传统风水术认为,住宅的大门为气口,除了其位置应处于本宅的吉方之外,还要采取其它避凶迎吉的措施。影壁的意念是避免煞气直冲,而且大门并未封闭,又可保持气畅。影壁造成建筑环境气氛的庄重、森严、神秘。影壁又指一种有浮雕的墙壁,《画继》卷九曰:"惠之塑山水壁,郭熙见之,又出新意,遂令圬者不用泥掌,止以手抢泥于壁,或凹或凸,俱所不问。干则以墨随其形迹,景成峰峦林壑,加之楼阁人物之属,宛然天成,谓之影壁。"这是一种即兴创作的影壁。北方有一种色彩华丽的琉璃九龙壁,也是装饰性的影壁,目前保存的有三座。其中时间最早,体量最大的是山西大同九龙壁,建于明洪武24年(公元1391),长45.5米。其余两座分别在北京的北海和故宫内。

踏脚板 又称"承足"、"脚床子",床前或坐具前一种蹬踏用的小型家具,面为平板,下托横档,有四足。《宋史》(卷四十四)云:"五代汉乾祐中始置立辇十六人,捧足一人,掌扇四人,持踏床一人。"《萍州可谈》曰:"宰相礼绝庶官,在都堂,自京官以上则坐,选人立白事。见于私第,选人亦坐,唯两制以上点茶汤,入脚床子。"这里说的踏床和脚床子都是踏脚板的一种。明代架子床和罗汉床前多设踏脚板,其造型与用料与床

身一致。考究的八仙桌下的踏脚板为方形，炕及椅子前的为长方形。椅子前的踏脚板叫"承足"，尺寸较小，但制作较复杂，四腿间有横枨，腿与横枨间装牙子。踏脚板多为长方形，也有椭圆形的。民间常用的有一种竹制小凳，称为"竹踏凳"，功能与踏脚板相同。

躺箱　传统民间家具之一，是一种横放在地上的箱柜。躺箱都用实板，燕尾榫结合，箱宽与箱高与普通衣箱同，长度不等，中间用隔板分成两至三个空档，相当于两三个衣箱连在一起。箱盖可以是整体的掀板盖，也可以是每档箱子一个盖，每档箱盖单独开合。一般箱盖后半部为死盖，另一半为插盖，正面装锁鼻。箱底装车脚木架，使底板离开地面以免受潮。躺箱在北方很流行，既可装粮食，也可存放衣被等其它物品，平时靠放在室内炕对面的墙边，代替凳子坐人，是一物多用的家具。

熨斗　又称"火斗"、"金斗"，烫平衣服的器具，形如斗，长柄圆底，广唇无盖，多用铜铁制成。古代铜熨斗柄上常刻有"熨斗直衣"的铭文。熨斗一词见于梁简文帝《和徐录事见内人作卧具诗》："熨斗金涂色，簪管白牙缠"句。文献记载熨斗的起源很早，《说文解字》云："熨，以上案下也。从层，又持火，以尉申缯也。"徐笺："置火于铜斗，故当时又称火斗。唐时又称金斗"。熨斗的用法是将炭火置于铜斗中，用斗底按压衣料，使平直。据说熨斗曾作过刑具，《三才图会》(卷十二)曰："熨斗，帝王世纪曰：纣欲作重刑，乃先作大熨斗以火熨之，使人举手辄烂，与妲己为戏笑"。

橱　传统家具之一类，收贮日常用品的中型盛具。橱比立柜体积小，样式和结构各异，根据不同的用途有不同的做法。如碗橱、书橱、衣橱等都在正面装门，比较接近于柜，只是根据需要安排内部结构；药橱除了正面装门之外，里面全部做成抽屉，便于分类装药。连二橱、连三橱指橱面下装二只或三只抽屉的橱，下面不装门，有一长方形桌面，比较接近案桌，天津及河北一带称为连二、连三桌。闷户橱是在连三、连二橱的抽屉之下留出一个可供贮藏物品的箱体，没有出口，取放东西必须拉出抽屉，故称闷户橱。明清家具中的连二、连三橱都做成闷户橱，北方使用较普遍。

镜台　又称"鉴台"，传统家具中一种装有镜子的梳妆台，可储放各种梳妆用品。汉末就有银制的镜台，而且成为宫室中普遍使用的家具。《北史·齐本纪下》云："宫女宝衣玉食者五百余人，一裙直万匹，镜台直千金"。《法书要录·古今书评》曰："徂恒书如插花美女，舞笑镜台"。河南郑州宋墓壁画中古代镜台的形象是，四条直腿的小方桌上装一小屏风，下部为一方框，上部嵌一圆镜，镜框上有许多雕饰与方框连为一体。清代玻璃流行后，镜台的式样变化增多，下部的台几多装抽屉，有的将抽屉装在台面两侧，镜子装在台几中央，有圆形，有方形，还有的中间装一扇高镜，左右两侧装两扇稍低的镜，成山字形，如果两侧的镜向内围合，则成八字照壁形。

篱笆 又称"篱落"，用竹、木、芦苇等编成的围墙或屏障。乡村房舍周围常用篱笆作为围合院落的矮墙，或是作为花园、菜园或果园的围墙。人们常在篱笆下种一些藤蔓类的花卉蔬菜，形成绿叶覆盖的植物墙，宋刘克庄《岁晚书事》曰："荒苔野蔓上篱笆"，正是这种写照。在古代诗词中篱笆的形象是村野生活的象征，如唐张籍《过贾岛野居》云："蛙声篱落下，草色户庭间"，宋杨万里《宿新市徐公店》云："篱落疏疏一径深，树头花落未成阴。"

瓢 古称"蠡"、"树"等，用剖开的葫芦制成的舀水器，也泛指用木或金属等制成的类似舀水器。《方言》云："蠡，陈楚宋魏之间或谓之树，或谓之瓢。"瓢的使用早于春秋战国时代，《论语》载："贤哉回也，一箪食一瓢饮，在陋巷人不堪其忧"。《庄子》记："惠子谓庄子曰，楚王贻我大瓠之种，我树之成而实五石，……剖之以为瓢，则瓠落无所容。吾为其无用舍之。"民间普遍使用瓢舀水，一般人家的缸盖上都有一个瓢。瓢也常用于从米缸面柜中舀粮食。古人也用瓢来舀酒，如唐张说《咏瓢》诗"美酒酌悬瓢"。

藻井 中国传统宫殿和寺庙建筑中内部顶棚装修形式之一，一般用于宫殿中正座位置的顶部或是寺庙主体建筑佛像位置的顶部。藻井是一种特制的小木作结构，像伞盖一样，高出于天花板之上。汉代就已出现藻井一词，如《西京赋》中的"蒂倒茄于藻井"。四川乐山崖墓和山东沂南古画像石墓中开始有了藻井的雏形，敦煌石窟中有许多藻井彩画，到北宋时较普遍地应用斗八藻井。宋代《营造法式》说"造斗八藻井之制，共高五尺三寸，其下曰方井，方八尺，高一尺六寸；其中曰八角井，径六尺四寸，高二尺二寸；其上曰斗八，径四尺二寸，高一尺五寸。于顶心之下施垂莲，或雕华云卷，皆内安明镜。"元明清建筑中的藻井构造更加复杂细微，如元代永乐宫三清殿的藻井、明代北京智化寺万佛阁的藻井、承德普乐寺旭光阁的藻井、北京隆福寺三宝殿的藻井、北京故宫太和殿的藻井和北京天坛祈年殿的藻井等，都是传统藻井技术的上乘之作。

攒尖顶 我国传统梁架式屋顶形式之一，是一种平面为方形、圆形、三角形或其它正多边形建筑物的锥形屋顶，其特点是数条垂脊交合于顶尖部，上面再覆以宝顶，无正脊。攒尖顶在汉代已经出现，宋代称为"斗尖顶"，明清时代的建筑物中较多见。根据建筑平面形状不同，攒尖顶也不同，如圆形平面的顶为圆锥顶，正多边形为正多棱锥顶。圆锥攒尖顶的典型建筑有北京天坛的祈年殿、皇穹宇、河北省承德普乐寺的旭光阁等。四角攒尖的建筑有西安钟楼、北京故宫午门两侧角楼等。多角攒尖的典型建筑有北京颐和园万寿山上的佛香阁等。三角攒尖的建筑较少见。攒尖顶多用于各种塔、亭、阁的屋顶结构。

饮　食　肴　馔

人口粥　亦称"口数粥"，古代汉族岁时传统食物，流行于江苏、湖南、湖北和南方广大地区。"人口粥"有以口计数煮粥共食的意思。通常在夏历腊月二十五日夜，不论贫富，家家用红豆与米煮粥，全家不论大人、小孩，人皆有份，如家中有人外出未归，也必须把他的一份留着，等其回来吃，甚至连家中的猫狗都有一份。民间认为可以辟瘟气。用红豆来辟疫禳灾的观念，在远古时代已盛行。《荆楚岁时记》中写道："共工氏有不才子，以冬至日死，为疫鬼，畏赤小豆，故冬至作粥以禳之。"冬至吃赤豆粥的习俗，到后来移至腊月二十五日进行。《梦粱录·卷六》说："(腊月)二十五日，士庶家煮赤豆粥祀食神，名曰'人口粥'，有猫狗者亦与焉，不知出于何典。"另，《吴郡志·卷二》载：腊月"二十五日食赤豆粥，云辟瘟，举家大小无不及，下至婢仆。猫犬皆有之，家中有外出者，亦贮其分，名曰'口数粥'。"此俗今已失传。

八珍　古代的八种名食，八珍最早出现在《周礼·天官》中。文中说，周天子在进膳时，"食用六谷……珍用八物。"即是说，珍贵的肴馔要用八种。汉代郑玄作注：八珍，谓淳熬、淳母、炮豚、炮牂、捣珍、渍、熬、肝膋也。其中淳熬、淳母分别是用旱稻、黍子做成的脂油肉酱盖浇饭；炮豚、炮牂是烤、炸、炖乳猪和羊羔；捣珍是一种烧肉块；渍是酒渍牛羊肉片；熬是姜、桂腌牛肉；肝膋是烤炮网油包狗肝。随着社会生产力的发展，八珍成了珍贵食品的代名词，八珍的内容也发生了变化。《馔史》记载了两种新的八珍。一种为：龙肝、凤髓、豹胎、鲤尾、鸮炙、猩唇、熊掌、酥酪蝉；另一种叫"迤北八珍"，有醍醐、麆吭、野驼蹄、鹿唇、驼乳糜、天鹅炙、紫玉浆、玄玉浆。这两种八珍为北方少数民族的食品。至清，八珍范围益广。有"禽八珍"(红燕、飞龙等)，"海八珍"(燕窝、鱼翅等)，"山八珍"(驼峰、鹿筋等)，"草八珍"(猴头蘑、羊肚菌等)之分。近代，则又有上八珍、中八珍、下八珍之说。

八仙菜　汉族祝寿时所摆之宴席，流行于青海河湟等地。这种宴席共上8种食物，故名"八仙菜"。一般以全鸡、韭菜爆肉、糖枣八宝米、莲藕炒肉、笋子炒肉、葛(洪)仙汤、馄饨和长寿面组成。每种食物都有一定的象征意义，全鸡取意终身吉祥，韭菜爆肉取意福寿长久，糖枣八宝米取意幸福甜蜜，莲藕(洁白)炒肉与笋子(耐寒)炒肉取意老骥伏枥，葛(洪)仙汤表示健康长寿，馄饨取意与天地共生，长寿面表示寿比南山。此席所上食物并不固定，因时因地而异。

八宝饭 又叫"八宝甜饭"，汉族民间传统食品。流行于全国各地，以江南地区为盛。其制法：将糯米加水蒸熟后，拌入白糖、凉猪油、桂花，然后装入放有莲子、红枣、薏仁米、蜜冬瓜条、蜜樱桃、桂圆肉、瓜子仁等果脯、干果的容器内，上火再次蒸制，然后扣在盘内浇上糖卤汁即成。蒸熟后的八宝饭，具有色泽光润悦目，香甜透味，入口溶滑等特点。是节日和待客佳品。八宝饭品种繁多，各地风味不同。较为出名的有荆州散烩八宝饭、北京果脯八宝饭、苏州百果八宝饭、上海猪油八宝饭、杭州荷香八宝饭、绍兴干煎八宝饭等。

八宝姑嫂鸭 汉族民间传统佳肴，流行于浙江绍兴地区。当地传说有姑嫂二人开一饭店，她俩刻苦钻研烹调技艺，用 8 种配料与鸭子一起蒸制，创造出八宝姑嫂鸭这一菜肴。其制法：选择一只 2 斤左右的当年肥鸭，开膛、褪毛收拾干净，用酱油、香料将鸭身抹一遍，把鲜瘦肉剁成肉泥，和玉堂菜屑、开洋末、香干丁、冬笋丝、酱油等一起搅拌调匀。配以香菇、黑木耳、黄花菜、虾仁等，一起装入鸭肚之中，用羊肠线缝好，放进盘子内，上屉用文火蒸个把小时即可。吃时切开鸭膛，香气扑鼻，汁浓味鲜。绍兴地区新姑爷上门时，丈母娘必以此菜款待娇客，以显示

烹调技艺。当地人宴请客人时也用此菜。

刀削面 亦称"削面"，汉族民间传统食品，流行于华北地区，以山西最盛，为面食中的佳品。刀削面的制法是：把面和成稍硬一些的面团，放置盆内，饧好后，反复揉匀至不粘手，不粘案，搓成长筒形，平放在左手掌上，右手拿着用钢片制成的瓦形刀，站在沸水汤锅前，从面团的右侧先削，刀起面落，宽、厚、长相等，三棱柳叶形面片如雨点般下锅，煮熟捞出后即可食用。吃时，按个人口味浇上各种荤素浇头、打卤等。这种刀削面具有内虚、外筋、柔软、光滑、易消化的特点，加之随到随削，简易方便，是深受人们喜爱的食品。相传过去北京技术比武，一位民间能手在光头上垫一块净布，把面顶在头顶上，双手持刀，左右开弓，快削如飞，削出的面条片片相绕，依次落入八步之外的茶壶口中，成为京城奇谈。在山西一地，每逢乡镇集日，小贩们便设棚叫卖刀削面。刀削面还是家庭待客的食品。

大饼 汉族民间传统风味主食，流行于全国各地，以北方最盛。制作时，将面粉加水和好，稍饧，然后揉匀。把面团搓成长条形，用手按扁，再用擀面杖擀成薄薄的面片，上面淋上油，抹匀，撒上细盐面，卷成长筒形，根据饼的大小揪下适量的面制成面剂，两头包圆用擀面杖擀成大个的圆饼，最后把饼的生坯放在饼铛上，根据火候的强弱不断翻转，烙制而熟。烙熟的大饼颜色均匀，层

次清楚,松软可口。城乡集市多有出售此饼者,许多家庭也自制大饼。

大菜　亦称"行菜"、"正菜"、"主菜",是中国式宴席的主菜。中国式宴席通常是由三部分组成。第一部分食品是冷碟和酒水;第二部分食品是热炒和大菜,是宴席的主体,质量要求很高,把宴席推向高潮;第三部分食品是饭点和蜜果。大菜一般为5至8道,也有超过此数的,包括头菜、荤素大菜、甜食和汤品四项。头菜,即首菜,是宴席中最好的菜。常用山珍海味和名蔬佳果配制,用扒、烩、烤或蒸烹制,整只、整块、整条置放于大盆、大碗、大盘之中率先上席,要求香酥、爽脆或鲜嫩、肥美,在质量上比所有菜品要高,统率全席。荤素大菜一般包括肉畜菜、禽蛋菜、鱼鲜菜和瓜蔬菜,大都选用本地应时的名特原料,用烧、焖、蒸、焗、炸、熏、煮、氽等技法制成。它们紧随首菜,映衬首菜,既要与首菜相配,又不得主客易位。甜食通常1至2道,品种可干可稀,冷热随季节变化,原料多为果蔬,亦可用菌耳或肉蛋,制法有拔丝、蜜汁、挂霜、糖水、煨炖、蒸酿等,其作用是调换口味,解腻醒酒。汤品按入席顺序分为首汤、二汤、配汤和座汤。首汤又叫开席汤,这是岭南的食俗,二汤紧随头菜,配汤跟随荤素大菜,可以彼此调济,座汤有时也叫饭汤,置于大菜的最后,要求质量最好。冬日的座汤多用火锅、边炉替代。在宴席中这4种菜品的好坏决定着一桌席的成功与否。

大刀面　汉族民间传统食物,流行于陕西华阴一带,距今已有300多年的历史,因切制面条时使用一把重约17~18斤重的大刀,故有此称。作法是将面粉、水和食碱放入面盆内,和成面团,在盆内稍饧片刻,放到面板上,用大擀面杖擀成面片,再用小擀面杖反复擀压,直至光滑均匀薄如牛皮纸一般,上面均匀的撒上干面,折叠数层成长条状,按一定的尺寸用刀切条。煮面时,一次只能下一碗面,煮熟后捞入碗中,浇上豆腐臊子、五香陈醋、红油辣子等,即能食用。具有面薄条长,细匀筋韧,清爽利口,味道鲜美等特点,深受人们的欢迎。为当地节日和待客之主食。

山东菜　亦称"鲁菜"。山东地方风味菜肴的总称,由济南、胶东福山地方菜发展而成,有北方菜肴代表之称。山东省内有丰富的食物资源,为发展烹饪事业提供了雄厚的物质条件。山东菜作为地方菜系的雏形,可以追溯到春秋战国时期。当时鲁国都城曲阜和齐国都城临淄,都是相当繁华的城市,饮食业盛极一时。曾出现许多有名的厨师,如齐桓公的宠臣易牙就是一个厨师。到了北魏时期,山东益都人贾思勰在《齐民要术》中,对黄河流域,特别是山东地区的烹调技术作了全面的总结。唐代,随着国家经济的繁荣和发展,鲁菜又达到了新的高度,《酉阳杂俎》中有关饮食方面的记载,反映了当时的烹饪风貌。宋代的"北食店",就是山东菜的最早称谓,至明清时代已形成体系,鲁菜也成为京师御膳的支柱,并在黄河流域及其以北的广大流域流传。华北、东北、京津等地都受到鲁菜影响,成为北方菜的代表。济南菜形成较早,包括济南、德州、泰安风味的菜肴。其用料广泛,形成了以清、鲜、脆、嫩、纯而著称的特色。烹调方法多种多样,以爆、炒、烧、炸见长,注重火候,讲究口味,善于用汤,上至山珍海味,下到肉禽、蔬食、下货,菜肴千变万化。像油爆、芫爆、火爆、清炒、锅煸、红烧、扒菜、拔丝、蜜汁、清汤、奶汤……等烹调方法多为济南菜所创。讲究使用清汤、奶汤。胶东菜源于福山,包括青岛、烟台风味的菜肴。由于胶东沿海盛产海鲜品,因此擅长烹制海味,口味清淡,以鲜为主,注重原味。烹调方法多用蒸、煮、扒、炒、溜等。福山厨师遍及东北、京、津及日本、朝鲜各地,把烹调技艺传向这些地方,有厨师之乡的美誉。著名菜肴有糖醋黄河鲤鱼、奶汤蒲菜、九转大肠、油爆双脆、油爆海螺、炸蛎黄、糟蒸肉、干蒸加吉鱼等。

山珍海味 亦称"山珍海错",山间海中出产的各种珍异食品。见于韦应物《长安道》:"山珍海错弃藩篱,烹犊炰羔如折葵"的诗句。早在周代,就有"八珍"之说。汉代郑玄考证为八种珍贵的肴馔。但随着历史的变迁和社会的发展,到了后代,便逐渐发生了变化。山珍海味成了珍贵食品的代名词,如清代有"禽八珍"、"海八珍"、"山八珍"、"草八珍"之分。由飞禽、海错、山珍、菌类构成,为珍贵的食品原料。(参见"八珍"条)

川菜 亦称"四川菜",四川地方风味菜肴的总称。川菜以成都风味为正宗,包括重庆菜、东山菜、江津菜、自贡菜、合川菜等组成。川菜的发源地是古代的巴蜀,春秋至秦是川菜的萌生期,两汉到西晋,形成初期的轮廓,隋唐至清,川菜经过不断丰富创新,成为声名远播的八大菜系之一。川菜菜系的成因:一是地利。四川被称为"天府之国",沃野千里,江河纵横,烹饪原料丰富;二为习俗。巴蜀之人的饮食"尚滋味"、"好辛香",各种宴席名目繁多,讲究饮食的历史传统促进了川菜的发展;三是广泛吸取各家之长。对于宫廷菜、官府菜、民间菜以及寺庙菜,兼收并蓄,以充实自己。川菜由餐馆的筵席菜式,民间的"三蒸九叩"菜式,城乡店铺的大众便餐菜式,市肆和家庭厨房的家常风味菜式及小吃中的菜点五部分组成。其风味清鲜醇浓并重,并以善用麻辣著称。餐馆的宴席菜式,工艺精湛,采用山珍海味,配以时令蔬鲜,组合适时,调味清鲜,品种丰富,味道多变,有干烧岩鲤、家常海参等名菜。民间的"三蒸九叩"菜式,乃因四川城镇乡村办红白喜事的筵宴(俗称"田席")通常用"八大碗"、"九斗碗"盛放,而统称"三蒸九叩"。这类菜式,荤素并举,汤菜并重,朴实无华,经济实惠,有深厚的群众基础,因而也进入城乡市肆,有扣肉、扣鸭、清蒸杂烩等。城乡店铺的大众便餐菜式,则以烹制快速、经济实惠为其特点,如宫保鸡丁、鱼香肉丝、麻婆豆腐等。家常风味菜式以取材方便,不尚新异,操作易行为特点,有回锅肉、连锅汤等菜。民间小吃则有夫妻肺片、灯影牛肉等品种。川菜的烹制方法多种多样,其中小煎、小炒、干煸、干烧则代表了其风格。川菜的基本味有酸、辣、麻、苦、甜、咸、香七味,但调味品种多而复杂,变化精妙,有"一菜一格、百菜百味"之称,被誉为"味在四川"。常用的味型有家常、鱼香、怪味、红油、麻辣、椒盐、五香、姜汁等几十种。现今,川菜不但在大陆、港台享有盛名,还在日本、美国、法国、英国等国受到欢迎,其影响越来越大。

及第粥　全称"三及第粥"。汉族民间风味小吃,流行于广东地区。据传说,清朝末年广东人林兆棠喜欢吃一种由肉丸、猪肝、猪肚等料做的粥。得中状元后,命其为"及第粥",取"状元及第"之意,不仅吉祥,而且有粥中"状元"之意。粥中肉丸喻为状元,猪肝(原用牛膀,因"膀"、"榜"同音)喻为榜眼,切上刀花的猪肚喻为探花,所以又称为"三及第粥"。如加上猪心、鱼片,称为"文武及第",加上海蜇、姜丝、葱丝,称为"七彩及第"。做时,肉料滚熟即可食用。因其味道鲜美,爽脆软滑,营养丰富,别有风味,受到人们的欢迎。

子孙饽饽　亦称"子孙饺子",旧时汉、满等族食俗,流行于北方地区。它是婚礼专用食品,为新婚夫妇坐帐喝交杯酒后必须吃的一种祈吉

食物。做法:用细面粉作皮,内装栗子、花生、猪油等,包捏成饺子状,比平时饺子略小。"饺子"谐音"交子",祝愿新婚夫妇早日交出孩子,即早生贵子。子孙饽饽须由女方准备,用食盒装好,随花轿一起送到男家。新郎新娘拜完天地被送入洞房,然后饮交杯酒,饮完,婆亲太太和送亲太太各端一碗煮得半生半熟的子孙饽饽,分别喂与新郎、新娘。食用时,新郎咬一口,新娘再咬一口,这时,事先安排好的童子站在洞房窗外连问几句:"生不生?"新人回答"生!"以生熟之"生"喻生育之"生",民间以此预祝新娘早日生下贵子。

元宵　我国传统节令食品,流行于全国各地。每年夏历正月十五上元节(亦称"元宵节"),全国许多地方都有食元宵的习俗。上元节月正圆,元宵形如月,故亦名圆宵、汤圆、汤团、圆子、团子等,取月圆人亦团圆之意。上元节食元宵的来历,有不同的说法。《嫏嬛记》中说:嫦娥奔月之后,其夫羿昼夜思念成疾,正月十四夜忽有一童子求见,自称是嫦娥的使者,告之"夫人知君怀思,无从得降,明日乃月圆之候,君宜用米粉作丸,团团如月,置室西北方,叫夫人之名,三夕可降耳。"可见,元宵节吃元宵是取"团团如月"的吉祥之意。另据一民间传说,上元节食元宵与唐太宗李世民有关。据说大将李靖率部出征,归朝后春节已过。唐太宗为了犒劳出征将士,便在上元节设宴款待李靖。厨师用糯米做成圆团子,食之香糯柔滑,受到大家的赞

许，并定名为"唐圆"，象征唐朝的一统江山。因其是在上元节之夜吃的食物，故又名元宵；又因是在水中煮食的，又称作汤圆。最初的元宵出现于唐代，据宋《太平广记》"尚食令"一文所记，唐代一位御厨用软面包入南枣馅从手指间挤进水锅中煮熟，捞出放井水中浸凉，再放油锅中炸，名"油锤"，实际上这就是今天的热元宵。宋代时，上元节除了食油锤以外，还出现了"煮糯为丸，糖为臛，谓之圆子盐豉"（宋吕原明《岁时杂记》）的小元宵。《东京梦华录》也道，正月十六日，东京"市人卖……科斗圆子，柏头焦锤"。南宋时，仅临安的上元节食品就有乳糖圆子、山药圆子、澄沙圆子、珍珠圆子、金桔水团、澄粉水团和汤团等。明代，元宵作为上元节食品已很普遍。《明宫史》中说：元宵"其制法用糯米细面，内用核桃仁、白糖、玫瑰为馅，洒水滚成，如核桃大，即江南所称汤圆也。"清代，元宵进一步得到发展，康熙年间宫廷中的"八宝元宵"负有盛名。孔尚任有诗赞曰："紫云茶社斟甘露，八宝元宵效内做"。可见这一御膳，已传至民间。民国初年，北京流传一件趣闻，袁世凯因为"元宵"与"袁消"同音，下令改称"汤元"。元宵发展到今天，因地区不同，形成多种风味。有香、辣、甜、酸、咸五味。馅心北方多为桂花白糖、山楂白糖、什锦、豆沙、枣泥的甜味馅；南方多为猪油、笋肉等荤素兼有的甜味馅。元宵皮除了江米面外，还有粘高粱面、黄米面、荷包面等。形制上，既有大

若核桃的元宵，也有小似黄豆的"百子汤圆"。制法上，北方用箩滚手摇的方法，俗语曰打；南方用糯米水粉包汤圆。现今多用元宵机制造。元宵吃法有煮、炒、炸、蒸。煮元宵时，广东人喜在汤中放少许鲜姜，吃时，有一种姜糖的清香味；北方人则喜在汤中放点糖桂花，甜香沁人。闻名全国的元宵有浙江宁波汤圆、四川成都"赖汤圆"、安徽安庆韦家巷汤圆等。

元宝茶　汉族民间节日风俗，流行于江苏东台地区。元宝茶由红枣和红糖加水煮成。在东台地区，每年夏历正月初一，家中有拜年者来，必献元宝茶，民间俗称"捧元宝食"，寓意万事如意、交运发财。

元宝蛋　汉族民间传统节日和待客食品，流行于江苏、浙江等地。这一地区民间称鸡蛋为元宝。据《中华全国风俗志》引"湖州岁时记"所载，浙江湖州地区除夕所吃鸡蛋称为元宝蛋。当地民间认为这一天吃元宝蛋，来年则可万事如意、交运发财。《金陵岁时记》记载，南京地区居民，家中如有客人到来，则煮茶叶蛋作为点心招待客人，叫作"元宝蛋"，俗称"进元宝"。江苏高淳县也有这种风俗，客人至，主人必煮茶鸡蛋，待客人告辞时将其带走。

五辛盘　亦称"辛盘"，汉族春季节令食品，因盘中由五种带有辛辣气味的生菜拼成而得名，以发散五脏中的陈气。五辛盘最早见于晋代，《风土记》载："正元日俗人拜寿，上五辛盘、松柏颂、椒花酒、五薰炼形。

五辛者,所以发五脏气也。"五辛盘即是春盘。从《风土记》中可以看出,五辛盘是当时拜寿的必上之物。到了明代,五辛盘成为元旦、立春迎新之物。《本草纲目》:"五辛菜,乃元旦、立春,以葱、蒜、韭、蓼蒿、芥等辛辣之菜。杂和食之,取迎新之义,谓之五辛盘。"直至近代,人们在立春会饮时,亦设五辛盘。

五豆粥 汉族岁时传统食品,流行于山西、陕西、河南等地,每年夏历腊月初五食用。《临潼县志》载有:"十二月五日,煮五豆食之,已五毒。"之句。此粥用黄豆、绿豆、豌豆、红豆、豇豆和小米共同熬制而成。这一日,全家人围坐一起,共食此粥,以此表示年丰,并祈祝来年收成好。在山西运城等地,这一日将大豆、小豆、红豆、绿豆、豌豆等五种豆子煮熟后,下面条食用,称为"吃五豆"。据说此俗起源于宋朝欧阳修吃五豆之事。民间有"吃了五豆,长一斧头"的说法。

五毒饼 汉族民间岁时节令食品,流行于北京地区,它是用面裹以馅心的饼,因其上面印有蝎子、蛇、蜈蚣、蛤蟆、壁虎的形象,故而称之。过去,北京地区每年端午节时,市面上出售的节日食物中就有五毒饼,人们除了自食以外,还作为节日礼品送给亲友。《京都风俗志》中曾记载,北京人端午节时以五毒饼"馈送亲友,称为上品"。其制法:把玫瑰花瓣捣成艳红色的玫瑰酱,加以蜂蜜和好白糖熬稀,再加松仁等果料,调成馅。面粉和好后,起酥,制成小

面剂,把馅包入,上炉烘烤而成。

太白酱肉 亦称"赛火腿",汉族民间传统风味食品,流行于四川等地。据说四川江油青莲为李白故里,因此将此地生产的这种肉食,称为"太白酱肉"。这种肉以无骨猪腿肉为主料,用甜酒或曲酒将猪肉涂抹一遍,码放在缸内,上面撒上一些盐和花椒腌制,6—7天即可出缸,取出后吊挂于晾架上晾晒6—7天,再往肉上抹酱,继续晾晒。如是,连续三次。直至猪肉晾晒风干后即可食用。其色泽金黄,肉酥微甜。食时蒸、炒、爆皆味道鲜美,酱香浓郁,爽口不腻,并有腌肉风味,佐餐下酒皆可。

太阳鸡糕 亦叫"太阳糕",旧时汉族节日供品,流行于北京等地。人们在夏历二月初一日中和节用太阳鸡糕祭祀太阳,以祈求农作物丰收,它是由白米面加糖制成的。以太阳鸡糕祭日之俗在清代盛行,《春明岁时琐记》里写道:"二月朔日,唐后为中和节,今废而不举。相传为太阳真君生辰,……人家向日焚香叩拜,供夹糖糕,如糕干状,上签面作小鸡,或戳鸡形于糕上,谓之'太阳糕'。"直至20世纪30年代北京街面仍可见到售卖太阳鸡糕者。

水晶饼 汉族民间传统糕点,流行于陕西渭南一带。水晶饼在宋代,就已是下邽县的名特糕点。有一年,寇准回老家渭南下邽探亲,正逢自己的寿辰。家乡父老闻讯赶来祝寿。渭北有一老叟送来一桐木盒子,内装5个晶莹剔透,如同水晶石般的

点心，寇准将其散给来客品尝，自己留下一个作为样品，命家厨依样制作，并命名为"水晶饼"。当时，其声誉之高，在京城汴梁也受到欢迎。水晶饼的包装有木方盒和硬纸方盒两种，装璜古色古香，携带方便，过往旅客，争相购买，以赠送亲友，招待宾客。渭南水晶饼以上等面粉为主料，猪板油、猪大油、绵白糖、对丝、桂花、桔饼、黄桂等为辅料，经腌制糖馅、搅制内酥、制皮包作、炉火烘烤等工艺制成。成品呈圆形，饼面金黄，底棕红、帮银白、起皮吊酥，馅中各种辅料色泽鲜明，清香馥郁，酥润适口，尤因馅饼晶莹透明，宛如水晶，故名水晶饼。逢年过节民间用以招待宾客，馈赠亲友。

月饼 我国中秋节传统食品，流行于全国各地。民间传说，元代时，张士诚准备起义，推翻元朝统治者，便利用月饼来传递命令。当人们吃月饼时，在每个月饼的馅果里都有一张纸条，约定八月十五日起事，因而推翻了元朝统治者。从此，每年的这一天家家户户都吃月饼欢庆胜利。从文献记载看，至迟在宋朝时，我国已经有了月饼。北宋苏东坡有"小饼如嚼月，中有酥与饴"的诗句，把饼与月相联。月饼作为一种食品的名称出现，始于《武林旧事·卷六》中，他在提到各种蒸食的糕饼中，就有"月饼"之名。月饼一词和中秋节相联系则出现在明代，《宛署杂记》说，每到中秋民间多自制面饼互相赠送，"大小不等，呼为月饼"。《西湖游览志余》（卷二十）中也有"八月

十五谓之中秋，民间以月饼相遗，取团圆之意"的记载。可见，月饼在明朝时已成为中秋应节食物，并且以月圆来象征团圆。清代时月饼的品种与质量都有了长足的发展，饼上印有福、禄、寿、喜、嫦娥奔月等图案，在市面出售。目前，我国的月饼因为地区与用料及制作的区别，形成了不同的风格。有京式、广式、苏式之分，大致分为提浆、酥皮、硬皮3大类。京式月饼多施素油，为素馅，著名品种自来红、自来白、提浆月饼、翻毛月饼等，具有口味清甜、松软适口等特点。苏式月饼的特点为油多糖重，层酥相叠，甜、咸、荤、素，品种繁多。著名品种有清水玫瑰、水晶百果、松子火腿、黑麻椒盐、鲜肉干菜等。广式月饼则具有选料考究，配料别致，花色繁多，工艺精湛等特点。著名品种有五仁咸肉月饼、叉烧月饼、豆蓉月饼、蛋黄莲蓉月饼、玫瑰豆沙月饼等。此外，民间还流传一种"家常烙"月饼，为家庭自制。

午时茶 汉族端午节节日饮料，流行于南方地区。因其在端午节正午时分饮用，所以称为"午时茶"。饮午时茶属于夏令卫生保健活动，它是由苍术、藿香、苏叶、建曲、麦芽、陈茶等数味中药组成，既可煎制，也可泡制，具有去湿散寒，帮助消化的功效。过去，一些大户人家在这一天有将午时茶施舍于人的习俗，中药铺也向熟识之人赠送，小户人家则多家集资共同制作。

分岁酒 我国民间节日饮酒习

俗，流行于全国大部分地区。除夕之夜，家家户户备办美味佳肴，合家团聚在一起开怀畅饮，通宵达旦，一夜连双岁，五更分二年，故谓之分岁酒。在辞旧迎新的除夕之夜，自汉代以来便有了守岁之俗。南北朝时就有除夕之夜饮酒迎新的风俗。《荆楚岁时记》："岁暮，家家具肴蔌诣守岁之位，以迎新年，相聚酣饮。"隋唐时，民间饮酒守岁之俗颇为盛行。孟浩然《岁除夜会乐城张少府宅》："续明催画烛，守岁接长筵。旧曲梅花唱，新正柏酒传。"宋代时，饮酒守岁之俗更为盛行。除夕之夜，合家团圆，饮酒高歌，坐以待旦。宋以后，此俗依旧。《帝京岁时纪胜》："高烧银烛，畅饮松醪，坐以待旦，名曰'守岁'。"此俗至今仍在全国各地流行。

牛肉面　全称为"清汤牛肉面"。回、汉等族民间传统风味食品，流行于甘肃兰州等地，指用牛肉汤作佐料的面条。相传牛肉面为清代光绪年间回族人马保子所创，为兰州食品"四绝"之一。制作时把面粉和成索状，揉搓后兑入"灰水"（用戈壁滩上灰蓬草烧秸而得到的植物硷的浸出物），再反复揉匀，抻拉而成。过去只有大宽面一个品种，以后有了一窝丝、韭叶、二细、小宽、荞麦愣等新品种，因面条的粗、细、宽、窄不同而命名。制作牛肉汤时，先将牛肉煮沸，焖炖熟后，将牛肉切成丁，去掉汤中浮油，加入调料制成清汤。吃时，将面条煮熟，盛入碗中，浇以牛肉清汤，加上少量的牛肉丁，煮熟的白萝卜片、辣椒油、香菜、蒜苗等即成。此面汤清味醇厚，面条柔韧，牛肉软烂，咸酸麻辣爽口，吃上一碗，齿颊留香。兰州人多以此面为早餐。近来，牛肉面这一风味小吃已走向全国。

牛羊肉泡馍　陕西著名的风味小吃，流行于陕西西安及关中各地，因用炖熟的牛羊肉和汤泡制饪馍，故称。从宋代开始兴起。民间传说，赵匡胤落魄流落到长安时，曾向一卖牛肉的小吃店讨汤泡干馍吃。后来赵匡胤做了皇帝，出外巡视来到长安，他命当年的店主再次给他做泡馍吃。从此这一吃法声名渐播，成为当地的著名风味食品。以后又有人用羊肉汤泡制，称为羊肉泡馍。吃时，馍由食者本人亲手掰碎，掰得块越小越好，然后浇上炖的滚热的牛、羊肉汤。其吃法有多种多样，如碗中盛入许多汤，称为"水围城"；只放肉块不放汤，称为"干泡"；只放很少的汤，称为"一口汤"；碗中只放牛、羊肉汤，不放馍，而是就着肉汤吃馍，称为"单走"。吃的方法也很讲究，要从一边一点一点地吃，筷子不能在碗中搅动。不然鲜味保持的时间不能长久，馍也要发澥。吃是，佐以糖蒜、香油辣子酱。因其肉烂汤浓，香味浓郁，肉嫩馍筋，经济实惠，颇受广大消费者欢迎。

风味小吃　流行于民间具有特殊风味的以别于宴席大菜的食品，其历史与菜肴一样源远流长。我国小吃的品种多得难以计数。各地小吃的风味特色，千姿百态，变化无穷。有乡土气息浓厚的乡镇小吃，又有大众化的大路品种，还有高、精、雅的小吃上品。经营小吃的食品店只需几个人就可开张，夫妻店也能经营几种小吃，并且做得很有味道，甚至一个人手提肩挑，走街串巷，沿街摆摊也能经营小吃。其实，小吃也是大雅之堂的常客，正规宴席上的点心多为精致的小吃品种。风味小吃也可单独组成宴席，如今天的饺子宴、全面宴等。总之，经济实惠，快速方便是中国小吃的最大特点。正因如此，小吃和人民的日常生活密切相关，受到广大人民的欢迎和喜爱。

斗茶　又称"茗战"，是我国曾经流行的一种评比茶叶优劣好坏的技艺与风俗。斗茶者通过斗茶以达到交流栽茶、采茶、制茶、品茶等技术，弘扬和发展我国的茶文化。斗茶，在五代时已经出现，北宋中期以后，已经风靡全国，各个阶层的人，无不以斗茶为乐事。《茶录》就是专讲斗茶时对茶的加工要求，斗茶的工具，斗茶的方法的专著。斗茶时，茶、水、茶器是至关重要的因素，要想取胜，必须有好的茶叶。水对斗茶的胜负也起很大的作用，只有水质好才能烹出好茶。茶器，首先得精美雅致，其次大小、薄厚也要恰当。宋人斗茶，以福建建窑烧制的"兔毫盏"和江西吉州窑烧制的"鹧鸪斑"茶器为最好。要想创造出斗茶的最佳效果，除了茶叶、水、茶器俱佳外，关键还在于人的操作方法。操作的主要动作是"点"和"击拂"。"点"是把茶瓶里煎好的水注入茶盏中。"击拂"是用特制的小扫把似的工具—茶筅，在茶盏中搅动，使之泛起汤花。品评时一要看茶汤中的"云脚"，即浮在茶汤上面的花沫悬浮时间的长短；二要看茶汤中的颜色；最后是品茶汤。要做到色、味、香三者俱佳，才能得到品茶的胜利。宋元时，斗茶用的茶叶是压成饼状的茶叶，斗茶时，需先把茶饼碾成细末。宋元后，斗茶之法与宋元之时大同小异，不同之处，大概就是由于我国制茶方法的变化，蒸青逐渐转为炒青，固型茶转为片茶，斗茶也由碾末冲泡转为整叶冲泡了。

火锅　我国传统饮食器具，多以铜制成，呈圆形，锅中央为火炉，周围是汤槽，置入炭火，使菜肴随煮随吃且保持温度，用火锅制作的菜肴流行于全国各地。火锅在我国有悠久的历史，据考证，魏晋南北朝时期，就有关于"铜爨"的记述，这是一种类似火锅的少数民族炊具。此外，考古工作者在内蒙出土的辽代墓葬壁画中，发现三个契丹人于穹庐之中，围着锅子席地而坐，用筷子在锅中涮食肉类。这说明在辽代，已有吃火锅的饮食习惯了，这一食法一直沿续至今。火锅制作的菜肴多种多样。清嘉庆年间，清宫中曾摆设"千叟宴"，用了1500多个火锅，成为历史上最盛大的火锅宴。"野意火锅"曾见于清宫膳单。《奉天通志》亦有较详细的记载："（火锅）以锡为之分上下层，高不及尺，中以红铜为火筒著炭，汤沸时，煮一切肉脯、鸡、鱼，其味无不鲜美。冬令居家宴客常餐，多喜用之。"现代的火锅，种类繁多，遍及全国，比以前有了新的发展。如东北的"白肉火锅"、"什锦火锅"；北京的"涮肉火锅"；上海的"菊花火锅"；广州的"广东火锅"；重庆的"毛肚火锅"等，其风味各具特色。其中以东北的白肉火锅和北京的涮羊肉火锅最受欢迎。每逢冬令时节，全家围坐一起，品尝这一美味佳肴，其乐融融。火锅不仅在民间食肆广为流传，国宴上也可以见到它的身影。

孔府菜　我国著名的官府菜。孔府，是我国历史最久，也是最大的一个世袭家族。孔氏家族在饮食上，遵照"食不厌精，脍不厌细"的祖训而行。在日常生活中，上要恭迎圣驾，下要接待各级祭孔官员，饮食酒宴频繁而讲究。经过历代厨师的辛勤劳动，积累了丰富的烹调经验，创造出了丰富多彩，精心制作的各种菜肴，形成了独具特色的孔府烹饪。孔府烹饪，分为两大类。一是招待外客的宴会饮食，由外厨房制作；一是内宅家族的日常饮食，由内厨房制作。孔府的宴席用于接待贵宾、袭爵上任、生辰祭日、婚丧喜寿。在菜肴的珍贵、精细、多少和餐具器皿的使用上非常讲究。最高等级为"满汉全席"，按清代国宴规格设置。孔府宴席菜，选料讲究，造型完整，色彩鲜明，善用清蒸、清余、清炒等烹调法，注意保持原味、原色、原形，多用高汤调味。孔府的另一类菜肴是家常菜，多选用鸡鱼肉蛋，时令菜蔬，具有浓厚的乡土风味，其菜肴选料广泛，讲究粗菜细做，细菜精做。此外，制作精巧，形色优美的孔府面点也是孔府烹饪的一个重要部分。著名菜肴有：当朝一品锅、神仙鸭子、抱子上朝、烤兰花桂鱼、一品豆腐、精芽豆腐等。

艾酒　端午节时人们饮用的节令酒，亦称艾叶酒。此酒用艾叶浸泡而成，艾叶可以入药，有明显的平喘、镇咳、消炎的功效。古人认为端午节饮艾叶浸泡的酒可以祛邪除秽。端午节饮艾叶酒的习俗始自元代。《岁时广记·艾叶酒》中引《金门岁节》文："洛阳人家端午作术羹、艾酒。"此俗今日已不多见。

艾窝窝　回、汉族岁时传统食品，流行于北京等地，多在春节期间出售。明代《金瓶梅词话》中已见其名，民国年间的《燕都小食品杂咏》里还有咏艾窝窝诗一首。诗云："白黏江米入蒸锅，什锦馅儿粉面搓。浑近汤圆不待煮，清真唤作艾窝窝。"其制法：将糯米上笼蒸熟，捣烂成团，晾凉，放在熟大米粉上，揉匀，揪剂，摁成圆皮，包入以炒熟的芝麻及白糖、瓜子仁、核桃仁、青红丝、金糕、糖桂花等制成的馅，搓成比元宵大一些的圆球即成。成品表面滚上粘熟大米面，如同挂上一层白霜，质地粘软柔韧，馅松散甜香。北京每到春节上市，是春节庙会上受欢迎的小吃之一。今日则一年四季都有售卖，天津称艾窝窝为麻团、凉果。

打卤面　汉族民间传统面食，流行于京、津等地，即用卤汁浇面而食。其做法是，先打卤备用，再用清水下面条，面条煮熟捞起后，将卤浇在面条上，即可食用。打卤分香油卤

（即素卤）、猪肉卤、羊肉卤、木樨卤、西红柿卤等。所食面条，习惯用小拉面，把面和得软硬适度，先放盆中饧好，消消韧性，然后取出一块，揉好擀开，切成条，在锅口上一根根地拉成细面条下在锅中，谓之小拉面。现今多为机制面条。在民间，红白喜寿事，招待客人，有一种便席叫炒菜面，就是几个炒菜喝酒，然后吃面，吃的就是打卤面。

龙须面　汉族民间传统面食，流行于北京、河北、山西、陕西等地，因其细如发丝，犹如龙王的胡须而得名，为面点中的上品。该面原产于民间，为夏历二月二日岁时节令食品，后被皇宫御膳房发现，成为御膳小吃。在我国有"二月二，龙抬头"的谣谚。明清时，北京等地，这一天盛行吃面食。《春明岁时琐记》载："（二月）二日为土地真君生辰……俗谓此日为'龙抬头'，此日饭食皆以龙名，如饼谓之'龙鳞'，饭谓之'龙子'，面条为'龙须'，扁食为'龙牙'。"吃龙须面，民间称作"扯龙须"。制作龙须面需要高超的抻面技巧，分为和面、饧面、蹓面、抻面等几道工序，直至抻出的面条细如银丝时为止。面抻好后，放温油锅中炸至色泽呈金黄时捞出，就成为酥脆香甜的龙须面了。若在春天时吃龙须面，可配以韭黄、豆芽菜、鸡丝，夏天则配上白糖，叫作雪花龙须面。

巧巧饭　汉族民间少女节日饮食风俗，流行于山东地区。吃巧巧饭的时间、地点和内容因地而异，临沂、淄博地区在夏历正月十六日，滨州地区在清明，鄄城、曹县、平原等地则在夏历七月七日乞巧节，是日七个要好的姑娘凑齐粮菜包饺子，要把铜钱一枚、针一根和一个红枣分别包到三个饺子里。乞巧活动结束后，开始吃饺子，吃到钱的有福，吃到针的手巧，吃到枣的早婚。

东坡肉　汉族传统风味菜肴，浙江菜，流行于全国各地，据载，此菜为苏东坡所创故名。据说苏东坡被贬到黄州后，曾作《食猪肉》诗："黄州好猪肉，作贱等粪土。富者不肯吃，贫者不解煮。慢着火、少着水，火候是时它自美。每日起来打一碗，饱得自家君莫管。"东坡肉即源于此烹调方法。后来，苏东坡任杭州知府，组织民工疏浚西湖，浚工后，苏东坡让手下把人们送给他的猪肉，用自创的烹调方法烧好分给大家，深受欢迎。后流传于民间，称其为"东坡肉"，名传大江南北。其制法：取猪五花肋肉切成块，砂锅用竹箅子垫底，铺上葱、姜块，将猪肉皮面朝下整齐排列，加白糖、酱油、绍兴酒，盖严密封，烧开后，移微火焖至八成熟，启盖，将肉块翻身，肉皮朝上，再封严，蒸制酥烂，撇去浮油，放小陶罐中上桌。成菜色泽鲜艳，汁浓味醇，酥香可口。今以杭州西湖楼外楼菜馆所制东坡肉最为著名。

百事大吉　旧时汉族民间节日祈吉食物。过去，在江浙等地，每到夏历正月初一，人们便食用桔子与柿饼，因"柿"谐音"事"，"桔"谐音"吉"，取其吉祥之意，故食之。据清光绪年间《武进阳湖县志》（卷一）记载：此地"正月朔日元旦，食干柿及桔，曰'百事大吉。'"它还是春节期间的一种吉祥装饰。据《西湖游览志余》(卷二十)记载：杭州人在正月初一日，厅堂之上"签柏枝于柿饼，以大桔承之，谓之'百事大吉'"。此外，在北京等地，每年春节，人们便将一些表示吉利的食物，如柿饼、荔枝、栗子等，放在同一个盒内以供食用，人们便称这种盒为"百事大吉盒"。

白案　烹饪术语，我国饮食行业对点心制作工种的总称。泛指制作各种糕点、面食，从原料、加工以至成品的全部生产过程，因以面粉、米粉为原料，操作时案板洁白，故称。制作面点的基本操作技术，包括和面、揉面、搓条、下剂、制皮、上馅、成形、成熟等内容。这些操作技术根据制作品种不同，又有区别。面点的制作又分为大案、小案两种。大案负责大宗面食点心的制作，如各类包子、馒头、花卷、馄饨、饺子以及面条、大饼等，因其生产量较大，故多用于专业面点店或小吃店；小案负责筵席中各类精细点心的制作，根据筵席或供应的需要，有计划地制作各种高级的糕、团、点心等。

白干儿　即白酒，酒的种类之一，属于蒸馏酒，产于全国各地，因其透明无色，并能燃烧，也称作烧酒。白酒是谷类、甘薯及其他含淀粉或含可醇糖的植物经发酵制成的乙醇饮料。其度数一般在40度以上，低于40度的称低度白酒。可直接饮用，也可配制果露酒、滋补酒和药酒等。白酒约产生于宋代，据《北山酒经》所载，北宋时有一种火迫酒，其制作方法与蒸馏酒有一定的相似之处。《本草纲目》亦认为白酒最迟在宋代已经出现。1975年在河北青龙县出土了一套铜制烧(蒸)酒锅，经过蒸酒试验和签定，被确认为金代遗物，其铸造年代最晚不迟于金世宗大定年间(1161－1189)，相当于南宋高宗绍兴三年到孝宗淳熙十六年间。白酒是我国最有代表性的酒类，是我国各族人民最喜爱饮用的酒。由于我国国土辽阔，各地制酒的原料和工艺不尽相同，形成了不同的风味和类型。按工艺分为固态酒法、液态酒法；按糖化发酵剂分为大曲酒、小曲酒和麸曲酒；按香型分为清香、浓香、酱香、米香、兼香和其它香型。驰名中外的白酒有：茅台、董酒、剑南春、五粮液、沪州老窖特曲、全兴大曲、汾酒、西凤酒、古井贡酒、洋河大曲等。

白切鸡　亦名"白斩鸡"，汉族民间传统风味菜肴，粤菜系，流行于广东及全国各地。粤菜厨师中有句行话叫"无鸡不成席"。《随园食单》中也说："鸡功最巨，诸菜赖之。"为"领羽族之首而以他禽附之"，白切鸡，袁枚称之为"白片鸡"，说它有"太羹元酒之味"，谓其味道鲜美。此菜最重选料，多采用小母鸡或三黄鸡，制作时将鸡洗净收拾好，放入微沸的水中浸没至熟，捞出后放冷水中浸凉，洗去绒毛、黄衣，擦干表皮，浇上熟生油，斩件装盘，拼成鸡形。食时佐以熟油、姜、盐、葱。成菜肉滑骨软，原质原味，为待客、宴饮的常见菜肴。

冬至肉　汉族冬至节日食物，流行于江南地区。《中华全国风俗志·下编》介绍杭州冬至日风俗时说："人家用猪肉和酱烧熟之，称食为'冬至肉'。其实此种肉亦平常肴馔，别无奇特，而俗传吃过冬至肉，能以身体强健。"在一些地区冬至祭祖扫墓后，宗族内按人数、学历、职务、年龄分发冬至肉，叫作"分胙肉"。

冬至馄饨　汉族传统岁时节令食品。冬至是汉族传统节日，时间在阳历十二月二十二日前后。古代有"冬至大如年"之说，这一天成为人们祭祀祖先的日子。《武林旧事》一书说，冬至"享先则以馄饨"，可见，馄饨在宋代已成为祭祖之食。《燕京岁时记》中也说："夫馄饨之形，有如鸡卵，颇似天地浑沌之象，故于冬至日食之。"由此推断冬至食馄饨和开天辟地的神话有关，说明了古人赋予它祭祀祖先的特定意义。明清时，江浙一带人们在冬至已改吃汤圆了，只有擅长做面食的北方人仍维持着冬至吃馄饨习俗，民间有"冬至馄饨夏至面"之谚。

老豆腐　汉族民间传统豆制食品，流行于北京、天津等地。北京制法把大豆泡发磨成糊状，过滤去渣，经兑水后熬煮，大部分倒入盆缸中，注入石膏水搅匀，再倒入剩余的部分，放文火上慢慢煮，使豆糊进一步凝结。天津制法将大豆泡发磨浆，滤渣后，兑水煮开，点盐卤成豆腐脑。再烧好一锅水，放入五香面、盐、淀粉勾芡，制成卤，把卤锅放在文火上，将白豆腐脑片入卤锅中，文火慢煮，使之更加凝固，即成老豆腐。过去北京售卖老豆腐者，多挑担走街串巷叫卖："老豆——腐，开锅——。"老豆腐担，前边放一高脚方木盘，上放碗勺、调料，后面放锅。有人来买，将老豆腐盛入碗中，淋上酱油、麻酱、辣椒油、腌韭菜花便可食用。天津多为豆腐房售卖。老豆腐是深受劳动人民欢迎的食品。

老碗会　汉族民间饮食风俗，流行于陕西关中广大农村，是一种吃饭的方式。陕西关中人吃饭多用一种粗瓷碗，大而且深，称为"老碗"。一到吃饭时间，人们便端一老碗饭菜走出家门到户外，大家围蹲在一起，边吃边聊，山南海北的说些趣闻轶事，故称老碗会。除天气不好或者寒冬季节，每天如此。这种吃饭方式近年来逐渐减少。

团圆饼　我国中秋节日传统食品。流行于北京、天津等地。在我国夏历八月十五中秋节，有拜月之俗。京、津等地除了香烛供品之外，还有一个极大的月饼，用来祭月。祭月后，全家人围桌而坐，分而食之，每人一份，叫作吃团圆饼。此外，还有将中秋节所剩月饼，保存至除夕时食用，谓之团圆饼。《明宫史》载："八月，宫中赏秋海棠、玉簪花。自初一日起，即有卖月饼者。……至十五日，家家供月饼瓜果……如有剩月饼，仍整收于干燥风凉之处，至岁暮合家分用之，曰'团圆饼'也。"可见，明代时即有此俗。

团圆馍　汉族中秋节日传统食

品,流行于陕西西安一带。当地民间夏历八月十五,家家户户做此馍,以显示主妇的手艺。团圆馍共有两层,中间夹以芝麻。馍上按压出一个圆馍,代表月亮。在圆圈中央刻有一只小猴子正站在石头上吃蟠桃。在圆圈四周用针扎出各种图案花形,上面贴有各种野菜。在锅中焙熟后即可食用。吃时用刀切成尖牙形状,每人分得一份。家中如有外出之人,能在近日内赶回,也给他留一份。此外,还要给已经出嫁的女儿送去一份。

年糕 汉族传统糕点。以糯米或黄米为主要原料,米浸水后,磨成粉,加水蒸制而成。年糕有南式、北式之分。北式年糕有蒸、炸两种,其味均甜;南式年糕以水磨年糕最为著名,制法除蒸、炸二法外,还有片炒和汤煮等方法,味道则甜、咸皆有。各地较为出名的品种,有北京小枣年糕、福建芋艿年糕、宁波水磨年糕、福州脂油年糕、江浙桂花年糕等。最早的年糕,在魏晋南北朝已有记载。从北魏贾思勰《齐民要术》所载的"糚"就是用糯米制成的年糕。春节食用年糕之俗,则始于明代。据明代《帝京景物略》一书的记载,当时的北京,每至"正月元旦",就要"啖黍糕,曰年年糕"。取年年高升之意,其实不过是讨个口彩罢了。此外,年糕还是元旦祀神祭祖供奉之物,清代顾禄《清嘉录》记载:"黍粉和糖为糕,曰'年糕'。有黄白之别……俱以备年夜祀神,岁朝供先,及馈贴亲朋之需。"清末时,年糕已发展为市面上一种常年供应的食品,《清稗类钞·饮食类》曰:"年糕捣糯米而成,本为馈岁之品。至光、宣时,则以为普遍之点心,常年有之矣。"今日,年糕是南方除夕和元旦必食食品。

杂拌儿 亦称"杂拌",我国民间过春节时的一种果脯、乾果搭配方式,流行于北京、天津等地。杂拌儿是将苹果、果脯和干果类食物掺杂在一起的一种小吃。杂拌儿分为两种。一种是将花生、瓜子、松子、榛子、核桃、红枣、焦枣、柿饼、炒蚕豆等干果掺杂在一起,放在笸箩或果盒等容器,为粗货;一种是将果脯蜜饯等放在盘子或果盒等容器内,为细货。春节时,京、津一带人家,家家户户都备有此类食品,以供自食或招待客人。在天津还称糖果店售卖的什锦糖块为"杂拌"。

仿膳菜 即仿制的宫廷菜肴。中国的宫廷菜,始于奴隶社会,有了宫廷,就有了宫廷菜。今日所见的宫廷菜,是北京北海公园仿膳饭庄和颐和园听鹂餐馆经营仿制的清代宫廷菜。1924年,末代皇帝溥仪被冯玉祥驱逐出故紫禁城,结束了其小朝廷生活,御膳房随之解散,其中部分御厨在北海开设了仿膳饭庄,在颐和园开设了听鹂餐馆,使得清代宫廷菜保存下来。清代宫廷菜主要集中了山东菜、江南菜和满族菜点的精华,仿膳菜也继承了其风格。其特色是:选料考究,以山珍海味为主要原料;配料严格,不得随意搭配辅料;精于各种刀法,造型工巧,形色美观；味道鲜醇，讲究原汁本味；菜名华丽、典雅。著名菜肴有怀胎桂鱼、龙凤呈祥、凤凰展翅、蛤蟆鲍鱼、荷包里脊、冰糖莲子、肉末烧饼等。

米线　我国传统风味食品，流行于浙江、福建、广东、广西、云南等地各族人民之间。制作时，先将大米加水磨成浆，滤出水分，上锅蒸成米粉坨，在漏粉瓢内把米粉坨用力压榨，使其通过小孔成粉丝，入锅稍煮，晾干即成。其烹调与食用方法多种多样，以云南的过桥米线最为著名。过桥米线的制作，先用鸡鸭制成高汤，依嗜好放入鸡脯片、猪脊肉片、鱿鱼片等。吃时把生料片放入滚热的汤内，后放入蔬菜、腐皮和米线即可。因为米线很长，所以云南地区过春节时多食用米线，寓意"长久"。在云南玉溪地区，每年夏历正月初二有过"米线节"的风俗，祈求土地神保佑来年丰收。米线今日已成为日常食品，并北传京、津等地，深受人们的喜爱。

汤饼　汉族民间日常食品，流行于长江中下游、淮河流域、黄河中下游等地区。汤饼，即汤煮的面食，相当于今天北京人所说的"揪片儿"，我国古代有伏日吃汤饼的饮食习俗。《魏氏春秋》上记载，三国时，有"傅粉何郎"之称的何晏，在伏日吃汤饼时，用面巾擦汗，"面色皎然"，人们才知其白并非是抹粉的缘故。可见在三国时伏日吃汤饼的习俗已很盛行。《荆楚岁时记》也说："伏日汤饼，自魏已来有之。"民间认为伏日食汤饼可以免除暑疫，《荆楚岁时记》中载道："六月伏日食汤饼，名为辟恶。"这是因为，古人认为五月为恶月，六月伏日来到时，五月刚刚过去，吃了汤饼，就可以平安无事了，这显然是迷信之说。但六月伏日食汤饼的习俗却一直流传下来。此俗在江淮之间，至今仍流行。北京、天津一带有"头伏饺子二伏面"之说，即是此俗的演变。

江苏菜　江苏地方风味菜肴的总称。江苏地处江南鱼米之乡，自然条件优越，鱼虾家禽四季不绝，农副产品十分丰富，有素菜"四大金刚"之称的豆腐、面筋、菌蕈、笋芽，大都出产在江苏。这些都为江苏菜肴的发展提供了良好的条件。江苏烹饪历史悠久，源远流长。先秦典籍留下名姓的第一位厨师彭铿（彭祖）封地就在江苏。早在2000多年前，吴人即善制炙鱼，历史上曾留下专诸向太湖公学炙鱼的记载。东汉时华佗曾向广陵太守陈登提倡火化熟食，至今扬州厨师仍保持着注重火候的传统。南朝时建康厨师被称为"天厨"，一种原料可作出几十种素食，今日江苏菜系中精美的素馔，即继承了此传统。从隋唐至五代，江苏菜肴更加精美，刀工与烹饪的结合，达到了相当水平。同时，面点技艺也日臻完善。五代时"建康七妙"之说，即是对面点技艺的赞誉。两宋至明清，江苏菜又吸收、融化了女真饮食、回回饮食、蒙古族饮食、满族饮食的特点，使其更加丰富多彩。同时，其风味也由重咸转向重甜。清中叶以后，苏、扬市面上还出现了"满汉全席"，菜肴制作更加精美，各种食物、饮料大量出现，食肆、酒楼、茶馆遍布各地，江苏菜肴在我国已处于举足轻重的地位。江苏菜系，主要由淮扬、南京、苏锡地方风味组成。淮扬风味选料严格，水产禽蛋居多，荤素菜皆有特色。其主料突出，刀工精细，注重火候，擅长煨、焐、炖、焖、叉烤，瓜果雕刻精细，口味清淡适口，南北皆宜。点心小吃，豆制食品亦相当精美。南京风味，口味和醇，玲珑细巧，尤擅制作鸭、鱼、虾类菜品，其冷盘的艺术水平居全国之首。苏锡菜肴，用料多取河鲜、湖蟹、菜蔬，原先口味趋甜，近来转向清鲜，菜肴造型多彩，配色和谐，刀工精巧，注重火候，炖焖煨焐之菜占一定比重。点心以米粉糕团船点占优。其共同特点是：选料多为水产禽蛋，猪肉蔬素，重视刀工，尤擅雕刻，主料突出，注重本味，咸甜适中，口味清鲜，南北皆宜，适应面广，造型多彩和谐，注重火候，擅长炖焖煨焐。著名菜肴有清炖蟹粉狮子头、水晶肴蹄、金陵盐水鸭、黄焖鸭、松鼠桂鱼、碧螺虾仁等。

安乐菜　汉族民间节日传统菜肴，流行于长江中下游地区。《中华全国风俗志》（下编）介绍江苏昆山冬至节风俗时说："其中有一种菜，以青菜、山芋、栗子相合而成，名曰'安乐菜'，为各家必备之品。俗云：'吃了安乐菜，从此便安逸快乐。'"另外，长江中下游地区在除夕夜家宴时，先食此菜，寓意安乐吉祥。《清嘉录》（卷十二）："分岁筵中，有名安乐菜者，以风干茄蒂，杂果蔬为之，下箸必先此品。蔡云《吴歈》云：'分岁筵开大小除，强将茄蒂入盘蔬。人生莫漫图安乐，利市偏争下箸初。'"

安徽菜　亦称"徽菜"，安徽地方风味菜肴的总称，由徽州、沿江和沿淮三种地方风味菜肴构成。相传徽菜起于汉唐，兴于宋元，盛于明清。它的发展和流传与徽商有着密切的关系。徽商即历史上的"新安大贾"，起于东晋，到了明、清两代更为活跃。他们资本雄厚，足迹遍天下，除经营山区特产外，还经营商栈（吃、住和堆放货物）和邸舍（吃住、贸易）。饮食商贩也随着徽商外出经营菜馆、面馆，使得徽菜流传甚广，国内有安徽会馆处就有徽商和安徽菜馆。徽州菜是指皖南一带的菜肴，是安徽菜的主要代表，以烹制山珍野味著称，擅长烧、炖，讲究火候。有重油、重色、重火功的特点。不少菜肴都是用砂锅木炭小火单炖、单焐，并以火腿佐味，冰糖提鲜保持原汁原味，汤清口味醇，故有"吃徽菜，要能等"之说。沿江菜，以安庆、芜湖地区为代表，这里素称鱼米之乡，食物资源丰富，故以烹调河鲜、家禽见长，讲究刀工，注意形色，善于用糖调味，尤其以烟熏技术别具一格。沿淮菜，主要由蚌埠、宿县、阜阳等地方风味构成。受淮北平原多产杂粮影响，菜肴一般咸中带辣，汤汁口重色酽，重香料，喜用芫荽佐味兼作配色。徽菜的著名菜肴有符离集烧鸡、无为熏鸡、徽州丸子、火腿炖甲鱼、红烧果子狸、腌鲜鳜鱼等。

灯影牛肉　汉族传统风味菜肴，

川菜系，流行于四川等地，因牛肉片薄能透过光亮，似民间"皮灯影"，故名。其制法：选黄牛后腿肉，片成薄如纸的薄片，平铺在案板上，撒上炒熟了的川盐及少许硝，裹成圆筒晾至呈鲜红色时，理成片，平铺于铁丝架上，入烘炉内烘干，取出切成长约4厘米、宽约2.6厘米的小片，再入笼蒸上约1小时取出晾凉。用炒锅下菜油炼熟，放姜于油锅中，入牛肉片轻轻铲动，炸透后，倒出约三分之二的油，放入醪糟汁、辣椒面、花椒面、白糖、五香粉快速炒匀，起锅晾凉，再加少许香油即成。成菜色泽红亮，麻辣鲜香，回味悠长。以四川达县所制最为著名。

红案　烹饪术语，我国饮食行业对菜肴切配和烹调工种的总称。泛指制作各种冷、热菜肴，从原料、加工以至成品的全部生产过程，因以动物性原料为主，加工原料时砧墩和案板上常带有原料的血水，烹制的菜又多以红色为主，故称。制作菜肴包括选料与组配、刀工与造型、施水和调味、加热与烹制等环节。红案包括墩和灶两部分。墩上负责对原料的加工、组配、刀工等；灶上包括施水、调味、加热、烹制等。

欢喜团　亦名"麻元宵"，"麻鸡蛋，""太平团"等，汉族民间风味小吃，流行于长江中下游和淮河流域。它以水磨糯米粉、面粉、红糖搓成小团，粘上芝麻，炸熟而食。成品分为包馅和无馅的两种，包馅的民间习惯称之为麻鸡蛋。据说是湖北荆州一陶姓人家所创制。在一次战乱中，他们全家走散，经过千辛万苦，终于又合家团圆，便做出这种食物，以示庆贺合家团聚，故名"欢喜团"。安徽寿春地区称之为"太平团"。用饴糖和炒米制成，于夏历正月初七食用。《中华全国风俗志》（下编）"寿春岁时记"载：正月初七日以饴糖掇炒米成团，谓之"太平团"，食之一岁一口太平。且以馈饷他人，谓之"饷太平"，俗以为想太平之意。另外四川成都清明时节多有售卖欢喜团者，用线穿之，并染上各种颜色。

如意果　汉族民间除夕合家欢宴时摆放的干鲜果类，它流行于江南地区。如意果有柑、桔、紫皮甘蔗、枣子、胡桃等。果子上缚以红色丝绸带，并贴上用红纸剪成的如意图案，寓意吉祥如意。

豆汁　汉族民间风味饮食，流行于北京等地。豆汁是北京特有的一种流质小吃，它是由粉坊制作绿豆粉丝或粉团剩下的一种液体经过发酵而成的。制作豆汁时，把绿豆用清水浸泡后磨成浆，然后过滤去渣，放在缸内沉淀。底层淀粉制作粉丝，中层灰绿色浆即豆汁原料，上层是清水。舀出清水，盛出豆汁，经过发酵，放入砂锅中熬，熬时要边倒边搅，力求做到不生、不煳、不澥。喝豆汁时，佐以浇对辣油的咸菜丝，其味甜中带酸，辣丝丝的，为老北京人特别喜爱的小吃。豆汁所含营养非常丰富，有蛋白质、脂肪、无机盐、粗纤维，具有助消化、增进食欲、软化血管的功能。过去以厂甸豆汁张所售的豆汁最有名。他熬制的豆汁，汁浓、味道好,以东直门四眼井产的豆汁最纯。旧时出售豆汁,有挑担串街叫卖和摊铺售卖两种。串街叫卖的,担子的一头是个大锅,下面煨着炭火,另一头是一四方的小案,案上摆着辣咸菜和碗筷等,喝豆汁的人坐在小凳上围案而食。摊铺售卖者,则备有焦圈、烧饼等。也有的人家买回生豆汁自熬,熬时搅入一些玉米面,吃时佐以窝头与咸菜丝。

豆腐　汉族民间传统豆制品,流行于全国各地。据传,创始人为汉朝淮南王刘安,至今已有 2000 多年历史。解放后,在河南密县打虎亭 1 号汉墓发现的画像石中,有一方豆腐作坊图,上画小型水磨和浸豆、烧煮等制造豆腐的基本过程。目前已知豆腐二字最早出现在五代陶谷所撰的《清异录》中,书中载有青阳丞轶事曰:"时戢为青阳丞,洁己勤民,肉味不给,日市豆腐数个。邑人呼豆腐为'小宰羊'。"《本草纲目》中对豆腐的制作方法作了详细的记载:"凡黑豆、黄豆及白豆、泥豆、豌豆、绿豆之类,皆可为之。造法:水浸硙碎,滤去渣,煎成,以盐卤汁或山矾叶或酸浆、水淀就,釜收之。又有入缸内以石膏末收者……",这些方法,一直沿用至今。今日豆腐制作,一般以黄豆为原料。北方豆腐点盐卤,凝固,较密实;南方豆腐点石膏水,较细白软松。由于我国制作豆腐有悠久的历史,加上宽广的地域所形成的地方风味,使今天的豆腐家族越发兴旺。由豆腐制成的豆制品在 100 种以上,由它们制作的小吃菜肴多不

胜数,炖、溜、烩、炸及做豆腐汤皆可。如冻豆腐、豆腐乳、豆腐脑、麻婆豆腐、锅塌豆腐等。豆腐不仅供人食用,而且有食疗保健作用。李时珍在《本草纲目》中说,食用豆腐能"宽中益气,和脾胃,消胀满,下大肠浊气,清热散血。"反映了我国饮食文化医、食结合的特征。

寿面　汉族祝寿时所吃的面条,此俗流行于我国绝大多数地区。由于面条的细密绵长,人们过生日时都食此物,以希祈长寿之意。祝寿时,多以寿面作为寿礼。寿面要求很长,不能掐断,每束须百根之上,螺旋盘绕成宝塔形状,置于托盘之上,罩以红绿纸镂刻的纸花,顶端插一纸制的寿星图,祝寿时放在寿案上。此俗至今仍相当流行。

寿桃　汉族祝寿所用之物,流行于全国大多数地区。桃实俗有"仙桃"、"寿桃"之称,言食之可以长寿延年。《神农经》云:"玉桃服之长生不死。若不得早服,临死服之,其尸毕天地不朽。"后世人常以桃祝人寿诞,寿桃有用鲜果,但多为面制,是为人祝寿时必需礼品。

杏仁茶　汉族民间传统饮料,流行于北京、天津等地。清代北京即有出售杏仁茶的,乾隆朝大学士纪晓岚曾作过 32 首食品诗,其中就有杏仁茶。其制作是将甜杏仁粉和大米粉相掺,兑入冷水搅成糊状,入锅中放水烧开,不停地搅动,熬制而成。吃时,盛入碗中,加桂花、白糖。其特点是有杏仁芬芳,清香爽口,还能解酒止渴。曾有诗称赞它说:"清晨市

肆闹喧哗，润肺生津味亦佳。一碗琼浆真适口，香甜莫比杏仁茶。"旧时北京有挑担串街叫卖杏仁茶者，吆喝："杏仁儿——茶哟！"，也有的在烧饼铺中出售，除北京之外，天津也有售者。

时辰包子　汉族传统风味食品。流行于陕西渭南地区。因其只在辰时出售而得名。据民间传说，在清朝时，渭南乡下有一孝子，其母生病卧床不起，想吃包子，他便到城内去买。第一次和第二次去的时辰为午时与巳时，错过了卖包子的时间，没有买上。第三次他起个大早，在辰时时赶到了包子铺，终于买到。于是他写了一段顺口溜贴在了包子铺的门上："城里包子香又香，想买包子敬老娘。午时巳时都错过，正当辰时才赶上。"从此之后，这家包子铺的包子被人们称作"时辰包子"。它用上等白面制皮，馅为猪板油、大葱、菜油炒面等8种佐料调制而成。包成僧帽形状。蒸熟后，面皮雪白油亮，小巧美观，底色金黄，不走油不掉底，肥而不腻，吃后回味无穷。

刨冰　我国民间的一种消夏解暑的清凉食品。流行于全国各地。旧时，由于科技水平低下，不能人工制造冰块。为了保证夏日里人们对冰的需求，出现了窖户这一行业，每到冬季，窖户便采下冰块，贮藏在冰窖里。到了夏天，供应给作冷饮生意的小贩和需要冰块的人家。最初的刨冰就是将天然冰用刨子将冰块刨成碎屑，加上白糖和香料供人食用。由是由天然冰制作的，所以极不卫生。随着机制人造冰的出现，刨冰成为冷饮店必备的品种，为夏日去暑解渴之佳品。

乱碗子　汉族民间婚丧喜庆宴席之一，流行于陕西安康等地。客人来后，主人根据现有原料，随意组配烹炒成菜，菜名皆不可知。上菜时，不必依照一定的顺序，随意端出，供客人食用，所以叫"乱碗子"。常用此席待客的多为贫寒之家或不善烹调的人家。如有熟悉的客人来访，也常用此席招待。

驴打滚　亦称"豆面卷子"，汉、回等族民间传统食品，流行于北京、天津、河北、东北等地。它是用江米面或黄粘米面做成的内有豆沙馅的一种糕，出售时，将切下的糕在炒熟的干黄豆面上滚动，状如驴就地打滚时的情景，人们便戏称这种糕为"驴打滚"。这种小吃甜软清香，黄、白、紫三色相间，很受大众欢迎。《燕都小食品杂咏》中有诗曰："红糖水馅巧安排，黄豆面团豆面埋。何事群呼驴打滚？称名未免近诙谐。"经营此物者多为清真小吃店。

社饭　旧时汉族社祭时所供奉的饭食，流行于全国各地。社日是古人祭祀社神的日子，有春社、秋社之分。以每年立春后的第五个戊日为春社，时间约在夏历二月中旬；以每年立秋后的第五个戊日为秋社，时间约在夏历八月。汉代以前只有春社，汉以后方有春社、秋社。古代祭社时以社饭、社酒供奉社神。《荆楚岁时记》载："社日，四邻并结综会社牲醪，为屋于树下，先祭神，然后飨其胙。”“社饭”一词最早见于《东京梦华录·秋社》：“八月秋社，各以社糕社酒相赍送。贵戚官院，以猪、羊肉、腰子、奶房、肚、肺、鸭饼、瓜、姜之属，切作棋子片样，滋味调和，铺于饭上，谓之‘社饭’。”这种社饭，直至明清仍盛行不衰。今日，用社饭祭社之俗已不多见，但个别地区仍保留此俗。

补冬　汉族节令饮食风俗。民间认为十月进补最佳，因为这时冬季开始，人们需要在饮食上增加富于滋补性的食品，以御寒强身，顺利过冬。一般多将鸡、鸭、羊肉等和当归、八珍等药材一起炖食。也有的把糯米、龙眼、糖等，制成米糕蒸熟而食。唐代时，人们在十月里开始酿造滋补药酒，有治百体虚劳，强筋壮骨的“鹿骨酒”；有补虚、长肌益颜、肥健延年的“枸杞子酒”；有补骨髓、益气力，逐湿的“钟乳酒”等。

状元饭　亦称“红状元饭”，汉族民间传统饮食，流行于安徽南部等地区。它是用大米、红苋菜和猪油等原料制成。制作时，先将米淘洗干净，蒸煮成米饭，然后把红苋菜（亦称“凤仙菜”）和猪油加入米饭之中，搅拌调匀，米饭即染成红色。此饭色泽泛红，油而不腻，味道鲜美，营养丰富，别有风味。是当地儿童喜爱食用的饭食。民间认为，男孩喜食用状元饭可以成为状元；女孩可以成为状元夫人。

枣糕　汉族民间传统食品。除日常食用外，还是岁时节日食物。其制作方法和所用原料，因时因地而异。汉代时有在寒食节食枣糕的习俗。《四民月令》：“寒食以面为蒸饼样，团枣附之，名曰枣糕。”枣糕还是重阳节馈赠亲友之物。《临潼县志》：“重阳上骊山，饮茱萸酒。所亲以枣糕相馈。”

拉面　亦称“扯面”、“拉条子”，汉族民间传统面食，流行于北方等地。它是用手将面抻拉而成，其制法：将面粉和成面团，饧好后，把面搓成粗长条，握住两端，在面案上摔打，并不断打折，抻拉成细细的面条时即成。吃时，将面条在开水锅中煮熟，捞出后，浇上卤料即可食用。这种面条柔滑条细，味道鲜美，颇受人们欢迎。在山西，拉面是深受青睐的食物，拉面拉七扣为大拉面，九扣以上便为龙须面。晋南一带民间，人们将和好的面团分成一二两的小块，随时拉抻入锅，宽薄软筋，称为小拉面。过去，由于白面少，山西乡间只在节日和招待客人时才吃拉面。新女婿初到岳父家，也要吃拉面，取意“拉住”，“扯住”。为老人祝寿时吃的寿面，也为拉面。天津民间称其为“抻条面”。

青精饭　亦称“乌饭”，旧时汉族岁时节令食品。它本是民间的一种食疗食品并用于祭祖祭神。此饭便于贮存和携带，适宜作旅行食品。《本草拾遗十种》一书中曾记述其制作方法：“乌饭法：取南烛茎叶（乌饭树叶）捣碎，渍汁浸粳米，九浸九蒸九曝，米粒紧小，黑如璧珠，袋盛，可以适远方也。”青精饭起初只是道家炮制服食的方剂，作为山居修炼的粮食,以求长生不老。唐代陆龟蒙在《道室书事》一诗中写道:"乌饭新炊笔臛香,道家斋日以为常。"后来此饭又被佛教接受,在每年夏历四月初八浴佛节的盛会上,做青精饭供佛,同时用它来招待来寺庙的香客与施主。《本草纲目》记载:"(乌米饭)乃仙家服食之法,而今之释家多于四月八日造之,以供佛耳。"《燕都游览志》也载有:"四月八日,梵寺食乌饭,朝廷赐群臣食。"的记载。青精饭还是民间祭祀时供奉的食物。《岳阳风土记》中记载:"岳州四月八日取羊桐叶渐米为饭,以祀神及先祖。"清代时,此饭在民间成为寒食节节令食物。《本草纲目拾遗》云:"乌饭草乃南烛,今山人寒食挑入市,卖与人家染乌饭者是也。"直至今天在湘西侗族和江西黎川县一带的人们,还有在清明节食乌饭的风俗。

和合茶　汉族民间结婚仪式上新人所饮之茶,流行于湖南等地。结婚仪式上,待新郎新娘入洞房后,伴娘请新人一同坐在床沿上,端来两杯茶,每杯之中放红糖,有两只鸡蛋和几个红枣、荔枝,象征着"早立子",新郎新娘各自端起一杯饮三口,伴娘将茶杯互相交换后,新郎新娘又各自饮三口,象征着新人婚后相亲相爱,家庭幸福。清代时,湖南衡州一带人结婚,有一种闹洞房形式也叫"和合茶"。《中华全国风俗志》曰:"衡城亲迎,与各处大同小异,唯闹房之风盛行……有所谓'和合茶'者,其式为新郎新妇,共坐一凳,新

郎以左足置新妇右腿上,新妇亦然,新郎左手与新妇右手相置肩上,其余手之拇指及食指合成正方形,置茶杯于中,亲友以口饮之。"

和气面　亦称"涎水面"、"蛟汤面",旧时汉族民间传统食物,流行于陕西一带。民间传说,周文王登基之前,曾被纣王囚于羑里。获得自由后,人们拿来各种食物慰问,周文王便把全部肉类与蔬菜做成臊子,浇在面条上,和大家一同食用,以示和睦团结,故名"和气面"。此外,民间还相传,周文王一次出外时,遇上一条蛟龙,便将其射杀,用蛟龙肉做成一锅臊子汤浇在面条上,并且下令只许吃面,不许喝汤,以使其部下全都尝到肉汤的美味,故名"蛟汤面"。在陕西一带,人们吃和气面时,把臊子汤浇在面条上,面吃掉后,将汤倒回锅中,以便连续食用。因为汤中已带有人们的口涎,故名"涎水面"。因不卫生,这种食面方式今日已基本绝迹。

岳飞茶　亦称"湘阴茶"、"姜盐豆子茶",汉族民间传统饮料,流行于湖南湘阴,汨罗地区。它是用姜、盐、黄豆、芝麻、茶叶、开水混合而成,故又名"六合茶"。据传此茶始于南宋,为岳飞所创。当年,岳飞率军到此地,围剿杨么农民起义军。其士兵多来自中原,在这里水土不服,军中士兵生病者日多,影响了战斗力和士气。岳飞精通医术,命部下熬有盐的黄豆姜汁汤当茶喝,治疗生病士兵。民间仿做留传至今。这里的农户每家都备有烧开水的瓦罐,炒黄豆、芝

麻的铁皮小铲和研磨老姜的姜钵。制茶时，先将瓦罐内注入清水，在柴火灶的火灰中烧开。用铁皮小铲将黄豆或芝麻炒熟。将老姜在姜钵上来回磨擦，制成姜渣与姜汁。泡茶时，先将茶叶放到瓦罐中泡开，再将盐、姜渣、姜汁倒入罐中，混匀后，倒入茶杯，抓上一把炒熟的黄豆或芝麻撒进杯子里即成。此茶既咸又香，风味独特，在当地常用于待客，亦为日常饮料。

服菊花 旧时汉族民间饮食、医药风俗。流行于全国各地。我国早在先秦即有服食菊花之举，屈原诗有"夕餐秋菊之落英"句。汉代有菊花酒。宋有菊花糕及其他服食法。《岁时广记》(卷三十四)"服菊花"："《太清诸草木方》：九月九日，采菊花与茯苓、松脂，久服，令人不老。"又"《外台秘要》云九月九日采菊花饮，服方寸七，令人饮酒不醉。""古词云，兰可佩，菊堪餐，人情难免是悲欢。"

狗拉羊皮 汉族民间岁时传统食品，流行于甘肃农村地区。是一种擀薄后用手揪成的面片。夏历正月二十日，天穿节，是日为补天穿的日子。民间认为，这一天家家户户都不能使用刀，不然的话，天会被割开一个口子，引来大风沙，这样便不利于农作物的生长。因此，这一天所吃的面条在用擀面杖把面团擀薄之后，不能用刀切，而是用手揪成规则不一的面片，或者将面团用手拍成片状。河西走廊一带的人们将这种食品称为"狗拉羊皮"，而兰州一带的人们则称其为"破布衫子"。

狗不理包子 亦称"天津包子"，汉族传统风味食品，流行于天津等地，和桂发祥麻花、耳朵眼炸糕并称天津风味小吃"三绝"。距今已有100多年历史。清朝光绪年间，一名叫高贵友的人，乳名狗不理，在天津侯家后蒸食铺学徒。学徒期满后，在侯家后租了一间门脸房，开设"德聚号"包子铺，接待一些来往于南、北运河的小商小贩、船民及普通市民。由于他做的包子味道鲜美，吸引许多顾客。高贵友又是在这里学徒长大的，许多人知道其乳名，久而久之，其姓名便被人忘记了，连德聚号包子铺也被称为狗不理包子铺。袁世凯任直隶总督时，曾将狗不理包子进献给慈禧太后，使得狗不理南北闻名。狗不理包子具有肉馅肥而不腻，包子熟后不掉底，不漏油、皮薄馅大，鲜香可口的特点。狗不理包子的投料，其馅用膀肘的瘦猪肉切成细小的肉丁，加小磨香油、特制酱油、葱、姜等，与排骨汤和猪肚汤调和而成；其面是半发面。狗不理包子做工精细，每50克4个包子，顶和底的皮一样薄厚，每个包子的花褶不少于15至16个，收口既不露馅，又不能形成一个面疙瘩，如同开放的花朵，经大火蒸制而成。狗不理包子除猪肉馅外，还有韭菜包、三鲜包、肉皮包、豆沙包、鸡蘑包、脂油包、素包等。

炒 我国传统烹调技法之一。制作时，先在锅中放少量的油，加热后将要炒的菜倒入，再加入各种调味品，随时翻动搅拌，使原料均匀受热，至熟即成。适宜于经过加工处理的丝、丁、片、末、泥等小型原料的烹制。其应用非常广泛，有生炒、熟炒、滑炒、小炒、软炒、煸炒、盐炒、沙炒等数种。

炒面　汉族民间传统主食。流行于全国各地。是民间常见的食品。面条煮熟或蒸熟后，入油烹炒而成。如虾仁炒面、鸡丝炒面等。炒面亦为我国民间传统食品，流行于全国各地。为炒熟的面粉，可干吃或用水冲了吃。所用原料因地而异。甘肃、青海、宁夏等地农村，以青稞、大麦、莜麦、豆类、胡麻、红枣为原料，将其炒熟磨成粉，以口袋贮之，出门者多以炒面为旅途食品。河北，京津一带农村，在夏季大麦收获后，磨面炒熟，食时用糖水拌成团状，可充主食。江淮人在每年农历六月初六吃炒面，这种炒面是把炒黄了的面粉和沸水蜜糖调和均匀食用。

炖　我国传统烹调技法之一。炖与烧相似，此法多用于动物类韧性原料，植物性原料则多为质地坚硬的块状。烹制时先用调料炝锅，冲入汤水，投入主料，再加水，加葱、姜、蒜、大料、黄酒、酱油等调料，在锅中先用大火烧开，再移微火炖熟至烂。如不放酱油，叫做清炖。用此法烹制的菜肴要求质地软烂，原汁原味，汤清爽口。如炖肉、炖鸡、炖豆腐等。

京八件　汉族精制京式风味糕点，流行于北京等地。京八件是京式糕点中最具特色的传统产品，清时，是皇宫、王族祭祀、典礼的供奉食品，也是红白喜事乃至日常生活中不可缺少的礼品和陈列品。京八件原本不是糕点的名称。是将刻有"福"，"寿"，"喜"，"禄"，"事事如意"等吉言美语的糕点和银锭鱼，置于八只盘子里摆成各种图案，所以称为京八件。京八件糕点分为酥皮大八件、酒皮细八件、奶皮小八件三种。其馅为沙馅，主料有白糖、山楂、枣泥、澄沙等，辅料有瓜仁、核桃仁、桂花、玫瑰、蜂蜜等。其区别主要在于皮，酥皮八件为酥皮类，分两次和面，层面层酥。酒皮八件和奶皮八件为硬皮类，采取一次和面，分别加入适量黄酒、白兰地或鲜牛奶，具有酒香与奶香。京八件口感酥松绵软，口味纯正，亦甜亦咸，并各具有奶香、酒香、枣香、豆香、子仁香等。形状有扁圆、如意、桃、杏、腰子、枣花、荷叶、卵圆等。馅心有玫瑰、香蕉、青梅、白糖、枣泥、豆沙、豆蓉、椒盐等。

油条　又名"油炸桧"、"油灼桧"、"油果子"，汉族民间传统油炸食品，流行于全国大部分地区，多作为早餐食品。油条这一食品，相传始于南宋。抗金名将岳飞，被秦桧和他的老婆王氏所陷害，以莫须有的罪名罹难风波亭。消息传出，杭州百姓气愤异常，对秦桧夫妇无不深恶痛绝。有一卖炸饼的小贩，以面捏成人形，两个撤合在一起，扭成螺旋形，比作秦桧夫妇，下油锅中炸，取名为油炸桧。人们闻之，便争相购买食之。从此成为受大众欢迎的早餐食品。其制法:将面粉与明矾、苏打、盐等，加水和好，饧半个小时，制成面剂，抻成长条形，表面抹一层油，开条后，将两小条叠在一起，捏住两端，向外稍微拉长，放入油锅内，炸成棕黄色即可。其特点是酥脆清香，略带咸味，适宜热食。

油果 汉族民间节日传统食品，流行青海东部农业区及共和、同仁、同德地区。它是一种油炸食品，当地的人们在逢年过节时，家家户户都要炸制油果，作为全家或待客之品。制作时，先把水加入白面中，和成稍硬些的面团，放入盆内，面发起后，制成生坯，放油锅内炸熟即可食用。

油轮 亦称"油盘"、"油食"，汉族民间风味食品，流行于陕西韩城地区，除日常食用外，还用于结婚、清明祭祖及小孩满月时回赠贺喜之人。制作时，将糖稀和入面中，揉成面团，发起后，制成一个个圆环，每两个叠压在一起，使其粘结，放油锅中炸熟即可食用。酥脆香甜，深受人们的欢迎。

油炒面 汉族民间传统食品，流行于北京、天津等地。分为荤素两种。素的叫油炒面。用香油炒面粉，炒熟呈黄色，加熟核桃仁、瓜子仁、芝麻仁等，吃时先盛好干面，放点凉开水，调成浆，然后用滚开水冲成糊状，加红糖食之。这种食物有脂肪、富营养、易消化，吃起来方便，给儿童吃最相宜。又因为它是素的，庙里的和尚也喜欢食用，并用来接待香客。荤的名为油茶。最好的是牛骨髓油茶，这种油炒面成浅黄色，加核桃仁、瓜子仁、芝麻仁、青丝、红丝、白糖混合起来用水调成糊状即可食用。这种牛骨髓油茶，味道香甜，营养价值极高，高热量，有明显的抗寒作用，十分耐饥。油炒面除店铺出售外，家中自制则较简单，用花生油炒面粉即成，加糖或盐而食。

泡菜 汉族民间传统菜蔬，以北方、东北、西南地区最为盛行。可做泡菜原料的青菜很多，如白菜、卷心菜、胡萝卜、白萝卜、苦瓜、鲜姜、大头菜、黄瓜、青、红辣椒等，均可泡制。其制法：将洗干净的青菜晾去浮水，码放在陶制的菜坛中，注入冷却的盐开水，没过青菜，放进适量的花椒、干辣椒、姜片、黄酒或烧酒，盖严密封，经乳酸菌发酵，10天左右即可食用。如不放佐料也可。做好的泡菜，色泽鲜艳，香气浓郁，质地清脆，咸酸适口，清爽回甜，佐餐下酒皆可。以冬天所制最佳。泡菜的卤水，只要保持干净不变质，可长期使用，随吃随续泡，十分方便。

治聋酒 指社酒，古人每逢春秋社日祭祀社神所供之酒，传说社日饮此酒可以治聋，此俗流行于全国各地。《周礼》中就有祭社的礼仪规定，西周时已有祭社活动。《荆楚岁时记》说，社日这一天"四邻并结综会社牲醪，为屋于树下，先祭神，然后飨其胙"。说明在南北朝时代已经有了向社神献祭酒和饮用社酒的习俗。到了宋代，有了社日饮酒可以治聋之说。宋代张洎《贾氏谈录》："时李公昉为翰林学士，月给内酝，兵部尝因春社寄昉诗云：'社公今日没心情，为乞治聋酒一瓶'。"陆游《社日》

诗中也有:"幼学已忘那用忌,微聋自乐不须医。"自注:"古谓社酒治聋。"

姑嫂饼 汉族民间传统面食品,流行于浙江杭州、江苏苏州地区。传说过去湖南双林镇有曹姓姑嫂二人相依为命艰难度日。一次做甜饼时,调皮的小姑趁嫂子没注意,往面里撒些盐。结果做好的饼,咸甜可口,味道更美。姑嫂二人于是开设铺面,专门经营此饼,食者无不称好,便称之为"姑嫂饼"。此饼由白面、猪油、白糖、芝麻、盐、花椒等原料组成。制作时,先将白面炒成黄色,加水和成面团,芝麻炒熟,加入猪油、白糖、盐、花椒调制成馅,包入面中,擀制成饼,烤制而成。此饼比棋子略大,质地细腻,层次分明,入口酥松油润、芳香爽口。

茶泡 汉族民间待客食品,流行于江苏南京等地。它是用盐将白芹芽腌渍,并放入松子仁、胡桃仁、荸荠等配料,然后,把这些食物放入茶碗中,注入茶汤,即成茶泡。客人来时,将茶泡、欢喜团和果盒一同端上,请客人食用。果盒内装着雕成双"喜"字或"福喜"字样的山楂糕,非常精致美观。袁崧生在《戢影琐记·咏茶泡》一诗中说:"芹芽风味重江城,点入茶汤色更清,一嚼余香生齿颊,配将佳果祝长生。"("佳果",指长生果,南京地方对花生米的俗称)即是对茶泡这一食品的赞美。

茶汤 汉族传统风味小吃,流行于北方地区,京、津两地尤为盛行。它系用糜子面磨成的粉子放在碗中,用温水调成糊状,再将红白糖、果料、桂花合在一起搅拌均匀,然后用开水急冲即成,其色调美观,质地细腻,喝起来又香又甜,别具风味,并有宽肠暖肚之功效。在明代,光禄寺所制茶汤非常有名。明人笔记中记北京有"翰林院文章,太医院药主,光禄寺茶汤、武库司刀枪"之谣谚,可见在明代,茶汤就已成为宫廷小吃而脍炙人口了。过去北京卖茶汤的小贩,都是沿街叫卖,肩上挑一个担子,一头是一把闪亮的大铜壶,壶的中心有一炭火炉,能保证壶中水随时滚开,茶汤才能一冲即熟;另一头是一个装粉子和食具的箱子。卖茶汤的走到哪里,都有人来买。因此,北京有歌谣唱到:"沿街吆喝热茶汤,一把铜壶到处忙,惹得孩童争购食,铜元破费爱加糖。"除此之外,北京街上还有售茶汤的摊铺。

茶宴 亦称"茶会"、"汤社"、"茗社"。我国古代传统饮茶风俗,流行于全国各地,它是以茶来宴请客人,类似今日的茶话会。茶宴在我国有悠久的历史。三国时,吴帝孙皓就曾以茶大宴群臣。唐代时,茶宴大为盛行,白居易曾有《夜闻贾常州·崔湖州茶山境会想羡欢宴》诗,描绘了当时在顾渚山举办的茶宴盛况。二、三知几在一起品茗谈心,也称作茶宴和茶会。"大历十才子"之一的吴兴诗人钱起曾写有《过长孙宅与郎上人茶会》和《与赵莒茶宴》两首诗,描绘了朋友之间品茗清谈的情景。宋代,茶宴又有所发展,宋徽宗常常亲自动手烹点,以茶宴请群臣。蔡京的

《保和殿曲宴记》等文章,就记载了这些盛况。这一时期,名山寺院也常举办茶宴,以茶论经。到了现代,类似茶宴的活动仍然存在。如茶话会,饮茶之外,常伴以糖果糕点,品茗谈心,论古道今,可以说是茶宴的延续。

茶粥　亦称"茗粥",我国古代传统食物,流行于南方地区,它是以茶叶煮粥。我国饮茶史有几千年,大致经历了药用、蔬食、渴饮三个阶段。煮茶为粥,属于蔬食阶段。早在西晋时,傅咸在《司隶教》中,就提到了茶粥。唐代时,茶圣陆羽在《茶经·卷三》中也有"闻南方有以困蜀妪,作茶粥卖,为帘事打破其器具"的记载。最初,人们是将茶的鲜叶采来煮食,连汤带茶一起吃。将茶作蔬食吃,味道不会很好。所以,才在煮茶时加米、加油、加盐,煮成"茶粥"。有些则还要加入姜、葱、椒、桂、红枣、橘皮、茱萸、薄荷等佐料调味。煮茶如烹调,吃茶如吃菜,茶粥正反映了饮茶史上蔬食阶段的特点。

药膳　古代传统饮食疗法的一种。膳,即饮食。药膳就是以药物作为饮食食用,以治疗疾病的方法。药膳是药物与食物相结合的产物。最早在《黄帝内经》中,已有古人运用汤液,醪醴等药膳治病的记载。在《神农本草经》中也收有许多药食兼用的药物。此后,历代医籍中对此都有详细介绍。药膳常见类型有:粥(如红枣粥、山药粥、莲子粥、枸杞粥),糕(如阳春白雪糕、龙眼山药糕、粳米糕),汤(如十全大补汤、双鞭壮阳汤、银耳鸽蛋汤),炒菜(如杜仲腰花、银杏鸡丁、菊茱肉片),点心(如人参汤元、茯苓包子、豆蔻馒头、山药烧饼)。此外,尚有羹、饮料、茶、酒等。药膳既具有营养作用,又有防病治病,健体强身,延年益寿的医药功效。为我国传统医药学的宝贵遗产。近些年来,药膳经过一段时间的沉寂又复兴行于世,发扬光大。除一般的医药部门之外,饮食、旅游等行业亦都对药膳大加发掘,并且推陈出新,多有创新。此外,药膳也逐渐走向海外,逐渐引起海外人士的兴趣并为其所接受。药膳是一种使医药、膳食相结合的滋补方式,对提高人民健康水平和医疗康复都有独特的作用,应加大力提倡。

荤菜　我国民间采用鸡、鸭、肉、鱼、动物油及葱、蒜、韭等有刺激性的植物所制作的菜肴,流行于全国各地。荤菜具有用料广泛,烹调方法和口味多种多样,注重火候,制作精细等特点。既能便餐小酌,也可做全荤宴席,在中国烹饪中占主导地位。

茱萸酒　古代汉族重阳节所饮的节令酒,流行于长江流域和淮河流域等地区。我国自汉代起,重阳已有登高、佩茱萸、饮菊花酒之俗。到了宋代,除了饮菊花酒外,还饮茱萸酒。这是因为古人认为重九这一数字不吉祥,而这一日饮茱萸酒与菊花酒,则可以避祸免灾。据《梦粱录》所记,这一日人们将菊花和茱萸漂浮于酒上,然后喝下。称菊花为"延寿客",茱萸为"避邪翁"。

面茶　汉族传统风味食品,流行

于北京、天津等地。《随园食单》中就载有面茶的制作方法："熬粗茶汁，炒面兑入，加芝麻酱亦可，加牛乳亦可，微加一撮盐，无乳则加奶酥皮亦可。"现今制作面茶则用糜子面，或是大米面和小米面，制作时将芝麻炒熟加盐轧碎，制成芝麻盐，麻酱加香油调稀，用水把面冲好再用锅熬，加大料、姜粉、放碱或矾，使之成为稠状。吃时，先将面茶盛于碗内，上撒一层芝麻盐，再盛入半勺，再撒上一层芝麻盐，然后淋上香油调匀的芝麻酱，让食者一直吃到碗底，都是香。售卖面茶分为担挑与店铺两种。挑担叫卖的一头是面茶锅，一头是烧饼、果子与碗筷。天津人多将它当早点吃，吃时多以烧饼、果子配餐，味道很香，细腻适口。

春饼　亦称"薄饼"，汉族岁时传统食品，流行于全国各地，是一种以小麦面粉烙成的圆薄饼。它制作时，用两小块水面，按扁后，中间抹油，擀成薄饼，在平底锅上烙熟。立春日吃春饼是我国的一种古老习俗。唐代《四时宝鉴》载：唐人在"立春日食萝蔔、春饼、生菜，号春盘。"生菜即是指萝卜、窝苣、白苣、苦苣等宜生食的蔬菜，每到立春日人们将生菜切细，用春饼卷食。到了清代，出现了用炒菜作馅的。《北平风俗类征·岁时》："是春日，如遇立春……富家食春饼。备酱熏及炉烧盐腌各肉，并各色炒菜，如菠菜、韭菜、豆芽菜、干粉、鸡蛋等，而以面粉烙薄饼卷而食之，故又名'薄饼'。"此外，还有皇帝在立春日向百官赐春饼的记载，《岁时广记》："立春前一日，大内出春饼，并酒赐近臣。"明代《燕都游览志》也有："凡立春日，于午门赐百官春饼。"春饼发展到今天，不仅形制随地区而异，食用时间也因地有别。制作上，既有烙制的，也有蒸制的。

春卷　汉族民间传统节令食品，流行于全国各地，江南各地尤为盛行。其制法：将白面和成湿面，在小平底锅上用文火摊成薄薄的春卷皮，然后包上馅，在油锅中炸制而成。其馅北方用韭菜、韭黄；江南地区多用白菜、肉丝、虾仁、荠菜、豆沙等。具有皮薄、色黄、香脆、味鲜的特点。春卷的起源和我国养蚕业有着密切关系。北宋时，人们在立春日除了鞭春牛之外，还以面为皮，包以馅，做成蚕茧状的"面茧(茧)"，用来作为蚕业丰收的瑞兆，并称其为"探春茧"。南宋时，人们将其"探"字略去，称为"春茧"。元代出现一种馅心为羊肉和羊脂，佐以葱白和笋干，再用羊"浮油"炸制而成的"春茧"。显然，这是为了适合当时蒙古人和回回人的饮食习惯。在以后的流传过程中，春茧的本意随着岁月的流逝而逐渐为人们所遗忘，又因"茧"、"卷"二字仅一音之转，"春茧"便被人们易称为"春卷"了。

春盘　古代汉族岁时食物。立春日，人们把生菜、水果、春饼、糖等置于盘中食之，表示迎春与祝福。皇帝也在立春前一日，以春盘并酒赐近臣，民间在此日也以春盘相互馈赠。立春设春盘的习俗，据说始于晋代，不过那时的春盘，内容比较单调，只是放些萝卜、芹菜一类的蔬菜。唐代杜甫《立春》诗中有:"春日春盘细生菜,忽忆两京全盛时"的诗句。随着时间的推移和地区的不同,春盘中的食物,也逐渐的发展与变化。《武林旧事》载,南宋朝廷后苑中制作的春盘"翠缕红丝,金鸡玉燕,各极精巧,每盘值万钱。"此俗到清代仍很盛行,潘荣陛《帝京岁时纪胜·春盘》:"新春日献辛盘,虽士庶之家,亦必割鸡豚、炊面饼,而杂以生菜、青韭菜、羊角葱,冲和合菜皮。"现今此俗已很少见。

柏酒　古代汉族元旦时饮用的节日饮料,是一种用柏树叶浸泡的酒,流行于全国各地。古时,元旦日,后辈要按长幼顺序向前辈进献此酒,以祝长寿。《四民月令》中有"元旦进椒酒柏酒"。《荆楚岁时记》中也有:"(正月初一)长幼悉正衣冠,以次拜贺,进椒、柏酒、饮桃汤。"的记载。当时人们相信元旦饮此酒,可在新的一年里,身体健康不生病,避邪长寿。此外,柏酒还被作为药酒治疗疾病。明代李时珍《本草纲目·附诸药酒》载:"东向侧柏叶煮汁,同曲、米酿酒饮。"可治风痹历节等痛。

持螯会　旧时重阳节食蟹宴饮习俗。流行于长江中下游地区,以东南沿海最为盛行。重阳时节,正是螃蟹最肥的时候,这些地区在重阳这一天除了吃重阳糕、饮菊花酒之外,还食螃蟹。文人墨客在这一天多设宴席相会,一起吃蟹饮酒,吟诗。因螃蟹的第一对钳脚叫作"螯",故名"持螯会"。《中华全国风俗志》(下编)

"六合之岁时"有九月"九日,食糕佩茱萸,竞载酒携螯,作登高会"的记载。

封镰酒　亦称"丰收酒",汉族岁时饮食风俗,流行于湖南等地。每年秋天庄稼收割完后,农民便将镰刀用稻草捆扎起来,挂在墙壁之上,称作"封镰",表示全年农活已经干完。同时用新稻谷酿成米酒,来祭祀天地,感谢众神保佑,摆设酒宴庆贺丰收,称作"封镰酒"。

尝新　亦称"吃新",汉族民间岁时饮食风俗。我国民间在每年夏收和秋收之后,常将新收割的粮食,做成食物,先祭祀神灵祖先,然后全家围坐在一起吃酒、尝新饭。此俗可以上溯至周代。《礼记·月令》谓孟夏之月农乃登麦,天子以彘尝麦,先荐寝庙。"此俗现代仍流行,祭祀之举已不存。

贴饼子　汉族民间用玉米面制作的饼类食品,流行于北京、天津、山东、河北、东北等地。过去,贴饼子是平民百姓家的主要食物,有单用玉米面的,也有玉米面掺豆面的。制作时,将玉米面加水和好团成椭圆形,贴于锅的四周,有时锅底还熬粥或菜汤。烘熟后饼面亮黄,香脆可口。

食补　以膳食的科学配伍以补助身体的保健方法。我国传统上很早就注意到以膳食补助身体,往往利用普通饮食的适当配伍或辅以药物以进补,在日常生活中汲取保健功效。《遵生八笺·饮馔服食笺》云:"饮食,活人之本也。是以一身之中,阴阳运用,五行相生,莫不由于饮食。故饮食进则谷气充，谷气充则血气盛，血气盛则筋力强。……由饮食以资气，生气以益精，生精以养气，气足以生神，神足以全身，相须以为用者。"食补三法可汤可肴，可蔬可果。明高濂将其分为茶泉、汤品、熟水、粥糜、果实粉面、脯胙、家蔬、野蔌、酿造、曲、甜食、洁制药品等十二类。食补需注意时令及进补者年龄，否则事倍功半。

食俗 消费生活民俗之一，指食物与饮料的制作和食用方法及有关风俗习惯。它大致可分为三个方面：①日常饮食习俗：指一日三餐的惯制和经常性饮食（包括出门在外的饮食习俗等）；②节日仪礼和岁时饮食习俗：指人们社交来往，仪礼和岁时节日期间具有民族特点和地方特色的饮食习俗；③信仰方面的饮食习俗：是人们把饮食习俗转移到信仰活动方面而形成的特殊饮食习俗。人类的饮食，经历了生食、熟食、烹饪三个阶段。而饮食习俗的形成是从人类学会使用火并创制了熟食法开始的。所以它是历史悠久的民俗事象之一。它的形成与发展和人们的社会生活、生产活动以及自然地理环境有着密切关系。并在长期发展过程中，形成了酒菜与饭这种主副食配套的结构关系。饮食习俗受民风、物产的制约，不同的生产方式（如农业生产和牧业生产）和自然环境可以区分出不同的饮食类型。在社会发展过程中，饮食习俗不断变化，不同的饮食习惯经常互相吸收，形成丰富多彩的饮食文化。

食疗 即饮食疗法，是用饮食手段治疗疾病，同时注重养生，亦称药膳。中国食疗的理论依据是"药食同源"。食疗的基本原则是平衡膳食，最早平衡膳食的记载见于2000年前的《素问·五常政大论》："谷肉果菜，食养尽之，毋使过之，伤其正也。"中国古代对食物医药特征的研究是从实践经验中总结出来的，注重食疗药物的"四气""五味"。四气即寒、热、温、凉。又另有一些药物，偏性之气不明显，性质平和，而称平性，但仍有偏温或偏凉之区别，故虽有平性之名，而不独成一气。五味是辛、酸、甘、苦、咸，可通过口尝辨别。五味的医疗作用不同，辛味发汗、理气、散结；酸味收敛、止濇；甘味缓和、调补；苦味燥湿、泄降；咸味软坚、泻下，简称为辛散、酸收、甘缓、苦坚、咸软。另有一种淡味，虽没有显著的味道，但有渗泄、利尿的作用，故往往以甘淡并称。由于疗效好，食疗已成为我国古代医学四大专科之一，并在实践经验的基础上产生了大量食疗专著。其中主要有，唐代孙思邈的《古今食治》、咎殷的《食医心鉴》、孟诜的《食疗本草》，宋金元时期有《太平圣惠方》、吴瑞的《日用百草》、忽思慧专门研究营养的《饮膳正要》，明清时期有卢和、汪颖的《食物百草》、高濂的《遵生八笺》、汪昂的《勿药之诠》、王圣英的《随意居饮食谱》。此外食疗还散见于其它医学巨著中，如《黄帝内经素问》、《神农百草经》、《本草纲目》等。民国时期食疗遭到冷遇，但仍有张锡纯的《医学衷中参西录》等巨著问世。解放后,我国政府对食疗非常重视,把它看作提高国民健康水平的有效手段。1973 年,出版了叶橘泉编写的《食物中药与便方》,继承发扬了祖国的食疗传统,集中介绍了食物中药的来源、性味、成分、功能、便方等,受到国内外普遍欢迎与重视。据不完全统计,自 1952 年至 1983 年,我国出版的有关食疗的专著达 30 余种,为食疗业的发展积累了丰富的经验。改革开放以来,已有城市与国外兴办食疗合资项目。随着科学技术的进步,食疗的内在机理正逐步被阐明,疗效正被越来越多的人所信服。特别是随着人们生活水平的不断提高,对食疗的需求越来越大。因此,食疗行业将成为具有广阔发展前景的新兴行业。

食器 餐具、茶具与酒具并称为食器,它属于饮膳设备,是生产力发展的反映。饮食器具的演进发展,与人们饮食品种的增加,食品质量的提高,饮食文化生活的日益文明进步以及饮食风尚的演变都有着密切的关系。食器种类很多,从原料来分,有陶器、铜器、漆器、木器、金银玉牙器和现代金属化工制品等。从种类分,新石器时代已有瓷、钵、碗、瓶和高柄小杯和小壶;夏商时有鬲、盆、盂、罐、鼎、甗、簋、簠、爵、尊、觥、斗等;汉魏时,盛器、托盘、盖碗、食盒成龙配套;明清时,大筵食器成百上千,型制各异;现代食器更是五光十色。从质地、风格看,史前的陶器较为粗糙,但也有蛋壳陶这种精品;

商周时,由于食器兼作礼器,造型雄伟庄重,带有威仪神秘的色彩;六朝的漆器,古色古香,情调浓郁;唐宋以后直至今日,瓷器占领餐桌,其品种多种多样,成为主要的食器。

饺子 亦称"扁食"、"角子"、"煮饽饽"等,我国民间传统风味食品,流行于北方广大地区,是一种用面皮包馅的食品,除平常食用外,亦为节日和婚嫁喜庆日子的主食。饺子在我国有悠久的历史,1972 年我国考古工作者在新疆吐鲁番地区发掘的唐墓中,发现了饺子,其形制与现代饺子无异,证明唐代时我已经有了饺子这一食物,并且传播到新疆地区。明清以后,饺子逐渐成为我国北方的春节食品。《酌中志》载:"初一日正旦节……吃水点心,即扁食也。"《燕京岁时记》也载:"每届初一……无论贫富贵贱,皆以白面作角而食之,谓之煮饽饽,举国皆然,无不同也。"春节饺子在除夕夜子时时食用,取"更新交子"之意,元旦早晨,也食用饺子。由于饺子状似元宝,也取其"招财进宝"之意。春节饺子讲究皮薄馅多,要捏严,不能破。煮时也不能煮破,如破了,只能说"挣了",避"破"、"烂"等语,以讨吉利。此外,有的地区春节时食用素馅饺子,取"一年素净"之意。还在个别饺子中放些制钱、花生、糖等,谁吃着了就意味着在新的一年中财运亨通,健康长寿,生活甜美。河南、陕西等地春节时,则把饺子和面条煮在一起,叫作"金丝穿元宝"、"银钱吊葫芦"。北京一些地区在结婚日,女方要准备一份"子孙饽饽长寿面"，在饮完交杯酒后，送与新人吃，不要煮熟，以取早生贵子之意。分娩之后第12天，娘家人要送水饺给产妇食用，俗称"捏骨缝"，希望产妇早日复原。北方人送行也食用饺子，有"上马饽饽下马面"之说。此外，北方有的地区在出殡时，要上一碟7个空心饺子。饺子的制法多种多样，饺子皮有擀、掐、扣等法，饺子馅随地区和时令而异，饺子可蒸、可炸、可煮、可烙。今天，除了传统的人工饺子外，还有机制水饺、速冻水饺，北京、西安等地还有火锅饺子、饺子宴等，深受中外人士的欢迎。

饸饹 亦称"和饹"、"河漏"、"和络"、"饹酪"、"馈锣"等，汉族传统面食，流行于北方地区。它是用荞麦面及其它杂粮或面粉（加淀粉）压制的面条。其食法有凉拌和热浇两种。早在北魏时期，《齐民要术》一书中就记载了饸饹的制作方法，将钻有小孔的牛角放在热锅上，放入面团，用力挤压使面出孔成为细条落入锅中。清代时制作饸饹已改为木制压床或饸饹机。《尔雅谷名考》中已有详细的说明："今按，荞麦实北方农家常食之品，作河漏法：系以水和面为团，用木机榨压而成。其木机则牝牡各一，联以活轴，可随手起落，外施以床，用时置机釜上，实面团于牝机内，其牝机之底，则嵌以铁片，密凿细孔，面入牝机内，乃下牡机压之，则面随孔出，作细条落釜水中，煮熟食之，甚滑美也。其木机俗呼河漏床。"其浇头各地有所不同。山东

卤为鸡鸭汤、鸡鸭肉丁、鸡蛋饼丁、糖蒜、香椿、辣椒油等；山西则为盐醋汤水，浇上羊肉臊子，加点陈醋，香味奇特。

重阳糕 亦称"花糕"、"发糕"、"菊糕"。汉族岁时节日糕点，流行于全国大部分地区。过去，每逢九九重阳节，人们便登高赏菊，品尝美食，重阳糕便是重阳节食用的一种美食。在我国，重阳节食糕有悠久的历史，起源很早。《荆楚岁时记》记载："九月九日宴会，未知起于何代，然自汉至宋未改。今北人亦重此节。佩茱萸，食饵，饮菊花酒，云令人长寿。"饵即糕也。因为"糕"、"高"谐音，重阳节食糕有步步高升，前途光明的意思。重阳糕主要用米面、果料蒸制而成。重阳糕在汉晋时叫作"蓬饵"，用黍米或秫米制成。《玉烛宝典》说，重阳节时"黍秫并收，以因黏米嘉味，触类尝新，遂成积习"，于是做糕吃。唐代时，糕上置有动物形象。《荆楚岁时记》中曾记载："民间九月九日，以粉面蒸糕，上置小鹿数枚，号食鹿糕。"到了宋代，重阳糕的名目和款式逐渐多了起来，吃重阳糕已十分风行。《梦粱录》（卷五）曾记载临安城重阳节时的情景："此日都人店肆，以糖面蒸糕，上以猪羊肉、鸭子为丝簇钉，插小彩旗，名'重阳糕'。禁中阁分及贵家相为馈送。蜜煎局以五色米粉壏成狮蛮，以小彩旗簇之，下以熟栗子肉杵为细末，入麝香糖蜜和之，捏为饼糕小段，或如五色弹儿，皆入韵果糖霜，名之'狮蛮栗糕'，供酎进酒，以应节序。"

此外,有的重阳糕高达到九层,上面再做两只小羊,以合'重阳'之意。以后,重阳食糕之风盛行不衰。明清时,重阳糕制作的方法和原料呈多样化。《帝京景物略》中说:"九月九日……面饼种枣栗,其面星星然,曰'花糕',糕肆标纸彩旗,曰'花糕旗'。父母家必迎女来食花糕。"《帝京岁时纪胜》中也说:"京师重阳节花糕极胜。有油糖果炉作者,有发面累果蒸成者,有江米黄米捣成者,皆剪五色彩旗以为标帜。市人争买,供家堂,馈亲友。"民国年间食重阳糕之俗仍很盛行,糕上多印有双羊形象。此俗在今日已不太盛行。

炸　我国传统烹调技法之一。炸是一种旺火多油的烹调方法,用油比原料多数倍(俗称大油锅)。炸的火力要旺,原料入锅后有"喳"的爆响声,故名。炸的原料一般来说均需挂糊上浆,使炸制的菜肴具有外焦里嫩、香酥脆口、清干无汁的特点。炸的方法可分为清炸、干炸、软炸、酥炸、纸包炸等多种。从火候的运用上分,有浸炸、油淋炸等技法。

炸酱面　汉族民间传统面食,流行于北京、天津及北方地区。即用炸酱拌面的一种食法。炸酱面属于家庭饮食一种,由炸酱、面条、菜码组成。炸酱分为肉丁炸酱、肉末炸酱、木樨炸酱等几种,酱选用黄豆做的黄酱或麦子做的甜面酱。面条分为擀面、抻面、拉面等。菜码有黄瓜、萝卜、香椿、豆芽菜、白菜、菠菜、青豆、黄豆等。面条煮熟后直接入碗,加酱和菜码拌食者曰:"锅挑";煮熟后过水加酱和菜码拌食者曰"过水面"。

闽菜　亦称"福建菜",福建地方风味菜肴的总称。福建省东临大海,西北负山,地处亚热带,气候温和,雨量充沛,四季如春。其广袤的海域,漫长的浅海滩涂,辽阔的山区,纵横交错的江河溪流,蕴藏着富饶的山珍野味和海鲜,为闽菜的形成和发展提供了得天独厚的烹饪资源。闽菜有悠久的历史,早在宋代,《山家清供》就对闽菜的烹调技法进行了阐释。南宋迁都临安之后,苏杭等地烹调法相继传入,使闽菜在传统风味的基础上,进行了变革。清代,福州、厦门成为通商口岸之后,交通和商业日益发达,各地烹调方法相继传入,使闽菜发生了更大的变革,成为独树一帜的闽菜体系。闽菜是由福州(包括闽东、闽北)、闽南、闽西三路地方菜构成的。福州菜清爽、鲜嫩、淡雅,偏于酸甜,汤菜居多,擅长以海鲜原料制作菜肴,善用红糟为佐料,尤其讲究调汤;闽南菜盛行于厦门、晋江、龙溪地区,其菜肴具的鲜醇、香嫩、清淡的特色,并且以讲究佐料,善用香辣而著称;闽西菜盛行于闽西客家话地区,其菜肴具有鲜润、荤香、和醇的特色,以烹制山珍野味见长,略偏咸、油,也善使用香辣佐料。闽菜以选料精细,刀工严谨,讲究火候、调汤、佐料而著称,其烹调技术尤擅炒、煎、溜、煨、蒸。由于福建是著名侨乡,早年出外谋生的福建人,将烹制闽菜的技术传到了世界各地,其影响尤以东南亚各国为最。著名菜肴有佛跳墙、闽生果、荔枝肉、红糟鸡、酒鸭、白炒鲜竹蛏、七星鱼丸等。

宫廷菜 皇宫御膳菜肴之总称，流行于北京及全国大中城市。中国宫廷菜起源于奴隶社会，有了王宫，就有了宫廷菜。它包括皇宫中所食的菜肴，也包括臣下进献的美食。由于宫廷菜服务的对象是皇帝及其亲属，他们搜罗天下美食，役使天下名厨，所以，宫廷菜可以代表我国各个时代烹饪的最高水平。如果说，民间饮食是我国烹饪的基础，宫廷饮食则是我国烹饪的高峰。它是由劳动人民所创造的中华饮食文化宝贵遗产。宫廷菜初创于周朝，"周八珍"是周代宫廷中最著名的菜肴，以黄河流域风味为主。汉魏南北朝时期，由于社会生产力的发展，烹饪技术提高很快，表现在烹饪原料扩大，烹调技法得到发展，炊具得到改进，讲究餐具有美化，宫中开始流行饮茶。隋唐两宋宫廷饮食制度在菜肴品种、进食程序方面有许多新发展。表现在海产品大量进入宫廷食单，讲究造型，菜肴的花色品种大量出现。宫廷宴席的规模之大，菜品之多，食具之精美，场面之豪华超过以往。元代执政者为蒙古族，其宫廷菜以蒙食为主，兼有回、汉和域外风味，多用羊肉与野味，水产极少，重视饮食养生，宫廷宴会之礼俗亦有别于汉族。明代宫廷菜以汉食为主体，元宫饮食对其也有影响，所食南味居多，原料多采用北京当地的产品，故兼有南北风味。其菜品种丰富，质量很高，烹调技艺创新，出现了许多前代未有的烹调法，亦重视饮食养生，餐具之讲究超过前代。清宫饮食以满族食风为主，包括山东风味和苏杭风味。其菜肴取料珍贵、广泛，操作严谨，投料有定规，讲究原汁原味，宫廷宴席超过前朝，有千叟宴、满汉全席等。清朝灭亡后，宫中厨师流散，他们将宫廷菜肴的制作方法带到民间，使其得以流传。今日北京仿膳饭庄和颐和园听鹂馆的菜肴，便是仿照清宫御膳房风味而制作的。

捞饭 汉族民间传统主食，流行于华北地区，捞饭用小米做成。做法先煮后蒸，它是将淘洗干净的小米放入锅中，加冷水，用旺火煮至小米开花，将米捞出，滤去水，再置于蒸笼内稍微蒸一下即可。在华北某些地方，还有春节吃隔年捞饭的习俗。除夕这天，将捞饭做好，上嵌核桃、红枣，再放上一个白面做的盘蛇，等到正月初二或初三才吃，取"吉祥如意，隔年有余"之意。

桃汤 古代汉族节日饮料，流行于长江中游地区。在古代每年夏历正月初一，民间有饮桃汤之俗，桃汤是取桃树的枝、茎、叶三者煮沸而饮的汤汁。古人认为此日饮桃汤可以驱压邪气，制服百鬼。《荆楚岁时记》："正月一日……鸡鸣而起，先于庭前爆竹，以辟山臊恶鬼。长幼悉正衣冠，以次拜贺，进椒柏酒，饮桃。"六朝以后，此俗逐渐失传，至宋代已完全消失。《太平御览》(卷二十九)："元日服桃汤。桃者，五行之精，压伏邪气，制百鬼。今人进屠苏酒，胶牙饧盖其遗事也。"

素菜　也叫"素斋"、"蔬食"、"素食"，我国民间采用植物性原料烹制的净素菜肴，流行于全国各地。素菜是中国菜的一个重要组成部分，其历史悠久，源远流长。早在先秦时代，人们在祭祀或遇到日月蚀，或遭遇重大灾害等，都有"斋戒"的习俗。《礼记·玉藻》说："子卯，稷食菜羹。"即在祭日要以稷谷为饭，以菜为羹，说明素食在我国已具雏形。到魏晋南北朝时期，佛教在中国盛行，特别是梁武帝肖衍，以帝王之尊，笃信佛教，素食终身。他大力倡导素食，使素食迅速普及。《齐民要术》一书中"素食"专列一章，记述了11种素食的制作方法，可以说是我国古籍中关于素菜的最早记载。到了宋代，出现了专门出售素食的店铺。《梦粱录》中，收集了临安"分茶"的素菜单36款，素糕点26种。这一时期，有关素食的书籍也出现了不少，《本心斋素食》《山家清供》等。素食在我国烹饪体系中，已形成独具一格的一大流派。素食到了清代，有了更大的发展，出现了寺院素食、宫廷素食和民间素食的区分。寺院素食又称"释菜"或"斋菜"。主要用于法师讲经，沙弥受戒，或招待居士、施主和游客，由香积厨（僧厨）制作。北京法源寺、杭州灵隐寺、镇江金山寺都是烹制"释菜"的著名寺院；宫廷素食主要是皇族在斋戒时食用，清宫御膳房专设有素局；民间素食是指社会上的素菜馆，其品种较之宫廷、寺院素菜品种更为丰富，以达到适应信男善女和吃腻了荤菜想换口味者的要求，各地先后出现了一批著名的素菜馆，如北京全素斋，上海功德林等。解放后，素食的发展进入到一个崭新的阶段，成为我国烹饪中一朵奇葩。素菜所用原料以面筋、豆制品、时令蔬菜、干鲜果品、真菌类食品为主，还可用牛奶、鸡蛋、海藻类，用植物油烹制。忌用鱼肉类和动物油，以及葱、蒜、韭等有刺激性的原料。素菜点以烹调技艺精湛，花色品种繁多，色香味形俱佳著称，既能便餐小酌，也可做全素筵席，凉拌、热炒、花色冷盘令人叹为观止。此外，还以荤托素，即用素料，做出形似荤菜的菜式。素菜的著名菜肴有罗汉斋、鼎湖上素、油虾仁、八宝鸭和"凤凰"、"蝴蝶"花色冷拼等。

素什锦　汉族民间节日菜肴，流行于全国各地。此菜在除夕年菜中必不可少。其制法：把豌豆、花生、黄豆芽、干丝、胡萝卜丝、木耳丝、金针、酸菜、嫩姜丝等10种素菜用素油炒成。江浙一带称之为"寒素菜"；北京地区称之为"十香菜"。

夏至面　汉族民间岁时节令食品，流行于北方广大地区。夏至节为汉族传统节日，时间在夏历五月间。此日为全年白昼最长的一天，夏至一到，气温就逐渐升高。这一日，北方民间多食面食。《帝京岁时纪胜》所述："是日，家家俱食冷淘面，即俗说过水面是也。……谚云：'冬至馄饨夏至面'。"可见在清代时，北京人在夏至这天是吃面过节的。

盐水毛豆　我国民间风味食品，流行于全国大部分地区。它是用鲜嫩的毛豆荚加水煮制而成。立秋前后，农民们采摘下鲜嫩的毛豆荚在市场上出售供人们购买回去煮食，为秋季的美鲜。其制法：将嫩毛豆荚放入锅内，加盐、水、花椒、大料，放火上煮熟即可食之。其味清香爽口，娇嫩鲜美。清代时，每年夏历四月八日浴佛节，在北京乐善好施之人，把青豆、黄豆煮熟，散发给他人，叫作"舍缘豆"。所用青豆即是从长老的毛豆荚中剥离出的。旧时，夏历腊月初八天津地方某些许愿人家舍"结缘豆"也用此物。

胶冻 汉族民间冬季传统佳肴，流行于浙江南部地区，其历史已有400多年。《歧海琐谈》一书就记载了这种食品的制作方法。制作时，先将黄鱼胶煮化成浆，待其冷却后凝结为胶冻即可。食用时，先将其切成条状，拌以糖、醋、姜、酱等佐料便能食之。此物晶莹透明，洁白如玉，味道鲜美，是当地冬季受欢迎的食物。除日常食用外，还是宴席之上必备之物。

胶牙饧 汉族岁时传统食品，流行于全国各地，是用麦芽或谷芽与诸米熬成粘性的软糖。饧古"糖"字。《本草纲目》载："饴即软糖也，北人谓之饧。"周代时即已出现，《礼记·内则》有"子事父母，枣栗饴蜜以甘之"的记载。可见早在周代，我国劳动人民已掌握了熬制饴糖的技术。南朝时元旦食胶牙饧，表示身体健康结实。《荆楚岁时记》："正月一日……进椒柏酒，饮桃汤，进屠苏酒、胶牙饧。"其注曰："胶牙者，盖以使其牢固不动。今北人亦如之。"到了唐代，有在寒食节进食的。唐刘筠《寒食诗》："饧市喧箫吹"、李商隐诗曰"粥香饧白杏花天"，都是描述寒食的情景。宋代，胶牙饧又成为除夕夜祭祀祖先供奉之物。《武林旧事》（卷三）：除夕之夜"祀先之礼，则或昏或晓，各有不同。如饮屠苏百事吉、胶牙饧、烧术卖槽等事，率多东都之遗风焉"。胶牙饧在宋代还是祭祀灶君之供品。宋代祭灶在腊月二十四，宋朝人称这一天为"交年"，《武林旧事》（卷三）："祭灶用花饧米饵。"相传，灶神在每年腊月二十五日，要上天奏人间善恶之事。故人们在二十四日晚用胶牙饧糊其口，使之不能说话，或少说坏话。明清时，人们祭灶用糖瓜（关东糖），此俗相沿至今，糖瓜也成为我国一种节日小食品。

臭豆腐 又名"青方"，汉族民间传统豆制品，流行于大江南北，北京、上海、湖南、江苏等地尤盛。各地的制法、规格、色味有所不同。北京王致和臭豆腐是北京的传统制品，已有300多年历史。相传清康熙八年，安徽举子王致和赴京赶考，因未考取，为生活所迫，在京开设豆腐坊，偶将发霉的豆腐用盐腌制，成为臭豆腐，虽然闻起来臭，食之则咸香味美，如加些许香油味道更佳，深受人们的喜爱。后经太监传入宫廷，被列为御膳房小菜之一，名"御青方"。旧时，北京小贩串街走巷，手拎篮子与酱豆腐一起出售叫卖："臭豆腐，酱豆腐，王致和的臭豆腐"。现今售者多为瓶装。此外,湖南长沙火宫殿的炸臭豆腐是长沙著名传统风味之一。据说已有500多年历史。制作时将上好黄豆做成的豆腐用硫酸亚铁水泡一会,再用以蘑茹、冬笋、黑豆豉水、曲酒制成的陈年卤水泡一小时,然后再用茶油炸,吃时放些辣椒油、香油等,其味道臭中带香,外焦里嫩,并有辣味,食者,无不称其味美鲜香。

烧 我国传统烹调技法之一,烧是将原料进行一次或二次热处理后加入调料,用火力烧熟的方法。烧可分为红烧、白烧、酱烧、干烧、锅烧、葱烧、油烧、辣烧、醋烧、汤烧、生烧、熟烧等。

烧鸡 汉族民间传统风味佳肴,流行于全国大部分地区。烧鸡的制作在我国已有几百年历史,以道口义兴张烧鸡店所制最为著名。从清嘉庆年间起,被列为贡品,每年都要进奉朝廷。道口烧鸡选半年到两年之间的健壮鸡,宰杀盘好,用蜂蜜水涂抹全身,再用鸡油或清油炸到柿红色,摆放在锅内,放进肉桂、良姜、砂仁、豆蔻、白芷、苹果、丁香和陈皮,对入循环使用的陈年老汤,化好盐水,先用大火烧开,再用文火焖煮即成。具有香气浓郁,皮色鲜艳,滑酥肉嫩,油而不腻,不易变质等特点,深受广大消费者欢迎。此外,闻名国内的烧鸡还有辽宁百乐烧鸡、安徽符离集烧鸡、贵州王傻子烧鸡、云南福顺居烧鸡等。

烧麦 我国著名传统食品,一般分为南味烧卖和北味烧麦两种。古称稍麦、烧卖、纱帽。由发面或半发面包馅蒸制而成,其外形美观,顶端如花,皮薄馅嫩,坐而不软,为面食佳品。烧麦是一种历史悠久的食品。《日用俗字·饮食章》中,记有"稍麦兜子真可口"之句。宋元话本《清平山堂话本·快嘴李翠莲记》载:"推得磨,捣得碓,受得辛苦吃得累。烧麦、匾食有何难。"另据《嘉定县续志》载:"以面为之,边薄底厚实,以肉馅蒸熟即食,最佳,因形如纱帽,故名。"该书还说这是明代嘉定人的叫法,现今以"烧麦"称之。烧麦发展到现在,因馅各异,形成多类风味品种,其名一般以用料而定。如杭州的羊肉烧麦,安徽的鸭油烧卖、素烧卖,河南的切馅烧麦、广州的蟹肉挑柱干蒸烧麦等。此外,北京"都一处"的烧麦,据说是乾隆皇帝御题的虎头匾额,因而赫赫有名。

烩 我国传统烹调技法之一,用汤和菜混制而成,故名。制作时,将成熟或易熟的原料放入锅中,加汤水与调料,用中火烧至入味,菜炒熟后,加少许芡粉水,使菜为粘汁所裹。多用于烹制口味清淡的菜肴。毋须上色,用料广泛多样,具有色彩鲜艳、菜汁合一、清淡爽口等特点。如烩虾仁、烩豆腐等。此外,还可将已做熟的主食和菜肴一起放锅中加水做熟,如烩饼。

烤 我国传统菜肴与食物制作方法之一。烤即是将食物用火烤熟,产生于原始时代。我们的祖先最初学会用火熟食的时候,即是用火烤食肉类。烤制方法大致有两种:将食物直接在火上烤食；将食物加佐料经过腌渍，或加工成半熟食品后在火上烤食。另外，根据烤炉设备及操作方法不同，烤又可分为明炉烤和暗炉烤两种。明炉烤是用敞口火炉或火盆，上搁一铁架，将原料用烤叉叉好，反复烤制；暗炉烤是用可以封闭的炉子，烤时将原料挂在烤钩、烤叉上，或放在烤盘内，再放进烤炉去烤。烤制的食物有烤鱼、烤肉、烤白薯、烤馒头、烤羊肉串、烤鸭等。

烤鸭　汉族民间传统风味菜肴，流行于北京等地，以北京烤鸭最为著名。我国烤鸭历史悠久，早在南北朝时的《食珍录》中就有“炙鸭”的记载。《东京梦华录》和《梦粱录》中，都有“爊炕鹅鸭”、“炙鸡鸭”的记载。元朝忽思慧在《饮膳正要》中记载了“烧鸭子”的方法，把佐料装入鸭腹内，放在炭火上烘烤。明清时烤鸭成为御膳之一，明朝永乐年间，开设于北京菜市口米市胡同的老便宜坊，是北京最早的焖炉烤鸭店。烤制时不用明火，而是用秫秸先将炉墙烧热，然后将整理好的鸭子放入炉内，靠炉壁的热度将烤鸭焖烤至熟。清朝以后，操此业者日多。19世纪中叶，饲养方法上出现了填鸭法，用这种方法喂养引进的江南种鸭，营养丰富，鲜肥肉嫩，无腥臊味，很受欢迎，为北京烤鸭的发展创造了条件。清同治三年蓟县人杨全仁在北京前门外开设全聚德烤鸭店，改焖炉为挂炉明火烤制。烤前，鸭子要经过宰杀、去毛、打气、开膛、烫皮、涂糖、晾坯等数道工序，然后挂入炉膛内，用枣木、杏木等木柴烤制。烤熟后的鸭子色如枣红，皮脆肉嫩。吃时，将肉用刀片下，每只鸭子要片120片左右，片片要连皮带肉，卷在荷叶薄饼或夹在空心烧饼里，抹上特制的甜面酱，夹以葱段。其味醇香，肥而不腻，十分鲜美。此店还以鸭子各部位，做成各种冷、热菜，与烤鸭配在一起，称为“全鸭席”。时至今日，北京烤鸭名扬中外并与涮羊肉、烤肉合称为北京三大风味名菜。

烤白薯　亦称“烤地瓜”，上海等地方言称“烘山芋”，汉、回等族冬季风味食品，流行于北京、天津、河北、东北、山东、上海等地。用以烤食的白薯大多经过一个时期的储存，其淀粉转化为糖，甜度增大。其制法：用铁桶或缸制成圆炉，内衬以青灰泥沙，生炭火，但不要太旺，在炉膛腰部，有一圈铁丝网，生白薯放在这圈网上徐徐烘烤。炉面盖上一块薄铁板，可随开随合。旧时，冬季卖烤白薯的街头巷尾到处可见，“烤白薯，真热乎！”，“栗子味儿的烤白薯”的吆喝声随处可闻。

酒令　亦称“行令饮酒”，汉族民间交际风俗，酒席上饮酒助兴的游戏，流行于全国各地。行酒令时，为了保证“酒令如军令”，便在席间推选一人为令官，余者听其号令，轮流按照规定的方式，或说诗词，或联语，或作其他游戏，违令或负者罚饮酒。酒令作为我国酒文化的特色之一，有悠久的历史。据《后汉书·贾逵传》记载，贾逵曾著有《酒令》一书，凡九篇，今已失传。到了唐代，饮酒行令之俗大为盛行，这一情况和唐代的诗歌繁荣与普及有关。唐代以后，饮酒行令之俗经久不衰，并且不断丰富发展，形成了多种多样的酒令和行令方式。记载和介绍各种酒令的书籍也多有问世。例如《酒令丛钞》、《酒尔雅》、《酒律》、《改字诗酒令》、《饮中八仙令》、《文字饮》、《小酒令》、《西厢酒令》、《合欢令》、《酒经》、《雅堂酒令》等。这些书籍记载了众多的酒令，有雅令、绕口令、骰子令、诗令、谜语令、改字令、典故令、牙牌令、花枝令、人名令、快乐令、喜上眉梢令、彩云令、旗幡令、闪压令、上酒令、论语筹令、回文重叠令、诗牌令、对字令、盗酒令以及四书令等等。饮酒行令之风现今犹存。

浙江菜　亦称"浙菜"，浙江地方风味菜肴的总称。浙江省位于祖国东南沿海，是著名的鱼米之乡。远在5000多年前，这里的良渚文化已达到了很高的文明程度，烹饪文化已经出现。我国烹饪中的著名调味品——绍兴酒，出现于春秋战国时期。《楚辞·招魂》中所反映的楚宫名食就包括此地的出产。《史记·货殖列传》中"楚越之地，饭稻羹鱼"即说出了本地的饮食特色。宋室南迁定都临安（杭州），大批厨师迁移本地，他们结合江南的丰富物产，促进了南北饮食的交流融合，使浙江菜达到了一个新阶段，在当时的"南食"中居主要地位，成为我国的著名菜系。浙江菜主要由杭州、宁波、绍兴三种地方菜肴为主组成，烹调方法以爆、炒、炸、溜、烩、炖、烤、蒸、烧为主，选料多样，以鱼肉、禽、笋所占比重最大。杭州菜在浙江菜中最享盛名。其菜肴制作精细，变化较多，讲究原汁原味，具有清鲜脆嫩的特色，以爆、炒、烩、炸等烹调技法见长，尤擅制作竹笋菜肴。宁波菜，包括浙东沿海一带的风味菜肴，多以海鲜为主料，采用蒸、烤、烧、炖为主的各种技法，注意保持原味，讲究鲜嫩软滑，由于喜用雪里蕻咸菜、苔菜为辅料，形成一种"咸鲜合一"的风味。绍兴菜主要来自民间，富有江南水乡风味，多以鱼虾河鲜、鸡鸭、豆类、笋类为原料，善用绍兴酒调味，具有汤浓味重、香酥绵软的特色。此外，以金华火腿为主料形成的金华地方风味菜肴和以河鲜烹制的温州地方风味菜肴，在浙江菜中也占有一定地位。浙江菜的著名菜肴有东坡肉、西湖醋鱼、清汤越鸡、苔菜拖黄鱼、大汤黄鱼、油焖春笋等。

凉糕　亦称"切糕"。我国民间传统风味糕点，流行于北京、天津等地。制作出售凉糕者多为回民。制作时，先将江米面和洗净的去核小枣放盆内上屉蒸熟，放案板上揉得软硬适中，分成三块，将其中一块按扁，上面均匀的抹上一层豆沙馅。再把按扁的第二块江米面覆盖在馅上，上面再抹上一层豆馅，然后放上按扁的第三块面，在上面均匀地撒上切碎的青红丝、青梅、玫瑰、京糕丁等。食用时蘸白糖凉吃。这种切糕层次分明，色泽美观，软硬适度，香甜可口，最宜夏季食用。

宴席　又叫燕饮、会饮、筵宴、筵

席、酒宴、酒席、宴会等。它是人们为着某种社交需要，根据接待规格和礼仪程序精心编排的一整套菜品。宴席与日常饮食有区别，具有聚餐式规格化和社交性的特征。聚餐式指宴席的形式，是多人围坐在一起的进餐形式，分为主宾、随行、陪客、主人；规格化指宴席的内容，整个席面不论冷碟、热炒、大菜、甜食、汤品、饭点、蜜果、茶酒，均按规定组合，依次推进；社交性指宴席的作用，举办宴席都出自一定的目的，如红白喜事、亲朋团聚、接风饯行、乔迁开业等，它是社会交往的工具。宴席的起因，与远古的祭祀、礼俗和宫室、起居密切相关。它的演变主要表现在席位的陈设、席面的铺排、菜品的规模和进餐的程序上。我国的宴席，约有4000多年历史。从文献记载看，虞舜时的养老燕飨礼是我国宴席的萌芽，以后历朝的夏商祭祀席、周代八珍席、楚宫盛宴、汉代百官宴、唐朝烧尾宴、宋皇千秋宴、元代诈马宴、明人会文宴、清代千叟宴以及现代的国宴等，展现出我国宴席的演变过程。我国宴席多种多样。按地方菜系分，有京菜席、苏菜席等；按菜品数目分，有八八席、重九席等；按头菜名称分，有燕窝席、烤鸭席等；按烹制原料分，有水鲜席、素菜席等；按主要用料分，有全羊席、豆腐席等；按季节时令分，有中秋宴、除夕宴等；按办宴目的分，有婚宴、寿席等；按主宾身份分，有国宴等。它充分展示了我国丰富多彩的饮食文化。

黄酒　中国特产饮料酒，亦称老酒，米酒，压榨酒。因为此类酒中绝大多数品种色泽黄亮或黄中带红，故称黄酒。它是以糯米、黍米等谷物为原料，经过蒸煮糊化后，添加酒药、麦曲或米曲等糖化发酵剂，经糖化、发酵、压滤、陈酿而成。黄酒在我国有悠久的历史，商代甲骨文中就有用黍米造黄酒的记载。南北朝时的山阴甜酒即是今日绍兴老酒。黄酒在我国种类繁多，名称不一。有的以酒色取名，如状元红酒、杏花黄酒；有的以产地命名，如浙江绍兴老酒、山东即墨老酒；有的以酿造工艺特点取名，如加饭酒、老熬酒等。通常按成品含糖量和风味分干型、半干型、甜型、半甜型4个类型。其生产工艺也因品种不同而有所不同。黄酒属低度原汁酒，其酒精度一般在15至20度之间，含有21种氨基酸。由于其酒度较低、香气浓郁、滋味醇厚、营养丰富，深为我国人民所喜爱。民间习俗一般在立冬前后酿造黄酒，大多以甲、乙、庚、辛之日为吉日，而忌讳丙、丁、戊、己、壬、癸等日。另外，由于"庚"与"羹"谐音、而"辛"引申义为"酸"的原因，所以也有忌讳这两日的。制酒时，将糯米蒸熟后，须先盛一碗祭祀灶君，再盛一碗敬献给长者。江浙一带人们在女儿出生时，用糯米酿制一些酒，装入容器内埋入地下，等女儿出嫁时取出，作为陪嫁物及供宾客饮用，称之为女儿酒。绍兴酒也因往往装在划有暗花的罐内，故又称花雕酒。黄酒在我国除饮用外，还可作为烹饪调料,以解腥膻之气和增加食物的鲜美风味。此外,它还具有行药势、通血脉、厚肠胃、润皮肤、和血益气,扶肝除风等功效,中医常用其作"药引"。

菜系 是指各地因当地物产、饮食习惯、烹调方法、著名菜品的不同,所形成较为完整和独树一帜的烹饪技艺。中国的烹饪技艺历史悠久,品类繁多,为了区别不同的风味特色,逐渐形成很多菜系和流派。关于菜系的区分,有许多种说法,有的分为八大菜系(苏、鲁、粤、川、徽、扬、京、闽),有的分为四大菜系(苏、鲁、粤、川)等。早在春秋战国时代,已有南北口味的大体区分,周代八珍与《楚辞·招魂》是典型的南、北菜单,而孔丘与吕不韦则是南北品味家的代表。由于佛教的传入,南北朝时期,又出现了"斋菜"(寺院菜)。宋朝时,苏浙风味的"南食店"、山东风味的"北食店"、四川风味的"川饭店"则代表了不同的"菜系"。明清时期,中国的各个菜系和流派更加明朗,粤、鲁、川、苏四大菜系已达到一定的规模,它们之间互相吸收各自的长处,并对各地方风味产生了深远的影响。所以,每个菜系都是在各个地域的内外经济文化的交流中形成的。每一菜系都有广阔的腹地,有丰富的食物资源,为烹饪水平的发展提供了物质保证。例如,苏系地处江浙,东临大海,为著名的鱼米之乡;粤系位于岭南,面临南海,物产丰富,又有珠江三角洲这一富庶的土地;川系则拥有肥沃的四川盆地,

号称"天府之国";鲁系则有黄河中下游的物产,又有胶东半岛这块富饶的土地。每一菜系的所在地区,都有自己的饮食习惯,而这又与当地的物产、气候都有关系,这一切对每个菜系各自风格的形成起到一定的作用。例如,广东地区物产丰富,气候炎热,粤菜则用料广,配菜丰富,口味偏重鲜、嫩、爽、滑,注重保持主料原味;四川盆地日照短,阴天多,空气湿度大,川菜则重油重味,偏重麻辣,有明显的除湿作用;山东地区较寒冷,蔬菜品种少,鲁菜菜肴多具有高热量、高蛋白的特点;江苏地区,交通发达,商业繁荣,长期以来是南北人民交汇之所在,味兼南北则是苏菜的一个重要特色。我国饮食在悠久的历史长河中,创造了多种多样的烹调方法,而每个菜系都各有所长。如粤菜擅长炒、煎、焗、炖、熏;川菜擅长煎、炒、煸、烧;苏菜擅长炖、焖、煨、焐;鲁菜擅长爆、炒、炸、扒等。每一菜系都有一批代表自己风格的著名菜肴,这是菜系成熟的标志。例如,粤菜有豹狸烩三蛇、盐焗鸡等;川菜有麻婆豆腐、怪味鸡等;苏菜有炒鳝糊、松鼠桂鱼等;鲁菜有九转肥肠、炸蛎黄等。

菖蒲酒 亦称蒲酒,古代汉族端午节饮用的节令药酒,流行于中原和江南地区。菖蒲是一种名贵药材,主要产自四川、浙江、江苏等地,具有开窍、活血、理气、散风和去湿的功效。菖蒲酒用菖蒲煎汁,或酿或浸而成。《本草纲目·附诸药酒》中说:"菖蒲酒,治三十六风、一十二痹。通

血脉,治骨痿,久服耳目聪明。"菖蒲酒在汉朝时就已闻名,《事类统编》载有:"美酒菖蒲香两汉,一斛价抵五品官"之语。端午节饮菖蒲酒之俗大约始于南北朝,古人认为五月是恶月,这时饮菖蒲酒可避邪除瘟。南朝梁宗懔《荆楚岁时记·端午酒》中有:"以菖蒲一寸九节泛酒,以辟瘟气"之句。端午节饮菖蒲酒之俗产生后,历代相传,唐代殷尧藩《端午日》诗:"不效艾符趋习俗,但祈薄酒话升平。"之句即说此俗。到了宋代,菖蒲被道家视为辟邪之物,此后饮菖蒲酒以驱邪的风俗更加盛行。《帝京景物略》载有五月五日:"渍酒以菖蒲,插门以艾,涂耳鼻以雄黄,日避出毒。"除此以外,历代帝王也将菖蒲酒列为御膳时令酒。《明宫史》就有:"宫眷内臣……初五午时,饮朱砂、雄黄、菖蒲酒"的记载。此俗今已不多见。

菊花酒　古代汉族重阳节饮用的节令酒,亦作黄花酒,简称菊酒。重阳节是中国传统节日,每到这一天人们登高望远,佩戴茱萸,饮菊花酒。重阳节饮菊花酒的习俗可追溯至汉代。据《西京杂记》记载,汉高祖时宫女贾佩兰每到九月九日这一天,便佩戴茱萸,吃重阳糕,饮菊花酒,说是可以长寿。晋代《搜神记》一书则介绍了菊花酒的作法:在菊花开放时,采花,茎叶,加入黍米酿之,至来年九月九日即可饮用。除了延年,菊花酒还有其药用价值。明代李明珍《本草纲目·药酒》中记载:"菊花酒有治头风,明耳目,去痿痹,清

百病,"之功效。重阳节饮菊花酒习俗形成后,历代沿习,杜甫《九日登城诗》云:"伊昔黄花酒,如今白发翁。"宋以后,受佛道思想影响,重阳节饮菊花酒蒙上一层神秘的色彩,具有了吉祥作用。到了清代,重阳节宴饮登高的风俗更加盛行,《燕京岁时记》与《帝京岁时纪胜》中都有记载。近代以来,重阳节登高饮菊花酒之俗仍很盛行,并且有了新的时代特色。一些城市中无山可登,人们在这一天便登上高楼,饮用菊花酒,别有一番情趣。

粤菜　亦称"广东菜",广东地方风味菜肴的总称。广东菜历史悠久并具有一定特色。西汉刘安等撰《淮南子》一书中,就有"越人得蚺蛇以为上肴"的记载。南宋周去非《岭外代答》也说越人"不问鸟兽蛇虫,无不食之"。从秦汉到隋唐,中原人不断南迁,其饮食风俗也带到了岭南。特别是南宋末年,皇室南逃,大批御厨流落广东,使得众多的烹调技法与食品在广东流传,促进了粤菜发展。明清两朝,广州作为重要的南疆城市,水陆交通发达,为统治者所重视。特别是鸦片战争后,广州成为内外贸易十分发达的地方。欧美各国的商人、传教士纷至沓来,西方饮食文化也相继传入。这时,广州万商云集,食肆兴隆,给饮食业的发展提供了一个广阔的市场。饮食业人士根据本地的口味、嗜好、习惯,加以改造、创新,逐渐形成具有南方风味的粤菜系。粤菜是由广州菜、潮州菜、东江菜三种地方菜为主组成。广州

菜是粤菜的主要代表,具有用料庞杂、选料精细,善于变化,品种多样,风味讲究,春秋力求清淡,冬春偏重浓郁,擅长小炒,掌握火候恰到好处的特色。潮州菜以烹制海鲜见长,以汤类素菜和甜菜最具特色,刀工精细,口味清纯,注重保持主料原味。东江菜又称客家菜。菜品多用肉类,极少水产,主料突出,讲求香浓,下油重,味偏咸,以砂锅菜见长,有独特的乡土风味。粤菜的特点:用料广,选料严,以海鲜及野味为上馔;口味偏重清、鲜、爽、滑,有炒、煎、熏、烤、焖、炖、炸等数十种烹调法,而以煎、炒、溜居多;配菜丰富;粥品,点心品种多样。目前,粤菜的影响已遍及海内外。而作为粤菜中心的广州更是中外食客向往之地,被誉为"食在广州"。著名菜肴有豹狸烩三蛇、片皮乳猪、潮州冻肉、东江盐焗鸡、满坛香、鼎湖上素、大良炒牛奶等。

馄饨 汉族民间传统风味食品,它比水饺略小,其形状与耳朵相似。馅心有羊肉、猪肉、鸡肉、虾肉、菜馅等,食时或蒸或炸或煮皆可。制作和食用馄饨流行于全国大部分地区,此外,在我国部分地区有冬至食馄饨的风俗。馄饨是历史悠久的食品,起源甚早。《颜氏家训》曰:"今之馄饨,形如弯月,天下通食之。"可见在南北朝时馄饨这一食品已很盛行。馄饨之名,据《演繁录》考证,是"塞外浑氏沌氏为之"故名浑沌,后来因其音相近,讹传为"馄饨"。古代的馄饨,一是汤要清,二是馅要细。《酉阳杂俎》曰:"今衣冠家名食,有肖家馄饨,漉去肥汤,可以瀹茗。"《云林堂饮食制度集》谈到馄饨的馅,制作时"细切肉腺子,入笋米或茭白、韭、藤花皆可,以椒杏仁酱少许和匀裹之。"馄饨的花色品种也多种多样,十分精美。《烧尾食单》中记有一道点心,名叫"生进二十四气馄饨",其"花形、馅料各异,凡二十四种"。到了宋代,馄饨成为冬至祭祖之食。《武林旧事》(卷三):"享先则以馄饨,有'冬馄饨,年馎饦'之谚。贵家求奇,一器凡十余色,谓之'百味馄饨'。"明清时,北方人仍维持着冬至吃馄饨的习俗,民谚有"冬至馄饨夏至面"之说。现代馄饨不仅品种很多,名称也各地有异。广东谓之"云吞"、四川谓之"抄手"、武汉谓之"包面"、江西谓之"清汤"、淮阴谓之"淮饺"、新疆谓之"曲曲"等。

焖 我国传统烹调技法之一。焖是先将原料在油锅中经油炸、油滑或火燎等热处理加工成半成品,然后加少量的汤汁和适量的调味品,将锅盖盖紧,不使漏气,用小火把食物焖熟至烂。可分为黄焖、红焖两种方法。红焖用酱油,糖色较多;黄焖则酱油用的较少,色为浅黄。焖的方法可使菜肴酥烂、汁厚、味浓。如黄焖鸡、焖扁豆、油焖笋、焖饼、焖饭等。

焗 我国传统烹调技法之一。焗为广东方言,即将热力紧压在容器中,利用蒸气逼迫密闭容器中食物至熟的方法。可分为盐焗法,炒至高温的粗盐,将食物焗热;原汁焗法,利用原汁蒸发渗透食料至熟;汤煸法,与焖有相似之处,原料先经炸或拉油至半熟,加汤和调味品,加盖,先用大火后移小火使之成熟;酒煸法,用酒加热蒸之,使食物煸熟。如煸禾花雀、全煸鸡、盐煸鸡等。

烹调　烹是加热,调是配味,通过加热配味将生的原料制成熟的菜品,就是烹调技术。烹调技术的积累、提炼和升华,便形成烹调工艺。烹调工艺是人们有目的、有计划、有程序地利用炊制工具和炉灶设备,对烹调原料进行切割、组配、调味、烹制与美化,使其成为能满足饮食需要的菜肴的一种操作技术。人类饮食大体上经历了生食、熟食和烹调三个阶段。生食延续了100多万年,熟食数十万年。直到一万年前先民们才学会制造最早的烹调用具——陶器,在懂得用盐调味之后,作为人类文明标志的烹调技术也就诞生了。中国烹调的发展基本上以黄河、长江、珠江三大文化摇篮为中心。大体经历了六个发展阶段:火炙石燔与烹调术的发明;广泛使用陶器与水煮气蒸法诞生;金属炊具问世与油煎法出现;菜品不断充实与地方风味日益鲜明;大量刊印食书与饮食市场繁荣;各族菜肴融汇与中菜走向世界。它是经济、政治、文化、民俗诸种因素的集中反映。中国烹调的特点主要表现在:选料严谨,搭配合理,充分利用原料,重视菜肴的营养卫生和食疗作用;刀工高超,造型美观,各种冷拼具有较高的工艺观赏价值,餐具华贵精美;调味方法精深,火候运用神妙,烹调技法众多,操作规程严格,具有"一菜一格,百菜百味"的特色;菜名典雅,引人入胜,典故传说与诗情画意寓于菜中;地方风味流派众多,菜肴花色品种齐全,并且乡土风味浓郁,兼收并蓄,熔各民族食品于一炉,正确借鉴外来的东西,推陈出新。

麻花　亦称"麻花儿",汉、回等族民间风味食品,流行于北京、天津、河北及东北等地。为油炸面食。其制法:用清水将白糖、糖精溶化,与面肥、碱面、花生油搅匀,加面粉和成硬面团,做成白条,刷油。将数根面条放案上,用手捏紧两头一抻,俯在案子上,左手推,右手往里拉,使条拧上两扣,然后把条对折,两头稍交叉地按在一起,将条提起一转,拧成两个花,状似麻绳打花,下油锅炸成深红色,即成。麻花有素麻花、糖麻花、芝麻麻花等品种。其中,天津桂发祥麻花,与众不同,被誉为天津食品"三绝"之一。论个头,有50克一个,也有250克一个的,还有500克一个,甚至有1000克一个的,无论大小,无一处不酥不脆;论味道,不只是香甜,还含有桂花、闽姜、青梅、桃仁的复合香味;其色泽棕红、造型美观,麻花的空隙处还夹着晶莹透明的冰糖块,犹如工艺品一般。放置在阴凉干燥处可以存放3——6个月,不绵不软,不走形变味,闻名全国。

涮羊肉　也称作"羊肉火锅",汉、回、满等民族传统冬令菜肴,流行于北京、天津、河北、东北等地。涮是我国传统菜肴制作方法之一,历史悠久,它属于火锅食法,将肉类切成薄片放入滚开的水中烫一下,再取出来蘸佐料吃。我国的涮羊肉由来已久。据考证,魏晋南北朝时期,就有有关"铜爨"的记述,这是一种类似锅子的少数民族器具。《山家清供》中记载:用"涮"的方法做菜,"猪羊皆可"。由此可以推断,至迟在宋代,我国就有涮食羊肉的吃法。涮羊肉所用的火锅,是从东北随着清兵入关的。《奉天通志》和清宫膳单上记载有"野意火锅"(包括各种肉脯、鸡、鱼等)。说明涮肉火锅已成为清宫冬令佳肴。由于满族是游牧民族,羊肉在其日常食品中占有一定比重,而且羊肉鲜嫩易熟,涮羊肉即从此时广为流传。开办于1914年的北京东来顺饭庄,即以经营涮羊肉闻名全国。其所用羊肉选用内蒙古集宁的阉割绵羊,取大三岔,小三岔、磨裆、黄瓜条、上脑处肉,冷冻后,切成长约20厘米、宽约4厘米的薄片,码放在盘内。佐料有芝麻酱、绍兴黄酒、酱豆腐、腌韭菜花、辣椒油、虾油、特制酱油以及葱花、香菜末等,分别盛在小碗内,可根据自己口味调配料汁。锅底汤中放有海米、口蘑。此外,备有糖蒜、白菜、粉丝,用以清口。近几年,涮羊肉越来越受到人们的喜受,在北方,不仅冬季,在夏天也随处可见人们围着火锅涮食羊肉。

屠苏酒　古代酒名,又名屠酥,酴酥,是一种药酒。"屠苏"为药方,由大黄、蜀椒、桔梗、桂心、防风、白术、虎杖、乌头等中药组成,用黄酒煎之,名屠苏酒。古俗元旦饮此酒可避瘟气。《荆楚岁时记》记载正月初一日:"长幼悉正衣冠,以次拜贺。进椒、栢酒,饮桃汤。进屠苏酒,胶牙饧。"饮酒时,年少者先饮,年老者后饮。这是当时人们认为,年岁小的过年增长一岁、可贺。年纪大的过年则减少一岁,因人生短暂,故不可先饮此酒。《岁华纪丽》中写道:"合家饮之,不病瘟疫。"能使人在新的一年中身体健康,表达了人们对美好生活的祝愿与向往。韩谔在书中记载:屠苏本是草庵之名,昔时有人住在草庵之中,每年除夕给邻里一药方,将药配齐后,盛在袋中,浸于井水里,正月初一取出后再将药浸在酒里,合家饮用,新的一年里则不会得病。由于人们不知此人姓名,便用他所居住的草庵为名,称这种酒为屠苏酒。饮屠苏酒的习俗历代一直沿袭,屠苏酒已成为人们在元旦时饮用的时令酒。今日在南方一些地区仍有此俗。

煮　我国传统烹调技法之一,指把食物放在多量的汤水中加热使菜品致熟。制作时先用旺火,后温火,再微火。这种制作方法简便易行,适用性广。其成品口感清淡、肥鲜,突出本味。煮是我国熟食最早制法之一,起源很早。《周礼·天官·亨人》中有:"职外内饔之爨亨煮。"郑玄解释:"职,主也。爨,今之灶。主于其灶煮物。"此外,三国时曹植七步诗中也有"煮豆燃豆萁"之句。

蒸　我国传统食物制作方法之

一,即用水蒸气使食品致熟。蒸这一方法在我国有悠久的历史。《事物纪源》(卷九)称:"周书,黄帝始蒸谷为饭也。"可见,黄帝时,人们已掌握了这一制作食品的方法。其制作,先将锅中放水置于炉上,锅内放笼屉,铺上屉布,待锅中水滚开时,将馒头、包子、窝头之类放好,盖严后,一定时间内即熟。此外,还可将米、鸡蛋、鱼、肉等放在容器内,用蒸锅蒸熟。可见,蒸制法,既可用来制作主食,也可用来制作菜肴。蒸制的菜肴,由于原料不必翻动,受热均匀,不失其形。

雄黄酒　汉族端午节饮用的节令药酒。古人认为五月为恶月,这时饮雄黄酒可避恶去毒。雄黄是中药,《本草纲目》中说:"雄黄味辛温有毒,具有解虫蛇毒、燥湿、杀虫驱痰功效。"端午节饮雄黄酒的习俗始自明代,明代《帝京景物略》中就有记载。此外,清代《帝京岁时纪胜》中写道:每到夏历五月五日,人们将蒲根切细,拌上雄黄,晒干后,浸入酒中,午时饮少许,再将剩下的雄黄酒,涂抹在儿童的面颊耳鼻上,并挥酒在床间,用以避虫毒。《燕京岁时记》也有:"每至端阳,自初一日起,取雄黄合酒晒之,用涂小儿额及鼻耳间,以避毒物。"的记载。从以上记载中可以看出,端午节饮用的雄黄酒是以雄黄和蒲根一起浸泡的酒,而单用雄黄浸泡的酒则被当成消毒剂,用于消毒杀菌。今日,在部分乡村中,仍有饮雄黄酒之俗。

腌肉　我国传统风味食品。腌是我国传统烹调技法。腌制鲜肉因时间、地点和民族的不同,在腌制方法上也多有不同,常用的有酒腌、盐腌、糟腌、糖腌等。盐腌,把肉用盐腌渍,或放在盐水中浸泡,使其味道变咸而便于长时间贮藏。糟腌,由香糟卤和食盐配制成糟汁,浸渍腌制。酒腌,则用酒和盐作主要调料,把肉浸渍。糖腌,用绵白糖将肉腌渍,如糖猪肉等。

腊八粥　汉族岁时传统食物,流行于全国大部分地区。夏历十二月初八,古称"腊日"。"腊"字本来是"合"的意思,古时这一日把天地、神灵和祖先合并起来祭祀。《荆楚岁时记》:"十二月八日为腊日。"原本"年节",后演变成一般节日。汉族在这一日食粥,故称腊八粥。吃腊八粥的习俗,民间流传有三种说法:(1)佛教节日。相传佛教创始人释迦牟尼得道成佛前,到处游历,刻苦修行,他来到摩偈陀国,由于天热,饥饿和劳累过度,昏倒在尼连河边。一位牧女看到后,把身边所带的谷米,加些野果,用清水熬成粥,喂给他吃。释迦牟尼食后感到无比甘美,精神振奋,便在菩提树下打坐,于十二月初八得道成佛。为了纪念释迦牟尼成佛,后每逢此日,佛寺僧众与教徒必诵经演法,以米和谷物煮粥供奉敬佛,称作"腊八粥"。(2)源于明太祖朱元璋赐名。据传朱元璋童年时,家境贫寒,为一家地主放牛,经常挨饿。有一年腊月初八,发现一鼠洞,想捉老鼠充饥,不料里面有许多五谷杂粮,便弄来煮粥食之。登基做皇帝后,于腊月初八想起这件事,便命人以五谷杂粮合在一起,熬粥进食,吃后非常高兴,赐名为"腊八粥"。(3)源于食粥驱鬼。《本草纲目·谷部》"赤豆"条载:共工氏有七个不肖子孙,为疫鬼,而畏赤豆,故每到腊八日作小豆粥祛除瘟神疫鬼。古时腊八吃赤豆时,先要举行"打鬼"仪式,用赤豆打鬼,然后食粥,祈年丰人旺。中国人吃腊八粥,在宋代已很流行。《东京梦华录》记载,腊月初八日,"诸大寺作浴佛会,并送七宝五味粥与万徒,谓之腊八粥。都人是日各家亦以果子杂粮煮粥而食也。"据《燕都游览志》及《明宫史》所载,元明两代,不仅民间食腊八粥,而且宫廷、官府也做腊八粥。到了清代,腊八粥的食俗最盛。在宫廷中,皇帝要向百官赐粥,并向各大寺院发放米粮,以供僧侣食用。民间家家都煮粥,还互相馈赠。现今,我国民间仍有吃腊八粥的习俗。腊八粥所用原料有大米、小米、高粱米、黄米、糯米、赤豆、云豆、绿豆、栗子、桂圆、白果、红枣、莲子、薏米仁、芡实、核桃仁、花生仁等等。名义上要凑够八样,但也无定规,少者四、五样,多者一二十样。一般以文火熬熟,于清晨或夜晚热食。

锅贴 亦称"锅烙",汉族民间传统风味食品,流行于全国各地,北京锅贴明清时已负盛名。其制法:以瘦猪肉或牛肉、羊肉、蔬菜等剁泥为馅,取面粉皮包制成饺子状。先在铛上抹好油,再将生坯码放其上,铛热后,往上一淋水,立即冒出热气,马上盖上铛盖,热气就进了生坯。待锅贴热后,打开铛盖,往铛上再淋一次油,煎得锅贴底面起一层黄嘎,熟后连排铲起,翻置盘内。里外见油,面柔底脆。锅贴的品种繁多,风味各异,其名一般以用料而定,有羊肉锅贴、牛肉锅贴、猪肉锅贴、三鲜锅贴、素馅锅贴等。

湖南菜 亦称"湘菜",湖南地方风味菜肴的总称。早在西汉时期,湘菜的烹调技术就达到了一定的水平,从长沙马王堆汉墓出土的一套竹简"菜谱"考证,湘菜的发展历史至少有2100多年了。湘菜先在官府衙门内颇为盛行,当时湖南官吏迎送朝官与地方官员,皆以湘味筵席款待。清朝中叶,湘菜由官衙进入民间,长沙城内出现对外营业的菜馆。分轩帮、堂帮两种。堂帮有10家菜馆,人称"十柱"。清末,"十柱"人员发展很多,经营范围广泛,同行经常相聚,切磋技艺,传授弟子,初步形成了湘菜的烹饪技术理论。1938年,长沙大火后,大批饮食行业人员迁往重庆、贵阳等地,开设湘菜馆。抗战胜利后,这些人员又赴上海、南京开设菜馆,使湘菜声誉大振,驰名全国。新中国成立后,湘菜的技艺得到了空前的发展,风靡中外。湘菜由湘江流域、洞庭湖区和湘西山区三种地方风味为主的菜肴组成。湘江流域菜肴用料广泛,制作精细,常用煨、炖、腊、蒸、炒、煮、烧、溜、烤、爆等烹调方法,口味讲究酸辣、软嫩香鲜、清淡、浓香。洞庭湖区菜以烹制家禽、野味、河鲜见长,多用炖、烧、腊等烹制方法，色重、芡大、油厚、咸嫩香软。湘西山区菜擅长制作山珍野味、烟熏腊肉和各种腌肉，口味咸香酸辣，富有浓郁的山乡风味。湘菜虽分三大流派，但基本口味大体一致。即味别多样，尤重酸辣、香鲜软嫩、熏腊清香，口味适中。以制作精细、用料广泛、品种繁多而著称。炒、蒸、熏、腊、炖、烧为其主要烹调技法。著名菜肴有麻辣子鸡、腊味合蒸、吉首酸肉、炒腊野鸭条、冰糖湘莲等。

隔年饭　汉族民间除夕制作的饭食及供品，流行于全国各地。《直隶志书·平遥县》：“除日早食糕，晚留饭至元日食，名曰‘隔年饭’”。杭州一带茶乡，除夕用糯米白糖做成饭团，盛于碗中，饭上嵌有金桔、桂圆、红枣等，分别取吉利、团圆、早子早发之意。放入锅中，至正月初一取出食用，取其“吉祥如意，隔年有余”之意。山东滕县一带，除夕夜团圆饭做的很多，为了是让全家吃饱吃好还有剩余。剩下的饭叫“隔年饭”，放到仓囤之中，以示“仓仓囤囤，年年有余”。旧时，北京除夕上供，除了苹果、活鲤鱼，还要供一盆饭，年前烧好，要供过年，叫“隔年饭”，也取“吉祥如意，隔年有余”之意。此饭用大米、小米混合在一起烧成，俗称“二米子饭”；因黄白二色相间，又叫“金银饭”，取意“有金有银，金银满盆”。饭堆成馒头状，放上干果、柿饼、桂圆（象征事事如意）；红枣、花生、栗子（象征早生立子），此饭上面还插有红绒花和剪成的红寿字等，打扮

得色彩美丽，花团锦簇。

榆钱糕　汉族民间春季风味小吃，流行于北京等地。此物在明代时即已出现。《帝京景物略》中记载：“是月榆初钱，面和糖蒸食之，曰‘榆钱糕’”。《燕京岁时记》中也有同样的记载：“三月榆初钱时，采而蒸之，合以糖面，谓之榆钱糕。”过去，食用榆钱糕非常普遍。暮春时节，榆树飘榆钱的时候，人们将嫩榆钱采摘下来用水洗干净，和玉米面搅和均匀，撒上盐，上锅蒸熟。吃时，盛入碗中，淋上香油、醋、蒜汁等，搅拌后食之。此外，还有一种食法，将榆钱和面蒸熟，放入油锅中加精盐、葱花炒而食之。除了北京以外，河北丰润县也有榆钱糕这一食品。《中华全国风俗志》引丰润县条目中写道：“榆钱，此物人尽皆知，不必赘叙。来人取之蒸熟，搀于面中，和以油盐，蒸熟食之，味甚美，名榆钱糕。”此种食物今日仍有人食用。

煎　我国传统烹调技法之一。即用热锅以少量食用油或用水把原料慢慢煎熟，既可制作菜肴也可制作主食。煎制方法在我国有悠久的历史，唐代诗人韦应物在《清明日忆诸弟》诗中就有“杏粥尤堪食，榆羹已稍煎”之句。制作时，先将原料调味，挂糊，火候要慢，受热需均匀，煎好一面再煎另一面。煎法亦有多样，有煎烹、煎烧、煎溜、煎焖、煎蒸等之分。菜肴有煎虾饼、煎猪排、煎焖子等。

煎饼　汉族民间传统食品，流行于全国各地，以山东地区最为盛行，

过去曾是这一地区的主要食品。煎饼的制作已有 1000 多年的历史。《启颜录》中曾有北齐高欢与石动桶共作煎饼谜的记载。清代著名文学家蒲松龄曾作《煎饼赋》一文,他在文中详细叙述了煎饼的制作与吃法。煎饼系用杂粮在水磨上磨成糊,糊不宜过稠,舀一勺糊于鏊子上,用木扒子把糊向右旋转摊开,摊刮至平而薄的圆饼,熟后从边沿处揭起并叠好即成。山东的煎饼品种很多,有小米煎饼、糖酥煎饼、玉米煎饼、麦子煎饼、菜煎饼、地瓜煎饼、高粱煎饼、柿子煎饼、酸煎饼、甜煎饼等。制作方法也有不同,鲁中为摊煎饼,鲁西为刮煎饼,泰安的煎饼薄而脆,淄川一带的煎饼较为厚软。煎饼的食法也有多种,如有的抹上酱,夹以葱,卷而食之;有的则烩而食之。在山东还有二月二煎饼熏虫的习俗,因其时在惊蛰前后,各种毒虫开始活动,所以这一日人们都吃煎饼,以此提醒人们不要受毒虫的伤害,寄托着人们的祛虫禳灾心理。

满汉全席　满汉全席是清朝最高规格的宫廷宴席,渊源于康熙时清宫中的"满席"和"汉席"。乾隆年间满、汉两席逐渐融合为满汉席,"满汉席"一词最先见于乾隆时期袁枚所著《随园食单·戒落套》:"今官场之菜名号……有满汉席之称……用于新亲上门,上司入境。"由此可见"满汉全席"在乾隆年间已由宫廷传到各地官府。此外,《扬州画坊录》(卷四)中载有一份满汉全席菜单,是最早最完整的菜单。所谓"满汉全席"主要由满族烧烤菜、满族饽饽以及汉菜组成。乾嘉以后,达官贵人、豪绅巨商,声色犬马,饮食斗富,满汉全席盛行一时,其规模越来越大,全席菜点多达 200 余款,要上 134 道热菜、48 道冷盘和各式点心等,其原料有山珍、海味、飞禽、走兽、菜蔬、果品等类。所用餐具极为考究,多为金杯、玉盘、玉盏、象牙筷等珍品。由于满汉全席菜肴众多,一餐不能尽食,须多次进餐,分为全日(早、中、晚)进行,或分两日吃完,有的则延长至三日,才能终席。时间越长,宴席越丰富,翻桌的次数越多。宴席中,菜肴的烹调组合,上菜的规章程序,筵席的礼仪等等,都严格遵守有关的规定。由于许多满族官员在外埠做官,上任之时,都带有自己的厨师,他们结合当地菜肴,形成了以当地烹饪特色为主的满汉全席。今天我们见到的广州满汉全席膳单和四川满汉全席膳单,都说明了这一点。乾嘉以后,满汉全席逐渐从官府传入民间。辛亥革命后,民国成立,满汉全席改名为"大汉筵席",菜式也从 200 多款简化到 100 余款,许多满族菜肴,都并入汉席之中,已无满汉之分。这时一批御膳房厨师被一些大饭店招聘,都以满汉全席为名,名噪一时。后来由于军阀混战,民不聊生,满汉全席已逐渐消失,转化为燕翅席、鸭翅席、海参席等筵席菜式。现今满汉全席已有恢复。

熬　我国传统烹调技法之一。它与焖相似,即用文火慢煮。制作时用油、葱、姜等炝锅,将主料煸炒,再冲入汤水,将菜煮熟。如熬水萝卜、熬鱼等。此法为家庭多用,适用范围广泛,除了制作菜肴外,还可将米、面等粮食放入锅中,加水煮熟,叫作熬粥。

酸梅汤　亦称"乌梅汤",汉族民间夏季清凉饮料,流行于北京等地。酸梅汤在我国有悠久的历史,明代《金瓶梅词话》和《帝京景物略》中都有记载。清代曾进入宫廷,经御膳房改进后,被称为"清宫异宝"。酸梅汤是用乌梅、桂花、玫瑰、白糖加水煮制而成。煮好后,滤去渣子,等凉了装进青花白底的大瓷坛里,再将瓷坛放进有盖装冰的木桶内,这就是"冰镇酸梅汤"。饮之酸甜可口,清凉解渴,为盛夏佳饮,倍受欢迎。北京最早是前门外的九龙斋和西单邱家的酸梅汤名声大,琉璃厂信远斋的酸梅汤则后来居上。旧时,有专卖酸梅汤的店铺和小贩,卖酸梅汤的冰桶盖上有一根一尺高、小酒杯粗细、顶端有一新月形的铜制"幌子"。表示酸梅汤是在夜里制成的。卖酸梅汤者以大拇指、食指和中指夹着两个小铜盏,击出各种节奏来,称作"打花点儿",以招揽饮者。

粽子　古称"角黍"、"筒粽"等。汉族端午节节日传统食品,流行于全国各地。端午节又名端阳,时在夏历五月初五。这一天,我国人民素有食粽纪念屈原的风俗。我国有关粽子的最早记载,见于《说文解字》:"粽,芦叶裹米也。"《风土记》载:"仲夏端午,烹鹜角黍。注云:端,始也,谓五月五日,一名角黍,以菰叶裹黍米,

以象阴阳相包裹未分散之象。"《祠制》载"仲夏荐角黍"。《荆楚岁时记》云:"夏至节日食粽。周处谓为角黍,人并以新竹为筒粽。练叶插五彩系臂,谓之'长命缕'。"可见,最早的粽子是黍包成的角黍和以竹筒装米制成的筒粽,人们吃粽子的时间是在每年的夏至和端午,并且是夏至祭祀祖先的供品,而未见端午食粽祭祀屈原之说。用粽子凭吊屈原的说法最早见于《世说新语》:"周时,楚屈原以忠被谗,见疏于怀王,遂投汨罗江以死。后人吊之,因以五色丝角条(粽子)于节日投江以祭之。"从此,粽子这一食物从江汉大地传向全国,并且品名繁多,形制不一。唐宋之际的角粽、锥粽、菱粽、筒粽、秤锤粽、九子粽;元代的粘米粽;明代的艾香粽;清代的奶子粽等。今日的粽子大多以糯米为主料,也有黄黍粘米的;馅料有豆沙、枣泥、鲜肉、咸肉、火腿、脂油、小枣、赤豆等,数不胜数;口味上有甜、咸、鲜、辣以及本味鲜之别;形制上,大至分为三角形、锥形、齐头形、枕头形等。如今粽子不仅是端午节食品,在南方日常多有供应,因其风味独特,方便实惠,深受人们的欢迎。

蜜饯　古称"蜜煎",汉族民间用水果制成的水果食品,流行于全国各地。蜜饯在我国有悠久的历史,早在唐代,人们将水果用蜂蜜浸泡保存以进贡朝廷。宋代,蜜饯的制作更加精细,种类也多种多样,经选果、洗净、浸泡熬制等工序制成。《东京梦华录》中提到北宋开封大相国寺

有"王道人蜜煎",《梦粱录》中记载有"蜜煎局",《西湖老人繁胜录》也记有许多蜜饯食品,有糖乌李、蜜枣、蜜杏、蜜橄榄、蜜木弹、蜜金桔、蜜木瓜、蜜金桃、蜜李子、蜜枨、蜜林檎等。北京是我国生产蜜饯果脯的著名产地,其生产历史已有300多年,并形成自己的特色。北京蜜饯色鲜味正,柔软爽口,甜度适中,其中以金丝蜜枣和杏脯最为有名。1915年,前门"聚顺和"生产的北京果脯曾在巴拿马博览会上获过优胜奖章,成为中外闻名的佳品。由海棠脯、桃脯、杏脯、梨脯、青梅、瓜条、红果条、蜜枣、乌枣、糖藕片组成的什锦果脯,还是北京人过春节的必备之物,叫作"杂拌儿"。除了北京以外,全国其它地方,也有许多著名的蜜饯食品。如苏州的雪梅、青梅、青红丝、糖玫瑰;福州的大福果、陈皮梅、加应子;潮州的糖山楂、糖萝卜、八珍梅;广州的糖莲心、糖桔饼、糖明姜等,都各具特色。

豌豆黄　汉族民间传统风味食品,流行于北京。它原为清宫御点,乾隆初年已盛行。《燕都小食品杂咏》云:"从来食物属燕京,豌豆黄豆久著名,红枣都嵌金屑里,十文一块买黄琼。"在诗后注解中还介绍了其制法:"以去皮之豌豆,入砂锅内,煮之成粥,后入以红枣,俟水分渐干,即可成块,出锅,待冷却后分切三角之块,陈列售卖,橙黄之块,满嵌红枣,可观亦可食。"不过这样做的,是推车小贩在街上卖的豌豆黄。宫中所做豌豆黄非常精细,和好白糖煮,加桂花,不放红枣,十分细腻。做好的豌豆黄,香甜凉爽,入口即化,是夏令消暑佳品。过去,夏历三、四月,小贩推车串街吆喝:"小枣的豌豆黄儿,大块咧!"如今在小吃店出售。

擂茶　我国民间传统饮料,流行于湖南、福建、贵州、四川的汉、苗、侗、布依等民族中。关于擂茶的来历,流传着一个民间传说。东汉初年,伏波将军马援,奉命出征武陵(常德),途经乌头村(现桃源县)时,正值盛夏,天气炎热,加上水土不服,全军将士病倒大半,马将军也伏病不起。老百姓见马将军队伍军纪严明,所到之处秋毫无犯,感动至深,一老者便将祖传秘方献出,依方作出擂茶,全军将士每日服用,不几天,染病的将士便都痊愈。从此,擂茶名声大振,广为流传。制法,将茶叶、生姜、芝麻、炒花生仁、黄豆、绿豆等放入特制的擂钵中,以茶子木作杵,不断擂磨成粉状,加少许清水调成乳白色浆液,调入白糖和盐,冬天加开水冲饮,夏天用凉开水调匀饮用。福建三明地区的擂茶更别具一格,除上述原料外,还加入猪肉、爆米以及陈皮、甘草、肉桂、藿香等中草药,喝时佐以糯米饭、炒黄豆、糖果、饼干、瓜子、花生等,把品茶之妙,佳肴之美和良药之益融为一体。由于擂茶具有生津止渴、清暑解热、消食润肺之功效,深受当地群众喜爱。

糖葫芦　汉族民间传统食品,流行于北京、天津等北方地区,天津方言称之为"糖堆儿"。相传糖葫芦起源于宋代,当时以山楂果蘸饴糖,制成糖球状,叫作"蜜弹弹"。用竹签穿成串的糖葫芦出现于明代。清代以来,糖葫芦则越作越精,花样繁多。除山渣果的以外,还有用山药、海棠、桔子瓣、荸荠、梨片和葡萄等果品做的。也有的在山楂果中夹上豆馅、瓜仁、麻仁、青丝、红丝、桂花等小料,味道更为香甜。其制作方法:将山楂果洗净、去蒂,用刀将果横切开,剔除果核,再用尺把长的竹签串起来。将冰糖与水按一定比例兑好,熬成糖汁,熬到糖能拔丝,不粘牙时,把串好的山楂果用手提着竹柄放入糖汁中,趁热蘸好,然后拿出平拍在光滑的石板上,凉透即可食用。其色嫣红,挂糖金黄透明。有开胃消食、化滞消积、活血散瘀之功效。旧时,卖糖葫芦的小贩,将糖葫芦放在挎着的篮子里,或将其插在肩头扛着的草把子上,沿街叫卖。卖糖葫芦的讲究吆喝,以招引顾客。北京吆喝为"冰糖——葫芦";天津只能听清"堆儿",而糖字则阿而不露。北京的春节庙会上还出售一种大糖葫芦,用果数十个,长达三四尺一串,用麦芽糖汁裹蘸,顶端插上一、二面小三角纸彩旗,成为儿童喜爱的春节食品。

服 饰 妆 扮

一裹穷 旧时汉族民间女服。流行于北京等地。指生活穷困妇女所穿的蓝布衫,其式大襟,长至膝盖以上,两侧不开褉,无装饰,故称"一裹穷"。因颜色深暗,稍脏不显,且衣价便宜,经济实用。《北平风俗类征·衣饰》引《京都竹枝词》曰"贫家妇女满胡同,蓝布衫名一裹穷,斜戴凉簪歪挽髻,清晨大半发蓬蓬。"

九龙冠 元代妇女礼冠。后为戏曲舞台上的盔头。其冠为全金色,上缀杏黄色大绒球一枚,和大小珠子数十个,后有朝天金翅两根,冠周围饰有点翠龙九条,故名"九龙冠"。为剧中帝王所戴便帽。

大袖 古代一种妇女服装。流行于中原地区。原是皇后嫔妃的常服。因其两袖宽博肥大而得名。其大袖多以罗制成,衣身用正裁法裁制,另加沿口花边,两边袖端各接一段,延伸为长袖,接缝处也用花边装饰,一般穿著在外。《宋史·舆服志》载:"其常服,后妃大袖。"以后传到民间,成为贵族妇女的礼服。《梦粱录·嫁娶》云:"且论聘礼,富贵之家当备三金送之,则金钏、金镯、金帔坠者是也。……更言士宦,亦送销金大袖,黄罗销金裙段,红长裙或红素罗

大袖段亦得。"可见穿大袖是当时贵族妇女非常普遍的习尚。《朱子家礼》称:"大袖,如今妇女短衫而宽大,其长至膝,袖长一尺二寸。"另注:"众妾则以背子代大袖。"所以地位稍低的妇女不能穿大袖,只能以背子代替。

大襟衣 亦称"大襟"。汉族和部分少数民族传统服饰。古时,其衣领直连左右襟,一般为左襟长,右襟短。穿时,左襟压住右襟,在右腋下挽结,此服也称"右衽"。近代多为立领,沿衣身右侧缀布祥。此服有长衫短袄之分,男女均穿。女式多为短大襟衣,长不过膝,前襟有缘饰,俗称"栏干"。男式有长短两种,长者多为老年人穿,长不蔽趺,俗称"长袍"。短者多为平时劳作所穿,属于粗陋布衣。

弓鞋 旧时汉族缠足妇女所穿的鞋。长3寸余,布制,亦有缎制,鞋面多绣花鸟图案,也有做凤头形的。底中弓起,合于脚骨之裹折者。中国妇女缠足始于南宋,早期的弓鞋实物,在各地墓葬中均有发现,最为典型的是福建福州黄升墓出土的弓鞋。此鞋以提花罗做面,粗麻布做底,鞋头尖锐,并明显地朝上翘起,前面用

细绳挽成蝴蝶式结。整个鞋长 13.3—14 厘米，宽 4.5—5 厘米。是中国妇女缠足的重要物证。明清以来，弓鞋的颜色尚大红，质尚缎，除白色为丧服外，其他诸色都可以，唯花纹要鲜艳，而且要含有吉祥的寓意。缠足者睡觉时另有睡鞋，形状与弓鞋差不多，只是软底的。

马靴 有筒的鞋。一般为皮制，战国时由西域传入中原，为武服，施于戎事。即作战骑马所穿，故称"马靴"。（参见"靴"条）

马褂 清代满族男子上衣。流行于全国各地。穿在长袍、长衫之外，长不过腰、袖仅掩肘，短衣短袖，便于骑马，故名。清初为营兵所服，康熙时富贵家有服者，康熙后服者日益增多，渐渐成为一种便服。马褂的形制，有对襟、大襟和缺襟之别。对襟马褂多当做礼服，大襟马褂多当做常服，还有一种缺襟马褂，制如缺襟袍，又叫"琵琶襟马褂"，多用做行装。这些马褂大多为短袖，袖口平齐而宽大。马褂的颜色，除黄色为特赏之外，一般多以天青或元青色作为礼服。深红、浅绿、酱紫、深蓝、深灰等色作为常服。领、袖边缘多有镶滚，镶滚又有阔、狭之分。大致初期尚狭，中期尚阔，以后复又行狭，及至晚清已经没有什么镶边了。马褂的质料，主要以丝绸织物为主，除此之外，还有一种翻毛皮马褂，即毛朝外的马褂，始于乾隆，盛于嘉庆。皮毛贵重，属达官贵人之服。民国年间仍以马褂为礼服，民间则用至解放前。

马蹄袖 清代满族一种礼服袖口样式。流行于东北、北方满族地区。其袖形制窄小，紧裹于臂，袖端被裁制成弧形，上可覆盖过手，平时将其朝上翻起，行礼时则放下，因其形状和马蹄相似，故称"马蹄袖"。是满族服装特点。据《清太宗实录》记载，早在崇德年间，有人劝太宗放弃这种服装而效汉人衣冠，曾遭到太宗的训斥："我国家以骑射为业，今若轻循汉人之俗，不亲弓矢，则武备何由而习乎？"可见这种服装最早出现在入关之前，而后沿用整个清代。一般士庶，如穿无衩之袍而作礼服时，也需另装一副马蹄袖，以纽系在袖端，礼毕则解下。这种袖子，俗称"龙吞口"。

云肩 古代汉、蒙古、满等族妇女一种肩背间饰物。披肩的一种。金代已有，为贵族命妇所披用，但禁止绣有日、月、龙纹。元代仪卫及舞女多穿这种服饰，披于肩上。《元史·舆服志》云："云肩，制如四垂云，青缘，黄罗五色，嵌金为之。"其制作华丽，披用者以舞女和宫人为多。这时云肩的样式，在甘肃敦煌莫高窟元代壁画供养人身上，反映的比较具体。到明代，式样为"四合如意"。有在云肩上绣花鸟并缀以金珠宝石，或加镜铃，使之行动有声。歌舞时女伎亦披大红罗生色云肩，蓝青生色云肩等。一般妇女将它作为礼服上的装饰。至清代，有剪彩作莲花形，结线为缨络，周垂排须，汉族妇女在行礼或新婚时亦穿用。直到光绪末年，江南妇女由于低髻垂肩，才用绒丝仿云肩式而编结为较小的云肩，以防垂髫污染衣服。

五毒背心　端午节小儿衣饰。流行于黄河以北地区。天津习俗，端午节时四、五岁以下儿童除了系老虎褡裢之外，还要穿五毒背心、五毒鞋。五毒背心是一种黄色的绣有五毒纹饰的小衣服。"五毒"即蝎子、蜈蚣、蟾蜍、蛇、壁虎。这五种小生物虽称"五毒"但并不都是有害之物，主要是因为它们的形状令人望而生厌，有的伤害无知幼童。传说小孩穿五毒衣，可避邪祛病。实际上是提醒家长，在春季，这个各种虫豸孳生繁殖的季节里，要注意讲究卫生，防止有害小生物对儿童的伤害。这也反映了在当时卫生条件落后的情况下，一种人为自身保护的做法和寻求健康向上的祈望。现在随着医疗卫生事业的发展已失去了它们本来意义，虽还有穿做，不过是传统祛病避邪心态的延续。

开裆裤　亦称"穷裤"。古代裤子的一种，由"胫衣"发展而来。两条裤管上达于股，上连于腰，并在两股之间连缀一裆，裆不缝合，用带系缚，以便私溺。后来由于劳作的需要，以及西域少数民族满裆裤的传入，中原汉族也开始穿满裆裤，称为"裈"。另外一种开裆裤，即三、四岁以下小儿所穿之裤，由于年幼，大小便不能自理，因此不论冬夏均穿开裆裤，一直沿续至今。（参见"裤"条）

比甲　明代妇女服装。一种无袖无领的对襟马甲，样式较后来马甲为长。据说产生于元代，初为皇帝所服，后普及于民间，转而成为一般妇女的服饰。《元史》载："又制一衣，前有裳无衽，后长辈于前，亦无领袖，缀以两襻，名曰'比甲'，以便弓马，时皆仿之。"元代妇女穿比甲的似不太多，直到明代中叶，才形成风气，然大多为年轻妇女所穿着。清代妇女不分满汉，都喜欢穿比甲，汉族妇女穿在袄裙之外，满族妇女则罩于旗袍之上。

中山装　汉族服饰。流行于全国各地。辛亥革命后，孙中山参照中国原有衣裤样式，吸收当时在南洋华侨中流行的"企领文装"的样式设计而成，故称。"企领文装"亦称"学生装"，民国初年在流行西装的同时，不少知识分子及青年学生都喜欢穿此装，其形制不同翻领，而只有一条窄而低的狭领，穿时用纽扣缩紧，所以也不需要领带、领结等作为装饰。在衣服的正面下方，左右各缀一只暗袋，左侧的胸前还缀有一只明袋。穿着这种服装能给人一种精神和庄重的感觉。孙中山在此基础上加了一条翻领，又将原口袋改为四个明袋，下面两袋裁制成"琴袋"式样，可以随着放进物品的多少而涨缩。衣袋上另加软盖，以防物品丢失。裤子则前面开缝，用暗纽，左右各一大暗袋，右后臀部挖一暗袋，用软盖，前右腰有一小暗表袋。这种服装是由广东台山人黄隆生负责裁制的。后在推广中又不断改进，终于成为当代我国男子服装的代表样式。

水田衣　亦称"稻田衣"、"袈裟"、"百衲衣"。古代妇女外衣，流行于江南地区。是一种以各色零碎织锦料拼合缝制的服装,形似僧人的袈裟。因整件服装织料色彩互相交错,形似水田而得名。唐代即有此俗,人们将不同颜色,不同图案的织锦料均裁为长方形,然后有规律地编排缝合。起初比较注意匀称,到后来就不再那样拘泥,织锦料子也由长方形改为大小不同、形状不一的不规则形状,形似补丁,又像戏台上的"百衲衣"。唐代曾一度非常流行,诗人王维有"乞饭从香积,裁衣学水田"的诗句。反映了当时这一社会风貌。由于这种服饰所具有的特殊效果,简单而又别致,所以在明清妇女中间赢得普遍喜爱。《儒林外史》载:"那船上女客在那里换衣裳,一个脱去元色外套,换了一件水田披风"。也是描写的这种服装。

凤冠 古代贵族妇女所戴的礼冠。因冠上装缀着凤凰,故名。此礼冠以金属丝网为胎,上级点翠凤凰,并挂有珠宝流苏。早在秦汉时代已成为太皇太后、皇太后、皇后祭服的冠饰。宋代正式把凤冠确定为礼服,据《宋史·舆服志》记载:宋代后妃在受册、朝谒景灵宫等最隆重的场合,都戴凤冠。冠上饰有九翚四凤,另有首饰花九株,小花若干株,冠下附两博鬓。明代后妃承继宋代传统,在接受册封、参加祭祀或重大朝会时也戴凤冠。明代凤冠有两种形式,一种是后妃所戴,冠上除缀有凤凰外,还有龙、翚等装饰。如皇后凤冠,缀九龙四凤,皇妃凤冠,缀九翚四凤。另一种是普通命妇所戴的彩冠,上面不缀龙凤,仅缀珠翟、花钗,但习惯上也称为凤冠。明代后妃所戴的凤冠,结构精巧,制作复杂,考究的以金丝制作,其次则以银丝、铜丝为之。一般先编出圆框,然后在表面及衬里各敷一层罗纱,后面用金属丝或竹篾制成六扇舌形"博鬓"左右分开,一边三扇。冠上的龙凤翚鸾等也都用金属丝做成,然后缀在冠上。冠的两侧一般还插有金钗一对,以便与发髻联系。另在凤嘴中衔下一串珍珠及以珍珠编成的珠花,下垂至肩。汉族民间女子盛饰时也戴凤冠,但只用于婚礼及入殓。

凤翘 古代妇女首饰。以凤形作装饰,故名"凤翘"。流行于北方地区。古时以凤象征喜庆、吉祥,故妇女多以凤形作装饰,除直接插于髻发的凤形首饰外,另以凤翘饰于冠帽,称"凤翘冠"。还有一种妇女所穿的凤头形鞋子,也称"凤翘",唐代甚流行,一般为红帮,其鞋头翘作凤头形。一直沿袭至明清。

凤尾裙 古代裙名。盛行于明代。其制用绸缎剪成大小规则的条子,每条上绣以花鸟图案,另在两畔镶以金线,拼缀成裙,下面配有彩色流苏,形如凤尾,故称"凤尾裙"。

手套 套在手上的服饰用品。有防寒和保护手的作用。按材料分有线手套、棉手套、皮革手套等。按式样分有长、短、单指、分指、有仅护手背而露十指的,也有全护十指的。有些精致的手套或网眼手套,主要是用于礼仪和装饰。男女都用。清代开始流行至今。

乌角巾　亦称"东坡巾"。古代一种男子巾饰。其巾以"桶高檐短"为特点,巾有四墙,墙外又有墙,外墙比内墙稍低,前后左右各有角(即墙面之角)相向着外墙之角而介在两眉之上。《东坡居士集》中有"父老争看乌角巾"之句。多为一般文儒士人所用,并以此为雅。

乌纱帽　亦称"乌纱"、"纱帽"。古代官帽名称。用乌纱制作的圆顶官帽,其式样前低后高,通体皆圆,两旁各插一翅,翅有方、圆、尖三种,分别称为方纱、圆纱、尖纱。帽内另用网巾以束发。此帽始于东晋。《晋书·舆服志》云:"成帝咸和九年(公元334年),……二宫直官著乌纱帽。"至隋唐时期成为官服,据《通典》记载:"隋文帝开皇初,尝著乌纱帽,自朝贵以下至于冗吏,通著入朝。"唐代,纱帽仍被用作视朝、听讼和宴见宾客的服饰,在一般儒生隐士之间广泛流行。宋代,幞头广泛戴用,乌纱帽渐废。到了明代,官员常朝视事穿常服。常服之冠即用乌纱帽,其形制通常用铁丝编织成框架,然后蒙以乌纱,制成之后,另在左右各插一翅。不分文武俱可戴之。戴乌纱帽时,一般多穿团领衫,腰部系以革带。这种"常服"实际上也是一种公服,只是形制上比较简便。《明史·舆服志》称:"凡常朝视事,以乌纱帽、团领衫,束带为公服。"乌纱帽后引申为职官的代称,如称保住官职,谓"保住乌纱帽,"称革职罢官,谓"丢了乌纱帽"等。

牛鼻梁鞋　旧时汉族民间传统布鞋。流行于陕西南部等地。鞋的左右两帮,于中间合缝,突起一梁,形似牛鼻而得名。男性老人棉鞋多采用此样式。

斗篷　亦称"一口钟"、"一裹圆"、"披风"。汉族及部分少数民族一种长外衣。无袖,无纽扣,穿时披在肩上,用细布带系于颈。用以遮风避寒,因其形如钟覆,故又被称为"一口钟"。斗篷是由蓑衣演变而来的一种服饰,最初用棕麻编成,以御风雪,名谓"斗袯"。到了明清时代,才大多用丝织物制作,并不限于雨天及雪天使用,凡冬天外出,不论男女官庶,都喜欢披裹这种服饰。清中叶以后,妇女穿著斗篷的风气非常普遍,斗篷的制作也日益精巧,一般都用鲜艳的绸缎制作,上面绘绣花纹,考究的还在里面衬以皮毛,也有用绢麻缝制,内裹以丝棉以保暖。但是,穿斗篷有个规矩,即不能穿著这种服饰行礼。如冬日外出访友,到达客家,必须先脱去斗篷,然后才能施礼,否则被视为不敬。

六合帽　俗称"瓜皮帽"也称"小帽"、"圆帽"、"瓜拉冠"。汉族传统男帽。通常用于市民百姓,官吏家居时也可戴之。创自明太祖洪武年间,取其六合一统之意。《枣林杂俎》称:"清时小帽,俗称瓜皮帽,不知其由来已久矣。瓜皮帽或即六合巾,明太祖所制,在四方平定巾之前。"帽以六瓣合缝,缀檐为瓜棱形。其质料夏秋用纱,冬春用缎,颜色多以黑,夹里用红。这种小帽有圆顶、近乎平顶、尖顶、软胎、硬胎之分。圆顶、平顶大都是硬胎,用黑缎、纱、或以马尾、藤竹编织而成。尖顶小帽,据说始于咸丰初年,大多为软胎,取其便利,不戴时可折叠而纳之于怀中,时人多称"盔衬",意思是可做盔帽的衬里。帽檐有用锦沿,或用红、青锦线缘以卧云纹,富者有用红片金或石青锦缎缘其边,如当时"竹枝词"云:"瓜皮小帽趁时新,金锦镶边窄又匀"的词句。帽顶有"结子"用红色丝线编成,有丧则用白色,轻丧者用蓝色。结子的大小,也随时而变,一度崇尚樱桃般小结,转而又流行大结。清末,也有不用帽结而以珊瑚、水晶、料珠代替的。

左衽 古代北方部分少数民族的一种服式。其前襟从右面掩向左面,压住左襟,在左腋下挽结。和当时中原一带民间的右衽相异。古代以左衽为蛮夷之服。隋唐时期的回鹘装,翻领、袖子窄小而衣身宽大,下长曳地,即左衽。辽代契丹族骑士契丹族妇女所穿的窄袖袍也均为交领左衽。

右衽 汉族服饰。流行于中原一带。我国传统衣式,历来有大襟、对襟之分。对襟为两襟在胸前相对,纽扣在正中,而大襟则为两前襟于胸前交叉,于腋下挽结。右衽即指衣服的左前襟加长,在胸前相交压住右襟在右腋下挽结。自上古时期,以至历代流变,不论皇帝冕服,还是民间袍衫,凡大襟者都以右衽为多,一直流传至今。现老年妇女穿大襟衣者,仍为右衽。

龙袍 古代皇帝所穿的袍服。比朝服、衮服等礼服略次一等的服饰。因上绣龙纹,故称。按照清朝礼仪,皇帝龙袍属于吉服范畴,即在一般的庆典活动中所穿,而遇有重大朝会,皇帝不穿龙袍,而是穿着比龙袍更高一等的朝服。《清朝通志·器服略》云:"皇帝龙袍,色用明黄,棉袷纱裘,惟其时,领袖俱石青片金缘,绣文金龙九,列十二章,间以五色云。领前后正龙各一,左右及交襟处行龙各一,袖端正龙各一,下幅八宝立水裾左右开。"古代称帝王之位,谓九五之尊。九五两数,通常象征着富贵,在皇室建筑、生活器具等方面都有所反映。清朝皇帝的龙袍,据文献记载,也绣九条金龙,然而从图像及实物来看,前后相加总共只有金龙八条,与文字对照尚缺一条,有人认为缺少的那条正是皇帝本人,因为皇帝是向来被比作"真龙天子"的。其实这种说法是不正确的,所缺的一只金龙实际上被绣织在衣襟里面,一般不易看到。这样,每件龙袍的实际绣龙数仍为九条,而从正面或背面单独看时,所见都是五条(两肩之龙前后都能看到),与九五之数正好吻合。袍的下端,斜向地排列着许多弯曲的线条,名"水脚",水脚上有许多波涛翻滚的小浪,浪上又立有山石宝物,俗称"海水江涯",除包含延绵不断的吉祥之意外,还隐喻着"一统山河"和"万世升平"的寓意。由于龙被视做帝王的化身,除帝后及贵戚外,其他人不得"僭用"。

包头 亦称"额帕",旧时一种包裹头部和前额的布帛,用于束发、装饰和保暖。汉族地区明代较为盛行。《阅世编》记称："今世所称包头,意即古之缠头也。古或以锦为之。前朝(指明朝)冬用乌绫,夏用乌纱,每幅约阔二寸,长倍之。予幼所见,皆以全幅斜褶阔三寸许,裹于额上,即垂后,两杪向前,作方结,未尝施裁剪。"明代不分老幼皆用包头,戴时用一幅宽约2寸,长4尺的乌绫裹于头上,垂后再抄而向前作方结。后又用全幅斜折成宽3寸作包头的。万历间暑天尚有用鬃尾制包头者。崇祯时,用两幅,每幅方尺许,斜折阔寸余,一幅施于内,而一幅加之于外,另作方结加于外幅的正面。民国初年,老年妇女又用一种无顶形似两片大眼睛的包头帽,分左右包于额上,俗称"包头眼"。

包肚 汉族民间传统童装。流行贵州安顺等地区。即用彩色布剪成围腰形式,前胸上端开半圆形领口,领口镶花边点缀,两侧缀布扣于颈后相连。同时另用花布剪半月形荷包,上绣各种花卉、禽类图案,缝缀于胸前。多为不满10岁的男孩或女孩所穿。

头巾 亦称"头帕"。一般多裁成三尺见方的一块布,用以裹头。古时士以上有冠无巾,巾惟庶人所戴,为庶民首服。《急就篇》(卷二)云:"巾者,一幅之巾,所以裹头也。"《事物纪原》(卷三)云:"古以三尺皂罗裹头,号头巾。"头巾原为一般平民所服,至东汉末,头巾的地位有了变化,由一种贱民的服饰剧变为一种时髦的装束,连身居要职的官吏也

喜欢用此约发。《本草纲目·服器部》云:"古以尺布裹头为巾,后世以纱罗布葛缝合,方者曰巾,圆者曰帽。"由于材料、扎法和用途不同,又有陌头、帻巾、幞巾、角巾等区别。头巾又是布依族民间的头饰。

头衣 古时帽的总称。泛指头上所戴之物,一般为圆形,也有上方下圆的。以布、帛、纱、丝制成,供保暖和装饰之用。不同的历史时期,不同的地位、身份,头衣的样式、质地都有所不同。如宋代的幞头帽子;官僚士大夫戴的方顶重檐桶形帽;元代外出戴的盔式折边帽或四楞帽;明代的乌纱帽、六合一统帽;清代官员的礼帽,又分夏季的凉帽和冬季的暖帽。从不同质地、形状和用途来说,又分为帷帽、纱帽、草帽、席帽、毡帽、瓜皮帽、风帽、睡帽等。

礼帽 近代男帽。流行于全国许多地区。其制为圆顶,下施宽阔帽檐。帽顶与帽檐之间饰以褐色绸带,有丧则覆之浅靠色。其质料冬用黑色毛呢,夏用白色丝葛,穿著中西服装都可戴此帽。

半臂 亦称"半袖"、"绰子"、"搭护"。古代汉族一种短袖上衣。因其衣袖之长,为长袖衣的一半,所以称之为"半袖",也称"半臂"。一般多做成对襟,长及腰际。短袖衣的出现,最早可追溯到汉代,时称"绣裾。"魏晋南北朝时著半臂者并不多见,直到隋朝以后,穿半臂的妇女才逐渐增多。《事物纪原·衣裘带服》云:"隋大业中,内宫多服半臂,除即长袖也。唐高祖减其袖,谓之半臂,江

淮间或谓绰子，士人竞服，隋始制，今俗名搭护。"由此可见，半臂在隋唐时期多为宫女所服，后传至民间，遂成风气。宋时仍流行。半臂衣的形制，一般都用对襟，穿时在胸前结带，也有少数用"套衫式的，穿时从上套下，领口宽大，呈袒胸状。半臂下摆可以显现在外，也可像短襦那样束在裙腰里面。从存世的隋唐壁画和出土的陶俑看，穿着半臂服装，里面皆衬有内衣，不见单独使用。制作半臂的材料，通常用织锦，因锦的质地比较厚实，可起到御寒的作用。《新唐书·地理志》中记有扬州土贡物产中有"半臂锦"一物，即专供制作半臂之用。

刘海儿　近代妇女发式。额覆短发，谓之"前刘海儿"。其本意最初是指幼女的雏发覆额，至光绪庚子以后，一些年龄较轻的妇女，除了梳髻之外，还对额发做一些处理。俗称"前刘海儿"。前刘海儿的式样也有多种，最初流行"一字式"额发平剪和横抹一线，长达二寸，覆盖在眉间，也有遮住两眼的。继而又流行"垂丝式，"将额发剪成圆角，微作弧形，梳成垂丝式。之后又将额发分成两绺，并修剪成尖角，形似燕尾，时称"燕尾式"。到了民国初年，还风行过一种极短的刘海儿发，远远望去，若有若无，名叫"满天星"。及至现代，刘海儿发的式样虽无更新的名词所代替，但一直是妇女修饰发型的一部分。

皮袄　汉族民间传统冬服。流行北方地区。一种冬季常用防寒衣。以兽皮毛作为夹里的，有毛的一面向里者，均称"皮袄"。如用山羊皮或绵羊皮作为夹里的，称"羊皮袄"。皮袄外加深色布面，衣领以绒、狗皮、狐狸皮为之。我国北方的牧区牧民，以穿羊皮袄者为多，一般城镇冬季穿皮袄者多为老年人，近年又逐渐被以轻、暖著称的羽绒服所代替。

发饰　发髻上的装饰。古时妇女都将长长的头发盘成各种式样的发髻，在发髻上装饰各种用金、玉、珠、翠做成的鸾凤、花枝和各式的簪、钗、篦、梳等。这些装饰物除质地不同外，形状各式各样，多取富于吉祥之意的，如：石榴、牡丹、梅花、凤、鹤、蝙蝠等形状。此外还有兵器簪，据说有避邪之意。另外，季节时鲜花也是妇女们用来装饰发髻的极好材料，一般多取有香味的如：玉兰、茉莉、玫瑰、兰花、夜合、含笑之类。也有用翡翠鸟的羽毛做发饰的。此习俗一直沿续到近代。

发辫　妇女或儿童发式。是将头发分缕编成辫子垂于脑后，多为未婚女子的装束。一般分双辫、单辫两种。从考古材料证实，周代已有梳发辫的习尚，并有单辫、双辫之分。春秋战国、秦汉时期，妇女以梳双辫为多，明末清代妇女以梳单辫为多。梳理这种发式一般为中、下层未婚女子。还有一种发辫是清代男子的剃发留辫，为清代统治阶级强制而为的一种发式。它随着清王朝的覆灭而消失。民国年间，中、下层未婚女子，仍以梳单辫为主，尤其在农村更是如此。解放后改梳双辫，有齐肩、齐腰、齐臀诸种,夏季还有将双辫梳好后,盘于头顶和脑后的。至"文革"期间,曾一度风行剪短发,发辫至此基本消失。近年,又有烫发之后,编为单辫垂于脑后的,但是长短只是齐肩上下,一般为少妇居多。

对襟衣 亦称"对襟"。古称"裎衣"。汉族及部分少数民族传统上衣。两襟相对,纽扣在胸前正中,故称。《笺疏》云:"裎即今之对裣(襟)衣,无右外裣者也。"古代为诸侯、大夫、士等日常所穿。宋朝的背子,明朝的比甲均为对襟,清朝的马褂,大襟者为便服,对襟则为礼服。近代至今,对襟衣一直是汉族的主要服装样式。

耳环 首饰中耳饰的一种。耳垂上的装饰品,《南史·林邑国传》云:"穿耳贯小环"。耳环是在冶金技术产生之后出现的饰物。最原始的金属耳环,大多以青铜制成,它的造型比较简单,只要用一根粗铜丝弯制一下便成。或者将铜丝的一端磨尖,以便穿过耳垂上的小孔。商代耳环,其特征是将耳环一端加工成喇叭口,天津蓟县围坊遗址发现的耳环就属这种类型。汉魏妇女喜用耳珰,一般不用耳环。唐代妇女不尚穿耳,也无耳环。只有到了宋代以后,由于穿耳之风盛行,才有大量耳环实物传世、出土。辽、金、元是以北方少数民族为主体的政权,他们也有戴耳环的习俗,男子也流行穿耳。耳环的制作十分讲究,其精美程度不亚于中原。当时汉族妇女的耳环也有仿少数民族耳环制成的。明代耳环崇尚轻巧,通常以一根粗约0.3厘米的金丝弯成钩状,在金丝的一端,穿上两颗大小不等的玉珠,大珠在下,小珠在上,两珠之上再覆一片金制的圆盖,使整个造型像一个葫芦,俗谓"葫芦耳环。"清代耳环无大变化,一直沿袭到现代。

耳套 亦称"耳衣"、"耳焐子"、"耳帽"、"暖耳"。汉族男子头饰。流行于北方地区。主要用于蔽耳取暖。耳套起源很早,唐朝已有记载。《北平风俗类征·衣饰》引《蕉轩随录》曰:"唐李郭送振武将军诗云'金装腰带重,锦缝耳衣寒',按'耳衣'即今北地冬月所用耳套。"明代,用黑色素绉做一圆箍,高二寸许,两旁用长方貂皮像披肩式从头顶下垂到两耳前以取暖。也有用布剪裁缝制成耳形,内置棉或绒,也有用兽皮缝制的。现今戴耳套者多数是农村老年男子,市区则偶见。

百家衣 汉族民间育儿习俗用物。流行于全国各地。是一种为婴儿祈寿的服饰。婴儿周岁前后,其母要向邻里乞取零碎布帛,按正方形或三角形拼做衣裤,穿在婴儿身上,谓托百家福可消灾避难。也有人认为,这种做法是以俗谚"受尽苦中苦,方为人上人"为信条的。穿百家衣象征着经历了一段苦难的生活,预示来日多福多寿。是苦难的人们幻想子女能翻身过好日子的心理反映,遂成民间流行的风俗。天津习俗,不止做"百家衣",也有做"百家被"者。

百褶裙 古代裙名。由唐代裥裙

演变而来。因裙皱褶多而密，故名。清初，苏州妇女崇尚百褶裙，裙式用整幅缎子打折成百裥。《中国古代服饰史·清代服饰》云："曾见有三条百裥裙实物，前面裙门绣花加花边栏干，左右打细裥，相合恰好是一百裥；另一条半片为八十折，整裙即有一六〇折，所以真是名不虚传。"西南地区的彝、苗、侗等族妇女亦穿百褶裙。

曲领 即圆领。《释名·释衣服》云："曲领在内，所以禁中衣领上，横壅颈，其状曲也。"《后汉书·东夷传》云："男女皆衣曲领。"《宋史·舆服志》载："三品以上服紫，五品以上服朱，七品以上服绿，九品以上服青，其制曲领大袖。"

曲裾 古代一种服装式样。流行于中原地区。多见于西汉早期，"曲裾"即用一幅布交解裁之成角形而缀之于裳之右旁，深衣的"续衽"部分即所谓"曲裾"。《汉书·江充传》云："充衣纱縠禅衣，曲裾后垂交输。"当时之所以采用曲裾形式，主要以内衣的演变有关。战国以前，人们的内衣尚未完备，尤其是裤子，只有两只裤管套在胫上，而没有裤裆。穿时用带子系于腰间，在长衣尚未出现以前，人们的下体因有围裳，裤子不会暴露。深衣出现以后，给下摆的处理带来一定困难，两侧开衩，会露出内衣，如不开衩，将举足困难。在这种情况下，出现了曲裾相掩的作法。汉以后，人们的内衣日趋完备，曲裾相掩已属多余，故渐渐由直裾所取代。

刚卯 古代佩饰物。作避邪驱鬼用。以金、玉或桃木制作，一般为长形四方体，长三寸，广一寸。垂直有空，可穿绳佩戴。四面皆刻文字，字口涂以朱砂，内容均为避逐疫鬼的迷信之辞。刚卯大约出现于汉代，《汉书·王莽传》："正月刚卯。"服虔注："刚卯，以正月卯日作佩之。长三寸，广一寸。四分。或用玉、或用金、或用桃，著革带佩之。"又注："当中央从穿作孔，以彩丝茸其底，如冠缨头蕤刻其上面。"挂在革带上佩用，是护符的一种，魏晋时废除。

竹皮冠 亦称"长冠"、"刘氏冠"、"斋冠"。古代汉族冠名。一种以竹皮制作的帽子。其制先以竹皮作成骨架，外表漆缅，顶部大多竖有一块长形饰物，形制如板，前低后高。相传汉高祖刘邦未发迹时，曾戴过此冠，故谓"刘氏冠"。《史记·高帝纪》云："高祖为亭长，乃以竹皮为冠，……时时冠之，及贵常冠。"《后汉书·舆服志》也记："长冠，一曰斋冠，高七寸，广三寸，促漆缅为之，制如板，以竹为里。"因为这种冠帽为高祖早年所造，所以后来被定为汉代官员的祭服之冠，并规定爵非公乘以上，一律不得服用刘氏冠。晋时去竹皮，用漆缅，救日蚀及诸祀均须戴此冠。

衣 是上身着装的通称。亦称"衣服"、"衣裳"、"衣衫"。御寒蔽体之物。古代称上服为衣，下服为裳。上衣下裳是我国商周以前的服制，衣、裳严格分开制作，后来的胡服、袴褶、襦裙都是这种样子的遗制。又因民族、男女性别、地位尊卑、实际用途不同而异。短袖单衣称为衫,如:汗衫、衬衫衫。襦也是一种短上衣,最早作为内衣,后来由于其式样紧小,便于捞作而被穿着在外。唐代一度成为妇女的主要服饰,宋代因袭,大多为下层妇女所穿。唐代的襦较短,窄袖。宋代的襦腰身和袖口都较宽松。有衬里的上衣北方称为"袄",南方称为"衣",如:夹袄(衣),棉袄(衣)。随着时代的发展,衣服的分类、用途、越来越专门化,如:礼服、丧服、中山装、西服、睡衣、浴衣、运动衣等。

花钿 亦称"花子"。唐代妇女面饰。用极薄的金属片或黄纸,制成星、月和小花或虫、鸟、叶等各种图案,用阿胶贴于脸部、额间,以示美观、吉祥。它的缘起,据说在南北朝时,一日寿阳公主卧殿檐之下,一朵梅花正落其额上,染成颜色,拂之不去,宫女见之奇异,争相仿效,遂成风气。故又称"梅花妆"、"寿阳妆"。到了唐代,脸部、额间贴花钿的风气非常盛行,尤其在唐后期,妇女使用花钿十分普遍。从形象资料看,花钿的式样也更加丰富多彩。简单的花钿样式,只是一个小小的圆点,复杂些的则以金箔片、黑光纸、鱼腮骨、螺钿壳等材料剪制成各种花朵形状,尤以梅花形为多见。还有的绘成抽象的图案,粘贴于额上,清新别致,富有情趣。

孝服 亦称"孝衣"。旧时汉族服丧人所穿的丧礼服装。流行全国各地。一般为白色布衣或麻衣,但因各地区风俗习惯的差异,服丧的孝服也不尽相同。如天津地区:孝服依血缘的亲疏,有重孝轻孝之分。直系亲属一般穿帽衫俱全的全孝服,封鞋为鞋跟不封死,留一宽缝,加缝红布一条。孙辈穿戴孝服,帽子前沿当中缝一由红线扎成的圆球儿,封鞋正中也同样缝一红球儿。孙女无帽,则头扎一白布宽带,于前额部位缝红球儿一枚,鞋同孙男。解放后,改穿孝服为佩黑纱。

坎肩 亦称"马甲"、"背心"。一种没有袖子的上衣。流行于全国许多地区。原为男子服饰,清时男女皆穿。其质料为布、绸、绢、纱等,有棉、夹、单多种。冬夏均可穿用。可做内衣,也可做外衣。《清稗类钞·服饰》云:"半臂汉时名绣裾,即今之坎肩也,又名背心。"清代较盛行。其式有大襟、对襟、琵琶襟诸式。还有一种多纽扣的坎肩称"巴图鲁坎肩"(巴图鲁原为蒙古话,意即"勇士")。这种坎肩,四周镶边,于正胸横行一排纽扣,共十三粒,俗称"一字襟"马甲,或谓"十三太保",先着于朝廷要官之间,故又称"军机坎"。以后一般官员也都穿着。

步摇 古代一种饰有垂珠的首饰。出现于春秋战国时期,盛行于汉代。其制以金银丝编为花枝,上缀珠宝花饰,并有五彩珠玉垂下,使用时插于发际,随着走路时步履的颤动,下垂的珠玉便不停地摇曳,故名"步摇"。《释名·释首饰》云:"步摇,上有垂珠,步则摇也。"汉代贵族妇女多饰以步摇。湖南长沙马王堆一号汉墓出土帛画上所绘贵妇，头上就插有一个树枝形的饰物，饰物上缀有多颗小珠，是典型的步摇原型。到了唐代，这种首饰仍很盛行，其形制也日趋精美。由于步摇的制作及其动姿，给人一种华丽和富贵的感觉，所以唐代贵族妇女仍以佩戴步摇首饰为尚。"妆成浑欲认前朝，金凤银钗逐步摇。"就是唐诗中对崇尚佩饰步摇风气的描写。此习俗宋以后罕见。

佛妆 古代妇女面饰。亦称"额黄妆。"即用一种黄色颜料染画在额间，故名。这种妆饰的产生，是南北朝以来与佛教在中国的流行有一定关系。南北朝时，佛教在中国进入鼎盛时期，全国各地大兴寺院，大江南北广开石窟，掀起了崇佛热潮。一些妇女从鎏金的佛像上受到启发，也将自己的额头涂染成黄色，久而久之，便形成了涂染黄额的风习。《契丹国志》(卷二十五)辑张舜民《使北记》云："北妇以黄物涂面如金，谓之佛妆。"说明至辽宋时期，北方地区的部分妇女，仍保留着"黄物涂面"的习俗。其具体做法有两种：一种为染画所致，即用画笔蘸黄色染料涂染于额上。另一种为粘贴而成，是一种以黄色材料制成的薄片状物，蘸胶水贴于额间，由于可剪成各种花纹，故又称"花黄"。这种染画于面的装饰，今天看来不伦不类，但在古时却是一种时髦的打扮，从而反映了当时人们的审美情趣。

饭单 汉族妇女劳作用围裙。一般为布质，系于颈间而垂于胸前，腰间用二带结于后，其上部往往镶作如意式。多为妇女操作时服用。另有一种饭单为青年男女成亲时新娘所用，以红绸制作为正方形，其中一角缀布袢一枚，也有加绣吉祥图案的。旧时男女成婚，新娘所穿礼服——凤冠霞帔，大部分从赁货铺租用，新婚夫妇行礼之后，有吃子孙饭的仪式，这时新娘必须将饭单戴在胸前，以免油污礼服。

补服 明清时凡装有补子的官服，称"补服"，也称"补褂"。为明清官服中的主要常服。其基本特点是在袍服的胸前和背后缀一方形补子，中为鸟或兽形，以金线及彩丝绣成，故称。明代职官公服为袍服，其制：盘领右衽，袖宽三尺。材料用纻丝，或用纱罗绢。颜色及纹样因级别而异，多用于重大朝会。至于常朝视事则穿常服。常服实际也是一种形制比较简便的公服。洪武二十六年(一说二十四年)以后，定职官常服用补子。公、侯、驸马，伯用麒麟、白泽。文官一品用仙鹤，二品用锦鸡，三品用孔雀，四品用云雁，五品用白鹇，六品用鹭鸶，七品用鸂鶒，八品用黄鹂，九品用鹌鹑，杂职用练鹊。武官一品二品用狮子，三品四品用虎豹，五品用熊罴，六品七品用彪，八品用犀牛，九品用海马。清代承明制。其主要区别在于明代的补子比清略大，织在大襟袍上，前后都是整块。多用素色，底子大多为红色，上用金线盘成各种规定的图案。四周一般不用边饰。清代将补子缝在对襟褂上，其前片都在中间剖开，分成两个半块，大多用彩色，底子则为绀色、黑色及深红等。周围全部绣有花边。清代命妇霞帔正中也缀补子。

屁股帘儿　旧时汉族系在穿开裆裤儿童屁股后面的一块方布。流行于北方地区。屁股帘儿有夹棉之分。北方地区，气候寒冷，冬季穿开裆裤的儿童，母亲总要为其扎一棉屁股帘儿，以防风取暖，又可垫坐。屁股帘儿为两尺见方，两上角缝带围腰结系，并有吉祥图案绣之于上。今已少见。

画眉　古代汉族妇女面饰。女子为了使眉目分明，容颜美丽，以一种青黑色的颜料——"黛"画眉毛。我国妇女的画眉之风，早在战国时期已经形成。《楚辞·大招》云："粉白黛黑，施芳泽只。"到汉魏六朝时期，画眉之风则相当普遍，黛成为女子的必备之物。《释名·释首饰》载："黛，代也，灭眉毛去之，以此画代其处也。"妇女画眉即将原来的眉毛剃去，然后用一种以柳条烧焦后制成的青黑色颜料画上各种形状，名叫"黛眉"。盛唐以后，画眉之风更加盛行，妇女黛眉的名目甚多，既有形如蚕蛾的长眉，又有宽而阔的"广眉"。唐初黛眉阔与浓，也是唐代妇女画眉时采用得最多的一种形式。至开元、天宝间黛眉则尚细与淡。白居易《上阳白发人》："青黛点眉眉细长，天宝末年时世妆"的词句。《佩文韵府》引《海录碎事》云：唐玄宗命画工画十眉图，有鸳鸯眉，小山眉，五岳眉、三峰眉、垂珠眉、月棱眉、分梢眉、涵烟眉、拂云眉、倒晕眉等。宋元

时期的眉式，虽不及唐代丰富，但仍有不少变化。宋代画眉的特点，不论是皇后还是宫女，眉毛统画成宽阔的月形，另在一端用笔晕染，由深及浅，逐渐向外部散开，一直过渡到消失，别有一番风韵。元代后妃的眉式，不分先后，都画"一"字眉式，这种眉式不仅细长，而且平齐。明清妇女崇尚秀美，眉毛大多画得纤细而弯曲，长短、深浅等变化日益减少。画眉之风一直沿续至现代。

直掇　亦称"直裰"、"直身"。古代一种长外衣。斜领大袖，四周镶边的袍子。因其背部中缝直通到下面，故称。流行于中原地区。为士大夫平时家居常服，也指僧衣道袍。《图画见闻志·论衣冠异制》云："晋处士冯冀，布衣大袖，周缘以皂，下加襕，前系两长带，隋唐朝野服之，谓之冯冀之衣，今呼为直裰。"《觚不觚录》载："腰中间断以一线道横之，谓之'程子衣'；无线道者则谓之道袍，又曰直掇。"明时，凡举人、贡、监生员，亦穿直裰，亦称"蓝袍"、"直身"，四周镶有黑边。以后虽有改制，如举人、贡生改穿黑色袍服，但生员仍需穿著蓝袍。

披肩　亦称"帔"。一种披在两肩的饰物。汉、纳西、苗等族都有着披肩的习俗。《释名·释衣服》："帔，披也。披之肩背不及下也。"汉代以罗为帔，晋永嘉中有制缝晕帔子。历代披肩形制不一，如：云肩、霞帔等都属此类。其质料一般多由绫、绸、布等剪裁或织造而成。纳西族妇女有羊皮披肩，上绣七个小星星图案，象

征披星戴月，以示勤劳之意。现代妇女服用的斗篷式上装也叫"披肩"。清代官员的朝服，也加披肩。《清稗类钞·服饰类》："披肩为文武大小品官衣大礼服时所用，加于项，覆于肩，形如菱，上绣蟒。"清代官员朝服用分冬、夏两种，冬用紫貂或用石青色而加以海龙缘镶；夏天用石青加片金缘边，是清代文武大小官员在穿大礼服时所用，八旗命妇也如此。

披帛　亦称"帔帛"、"画帛"。古代汉族妇女披于肩上，盘绕两臂的轻薄罗纱。披帛的开始出现，记载各有不同。一说始于隋，《文献通考》云："隋文帝开皇中，房陵王勇之在东宫及宜阳公王世积家，妇人所服领巾，制同槊幡。"所谓领巾，当是披帛的另一名称。一说始于唐，《中华古今注》云："女人披帛，古无其制，开元中，诏令二十七世妇及宝林、御女、良人等，寻常宴参侍令，披画披帛，至今然矣。"说明在唐中期盛行披帛。从出土文物的形象资料看，在敦煌隋代壁画中妇女也有披帛者，说明披帛隋时已有，盛行于唐。披帛的材料，通常以轻薄的纱罗为之，上面印画各种图纹。它的形制大体可分两种：一种横幅较宽，但长度较短，使用时披在肩上，形似一件披风。另一种则长度达两米以上，妇女平时用此，将其缠绕于双臂，走起路来，酷似两条飘带。周昉《簪花仕女图》、张萱《捣练图》中所绘妇女即披有这种巾帛。五代妇女的披帛，也是这种样子，如顾闳中《韩熙载夜宴图》中所绘。

抹额　亦称"抹头"、"包头"、"额子"。束在额上的巾。以各色纱绢为巾，裹在头额上。《事物纪原·戎容兵械部》云："秦始皇至海上，有神朝，皆抹额绯衫大口袴，侍卫自此抹额，遂为军容之服。"其抹额形制在唐壁画中见之较详，唐代娄师德自告奋勇戴红抹额来应诏讨吐番，可见抹额为普通勇士所服。在宋代仪卫中，如教官服幞头红绣抹额，招箭班的皆长脚幞头，紫绣抹额。这就是用红、紫等色的纱绢裹在头上的抹额。在伶人中，用横幅黑帛约束头发，发髻则显露在头顶上，也包住前额，称"额子"。

顶子　清代官员的一种装饰在帽上的顶珠。是区别官员品级的重要标志。分朝冠用及吉服冠用两种。朝冠顶子共有三层：上为尖型宝石，中为球型宝珠，下为金属底座。吉服冠顶比较简单，只有球型宝珠及金属底座。底座有用金的，也有用铜的，上面镂刻有花纹。在帽子底座和顶子的中心，都钻有一个5毫米直径的圆孔，从帽子的底部伸出一根铜管，然后将红缨、翎管及顶珠串上，再用螺纹小帽旋紧。顶珠的颜色及材料有多种，反映不同官员的品级。按规定：一品用红宝石；二品用红珊瑚；三品用蓝宝石；四品用青金石；五品用水晶；六品用砗磲；七品用素金；八品用阴文镂花金；九品用阳文缕花金。无顶珠者，即无品级，所谓"未入流"者便是。如果清朝官员犯法，在革去官职的同时，必须将帽上顶珠取下，表示已不带官职。

虎头鞋 汉族民间育儿习俗。流行于全国各地。是一种祈求小儿健康幸福的物件。"虎头鞋"用黄布精心制作,并以彩色布剪贴缝制或绣制成虎的眉、眼、耳、鼻,虎须用白线做成,虎头正中绣一"王"字。形象均采用图案的夸张手法:粗眉、大眼、短鼻、大口、双耳斜竖,长长的虎须分列左右,虎势十足。穿虎头鞋起源甚古,约有千余年的历史,民间通常于小儿做周岁或生日时,孩子的父母为其穿上新做的虎头鞋。虎为百兽之王,民间认为小儿穿上虎头鞋可为其壮胆、避邪,也有祝愿小儿长命百岁之意。此俗今在农村仍习见。

虎头帽 旧时汉族民间童帽。因形状似虎头,故称。流行于全国大部分地区。一般为冬季儿童御寒所戴。其质料有布制、亦有绸制,上有刺绣。如用单色绸做面料,则以彩色布点缀,然后在帽眉处绣以虎头形。其面部五官均匀,粗眉大眼、阔口、眉宇间绣"王"字,色彩以红、黄、蓝、绿、紫五色为主,以黑白和金银线点缀,明快协调。有的在耳鼻、口部加上白色或彩色兔毛,使老虎的形态更为生动。各地制作的虎头帽,大同小异,各具特色。天津儿童戴虎头帽,一则为了保暖,二来也有祈祝儿童健康成长之意。因老虎为兽中之王,那些对儿童身体健康有害的小生物都会因惧虎而远去,反映了民间育儿的一种心态。

钗 妇女首饰。用于定髻压发,又可作装饰。钗与簪的作用一样,同为插发之物,但不同之处在于钗两股,簪一股。钗,古代写作"叉"。《释名·释首饰》云:"叉,杈也,因形名之也。"商代的钗为骨制,战国时有木钗。两汉时期的发钗,形制比较简单,通常以金银丝为之,两端捶尖,于中部扭弯,形成并列的双股。隋唐时期,高髻盛行,发钗的作用则更为明显,同时亦增其装饰意义。以两种或两种以上的材料制成的发钗,是这个时期发钗造型的又一特点。尤其是中晚唐以后,用于装饰的发钗式样很多,有的实际上就是一种鬓花。只是钗股较长,以便于固定发式。宋代,发钗又恢复到两股并列状,其特征是两股夹得很紧(在此以前双股大多分开),其用意仍是为了夹发,以免使用时脱落。明清是中国手工业比较发达的时期,当时发钗的制作,除继承前代风格外,又有许多新花样。有的钗首为精致的雕刻,有的做镂花和镶嵌装饰。发钗,是我国古代妇女首饰中的一大品种。

狗头帽 汉族儿童帽名。流行于全国大部分地区,江南尤盛。其式为帽顶两旁左右开孔,装上两只毛皮做成的狗耳朵,呈狗头状。一般还要在帽子的前檐做些寓意吉祥的装饰,如缀绣"八仙"或"长命富贵"、"金玉满堂"等字样。祈望儿童可以像家犬一样快快长大,长命富贵。此帽不分男女,一般4岁以下儿童皆可戴。

带 古称"绅"、亦称"大带"、"绅带"。束衣的带子。古人用带分两种:一种是革带,在裳下衣内,用以悬佩。《礼记·玉藻》云:"凡带必有佩玉。"一种是丝制的大带，束在衣外，围于腰间，结在前面，两头垂下，称做"绅"。后来凡狭长的织物及用以系缚之物，统称"带"。封建时代，带既作服饰，亦作官阶高下，地位尊卑的象征。

草帽　帽类名称。一种以草或麦杆、麻草等为原料编织成的帽子。用于遮阳御雨。由笠演变而来。有的是直接用草料编结成帽，有的是先用麦杆等编成草辫，然后再缝成草帽。清代以麦茎编为辫，盘绕成笠，广约二尺，光泽明亮，轻松柔软，因它能在夏天遮阳挡雨，透气性好，故又称"凉帽"。山东、河北、河南民间多以此为家庭工艺，后各地又发展了各种不同原料、形状的草帽，流传至今。时下由于其做工精致，花样翻新，每到夏季，人们除了讲求其实用价值外，又增添了装饰效果，深受青年女子喜爱。

草鞋　亦称"草履"、"屦"、"芒屩"，俗称"不借"。一种草编的鞋履。流行全国各地，南方尤多。在各种鞋履之中，草鞋最为低贱，平时多为贫者所穿，富贵者外出，有时也穿，喜其轻便。《释名·释衣服》云："屩，蹻也，出行著之，蹻蹻轻便也。"《古今注》（卷上）云："不借，草履也。以其轻贱易得，故人人自有不假借也。"唐有平头小花草履，织功极为细致。《新唐书·五行志》载："文宗时，吴越间织高头草履，纤如绫縠，前代所无。"其具体编法：有以竹丝为经，麻丝为纬；有以大麻为经，以稻草为纬；有用丝线和布混合编织，下为底

上编成网络，状如凉鞋。因穿上走路轻快，常为远行者所穿。

面衣　古时一种用于蔽面的首服。其前后用紫罗为幅，并有四条杂色带子垂于背后，可障蔽风尘，为远行乘马之服。蔽面的风俗由来已久，它的产生与古代社会的礼教有密切关系。按《礼记·内则》规定：男女无故，不相授器，不共井水，不同寝席，不通衣裳。女子出门，必拥蔽其面。"要拥蔽其面，就需要有一种遮面的工具，最早的面具，是一块很小的帛巾，它的面积，只能勉强遮住颜面，故被称为"面衣"。到魏晋南北朝时期，遮面的帛巾不只是遮住颜面，而是用黑色罗縠把整个头部盖住。这种风气一直影响到后世。隋唐时期的幂䍦也是一种面衣，只是在原来的基础上有所发展而已。

指环　古时亦称"驱环"、"约指"、"手记"、"代指"，明以后称"戒指"。是妇女手指上的装饰物。流行于全国大部分地区。指环在古代不单是一种饰物，还是宫廷妇女用以避忌的一种标记。《三余赘笔》记称："今世俗用金银为环，置妇人指间，谓之戒指。"按《诗》注"古者后妃群妾以礼进御于君，女史书其月日，授之以环，以进退之。生子月辰，以金环退之；当御者，以银环进之，著于左手；既御者，著于右手。事无大小，记以成法，则世俗之名'戒指'者，有自来矣。"所以说当一个宫女有了身孕或处在月辰（月经）期间，不能接受君王的"御幸"时，则在右手套上金环，以示禁戒。平时则用银环，套在右

手。除此之外,指环还可充当婚姻的信物。早在东汉时期,中国民间就有将指环当作寄情之物的作法。后汉繁钦《定情诗》就有"何以致殷勤,约指一双银"的说法。经过唐宋时期的传承,至明代此俗尤其盛行。明清小说中有大量关于以"戒指"作为定情之物的描写。现今男女互联婚姻也常有赠送"戒指"之举。指环的质料,古时有用骨头制成的,有用玉石制成的,则更多的是用金银制作的。形制有圆环式,嵌宝式和印章式多种。考究者用料名贵,雕琢精致。现今,大多戴金戒指,也有戴镶嵌各种宝石的,戴银戒者为少数。有关戴法,古时为了避忌有左右手之分,而现今则只有其装饰作用,一般未婚女子戴中指,已婚者戴无名指。

项圈　首饰中颈饰的一种。有单环形,也有多层环形。一般用金银制作,较贵重,也有用铜制作的。在我国西南少数民族中,还有用竹子做项圈的,佩戴项圈的习俗,以少数民族为多见。古代项圈发现的较少,从实物来看,哈尔滨东郊曾出土了辽金时代的银项圈,贵州宋墓曾出土了铜和银制项圈。铜项圈几乎是等粗的,银项圈是两条粗银丝纽结成麻花状,两端相背弯曲,弧线较大。元代不仅妇女戴项圈,男子也有戴的,元代壁画中即有所反映,清代少年男女戴项圈者更为普遍。现代苗、壮、瑶等少数民族仍有戴项圈的习俗。其式样多种多样,各具特色。

胡服　古代西北游牧和半游牧民族的衣着。这种服装与中原地区宽衣博带式的汉族服装有较大差异,为短衣、长裤和革靴。此服衣身紧窄,便于活动。战国时期赵武灵王采用了这种轻便的服装形式和有效的作战方式,使军事力量逐渐强大,并成为战国"七雄"之一。由此胡服渐为中原汉族所接受,并沿用了很长时间。唐代开元、天宝年间,民间一度流行胡服,尤其是在妇女中间更为广泛。胡服的样式,一般为翻领、对襟、窄袖、锦边。凡穿这种服装的妇女,腰间都系有革带,革带中还常有若干条小带垂下。对照文献记载,这种样式的革带,应叫"蹀躞带"。蹀躞带原先也是北方少数民族的装束,魏晋南北朝时传入中原,深受汉族人的喜爱。到了唐代,曾一度被定为文武官员必佩之物,以悬挂算袋、刀子、砺石、契苾真、哕厥、针筒、火石袋等七件物品,俗称"蹀躞七事"。开元以后,由于朝廷有了新规定,所以一般官吏都不再佩挂。但在民间,特别是妇女中间却更加流行,只是省去了原来的"七事",而改成了狭窄的皮条,仅存装饰意义,并无实用价值。

背子　亦作"褙子"。宋代妇女常用服饰,贵贱通服。背子的形制以直领对襟为多,衣襟两边镶有花边,中间不施衿纽。袖有宽窄二式,士庶妇女因劳作的关系,多穿窄袖。背子长度大多过膝,有的与裙子并齐。另在左右腋下,开以长衩(裾),为其他女服所少见。平常穿着,衣襟部分时常敞开,两边不用钮扣或绳带系连,任其露出里衣。背子到了明代,用途更加广泛，基本形式和宋相同。一般分为二式：凡合领、对襟、大袖，为贵族妇女礼服；直领、对襟、小袖为普通妇女便服。到明末清初，袖口放宽，衣襟两侧花边缩至领下一尺左右。

昭君套　古代一种无顶的女用皮帽罩。因形同绘画和戏曲中昭君出塞时所戴的皮帽罩类似，故名。在寒冷的冬季，尤其是近北地区，妇女常用貂皮覆于额上，貂毛外露，以御寒取暖，后演变为妇女首饰。在江南一带则大多戴兜勒（南方称兜，北方称勒，也有称脑箍的），上缀珠翠，或绣花朵，以黑绒制者为多，套于额上掩及于耳间，系二带于髻下结之。在北方有钱人家的妇女在额上戴珍珠箍，下尖上宽，贴近两眉间，亦以带子结于后。

香囊　装香料的小袋。古人常佩于身上或系于帐中。亦称"縢"，俗称"香袋儿"。佩挂香囊的习俗，可一直追溯到先秦时期。《礼记·内则》云："男女未冠笄者，……皆佩容臭。"《事物异名录》："《礼记》：'佩容臭。'注：'香物也。'助为形容之饰，犹后世香囊也。"到了汉魏时期，香囊一名正式出现。古乐府《孔雀东南飞》："红罗覆斗帐，四角垂香囊。"香囊有的挂在帐内，有的佩在身边。另外古时端午节也普遍有佩戴香囊的风习，内盛雄黄，据说可以避邪秽。香囊的形制各地大同小异，一般为"五毒"老虎、彩丝缠粽、如意形等。也有的制成具有吉祥寓意的寿桃、蝙蝠（福）、柑桔（吉）等。所谓香囊，除了装香料之外，还可以作烟丝袋、或装

随身需用的小物件，既有实用价值，又是装饰品。

垂髻　古代妇女发式。多指先将头发向后梳理，再将其末端绾成一小团髻，垂在脑后或背后，称"垂髻"。在汉代妇女中很流行这种发式，并历代沿用。在其沿用过程中，又随着社会风气的变化而有所改变。如汉代妇女梳的垂髻发团垂于背后，而到了明代则垂于颈后或脑后。清末称这种髻式为"疙瘩鬏"。梳垂髻一般为中老年妇女居多，如今在一些乡村仍有梳这种垂髻的妇女。

毡帽　帽名。用毡制成的帽。流行我国部分地区，西北地区尤盛。毡帽的制作汉代已有，新疆汉楼兰遗址和罗布淖尔墓都有出土。唐时有用白毡制作的，称"白题"。为三角形，高顶，顶虚空，有边，卷檐。汉魏时由西北少数民族地区传入内地，隋唐时广行民间。明清以来，多为农民及市贩劳动者所戴，其式大致有：大半圆形的；有半圆形而顶略作平些的；有四角有檐反折向上的；有反折向上作两耳式，在折下时可掩两耳的；还有后檐向上而前檐作遮阳式的和顶作锥状的。另有为士大夫们燕居时作为便帽的，则加金线蟠缀成各种花式，或作四合如意、蟠龙、金线镶边等。也有里面衬以毛皮，系北方及内蒙诸地所戴。藏族男子常戴毡制的礼帽。

毡靴　旧时汉族民间一种毡制、高筒靴形的冬季常用鞋。流行于北方地区。以皮或厚毡做底，手工制作

而成。具有软、暖、防潮、防滑等特点，多为车夫、商贩冬季御寒穿用。

兔儿鞋 汉族民间育儿习俗物件。流行全国各地。天津习俗，每到中秋节好给小孩穿自制的兔儿鞋。此鞋前端略似兔子头形，绣兔唇、红眼，鞋口做尖形，两侧镶缀兔耳形绣片。有的口沿后端缀一绣带，仿佛兔尾，兼作穿鞋时提拽之用，每年中秋节，1——5 岁儿童均穿此鞋。据说穿此兔形鞋，小孩腿脚健壮，跑得快。猜想这可能和捣药兔的故事传说有关，而跑得快是根据兔子的特点附会上去的后起说法。

狮子帽 汉族民间童帽。流行于江南各地。质料多以绸、布为之。其制法：帽前中间缝一条银铸狮子头或"福"字。边上饰有花卉，帽上用金线做成狮子毛。狮子为胆大凶猛的野兽，其他动物皆惧之远去。因此，儿童头戴此帽，可为其壮胆、避邪，并能使儿童健康成长。一般为 4 岁以下儿童所戴。

袄 有衬里的上衣。如：夹袄、棉袄、皮袄等。流行全国大部分地区。古时袄与襦相类似，形式比较短小，均作为内衣衬服之用。襦有单复，单襦则近乎衫，複襦则近乎袄。袄则大多有夹里，或内实以棉絮。只带夹里的称夹袄，内有棉絮的称棉袄。宋代的襦、袄都作为上身的衣着，较短小，而其下则有裙子。颜色通常以红、紫为主，贵者用锦、罗或加刺绣。因襦与袄两者本无多大区别，后来襦也称为袄了。是普通平民日常穿用最多的衣着。据记载，说有一个专

为贵族家做菜羹的厨娘，她初到贵族家时犹穿着红衫翠裙，当入厨房工作时便更换团袄围裙，足见袄是最普通的一种衣着了。袄发展到现代，不论是夹袄，还是棉袄大多是立领式，腰身收紧，如内有棉絮，洗涤不便，则在外面罩穿各类外衣。我国 60 年代以前较盛行。

总角 亦称"卯发"。古代儿童发式。古时凡是没有成年的孩子，不分男女，多梳卯发，其形式先将发中分，于头的两侧各盘扎一髻，并于髻中各引出一绺头发自然下垂。因形如"卯"字，故名卯发。又因其形状如牛角相似，又称"总角"。《诗经·齐风·甫田》云："婉兮娈兮，总角卯兮。"孔颖达疏："聚两髦言总，聚其髦以为两角也。"在唐朝以前，幼童的发式，除了叫"总角"、"卯发"之外，还有叫"髻卯"的，不论男童女童，都可以这么称呼。随着年龄的增长，男女发式渐有区别，男的将头发合成一髻，女的仍梳成左右对称的双髻。由于这种双髻与树枝丫叉酷似，所以又称"丫髻"，是年轻女子的固定发式。

首饰 古时本通指男女头上戴的装饰品。后来把发饰、颈饰、耳饰、手饰、带饰、冠饰、佩饰等统称为首饰，成为装饰品的总称。由于其形状、质地、用途各不相同，故各有专名。发饰：簪、钗、步摇、胜、金钿、珠花等；颈饰：项链、项圈、长命锁等；耳饰：耳环、耳坠；手饰：钏镯、指环和顶针；带饰：带钩、带扣、蹀躞带等；冠饰：金冠、凤冠、步摇冠等；佩饰：佩

鱼及香囊等。现代首饰主要有:项链、戒指、耳环、耳坠、胸针、领花、发卡等。

穿耳　汉族及部分少数民族妇女习俗。流行于全国许多地区。在耳垂上穿一小孔,以佩珠玉、环珰等。男子亦有穿耳者,但多见于少数民族。穿耳习俗,起源很早,先秦已见记载。《释名·释首饰》云:"穿耳施珠曰珰,此本出于蛮夷所为也。蛮夷妇女轻淫好走,故以此琅珰锤之。今中国人效之耳。"由此可知,汉时已有穿耳垂珠珰的习俗了。至东汉以后,已成为普遍风气。穿耳的方法,有的用大拇指和食指按摩耳垂,使之麻木,然后用消过毒的针穿刺成孔,然后留线于孔内,并抹少许菜籽油,过一段时间,耳眼即成。还有一种方法,是用硬度较大的铁丝圈成耳环形,将耳垂按摩后,涂少许菜籽油,从铁环开口处套上耳垂,使之夹紧,过一段时间,耳眼便开。穿耳的时间,因地区不同而有所差异。江南一带有花朝节为女孩穿耳的。青海河湟地区则在夏历二月二,由老妇人为及笄或小于及笄的女孩穿耳。解放以后,穿耳习俗曾一度中断,只是近年又呈上升趋势。年轻女子、少妇多效仿穿耳,戴耳环、耳坠。也有不穿耳,但选择夹旋式耳饰的,以求美观。在穿耳方法上,现代已发展为激光穿耳,既快捷,又少痛楚,为女性所青睐。

冠缨　古代冠上的饰物。即冠圈两旁的丝绳。绳上佩有玉饰。《说文解字》云:"缨,冠系也。"古人头冠,多在冠圈两侧缀以缨络,缨络多以丝带为之,为使冠能在头顶固定,将冠缨在颔下打结,打结之后的丝带垂在颔下,很具装饰效果,也有在丝带上另加其他装饰的。

将军盔　清代汉族男帽。流行于天津等地。冬季男子所戴的防风御寒棉帽。因形式大致与明清军官所戴的皮盔相似,故名。其帽为黑色,面料有缎、布两种,衬里为黑布夹薄棉一层。顶部一如瓜皮帽,为六瓣合缝,呈圆顶状。从齐额处开始分成左、右、后三大片连缀至肩,左右两片露出脸面,至颔下相接以祥缀之,仿佛盔甲的护项,后片披于肩背。帽上多有黑线纳花的"寿"字、纹饰或三片相同,或左右对称。戴者多为40~50岁商人。因"护项"遮盖两耳,谈话时须用一只手稍稍支起一侧,20世纪30年代起逐渐消失。

荷包　古代男女的佩饰物。荷包的前身叫"荷囊"。荷者,负荷;囊者,袋也。所谓荷囊就是放零星细物的小袋。《茶馀客话》云:"三代时,以韦为袋,盛算子及小刀、磨石等。魏易龟袋。唐四品官给随身鱼袋,在官用为褒袋饰,没则收之。"制作荷囊的材料,一般多用皮革,故又有"鞶囊"之称。至南北朝时,佩囊制度正式确立,人们所佩的鞶囊并非全用皮制,也有用丝织物做成的,但仍然沿用鞶囊的名称。《隋书·礼仪志》曰:"鞶囊……今采梁、陈、东齐制,品极尊者,以金织成,二品以上服之。次以银织成,三品以上服之。下以綖织成,五品以上服之。分为三等。"宋

代以后，始见"荷包"这一名称。清代
荷包有大量实物传世。通常以丝织
物做成，上施彩绣，又因其质料、造
型各不相同，名称也不一样，如"鸡
心荷包"、"葫芦荷包"等。

套帽　亦称"帽套"。旧时汉族民
间男帽。流行于天津等地。为中年
男子冬日所戴防风御寒薄棉帽。无
帽顶、齐额处做软圈，可套在头上，
从鬓角开始作左、右、后三大片连缀
至肩，可遮护两颊，双耳和颈部。形
式一如将军盔。但比将军盔方便。可
因需要随时戴用。用时须先戴一瓜
皮帽，将此帽套在瓜皮帽外。多为社
会地位较低，经常外出的中年男子
所用。

袜　足衣。古代袜用布、帛和熟皮
制作。布袜叫"襪"或"襪"，丝帛袜
叫"罗襪"，皮袜叫"韤"。不缝制的
布袜叫裹脚步。古时只有富贵人穿
袜，平民多不穿。袜子是足衣的总
称，按原料分，今有棉纱袜、毛袜、丝
袜和各种化纤袜等。按造型有长筒
袜、中筒袜、短筒袜等，还有平口、罗
口、有跟、无跟和提花织花等多种式
样和品种。

袍　古代男子服装。特指实以丝
棉的长衣。袍服在先秦时期已经出
现，那个时期的袍服，只是一种纳有
絮棉的内衣。所以穿着时必须加罩
外衣。后逐渐演变为外衣。秦始皇
时令三品以上服绿袍，庶人白袍，皆
以绢为之。汉时曾以袍为朝服，并规
定服随五时换色，即春青、夏朱、季
夏黄，秋白、冬黑。袍服式样，以大袖
为多，袖口部分却收缩紧小。《尔雅

·释衣》称袖口紧窄部分为"祛"，袖
身宽大部分为"袂"，所谓"张袂成
阴"就是对这种宽大衣袖的形容。领
和袖一般都用花边，领以袒领为主，
大都裁成鸡心式，穿时露出内衣。也
有大襟斜领，下摆常打一排密裥，也
有裁成月牙弯曲形的。

凉帽　汉族民间传统帽子。流行
于全国许多地区。多为夏季农民们
遮阳所戴。材料分别用藤、竹、麦秸
编织，帽顶呈圆形凸起，帽沿平伸没
有卷边，四周缀以色布，从帽沿边披
垂下来做装饰。现在流行于农村的
凉帽多无披垂装饰。另一种凉帽为
清代礼帽。其样式如圆锥，无檐，俗
谓喇叭式。初尚扁而大，后尚高而
小。质用玉草或白草编织成圆锥形
帽胎，也有用藤、竹、篾席或麦秸编
织，外裹白色、湖色或黄色绫罗，
冠内另缀有箍，箍的两旁垂以缎带，
使用时缚于领下，以免滑坠。在凉帽
的顶缀缀有红缨顶珠，制同暖帽。

衮衣　古代皇帝绣龙礼服。也称
"衮服"。上绣卷曲形龙纹。《周礼·
春官·司服》云："享先王则衮冕。"
郑玄注："郑司农曰：'衮，卷龙衣
也'。"后世皇帝所穿的"龙袍"即是
衮的遗制。明代衮衣用黄缎制，前后
绣团龙十二；肩绣日、月、星辰、山、
龙、华虫六章；前身绣宗彝、藻、火、
粉米、黼、黻六章。腰束玉带，戴翼善
冠。清沿明制，衮衣仍饰十二章纹，
绣五爪正面金团龙四团，左肩绣日，
右肩绣月，前后篆文寿字并相间以
五色云纹。颜色为石青色。此服是
在汉族原有衮服基础上加以改变

的,只有皇帝在祭圆丘、祈谷、祈雨时服用。

笄　古代一种簪子。流行于中原地区。用骨或象牙、宝玉制成。用来插定挽起的头发或弁冕。古代妇女蓄发不剪,多将头发挽成髻鬟。为了使发髻不致松散,故需以笄贯连。“笄”、“簪”是同一物体的两种称呼,先秦时期称“笄”,秦汉以后称“簪”。周代礼俗,女子年过15如许嫁,便得举行笄礼,换作成人发髻,这时梳发髻,就需要发笄。史称女子成年谓“及笄”之年,就是这个意思。如年过20而未许嫁,也得举行笄礼,但仪式进行的比较敷衍。仪式之后,仍恢复原来的发式。以区别已经许嫁的女子。笄,男子也可使用。笄的原料可以分别贵贱。《说文解字》载:“笄端刻鸡形,士以骨为之,大夫以象(牙)为之。”

铅粉　古代妇女化妆品,又称“铅华”。是我国最早使用的化妆品之一,战国时期已经出现。因以铅、锡等金属烧化碾碎后制成白色粉状,故名。与胭脂配套使用。(参见“脂粉”条)

脂粉　古代妇女化妆品。涂脂抹粉是古代妇女常用的化妆手段,因为脂粉具有变嫫为妍的作用,所以深受妇女的喜爱。脂粉说的是胭脂和妆粉两种化妆品,两者必须配套使用,才能达到预想的效果。胭脂的起源,其说不一:一说起于纣。《中华古今注·燕脂》载:“盖起自纣,以红蓝花汁凝作燕脂。因燕国所生,故曰燕脂。”一说始于秦,《事物纪原·冠冕首饰部·燕脂》载:“……秦宫中悉红妆,当是其物自秦始也。”又一说,胭脂本作“焉支”,产于我国西北匈奴地区的焉支山,张骞出使西域带回了异国文化,生活方式和民族风情,同时引进了胭脂。实际上,胭脂是以一种名叫“红蓝花”的野生植物为原料制成的,它的花瓣中含有红黄两种色素,花开之时摘下,经杵捣淘去黄汁后,即成鲜艳的红色染料。为了便于使用和保存,一般多用丝棉浸染后晒干,使用时只要蘸少量清水即可涂抹。妆粉早在战国时期已经开始使用。我国妇女用这种白色的妆粉装饰自己的颜面,使其更加娇媚动人。最古老的妆粉,有两种:一种以米粒研磨后,加入香料而成,名叫米粉;另一种则是以铅、锡等金属烧化碾碎后制成,名叫“铅粉”,又叫“铅华”。是我国最早的人造颜料。由于脂粉的推广和流行,妇女做红妆者与日俱增,到了唐代,以粉敷面的风气日盛。王建《宫词》中描写一年轻宫女,在她盥洗完之后,洗脸盆中犹如余了一层红色的泥浆。说明当时浓妆的程度。直到清朝末年,由于女子教育的兴起,青年学生纷纷崇尚素服淡妆,才改变了这种现象,盛行了2000多年的红妆习俗,终告衰落。

屐　亦称“木屐”,古代鞋子的一种。其为木底,或有齿。木屐,战国时已有,通常由楄、系、齿三个部分组成。楄即底板;底板上施以绳,名系;屐的底部装有硬木制成的双齿。颜师古:“屐者,以木为之,而施两齿,所以践泥。"因为屐齿较普通鞋底为高,故宜行走于雨后的泥路和长有青苔的小路。魏晋时木屐底部配有两只活络的木齿,穿时可根据需要调节,尤其适于爬山,"上山则去前齿,下山则去后齿,"以保持人体正常平衡。无齿之屐是一种特殊形制。《晋书·宣帝纪》云:"关中多蒺藜,帝使军士二千人著软材平底木屐前行。"初做屐时,屐式男女有别,妇人穿圆头屐,男子穿方头屐。至少康初,妇人屐乃头方,与男无别。著屐以图轻便,在重要场合,如访友、宴会等不得穿屐,否则被认为仪容轻慢,将会受到人们的谴责。

通天冠 古冠名。是皇帝专用的礼冠。其形如山,以铁丝为梁,正竖于顶。《后汉书·舆服志》云:"通天冠,高九寸,正竖,顶少邪却,乃直下为铁卷梁,前有山,展筒(筒)为述,乘舆所常服。"汉代百官于月正朝贺时,天子则戴通天冠。至隋唐为二十四梁,附蝉十二首,珠翠黑介帻,加金博山,即以黑介帻承冠。宋代通天冠又名卷云冠。冠高及冠卷之广均为一尺,外用青而里用朱色。戴这种冠时则穿织成云龙纹的绛色纱袍,并用黑色缘其领、袖及衣裾,系以绛纱裙(即裳),内衬白纱巾单,领间系垂白罗的方心曲领,腰间束以金玉带。前系蔽膝,旁系有佩绶,穿白袜黑舄。这种服饰用于较大的典礼,仅次于衮服,为封建帝王所专用。至清代始废。

绣花鞋 亦称"绣鞋"。妇女穿的鞋面绣有图案的鞋。流行全国各地。

汉族明清时较盛行,均为自制。旧时女红手艺的高低是衡量女子治家本领的重要标准。因此女子在做姑娘时便要精攻女红,以便日后在婆家受人尊敬。尤其在出嫁时,姑娘们都要穿上自己精心制做的绣花鞋。一般都用大红做底色,上绣花鸟等图案,内容寓意吉祥喜庆。平时凡遇喜庆佳节,妇女们除了更换色彩鲜艳的服装外,还要穿上新制的绣花鞋,增加其喜庆气氛。

盔 战士作战时保护头部的帽子。古代称"胄"。秦汉以后叫"兜鍪",后代称"盔",亦名"首铠"、"头铠"。多用铜铁等金属制成,也有用藤或皮革做的。现代多用铜制。据考古工作者调查、研究,最原始的胄大多是用藤木或皮革制成的。藤胄就是一顶藤帽子,以保护人体最主要的头部位。战国时期以铁与青铜做材料制胄,形式也不一样,有的用若干小块铁甲片编缀成帽状,有的则用青铜浇铸成各种兽面之形。这种兜鍪的表面,一般多打磨的非常光滑,而盔帽的里边却保持着铸造的痕迹,粗糙不平,可以想见,当时戴这种盔帽的战士,头上都裹有头巾。宋代的胄,重量较前减轻。明代头盔,据《中国兵器史稿》图式云:盔式有三种,一作小盔如便帽式而下连长网;二为钵形式,用绵纱织物护项,盔体较高,且顶有中轴以插羽翎,盔无眉庇;三为高钵式而有大眉庇,盔式如尖塔,顶有中轴。清代头盔,用皮革作里,外罩有铜钵。

描唇 又称"点唇"。古代汉族妇

女唇饰。所谓描唇,就是以唇脂描抹在嘴唇上,这种装饰和其他女妆一样,也是由古代社会的审美观决定的。早在先秦时期,中国社会就出现了崇尚妇女嘴唇美的现象,最迟不晚于汉代,点唇习俗已经形成。我国最早出现的描唇材料叫唇脂,它的主要原料是"丹"。丹是一种红色矿物质,也叫朱砂,用它调合动物脂膏制成唇脂,具有鲜明的色彩光泽,是妇女理想的化妆用品。妇女描唇,是为了增其娇艳,随着社会风气的不断变化和审美观念的演变,妇女描唇的形式也在不断变化,各具鲜明的时代特色。我们从历史仕女画及各个时期的壁画、陶俑上就可以看到这种情况。但总的来看,我国妇女描唇一直以娇小浓艳为尚。人们普遍认为最理想、最美观的嘴型,应当像樱桃那样纤小,那般鲜艳。同时还可借描唇之机,弥补嘴唇本身的缺陷,所以描唇之术历来深受妇女的重视,并一直延续到今天。

常服　古时称"宴服"。即日常所著之衣服。因尊卑异制,历代异制,所以"常服"不能概之一切日常之服,而应分别述之。如:明代皇帝常服。洪武三年(公元1307年)定:用乌纱折角向上巾,盘领窄袖袍,束带用金玉琥珀等;永乐三年(1405年)定:折角向上,后名"翼善冠",衣用黄色盘领窄袖袍。前后及两肩各有金织的盘龙纹样,玉带皮靴。明代官吏常服,多戴乌纱帽,幞头,身穿盘领窄袖大袍。所谓"盘领",即一种加有圆型沿口的高领。这种袍服是明代男子的主要服式,不仅官宦可用,士庶也可穿著,只是颜色有所区别。平民百姓所穿的盘领衣必须避开玄色、紫色、绿色、柳黄、姜黄、明黄等色。其他如蓝色、赭色等不在禁限,俗称"杂色盘领衣"。明朝建国25年后,朝廷对官吏常服作了新的规定,凡文武官员,不论级别,都必须在袍服的胸前和背后缀一方形补子。文官用禽,武官用兽,以示差别,这是明代官服中最有特色的装束。明代妇女常服,穿著最多的有襦裙、背子、袄衫、云肩及袍服等。袍服是从背子演变而来,它的特点是低领、对襟、宽袖、下长至足,仅露出衬裙的一角。

铠甲　古代战士护身的铁甲。古代的防身之服主要是甲胄。用以保护头部的服具,称"胄";保护身体的称"甲"。它是随着阶级社会的出现,战争的频繁应运而生的防护装备。据考古工作者调查、研究,最原始的甲胄是以藤木、布帛或皮革制成的。藤甲的形制比较简单,一般在祖露的身上穿件藤木编成的背心,皮甲则是将皮革裁制成大小不同的革片,然后联缀成甲。制作皮甲的材料,一般多以犀牛、鲨鱼之皮为主,取其坚固,皮革的表面施以彩绘。到了战国中期,由于铁制武器的出现,皮甲、布甲已无法抵挡铁器的袭击,加之步骑逐步代替战车,短兵相接更要求战甲的坚固,因而出现了铁甲之制。铁甲的前身是青铜甲,战国时期的铁甲,通常以铁片制成鱼鳞状和柳叶形,然后连缀而成。由于战争的频繁,武士的铠甲也在不断的发展,三国时期,出现了一种铜制的筩袖铠,相传诸葛亮的军队常穿这种坚固实用的铠甲,因此又称"诸葛亮筩袖铠"。南北朝时期则以"裲裆铠"为士兵的主要装备,它的形制与当时服制中的裲裆衫比较接近。此外,还有"明光铠"等。隋唐时期的军戎服装,仍以明光铠为主,但铠甲的制作更加精致。材料有金属、皮革及绢布等多种。用于实战的主要是铁甲和皮甲。宋时铠甲有金装甲、长齐头甲、金脊铁甲、锁子甲等。明代铠甲大体与宋元相似,材料多以钢铁为主。据《中国兵器史稿》图式云:明代的上体甲式,一式近于清代的马褂式,即前面所说的直领对襟;一式如近时的卫生衣,即圆领。

兜肚 亦称"抹胸"、"裹肚"。一种胸间小衣。流行于全国许多地区。兜肚一物起源很早。古时称"抹胸"。兜肚用尺余方布作成,一角剪为向内弧形,两端缀带,挂在颈上,两旁之角缀带在后腰扎结。《清稗类钞·服饰类》云:"抹胸,胸间小衣也。……以方尺之布为之,紧束前胸,以防风之内侵者,俗谓之兜肚。"兜肚的质料,一般夏用纱,冬用绉,以锦缘边,或加绣各种图案,妇人、儿童常用之。天津出俗,小儿出生即戴兜肚,四、五岁前,盛暑之日,可以裸体戴兜肚。由于长期佩戴成为习惯,偶尔摘掉,肚腹即感不适,故而旧时成年人也戴兜肚。解放后除一些偏远山村仍有戴兜肚者,一般城镇已不多见。

盖头 汉族妇女首服。起源于唐永徽后,流行于宋。宋代妇女外出,头上多戴有盖头。当时盖头的形制有两种。一种与帷帽相似,是在唐幂䍦的基础上演变而来的,但比幂䍦要小。材料一般用紫罗做成,半透明,可窥见外方,其作用与帷帽相同。《清波杂志》云:"妇女步通衢,以方幅紫罗障蔽半身,俗谓'盖头'。"另一种盖头,形制比较简单,只是一块大幅帛巾,一般多做红色,女子戴之以便蔽面,多用于成婚之日。《梦粱录·嫁娶》及娶归,两新人"并立堂前,遂请男家双全女亲,以秤或用机杼挑盖头,方露花容"。明清以来,新妇上轿前,把婿家送来的盖头蒙上,至婿家拜堂时,或入洞房后,由婿或其女亲用簪、秤、机杼或木杖挑下,谓之"挑盖头"。这种习俗一直保留到民国时期。

深衣 古代诸侯、大夫、士家居所穿的衣服,庶人的常礼服。我国古代服装的款式基本有两种类型。一种为上衣下裳制;一种为衣裳连属制。在西周以前,主要采用上衣下裳制。那时的服装不分男女,一律做成上下两截:一截穿在上身称"衣",一截穿在下身称"裳"。到了春秋战国之际,出现了一种把上衣下裳合并成一件,连成一体的服装,名谓"深衣"。《五经正义》说:"此深衣衣裳相连,被体深邃,故谓之深衣。"战国、西汉时期,深衣一直是一种主要服式。不论尊卑,不论男女,都可以穿着。如《礼记》上所说:既可以为文,又可以为武;既可以摈相,又可以治军旅。所以被用作礼服和常服。其制作，虽谓衣裳连属制，但仍上下分裁，然后在腰间缝合。腰缝以上仍称为衣，腰缝以下则谓裳。裳用六幅，每幅又交解裁之为二，狭头在上，宽头在下，便于行走时举足方便，故计有十二幅，以应一年十二个月之意。除此之外，"续衽钩边"是深衣的一大特点。衽是衣襟，续衽即将衣襟接长，钩边是形容衣襟的样式。深衣改变了过去服装的裁制方法，不在下摆开衩，而将左面衣襟前后片缝合，后面衣襟加长，形成三角形，穿时绕至背后，再用腰带系扎。制作深衣的质料，多用麻布，领、袖、襟、裾等部位则镶以彩色边缘。及至东汉，一般多用彩帛制作。魏晋以后，深衣之服渐不流行，但对后世服饰有很大影响。以后的长衫、旗袍，乃至今世的连衣裙，都可以说是深衣的遗制。

朝服　亦称"具服"。古时君臣朝会时所穿的礼服。尊卑异制，历代异制。宋代朝服上身用朱衣，下身系朱裳，即是穿绯色罗的袍和裙，里面衬以白花罗的中单，束以罗大带，并以革带系以绯色罗的蔽膝，挂以玉剑、玉佩，锦绶，着白绫袜和黑皮履。这种服饰以职官大小而有所不同，像六品官以下就没有中单、佩剑及锦绶，用以区别尊卑。明代，朝服之制，即文武官员凡遇大祀、庆成、冬至等重要场合，不论职位高低，都戴梁冠，穿赤罗衣裳，以冠上梁数及所佩带绶分别等差。一品，冠七梁，革带用玉，绶用云凤四色花锦。二品，冠六梁，革带用犀，绶同一品。三品，冠

五梁，革带用金，绶用云鹤花锦。四品，冠四梁，余同三品。五品，冠三梁，革带用银，绶用盘雕花锦。六品七品，皆冠二梁，革带用银，绶用练鹊三色花锦。八品九品，冠用一梁，革带用乌角，绶用鸂鶒二色花锦。所执笏板，也有定制，一至五品，质用象牙，六至九品，质用槐木。清代朝服，其形制采上衣连下裳制。皇帝朝服有冬夏二式，都用明黄色。其下如皇子用金黄色，亲王、郡王则用蓝色及石青色。

靰鞡　亦称"乌拉"、"乌腊"。东北男子的一种防寒鞋，流行于内蒙古、东北地区。此鞋为皮制或毡制。但均以鞋内铺垫干乌拉草而称之为"乌拉"。皮制靰鞡，一般用粗糙坚硬的牛皮或马皮压制而成。纳褶抽裥，帮上贯皮耳，穿时用绳系耳。后底钉有两个专用的铁钉，作防滑用。鞋帮分带勒、不带勒两种，勒用布为原料，有的勒上绣有花纹。毡制靰鞡在鞋底加一层皮子，增其耐磨程度。鞋内垫上捶软的干乌拉草，轻便、吸汗、防寒、保温，适合远行或狩猎时穿用。天津郊区农村旧时冬季雪地狩猎穿"绑"，形制与靰鞡相近：用方形牛皮，前后按脚的尺寸缝合兜起，左右穿绳勒紧，中实以麦秸。穿"绑"时，有的还穿麻编织的袜子，十分暖和。

冕服　周代天子、诸侯、卿大夫所穿的礼服。亦为"祭服"。周代凡有祭祀之礼，帝王百官皆穿冕服。冕服由冕冠、玄衣及纁裳等组成。因服法及形制不同，又有大裘冕、衮冕、

鷩冕、毳冕、希冕、玄冕等区别，称
"六冕"。《周礼·春官·司服》云：
"掌王之吉凶衣服，辨其名物，与其
用事。祀昊天上帝，则服大裘而冕，
祀五帝亦如之；享先王则衮冕；享先
公飨射，则鷩冕；祀四望山川，则毳
冕；祭社稷五祀，则希冕；祭群小祀，
则玄冕。"冕冠的形制：在冠的顶部
覆盖一块木板，名"延"。延的上下表
以细布，上用玄色，下用纁色；木板
一般多做长形，广八寸，长一尺六
寸，前端略圆，后部方正，隐喻为天
圆地方，整个冕板后高九寸五分，前
高八寸五分，有前倾之势。在冕冠的
前后两端，则垂以数条五彩丝线编
成的"藻"，藻上穿以数颗玉珠，名
旒，一串玉珠为一旒。有三旒、五旒、
七旒、九旒、十二旒之别。其中以十
二旒为贵，专用于帝王。玄衣即黑色
上衣，纁裳即绛色围裳。冕服纹样
有十二章花纹，其次序为：在玄衣上
绘日、月、星、龙、山、华虫（雉）、火、
宗彝（宗庙彝器）；在纁裳上绣藻
（水草）、粉米、黼（金斧形）、黻（两已
相背形）。每一章纹皆有一定含义和
象征。冕服以职位高低各有明确的
规定。《周礼·春官·司服》："公之
服，有衮冕而上，如王之服；侯伯之
服，自鷩冕而下，如公之服；子男之
服，自毳冕而下，如侯伯之服……。"
战国后冕服处于紊乱状态。到秦始
皇时曾废止六冕，祭服皆用黑色。后
历代屡有演变，形制不一，最后随着
清王朝的覆灭而消亡。

裙　一种下衣。古代男女同用，后
专指妇女的下裳。《释名·释首饰》
云："裙，下群也。联接群幅也。"起初
的裙大多由前三幅后四幅连接而
成，后又有六幅、八幅、十二幅，且多
褶裥。直到六朝，男子着裙仍很盛
行，其料大多以罗纱为之，裙色以
红、紫、黄、绿居多。唐代以后，穿裙
为妇女专服，并以裙长幅多为佳。宋
代妇女的裙子，大多以罗纱为主，且
有刺绣或销金，贵族妇女甚至在裙
上缀以真珠为装饰。裙色以红、绿、
黄、蓝、青为尚，尤以石榴红最惹人
注目。明代流行百褶长裙，颜色以红
为主。清代的裙子名目繁多，除朝裙
外，一般妇女的裙子没有什么规定。
清代妇女的裙子都系在上衣之内，
清初苏州妇女崇尚百褶裙，裙式用
整幅缎子打折成百褶。康熙、乾隆间
又兴"凤尾裙"，用缎子裁剪成条，条
上绣花，两边镶以金线，然后再拼合
而成。到咸丰、同治间，又代之以一
种"鱼鳞百褶裙"，当时很受妇女们
喜爱。纵观历代裙式，变化多端，因
质地、颜色、形式和用途不同，又分
为长裙、短裙、筒裙、百褶裙、旗袍
裙、西装裙等多种。在民间习俗，凡
逢喜庆、节日妇女多穿红裙，视为吉
利象征。今为中青年妇女夏装。

裤　古称"袴"、"绔"，俗称"裤
子"。衣服的下装。《说文解字》云：
"绔，胫衣也。"古时的裤子只有两只
裤管；套在膝部，用带子系于腰间，
名谓"胫衣"。其形制与后世的套裤
相似，没有连裆。所以古时有关袴的
记载，往往和鞋袜一样，以"两"字计
数。古人穿着这种裤子外面还要加
上一条围裙状的饰物，那就是"裳"。

战国以后，人们的裤子得到改善，出现一种称为"穷袴"的下装。穷袴与胫衣相比，有明显进步，胫衣只施于胫，膝盖以上则一无所有。而穷袴则上达于股，而且还将袴身接长，上连于腰，并在两股之间连缀一裆，裆不缝合，用带系缚，以便私溺。除此之外，古代也有合裆之裤，合裆也就是满裆。这种裤子最早为西域居民所穿，以便骑射。后来，中原汉族广为采用，称为"裈"。它是由胫衣发展而来，一般用做衬裤，另在外面覆以裳裙。现代裤有长裤、短裤、中式、西式等各种式样。中式裤为无前后裤片之分，无侧缝、无开襟，裤管较大，裤腰另加白布裁制，是一种腰臀很肥的平面型裤子，西裤则是立体形的，穿着适身合体。裤长至膝盖以上者称短裤，至踝骨间的为长裤。并有男式、女式、童式之分。

道袍　一种长外衣。道教中道士的常服为道袍。其形制一般为斜领交裾，腰间无线道横贯，衣身宽大，背部中缝直通到下面。颜色多用茶褐色，四周以黑色布镶其缘。古时除道士平时着此服外，一般文人雅士也有着此服者。

裘　古代一种皮毛衣服。其特点是把毨毛放在外边，将革朝里边。《说文解字》云："裘之制，毛在外，故像毛。"天子六冕中祭服作为最高者即是大裘，大裘是用黑羔皮为之，以表示其质朴。《诗经·秦风》云："君子至上，锦衣狐裘。"因其毛在外，所以在其上又加锦衣等。裘中以狐白裘最为贵重，其次则有狐青裘、虎

裘、貉裘，再次则为狼、犬、羊等皮毛。古代天子、诸侯的裘都用全裘，而不加袖饰。其下卿、大夫则以豹皮饰作袖端，以示贵贱尊卑等级。

靴　亦称"鞾"、"鞾"。对有筒鞋子的统称。流行于全国各地。一般为皮制，其筒高在踝骨以上。战国时，由西域传入中原。五代马缟《中华古今注》称"靴者，盖古西胡也，昔赵武灵王常服之。"其制为短靿、黄皮、上有圆铜泡钉。后渐行长靿，为武服。《隋书·礼仪志》(七)云："帷褶服以靴。靴，胡履也，取便于事，施于戎事。"唐代其制有所改变，至武周时，改长靿靴为短靿靴，并加以毡，得著入殿省敷奏。宋沿前制，文武官都穿着。明洪武二十五年令，儒士生员等许穿靴，校尉力士外出则不许穿靴。其他如庶民、商贾、技艺、步军及余丁等，都不许穿靴，只能穿皮扎鞴（即一种"皮筒子"，和现在北方穿的皮腿套相似）。清代靴以尖头式为尚，靴之材料，夏秋用缎，冬则用建绒。穿靴之俗一直沿至现代，成为人们冬季不可缺少的御寒必备品。

蓑衣　一种以草或棕编成的雨衣。《释名》云："蓑，草衣也。"即一种用蓑草编织的雨衣。蓑草，又名"龙须草"。古代人们编织的蓑衣，一般为两层，里边一层用棕麻编结成帔形，外边一层以蓑草编列覆之上，披于肩背以防雨雪。穿此衣时，头戴斗笠，是极好的防雨用具。宋代苏轼《渔父诗》有"自庇一身青箬笠，相随到处绿蓑衣。"江为《江行诗》云"何时洞庭上，春雨满蓑衣。"近代仍有

此衣,乡间农村穿者居多。

蓄须 亦称"留胡"。我国民间传统习俗。流行于全国各地。即男子留胡须。其式有翘须(八字胡)、一字胡、仁丹胡等。周代已有蓄须之俗,当时以多须为美,无须为耻。从汉魏到唐,曾流行过翘须,即旋卷式的上翘胡。旧时民间有50岁开始留胡或做祖父的人才可蓄须的习俗。清中叶以后,天津旧例一般在60岁生日之后开始蓄须,如60岁本命年正遇鼠年则向后推延。因民间多选择龙、虎之年蓄须,称"龙须"或"虎须",以示威武。一般忌鼠年蓄须。

暖帽 汉族民间传统帽子,多为冬季男子防寒所用。由于各地的地理环境和生活习俗不尽相同,所以暖帽的种类很多。例如流行于四川川东一带的暖帽,其形外圆,下小、上阔,如仰盂,中隆起,帽上用红线作装饰。通常在秋季开始制作,冬季戴以保暖。还有天津流行的"将军盔"、"观音兜"、"凤帽"等都属暖帽类型。还有一种暖帽为清代官帽。其形制为圆形,周围有一圈朝上翻卷的檐边。檐边的材料多用皮制,也有用呢绒、缎、布做成的,视气候变化而定,颜色以黑色为多。在暖帽的顶部,还装有红色帽纬,或以丝制,或以缎裁。帽顶装有顶珠,顶珠的原料多用宝石,颜色有红、蓝、白、金等。不同的材料和颜色,是区别官职的重要标志。顶珠之下装有二寸长短翎管一支,藉此安插翎枝。

腰带 汉族和部分少数民族束腰的带子。流行于全国各地。男女均用。我国古代服制,多以宽衣大袖为主,因此束腰的习俗由来已久,腰带也就成了必备之物。古时腰带以韦和帛为原料,"韦"即熟皮。自周代至六朝,大夫以上服用腰带,大都以帛为之。另一种以丝编结的带子称"绦",扎在腰间用以束腰,称"大带"或"绅带"。仕宦上朝,可用来插笏。还有一种以皮革制成的腰带,称"革带"。用来系靴或挂佩。如天子冕服上的革带,除用于束腰外,还系垂佩和韨。战国时赵武灵王改革服制,仿用西北少数民族腰带样式,在带下附加若干小环或带钩,以便将随身携带的物件挂在上面,并在带上加饰金银。唐代以来,统治阶级规定了"大带"制度,以带上饰件的数量和质料区别官员等级。有犀带、玉带、金带,皆用革为之,或以犀角制版,或嵌以玉,或镂金为之。清代有朝服带、吉服带、常服带等,均为官定腰带。除此之外,一般在腰间束以湖色或白色或浅色的丝带,其长系结后下垂与袍齐,考究的亦有绣花者。满族官员尤喜于腰间悬挂各种佩饰,往往解带则摊满一桌。妇女束腰带,往往束之于上衣内,初期比较窄,用丝编鞭而下垂流苏,至同治间用阔而长的绸带。到光绪时因下身不束裙子,所以腰带垂于衣下而露在裤外,腰带成了一种装饰品。颜色用浅而鲜艳者为多,蓝或大红者较少,一般垂在左边,亦有垂在右侧或稍偏于中间的,带下端有流苏、绣花或镶滚。

缠足 亦称"缠脚"、"裹脚"。中国封建社会特有的妇女装饰陋习。其具体做法是用一条狭长的布带，将妇女的脚趾抑在底下，缠绕全脚，紧紧包裹，以压缩肌骨，使脚形纤小屈曲，踵与趾近成弓形。以符合当时的审美观。有关缠足的由来，《南村缀耕录·缠足》云："李后主宫嫔窅娘，纤丽善舞，后主做金莲，高六尺，饰以宝物细带缨络，莲中作品色瑞莲，令窅娘以帛绕脚，令纤小屈上做新月状，素袜舞云中，回旋有凌云之态。……由是人皆效之，以纤弓为妙。以此知扎脚自五代以来方为之。"故有"三寸金莲"之称。当然这种缠足主要是为了舞蹈的需要，与后世妇女缠足之举有所不同。宋代妇女缠足者逐渐增多。福州发掘一座南宋古墓，墓之女主人脚上还缠有裹脚布，6 尺多长，2.7 寸宽。明清是缠足最盛的时期，女子一般 7 岁开始缠足，用一条 2 寸多宽 4 尺多长的布条绑扎。前脚掌向内弯进，脚凹处以能塞一个鸡蛋为宜。从前后上下绕扎，然后用针缝好，再用绑带扎牢。一年后将布带稍放开，使脚畸形长定。清顺治二年、康熙三年，两次有诏禁之。辛亥革命后，始逐渐废绝。

裳　古代用以遮蔽下体的服装。上曰衣，下曰裳。裳，即后世所称的裙。"裳"字也写作"常"。《说文·巾部》云："常，下帬也。"帬即裙的古体字。"裳"有两种含义：广义的说，可泛指一切下体之衣。《诗经·邶风·绿衣》："绿兮衣兮，绿衣黄裳。"《毛传》："上曰衣，下曰裳。"狭义的"裳"字，则可解释为一种围裙状的服装，其制分为两片，一片蔽前，一片蔽后。因古代纺织工具比较简单，织出来的布幅比较狭窄，所以制作一件下裳往往要用几块狭窄的布幅联缀起来，样子像一幅腰围，由前面三幅和后片四幅连成一体，就变成了裙。后来统称的衣裳，就是指上衣下裙的形制。这种古老的服制，直到周代还作为礼服的一部分保留着，在祭祀和朝会时穿着。在宋代，除了官服中的冕服和朝服是用上衣下裳制外，一般很少穿著。

熏衣　古代汉族服饰风俗。即用香料熏染衣服，使其有香味，多为上层社会习俗。中国古代有熏香之习，即将香料放入火中熏炙，使香气飘溢，既可熏衣，又能驱虫、除秽，还可达到保健的目的。有关熏衣的方法，《香谱》一书，有记载："凡熏衣，以沸汤一大瓯，置熏笼下，以所熏衣覆之，令润气通彻，贵香入衣难散也。"我国汉代在贵族上层社会中，普遍有用香料熏衣的习俗。《太平御览》引《襄阳记》记载东汉末中书令荀彧爱熏衣，至人家，走后坐处尚有三日香。后历代沿袭。唐代有一种体积较小的香球。为银质，器身遍体镂空，并饰有精致的花纹，因球内结构合理，可随身携带燃熏。平时挂在身边，既可用来熏衣，又可当做佩饰。

僧衣　佛教僧尼的衣服。《汉族僧服考略》云："佛教僧侣的衣服，根据佛教的制度，限于三衣或五衣。三衣是安陀会、郁多罗和僧伽黎。安陀会是五条布缝成的衷衣；郁多罗是七条布缝成的外衣；僧伽黎是九条乃至二十五条布缝成的大衣。五衣是于三衣之外加上僧祇支和涅槃僧。僧祇支是覆肩衣，用以衬三衣穿着的，涅槃僧是裙子。"三衣规定颜色不许用上色或纯色，在新制的衣服上必须缀上一块另一种颜色的布，用以破坏衣色的整齐，所以叫做"坏色衣"。从佛教传入中国后，由于中国的气候条件和汉人的习惯，在三衣之外，又增添了其他衣服，即在汉族服装上稍微改变其式样而作为僧服之用，像缁衣之类，即作为日常穿的一种服色。这种缁衣的颜色，实际上不是完全黑色，而是紫色中带黑色。在我国称僧侣为缁衣之徒，就是这个原因。

膝裤　古称"角袜"、"膝袜"。汉族传统胫饰。流行于全国各地，元明时盛行于江南。古时男女皆用，后成为妇女专用的胫上饰物。膝裤的起源甚古。《陔馀丛考》（卷三十三）载："吕蓝衍《言鲭》谓袜即膝裤。然今俗袜有底而膝裤无底，形制各别。《炙毂子》曰：'三代谓之角袜，前后两只相成，中心系带。'则古时袜之制，正与今膝裤同。岂古之所谓袜，本如今膝裤之制，后人改为有底，遂分其名，而一则称袜，一则称膝裤耶！"膝裤是着在胫部的足衣，用以保护下肢，宋代男子之袜亦称膝裤。南方妇女扎裤脚者不多，到了寒冷时，用装有棉花的直筒或裹腿（考究的用锦绣）包裹于小腿部分，上有两带系于胫上，在裤子之内覆及足背，也叫做膝裤。

旗袍　中国近代妇女服装。流行于全国许多地区。旗袍原是满族袍服形式的统称，因满族有"旗人"之称，故称"旗袍"。后来则把八旗妇女平时所穿长袍，称为"旗袍"，而作为礼服的朝袍、蟒袍等则不属旗袍范畴，旗袍的含义逐渐明确。清代满族妇女所穿的旗袍衣身比较宽大、平直，下摆和袖口都较大，下摆不开叉，衣身长至地面。材料多用绸缎，衣上绣有各种繁缛的花纹，同时在领、袖、下摆等部位还镶有宽阔的花边。这种旗袍配上旗人的高髻——大拉翅和高底鞋，给人一种修长挺拔的感觉。辛亥革命后，汉女仿穿旗袍，并在原来的基础上不断改进，终成近代妇女最有代表性的服装。它在普及过程中，袖口、腰身、领子等款式经过了无数次变化。旗袍按季节分单旗袍（如材料为纱质，要内装衬裙），夹旗袍、衬绒旗袍多种。旗袍之所以成为中国妇女的传统服装，一是用料省，做工简单；二是称身适体，能衬托出妇女的秀美身姿。

鞋　古称"履"、"屦"、"鞮"。为足衣。最初用兽皮缝制。穿时上面用带收紧，脱下则舒解，古时"解"、"鞋"同音，故以鞋名之。《说文解字》："履，足所依也。"古书上常用皮屦、革舄、革履、韦（熟牛皮）履等词来指用皮做的鞋子，故"鞋"字从革。后用丝麻制成的称"丝鞋"、"麻鞋"。"丝履"、"麻履"。丝履为达官贵人所穿，麻履为常人所穿。还有草履，也叫"屝"，为穷人、罪人和居丧者所穿。再有木鞋，也叫"屐"，底有两齿。

魏晋六朝时,名士以穿屐为风尚。现代鞋除草、布、丝、皮、木五类外,还有以塑料和人造革为原料制作的。"鞋"字成为鞋类的总称。

蟒袍 古代文武官员最常用的礼服。因袍上绣有蟒纹,故称,以和龙袍区别。蟒袍又名"花衣",为官员及命妇的专用服饰。袍的颜色及所织的蟒纹(包括蟒爪)之数有详细规定:"一至三品,绣五爪九蟒;四至六品,绣四爪八蟒;七至九品,绣四爪五蟒。关于蟒龙的区别,历来没有明确的答案。一般多根据《野获编》"蟒衣为象龙之服,与至尊(即皇帝)所御(龙)袍相肖,但减一爪。"以及《大清会典》中"凡五爪龙缎立龙缎团补服……官民不得穿用。若颁赐五爪龙缎立龙缎,应挑去一爪穿用"的禁例,得出"五爪为龙,四爪为蟒"的结论。其实并不是这样,因为人们在各个时期对蟒和龙的概念并不是固定的。龙不完全是五爪,蟒也不一定是四爪。《明史·舆服志》在"文武官常服"条中就有"一品至六品,穿四爪龙"的记载。另在"内使官服"条中又有"蟒有五爪,四爪之分"的记载。可见当时并非以爪数来区别龙和蟒的形象。后来又有以"角"划分的说法,认为龙有二角及足,蟒却无角无足的说法。而从蟒袍实物来看,察其图案,两角大多齐备,织绣五爪者也有不少,可见并非五爪为龙,四爪即蟒。地位高的官吏(一品至三品)照样可穿"五爪之蟒"。但只能称"蟒袍"而不能僭称"龙袍"。蟒袍所服颜色以官职分别,皇太子用杏黄色;皇子用金黄色;亲王、郡王须赏给后才能用金黄色。

霞帔 亦称"霞披"。古代汉族妇女披服。霞帔一物,早在南北朝时期就已出现,当时叫"帔子"。形状像两条彩练,使用时绕过头颈,披挂在胸前,下垂一颗金玉坠子。其服同衣长,上有禽鸟绣纹。隋唐以后人们赞美这种服饰美如彩霞,故有霞帔的名称。唐白居易《霓裳羽衣舞歌》中就有"虹裳霞帔步摇冠"的形容。宋代以来,正式定为命妇礼服,非皇帝恩赐不得服,并随品级高低而有所不同。明代霞帔仍是命妇的重要礼服。并规定一、二品用蹙金绣云霞翟纹霞帔;三、四品用蹙金云霞孔雀纹霞帔;五品用绣云霞鸳鸯纹霞帔;六、七品用绣云霞练鹊纹霞帔;八、九品用绣缠枝花霞帔。清代霞帔与明代有所不同,主要区别有三点:第一,明代霞帔狭如巾带,每条阔三寸二分,长五尺七寸。清代霞帔则阔如背心,并增加了后片及衣领。第二,明代霞帔不用补子,而清代霞帔则在胸前背后各缀一块方形补子,补子上所绣纹样,一般都视其丈夫或儿子的品级而定,唯武官的母、妻不用兽纹,而用鸟纹。第三,清代霞帔的帔角下部不用帔坠,而施彩色流苏装饰。霞帔原是诰命夫人的专用服饰,后流传至民间,但士庶妇女不得随意穿用,而一生只有两次机会可穿,即婚嫁日和入殓时,俗称"假借"。《清稗类钞》记载:"霞帔,妇人礼服也,明代九品以上之命妇皆用之。以庶人婚嫁,得用九品服,于是

争相沿用,流俗不察,谓为嫡妻之例
服,沿至本朝,汉族妇女亦仍以此为
重,故非朝廷所特许也。然亦仅于新
婚及殓时用之。"本世纪中叶,凡用
花轿娶亲者,仍以凤冠霞帔为礼服。
之后逐渐消失。

戴蚕花　汉族妇女头饰风俗。流
行于浙江杭嘉湖地区。是蚕乡妇女
的一种特殊装饰习俗。每至养蚕季
节,妇女们用红色彩纸剪扎成一种
像绣球一样的纸花,号"蚕花",戴在
头上,以图吉利。同时,每逢年节,或
敬神时也戴此花。

生 产 经 济

二牛抬杠 藏族人及西北广大农村对旧时耕地技术的称谓。藏族农业生产技术各地大致相同。耕地一般用双牛，"二牛抬杠"，即一犁杠放置牛肩上，杠中间又系一竖杠和犁相连接，有的是一人在前牵牛，一人把犁头抄地，一人撒种；也有不用人牵牛的。因铧较小，耕地不深，一般无石之地，可深四、五寸，而沙地则只三、四寸。地耕毕用木槌碎土。这种生产工具和生产方式，在各民族农业区均有。随着生产的发展，人们的耕地技术也在不断改进。

人力车 一种用人力挽拉的、供人乘坐的单座车辆。是清末由日本传入中国的，故又称东洋车、洋车。旧时曾广泛流行于各城镇。人力车在各地的俗称不一，如北京称"洋车"、天津称"胶皮"、上海称"黄包车"，广州称"车仔"等等。人力车夫又叫洋车夫、拉洋车的。老舍笔下的骆驼祥子是人力车夫的文学典型。

刀耕火种 也作"刀耕火耨"、"火耨刀耕"、"火耕水耨"。古代的一种耕作方法。古代多山地区，农民播种前，常先伐去林木，烧去野草以灰肥田。在原始民族那里，经过一场天火之后，山林被焚烧，化为灰烬，他们惊愕地发现，从地里很快地长出了各种可供食用的植物来。这便是"草木灰"应用于农业的开始。经过长期经验的积累，人们才自觉地运用"刀耕火种"这种耕作方法，这在《周礼》、《吕氏春秋》、《礼记》、《史记》等书中均有详细的描述，即：把地里的草割掉，并用火把草烧成灰烬，然后灌水，这样便成了最好的肥料。《史记·平准书》集解引应劭说："烧草下水种稻，草与稻并生，高七八寸，因悉芟去，复下水灌之，草死独稻长，所谓火耕水耨也。"

小二 也称"堂官"、"跑堂的"、"店小二"、"侍应生"等。旧时汉族对酒店、饭店中的服务人员的称谓。流行于北京、河北、黑龙江、吉林、辽宁等地。指饮食行业中招待顾客、端盘上菜的服务人员。宋元时顾客对客店伙计称店小二，是因为当时客店主人被称为大哥，所以伙计被称为"小二哥"或"店小二"。

马 家畜名。根据《夏小正》记载，夏代在春季实行"颁马"，即选择强壮种马配种。商、周时期，马被用于军事、狩猎、娱乐，得到统治者的重视，品种不断增多。人们根据马的品质高下，毛色的纯驳而将之分类，并规定了使用范围,《周礼·夏官·校人》说:"辨六马之属"。有繁殖配种用的"种马",军事用的"戎马",毛色整齐供祭典用的"齐马",善奔驰驿用的"道马",田猎所用的"田马",还有供杂役用的"驽马"。汉武帝大力提倡养马,从中亚和新疆地区引进汗血马3000匹进行大规模杂交繁殖改良内地的马种。唐代在马匹改良上也作过很大努力,据《唐会要》记载,唐高祖时,康国(今苏联中亚地区)进贡4000匹大宛良马。唐太宗时,居住在瀚海以北的"骨利干"族人(现西伯利亚叶尼塞茨克地方)派使者带来良马100匹,其中有10匹特别优良,唐太宗极为珍爱,给每匹马都取了名字,号为"十骥"。汉、唐以来,先后从西域输入良马有大宛马、乌孙马、波斯马、突厥马等。战国以前,马专用于拉车,而不供乘骑。《左传·昭公二十五年》:"左师展将以公乘马而归",唐孔颖达疏:"古者服牛乘马,马以驾车,不单骑也。至六国时始有单骑,苏秦所云'车千乘,骑万匹'是也。"孔疏又引用刘炫的话,认为左师展"欲共公单骑而归",是"骑马之渐(开端)"。春秋时可能有骑马的事,但那是在特殊情况下的个别例子。直到战国时,赵武灵王"胡服骑射",从北方少数民族匈奴学来了骑马作战的方式,此后骑马之风才逐渐兴盛起来。

马车 用马挽拉的车子。起源很早,殷代的"乘马"就是马车。《荀子·解蔽》:"乘杜作乘马"。据近人考证,"乘杜"即"相土",是殷人的先

王。先秦时代有"小车"、"大车"之分:凡驾马而车厢小的叫小车,供贵族乘坐,凡驾牛而车厢大的叫大车。小车亦称"轻车"、"戎车"。在周代,马车不仅是王公显贵出行游猎时的代步工具,而且也是战争中的主要"攻守之具"。战车统称为"五戎",即戎路(又称戒车)、轻车(也称驰车)、阙车、苹车(屏车)及广车,先秦时期,马车分两种类型,即立乘与坐乘。立乘车与坐乘车的最大区别在车舆形制不同。立乘车,车舆浅小,呈横长方形,置于车轴之上,四周围以栏杆,后留缺口而无车门,上不封顶,只立车盖。而坐乘车的车舆宽广,呈纵长方形,四周屏蔽,上封顶,后设车门。汉代双辕马车取代了独辕马车,驾马的数量也减少了,使驷马高车进入了单马轻车的发展阶段。汉代的双辕马车因乘坐者的地位高低和用途不同,又细分为若干种类,如斧车(也称轻车,一马拖乘,由兵车演化过来的仪仗车)、轺车(一马或二马拖乘的轻便快速的小马车,为一般小吏出外办理公事或邮驿传递公文时乘坐)、施幡车(由轺车发展而来,为中、高级官吏出行时坐乘的轻快马车)、轩车(与轺车近似,是汉代供三公和列侯乘坐的轻便马车)、骈车(供妇女乘坐的、单马拖乘、四周带帷幔的篷车)、辎车(与骈车近似,供贵族妇女长途旅行乘坐)、辇车(普通载物货车,也可坐人)、栈车(也作辁车,是以竹木条编舆的篷车,为民间运货载人之用)等等。此外,尚有供皇帝乘坐的玉辂、

皇太子与诸侯王乘坐的王青盖车、皇帝亲耕时乘坐的耕车、仪仗中载乐队用的鼓吹车、金钲车、乐舞百戏中的戏车、行猎用的猎车、丧葬用的辒辌车、载猛兽或犯人的槛车等。汉代是崇尚马车、以马车明尊卑的时代，而乘牛车则被视为"卑贱"的。以畜力挽车运货的车叫大车，明清时，是以骡驾为主，其后又有马驾、驴驾，因此也称马车、驴车。这种大车，至今仍活跃在我国的广大乡村中。

马市　唐及以后封建政府以金帛、茶盐等与少数民族交换马匹的互市。唐玄宗时，准许突厥每年在西受降城(今内蒙杭锦后旗乌北河北岸)进行互市，用金帛交换马匹。这是马市之始。《白孔六帖》(卷八三)："其市，四面穿堑及篱垣，遣人守门。市易之日，卯后，各将货物畜产俱赴市所。官司先与蕃人对定物价，然后交易。"宋代多以布帛茶叶等换取马匹。明永乐间，在开原南关、开原城东、广宁三处设马市，用米、帛、绢等和建州女真人换马。正统三年(1438)，在大同设马市，与也先互市。嘉靖三十年(1551)，又在大同、宣镇等处设马市，以银换马。清顺治二年(1645)，在张家口、古北口等处设马市，以茶换马。雍正年间停止，仅在四川边境以盐换马。咸丰年间，各地军队所需马匹统归自购，官设马市全部取消。

车　我国的车，据说是夏朝奚仲发明的。从远古到战国，马拉的车是人们陆行的主要交通工具。马车不但平时用来乘人、载物，而且是战争中的主要装备。战国时赵武灵王开始"胡服骑射"，即学习北方少数民族骑马作战的方式，但当时战车仍是中原地区主要的作战工具。因此，先秦时代的文献常常车马并举，说到马即包括着车，说到车也意味着有马。一般说来，战国以前车马是相联的，没有无马的车(牛车除外)，也没有无车的马。所以古籍中所谓的"御车"就是"御马"，"乘马"就是"乘车"，《论语·雍也》："赤(孔子弟子)之适齐也，乘肥马，衣轻裘。"这里的"乘肥马"，意思是乘坐由肥壮的马驾的车。战国以后，骑马之风渐盛，人们不仅骑马作战(即"单骑")，而且骑马旅行。作为交通工具，马与马车逐渐分家，并行不废，作为战争工具，灵便的单骑逐渐占据主导地位，相对笨重的战车(马车)逐渐衰落以至淘汰。上古乘车一般是"立乘"，即站立在车厢(舆)中，并很讲究立乘时的仪容姿势，即所谓"立车之容"。"坐乘"比较少见，那是尊老敬贤的一种表示。妇女乘车，则只能坐而不能立乘。坐乘也要讲究"坐车之容"，不能太随便。

开张　①　夏历正月初五(也有在正月十五的)店铺在过完节假后开始营业，叫作"开张"。《北平风俗类征·岁时》："正月初五以后，铺户开张。要放鞭炮，谓之'崩鬼祟'。开张之后，第一位主顾是男子，便认为是兴盛的预兆；如是女人，便认为冲了财神，一年会不顺利的。"有的地方初五开张后，第一位顾客被视为"财神"。台湾、福建等地称为"开小正"。正月初五这天,街头悬灯结彩,锣鼓喧天,家家烧门头纸,迎接门神复工,在爆竹声中,商店开张,工厂开门,表示节假结束,恢复正常工作和生产。有的地方则称为"开市"。《清嘉录》(卷一)"开市"条说:"是日,市估祀神,悬旌返肆,谓之'开市'。案:《岁时琐事》:'正月五日,俗呼破五日,欲有所作为,必过此五日始行之'。长、元、吴志皆云:'五日,祀五路神,始开市,以祈利达'。《昆新合志》云:'俗呼为烧利市'。"② 指新建商店开始营业。也称为"开业"、"开市";前往祝贺,名为"贺新张"、"贺号"、"贺开市"。《中国地方志民俗资料汇编·辽宁》引《锦西县志》说:"开市:商号经营完备,定日始业,亲友以红屏书某某大号开张或开市之鸿禧,配以两联,约同往贺,执事饷之,名曰'贺开市'。店主书挂"开市大发"、"招财进宝"、"万商云集"、"大振鸿猷"、"永曙大业"等横幅。并且照例要燃放爆竹,一取避邪之义,二是为了招徕左邻右舍、过往行人。③ 指早上开市贸易。《都城纪胜·市井》:"而五鼓朝马将动,其有趁卖早市去,复起开张。"《东京梦华录》(卷三)"马行街铺席"条说:"夜市直至三更尽,才五更,又复开张"。

开山门 云南洱源西山一带的白族农业祭祀活动。每年种芥子时祭山神,谓之"开山门"。献上鸡蛋、粉丝、饭、"干拉"(米粉制品)等祭物,求保佑芥子生长良好,不受野兽糟蹋。祭毕,各家各户用酒肉款待亲戚朋友,以示吉庆。每年收完玉米,进山伐树,也要献祭,仪式与之略同。聚居在半山区、近山区的白族,在夏历五月初一到初十的10天内,以鸡为祭物,由牧羊老人主祭,求山神保佑羊群不受野兽侵害。

开山树 旧时汉族林业生产习俗。流行于东北地区。所谓"开山树",就是木把(伐木人)们事先选定的树身周正、树心结实不朽、伐下能"顺山倒",并且于头一天已经砍得差不多断了的红松。每到过年,木把们要砍"开山树"以卜来年祸福。夏历正月初一,吃过早饭后,木把们拜过山神爷,便来到楞场(木材采伐运输过程中汇集、堆存和转运木材的场所)附近的"开山树"跟前。仪式开始,由掌柜祷告一番,抢斧砍几下,随着"吱——轰"一声巨响,如果开山树没有被周围树木挂挡而是顺山而倒,并且没有"飞棒"伤人,大家便同声欢喜,认为这一年可保平安了。

开秧门 黔东南苗族的农业祭祀活动。当秧苗长到可以分插时,由有威望的"活路头"提着酒肴、糯饭到秧田里去"开秧门",请最早教人开田拓土、播种五谷的"起公铸婆"下来享受供品,方才拔苗栽插。传说,这两位拓荒先人,教人们打开天上的五谷大门,让谷种下到凡间,供人栽种。所以有"开秧门"之俗。

井亭 侗族民间的一种交通辅助设施。流行于广西三江、湖南通道等地。由民间自动集资、出土出料,义务铺建青石板路,并于通途每隔一段路程建造一专供行人饮水休憩的凉亭，亭旁多有水井，无井，必有人挑来泉水供人解渴，亭上挂有一排竹筒，因此称为井亭。严冬则有人扛来大树蔸，生着火塘，所以，路亭可以供人休憩、饮水、取暖、避风雨。妇女们还常编好草鞋挂于亭，免费供人穿着，所以，路亭还可以供一时急需。侗族人急公好义，俗谚有云："靠天靠地，不如靠做好事。"有的路亭内立有石碑，镌有捐资、献工献料者的姓名。

元宝　作为货币流通的一种银锭。又叫"宝银"。因其形似马蹄，也叫"马蹄银"。我国白银的形式，自古有铤有饼，为长条形或为圆形，但自元代以后，就以元宝为主要的形式。元宝每只约重50两，上面镌有铸造的时间、地点和银匠姓名等字样。白银的形式和名称，除了元宝以外，还有中锭、锞子、散碎银子等。中锭，重约10两，作马蹄形者多，所以又叫小元宝。锞子，形状多像馒头，重一、二两到三五两。散碎银子，有滴珠、福珠等名称，重量在一两以下。

太平车　宋代载物的大车。宋人或骑马或乘轿，极少乘车，因此宋代的制车业便主要以制造载货的运输车为主。这种载货的车当时便称为"太平车"。据《东京梦华录》、《闻见后录》记载，太平车的车身有箱无盖，驾车人在中间，前以骡、驴20余头或牛5——7头牵引，后系骡、驴两头，遇下峻岭险坡，使倒拽以令缓行。车两轮与箱齐，后有两斜木脚拖。中间悬铁铃，行时作响，使行人可以闻声相避。能载物数十石。今北方也称四轮大车为太平车。这种太平车的形象人们从宋代的一些以车、船为题材的画中可窥见一斑。北宋张择端在《清明上河图》中描绘了10余辆不同式样的车，其中几辆用4匹或两匹健骡拉的大车即是太平车，其形制和文献所记载的完全相符。不同之处是拉车的牲畜头数没有20余，且车后也无系随的驴、骡。太平车的行车方式也与以前的车不同，即由人驾辕，牲畜拉车，缰绳一端缚绑在骡颈的轭套上，另一端缚扎在车轴上。显然采用这种人驾辕、骡拉车的系驾方法，车速是很慢的，正适于但求负载多，不求行车快的要求。太平车是作为短程运输之用的车，在当时还有一种与太平车相近而稍小、用于长途运输的载货车，叫平头车。它"亦如太平车而小，两轮前出长木作辕，木梢横一木，以独牛在辕内项负横木，人在一边，以手牵牛鼻绳驾之"（《东京梦华录》卷三）。除《清明上河图》以外，五代卫贤《闸口盘车图卷》、宋朱锐《溪山行旅图》、《盘车图》等画中也有这种车。它们都是一牛驾辕，辕牛前有拖曳的3牛或4牛，车身高大，轮与车厢齐平，车厢上加拱形券篷，在长途跋涉时以防货物遭雨淋和日晒。券篷和车厢之间有一隔板，似为堆放车夫的行李物品处。车夫在一旁行走，用手牵牛鼻绳。

水车　抽水用的农具。也叫"翻车"、"龙骨车"、"水蜈蚣"。它出现于东汉、三国之际，最初只用来浇灌园地，后来被水田区的农民广泛采用。

它是用带有叶片或水斗的链带，借人力、畜力、风力或电力转动，可将河、湖、塘、井从低处提升到高处。它既可用于灌溉农田，也可用来排除积水。《农书》里记载的水转翻车、牛转翻车、驴转翻车、高转筒车、构造比较复杂，效率比较高，都是从翻车和筒车（另一种取水设备）变化而来的。宋梅尧臣《和孙端叟寺丞农具十三首水车诗》："既如车轮转，又若川虹饮。能移霖雨功，自致禾苗稔。"

水碓　利用水力旋动的舂米设备。《三国志·魏志·张既传》："既假三郡人为将吏者休课，使治屋宅，作水碓，民心遂安。"《农政全书·水利》篇说："杜预作连机碓"，又引《晋书》说："今人造作水轮，轮轴长可数尺，列贯横木，相交如滚枪之制。水激轮转，则轴间横木，间打所排碓梢，一起一落舂之，即连机碓也"。唐岑参《晚过盘石寺》诗云："岸花藏水碓，溪水映风炉"，也是对水碓的形象描绘。

牛车　用牛挽拉的车子。古代亦称"犊车"。《宋书·礼志》："犊车，軿车之流也，汉诸侯贫者乃乘之，其后转见贵。"牛车自古就有，因牛能负重但速度慢，所以牛车多用以载物。因其车厢宽大，又称大车、方厢车。牛车最初是商贾们用来载货贩运的运输车。在崇尚马车、以马车明尊卑的时代，乘牛车被视为是件"卑贱"的事。这种重马车、轻牛车之风至秦汉犹存。汉代牛车的模型多有出土。武威雷台汉墓出土的铜牛车模型，形制为双辕，双辕前端缚一半环状

槅（即牛轭），槅驾一牛。轮较小，低于车厢，辐十支。长方形车厢，后有栏板，略高于边栏，上有横杆，车厢前空无栏，上坐一"驾车奴"，手执赶牛棒御车。可见汉代牛车与今大车略同。魏晋以降，牛车逐渐得到门阀士族的青睐，乘坐牛车不仅不再是低贱的事，而且已成为一种时髦的风尚了。此时的牛车，在车厢上装棚施幔，车厢内铺席设几，便可任意坐卧，乘牛车也有上下等级之分。诸王乘犊车，因以云母饰车，故又叫"云母车"。这是一种带屏蔽、驾8牛的豪华牛车。三公有勋德者乘"皂轮车"，驾4牛，形制犹如犊车，但皂漆轮毂，上加青油幢，朱丝绳络。诸王三公可并乘"通幰牛车"（即在牛车顶上自前到后用一张大帷幔遮住。这种牛车形象最早见于甘肃嘉峪关晋墓壁画中。该车双辕双轮，车厢形似太师椅，有券席篷顶，其上覆盖一张大帷幔。其后则向豪华型发展。如敦煌莫高窟61窟宋代"火宅喻"中画的通幰牛车，长方形车厢上立棚，呈封闭状。车门设在后边，垂遮帷帘。棚前和两侧开有棂格窗。棚顶呈拱形，前后出长檐。棚顶四角各立一柱，四柱上支撑一顶大帷幔。帷幔绣以梅花图案，四周边垂缀丝穗，御车人扶辕步行）。一般大臣乘"油幢车"（立棚而不施帷幔）。隋唐时，统治者乘坐的高等牛车还有一种称为"偏幰牛车"（棚顶前施一帷幔，遮住车的前半部）。民间所用牛车，多是无棚的"柴车"（敦煌壁画中一些唐代"农作图"上，就绘有卸辕等待拉

运粮食的这类民用牛车》。《天工开物·舟车》曰："牛车以载刍粮,最盛晋地。路逢狭道,则牛系巨铃,名曰'报君知',犹之骡车群马尽系铃声也"。

仓廪　我国传统藏谷设施。流行于全国各地。起源甚早。甲骨文中就有"仓"字,像有独扇门的贮藏室。《说文解字》："仓,谷藏也"。《礼记·月令》："(季春之月),命有司发仓廪,赐贫穷,赈乏绝",孔颖达疏引蔡邕说:"谷藏曰仓,米藏曰廪。"仓廪也称仓囷,《韩非子》:"发仓囷,赐贫穷",《吕氏春秋·仲秋纪》:"修囷仓",高诱注:"圆曰囷,方曰仓"。今国家备储蓄之所,上有气楼谓之敞房,前有檐楹谓之明厦,仓为总名。农家贮谷之屋,虽规模略小,其制则同。内外材木露者,皆以灰泥涂饰,以辟火灾,又除虫蠹。外表涂以白色,以避强紫外线照射。

风雨桥　侗族交通设施。一般长60至100米,宽4——5米,青石作桥墩,杉木铺桥面,上建瓦顶长廊,长廊两旁设栏杆、长凳,形如游廊,可供行人躲避风雨,观赏休息。因这种桥风雨无阻,故称。长廊中段建有若干座宝塔形楼亭,飞檐交错,层层叠叠,长廊的瓦檐、柱头、栏杆,皆有雕饰,为侗族建筑艺术珍品。著名的有"程阳风雨桥"。

书肆　也称"书坊"、"书林"、"书堂"、"书铺"、"书棚"、"书籍铺"、"经籍铺"等。汉族出售书籍的店铺或市场,亦指售书行业集中的街市、店铺。流行于全国多数地区。起源较

早,汉代已有。《法言·吾子》云:"好书而不要法仲尼,书肆也"。当时书肆所售多为碑帖、文物、古旧书籍等等。《后汉书·王充传》有王充常在洛阳市肆看书的记载。我国旧时的书商,有的本身是藏书家、出版家,同时兼事编撰刻印;有的仅接受委托,刻印和售卖书籍。北京书肆素负盛名,以隆福寺街、琉璃厂街、东风市场等规模为大,为书生文士乐至之所,明代燕中书肆,据《少室山房笔丛》云:"多在大明门右及礼部门外拱宸门西。每冬试举子,则书肆列于场前。岁朝后三日,则移于灯市,朔望并下浣五日,则徙于城隍庙中,"琉璃厂元代为琉璃窑,清乾隆后渐成书肆,以书铺为最多,古玩、字画、文具、笺纸等次之。《清稗类钞·农商类》"京师书肆"条:对北京的书肆有详细的介绍。书肆所奉之神有文昌帝君和火神。琉璃厂曾建有两座以文昌帝君(也叫梓潼帝君)的名字命名的会馆,一为江西书商所建文昌会馆,一为河北书商所建北直文昌会馆,馆中皆有文昌殿,为奉祀文昌帝君之所。据说文昌帝君(本为天上星宿名)主宰天下文教事业,又曾在秦皇焚书时救藏过书籍,故书肆奉之。琉璃厂还建有火神庙,为书商奉祀火神之所,文昌会馆中也设有火神殿,书坊最忌火灾,故奉火神以求免灾。

劝农劝蚕　一称"劝农桑",也简称"劝农"。它既是古代关于"重本抑末"、"上农除末"的一种理论,也是鼓励耕作和养蚕的一种礼仪。《东汉

会要》"劝农桑"条说:"郡国以官禁二业(商贾),至有田者不得渔捕",说明了劝农桑的理论主旨。至于荒年减免田亩租税等即是劝农桑的具体实施方法。古代专门设有劝农官,如秦汉时期设置的大农丞、唐宋时期设置的劝农使。西晋束晳作有《劝农赋》:"惟百里之置吏,备区别以异曹;考治民之贱职,美莫当乎劝农。"苏轼有诗云:"农夫罗拜鸦飞起,劝农使者来行水"(《鸦种麦行》)。同时,劝农桑又是古代的一种农业生产礼仪,即每年春末帝、后的躬耕躬桑。《清稗类钞·农商类》"德宗隆裕后劝农"条说:"春为农事开始之时,德宗必祭先农坛,亲耕耤田,以为天下之劝。隆裕后亲养蚕,日往观之"。(参见"躬耕躬桑"条)

田幡 旧时汉族农业生产风俗,流行于陕西的陕北、关中一带,中元节(夏历七月十五)这一天,农家在天刚亮时去田头地边,挑选长得高大并且茂盛的田禾,把五色长条形纸旗悬挂于其上,以驱害鸟,祈丰收。用五色纸旗来避鸟害,与古人的阴阳五行观念有内在联系。《荆楚岁时记》云:"五月五日,以五彩丝系臂,名曰辟兵,令人不病瘟"。道理是一样的。

印子钱 亦称"折(摺)子钱"。旧中国的一种高利贷。放债人以高利放出贷款,限借债人分期偿还,每次还款,都在预立的折子上加盖一印,故名。印子钱在清初已流行于全国各地,办法各不相同。如抗日战争前的上海,借印子钱10元,放债人先扣鞋袜费1元,实借9元。分60天还清。连利息在内,每天拨还两角。

市声 也称"声响幌",是行商的民俗标志。市声分为两种,一为叫卖声,一为代声。叫卖声南方和北方各有其特点,在内容上都不外乎宣传商品的名、优、土、特、廉(价格)、用(实用价值)几个方面,有些是带有夸张的性质,如老北京街头卖小炸食的,穿街吆喊:"小炸食,我的高,一个大(北京谓每制钱二枚为一个大),买一包。哄孩子,他不闹,他不淘。"所谓代声,即是以其他器物的声音代替叫卖。主要是打击声,如敲鼓、打梆、打钹、摇铃、打竹板、摇串铁、敲小锣等。此外尚有以吹奏声为代声的,如吹喇叭等。其中也有叫卖声、代声兼有的,如磨剪子的。代声当是从叫卖声发展而来,这与方言、声响的传播等均有关系。《北平风俗类征》说:"京城五方辐辏,担卖蔬果,辄为曼声唱……盖彼以曼声为招,以即感耳而引,听唱一声而辨为何物,知其担市何人也",又《燕京杂记》说:"京师荷担卖物者,每曼声婉转,动人听闻,有发数语数十字而不知卖何物者",可见行商的叫卖声早就有重声不重义的趋向,这是代声产生的前题。《北平风俗类征》引《查浦辑闻》说:"京师佣贩,各高呼待售。戊子,摄政王俄闻器声而疑之,遗骑驰捕,无有也。自是肩佣偃息,但摇铃击器为号。"这虽不是代声出现的原因,但很可以说明叫卖声和代声的关系。

划子 船的一种。也称"瓜皮船"、瓜皮船"。因两头小,中间大,形似切开的西瓜皮,故有此称。晋时,曾作战舟使用。《北堂书钞》(卷一三七)引《王濬集·杂讼》说:"瓜皮船本图仓卒用之耳,宁可以深入敌境耶,"船身上近二丈长。《清诗别裁集》(卷二十九)陈份《捉搦歌》说:"瓜皮艇子长二丈,小姑十撑九不上。"后多作游船。《梦粱录·湖船》:"湖中有撒网鸣榔打鱼船,湖中有放生龟鳖螺蚌船,并是瓜皮船也。"过去杭州西湖有此种游船。约可乘5人,对坐长椅,中设茶桌,船上覆花边布幔,以挡风遮阳。也有荡此种船只于湖中,叫卖羹汤、水果、蔬菜和酒类的。现此船仍有流行。

当铺 经营抵押物品、放高利贷的铺子。也称"押店"。当铺业也称当业、典当业。"当铺"一词始见于明代,然而典当业并非始于明代。最早的典当为南朝时寺庙所经营的当铺。而有人更认为东汉时已有典当业,根据便是《后汉书·刘虞传》中"虞所赍赏典当胡夷"的话,但尚未成为定论。白居易诗云:"走笔还诗债,抽衣当药钱",所指典当业无疑。历代称谓各异,有"质库"、"质肆"、"解库"、"长生库"等。典当中规模较小而取利重者,称"押当铺",亦称"小押典"或"小押当"。在乡镇中,领用典当之款以作资本,押得物品再转押于典当者,称"代当"。受押物品成交后,付以收据,称为"当票",载明所当物品及抵押价款,交押款人收执。质押期限自6个月到18个月不等。过期不赎,典当即没收其质押品。质押放款额一般在抵押品价值的五成以下,利率极高,剥削严重,解放后,当铺废除,近来,在某些城市(如天津)又恢复营业。当铺供奉的神有火神(炎帝、祝融)、财神(赵公明、关公、增福财神)、号神(又称耗神、耗子福,即老鼠)。当铺祀财神在夏历三月十五日,祀火神和关帝在六月二十三日。当铺柜房(对外营业室)的照壁顶部设一神龛,龛内供奉三位财神:赵公元帅、关夫子、增福财福。号房(保管抵押物品的库房)中的主号房门旁有两个神龛,一供火神,一供号神。因为当铺存故大批抵押物品,最怕火灾,故供奉火神;又怕老鼠啃咬,故供奉号(耗)神,当铺放高利贷,切盼发财,故供奉三财。

吆喝 民间职业风俗,具体说是商贾的声响幌,流行于全国大部分地区。早在《东京梦华录》中就有商贩"吟叫百端"的记载。吆喝声,古今有变异,南北也不尽相同。坐商与行商相比,以行商吆喝为最多,因为坐商主要靠"望子"宣传自己的经营内容,而行商则主要靠"声响幌"来介绍自己的产品。这声响幌,一指代声(打鼓、打锣等),一即指吆喝。吆喝,主要是介绍自己所卖物品的价廉物美,多带夸张的性质。如老北京卖糖呙面的,穿街吆喊:"姑娘吃了我的糖呙面,又会扎花,又会纺线。小秃儿吃了我的糖呙面,明天长短发,后天梳小辫。"吆喝的词大多是即兴的,随口编来,还能押韵。有的吆喝声还配合着代声,如磨剪子磨刀的。

（参见"市声"条）

串铃卖药 旧时民间经营风俗。流行于许多地区。串铃卖药者为江湖土郎中，往往一手持串铃摇动，一手持招牌（上写药名等）四处游荡行医。这种人对医药一知半解，治病多靠察言观色，兼带卖药，以维持生计。现已消失。

舟 船的总称。我国造船的历史，大约与制车的历史同样悠久。相传夏朝就有舟，而且有一个以操舟出名的人叫"奡"，《论语·宪问》云："羿善射，奡荡舟"已载其名。到了商朝，舟已成为常用的交通工具，甲骨文中"舟"字就有好几种不同的写法。周代已有比较大的船，《诗经·大雅·棫朴》云："淠彼泾舟，烝徒楫之"。说明船比较大，所以要许多人来划桨。周人还懂得用舟来搭浮桥，叫"造舟"。春秋战国时期舟楫更盛，船的种类也较多。《左传·僖公十二年》云："秦于是输粟于晋，自雍及绛相继，命之曰泛舟之役。"这是一次有组织的大规模水运，几百里水路上船只不断。春秋末叶吴与楚战，越与吴战，都动用了"舟师"，而且还有舟师入海的记载。历秦汉、魏晋南北朝，我国的造船技术有了较大发展。汉武帝时就建造了高 33.33 米的楼船，并用于作战；晋代更造出可载2000 余人的大舰。这个时期船只的载重量比较大，速度也比较快，有些船可以航海。隋、唐、宋时期，造船技术很发达，载重万斛的内河船只已不罕见，战舰渡海作战也很平常，如隋炀帝进攻高丽时，"舟舻千里，高

飐电逝，巨舰云飞，横断沮江"。随着造船技术的进步，这个时期海外贸易也发展起来，唐宣宗时已有不少中国海船驶抵波斯湾。宋代海船已用指南针领航，这是人类科技史中的一件大事。唐宋时还有所谓"轮船"，船上设轮，踏轮击水使船前进，其行如飞。明清时代船舶种类更加多样，海船的制造更是高度发达。明代郑和七下西洋，不仅遍及南洋群岛，而且横渡印度洋，直达阿拉伯及非洲东海岸，是我国航运史上空前的壮举。据《明史·郑和传》记载，第一次下西洋时，乘大船 62 艘，舶长146.65 米，广 59.99 米，共载士卒2.78 万人，这代表了我国古代造船技术的最高成就。

伙计 原指合伙经营工商业的人，后指店铺雇佣的员工。《肇域志》云："其合伙而商者名曰伙计，一人出本，众伙共而商之，虽不誓而不藏私。"后对店铺中的员工也叫作"店伙"。明清时旅客对客店伙计称为"茶房"，宋元时旅客对客店伙计称为"店小二"。清初河南人对客店伙计称为"当槽"。

合同 在租赁、典质、买卖中，双方订立的契约。《周礼·秋官·朝士》云："凡有责者，有判书以治则听。"贾公彦疏："制半分而合者，即质剂、傅别、分支合同，两家各得其一者也。"《通俗编·财货》云："今人产业买卖，多于契背上作一手大字，而于字中央破之，谓之合同文契。商贾交易，则直言合同而不言契。"现在，继承传统又有所发展的合同，广

泛地使用在各个领域。

行贩 小本经营的流动商贩。《通俗编·艺术》云："按，今以肩贩蔬果等物行卖街巷为行贩。行当如字，而方言读之若杭。"行贩有不同的器具，如挑子、板车、单车、手推车等。也有不同的代声和吆喝声。

竹筏 南方常见水上运输的交通工具。用较粗、直的竹子10根左右，以竹篾或树藤逐根捆牢，另用一根竹竿作撑竿。一般用于沿水运送东西，云南瑞丽等地也常作摆渡工具。

交子 我国和世界上最早的纸币，首先出现于北宋，是中华民族对人类文明的一项重大贡献。随着商品经济的发展，笨重的金属货币已经不能适应流通的需要，人们不得不另找方便的流通手段，于是作为纸币的交子便应运而生。交子最早出现于四川，时为宋真宗大中祥符四年(1011)。起初为私营性质，由十几户富商主持发行，可以兑现，也可以流通。12年后，即宋仁宗天圣元年(1023)，由官府接管，改为国家办理。朝廷在四川设置交子务，作为发行交子的专门机构。交子作为地区性的货币，行用地区大体限于四川。交子的币面价值，最早限于一贯至十贯，数额在发放时临时填写，这与近世的支票有相似之处。后来改为定额印刷，即在交子上印好一定的价值数额，这就与近代纸币很相似了。北宋交子的一个重大特点是分界发行，定期回收。所谓界，就是交子的有效使用期限。二年或三年为一界。从宋仁宗天圣元年(1023)开始，到宋徽宗大观元年(1107)为止，前后共发行了42界官营交子。交子的发行总额，起初受到严格控制，规定每界的发行额是125万贯，绝不滥印滥发，因此币值稳定。后来，朝廷为了弥补财政亏空，或者两界并用，或者滥印滥发，造成交子贬值。在这种情况下，朝廷为了挽救财政危机，采取换汤不换药的办法，在大观元年(1107)，将交子务改名钱引务，从第43界起，将交子改名"钱引"。钱引取代交子后，仍作为四川地区性的纸币，分界发行，沿用到南宋。

产婆 也叫"收生婆"、"稳婆"、"老娘"、"老娘婆""接生婆"、"收生姥姥"、"吉祥姥姥"等。旧时汉族民间以接生为业的妇女。流行于各地区。原称为宫廷或官府服役的收生婆，如蒋一葵《长安客话》(卷二)"三婆"条说："就收生婆中，预选名籍在官，以侍内庭召用，如选女则用以辨别妍媸可否，如选奶口则用等第乳汁厚薄、隐疾有无，名曰稳婆。"《元曲选》武汉臣《老生儿》第一折："我急煎煎去把那稳婆和老娘寻，恨不得曲躬躬将他土块的这砖头来拜"。又元末陶宗仪《南村辍耕录·妇女曰娘》说："子谓母曰娘，而世谓稳婆曰老娘"。后北方民间俗谓产婆为"老娘婆"，亦即今助产士。接生婆的宅门上都悬有木牌或贴着红纸条，上写"快马轻车，吉祥姥姥"、"日夜接生"等字样。接生婆供奉子孙娘娘(又叫"子孙保生元君"，其像常是手抱小孩，身背盛小孩的口袋，是掌管生育的神)、张仙(祈子之神。民间素有"张仙送子"的信仰。其像身着绿袍黄褂,做向空中射天狗姿势。传说天狗专吃小孩,张仙射之,故为祈子之神)等。产妇在付给接生婆钱时总单给一份,说:"这是给娘娘上供的"。接生婆还给产妇送张仙神祃,上写"金弓打出天狗去,玉弹引进子孙来",民间接生员接生之俗今乡里仍存。

羊皮筏子　西北回、撒拉等族传统的水上交通运输工具。其产生原因与西北许多河流湍急、礁石林立,不能行船这一特点有关。按其制作原料的不同,分羊皮筏和牛皮筏。羊皮筏多用山羊皮制作,将羊宰杀后,去头,从颈口取出骨、肉和内脏,将皮完整剥下,在水中浸泡4天,捞出曝晒一日,然后拔毛净皮,灌入适量食盐、胡麻油和水,再次曝晒,待外皮呈红褐色,皮口袋就告制成。组筏时,对皮囊用口吹充气,组并为一体,小的10余只,大的几百只。在激流湍急的河面浮行,平稳方便。据说羊皮筏、牛皮筏可数只连起组合,可载几十吨货物。皮筏吃水浅,不怕搁浅触礁,制作简单,操纵灵便,造价低廉,是当地理想的水运工具。据说,最初的皮筏都是单个使用,有的是挟于腋下,有的是用手挟着泅渡,唐代时称之为"草囊"。后来为了弥补其渡者湿手、载量小、不很安全的缺点,将若干"草囊"并在一起,架上木椽以绳捆成一个整体,所以才称之为"皮筏",解放以后,长途运货的皮筏逐渐消失,但摆渡用的皮筏还沿用至今。

驯鹿　鄂伦春族、鄂温克族的交通工具,一种头似马非马、角似鹿非鹿、身似驴非驴、蹄似牛非牛的动物,俗名"四不像"。最先是由捕获的野鹿驯养而来。是出猎和迁徙时重要的运载工具。平时放入林中,用时敲铜盆,听到声音即自己走回,喂点盐后即可驭用。

收破烂　走街串巷收买废品的营生。流行于全国大部分地区,北京、四川等地此业尤盛。收买一切破烂之物。男的挑担,吆喝"有破鞋烂袜子我买","有废铜烂铁拿来换钱";穷苦妇女背筐,吆喝"有破烂儿——我买,有破衣裳我买"。也有收破烂换火柴的,穿街吆喊:"换洋取灯儿"(即换火柴)。《中华全国风俗志》说:"换取灯儿:系收破铺陈、碎铜、烂铁等物,换给枚杆,迨来火柴盛行,已改换火柴矣",又说:"手打小鼓肩有担,专走胡同买破烂。"则打小鼓,是为此项营生的声响幌,一听便知。且初换枚杆,后改换取灯儿,又是此业的沿革。旧时成都称此业为"收荒",安徽乡间称作"换荒",北京则称为"换取灯儿"、"买破"。

花市　民俗每年春时举行的卖花、赏花的集市。唐诗中便有对花市的记载,韦庄《奉和左司郎中春物暗度感而成章》:"才喜新春已暮春,夕阳吟杀倚楼人。锦江风散霏霏雨,花市香飘漠漠尘。"《广东新语》:"花市在广州七门,所卖止素馨,无别花,亦犹洛阳但称牡丹曰花也。"今广州花市一般在春节前夕举行。

杠房　旧时专门代人办理丧葬事务的行业。流行于北京等地。《清稗类钞·农商类》:"京师有所谓杠房者,即仪仗店,专办人家举殡之事也。"抬棺椁的架子叫"杠",用多少人抬就是多少杠。有8杠、16杠、24杠、32杠、64杠、80杠、128杠等几种。128杠是皇帝专用。清以前,多按爵位用杠,有严格规定,不得僭越。民国以来,以出钱多少用杠。8杠和16杠出殡时只在棺材上搭一块绣片。24杠以上有棺罩。杠房除出租"杠"以外,还出租伞、扇、旗、牌等全付执事。大杠房还带"大鼓锣架"等出殡用的乐队,出售棺材、寿衣等。杠夫、乐舞也由杠房代雇。凡出殡的一切事务,穿什么寿衣、用什么样的棺材,多大的杠,什么样的乐队,多少执事,丧家只要出钱,杠房都可承担。杠房业旧时被称为"贱业",属"行外行"。杠房业者忌讳到住户中串门,怕彼此都不吉利。建国后,随着殡葬制度的改革,杠房也随之消亡。

走江湖　亦称"跑江湖"。旧时独特的职业活动和其他社会活动。指走南闯北、流浪四方,从事商贸、交游、习艺、服务等种种活动,所指相当广泛,《江湖丛谈》称内中有风、马、燕、雀四大门,金、皮、彩、挂、平、团、调、柳八小门,也有分金、汗、利、谈(团)四类者,还有"九金十八汗,七十二富门"之说。各行业自立门户,师徒相承传,有共通的行话、黑话以及行事原则,且有各自笃奉的神明。在传统社会,走江湖者构成社会上独特的一个阶层,影响颇大。其间鱼龙混杂,不乏正义之徒,亦多黑道人物。晚近以来已趋消失。

穷汉市　旧时对最低级小市的称谓,流行于北京。《燕京杂记》:"东小市之西,又有穷汉市,破衣烂帽,至寒士所不堪者,亦重堆垒砌。……西小市之西又有穷汉市,穷困小民,自在道上所拾烂布溷纸,于五更垂尽时,往此鬻之,天乍曙即散去矣。"《北平风俗类征·市肆》云:"穷汉市者,正阳桥日昃市,古贩夫贩妇之夕市是也"。

纸币　钞票、钞币。本身没有价值,是由国家发行、强制流通,能代表一定价值的货币符号。中国是世界上使用纸币最早的国家。据说,纸币的雏形,早在西周时期就已出现,叫做"黑布"。春秋战国时,又有"皮币"、"傅别"。汉武帝时有"白鹿皮币"。唐朝有"飞钱"、"便换"。五代十国时有长沙的"契券"。但这些都还不能算是真正的纸币,但对纸币的产生有着重大的影响。《明史·食货志五》:"钞始于唐之飞钱,宋之交会(即交子、会子),金之交钞。元世始终用钞,钱(铜钱)几废矣。"我国纸币的使用始于宋代,元代则以使用纸币为主,曾先后发行"中统宝钞"、"至元宝钞"和"至正交钞"。其中以"中统宝钞"最为重要,终元之世,始终通用。明朝的纸币,是"大明宝钞",洪武八年(1375)发行,终明之世,只用这一种宝钞。明代纸币不如元代盛行,明英宗以后,宝钞就不大流行了。清朝有很长一段时期不用纸币,咸丰三年(1853)才发行了两种纸币,一种是"大清宝钞",另一种是户部官票,二者合称"钞票"或"票钞"。现代钞票的名称似导源于此。

纺织 我国传统工业的一种。起源甚早。我国纺织业的发展具有悠久的历史,是世界上最早饲养家蚕和织造丝绸的国家,曾以"丝国"闻名于世。纺先于织。纺起源于旧石器时代之制绳,至新石器时代已有陶纺轮。织起源于编席和结网,至河姆渡文化已有原始腰机和引纬工具。吴兴钱山漾遗址发现有绢片和平纹苎织品,后者细密程度,已与今之龙头细布相当。商周有麻、苎、葛、苘、楮、芒、菅、蒯等织物,其沤苎、渡葛,织技已很高,制冕用的麻布,细密程度已接近今之府绸。丝织品有缯、帛、素、练、纨、缟、纱、绢、縠、绮、罗、锦等,包括生织、熟织、素织、色织、彩织、平纹、斜纹、重经、重纬。商代已出现回纹图案的提花织物。至西汉"薄如蝉翼"的素纱可与今之尼龙纱相媲美;平纹的绢,其经线密度达每厘米164根;提花、起绒技术已相当高。手摇纺车(缫车)在那时已基本成型,提花机也初具规模,棉织品,今所知最早的是发现于武夷山白岩的商代中期船棺墓葬中的木棉布碎块,黎族、傣族可能在汉前就植棉织布。《禹贡》所载扬州的棉织品"卉服"、"织贝",至宋代犹视为珍品。新疆在晋宋间已植棉织布。汉晋间已有彩色罽、毛罗、栽绒地毯,俱见和阗出土物。唐代的纬绒起花纬锦,有五彩花卉禽兽行之之饰,十分华丽。"通经断纬"之织,以输入日本的"七条树皮色袈裟"和安乐公主的百鸟毛尚方裙为代表。宋元纺织空前发展,尤注重工艺。宋代出现了平罗和稀经密纬、飘明飘逸的亮地提花纱。苏州的宋锦以用色典雅沉重见长,南京的云锦以重纬为主,浓艳厚重。元代的金锦,以金银线作花纬或地纬,更显富丽辉煌,以缎纹为地的行丝,平滑光泽立体感强。至此,织造之原组织:平纹、斜纹、缎纹,均已具备。棉织物,南宋时以岭南斑布最著名,逐渐推向江淮。元成宗时,松江黄道婆自海南回乡,推广错纱、配色、综线、挈花等技术,革新碾棉搅车、弹花大椎弓等多种机具,于是松江棉织业兴盛。纺织器具的革新也标志着纺织业的发展。王桢《农书》中有木棉纺车图。

码头 也作"马头"。船只停泊处。《资治通鉴》(卷二四二)云:"(史宪诚)又于黎阳筑马头,为渡河之势"。胡三省注:"附河岸筑土植木,夹之至水次,以便兵马入船,谓之马头。"后来把商贾聚集的水埠闹市也叫马头。如元代的苏州刘家港,因粮船商舶纷集,号称"六国马头"。

拉房纤 也称"拉纤"、"纤手"。旧时对介绍买卖、典质房地、租赁房屋者的称谓。流行于北京等地。《红楼梦》第十五回:"凤姐又道:'我比不得他们扯篷拉纤的图银子。这三千两银子不过是给打发去说的小厮作盘缠,使他赚几个辛苦钱'。"《民社北平指南》:"介绍买卖,典质房地,租赁房屋之人，谓之'纤手'。此项人素无正业，每日出入饭馆、内外城各大小茶馆……，专为访问何人欲买房、何处有房出售，稍知门径，即自行寻去，担任撮合者，俗称为'拉房纤'……。"撮合成功，买卖双方给其一定数量的酬金，俗称"佣钱"。酬金数量北京的惯例是"成三破二"，即买房者付房价的百分之三，卖房者付百分之二。一幢房子动辄数千元，酬金相当可观，故有"十纤九空，拉着就不轻"的谚语。租赁房屋，一般由租房者付给"纤手"半月至一月的房租作为酬谢。

采参　自然采集的一种。人们在长期的采参生产中积累了相当的经验，《异苑》中说："人参一名土精，生上党者佳。人形皆俱，能作儿啼。昔有人掘之，始下锸，便闻土中呻吟声，寻音而取，果得人参。"古文献中还有"摇光星散而为人参"、"下有人参，上有紫气"的说法。采参业所奉之神很多，像老把头、山神、土地神、王道神等。祭神除了"放山"（入山采参）外，还有每年的三月十六日老把头诞日及朔望日。采参前要选择吉日，前一日若在梦中看到众多仙女在林中翩翩起舞，或遇见乐呵呵的白胡子老人，便认为是好运的征兆，次日便可上山采参。有一种夜间鸣叫的"棒棰鸟"（俗称人参为棒棰）是挖参人的指路鸟，它喜欢吃人参籽。未吃时，它的叫声清脆："王干哥哥"；吃过后，嗓音发哑，叫声变成了"王干嘎嘎"。倘听到嘶哑的棒棰鸟的叫声，到它相反的方向去，就可望

找到人参。采参时严禁说话、吃东西，不准随意停下休息和抽烟。参民日常生活中将抽烟叫"拿火"，做饭叫"端锅"，都谐"大货"之音，象征上山能采得"大货"人参。参民在长期的采参生产中，也形成了自己特定的节日——采参节。像东北长白山一带就将夏历九月三十日定为采参节。

采药　我国传统的医药活动，指采集草药等。亦称采百药、采杂草。中医药以草药为主。从"神农尝百草"起，采集草药逐渐成为我国传统职业中的一个门类，并且发展有种植草药者。中草药的采集向来有许多讲究，尤其需注重时令，否则就减弱或丧失药用价值。传统习俗以为端午节期间最宜采药。古代药典记载，仲夏五月所采取艾草，用于针灸，疗效最佳。仲夏采药之举起源甚早，《大戴礼记·夏小正》云："此月蓄药，以蠲除毒气。"后来民间极端化地将采药固定于五月五日端午节。《荆楚岁时记》云："是日竞渡，采杂药"；《梦粱录》云："此日采百草或修制药品，以为辟温疾等用，藏之果有灵验。"

制钱　明清两代官局铸造的铜钱。因其形式、文字、重量、成色都有定制，故名。《明史·食货志》云："凡纳赎收税，历代钱、制钱各收其半。"《清史稿·食货志》云："自旧钱申禁，而闽地僻远，犹杂制钱行之。"制钱一词，用来区别于前朝旧钱和本朝伪（私铸）钱。在和历代旧钱相比时，又称"今钱"；在和本朝伪钱相比

时，又称"官钱"。制钱流通的时间，大约共500多年。清制钱的消亡，也就结束了铜钱流通的历史。

货郎　一种流动出售小杂货的小商贩。《八股绳挑》记东北乡村货郎所奉祖师说："货郎尊许仙为祖师爷。另外有行会，订有行规。"《水浒传》第七十四回："（燕青）扮做山东货郎，腰里插着一把串鼓，挑一条高肩杂货担子。"货郎肩挑货担，以摇鼓、摇铃为其声响幌，以招徕顾客。他们巡回于村、镇或街头巷尾，从事商品销售和附带收购小土产、废品等。解放后，国家对其进行了社会主义改造，使其在社会主义商业领导下接受经销、代销、代购等业务。货郎担的形式，可以发挥小商贩的经营特点，并补充固定商业网之不足，便利城乡居民。

庙会　也称"庙市"。中国的市集形式之一。唐代已经存在。在寺庙节日或定期举行，一般设在寺庙内或其附近，故称"庙会"。《北平风俗类征》引《妙香室丛话》："京师隆福寺，每月九日，百货云集，谓之庙会。"《燕京岁时记》说："小药王庙，……自正月起，每朔日、望日有庙市，市皆妇女零用之物，无甚可观。"庙会特征一般是贸易与娱乐相结合，《燕京岁时记》说："过会者，……耍狮子之类，如遇城隍出巡及各庙会等，随地演唱。"

放排　木材流送的一种方式。是将木材用藤条、篾缆、钢索、铁链等索具编扎成排节，根据河流情况，或再将若干排节纵横连接为木排，由人力操纵，使其在河流中顺水漂下，以进行木材运输。一般应用于通航的河流。木排的形式有单层的、多层的和木捆的；其大小根据河宽和水深而定。

肩舆　即轿子。起初只是作为山行的工具，后来走平路也以它为代步工具。传说夏禹时代已发明了轿子，而我们今天所能见到的最早的舆轿实物，是1978年从河南固始侯古堆一座春秋战国时期的古墓陪葬坑中发掘出的三乘木质舆轿。初期的肩舆为二长竿，中置椅子以坐人，其上无覆盖，很像四川现代的"滑竿"。后来，椅子上下及四周增加覆盖遮蔽物，其状有如车厢（舆），并加种种装饰，乘坐舒适。这种轿子就是"轿舆"，唐宋以后盛行的就是这一种。一般说，乘轿者"席地而坐"、轿夫手抬的轿子称"腰舆"；而乘轿者"垂足而坐"，轿夫肩扛的称为"肩舆"。"舆轿"一词始出于汉代。因这种过山的舆轿多是用竹编成，轻便易举，所以其时又有"竹舆"、"篼舆"、"编舆"、"笋"、"篾"等名称。魏晋南北朝时的舆轿，又有"八扛舆"、"版（板）舆"、"攀舆"、"篮舆"等名目。因这些舆轿皆"人以肩举之而行"，所以又可统称为"肩舆"或"平肩舆"。盛唐之世，舆轿的种类更多，皇帝所乘谓之"步辇"，王公大臣所乘称为"步舆"，妇女所乘称为"檐子"、又作"担子"（妇女乘轿即始于唐代），民间通用的版舆又可称"异床"。时至宋代，始有"轿子"一词。以后虽说轿子还有各种不同的别名代称,但作为这类交通工具的总称或俗名,"轿子"一词一直沿用至今。《默记》中提到:"艺祖(赵匡胤)初自陈桥推戴入城,周恭帝即衣白襕,乘轿子,出居天清寺。"《癸巳类稿·释轿名》中说:轿,"古者名桥,亦谓之辇,亦谓之茵,亦谓之辒,亦谓之辒辌,亦谓之舁车,亦谓之担,亦谓之担舆,亦谓之小舆,亦谓之板舆,亦谓之笋舆,亦谓之竹舆,亦谓之平肩舆,亦谓之肩舆,亦谓之腰舆,亦谓之兜子,亦谓之筭,而今名曰轿,古今异名同一物也。"及至明朝,轿子又有"显轿"(也叫"凉轿",民间则称"山轿")与"暖轿"之分。清代皇帝所乘轿子一律称为"舆",分礼舆、步舆、轻步舆和便舆4种。清时4人以上抬的轿通称为"大轿",两人抬的轿俗称"小轿"。自南宋起,无论是达官贵人还是平民百姓,迎亲嫁娶,也乘坐轿子。这类轿子俗称"彩轿"、"喜轿"、"花轿"或"彩亭"。轿子的材料质地、尺寸大小和轿夫的人数取决于轿子的种类和乘轿者的等级身分。轿夫可以是两人,也可以是4人、6人、8人,甚至16人。

试犁　汉族农业生产风俗。流行于华北、中原一带。各地时日不一。山东胶东地区于夏历正月十五日后择日举行。光绪七年《登州府志》云:"此后,农家择母仓日,照方向祭牛马神,饷耕牛,名曰试犁。"河南汝阳、确山一带则例于夏历二月二日举行。《确山县志》云:"农民是日出试犁"。此俗当是古代藉田礼的遗风。《礼记·月令》说孟春之月"天子乃以元日祈谷于上帝,乃择元辰,天子亲载耒耜,措之于参保介之御间。帅三公、九卿、诸侯、大夫,躬耕帝籍。天子三推,三公五推,卿诸侯九推。"

宜田蚕　旧时汉族蚕业生产习俗。流行于浙江杭嘉湖地区。有两种形式:(1)每年立春日,郡守率僚属鞭春牛(土牛),牛碎土飞,人皆争抢其土,以为宜田蚕(见《乌程县志》)。(2)指水嬉。《中华全国风俗志·上篇》(卷三)引《西吴俚语》:"清明,居民各棹彩舟于溪上为竞渡,谓宜田蚕。始于寒食,至清明而止,谓之水嬉。"

驴打滚　旧中国高利贷的一种。盛行于华北一带。贷款以一月为期,利息4分到5分。逾期不还,利息加倍,按8分到10分计算。利上加利,越滚越多,如驴之翻身打滚,所以有此名称。

驿站　古代在驿路上,为投递文书、转运官物及供往来官员住宿的处所。古代的统治者为了政治和军事的需要,创设了驿站制度。驿站的设置,本是为了传达政令、信息和军情的,而由此所产生的是驿道、栈道的修建,那结果便是刺激了交通的发达,同时带动了经济的发展及与周边民族与国家的友好往来。另外,中国的旅馆业也由此发生发展。兼旅舍及邮递于一体的驿站创始于商代中叶,旅馆和邮局逐渐分立,至清光绪年间("大清邮政"兴办)驿站废止。驿站之名很多,如驲传、邮驿、传舍、邮亭、驿亭、驿馆、驿舍、站赤等等。名目众多,是侧重点不同和发展演化的结果。古籍中,驿卒传递文书,乘车称驲称传,乘马叫递叫驿或驿骑。骑马"飞报机务"者曰"驿",步行"递送文书"者则曰"邮"。备有换乘马匹,供"飞报机务"者食宿的房舍叫"驿"或"驿舍",供"步行递送文书"者食宿的房舍叫"邮亭"。在由京城通往边境的千里驰道上,汉唐是每隔30里设一驿,每隔10里设一邮亭,唐代全国共有驿1639所,并且于水路设水驿,宋代每10里或20里设邮铺,大路上并设马递铺,明、清又称为铺舍,清代的驿站塘台共有2080所。过往人员到驿站投宿,须持有官方发给的旅行凭证的规定为历代通制。这种旅行凭证,在周代称为"质剂"、"传别",战国时称为"节",汉代叫"木牍"、"符券",唐至清,又称为"过所"、"驿券"、"信牌"、"勘合"等。凭证上一般都要标明持证者使用的车船数目、通行路线。随带货物和关税事项等。行旅出示凭证的同时,驿站管理人员还要执行簿记制度,近似于后代的"旅客登记"制度。驿站为止宿的公差人员提供饮食、日用品及交通工具的规格根据来者的不同官阶身分和朝廷规定的有关标准而定。随着时代的发展,驿站的接待对象和功能也在发生变化,从只接待信使、邮卒到过往官员也可以食宿。因此,"驿馆"、"馆驿"的名称也随之出现。自唐以后,更有"候馆"等名称,一般行旅、商旅也都就此食宿。

驱蝗　旧时汉族农业生产习俗。流行于大部分地区。虫灾是对农业危害最严重的灾害之一,其中以蝗虫的危害尤烈。所以虫神便是古代八蜡(祭祀对象)之一。各地都有蝗神庙宇。驱蝗神一般认为是刘猛将军(刘猛将军据说是宋代的刘锜、或说是刘锐、或说是刘漫塘)祭猛将一般与烧青苗、烧蝗、抬神像驱蝗等活动同时举行。上述活动有的是在正月十三日举行,可视为祈祭仪式。《清嘉录》(卷一)"祭猛将"条说:"相传神能驱蝗,天旱祷雨辄应,为福畎亩,故乡人酬答尤为心愫。(正月十三日)前后数日,各乡村居民击牲献醴,抬像游街,以赛猛将之神,谓之'待猛将'。"开封市郊农民,每逢正月十三日(相传此日为刘猛将军诞日)夜晚,结队鸣锣击鼓,集于庙前,架木柴成井字形,举火焚之,烟焰烛天,名之曰"烧蝗",以为可以避蝗灾。然后群持火炬,呼啸而去。七月,农夫耕耘已毕,还有驱蝗活动。《清嘉录》(卷七)"烧青苗"条说:"是时(七月),田夫耕耘苗毕,各醵钱以赛猛将之神。异神于场,击牲设醴,鼓乐以酬,四野遍插五色纸旗,谓如是则飞蝗不为灾,谓之'烧青苗'。"

茶馆　史称"茶寮"、"茶铺"、"茶摊"、"茶肆"等,明清以来习称"茶馆"、"茶楼"、"茶室"等。专供顾客饮茶、吃茶点兼有休息、娱乐的场所。流行于全国绝大部分地区。南北朝时清谈之风盛行,作为茶馆雏形的茶寮便应运而生。至唐代已很盛行。是时,茶铺大量开设,其伙计时称茶博士。唐封演《封氏闻见记》记载:唐开元(713——741)时，山东、河北、都城长安"城市多开店铺，煎茶卖之，不问道俗，投钱取饮"。《东京梦华录》载北宋汴梁有茶馆多处，甚为讲究。《梦粱录》(卷十六)"茶肆"条记载：南宋临安大茶店中"插四时花，挂名人画"，"列花絮，安顿奇松异桧等物"来"装点门面"，"四时卖奇茶异汤，冬月添卖七宝擂茶、馓子、葱茶"，且兼卖酒肉之类。并在茶馆内设说书的。《夷坚志》，"嘉会门外，茶肆中有见幅纸用绯贴其尾云：'今晚讲说《汉书》'"。明清以来，又有发展。广州有专卖凉茶者。北京茶馆门外多悬有"龙井"、"雨前"名茶字样小木牌幌，一般备有棋具供顾客租用，有兼卖酒和简单饭食的，也有兼开公寓的。馆内有说评书、唱大鼓或清唱京剧的。早晨多遛鸟者光临，中午多"打鼓儿的"小贩之类于此碰头，奕棋者以下午为多，听评书等多在晚间。老北京茶馆，是车夫苦力常去之所，《中华全国风俗志》(下编)谈及北京"小茶铺"说："车夫苦力室中满，狂饮半日一铜元。"老舍作品中，多涉及北京茶馆，如《茶馆》、《骆驼祥子》等。至清同治年间，茶楼盛行，规模较大，有的高达三、四层，座位可容千人。日分早、午、晚三市。在南方，民间亦多于茶楼饮茶聊天、谈交易，或有说书、演唱。广州人清晨多至茶楼饮茶吃早点。江苏扬州百年老店富春茶社，以品尝松毛包子、烧麦、春卷、千层油糕等淮扬面点著称。长江以南，茶馆、茶楼已普及至各乡间小镇。天津人嗜茶

尤是。《中华全国风俗志》(下编)云："至于茶叶之盛，则由于津人素有嗜茶之名，此可于茶楼戏园书场中觇之。此等处待客之茶壶，巨大无伦，贮茗之盂，均用大号饭碗代之。一人一壶，顷刻立尽，茶房东奔西跑，应接不暇，饮量之大，颇足惊人。茶之销路既大，则业茶者之盛，不待言矣。"现时，我国的茶楼、茶馆、茶室，有的则独立经营，有的附设于餐馆、旅馆、公园、娱乐场所，成为饮茶聊天、恰谈生意、娱乐休息之好去处。至于近年于北京开设的赫赫有名"老舍茶馆"档次极高，除具有上述特点之外，业已成为外国人了解中国传统文化之窗口。

草市　设在城外的市集。各地又有俗称：两广、福建等地称墟；川黔等地称场；江西等地称圩；北京称集。起源很早，东晋建康(今南京)城外就有草市，唐宋时尤盛。《东坡集续集·奏议十二·乞罢宿州修城状》："宿州自唐以来，罗城狭小，居民多居城外，……似此城小，人多散在城外，谓之草市者甚众。"草市大都位于水陆交通要道或津渡及驿站所在地，唐王建《汴路即事》诗云："草市迎江货，津桥税海商"，即说明了它的常设地点。其命名用意，或说因市场房舍用草盖成，或说因初为买卖草料市集。唐中宗景龙元年(707)对草市作了规定："其市，当以午时击鼓二百下，而众大会；日入前三刻击钲三百下，散。其州县领务处，不欲设钲鼓，听之"(《唐会要》)。有的草市后来变成了新的城镇。《唐

会要》(卷七十一)载:"德州安德县,渡黄河南,与齐州临邑县邻接,有灌家口草市一所,顷者,成德军于市北十里筑城,名福城。"

药铺 也称"药肆"或"药店"。汉族民间出售中药的商店。唐张籍在《赠任道人》诗中云:"长安多病无生计,药铺医人多索钱。"《东京梦华录》卷三"马行街北诸医铺"载"(东京)马行北去,乃小货行,时楼大骨化药铺,直抵正系旧封丘门,两行金紫医官药铺,如杜金钩家、曹家、独胜元、山水李家,口齿咽喉药。"唐宋后,药铺经营各种中成药及中药汤剂。大型药铺有参茸麝胆、虎骨牛黄以及名贵药酒。铺面悬有双鱼或膏药型幌子,内外多牌匾楹额,典雅古朴。柜台宽大,中草药剂置柜台后药匣中。司药员据方配剂,均以16两老秤为单位。丹丸成药以蓝花磁瓶盛装。另备有铜制药碾、药钳等。多有中医大夫当场诊病,称"坐堂先生"。夜间还设有小窗口为急症抓药。清代以来,北京以同仁堂最负盛名。《清稗类钞·农商类》"京师药铺"条说:"京师药铺之著名者为同仁堂、堂主乐姓,明已开设,逾三百年矣。外省人之入都者,无不购其磠砂膏、万应锭以为归里之赠品。"药铺供奉之祖师有伏羲、神农、黄帝、孙思邈、扁鹊、华陀、李时珍等,或笼统称之为药皇、药王等。药铺有很多喜尚禁忌。如中药铺逢年初进货,须进"胖大海"和"大连子",取大发大利之谐音。平常说话,常以药名讨彩头,如"连翘"称为"和合","贝母"称

为"元宝贝","桔络"称"福禄","陈皮"称"头红","桔红"称"大红袍","切药"称为"老虎尾巴","药凳"称为"青龙"等等。药铺伙计忌嗅药,给客主送药要说送补药等。

挑夫 也称"挑脚"。旧时汉族民间专门帮人挑担、从事运输职业的劳动者。流行于南方各地。民谣云:"一根扁担二支绳,千里万里任我行。车载马驮总有失,唯我挑脚最安宁。"《水浒传》运送生辰纲便是雇挑夫运输的。由上引民谣可知,此种运输方式较为便易和安全。

栈道 亦称"栈阁"、"桥阁"、"阁道"。在山区陡峭的地方,架木铺成的道路。《战国策·秦策三》:"栈道千里于蜀汉。"指修建栈道以连接蜀、汉的千里交通。《华阳国志》:"诸葛亮相蜀,凿石架空,为飞梁阁道",把栈道工程的特点("凿石架空")作了说明。

点卯 旧时办公人员上下班签写时间的制度,类似今天机关、工厂的出勤登记。旧时官署卯时(五至七点)开始办公,官员查点人数,吏役按时签到,叫点卯,也叫"画卯"、"应卯"或"书画卯酉"。李存《义役徭》:"五更饭罢走画卯,水潦载道归来哺。"《水浒传》第二十四回:"武松每日自去县里画卯,承应差使。"

鬼市 古代的一种集市形式。因在夜间集市,至晓而散,所以称为鬼市。《番禺杂记·鬼市》:"海边时有鬼市,半夜而合,鸡鸣而散,人从之多得异物。"《东京梦华录》记载:"又东十字大街,曰从行裹角,茶坊每五

更点灯,博易买卖衣服图画花环领抹之类,至晓即散,谓之鬼市子。"

修脚 旧称"划脚",也称"足疾护理"。旧时汉族民间的一种服务性传统手艺。流行于全国大部分地区。一种专为足疾患者修治脚部皮肤和趾甲病痛的技艺。足疾俗称脚病,按其症状和生长部位,常见的有嵌甲、灰趾甲、畸形趾甲、鸡眼、脚垫、干疔、刺头肉等。修脚匠运用小刀等专用刀具,运用锛、修、削、起、劈等刀法技巧,对症下刀,一般都能当场见效,此项技艺缺乏文字记载,全凭师傅口传身授流传至今。历史悠久。明代《如梦录》记载河南开封已有此业。《北平风俗类征》引《一岁货声》谈此业道:持"双小木梛,带耙,夹一手指间,行击之。"今澡堂里有此业者,除修脚外,还带脚按摩、治脚气等。今大致可分为三个流派,各有特点:以北京为中心的河北派,活茬细致;以扬州为中心的江苏派,讲究刀法;以济南为中心的山东派,技术要求全面。修脚业多设于澡堂里。所奉祖师有志公(又作冶公、智公)、清风、明月、达摩、罗祖、孙膑等。像北京的修脚业便奉智公为祖师,每年三月要举行祭祀活动。

香水行 又称"香水混堂"、"混堂"、"澡堂"、"浴堂"、"浴室"等。宋代对提供洗澡设备和人体清洁服务行业的称谓。流行于长江流域和黄河流域等广大地区。"浴室"在我国起源甚早。春秋时期称"湢",《礼记·内则》:"外内不共井,不共湢浴。"晋代已有浴室名称,北魏则称为浴堂。至宋代将浴堂称为香水行。《都城纪胜》"诸行"条说:"浴堂谓之香水行。"同时也将操此业的店铺叫香水行,并已形成一个独立的行业。《梦粱录·团行》:"开浴堂者名香水行。"《能改斋漫录》中载有"所在浴处必挂壶于门",将壶作为浴室的标志,表明当时浴室已较普遍。旧时,一般是以石砌池,池侧设大锅,一人专执柴烧水,成沸汤,自锅内注入池中,供人沐浴。至明代,"香水行"又称"混堂"。朗瑛《七修类稿·混堂》:"吴浴,甃大石为池,……一人专执爨,池水相吞,遂成沸汤,名曰混堂。榜其门则曰香水。"至清代浴室门前改悬挂灯笼,两边有"金鸡未唱汤先热,红日东升客满堂"的联语。至20世纪初,有些大城市将混堂改名浴室。堂内设有"搓背"、"修脚"、"剃头"等服务项目。今堂内设施较旧时改进甚多。分池浴、淋浴、盆汤,有的还设蒸气浴(桑拿浴)。还创设了专为妇女服务的女子浴室。澡堂业也有自己的祖师神,如北京的澡堂业便奉智公禅师、智公老祖为祖师神,并且每年三月都要祭祀祖师神。

急递铺 元代设置专供传递文书的邮站。《元史·兵四》云:"元制,设急递铺,以达四方文书之往来。"元世祖时开始设置急递铺,每10里、15里或25里有一所,每所有铺丁5人,日夜守候,以最快速度传递文书。铺丁悬铃持枪,挟带雨衣,夜间则举火把,用包袱、夹板包裹文书。在急行中,振铃发声,车马行人都要避开让路。每一急递铺备有簿书,记下文书转来和送往的时间和人员姓名等。明代每 10 里设急递铺,每铺有铺兵 5——10 人,日夜轮值,凡遇文书到达,随到随传。每铺设有日晷,分一昼夜为一百刻,按规定,每一刻须行一铺,一昼夜须行 300 里。

独轮车 也称辇,是一种人推的单轮车。出现于西汉末东汉初的齐鲁和巴蜀地区。四川成都汉墓的画像砖,四川渠县燕家村、蒲家湾汉代石阙,山东嘉祥汉武梁祠的"董永故事"画像石上,都有独轮车的形象。独轮车的特点是,结构简单,两个把手前端架置一轮,把手间以横木连接,形成一个框架,其上或坐人或置物。轮两侧有立架护轮,行车灵活轻便,一般只一人推动,或加一人在前面拉,载人载物均可。在狭窄之路行,其运输量比人力负荷、畜力驮载大过数倍。这种手推车在汉代并不叫独轮车,而是称"辇"。《说文·车部》云:"辇,车揉规也,一曰一轮车。"以后又有"鹿车"之称。《风俗通》中说:"鹿车窄小,载容一鹿也。"据专家考证,应劭一说,实为望文生义的解释。汉代井上汲水多用辘轳,属一种轮轴类的引重转动器,而这种手推车就是由一个轻便的独轮向前滚动,形似"辘轳",所以称其为"辘车"。至于"独轮车"之名,要晚到北宋时沈括写的《梦溪笔谈》一书中才看到。相传三国时蜀相诸葛亮发明了"木牛流马",以运输粮草。"木牛流马"是从汉代的辘车改制而成的。"木牛"即指辘车,不用牛马也能行走,好像一头不吃草的牛;"流马"

意即独轮转动灵便,运行轻快,如同能流转疾奔的马。辘车起源于穷乡僻壤之地,自然使用者也是广大的劳苦大众。另外,当时一些贫寒文人或落魄之士,因无资格乘马车,于是坐这种辘车。独轮车是我国古代交通史上的一项重大发明,它以自身经济而实用的长处,历 2 千余年而未绝迹,至今在我国一些山区或边远乡村中,各种式样的独轮车仍在使用,尽管它们的名称各异(如四川称之为"鸡公车",江南称之为"羊角车"等),但形制却相差无几,可以说都是渊源于汉代的辘车。据考证,在欧洲出现独轮车已是离汉代千年以后的事了。

顺序条儿 汉族商业风俗。流行于江浙地区。当地店堂铺面,大都是用一扇扇狭长的木板门,嵌在上下门槛槽中,早卸晚装,容易背错弄乱。为记住排列顺序,店伙们习惯用红纸裁成小长方条儿,分别写上带数字的吉利语或各种戏名等内容,贴在门板上,以区分前后,如"一品当朝"、"二龙戏珠"、"三元及第"、"四季如意"、"五福临门"、"六畜兴旺"、"七子团圆"、"八仙过海"、"九世同堂"、"十全十美"等;或写"一捧雪"、"二进宫"、"三击掌"、"四进士"、"五家坡"、"六月雪"、"七星灯"、"八大锤"、"九连环"、"拾黄金"等。早在汉代,在建造宫殿、墓葬时,于檩条、椽子上顺序标上"乾"、"坤"、"坎"、"离"等八卦或六十四卦卦名以标志顺序,用意和做法都是一样的。至今有些商店仍沿此俗,只是所写内容,不尽相同。

剃头　也称"剃发"、"理发"。流行于全国各地。明代以前,汉族男女皆束发为髻。至清代,沿金制,剃头辫发。《曲园杂纂》云:"剃头辫发,金人已然。"清统治者下令强迫汉人依满族习俗剃发。初因人心不服,暂缓执行。至顺治二年,始强制实行,所谓"留头不留发,留发不留头,"曾激起各地人民的反抗。随即全国男子皆剃头辫发,即剃去前半部头发,后半部削发垂辫。汉人对剃发的反抗,其原因大概有三个:一个是此种发饰为异族习俗,违反汉人传统;另一个是受礼教"身体发肤,受之父母,不敢损伤"的影响;再一个就是此种发饰近似于汉族所谓的"髡刑"。《史林杂识·被发左衽》:"髡者,剃其周围之发,以顶发作辫下垂,亦即被发也。"当时,训练大批兵卒和民夫,走街穿巷,强制人们剃头。理发业旧称剃头业、整容行,理发师傅古称刀镊工、镊工、镊者,清朝以来称剃头匠、理发匠。在清代,剃头专指剃发梳辫,而民国以后男子剪掉发辫,于是通称理发,但"剃头"之称沿至今日。理发业所奉祖师有罗祖、陈七子、吕洞宾、卢天赐、关公、黄帝等,遇到祖师生日要停业聚会祭祀。俗传七月十三日为罗祖生日,这天要歇业庆贺、祭祀,请艺人演唱戏曲。理发业与饭馆业、戏业人有"行交"。理发的用饭馆里的或戏班里的开水,不给钱,开饭馆的和演戏的剃头理发也不给钱。理发业有很多禁忌,如理发的去打水时,必须在洗脸盆上搭块

毛巾,不然不礼貌,俗说像是没穿衣服一样。这样,人家是不给开水的;据说理发匠还忌讳给同是下九流的(理发业就称"贱业")娼妓理发。人们去理发也有禁忌,如"丁"日不剃头。据说"丁"与"疔疮"的"疔"同音,此日理发会长疔疮的。剃头匠所挑担子名"剃头挑子",一头是长方形小柜,内盛剃头工具(如镊钗、剪刀、梳子、手巾等)和座位;一头是圆笼,内有炭盆水锅,上置洗头的铜盆,有的还放一面小镜,圆笼一侧竖根带刀头的旗杆。传说当年旗杆上悬挂有顺治皇帝剃头圣旨。分剃头挑子、剃头棚、剃头铺,后大多数逐渐转为小店,设点进行固定服务。在农村仍有少数流动担子。

骆驼　内蒙古、新疆、甘肃等地蒙古族及其他一些民族在戈壁沙漠中的重要交通运输工具。因其忍饥耐渴能力强,可负重数百斤的东西在沙漠里长途跋涉如在海上行舟,非常稳当,所以也被誉为"沙漠之舟"。骆驼可一个月不吃东西,只舔地面上的盐斑而照常生活。因其血液中有抗脱水的特殊功能,能在几日甚至十几日不饮水而照常活动。它奇特的掌下生有宽厚像弹垫般的肉垫,适于在松软的沙面稳步行走,行走时脚趾在前方叉开,不至深陷至沙窝中。为了不使眼睛被地面上沙滩的高温灼伤,在行走时始终昂首阔步;其两眼的长睫毛,布满耳朵的短毛和可以随意开闭的鼻孔,都能使之免于遭受飞尘风沙的袭击。其强健的体格、修长的四肢和灵活的

大腿,适于在沙漠里快速行走。而且目光敏锐,嗅觉灵敏,能辨识和发现远处的水源。只要跟随骆驼,迷途的旅人可在沙滩找到绿洲。因此,尽管在现代化交通工具发达的今天,要说在茫茫戈壁沙滩上的交通工具,还应首推骆驼。骆驼之所以能适应沙漠干旱的恶劣环境,有其特殊的功能。驼背上的两个像马鞍形的肉峰,贮存着大量的胶质脂肪,在戈壁沙滩长途跋涉时,其脂肪便会逐渐起化学变化,氧化分解供给骆驼体内所需要的营养、能量和水分。据估计,每100克脂肪在氧化时可产生100多克水,贮满脂肪的两座驼峰在不断氧化过程中就可得到近40升水,这是耐饥耐渴的秘密。骆驼除了以上优点外,还是经济价值较高的家畜,其肉、奶、油都是牧民常用的食品。驼掌历来都是我国酒宴上的"八珍"之一。

轿车 古代一种用马或骡拉的客车,有顶,四周有帐幔,车厢形状像轿子,故名。用骡牵挽的轿车,又叫"骡车"。我国从唐宋开始盛行坐轿之风,大约因为这个缘故,人们把车厢制作成轿形,乘坐比较舒适。徐扬作《乾隆南巡图》,画上有一种马拉轿车,两个车轮位于车厢尾部,形制很特殊。轿车都是木制的,普通百姓坐的用柳木、榆木、槐木、桦木等制作,皇室和贵族坐的则用楠木、紫檀、花梨等上好木料制作。车成型后,再糅以油漆,一般是栗壳色、黑色。好木料用本色油漆,谓之"清油车"。一辆轿车由辕、身、梢、篷、轴、

轮几大部件组成。车辕为两根圆头方身的长木,后连车身、车梢、构成整个车的"龙骨"。车厢坐人处一般用木板铺垫,讲究点的,木板中心用极密的细藤绷扎,类似现在的棕绷床,其上置车垫子。在车辕前架有一短脚长凳,名"车蹬子",平时架在辕前,乘者上下车时,便取下做垫脚用。另外车辕前还横置一根方形木棍,停车时,用以支撑车辕,以便减轻牲畜所负的重量。车厢上的棚架,上有券篷,有的车棚形似轿身,呈竖长方体,上有穹窿顶篷,篷均用竹篾编制,外面裱糊一层布,布上再涂一层桐油,可防雨淋。车梢尾部较宽,可用来放置行李箱笼,无行李时,还可倒坐一人。豪华轿车的车围子或用绸子或用锦缎制成,冬天用皮,夏季夹纱。在颜色上也是各有等级,不得僭越。皇帝用明黄,亲王及三品以上的官用红色,其余用宝石蓝、古铜、绛色、豆绿等色。庶民百姓使用的轿车围子只能是棉布或麻布制成,颜色也只能用皂青色或深蓝色。车围子左右还要开一个一尺见方的小窗,上嵌玻璃。车门设在前面,上挂一个小夹板帘子,中间也嵌有玻璃,放下可以望到外面,夏天可换成细竹帘。当乘轿车之风兴起后,各种名称的轿车也就随之产生,如《旧京琐记》(卷一)中所说的:"旧日乘坐皆骡车也,制分多种:最贵者府第之车,到门而卸,以小童推之而行。出则御者二,不跨辕,步行于两旁,健步若飞,名之曰'双飞燕'。次曰'大鞍车',贵官乘之,京堂以上,障泥用

红,曰'红拖泥'。其余皆绿色油布围之,曰'官车',寻常仕官乘之。曰'站口车',陈于市口,以待雇。'跑海车',沿途招揽坐客。"还有奔驰于通衢,走长途涉远道的专线运送乘客的轿车。辛亥革命之后,随着人力车和汽车在我国的出现,轿车数量日渐减少,多为乡村中地主豪绅拥有,且以妇女乘坐为主。在交通不便之地,也有人使用这种轿车。其时车的装饰极为简单,车厢立棚,外面覆以蓝布幔帐,前面挂帘。20年代后期,"此项轿车,日渐减少,近日唯有婚丧喜庆之家用"(《民社北平指南》)。

赶集　乡村传统贸易活动。多约定俗成。或每逢初一、十五,或逢五(初五、十五、二十五),或逢双日、单日,至集镇摆摊贸易。因集镇坐商不多,故逢集,街巷中热闹喧腾,散集则冷冷清清。较大的都市则日日有集。官府多派员管理,且设有旗亭指挥监察。随着生产的发展,集市渐向专业化方向发展,以致形成了许多传统的专售某种货物的行市,如米市、骡马市、花市等等,颇富地方特色。今仍有此俗。

赶香市　佛寺进香季节买卖香物、杂物等的贸易活动。《陶庵梦忆·西湖香市》:"西湖香市起于花朝,尽于端午。山东进香普陀者日至,嘉湖进香天竺者日至,至则与湖之人市焉,故曰香市。"《中华全国风俗志·西湖之香市》:"西湖昭庆寺山门前,两廊设市,卖木鱼、花篮、耍货、梳具等物,皆寺僧作以售利者也。每逢香市,妇女填集如云。"

索桥　西藏地区的一种桥梁。索桥有藤索桥、铁索桥和溜索桥几种,藤索桥多见于东南部门巴族和珞巴族地区。溜索常见于昌都一带。在江河两岸仅一索相连,行人坐在两端挂有滑轮的横杆上,飞驰过江。史载,公元15世纪中,噶举派僧人汤东杰布,把靠藏戏化缘得来的钱作为资金,征集设计和冶炼工匠,在宽阔的雅鲁藏布江上架起了铁索桥,反映出当时藏民的技术水平。

袁大头　也称"袁头"、"大头"。中国北洋政府所铸袁世凯头像银币的俗称。1914年12月,在天津造币总厂开铸,江南、武昌及杭州三厂继之铸造。其流通很广。有时也以袁头作为中国银币的代称。

晓市　又名"早市",俗呼"黑市",以其在黎明前交易,故名。《中华全国风俗志》(下编)"南京采风纪"说:"城中高井一带,有所谓晓市者(俗呼黑市)。每日破晓时,有一辈贫人,各持种种旧货,置之道旁出售。而观客亦不乏人,盖以其价廉也。相传满清入关后,明末遗臣,家计益艰,遂将其家中器物,叫卖于市,以白昼羞为人前,故辄于破晓时交易焉。沿至今日,遂成习惯。唯其间售物者,颇有假作伪物,以晨光曦微,不易辨认,肆行欺骗。亦有鼠窃狗偷之辈,乘此时机出售赃物者。流弊滋多。"现各地晓市,大多为农(渔)民趁早出售各种农(渔)产品。早市一般是6点至8点。其时所售物品(如蔬菜、副食等)较平时为便宜新鲜。

钱庄　旧时的一种信用机构。主

要分布于江苏、浙江、福建等省各城市，如上海、南京、杭州、宁波、福州等地。在北京、天津、沈阳、济南、郑州、广州等地则称银号，性质与钱庄相同。在汉口、重庆、成都、徐州等地，则钱庄与银号的名称并存。早期的钱庄都为独资或合伙组织，规模大的钱庄，除办理存放款业务，开发庄票外，少数还发银行钱票；小的钱庄仅从事兑换业务，俗称"钱店"。清末新式银行兴起以后，钱庄的地位逐渐为银行所代替。解放后，各地钱庄多数停业，上海等少数地区未停业钱庄于 1952 年 12 月，与私营银行、信托公司一起实行全行业公私合营，组成公私合营银行。

躬耕躬桑　这是古代帝、后每年春天亲耕藉田、亲临桑事的一种礼仪，目的在于劝农力务耕桑。《礼记·月令》说："孟春三月，天子乃以元日，祈谷于上帝。乃择元辰，天子亲载耒耜，措之于参保介之御间。帅三公、九卿、诸侯、大夫，躬耕帝藉。天子三推，三公五推，卿诸侯九推。"皇帝亲耕前，要以一太牢祭"田祖"，也称"先啬"，汉以后统称为"先农"（一说先农为神农炎帝，一说先农为后稷。总之，是指最先教民耕作的人），这种礼仪即藉田礼，藉田礼为历代帝王所遵循，而且仪式日趋繁复。南北朝时，在先农坛北建御耕坛，围以青幕，供皇帝观看农夫耕种藉田情形之用。宋以后就直称"观耕台"。明、清时的先农坛都在正阳门外，为一成方坛，东南方有观耕台，耕田时才加以陈设，附近又有神仓等建筑。

古人认为五谷丰登，与天地、宗庙群神的垂赐与护佑有关，所以，皇帝躬耕藉田的收获，要"皆以给祭天地、宗庙、群神之祀，以为粢盛"；而王后躬桑的收获，即是为了制做祭祀"天地宗庙群神五时"之祭服。王后躬桑之礼于季春三月举行（或说二月，或说四月。盖于仲春二月做准备工作，祭祀、采桑等行于季春三月，毕于四月）。皇后帅公卿诸侯夫人到东郊苑中采桑，并以中牢羊、豕祭祀菀窳妇人、寓氏公主二位先蚕神（按：历代所祀蚕神各有不同。后齐曾祀黄帝轩辕氏为先蚕，后周又以黄帝之妃西陵氏嫘祖为先蚕，也有以房星天驷为先蚕的）。魏晋以后，躬桑礼与躬耕礼相比附，遂相应地建造了先蚕坛，又有皇后采桑坛。明嘉靖时在西苑（北海公园）新建先蚕坛，废去北郊安定门外的旧坛。清代的先蚕坛在西苑东北角（北海公园后门），并有观桑台、亲蚕殿、先蚕神殿等建筑。

旅店　是旅客休憩食宿的处所。古代旅店一为官办，一为民办，都是发生于驿传制度而逐渐独立出来的。官办旅店创始于春秋，不同时代有不同称谓，如诸侯馆、蛮夷邸、四夷馆、四方馆、都亭驿、会同馆及清宣统年间的迎宾馆等。官办旅店主要接待国内外贡使及商客。它是根据来宾的地位和官阶的高低及贡物的数量来决定接待的规格。在建制上实行一国一馆制。同时，它成为各民族和各国商客之间贸易的场所。民间旅店也滥觞于春秋，其名目繁多,如逆旅、官(馆)、客舍、旅馆、旅舍、客店、招商客店、饭店、火房、旅社、招商旅馆、邸店、邸舍、客栈等。一些民间简陋的小店尚有鸡毛店、大车店、骆驼店、猪店、老妈店等名目。明清后出现的会馆、公寓则又为旅店的发展和演化。汉时,民间旅店还只能设置在近畿及交通沿线处,随着商业的发展及商业城市的出现,民间旅店方进入城市。一般说来,民间旅店主要设置在交通要道和商旅往来的码头附近。唐代,在各省举子赴长安应试的通京大道附近也多设有旅店。旅店要查验旅客的旅行凭证、登记旅客姓名,称为“水牌”。还要详细记录旅客的姓名、性别、年龄、肤色、身高、携带物品、证件、来去路线等,这种簿籍称为“店历”(《水浒传》第十八回有关于店历的描写)。由于下榻旅店的人来自各地,人员众杂,所以,官方和店方有很多防范措施。如,元代就有“不下单客”的规定,否则,需有保人才能下榻旅店。旅店定期纳锐。店舍分为若干等级,按等课税,宋时是通过“行”这种组织形式对旅店收税的。店房有等差,上等的称头房、官房,下等的则称“梢间”、陋屋。房金称为房缗。食宿合一是中国旅店的一个经营传统,但也有例外。有的旅店只提供住宿,而不提供饭菜,被称之为“干店”;也有的旅店备饭而不备菜。《中华全国风俗志》说:“保定逆旅,有客店、栈房两种。名目虽异,内容实同。其价目之低廉,为他处所无。且均一律,无甚高下。大房间价,只

京钱六百文,小房间京钱三百文。唯房屋矮小,无高大宽畅者。且多不备伙食,亦旅客之大不便也。”又说:“北京客店,多各饭不备菜。初至京者均以客店房饭在内,既有饭自必有菜,故常为所欺。唯广东帮所设佛照楼、长发栈、泰安栈三家,则房舍饭菜,一概在内,即不吃饭,亦照算也。”

浮桥　用船、筏或浮箱作桥墩或桥身的桥。浮桥可通行人和车辆。必要时,一部分桥身可以开启,让船只通过,用于水陆交通不甚频繁或急需通车的场合。浮桥拆装迅速,便于军用。浮桥的发明很早,据《初学记》七引《春秋后传》说:“(周)赧王三十八年,秦始作浮桥于河。”《东观汉记·吴汉传》说:“公孙述大司马田戎将兵下江关,至南郡,据浮桥于江上。”

雪橇　一种在雪地或冰上滑行的、没有轮子的交通运输工具。主要构造是在两条前端翘起的木质滑板上,装有木架,用以载货或供人乘坐。一般用狗、鹿、牛、马等畜力拖动,也可由人力挽拉或撑竿滑行。如赫哲族的“拖日气”(狗拉雪橇)、爬犁(牛、马拉雪橇)等等。

犁　汉族和部分少数民族垦田器。流行于全国大部分地区。春秋时期就已出现。《耒耜经》:“耒耜,民之习,通谓之犁。”关于犁的构造等详细记载于《农政全书·农器》篇中,其云:“《释名》曰:犁,利也。利则发土,绝草根也。冶金而为之,曰犁镵,曰犁壁。斫木而为之,曰犁底,曰

压镵、曰策额、犁箭、犁辕、犁梢、犁评、犁建、犁槃。木金凡十有一事。耕之土曰拨，垡犹块也。起其垡者镵也，覆其垡者壁也。故镵引而居下，壁偃而居上。镵之次，曰策额。皆贴然相戴。自策额达于底，纵而贯之，曰箭。前如程而樛者，曰辕。后如柄而乔者，曰梢。辕有越，加箭，可弛张焉。辕之上，又有如槽形，亦加箭焉。刻为缀，前高而后卑，所以进退，曰评。进之，则箭下，入土也深；退之，则箭上，入土也浅。评之上，曲而衡之者，曰建。建，楗也。所以枙其辕与评。无是，则二物跃而出，箭不能止。横于辕之前末，曰槃，言可转也。左右系以樫手轭辕之后，末曰梢，中在手，所以执耕者也。镵长一尺四寸，广六寸。壁广长皆尺，微橢。底长四尺，广四寸。评底过压镵二尺，策额，减压镵四寸，广狭与底同。箭高三尺，评尺有三寸。槃增评尺七焉。建惟称，辕修九尺，梢得其半。辕至梢中间掩四尺。犁之终始，丈有二。"

银元 俗称"洋钱"、"洋钿"、"花边钱"、"大洋"。15 世纪末开铸于欧洲。16 世纪时，西班牙殖民者在美洲大量铸造，明代万历年间（1517——1620）开始流入中国。清道光年间（1821——1850）台湾曾仿制银元，称为"银饼"。光绪十四、五年间（1888——1889）广东开铸"龙洋"，各省纷纷仿造。宣统二年（1910），颁布《币制则例》，规定银元为本位币，每枚重库平七钱二分，含纯银九成，合六钱四分八厘。翌年 5月，开始铸造，旋因辛亥革命发生，未正式颁行。民国元年（1912）开铸孙中山半身侧面像的开国纪念币。1914 年铸造袁世凯头像银元。1933年国民党政府废两改元，颁布《银本位币铸造条例》，规定每枚银元总重 26.6971 克，含纯银 23.493448 克，并铸帆船图案的"船洋"。1935 年国民党政府实行法币政策，禁止银元流通。抗日战争后，国统区内由于恶性通货膨胀，银元又在市场出现。解放以后，由中国人民银行按一定比价收兑，不准流通。

银角 也称"角子"、"毫子"、"毫洋"、"小洋"。清末以来银辅币的通称。广东于光绪十六年（1890）开始铸造银角，面额分 5 角、2 角、1 角、5分 4 种。成色82％。10 角等于银元 1 元。后因各省滥铸，成色降低而贬值，须 11——12 角才能兑银元 1元。第二次国内革命战争时，中华苏维埃共和国临时中央政府曾铸贰角银辅币。

铜板 也称"铜元"。从清末开始使用的一种铜质辅币。圆形，中间无孔，与我国传统的方孔钱不同。光绪二十六年（1900）在广东开始制造。每枚重二钱，含铜 95％，铅 4％，锡1％。正面为"光绪元宝"四字，中央有"宝广"两个满字；背面是蟠龙花纹。每枚当制钱 10 文，每百枚换银元 1 元。此外还有 1 文、2 文、5 文和20 文等面额。继广东之后，许多省份也都有制造。铜元是机器制作，整齐精巧，一直使用到抗日战争前。

蛋民 广东水上居民的旧称。也

作"蛋家"、"蛋户"。"蛋"古作"蜑"。清屈大均《广东新语·人语》:"诸蜑以艇为家,是曰蛋家,……其女大者曰鱼姊,小者曰蚬妹。蛋人善涉水,每持刀鋻与巨鱼斗,妇女皆嗜生鱼,能泅水,昔时称为龙户。"封建社会,蛋民世世以船为家,自为婚姻,不得陆居,直至清雍正时始解除陆居禁令。宋蔡絛《铁围山丛谈》:"凡采珠必蜑人,号曰蜑户,丁为蜑丁……能辛苦,常业捕鱼,生皆居海艇中。"

辇　人力推拉的车。《说文·车部》:"辇,挽车也。"清段玉裁注:"谓人挽以行之车也。"《诗经·小雅·黍苗》:"我任我辇,我车我牛。"据宋朱熹集注,"任"就是"负任",即牵挽。秦汉以来特指皇帝、皇后如嫔妃乘坐的车子,如帝辇、凤辇等。《通典·典礼》:"夏氏末代制辇,秦以为人君之乘,汉因之。"《一切经音义》(卷二十七):"古者卿大夫亦乘辇,自汉以来天子乘之。"盛唐之时,皇帝所乘之舆轿称为"步辇"。

碌碡　也称"碅碡"、"礋碡"、"辊轴"。汉族农业生产器具。流行于全国大部分地区。一种用于碾压的畜力农具。《耒耜经》云:"耙而后,有礋碡焉。"明徐光启《农政全书·农器》:"其制长可三尺,大小不等,或木或石。……俱用畜力挽行,以人牵傍。辊打田畴上块垡,易为破烂,及碾捍场圃间麦禾,即脱穗。水陆通用之。"一般由木框架和圆柱形的石碌子构成。碌子表面有平滑的,也有具觚棱的。用于压实土壤、压碎土块或碾脱谷粒。脱粒用的碌子,为方便回转,常做成一头较大,一头较小,或中间稍粗、两头略细的形状。

敬秧神　侗族农业祭祀仪式。敬祭秧神在每年谷雨后第5天举行。该日午后,各寨分别按古老的规矩,以两鸡头作为祭品;傍晚,各家备公鸡(一只)、猪肉、粑粑、豆腐、香纸等,携锅碗来至河边,挖一火坑并架铁锅煮稀饭,然后,在沙坝上铺垫稻草行祭。祭时,敬献一用纸折叠而成的牛打脚,祈求秧神保佑春耕季节耕牛健壮,五谷丰收。祭毕,合家老小围圈而坐,共进野餐。

掌柜　也称"掌柜的",旧时汉族对商店中总揽一切事物的人的称呼。主要流行于北方地区。此名称明代已有。《樱桃记·赠金》云:"净:'怎么没有掌柜的'?老旦:老奴丈夫亡过了,止有一男一女,尚未长成'。"南方多称为"老板"。

集市　传统民间交易场所。亦称市集、市井、市场、市朝、墟市等,北方多称"集"、"市"、"会",南方多称"墟"、"场"。集市原始于"神农作市"。古时日中为市,晚近以来又有早市(亦称"露水集")、暮市(亦称夜市)。乡村集市多以自然村落为址;城镇集市则设于繁华街道或交通方便处所。集市之设有一定的时日,各地约定成俗,无一定之规。举办集市的日子称作"集日"、"墟日"、"场日"、"会期"、"逢集"等。集市为物资交流、商贾贸易的场所,具有突出的经济特点。其中有综合性的集市,亦有较专门的集市,如粮市、菜市、骡马市、药材市等。此外,亦有杂有其他性质的集市,如具有宗教性质的庙会、香市,具有娱乐性质的花会、歌墟。集市在传统社会的经济、文化生活中具有独特的地位和作用。近年以来,集市活动又趋繁荣发展,在民间经济、文化生活中仍旧起着重要的作用。

筏子　古代用竹木等编排而成的渡水工具。古时也称为"桴"、"泭"或"箄",《广韵》:"大曰筏,小曰桴,乘之渡水。"旧时人们在实践中认识到单根竹木虽具浮力,但因其为圆形,浮在水中易滚动且面积窄小,运载力有限,如将数根并扎成扁平状,则在水中可平稳漂浮且运载量增加,既可载物又可载人,此外还是一种竹、木材水运的方式。此俗至今仍见于水道通畅之地。

渡口　也称"渡头"。过河处。梁简文帝《乌楼曲》:"采莲渡头碍黄河,郎今欲渡畏风波。"唐王维《送沈子福临江东》诗:"杨柳渡头行客稀,罟师荡桨向临圻。"渡口多设于陆路交通不便的地方,故常称为"野渡"。而因此渡口附近亦随之多设邸店之类。唐罗隐《忆夏口》诗云:"汉阳渡口兰为舟,汉阳城下多酒楼。"

游船　又称"画舫"。一种专供游览水面的传统交通工具。盛行于浙江杭州。杭州西湖游船,历史悠久。《梦粱录》、《都城纪胜》都有游船的记载,当时湖中大小船只不下数百舫。船有1000料者,长二十余丈(约6.66米),可容500人;500料者,约长十余丈(约3.33米),可容30——50人;亦有200——300料者,亦长数丈,可容20——30人。游船精巧制造,雕栏画拱,行如平地,各有其名,如"百花"、"十样锦"、"七宝"、"金狮子"等。还有帝王的"御舟",精雕龙形,以香楠木为主。《武林旧事·西湖游幸》(卷三)载:"……是时,先朝龙舫,久已沈没。独有小舟号小乌龙者,以赐杨郡王之故尚在,其平底有舵,制度简朴。或传此舟每出,必有风雨。"豪家富室,亦自造游船,用青布幕撑起,可品茗饮酒,论诗作画,《湖船录》、《湖船续录》,是考证西湖游船的专著。现在,游船仍可在风景区的湖泊、河川中见到,其形制除继承传统以外,有了不少新的式样,并且有了机动游船。

摆西瓜摊　汉族民间小商贩。流行于全国各地。每逢夏季正当西瓜盛行之际,卖西瓜小摊贩云集街市,设桌置案,用刀将瓜切块。红瓤黑子名曰"榆次瓜",白瓤白子名曰:"三白(瓜)"。西瓜摊小贩也有一套吆喝的词句:"买西瓜,脆沙瓤"、"不甜不沙不要钱啰"等等。旁边放一个切开了的样品,用塑料布包好。有的是整个出售,有的是切块出售。摊主负责挑瓜,则保熟保甜,生的或坏的管换,而价格略高;顾客自己挑选,生、坏概不退换,而价格略低——恰好与买蔬菜相反。

幌子　又名"望子",是坐商的民俗标志。幌子起源很早,而且最初都是在酒店里使用的。《韩非子》中已有记载:"宋人有沽酒者,悬帜甚高。"这里提到的"帜",就是我国古代早期的酒幌。后来商业日益繁荣,其他商业行业也出现了自己的商业幌子。幌子的种类大致有这样几类：1.实物幌。即悬挂所售商品的实物或实物的一部分，这是招幌中最原始的形态。2.模型幌。用商品的模型作为幌子，是实物幌的变异形式。大抵是因为实物过小，即便悬挂实物也无法引人注目，便悬挂与实物形象一致的大模型作为标志。比如，鞋铺放一个大的鞋模型，蜡烛店挂木制红漆大蜡烛等。3.以商品附属物为幌子。这也是从实物幌派生出来的。当商品无法悬挂时，便用商品的附属物来引起人们的联想，以表示所售商品。如卖食用油，便悬挂盛油的瓶，卖酒的悬挂木制小酒壶等。4.象征幌。是采用一些象征性的物品作为商店的幌子。如颜料店挂上各种色彩的小木棍，小旅店悬挂柳条编制笊篱的标志等，都是一种暗示和象征。5.文字幌。这在坐商的招幌中占比例很大。如当铺挂"当"字，茶楼挂"茶"字，米店挂"米"字等。从宋代张择端《清明上河图》这幅风俗画中，可以看到丰富的文字招牌，像"官窑磁器"、"仿古锡器"、"抄号典衣"、"南货发行"、"棉花行"、"四时果行"等。6.灯具幌。主要用于夜市夜卖，灯上还往往同时标有字号。7.旗帘幌。为酒店常用。

溜索　西南少数民族的一种交通工具。一般是设置在两山对峙、江面较窄的地方，以长达百米以上的竹篾溜索固定于两山之间，横跨在汹涌的江面之上。溜索上放置硬木制的溜梆，人要过江时，先把溜梆套在溜索上，再用绳子把自己和溜梆紧系在一起溜过去。溜索分平溜及陡溜两种。平溜的溜索两头高中间低，形成抛物线状固定江两岸，过江时靠一边的斜度可滑至溜索的一半，然后过江者手脚用力滑动到对岸。陡溜则用两根溜索，高低对倾于两岸，来往互不影响。过江时可靠人体重量在斜坡溜索的惯性滑动，一直滑到对岸。溜索不但过人，还可溜货物、猪、牛等牲口。

墟　也作"虚"或"圩"。南方农村定期的市集。南方称"墟"，北方称"集"或"会"。李家瑞《北平风俗类征》引《燕京杂记》说："交易于市者，南方谓之趁墟，北方谓之赶集，又谓之赶会，京师则谓之赶庙。"墟市有隔天、三天、五天一开市的，农村叫"趁墟"、"赶墟"。今广东、广西、福建等地仍有趁虚之俗。宋代在墟市也征收商税，《文献通考·征榷六》云："按坊场，即墟市也。商税、酒税皆出也。"

骡　家畜名。俗称"马骡"。这是利用异种间的有性杂交方法来培育的新畜种。现在把母马配公驴产生的骡子叫马骡，古代叫"蠃"，用母驴配公马生的骡子叫驴骡，古代叫"駃騠。"这是北方匈奴民族的贡献，春秋时期已引入内地。骡和駃騠继承了马和驴的优良性状而又胜过马和驴。《齐民要术·养牛马驴骡第十五》说："蠃，驴覆马，生蠃则准常。以马覆驴，所生骡者，形容壮大，弥复胜马"。骡可骑乘作战，也可驾辕拉车。《旧唐书·吴元济传》："地既少马,而广畜骡,乘之教战,谓之骡子军,尤称勇悍。"像宋代的"太平车"、明清的"轿车"(乘人)和"敞车"(载物)都是以骡挽行的。

骡马店　旧时一种极为简陋的小客店。可为过往行贩提供简单的食宿,并有服务员为顾客喂饲骡马,故有此称,像城镇关厢附近的大车店、骆驼店、猪店等等都属于这一类的小客店。

骡马贩子　旧时汉族民间小商贩。流行于北京等地。贩骡马的通常从外地贩骡马来京师,卖给骡马店,该店主再行卖出。而一般说来,买卖双方常靠牙行(经纪人)从中说合方能成交。买卖说成,经纪人要从卖方货价中抽取佣金,名为"杀头子钱";买方则需请吃请喝。经纪人都有丰富的相骡马、相驴牛的经验,除看口齿之外,还有不少谚语,如"远看一张皮,近瞧四个蹄"、"前裆放下斗,后裆放下手"、"前腿直似箭,力量大无限;后腿弯如弓,行走快如风"等等。

耧　也叫"耧车"、"耧犁"、"耩子"。一种畜力条播机。起源甚早,已有2000多年历史。史载耧的发明者为西汉赵过。耧由耧架、耧斗、耧腿、耧铲等构成。有一至七腿耧,以两腿耧播种较为均匀。适用于大麦、小麦、大豆、高粱等农作物的播种。

工 艺 制 作

十全图　一种象征吉祥的纹饰图案。我国古代通行的铸币是圆形圆孔或圆形方孔钱，人们把钱视为财富的象征，为人心之所向，因此取钱为吉祥物，主要是谐音取意。钱古时称"泉"，"泉"与"全"谐音。两枚古钱意为"双全"，10枚则称"十全"。与其他事物组合，成"××双全"。诸如"福寿双全"，即为蝙蝠（寓意"福"）衔着用绳穿起来的篆书寿字（指长寿）和两枚古钱的纹图；或蝙蝠（福）、桃（寿）和两枚古钱的纹图。又如"十全富贵"，为牡丹配以10个古钱的纹图。古钱也可独立构成图画或纹样。许多钱用线贯穿起来的纹图，叫"连钱"。10枚铸有特定祝吉钱文的古钱在一起，叫"十全"（钱文为：一本万利、二人同心、三元及第、四季平安、五谷丰登、六合同春、七子团圆、八仙上寿、九世同堂、十全富贵）。"十全图"的纹饰，一般装饰瓷器、家具什物或纺织刺绣品，以表示或祈求吉祥如意。

刀剪业　我国传统制造刀剪的行业。刀和剪刀一般用熟铁打制，唯其刃口处均需渗碳，使之成为含碳钢，质脆锋利，能折断而不卷刃。刀剪在生产、生活、装饰等方面用途颇广。刀有切菜刀、水果刀、裁纸刀、佩饰刀……，剪有缝纫剪、工具剪等等。刀的把柄，制作精巧，上面镶嵌各种饰物，成为既实用又美观的工艺品。如云南玉溪牛角小刀，已有百年以上的历史，用纯钢锻造，配上弯弯的牛角把，外形美观，刃口锋利，便于携带。又如闻名全国的"王麻子刀剪"和"张小泉刀剪"，执刀剪业之牛耳，久负盛名。王麻子刀剪，起于北京，以后在北方各地设有分号，均称"王麻子刀剪庄"。由于人们风起仿造，又有"真王麻子"、"真真王麻子"刀剪庄等称号，以区别假货。张小泉刀剪起于杭州，以后流布于南方各地。它们所锻造的刀剪，主要是钢口好，咬口紧，使用轻便灵活，外型美观，制作精细，是民间传统的实用工艺品。

三多图　我国传统的吉祥图案，是寓意的装饰纹样。它源出于"华封三祝"。寓意多福、多寿、多子。《庄子·天地》："尧观乎华。华封人曰：请祝圣人，使圣人富，使圣人守寿，使圣人多男子。"华为地名，封人为守封边疆的人。是古代传说对于尧的祝颂，以后"华封三祝"传为吉语，古人则据此成画，以示祝颂。后来，人们根据三祝的寓意,把佛手、桃和石榴组成纹样,以表示多多。"佛"与"福"谐音,相传佛之手能握财宝,多财宝表示多福;桃子俗称"寿桃",《汉武故事》说:西王母种的蟠桃"三千年一箸子"吃了可以长生不老;石榴,取其"千房同膜,千子如一",作为多子的寓意,《北史》记载:北齐南德王高延宗纳妃,妃母宋氏以两个石榴相赠,祝愿子孙众多。"三多"图案有的以佛手、桃子和石榴组合于一盘;有的使三者并蒂;也有的以三种果物作缠枝相联。

大木作 我国旧时指建造房屋、车、船的行业或作坊。供鲁班为祖师爷。大木作的工艺要求不高,仅制作房屋建筑的柱、檩、门、窗、车、船等木质部件。使用工具以斧、锯、凿、刨、曲尺、墨斗等为主,不像小木作(细木作)需要复杂的工具和严格的工艺要求。大木作的工匠称"大木匠",他们稍加训练,能放大样(据工程要求下料),即可独立操作。技术水平不像小木匠精细工巧。古时称之为"梓人"。

广绣 亦称"粤绣",泛指广东近二三世纪的刺绣品而言。相传最初创始于少数民族,与黎族所制织锦同出一源。《存素堂丝绣录》中说:粤绣是"铺针细于毫芒,下笔不忘规矩。""其法用马尾在于轮廓处施以缀绣。"且每一图上必绣有所谓间道风的飞自花纹,所以成品花纹,自然工整。广绣的艺术特点是花纹繁缛,喜用写生花、鸟,富于装饰味,常以凤凰、牡丹、松鹤、猿、鹿、鸡、鹅等为

题材,混合织成画面。色彩浓艳,对比强烈,宜于渲染欢乐热闹气氛,具有明快的艺术效果。广绣如同广东音乐、广东陶瓷一样,富有浓厚的广东地方特色。《广东新语·鸟服》载:"有以孔雀毛绩为线缕,以绣谱子及云肩袖口,金翠夺目,亦可爱。其毛多买于番舶。"这是广绣中的一种特殊产品。广绣的品类繁多,欣赏品主要有条幅、台屏、挂屏等。日常实用品有床帷、被面、枕套、头巾、披巾、台帷和绣服等。广东东部潮州地区的"潮绣",也驰名中外。它喜用金线,使绣品产生金碧辉煌的艺术效果,并在花朵或鸟兽形象的局部先绣以棉线或垫上棉花,形成高绣,使有浅浮雕的层次感,则又别具一格。十八世纪的纳丝绣,其底层多用羊皮金(广东称为"皮金绣")作衬,也是金光闪烁,异常精美华贵。1982年,广绣以《晨曦》、《百鸟朝凤》等作品,荣获全国工艺美术品百花奖的金杯奖。

门笺 或称"门签",也叫"挂笺"、"挂钱"、"吊旗",古代称"门彩"、"斋牒"。是春节时贴挂在门楣上的剪纸,一般都用红纸剪刻。旧时人们迷信它有"厌胜"的作用。清光绪年间修撰的《杭州府志》载:"琳宫梵宇,剪五色纸形如旗脚,贴于门额,上书'风调雨顺'、'国泰民安'等语,在在有之,曰'门彩',亦名'斋牒'。彩笺五张为一堂,中凿连钱文,贴梁间以压胜,曰'挂钱'。"其特点是形如锦旗,外轮廓较宽。色彩鲜艳,以烘托节日气氛。其图案多是规整的几何

纹和带有吉祥内容的花纹。更多的是将吉祥文字组合进去，一张一个吉语，如"招财进宝"、"大发财源"、"天官赐福"、"金玉满堂"、"根深叶茂"、"五谷丰登"、"富贵有余"等等。也有一张一字，成套悬贴的。解放后，人们为欢度春节仍贴挂"门笺"，以志喜庆，不再迷信"压胜"作用。吉祥文字的内容也相继改变，有"欢度春节"、"新春进步"、"事事如意"、"合家欢乐"等祝颂文字，不再反映"富贵发财"一类的内容。

子孙万代图　一种寓意子孙绵延众多的纹饰图案。以葫芦为象征物。葫芦是藤木植物，藤蔓绵延，结果累累，籽粒众多，被作为祈求子孙万代的吉祥物。在人们的观念中，葫芦"累然而生，食之无穷"（清代王士禛语），是子孙众多的最好象征。同时葫芦蔓葱茏茂盛，缠绕绵长，人又取其滋长、长久之意。又葫芦蔓之"蔓"与子孙万代之"万"字谐音取意，寓意万代绵长，葫芦蔓上结着数个葫芦的纹图称"子孙万代"，所取就是葫芦结子众多，藤蔓绵长的特点以及蔓与万的谐音。这种图案见于画稿、家具、什器、衣料、建筑、雕刻，表达着中国人根深蒂固的种族延续愿望。

木雕　我国传统的手工艺品，它是利用各种木料雕成的，这种工艺品，大都用于家具或建筑装饰。在封建时代，凡宫殿、楼台馆榭及庵、观、寺院的建筑和佛龛神像，木雕品随处可见。木雕技法有圆雕、浮雕、透雕和线刻等。木雕在我国起源很早，

浙江余姚的河姆渡文化遗址曾出土了距今 7000 年的木雕鱼，是我国木雕工艺品的最早实物之一。以后历代手工艺人均有精湛的木雕工艺品问世。如明代浙江东阳的建筑肃雍堂，其木雕就极为壮丽；"明代十八学士紫檀木雕盒"，现珍藏于中国历史博物馆，也是稀世珍品。清代西陵隆恩殿的天花板、雀替、隔扇、门窗等，都雕刻着无数的云龙和蟠龙，全部用楠木雕成，姿态矫健，栩栩如生，是雕刻艺术精品。清代的雍和宫万福阁（又名大佛楼）的木雕弥勒大佛，高 18 米，直径 3 米，用整根旃檀木雕成，地下还有 8 米，该木总长 26 米。是我国现存最大的木雕佛像之一。这尊弥勒大佛是七世达赖为感谢乾隆皇帝帮他平息叛乱而雕制的。为了寻求巨大檀木，出重金从尼泊尔找到，因为木长体重，无法搬运。只好靠冬天泼水造成冰道，人拖马拉，花了三年多时间，才将檀木运至北京，先竖木材，再雕佛像，最后造楼。弥勒佛像的一只手有一米左右，头颈挂着一条大蛇，左手掐着蛇头，右手紧握蛇尾。佛像宏伟巨大，雕法流畅，神态自若，庄严生动。现在我国著名的木雕产地，首推浙江东阳，该地被称为"雕花之乡"。其次是福州龙眼木雕；浙江温州、上海和福建等地的黄杨木雕；江苏苏州、北京的红木雕；南京的仿古木雕和山东的楷木雕等。表现题材多数是人物、山水、花鸟、建筑和书法等。木质大都细密坚韧、雕工精巧，具有民族风格和浓郁的地方特色。

木版水印画 又称"木刻水印画"。是我国用传统的刻版印刷方法印制的画类。因用水墨及颜料在木刻板上刷印,故称"木版水印"。这类画在唐宋时期已开始有单色印刷。到明代万历年间又发展为彩色套印,风格如饾饤,故明人称为"饾版"。它分钩描、刻版、印刷三道工序。首先分色分版,把画稿上所有同一色调划归于一套版,层次越多,版数越多。钩描时,按分就的版数用墨线勾在透明纸上,然后把描好的稿纸粘在木板上进行雕刻。最后逐版进行套印。木版水印的方法,主要用于复制书法、绘画等艺术作品。现在天津杨柳青、苏州桃花坞、山东潍县等地制作的年画,以及北京荣宝斋、上海朵云轩复制的中国画,都属于木版水印画。

牙雕 牙雕是指象牙雕刻。我国著名的牙雕工艺,已有几千年的历史,早在新石器时代的浙江余姚河姆渡遗址就曾出土刻有花纹的象牙杯和象牙长尾鸟,这是目前发现最早的牙雕艺术品。后来在龙山文化期的山东泰安大汶口遗址,又出土了19件牙雕器物,其中有上端透雕纹饰,下端有16条细齿的象牙梳,以及用整段牙材,周身透雕纹饰的象牙筒。商代的妇好墓出土了嵌绿松石兽面3龙纹象牙杯;陕西长安张家坡西周墓出土了虺龙纹牙匕。河南陕县上村岭出土了春秋时虢国墓中的螭纹牙剑鞘等,都制作的十分精美。汉魏时期,牙雕仿铜器用细线雕镂花纹的手法盛行。安徽亳县东汉曹氏墓出土的牙雕圆形残器,是用细毛雕镂刻的山水人物,细如蛛丝,并嵌有红宝石。唐代的"拨镂"牙尺,是将成型牙器先染色,再精细雕镂出各种花纹,刻纹呈象牙本色,衬在先染的地色上,十分美观。宋元时,更出现了刻制象牙套球的绝技,虽然只有三层,但已是巧夺天工了。明清两代的牙雕,品种繁多,小有雕扇、香薰、花插、笔筒;大至花卉盆景、山水人物、鸟兽鱼虫、巨型龙舟,无不精美绝伦。不过,古代只有小型牙雕作坊,艺人很少,制作的牙雕多属饰品小件。除少数统治者享用外,民间流传不多。解放后,我国许多地区建立了象牙雕刻厂,品种不断增加,制作上也都表现新题材、新内容,打破了以前那种"棍子人"等陈规旧套。技术也不断革新。现在,我国牙雕精细工整,玲珑剔透,富有装饰性。各地都有不同的艺术特色。北京牙雕多刻制人物,充分利用象牙质地细腻坚韧的特点,精致地表现人物的动态,传统牙雕常是局部加彩。上海牙雕以鱼锦一类最有特色,它用鱼、鸟或藕节等物象作为外型,用镂空手法在型体中透雕各种鸟兽花草,人物风景,看去花中有花,景中有景,生动活泼,十分有趣。广州牙雕以透雕象牙套球闻名,清代翁五章就身怀绝技,以雕牙球为世人所称道,从他开始,现已传艺到第四代。几十层球体层层相套,可以转动,目前已能刻制45层,已远非宋代的三层可比了。

五伦图 我国古代的纹饰图案,

画禽鸟以凤凰、仙鹤、鸳鸯、鹡鸰、莺为"五伦图"。五伦即五常《孟子·滕文公》曰:君臣、父子、夫妇、长幼、朋友为五常,要"父子有亲、君臣有义、夫妇有别、长幼有序、朋友有信。"凤凰为百鸟之长,群鸟皆从其飞,这与人世君臣之道相合,故在五伦图中以凤凰喻君臣之道。仙鹤为羽族之长,被伦理化以后用以代表父子之道,《易·中孚》云:"鹤鸣在阴,其子和之。"是说父声子应,绝对服从家长的意志。鸳鸯形影不离,雄左雌右,飞则同振翅,游则同戏水,栖则连翼交颈而眠。如若丧偶,后者终身不匹。故以鸳鸯指代夫妇之道。鹡鸰也作"脊令",比喻兄弟。《诗经·小雅·常棣》载:"脊令在原,兄弟急难。"鹡鸰本是水鸟,今在高原,失去住所,比喻人逢急难,要兄弟相帮,互相援助。也像脊令失所而飞鸣求类,不能相合一样。《三国名臣序·赞》记:"岂无鹡鸰,固慎名器。"(指诸葛瑾、诸葛亮兄弟)莺,喻指朋友之道等。

车毂业　我国旧时制造车和轮毂的行业。该行业敬奉鲁班为祖师。古代的车根据用途不同,其形制、大小、名称各异,不胜枚举。但其构造则基本相同,分为车身、轮毂和轴三大部分。车身前伸驾马的部位称辕,后部的车厢称舆。车轮则由辋(车轮的边框,外镶铁箍,相当于现代汽车、自行车的瓦圈和车胎)、辐(车轮的辐条,一般每个车轮有30根辐,辐是一根一根的木棍,一端接辋,一端接毂)、毂(车轮中心的圆木,中间

有孔,车轴即穿在孔中。毂与辋是两个同心圆,其间以辐相接,即构成车轮)三部分组成。另外,轴是车身和轮毂的连接物,它在车身下正中承重,两端穿两侧车轮的毂。露出毂外的部分称"槽",为防止车轮在行驶中脱落,特在槽上开孔,插上三四寸长的销子,称"辖"。辖用青铜或铁制作,呈扁平长方形,是车的主要零部件。古代制车皆用木料,特别是车轴、车轮要用坚实细密的硬质木材如檀木、枣木等制作。辋用三到四块弧形硬木拼成圆形,外装铁箍,用钉钉牢,辋上还要铆合铁钉,以增强牢度。辐的两端粗,中间较细,榫接于辋、毂之间。毂周也镶铁箍,中间圆孔处要凹装圆孔形青铜或铁部件,以增强与轴的耐磨度。车轴穿毂孔处,要挑槽卧铜,铜是青铜或铁的铸件,正方形,凹镶于车轴内。转动时以减弱轴、毂磨擦和防止切轴(轴折断)。车身长短、辕木强度、装轴部位与承重大小、辋毂圆度,都需要精确计算和纯熟的技艺,才能造出合格耐用的车辆。

车马具业　我国旧时制作马、车配件用具的行业。传说奉马神为该业祖师。马作为交通与作战工具,供人坐骑,驰骋于原野。马体上的配件用具有笼头(也称"拢头")、辔(嚼和缰绳的合称)、马鞍、马镫、兜肚等。车是用牲畜(牛、马、驴、骡)挽行的陆地运输工具,牲畜要拴套在两根车辕中间,配具有鞍、搭肚、套包(套在牲畜颈部底处,防止用力时,轫磨伤皮肉)、轫(轭,勾曲夹贴马颈,俗

称夹板）、套绳、兜肚、笼头、镨、兜嘴（也称"捂嘴"，用铁丝编成，套在牲畜嘴上，防其偷食损伤禾苗）、粪兜等。如若是两匹以上的牲畜拉车，除驾辕牲口外，其余牲畜都要有长套绳，以帮助辕牲用力。骑手与御者所执的鞭子，也都是车马具业经营的范围。车马具的制作原料：用木做车鞍、钩、短鞭杆；用铁（或铜）制马镫、嚼子、环；用皮或线绳编织马鞍、笼头、兜肚、搭肚、套包（内填棕草，皮面）；用麻拧制套绳、缰绳。马鞭的鞭身、鞭梢用皮制作，长鞭杆则用竹竿梢。车马具业是民间的古老行业，旧时车马具制品畅销于农村集市，为骑马挽车所必备。现在马具镨、鞍、镫等仍在边远少数民族地区生产外，车具已濒临绝迹，由于马车的被淘汰，其配具的制作行业也就随之衰落了。

风筝 也叫"纸鸢"。古称"木鸢"、"鹞子"、"木鹊"、"风鸢"等，它不仅是孩子们的游戏品、传统的体育运动工具，同时也是一种民间工艺品。风筝在我国有着悠久的历史，早在春秋时期，鲁人公输般制造木鸢，成而飞之，并用以侦察宋城的防御情况。《墨子·鲁问》载："公输子削竹木以为鹊，成而飞之，三日不下。"这是有关风筝的最早传说。到了唐代，匠人又在鸢首以竹为弦，风吹其上，发声如筝，所以又有"风筝"之名。《事物纪原》中说："纸鸢俗谓之风筝。"五代时，后汉李邺用纸糊扎成鸢，引线乘风而戏，叫做"风鸢"、"纸鸢"。《新唐书·田悦传》载："以纸为

风鸢，高百余丈，过（田）悦营上。"到了明清，风筝更为盛行。制作方法很多，通常是用竹条做架，有用棉纸糊的，也有用绢糊的；有单线引子的，也有多线引子的，有的还能旋转或附挂灯笼、响器的。一般流行式样有蝴蝶、蝙蝠、猫头鹰、燕子、老鹰和蜈蚣等。蜈蚣有的长达数米或十数米，属于大型风筝。还有以"天女散花"、"哪吒闹海"、"钟馗"、"孙悟空"等神话为题材的风筝。风筝有南北之分，南方风和，风筝多软翅，摹拟飞鸟、蝴蝶，生动逼真；北方风烈，风筝多硬膀沙燕，在扎、糊、绘、放四艺上，比较讲究。我国制作风筝的著名地区有北京、天津、山东潍坊和江苏南通等。70 年代，发现一部《南鹞北鸢考工志》，评记各种风筝的扎、糊、绘、放等技法，上有口诀，彩绘图谱。据近人吴恩裕考证为清代曹雪芹所作，传说曹雪芹也熟谙扎糊风筝的技艺。

扎风筝业 扎糊风筝的手工艺行业。传说该业祖师是公输般。自清代以来，名家辈出，北京有"风筝哈"（哈国良一家四代）、金忠福、孔祥泽、马晋等；天津有"风筝魏"（魏元泰一家）以及山东潍坊的王福斋，江苏南通的著名艺人等。风筝的制作工艺，大体分为扎、糊、绘、放四项。扎，是扎制风筝的骨架。按照图样的要求备料破竹，烤软揻好竹条，然后捆扎风筝骨架。骨架分基本骨架和轮廓骨架，基本骨架是风筝的主要部位，如硬膀风筝的上下膀膀条，以及头、腹、腿等部位的竹条。软膀

风筝的两根膀条也属基本骨架,所用竹条较宽较厚。轮廓骨架就是风筝主体形象的外部轮廓装饰,一般用细而薄的竹条。骨架工艺中重要的是"劈竹",要求每根竹条的外形、重量必须完全一致,没有这个精确度,风筝放飞时就会左右摇晃,或往下栽。扎缚需要牢固,不能松动。糊,是把纸或绢糊在骨架上。在糊硬膀风筝时,两膀部位要注意把纸或绢粘出膀儿。一般的风筝是先画后糊(大批制作时,还可事先印好),也有的先糊后画,这是个别扎制时的特殊情况。绘,是绘制风筝的平面图案,纸要烫平,涂色要均匀对称,保持平衡一致。放,是放风筝的技艺。一般说,不会放风筝就很难把风筝制作得精确。在放飞中,要有辨风向、识风力的本领。风力、风向的变化对放飞有很大影响,需要以牵线的抽、拉、提、拽、摆等不同动作来适应,这样才能使风筝保持稳定,像自由的鹰、燕一样翱翔在广阔的天空。

扎彩业　我国民间传统的绑扎彩糊行业。该行业供奉的祖师是鲁班、吴道子。这种行业起源的具体时间不详。它的经营范围,主要有三个方面:(1)扎糊陪葬的冥具。旧时迷信,谓人死后另入冥界,死者亲属要为他扎糊纸人、纸牛马、纸箱、纸柜类物品,在墓前焚化,以供死者在冥界享用。所扎糊的纸人,多为婢、仆,意思是让它们在冥界陪侍主人。扎糊冥具要先用苇杆竹篾绑扎骨架,外表糊各色彩纸及电光纸,纸人的头需另做。用人头的木型,外糊粘纸浆(类似儿童假面具"鬼脸"的做法),干后成型剖开取下,再粘合,后施粉彩,画上头发、眉、鼻、口、耳等器官,酷似人头塑像,然后绑合粘接在身体骨架上,再用彩纸糊成纸人全形。纸人中还有两个开路鬼(方弼、方相),高在4米以上,形貌凶恶,用做送葬队列的前导。(2)扎糊顶棚。也是扎彩业的经营范围。旧时民间建造起脊平房,室内呈人字形屋顶,并且檩、椽、苇把外露,既有碍观瞻也不卫生,所以常要扎糊顶棚,俗称"吊顶"。顶棚的扎法:先用木方楞及木条在屋顶钉牢,绑扎成平面骨架,称为"龙骨",用之承重。然后再用粗苇杆绑扎成方格状,捆附在龙骨上,再在苇格上糊纸,最后粉刷白浆,即成顶棚。室内四壁粉刷白色与顶棚浑然一体,显得居室清洁干净,美观大方。顶棚也有用彩纸或图案纸糊的,但为数不多,比较少见,旧时北京多用白粉连纸糊顶棚。(3)扎糊喜庆牌楼。旧时婚丧喜庆,富有之家都要在院落、门前或大街上扎彩牌楼。先由棚铺匠人用木杆、竹篙、苇席,绑扎骨架,即牌楼外型,再由扎彩匠用各种纸花、彩帛等绑扎成美观富丽的彩牌楼,以示庆贺。丧事用蓝地白花,喜庆用红花彩地。目前,扎彩这一古老的行业已濒临绝迹,城乡很少有人再从事这种行当,只是在城乡丧事中还有冥具出现。

贝雕　用有色贝壳雕刻或镶嵌成的工艺品。早在原始社会后期,北京周口店山顶洞人就串贝壳链作为装饰。进入阶级社会后,历三代、春秋以至秦代，人们用贝类中的一种作为货币，长期流通使用。汉代以后，历代艺人利用贝壳的色泽，雕成各种图案，镶嵌在器物用具上做装饰。素称"螺钿"，目前仍有不少地区生产。贝雕工艺品有烟具、文具、台灯、发卡、瓶插、鱼缸等实用品以及挂屏、屏风等艺术欣赏品。它利用贝壳固有色泽，不事渲染，别具一格。贝雕主要产地有青岛、旅大、连云港、北海、陆丰等地。

毛笔 毛笔是我国具有独特传统的书写绘画工具，工艺水平较高。它的起源很早，原始社会后期的仰韶彩陶绘画，即是用类似毛笔的描绘工具涂画的。商代甲骨文中有"笔"字，说明这时的毛笔制造和使用，已经相当普遍。1954 年在湖南长沙左家公山木椁墓，发现了一支战国时的楚国毛笔，竹制笔杆，直径 0.4 厘米，笔头用优质兔箭毛制成，不是插在竹笔杆内，而是将竹杆端部劈开，把笔毛夹在当中，然后用丝线缠牢，外面涂漆。笔身装在一支竹管内。这是我国发现最早的毛笔实物。秦代毛笔的制法，不再把笔毛夹在竹杆一端，用线缠住，而是将笔管一端镂空成毛腔，将笔毛置于腔内，传说中的蒙恬（秦国大将）造笔，大概指的是他做了这种改进。历两汉而至三国，魏人韦诞，善制笔，其法以强毫为柱，柔毫为被，称"韦诞法"。东晋时，安徽宣州（今宣城县）陈氏之毛笔，名闻当世，为王羲之等人所推崇。唐宋时期，宣州诸葛氏一家，世代制"宣笔"，相传此笔的制法，不用毫柱，不分心副，而是用两种或一种兽毫参差散立扎成。软硬适人手，百管不差一，为当时名品。文人学士多以诗文相赞颂。南宋时浙江吴兴制笔优良，吴兴在元代属湖州路，遂有"湖笔甲天下"的盛誉，此后历明清两代，湖笔水平一直居全国之首。湖笔的制作中心是吴兴县的善琏镇，又称"蒙溪"，这是古人为纪念蒙恬所取之名。该镇有蒙恬祠，内供蒙恬塑像。湖笔的最大优点是"尖、齐、圆、健"，称为湖笔四德。尖，是指笔毫有锋芒，即使饱含了墨汁，笔锋仍是尖形；齐，是把笔头铺开来，内外的毛长短一样齐；圆，是指选毛纯净，笔头圆浑匀称；健，是说笔头富有韧性和弹力。毛笔相传至今，已有 200 多个品种，主要有羊毫、狼毫、紫毫、兼毫四大类。笔管用材丰富多样，主要是竹材。名贵的有金管、银管、瓷管、象牙管、玳瑁管、琉璃管、紫檀管、花梨管和绿沉漆管等。加上釉彩、雕刻、镶嵌等艺术加工，成为一种特制工艺品。毛笔对于传播文化，发展书法、绘画艺术都起了重大作用。新中国成立后，由于文学艺术的繁荣昌盛，毛笔等传统文房用具，也在全国各地得以振兴，除宣城、吴兴等地的名品外，还有长沙、衡阳、湘潭、湘阴、零陵、北京、苏州、杭州，也都是毛笔的重要产地。现在我国特有的毛笔，已远销世界许多国家和地区，正在为世界文化的发展，作出新贡献。（参见"制笔业"条）。

毛边纸 我国旧时书写、绘画、印书用的名纸。所谓毛边，并非因为纸的边缘有毛,而是因为明末藏书家毛晋在大规模刻印古书时,为降低书的成本,选用了一种特制的纸印书,并且在纸的边缘处印有"毛"字为记,于是人们便称这种纸为"毛边纸"。毛边纸是选用嫩竹,经石灰处理后,捣烂成浆,再用竹帘抄造而成的。它平滑、均匀,利于托墨吸水,具有宣纸的一些优点,而价格又较宣纸低廉,因此很受初学书画者的欢迎。毛边纸主要产于江西、福建等省。直到民国初年,这种纸仍有广泛的市场。

毛毡业　我国民间制作毛毡的传统行业,该业奉黄帝、毡彩老祖为祖师。毛毡是用动物毛(主要是羊毛、骆驼毛、牦牛毛等)经湿、热、挤压等物理作用制成的片状无纺织物,具有回弹、保温、吸震等性能。早在周代已有制毡技术和使用毡的记载。《说文解字》中说:"毡,拈毛也。"或曰:"揉毛成毡。"古来北方的游牧民族区,毛毡业比较发达,元代的毛毡,厚五、六分,多无花纹。有黑、白、青蓝、粉青、明绿、柳黄、柿黄、赤黄、红、深红、银褐等颜色。常用作帽、袭、帐、案席、褥等材料。还有在素地毛毡上,用染色毛纤维按图案铺压成的"彩毡";用彩色羊毛线或丝线在绯、青等地上绣出花纹的"绣毡";以及在绯、青毡上按花纹图案形状剪刻成的"刻毡"。到本世纪60年代,我国毛毡业的制毡原料,已扩展到化学纤维,如丙纶、涤纶、锦纶等,在工业上广泛应用。

玉器　也称"玉雕"。是我国传统的手工艺品。从新石器时代至今,已有4000多年的历史。早在商代的安阳时期便趋于成熟,在技术和艺术方面都达到较高水平。玉器是由玉工具发展而来,到商周时已大量制作礼仪用具和各种佩饰。制做玉器的原料很多,有质地坚硬的黄玉(古称黄精)、白玉、碧玉、翡翠;色彩鲜艳的珊瑚、松石、玛瑙、芙蓉石;晶莹明亮的水晶、绿晶、茶晶;宝光闪烁的碧玺、蓝红宝石、猫儿眼、钻石等。现在玉器的主要产地是北京,其次是广东、上海、江苏、甘肃、新疆、辽宁等地。(参见"玉雕业"条)。

玉雕业　我国雕琢玉器的行业。奉邱处机、白衣观音、周宣王、周灵王、鲁班、老君等为祖师神。玉是温润而有光泽的美石,质地极为坚硬,具蜡状或玻璃状光泽,如果硬度不够,则不属于玉和玉雕的材料。在我国,古代玉雕的技法,源于制作石器。《诗经·淇奥》:"如切、如磋、如琢、如磨。"切、磋、琢、磨是玉雕所需的工艺程序。切是解料,解玉要用无齿之锯加解石砂,将玉料分开;磋是用圆锯蘸砂浆修治;琢是用钻、锥等工具雕琢花纹、钻孔;磨是最后一道工序,用精细的木片或葫芦皮、牛皮蘸珍珠砂浆,加以抛光,玉器便发出凝脂状光泽。这套玉雕技法,在商代已为工匠们所掌握,先秦称"琢玉",宋代称"碾玉",现今称"碾琢"。现代玉雕技术已有很大发展,工艺水平极高。

石雕　以石头为材料所雕刻的艺术品。石雕工艺在我国有悠久的历史，殷商时的大理石圆雕石虎和石枭造型近人形，而外表填满与此动物无关的花纹，风格独特。西周至战国，大型石刻出土甚少。汉代霍去病墓前的"马踏匈奴"、"人与熊"、"怪兽食人"，以及卧马、跃马、卧牛、伏虎等大型石刻组雕，运用循石造形手法雕成，主题鲜明，风格古朴，气势雄大，是西汉石雕艺术的典范制作。河南登封中岳庙前及山东曲阜汉安乐太守墓前的石翁仲，四川灌县出土的李冰石雕像，四川雅安高颐墓前的翼兽，洛阳伊川及咸阳沈家村出土的石辟邪，都具有豪迈挺拔的格调，标志着石雕艺术的日益成熟。魏晋南北朝时期，由于佛教的盛行和统治者的提倡，佛像、碑塔、窟龛等佛教石雕艺术品，几乎遍及全国。北魏时开凿的甘肃敦煌莫高窟、山西大同云冈石窟、河南洛阳龙门山和香山的龙门石窟（伊阙石窟）及甘肃天水麦积山石窟等，都是显而著者。北魏前期的佛教造像，多受印度犍陀罗艺术及其后的笈多艺术的影响，深目高鼻，衣饰通肩或偏袒右肩，刀法平直，从云冈石窟最早的"昙曜五窟"（16—20窟）中的大佛上，可以显见。至于窟内壁上的贤劫小佛，则完全是犍陀罗样式。此后佛教石雕逐渐融合传统风格，出现了袞衣博带，俊秀飘逸，刀法圆浑的雕像。隋朝为时不长，但在敦煌石窟仍有隋窟59个，其雕造像具有领首挺立的姿态，长而圆润的脸型，是南北朝与唐代石雕的过渡风格。唐代石雕的风格多样，形象准确，技巧纯

熟，都达到了历史最高水平。这时的佛教造像已把犍陀罗艺术和我国传统的石雕技法有机地结合起来。陵墓石雕更是庄严雄伟。唐太宗的昭陵六骏（六匹战马的浮雕）、乾陵和顺陵的石狮、石麒麟及独角兽，造型真实，表现手法单纯有力，具有整体的完整性，反映了封建盛世的时代面貌。五代两宋以后，洞窟石雕造像逐渐为泥塑、木雕所代替。陵寝神道的石象生（成对的狮、獬豸、骆驼、象、麒麟、马和文、武、勋三臣的石像）尽管规模宏大，材料贵重，但大都陷于格式化和定型化，缺乏生气，黯然无光。不过明清时代小件石雕却代之而起。如浙江青田的青田石雕，利用当地的天然石材，因材施艺，雕成山水、花卉、人物、动物以及文具等。此外，福建福州的寿山石雕、湖南浏阳的菊花石雕，都是小型石雕艺术品的佳作，到现在仍饮誉中外，为世人所珍视。

石雕作 我国旧时经营石雕的作坊。该行业敬奉鲁班为祖师。石雕艺人均称石匠。石匠中有开山采石、凿石成材的粗活，也有镂刻、雕刻的细活。石雕作主要指后者。建筑屋舍、楼、台、亭、阁的基石、柱础、石墩、门槛、石狮、镇兽、丹墀、阶石及各种石料雕刻；陵墓的石人、石马、石兽及地面与地宫的建筑石料雕刻；佛教石窟的洞穴、佛像的开凿，都由石雕匠人承造。石匠所用工具主要是钢钎、大锤、手锤、凿、锛、斧等。雕刻技法有浮雕、雕刻、透雕三种。其操作工序是：先开石破料，将

石块裁成石材，然后因材施艺，按主家或工程要求，精心设计雕造。（参见"石雕"条）。

打金箔作 把金捶打成薄片的作坊。金箔也称"薄金"或"金薄"。传说该业匠人奉葛大真神（即晋代炼丹家葛洪）为祖师。金箔的制法，据《绘事琐言》介绍：先熔金，然后将金凿碎如米粒，利用金延展性能强的特点，把它捶成片状，用乌金纸一层层夹住，为的是滑而不滞，再洒炉中炭灰，取其燥而不润。百层为一束，用绳捆住，用木槌捶打成寸许，谓之"开荒"。后经再次捶打至四寸宽，即成金箔。据清代工部则例及圆明园则例称：金箔有"红金""黄金"之别。晚清以来，又有"库金箔"、"苏大赤"、"田赤金"等名称。金箔用于陵园、建筑、用具的漆饰绘画，塑造寺庙的金身佛像，用在宏伟建筑上能衬托出富丽堂皇的效果，在民间很少使用。

甲胄业 我国古代制造铠甲和头盔的行业，其所奉祖师不详。甲胄也作"介胄"，是古代武将和战士用的铠甲和头盔。《左传·成公十三年》云："躬擐甲胄。"《汉书·刘歆传》曰："然公卿大臣绛灌之属，咸介胄武夫，莫以为意。"甲胄因制作材料的不同，而分为鱼甲（鲨鱼皮制）、皮甲（犀牛皮或牛皮制）、青铜甲、铁甲、金甲、银甲、翎根甲（用蹄筋、翎根相缀而胶连甲片，射之不能穿）、纸甲等。甲胄的制作工艺复杂，无论用何种材料，都要做成方、长方或圆形的甲片，然后连缀而成。目的是取其牢固，不怕刀砍、枪刺、箭射。甲胄一般由头盔、甲衣、围囊组成，其穿着方法也异于其他服装，一般是先下后上，即先穿围囊，再穿甲衣，待佩上各种配件后，再戴上盔帽。

乐器 指我国古代的民族乐器，分吹、拉、弹、打四大类，其发展程序是：先产生打击乐，次吹奏乐，再弹弦乐，最后产生拉弦乐。原始社会产生了打击乐和吹奏乐，主要是大鼓、木鼓、石磬、埙和骨哨等。它们直接导源于先民的狩猎生活，乐器本身常常带有鲜明的生产功利色彩，既是劳动工具，又有审美特性。夏商西周及春秋战国时期，随着社会分工和手工技艺的发展，乐器有了很大的进步，出现青铜乐器，从商代编铙至西周三枚成套编钟，再到战国64枚成套巨型编钟集合体，青铜乐器越铸越大，工艺也愈趋复杂。湖北随县曾侯乙墓出土的一套战国编钟，音域已有七音、十三律完整乐律体系。弹弦乐器琴瑟的出现，为乐坛注入了新声源。当时还建立了以质分类（金、石、土、木、匏、革、丝、竹）八音体系，扩大了早期乐器的家族。自周代起，乐器已达70余种，其中金属乐器有钟、编钟等；石属乐器有编磬、特磬等；土属有埙等；木属有柷、敔等；匏属有笙等；革属有建鼓、搏拊等；丝属有琴、瑟等；竹属有排箫、箫、龠、篪等。秦汉以后，我国大量采用外来乐器，虽然名称留有译音的痕迹（如唢呐、琵琶、胡琴），但经过音乐家的消化改造，终于"华化"为我国自己的乐器。如西域传入的横吹(笛)、羌笛(竖笛)、胡笳、角、箜篌、曲项琵琶、五弦琵琶、筚篥、锣、钹、羯鼓、方响、铜鼓、节鼓等乐器，其中影响最大的是琵琶。到唐朝，我国民族乐器经前代的积累、吸收、消化与发展，种类已达 300 多种（见《乐府杂录》）。宋元以后，由于戏曲事业的发展和"瓦舍"等娱乐场所的兴起，伴奏乐器大量涌现，其中主要是来源于蒙古、西域的马尾胡琴，经与前朝留下的嵇琴、轧筝融合，创制出新颖的胡琴，这标志着我国弓弦乐器走向成熟。后由于地方戏声腔风格的需要，胡琴又逐渐分化出秦腔、豫剧用的板胡，京剧、汉剧用的京胡、京二胡；河南坠子用的坠胡；广东粤剧用的高胡等。同一时期，北方曲艺发展了性格乐器大三弦、书鼓、八角鼓；南方评弹发展了南三弦，道情、渔鼓又发展了竹板、渔鼓等。来自中西亚的唢呐和罗马尼亚等地的扬琴，也于明代传入我国，并成为军乐和民间婚丧事中的"主角"。来自希腊、罗马的管风琴（时称"兴隆笙"）和击弦古钢琴也在明清时期传入宫廷，受到极大的重视。

印章业 我国传统刻制印章的行业，奉文昌帝君为祖师。印章也称"图章"，古称"钤"或"坶"，印作"玺"。秦统一六国后，皇帝的印信称"玺"，官私所用均改称"印"。到汉代，官印中始有"章"与"印章"的称谓。唐代以后，皇帝的印信均称"宝"。官、私所用印章另有"记"、"朱记"、"关防"、"图章"和"花押"等名称。文字形制随时代而变化，风格各有特点。雕刻印章的材料，多种多样，按质地种类分：金属材料一般用铜、不锈钢、铝和为数极少的铅锌合金；晶质材料则有水晶印、墨晶印、茶晶印、棉晶印、面晶印、丝草晶、无邪印、金晶印、冲晶印；翠玉材料方面有翡翠印、玛瑙印、人造玛瑙印、白玉印、秀玉印；角质材料方面有象牙印、人造象牙印、牛角印；石质材料方面有鸡血石、田黄石、寿山石、青田石、冻石、大理石等。刻印图章的木料，主要是桃木、梨木或黄杨木。近年来还兴起用塑胶等化学材料刻制印章。刻印技法则因艺人的艺术修养不同而有差异，诸如刻刀大小、厚薄、利钝以及运刀的力度、方向、角度、快慢等均有区别。前人有用刀 13 法之说，通常有正刀、复刀、反刀、冲刀、涩刀、伏刀、留刀、刺刀（舞刀）、平刀、迟刀、挫刀、飞刀、补刀等技法之分。镌刻所用的字体则随主人的心意而有真、草、隶、篆等变化。镌刻时，要用印床卡紧，以固定印材，供艺人操作。

皮影 又名"灯影"、"灯影戏"、"土影戏"、"驴皮影"、"影戏"等，它是舞台演出的用具，同时也是一种民间工艺品。皮影戏是以灯光照射兽皮或纸板做成的人物剪影为傀儡的一种民间影子戏。在我国起源很早，相传在汉武帝时就曾用灯在帐上照出她妃子的影子，以系思念之情。到北宋时影戏已有演出。《都城纪胜》云："凡影戏乃京师人初以素纸雕镞，后用彩色装皮为之。"据说，元代曾传入西亚，并远及欧洲。影戏初以素纸制作,后来用羊皮、驴皮或牛皮雕形,故名"皮影"。皮影的人物造型,归纳起来有生、旦、净、末、丑5个大类。根据人物不同身份的特点,夸张它的眉、眼、鼻、嘴和胡须五个部分。皮影在平面布幕上演出,只能左右动作,因此决定了皮影人物造型特点多为侧面投影。上彩有红、绿、蓝、黑等四、五色,每色有深浅之分。雕镂方法,一般有透雕和半透雕两种,全身分头、胸、手、腿等部分,用胡琴的琴弦绞连。影人一般约尺许,身上的若干关节,根据动作需要,安装有三、五根钢质操纵细杆,操纵者在幕后演唱,通过灯光投影,影人在影幕上就能表演出各种动作,形象优美。现在我国影戏已遍及各地,而且各具特色,其中以河北滦州(今属唐山地区)一带的驴皮影和西北牛皮影最为著名。

皮革业　动物皮经化学及物理加工处理和皮革品制造的行业。该业所奉祖师有黄飞虎、比干、关公、达摩、白豆儿佛、孙膑等。皮革简称"革",也称"皮革"。是一种经处理不易腐烂而且具有柔韧等性能的皮子。新剥下的动物皮称"生革",生革加工成熟革的工艺过程,有准备(浸水、脱毛、膨胀、片皮等)、鞣制(铬鞣、植物鞣、油鞣、结合鞣等)、整饰(染色、上油、干燥、涂饰等)三个阶段。鞣制成的熟革,要经过整饰,如上油、打光、染色、印花、压花、涂色和套色等工艺,才能成为精美的皮革。皮革广泛应用于工业、农业、国防、科研等领域,制成各种日常生活必不可少的用品,按用途可分为鞋用革、服装革、箱包革、球革、装具革、工业用革等。

丝织业　我国传统的丝织行业,也称"丝绸业"。其所奉之祖师有褚载(或褚河南父子)、伯余、黄帝、嫘祖、三皇、张衡、织女、黄道婆、接头方仙、七仙女、蒋公等。中国是世界上最早发明蚕丝的国家。根据出土实物和文献记载,新石器时代晚期,人们就已知种桑养蚕,也有丝织物出现。商代甲骨文中就有桑、丝、帛、蚕等字,这时已有平纹素织和挑出菱形图案的丝织物。周代丝织品类更加丰富多彩,并掌握了提花技术,这是丝织工艺的一个极大进步。公元前3世纪,我国即以盛产丝织物而闻名于世,被称为"丝绸之国"。湖南长沙马王堆汉墓出土的丝织工艺实物资料,突出地反映了2000多年前我国缫织蚕丝的高水平。丝织物的加工方法有织花、绣花、泥金印花和印花敷彩等。西汉至南北朝时期出现了纬线起花锦。唐代纬锦非常流行,这是丝织工艺的一大发展。唐代丝织物的图案纹样开创了新风格,给后代以深远的影响。宋代设有大规模的丝织作坊和织锦院,丝织物的图案题材较唐代更为丰富。缂丝工艺在这一时期已发展相当成熟。元、明、清的丝织工艺在生产规模、技术、艺术上均有巨大成就。全国设有许多官营织局,民间私营作坊更比比皆是,以长江三角洲的苏、杭、宁地区为最。明代弘治年间,福建漳州人林洪改进了织机,使丝织物的花色质量有了进一步的提高。妆花技术的发明，是明代丝织工艺的重大成就，到清代又有进一步的发展。建国以后，丝织业得以迅速发展。我国传统的丝织工艺产品的产地很多，以蜀锦、云锦和宋锦为代表，被称为"中国三大锦"。现代丝织工业仍以上海、苏州、杭州等地最为著名。我国的丝织工艺品，不仅长期以来受到国内人民的欢迎，而且在国际上享有盛誉，远销海外，被世界各国人民所称颂。

丝绦带 用丝线编织成的花边扁平带子。两头有穗，用来束腰，可以装饰服装。一般用作戏衣饰品，文人穿褶子，多系丝绦带；江湖英雄也用丝绦带绊胸（打十字绊），武将用丝绦带扎靠。带上的图案是几何纹样，颜色五彩缤纷，各色俱全，鲜艳华丽。民间所用的扎腿带子是最普通的丝绦带，一般为青色，用来扎裤腿，防止透风腿膝受凉。旧时为中老年、特别妇女所必备。

百寿图 摹写古今各体寿字，组成百寿图图案。寿，繁体字作"壽"。本是一个平常的汉字，但由于人们长寿观念的作用，它远远超过了一般汉字，不仅字意延伸丰富，字体变化多端，而且成为反映人们吉祥观念的最重要象征。百寿图中的寿字被图案化和艺术化，变成了吉祥符。据统计，"寿"字有300多种图形，变化极为丰富。其中有单字表意的图案，字形长的称"长寿"，字形圆的叫"圆寿"（无疾而终称为圆寿）或"团寿"。百寿图是多字表意的图案。形式有方形和寿字形两种。《读书敏求记·字学百寿字图》（卷一），记南宋绍定时静江令史谓于夫子岩刻百寿字。明正德时昆明赵壁编百寿字书，分24体。

成衣作 我国旧时专门从事服装生产的店铺和行业，其所供奉的祖师是黄帝、三皇、周武王宫婢、关公等。也称"成衣铺"或"裁缝"。实则裁缝是服装加工时剪裁和缝纫的连称或简称。解放前我国很少服装制作的工厂，出售成批商品服装的也不多。因此有很多个体经营者开成衣铺，独自将量体、裁剪、缝纫、熨烫、试样等各项工序，一人一店完成，即俗称"一手落"。对这些以缝制衣服为职业的人也称"成衣"或"裁缝"。由于缝制服装的品种不同，又有中式裁缝（专做中式服装如长袍、袄、裤等）、西式裁缝（专做西式服装如西服、大衣等）、本帮裁缝和红帮裁缝等区分。旧时江南地区的人民，对裁剪中式服装的店铺称为"苏广成衣"。据说裁剪中式服装，以苏州人的手艺最好，广州地区式样最新最多，"苏广成衣"是集这两个地区的特长，以显示其手艺高超和式样新颖。所以，凡是在江浙一带开设的成衣作，均冠以"苏广成衣"的字样，以招揽顾客。

地毯 以棉、麻、毛、丝、草等天然纤维或化学合成纤维类原料，经手工或机械工艺进行编结、裁绒或纺织而成的地面铺敷物。它是世界范围内具有悠久历史的工艺美术品类之一。覆盖于住宅、宾馆、体育馆、展览厅、车辆、船舶、飞机等的地面，有减少杂音、隔热和装饰效果。我国编织地毯已有2000多年的历史，主要是手工制作，包括栽绒地毯、平针地毯、绳条盘结毯等，而以栽绒地毯使用最为普遍。著名的新疆地毯，花纹多为几何形骨架，谨严规整，色调明快；北京地毯多为传统的花草图案和八宝、八仙一类的题材。比较流行的款式是中央有一个大团花，四角烘托角花，饰以多层次的边缘，富丽大方。手工地毯以天然纤维为原料，在防火、抗静电、保温、隔潮、透气和染色牢固等方面均优于以化学合成纤维为原料的机织地毯。工艺精巧，凡是图画能描绘的形象，在高级的手工丝织地毯上都能表现出来。（参见'地毯业'条。）

地毯业　织造地毯的行业。其始祖崇拜，不见记载。我国制作地毯的历史已有2000多年，早时流行于西北地区，著名的有新疆地毯、宁夏地毯。清代中叶，地毯工艺从西北传入北京、天津。据记载：咸、同期间，有喇嘛僧名胡其昌者（？），携徒弟二人从西藏经甘肃、绥远（今内蒙南部）而至北京，在报国寺设地毯织制公司。从此，北京地毯日渐发展起来。其两徒弟织制法各有不同，在寺出入，分东西二门，故传其业者，至今尚有东门法、西门法之分。北京帮多为东门法，而天津帮则多为西门法。

年画　夏历春节，民间张贴在室内的彩画，称为"年画"。年画是我国具有悠久历史传统的工艺美术品。不仅产地广，而且产量高。旧时过年

几乎家家户户都要在室内张贴。早在汉代，就有在门上画勇士、贴门画的风俗。唐代吴道子曾画有《钟馗捉鬼图》，贴在门上以避邪。到了宋代，由于刻板印刷的流行，就出现了彩板年画，称"纸画"。《东京梦华录》载："近岁节，市井皆卖门神、钟馗……"《梦粱录》中写道："岁旦在迩，……纸马铺印钟馗、财马、回头马等，馈与主顾。"历元明至清代，更为盛行。天津杨柳青、苏州桃花坞、山东潍县杨家埠、河南朱仙镇、河北武强、山西晋南、陕西凤翔、四川绵竹和夹江、安徽阜阳、福建泉州、广东佛山、湖南辰州及隆回滩头，都是著名产地。传统的木板画，大多含有新年祝福的寓意，线条单纯，色彩艳丽，对比强烈，场面热闹。如"五谷丰登"、"莲生贵子"、"吉庆有余"、"春牛图"等。民国以后，"洋画"问世，逐渐取代了传统木板画，题材多表现戏曲故事或历史人物情节，人们喜欢坐在炕头，讲说画面内容、故事情节，以传播我国优秀的历史文化。这时，在上海又兴起"月份牌"年画，这种年画，既装饰墙壁以增添喜庆气氛，又可查看月份日历（相当于现在的单页挂历），一举两得。解放后的新年画，在传统的基础上，推陈出新，题材新颖，丰富多彩，为广大人民（特别是农民）所喜爱。

年画作坊　我国旧时印制传统年画的手工业作坊。奉吴道子为祖师爷。由于年画的年代久远，产地广，用量大，所以全国各地都设有年画生产的作坊。彩色套印年画始于明

末万历年间，因风格如饾饤，时人称为"饾版"。它源于安徽民间，以后流传各地。解放以前，因受到"洋画"的冲击，经营规模较小的作坊相继歇业，产量日益减少。解放后，由于政府的扶持，弘扬民族文化，有组织地把作坊合并成画店，继续生产传统木版水印年画。如现在天津杨柳青画店所印制的年画，从内容到形式都有革新和发展，因其具有民族风格，产品仍为广大城乡人民所喜爱。（参见"年画"和"木版水印画"条）

竹编 竹编是运用各种竹子加工编成的工艺品。有实用品，也有陈设品，品种繁多，不一而足。大至桌、椅、柜、床、屏风等家具，小至竹丝扇、竹篮、提盒和案头摆件，多达数千种，不胜枚举。竹编产地主要在我国南方，因当地取材方便，气候温湿。工匠编织的技艺高超，风格独特。浙江的竹编艺术，精于编织各种动物、人物、植物、建筑造型，形象夸张，生动优美。湖南小郁的竹器家具，使用舒适，结构紧凑，非常牢固。四川瓷胎竹编，风格独特，紧扣瓷胎编织，依胎成型，逗人喜爱。该省的自贡竹丝扇，质薄如绸，精美似锦。湖南的水竹凉席，安徽的舒席，柔软光滑，躺卧舒适，凉爽消汗，是防暑佳品。福建、广东、江西各省的竹编，也都各具特色。制作过程，一般是先将竹子剖削成粗细匀净的篾丝，经切丝、刮纹、打光和劈细等工序，然后进行编织。

竹雕业 在竹子上雕刻或雕镂纹饰的行业。其行业祖师神，不见记载。竹雕亦名"竹刻"，是我国的传统工艺品，历史久远。《礼记·玉藻》载：士大夫饰竹以为笏，是用竹子典仪，"且有文饰之施焉"。现知较早的实物，是西汉马王堆一号墓出土的雕龙纹髹漆竹勺柄。晋代王羲之有斑竹笔筒，名"裘钟"。六朝齐高帝赐名僧绍竹根如意。《图画见闻志》载：唐王倚家藏笔管，"刻《从军行》一铺，人马毛发，亭台远水，无不精绝。"《南村辍耕录》记宋詹成造鸟笼，"四面皆花版，于竹片上刻成宫室、人物、山水、花木、禽鸟，纤细俱备，其细若缕，且玲珑活动。"明代竹雕曾出现许多名家，著名的有以朱鹤为首的嘉定派和以濮仲谦为首的金陵派，前者以透雕见长，后者以刀法浅简著称。清代的竹雕业更为发达，制作技法分竹刻、留青、翻簧等种。名手有吴之璠、张希黄等。现代竹雕业主要分布于南方各地，以浙江、江苏、上海、湖南、四川、广东等地产品最为著名，技法有浮雕、深刻、镂雕、阴刻、阳刻、浅刻和圆雕等，一般先在刻件上画好墨稿，然后依稿刻制，产品主要为实用品和欣赏品两类。

血料行 我国旧时用猪血制作涂料的行业。所奉祖师不详。该业主要是制作猪血"腻子"和猪血封闭液，属于涂料行当。猪血"腻子"即猪血老粉，和油灰腻子一样，用来填塞缝隙。它具有附着性、坚硬性和抗水性等特点。其制法是：热猪血冷却后去血丝筋，在纯净的血水中，加入0.5%的干石灰粉，用木棒搅拌。因石灰的作用，血水迅速凝结，成为紫红色膏状物，即猪血老粉。猪血封闭液，俗称"血料"。它是用热猪血20%和清水80%拌和，经过滤制成。用它粘贴纸张或涂于物体表面，能起封闭作用，增强覆盖力，干燥也快。旧时制作油篓糊纸，糊棺材里层纸及封闭棺材子盖，都用血料，民间的捕鱼网也要用血料涂抹，以防水延寿。现因血行已经绝迹，民间血网只好自制血料了。

冰灯 一种用冰雕刻而成的彩灯。我国北方特别是东北的寒冷地区，艺人们经常用冰雕刻成各种工艺品，以供玩赏。黑龙江省的哈尔滨等城市，在元宵节前后经常举办传统的冰灯游园活动。冰灯的造型，有人物、动物、花卉、建筑等，五光十色，美不胜收。冰灯的制作，可分为冷冻和冰雕两种。一般的小型冰灯，先要做好模具，然后向模具注水，送到室外冷冻成型。制造冰兽、冰峰、冰塔、冰楼等大型冰雕制品，则根据设计要求，用天然冰块砌成不同的冰堆，然后用斧、锯、铲等工具加以精雕细刻。大小冰灯中的电灯，都是制作者凿洞放进去的。人们把冰雪和灯光巧妙地配合，造型点景，别具风格。

冰雕 我国民间传统的雕冰工艺。在北方特别是东北各地，在每年朔风凛冽的严寒冬季，艺人们进行冰雕制作。冰质脆而坚，须用刀、锯、斧、凿、铲等金属工具细心雕琢。一般都在户外操作，所制的冰雕艺术品，大小不一，形态各异。大者有楼、台、殿宇、冰峰、冰塔；小者有人物、动物、花卉。大型冰雕是凿天然冰块垒砌而成，大小不等，有的在砌前雕琢，有的则垒好再雕，工艺精巧，晶莹透剔，色如玉成。小型冰雕，有的先制模具，模内注水，在户外冻结而成；有的则用天然冰直接雕琢，刀工细腻，风格各异。冰雕是观赏艺术品，在哈尔滨、齐齐哈尔等城市几乎每年都举行冰雕冰灯节，吸引国内外游客，成为盛会。（参见"冰灯"条）

灯笼作坊 我国民间制作灯笼的作坊。该行业所奉祖师，不见记载。灯笼是古代重要的照明用具，又是必要的装饰品。比较正规的灯笼，汉朝就已出现。但见于史籍，则在南北朝时期。《南史·宋武帝纪》有"壁上挂葛灯笼"的记载。《宋史·王德谦传》中记有"骄恣逾法，服食拟乘舆，出入或以导驾灯笼自奉。"可见宋朝灯笼的使用已经很普遍了。灯笼的制法是：先用竹篾或铁丝编织成网眼形灯罩，呈扁圆或桶形而上下收口，罩的外面糊纸（或绢、纱、葛），称"笼"，内置"烛叉"，燃烛照明。编糊灯笼的工艺要求是网眼大小如一，匀称细致，糊纸无论用何种质料，要看不出接口，浑然如一。纸、纱、绢、葛均用素色，即使著字彩画也要淡雅，以利于透光。手执灯笼用于夜间外出，形体较小，悬挂于院落门厅、廊庑的灯笼，形体较大，式样多比较别致。

戏装 戏曲服装的简称，又叫"行头"、"戏衣"。是演戏用的衣着和服饰的总称，包括盔帽、蟒、靠、褶、帔、靴等。我国传统的戏曲服装，无论什么剧种，基本上都是依据明代的服饰式样，并加以艺术处理而创造设计出来的。传统戏装的名目众多，主要的约有 20 种左右。然而由于色彩、纹样和质料的不同，以及穿戴时的不同搭配，使整个戏衣显得变化多端，丰富多彩，富有艺术表现力。戏衣的色彩分上五色(红、绿、黄、白、黑)和下五色(粉红、湖色、深蓝、紫、古铜或香色)。在质料上，早期多用呢、布，后来主要采用缎、绸、绉等丝织品。戏衣的纹饰，有龙、凤、鸟、兽、鱼、虫、花卉、云、水、八宝、暗八仙等。同一内容又有不同的表现形式，如龙有坐、散、游、团；水有立水、卧水等。刺绣也有绒绣、线绣、平金、金夹线、银夹线等区别。其设计制作工序十分复杂，先要根据剧中人物的不同年龄、性格、身份、扮相，来设计样稿。再按样稿进行配料、绘画、刺绣，再经别浆、剪裁、缝纫、熨烫、上领、上蟒摆、缝里子，最后加工整理才算完成。目前，北京、上海、苏州、广州等地，是我国设计制作戏装的几个主要基地。

羽毛画 羽毛画是运用各种禽鸟毛羽，汲取国画的构图技法制成的一种工艺画。这种画绚丽多彩，富有浓郁的装饰性，别具一格。其造型按内容不同要求，分别采取平贴、浮雕和圆雕三种表现手法，层次清晰，形象逼真。我国羽毛画以沈阳和济南所产，最为著名。沈阳羽毛画善于利用各种羽毛的天然色泽、纹彩、亮度和质感，以达到完美的艺术效果。卷轴羽毛画，主要汲取中国水墨画艺术形式，以绫、绢装裱，供观赏用。纱衬羽毛画汲取双面异色绣形式，可正反两面观赏。羽毛壁挂，借鉴艺术挂毯形式，用羽毛层层叠贴而成，适于表现山村风光。济南羽毛画出现较晚，是 60 年代初创始的。开初只有贺年片、书签等小工艺品，现在已发展制作挂屏、座屏、屏风、书签等四大类 500 多个品种，其中尤以挂屏的"虎"、"泰山"闻名国内。

红木小件 或称"硬木小件"。属家具中的一类。大多是安放、陈设于桌案之上的小型木器，如盘、匣、底座、台屏、灯具、罩具等，故被称之为"小件"。另外，形制似大件，但形体规格特小，主要供观赏的小家具，也称作"小件"。所以，一般可将小件分为几座、屏架、灯罩、盘盒、日用小器皿等五类。产品有上百种。明清时期，苏州有专门制作小件的作坊，艺人辈出，技术精湛。据清修《吴县志》载："精制小木器"的"板方则衰有竹，回旋则邬四，皆一时之良工"，并称赞他们的手艺是"明朝一代之妙技"。由于当时制作小件多采用红木，所以称"红木小件"，又因红木质坚细腻，故又名"硬木小件"。我国现在制作小件的著名产地仍是苏州，此外还有上海和北京。上海的"海地小件"侧重雕刻，造型多自然形态。北京的"京式小件"较"苏式"、"海地"又别具异彩。在小件上配制玉器、牙雕、雕漆、景泰蓝、烧瓷、金银花丝等装饰，工艺有镂空雕花、镂空结合起地雕花、镂空与嵌金、银丝纹饰、镂空与嵌象牙、骨花等。纹样有西番莲、夔龙、夔凤、珠线勾子莲、拐子莲、八道马等。精致的台、座腿足部位的造型，有雕刻豆瓣、云腿或力士金刚等。选料除高级红木外，还有紫檀、杜木、梨木、色木等名贵硬木。成品的表面经光亮处理，既保持了烫蜡干磨、硬亮，使木质纹理清晰而富于木质美的自然气息，同时又采用了树脂大漆工艺，进而提高了制品的耐热、耐酸碱的化学性能，并以此增强外观的明亮度。

花灯 亦称"彩灯"、"灯彩"。是我国各地普遍流传的民间工艺品。既可照明又可作观赏品、装饰品。相传始于两汉；以后各代都有制作，而且花样翻新，匠心独运。一般都是利用本地所产的竹、木、藤、麦杆、兽角、金属等材料制成。并根据各地的风俗习惯、民众爱好等进行艺术加工，如上海的龙灯，主要用布制成，加以彩绘或刺绣装饰；广东的走马灯，结构特别精巧，它是利用燃烧加热的空气（燃气）推动纸轮旋转。此外，浙江硖石的灯彩，针刺出花纹；福建泉州的料丝花灯，享有盛誉；北京、洛阳的宫灯，华贵大方。还有各种形状、质料的影灯、灯轮、灯山、鳌山、灯球、万眼灯、滚灯、卵灯、羊角灯、菊灯、九莲灯、莲孩、珠子灯等，千奇百态，异彩纷呈。花灯是伴随民间风俗、民间艺术流行的，平时用来烘托婚寿喜庆气氛，每年一度的元宵节，闹灯赏灯已成为举国同庆的灯节。

花边 ①也称"花绦"，是有各种花纹图案，作为装饰用的带状织物，用于服装、窗帘、台布、床罩、枕套等的嵌条或镶边。花边分为机织、针织、刺绣、编织四类。丝纱交织的花边，在我国少数民族中使用较多，所以又称为民族花边。纹样多采用吉祥图案。机织花边的质地细密，花型富有立体感，色彩丰富。针织花边组织稀松，有明显的孔眼，外观轻盈、优雅。刺绣花边，色彩种数不受限制，可制作复杂图案。编织花边由花边机织成，也有用手工编织的。②也称"抽纱"，是刺绣的一种。即用细纱刺绣、编结而成的生活用品。清末由欧洲传入我国东南沿海一带的烟台、上海、常熟、温州、汕头等地，品种有"挑补花"、"雕绣"、"网扣"等。色调多为浅色，如：白、淡黄、米色、淡绿和淡蓝等。适宜作台布、床罩、枕套、靠垫、手帕和茶垫等，现主要产地有江苏、浙江、山东、广东和上海。

花炮业 我国制造烟花和炮仗行业的统称。该行业奉李畋、祝融、无敌火炮将军为祖师爷。传统烟花炮仗的制作技术是我国古代文明的一份珍贵遗产。清代赵学敏所著《火戏略》是叙述花炮制作技术的专著，详细介绍传统花炮的燃放原理、原料配制、制作技艺、操作程序等知识。花炮的用药基本上是传统的一硫黄二硝石三木炭，即黑色火药。花炮之筒有纸筒、泥筒、铁筒三种。因施放效果要求不同，封口所用之物，甚为讲究。如用黄土泥封口，必须经烧酒拌晒过，如用硫黄，则须用醋炒过。

药筑实，口封死后，根据需要，用尖锥到筒上开口，插入药线后封好。烟花、大炮多用双纽药线，小鞭则用单纽药线即可。我国的花炮业既继承了传统技术，又吸收了现代科学成果，使现代烟花（焰火）燃放时亮度大，色彩丰富，图案美丽，成为现代化的大型的高空远距离观赏烟火。现在，中国花炮已发展到100多个品种，行销国内外。（参见"烟火"、"鞭炮"条）

苏绣 以苏州为中心产地的刺绣产品的总称。它历史悠久，在宋代已具有相当规模，当时有绣衣坊、绣花弄、滚绣坊、绣绒巷等生产集中的坊巷。明代苏绣已逐步形成了自己的独特风格，影响较广。清代为鼎盛期，当时皇室的绣品，多出自苏州艺人之手，民间刺绣更是丰富多彩。据清《上海县志》载："苏绣之巧，写生如画，他处所无。小民亦可以糊口，略与纺织等。其法擗丝为之，针细如毫发。"可见苏绣主要特点是针脚细密，色调典雅，图案多彩用"留水路"的分面推晕的表现方法，有浓厚的装饰性。清代末年，沈寿首创"仿真绣"，饮誉中外。她曾先后在苏州、北京、天津、南通等地课徒传艺，培养了一代新人。本世纪30年代，丹阳正则女子职业学校绘绣科的杨守玉，始创乱针绣，丰富了苏绣针法。苏绣技巧可归纳为八个字，即：平（绣面平服）、齐（轮廓整齐）、细（针线纤细）、密（针迹紧密）、匀（疏密一致）、顺（丝理圆顺）、和（色调调和）、光（色泽明快）。其针法有平针、套

针、抢针、施针、打子、拉梭子、编绣等43种之多。绣品分两大类，一类是实用品，有被面、枕套、绣衣、戏衣、台毯、靠垫等；一类是欣赏品，有台屏、挂轴、屏风等。题材广泛，花卉、翎毛、人物、山水、书法，样样俱全，双面绣《金鱼》、《小猫》是苏绣代表作。

汴绣 河南开封的刺绣。因北宋都城汴京（今开封）而得名。北宋朝廷在首都汴京设"文绣院"，内有绣工300余人，专为皇室绣制御服和装饰用品。城内有"绣巷"，是绣工匠人居住之处，当时民间绣艺也有很大的发展和提高。因此，汴绣显赫一时，蜚声海内。《东京梦华录》中称它"金碧相射，锦绣交辉"。北宋灭亡以后，曾一度衰落，到明清时期才逐渐恢复和发展起来。明清时的汴绣题材，以表现祝颂和故事为多，如"群仙会赐福"、"百官上寿"和"十八学士"等，颇具地方特色。现代的汴绣，品类较多，有屏风、挂屏、中堂、条幅、手卷、枕套等，题材有人物、山水、走兽、翎毛、花卉等。各种刺绣技法达20余种。其主要特点和风格是善于模仿古代书画名作，结构谨严，生动逼真，缜密清晰，富于节奏。仿绣的宋代名画《清明上河图》（宋·张择端绘），用十多种针法绣成，质朴淡雅，层次分明，集中体现了汴绣的精巧技艺。

刺绣业 我国传统手工业行业。所奉祖师有顾儒、顾世（顾名世）、顾太、冬丝娘、妃禄仙女等。它又名"铖（针）绣"，俗称"绣花"。工艺过

程是以绣针引彩线（丝、绒、线），按设计的花样，在织物（丝绸、布帛）上刺缀运针，以绣迹构成纹样或文字。古代称"黹"（zhǐ）或"针黹"。后世因刺绣多为妇女操作，故名"女红"。刺绣在我国有着悠长的历史。在河南安阳殷墟妇好墓出土的铜觯上，就有黏附菱形的绣残针迹。据《尚书》载：远在4000多年前，就已形成十二章服制度，规定"衣画而裳绣"。即服饰上用刺绣和彩绘花纹，以区别等级和地位。至周代有"绣缋共职"的记述。湖北、湖南出土的战国、两汉的绣品，水平都很高。南北朝则出现了锁绣变化针法。据《锦裙记》载：侍御史赵郡李君家，藏有南北朝锦裙一幅，左绣仙鹤二十，右绣鹦鹉二十。隋唐时又出现"接针"、"套针"和"抢针"等新针法。《杜阳杂编》载：唐代南海奇女卢媚娘，于尺绢上绣"法华经"七卷，字之大小不逾粟粒，是我国刺绣绣字的最早记录。宋、辽、金、元时代，刺绣施针匀细，设色丰富，多摹仿名人的山水、花鸟等绘画，而绣成"画绣"。《燕间清赏笺》说："宋人绣画山水人物，楼台花鸟，针线细密，不露边缝；设色开染，较画更佳，以其绒色光彩夺目，丰神生意，望之宛然，三昧悉矣。"明清时期，宫廷绣工的规模很大，民间也得到进一步发展。先后产生了苏绣、粤绣、湘绣、蜀绣等四大名绣。此外，尚有顾绣、京绣、鲁绣、瓯绣、闽绣、汴绣、汉绣等，都各具风格，沿传至今，久盛不衰。《雪宦绣谱》总结了晚清艺术家沈寿口述刺绣针法要诀10

余种，运针绣线88色，深浅晕色达745类。刺绣的针法有：齐针、套针、扎针、长短针、打子针、平金、戳纱等几十种，丰富多彩，各有特色。绣品的用途包括：生活服装、歌舞或戏曲服饰，台布、枕套、床幔、靠垫等生活用品及屏风、壁挂等陈设品。

画真容　我国古代绘画肖像的行业。该行业奉吴道子为祖师。真容指人的真实容貌。清末以前，西方的摄影技术，尚未传入我国，人的本来容貌很难流传后世。于是社会上出现画真容的艺人，他们平时辈画佛像、神像为生，有时则专为死人画像以流传子孙。通常是在死后停放床板殡尸时，请来画师揭开衾布画真容。先勾出轮廓，然后加工成肖像。画法是单线勾描，与真实容貌大致相似。但表情呆板，眼神凝滞，没有生气。清末以前，一般富有之家为先人画真容为的是纪念死者，留影传世，民间有的地方称此种行业为"追影"，或悬挂于家室，或送进家族祠堂，用志垂念。皇室帝后死后，也要由宫廷画师画真容，除头面外，还要着装礼服，正襟危坐。安放在宗庙内，入列祖列宗行列，永受祭祀。民国年间仍有画师依西洋画法画像，先勾轮廓，后用碳条描画皴染，明暗有别，与真容酷似。也有的据死者像片放大画像，如旧时天津劝业场的王佩芝画像馆，就从事这种营业。随着摄影技术的发展，现今它已销声匿迹了。

画像砖　我国古代建筑或墓室壁面上的图像砖，是建筑结构的一部分，又是一种室内装饰画。战国时已有生产，秦代有所发展，两汉为全盛期，以后逐渐减少。表现形式为阳刻线条，阴刻平面、浅浮雕等相结合。一般用木模压制，也有的直接刻在砖上，或施以彩色，艺术性较高。有空心砖和方砖两种。空心砖又称"圹砖"，是一种大型长方形陶砖，它是用模印出上、下两面及前后两侧四片泥胚上的花纹，然后加以粘合，两头再加封泥片，并各开一孔，以便烧制。这种砖由于中空，因此易烧、体轻，并可防潮。流行于河南、山西等中原地区。以河南洛阳出土最多。砖的装饰，一般用几何纹作饰纹，中间用几种纹模印出花纹，如树、鸟、虎、马、人物、楼阁等。或在砖的中区用方块模印作棋格状的连续花纹。一种花纹用同一模印出，花纹作阴线状。也有表现主题内容的，大体和汉画像石相同。河南新野县曾出土"戏车图"空心砖一件，它表现了一个惊心动魄的杂技表演场面。反映了汉代百戏之精华，举世罕见。方砖多在四川成都出土，也表现一定的主题内容，像一幅幅装饰小品画。根据不同的内容可分为：生产劳动、社会风俗、神话传说、庭园建筑等类，而以表现生产劳动的最有特色。著名的有弋射收获砖、盐井砖、桑园砖、采莲砖以及丸剑舞乐砖、庭园砖等。这种四川画像方砖是采用模印方法制成的，在未干的泥坯上印出花纹，它不同于河南地区的压印，像盖图章似的印出一个个阴线花纹，而是用阴刻的花模，套印在泥坯上，因而花纹一般是呈现浅浮雕的效果。

制伞业 制造避雨和遮阳用具的手工艺行业。其所奉祖师神为鲁班妻和女娲。伞，古代称"盖"，它是我国最早发明的。据传，春秋末年，鲁班的妻子云氏做了一种能遮雨的东西，她把竹子劈成细条，在细竹条上蒙上兽皮，形状像"亭子"，收拢如棍，张开如盖。实际就是后来的伞。到封建社会，伞的功用有了发展，被统治者用作表明身份的装饰品，制作非常讲究。古时伞也写作"繖"，"伞"与"繖"两字相通。《事物纪原》载："六韬曰：'天雨不张盖幔，周初事也。通俗文曰：'张帛避雨，谓之繖，盖即雨伞之用，三代已有也。'"在古时，伞是用丝织品制作的，纸发明以后，丝织品改由纸代替，制成纸伞。纸要用桐油油过，始能遇雨不湿不透，坚固不破。宋代称绿油纸伞。以后历代都有改进，纸伞、油布伞、蝙式伞、花伞陆续问世，形成今日之大众用品。现代的伞更是琳琅满目，品种繁多。英国的第一把伞，是在1747年左右由中国传去的。伞以福建福州、浙江温州、广东佛山以及湖南等地的产品，最为著名。

制茶业 我国传统炮制茶叶的行业。该业祖师有陆羽、卢仝、斐汶、灶神、唐明皇、姚吉等。中国是茶的故乡，种茶、制茶、饮茶都起源于我国。它作为一种普通饮料，经过了一段漫长的岁月。远古时期，人们仅把茶当做药材，称之为"荼"(tú)。当时从野生茶树上采下鲜叶，直接煮汤饮用，其味苦涩如药，所以初称"苦茶"。《神农本草经》载:"神农尝百草,日遇七十二毒,得茶而解之."秦汉以后,人们慢慢理解茶与人体健康有密切关系。《神农食经》说:"茶茗久服,令人有力悦志。"名医华佗在《食经》中总结出:"苦茶久饮,益意思"的经验。唐代官修的《唐本草》对茶的记述是药用与饮料兼而有之:"茗,苦茶。茗味甘苦,微寒,无毒。主瘘疮,利小便,去痰。热喝令人少睡。又:苦茶下气,消宿食。作饮加茱萸、葱、姜等良。"这种认识仍不够全面,到明代李时珍的《本草纲目》问世,才对茶有了全面总结:"茶苦而寒,最能降火,又兼解酒食之毒,使人神思惆爽,不昏不睡。虚寒及血弱之人,饮之既久,则脾胃恶寒,元气暗损……。"由于茶叶具有解热、消食、清心、明目、提神等功效,把它作为日常饮料最为理想,所以茶叶成了人民生活中不可或缺的东西。制茶也有一个发展过程。开初,是采生叶煎煮入药,后来将茶碾成细末,加上油膏、米粉之类的东西,制成茶团或茶饼,饮用时将其捣碎,放在瓷壶中煎煮,外加葱、姜、桔、盐等调料,饮之仍是半茶半药。《茶经》问世与传播,推动了茶叶的生产和社会饮茶的风尚。到北宋,制茶已实行官营,据《北苑别录》载:全国有制茶所32处,把产茶区的制茶业务,统通控制起来,民间只有零星生产,自行制作。当时的制茶工艺仍袭唐代,只是把"捣茶"改成"水碾"。即把蒸后的茶叶加水碾成细末压成茶饼,称"龙团"、"凤团",后又有精致的"密云团"。到徽宗时的《大观茶论》又把制茶工艺总结为20条,推动了工艺的进步。当时流行"斗茶"(又名"茗战"),即饮茶时喜欢比一比谁制的茶"白沫重叠,积聚水面,状如积雪",并耐久者为胜。通过"斗"出来的上品则当贡茶,进献朝廷。因之,斗茶也促进了制茶技艺的改进和质量的提高。南宋时,又发明了炒青茶的制作方法,后又制出了花茶。饮茶直接用焙干的茶叶煎煮,不再外加调料。及至明代,制茶技术又有改进,饮茶也改为用开水冲泡,不再煎煮。以后又发明了黄茶、黑茶、红茶的制法。这时有关的茶叶专著也相继问世,如许次纾的《茶疏》、黄龙德的《茶说》、顾元庆的《茶谱》等,都比较全面地总结了茶叶生产加工的技术成果。清代中期,又炮制了白茶,还在制绿、黑、白、红茶的基础上始制青茶。清末又大规模设厂制作窨花茶作为大宗商品出售。解放后,制茶业得到发展,茶叶成为世界三大支柱饮料之一。

制笔业　制作毛笔的手工业行业,该业奉蒙恬为祖师神。历史悠久,先秦时期制笔是把毛笔头夹在竹管的一端,用线缠住,并且涂漆固定,用以在竹简、木牍或绢帛上写字。秦代以后,不再夹缠,而是将笔管的一端镂空成毛腔,将笔毛置于腔内,用松香焊住。毛笔用毛颇为讲究,主要有羊毫、狼毫、紫毫和兼毫四大类:羊毫,是用羊毛制成,其质柔于紫毫。又分为宿羊毫、乳羊毫、子羊毫、陈羊毫。狼毫,用黄鼠狼(鼬鼠）毛制成，其力介于羊毫、紫毫之间，质较脆，不耐磨擦。紫毫，用紫色兔毛制成，有紫和花白之分，花白是用白兔脊和尾毛掺以紫毫。纯用紫毫，软而圆健，若兼花白，则坚强劲利。兼毫，用两种以上的毫制成，一般是以狼毫或紫毫与羊毫合制而成的为主，有直称兼毫者，如紫兼毫。有表明配合成份多寡的，如三紫七羊，七紫三羊等。除以上四大类外，还有兔毫、熊毫、貂毫、鸡毫、鹿毛笔、鼠须笔、蒜笔、藤笔等。

制砚业 制作研磨工具——砚台的行业。该业奉子路为祖师。砚为文房四宝之一，是文人们书写绘画的必备工具，所以它的制作年代久远。制砚材料以石料为主，也有用铁、铜、银、瓦、陶、澄泥、玉、漆的，不过较为罕见。石砚的形制各异，品种繁杂，都是精美的石雕艺术品，其制作过程，主要有采石、下料、制璞、雕刻、配合、打磨等工序。手工艺人量材施艺，因石构图。题材、立意、布局、造型、刀法、刀路等的选择，都需经过反复的思考与推敲，才能制出精品。我国砚的著名产地有广东肇庆、安徽歙县、甘肃临潭县、山西绛县、河北易县等。因上述地区的石质优良，艺人辈出，所制之砚具有古雅、敦朴、精美、形态自然、构图简练、运线流畅、主题突出、使用方便等特点，在国内外享有盛誉。（参见"砚"条）

制墨业 墨是书写、绘画的黑色颜料。我国制墨业的出现很早，奉吕洞宾为祖师。据《述古书法纂》载："邢夷始制墨，字从黑土，煤烟成之，土之类也。"可见西周宣王时即已有墨。传说有一天邢夷在溪边洗手，见水中漂浮来一块松炭，不意随手捡起，手上染了黑色，他很诧异，取回家去，捣碎成灰，先用水和之，并不凝结在一起；接着又用粥和饭之类拌和，效果很好，从此便用手搓成扁形或圆的墨块；不过，最初怎样制法现已无从考察。墨因制作原料不同，可分为油烟墨、漆烟墨、松烟墨三种，它们分别以桐油、生漆、松枝烧出的烟炱，加上明黄胶以及麝香、冰片、榉木皮和石榴皮酸混合制成。这些原料可防胶质腐败，墨锭变形，并使墨彩更加生色。墨的制作方法：是按配比合料后，在铁臼中捣数万以至十万次，合成粘胶状软剂，然后搓成圆或扁长条形，最后用墨模塑制成型。墨模是雕刻工艺品，它的发展与制墨业发展密切相关。唐宋元时的墨锭是先用墨模成型，再刻有花纹或文字的墨印，趁软剂时印就的。明清时，安徽徽州制墨业名匠辈出，技艺纯熟，对墨模改进很大，由以前的多模一锭，改为一模一锭，即把几块墨印合成六面嵌套于总模框内，组成一个总墨模，对提高工艺效果、节省工序起很大作用。这时的模式、绘画、雕刻、装潢诸方面，精益求精，创造了很多著名墨模，如《御制铭园图》、《新安大好山水》等。

制漆业 制作天然漆的行业。该行奉普安为祖师。漆是一种粘液状涂料。将漆树干表皮割破成Ｖ字形，收集流出的漆汁，经滤去杂质或调合干性油而得，称"天燃漆"、"生漆"、"大漆"、"土漆"或"中国漆"。它是我国的著名特产之一，历史悠久。属于天然树脂涂料。刚从树上采割下来的生漆，为乳白色胶状液体，当接触空气氧化后，逐渐转变为褐色、紫红色以至黑色。其主要成分为漆酚、树胶质、含氮物、水分等。涂刷于物体表面，在空气中能自己干燥，结成黑色硬膜，坚韧耐久而富有光泽，具有独特的耐热、耐磨、耐水、耐溶剂及优越的电绝缘性能。天然漆可制造熟漆、广漆及各种色漆，并用作防化学腐蚀、漆器和工艺美术品的涂料。在19世纪以前，我国常以天然漆作为装饰及保护宫殿、庙宇、棺椁、祭皿等的涂料，后因产量及性能不能适应需要，现代多采用人工漆，天然漆仅用作工艺美术品及少数木器和建筑木材的涂料。人造漆种类很多，可用于各种工业，并广泛用作建筑物、交通运输工具及器物等的涂料。

制帽业 我国传统制作帽子的手工艺行业。其所奉祖师有伏羲、神农、黄帝，合祀时以黄帝为主；或单祀黄帝。据说，帽子是没有冠、冕以前的头衣，但上古文献中很少谈到帽。魏晋以前，汉人所戴的帽，只是一种便帽，后来帽逐渐变成正式的头衣。例如宋代有幞头帽子、官僚士大夫戴的方顶重檐桶形帽；元代有外出戴的盔式、折边帽或四楞帽；明代有乌纱帽、六合一统帽；清代官员的礼帽又分夏季凉帽和冬季暖帽，还有通常用的瓜皮小帽、毡帽、风帽等。帽子的形状、式样变化多端，名称各异，难以枚举。但其制作材料因冷热季节变化，而用皮、毛皮、绒、缎、绸、纱、罗、竹篾、藤蔑、各种天然草类，贵重的还用金银丝编织。帽是保暖祛暑的实用品，作为服饰的一种，它又有装饰性，也是区别等级地位的标志。古代制帽业，有的为朝廷垄断，设官营作坊制作，有的则为民间作坊生产。前者主要制作官帽，直接为统治阶级服务，后者则为平民百姓制作头饰，如旧时京津闻名的盛锡福帽店和同陞和帽店等，都生产男女老幼各种形式、型号的夏、冬帽类，制帽工匠也都是技术全面的工艺家，一专多能，能制作各种形式、品种的巾帽。

制靴鞋业 我国传统制做靴鞋的行业。该业所奉祖师有孙膑、黄帝、鬼谷子、达摩、白豆儿佛等，此外还祀靴神。靴鞋是人们必不可少的服饰，古来名目繁多，主要有以下几种：(1)屦，是一种浅口鞋，随着制作质料的不同而有许多名称。革制者称"屦"；帛制的称"履"；麻制的称"鞋"；皮作底的称"犀"；木作底的称"舃"，还有一种以芒草编织的称"屝"等等。其中舃为上等人所穿用，屝为轻便鞋，"人之贱服"，属于最下等。屦、履、鞋的穿用较普遍，所以曾先后作为各类鞋的统称（汉以前称屦，汉以后称履，宋以后称鞋，时至今日仍沿用）。(2)屐，是一种木底鞋，最早做为雨具，有平底和装齿两种，曾风行于魏晋，据说日本穿木屐的风俗，即由我国传入。(3)靴，古称

"鞝",皮制。本是草原民族适应游牧
生活的鞋制。战国末年,赵武灵王胡
服骑射,这种鞋始传入中原。古代穿
鞋的风尚和鞋制,曾有过种种变迁。
但无论形制和名称怎样变化,都是
由鞋帮和鞋底两个部分组成的。旧
时制靴鞋称为"绱鞋",即把帮、底缝
合在一起。鞋(靴)帮的面料有皮、
布、帛、绸、缎等,有的还要绣花。面
料下衬浆糊夹子(即用浆糊粘成的
多层织物,取其挺硬厚实),再挂鞋
里(鞋帮的内层织物)。然后根据脚
的大小剪成倒"凹"形,内凹处为鞋
口,要用布、帛、绸等料滚边,俗称
"沿鞋口"。鞋底一般为布底或皮底,
布底的制法是用一层层浆糊夹子叠
在一起纳成的(参见"纳鞋底"条)。
绱鞋时,工匠艺人要把鞋底用夹板
夹住,置于两膝盖中间,用针锥在帮
底结合处锥孔,用针穿苎麻线或丝
线缝合。绱好后,再在缝合处蘸水,
然后用"鞋楦"撑紧,把鞋帮舒展开,
晾干后,取出鞋楦即成。我国旧时制
靴鞋业,通常是前店后厂,前店卖
鞋,后厂制鞋。小型的绱鞋作坊,多
数为个体经营,民间妇女自制帮、
底,拿来让绱鞋作坊加工缝合,给予
一定的加工费。

制戥秤业　我国旧时制造计重工
具的行业。其供奉的祖师为伏羲、神
农、黄帝。计重工具古称"衡器",最
原始的衡器是在一根棍子的一端挂
石头,另一端挂重物,在用手比较后
确定的中点上系一提纽,利用调换
石头的大小使棍子保持水平状态,
就能测定物体的重量,这一器具称

"衡"(即后世的秤杆),大小的石头
称"权"(即后世的秤砣)。随着商业
交换的兴旺,衡器的制作也日益精
密科学。《墨经·经说下》中已有关
于杠杆原理的科学概括。当时的天
平用竹片做横梁,丝线为提纽,两端
各悬挂一个铜盘。用经过称量的环
形黄金饰件为砝码(称"环权"),上
面还刻着重量。当时环权重量以倍
数递增,分别为一铢(合 0.6 克)、二
铢、三铢、六铢、十二铢(二十四铢为
一两)、一两、二两、四两、半斤,一斤
(合十六两)。当时一斤约合 230.4
克。从秦汉到魏晋南北朝的权衡器,
量值不断增长,到隋朝已增至"以古
称三斤为一斤"了。这一时期的突出
成就是发明了秤。人们摸索出把天
平的一臂加长一倍,同一个砝码可
称出一倍的重量。这种不等臂天平
后来进一步发展,缩短重臂(提纽到
重物的一段),加长力臂(提纽到砝
码的一段),同一个砝码放在力臂的
不同部位,可以称出不同的重量值。
大约从春秋战国开始,天平就逐步
向杆秤过渡,三国时,天平中间的提
纽从衡杆中心移到一端,并刻斤两
之数于衡杆之上。出现了提纽杆秤
的雏型。北朝时有了带秤锤(铜秤砣
或铁秤砣)的杆秤。秤锤成瓜形或葫
芦形与近代秤砣形制相同。唐代铸
开元钱,改变以前以铢名钱的制度,
"一钱重二铢四絫,积十钱重一两"。
宋代进一步废铢不用,以钱、分、厘、
毫、丝为两以下的分划单位,相次以
十递进。这时还出现了小型精密的
"戥秤"(简称"戥"或"戥子")。是宋

真宗时掌内库藏的官员刘承珪发明的，用以称量两以下的金银细货。斤两以上用秤，秤和戥各有用场。秤和戥的杆均为硬木镟成，杆上的斤两刻度是先划线打眼，然后插入铜丝，割断锉平，点点铜丝头镶嵌在秤（戥）杆上，闪闪发光，不怕磨损。秤（戥）砣是按照法定比重标准制作的，精确度很高，反映了我国古代衡器制造方面的高度工艺水平。

制镜磨镜业　我国古代用青铜铸造磨制铜镜的行业。其所奉祖师不详。铜镜可以照人的容貌，也称"青铜镜"、"照子"、"铜鉴"（少数用铁铸成，称"铁镜"）。在玻璃未发明以前，古人都用铜镜照脸。制作材料是铜、锡、铅的合金，用泥范铸成。这种范称"镜范"。铸成后，照容的正面须用玄粉和白旃磨擦，凡含锡量高者，银白光洁，清晰透亮，供人使用。镜背常铸有各种纹饰和镜铭，这些纹饰、镜铭的产生、发展与消亡，与当时的政治、经济和风尚有直接、间接的联系。目前我国发现最早的两面铜镜，属新石器时代的齐家文化期，距今已有7000多年的历史。商代铜镜也有出土。不过，东周以前的铜镜数量不多，而且多半是没有纹饰、铭文的素镜。进入春秋战国时期，铜镜的种类和数量，骤然增多。现已发现有1000多面，这批铜镜造型美观，轻薄精致，镜钮较小，图案线条流畅，是成熟的艺术品。并开始出现铭文，只是字数很少，多是图案的组成部分。两汉铜镜才出现复杂图案和奇妙文字，并以铭文为主题。内容丰富，辞句典雅，富有生活情趣。如有表达男女恋情的"愿长相思，久毋见忘"、"心思美人，毋忘大王"、"长毋相忘，长乐未央"；有祝愿富贵长寿的"大乐富贵"、"千秋万岁"、"与天相寿"；还有抒发远大情怀和志向的；长生不老死后成仙的；标榜材料和制作优良的。汉镜的造型特点是：体薄、平边、圆钮、装饰程序化。唐代的铜镜制作，进入了全盛期，因这时的铜器生产已被瓷器制作所代替。金属工艺技术集中到铜镜上，形成了装饰精美、丰富多彩的独特风格。另外，以铜镜作为献礼和馈赠的礼品，成了社会风尚。更促进了制镜技艺的提高。相传盛唐时期，定于八月五日玄宗的生日为"千秋节"。据《旧唐书·礼乐志》记载：这一天群臣献甘露寿酒，并以制作的铜镜作为祝寿或互赠的礼物，因又称千秋节为"千秋金鉴节"。这种社会活动，促使铜镜的制作精工，平脱镜、螺钿镜极为富丽，纹饰有人物故事、花蝶、鸟兽等多种多样，镜的形状除圆形外，尚有菱花形、葵花形、方形、亚字形等多种，并创有柄可执的新品类。到宋元时期，铜镜的制作，重实用，不重装饰，工艺水平日趋衰落。到明清两代，因玻璃镜传入我国，铜镜退出历史舞台，仅作为精湛的艺术品，供后人鉴赏了。

金泥作坊　我国传统的制做金属装饰涂料的作坊。奉老君、女娲等为祖师。金泥的制作方法是把金箔（用真金拼入紫铜制成，色深赤）剪成碎片，装入坩埚（砂罐）在火上炼红（约摄氏400°左右），然后按一两黄金加七两水银（汞）的比例，使金箔熔解成为液体，把液体倾入冷水盆中，即下沉成为泥状固体，这种黄金与水银的混合物称"金泥"。用以涂饰在金属器物（特别是青铜器）上，使其显得金光闪闪，格外华丽。（参见"鎏金"条）

金银首饰 指用金、银制成的男女佩戴的饰物。首饰本指头部所戴饰物，如簪、耳环、耳坠、金步摇等，后来则成了全身饰物的统称。金、银是贵金属，所以首饰多以金、银打造。金首饰中以赤金（即足金）为上，其次为包金（以金叶包裹银首饰）、镀金。金银首饰的制作（或称打造）工艺，除錾花、镂花外，还有用细金银丝进行"盘花"的；有仿各种花卉或鸟头、兽头等动物头型的，以及镶嵌有各种珍贵宝石的。都以精巧美观著称于世。

京绣 又名"宫绣"，它是在明清两代以皇室绣作为中心，为宫廷制作各种御用绣品时逐渐发展起来的一种颇具特色的刺绣。相传也受"顾绣"、"苏绣"的影响，作为独立行业，以刺绣日用品为主。由于受封建皇室爱好的约束，形成了精细规整的特点，擅长绣制平金，针法以戳纱、贴绫、挑花、堆绒等无所不有。辛亥革命以后，以绣旗袍、礼服、鞋面、台布、靠垫、裹肚等为主。抗日战争时期，改绣戏曲服装。现在的京绣以生产服饰、日用品为主，尤以刺绣戏衣最为著名。常取云龙、狮兽、百鸟、花卉、戏文等作主要题材，具有浓厚的民族风格，装饰性极为强烈。

刻书业 我国古代雕刻木版印刷图书的行业。该业奉文昌帝君为祖师。印刷术是我国的四大发明之一。雕版印刷始于唐代，唐初，人们开始用木雕版印刷日历、名片等物，唐末，又用木雕版印刷佛经。现存世最早的印刷物——《金刚经》，就是唐咸通九年（868年）刻成的。北宋时，刻版印书已很盛行。木刻版用纹理较细的梨木、枣木、黄杨木等作材料，将图文描绘在木板上或绘在薄纸上反贴于板面，进行雕刻。一本书有多少页就要刻多少块版。由于版数太多，不易存放，且每印一次，刻版一次，非常麻烦。后来就出现了活字印刷，以弥补上述弊病。活字是每个字各个独立，按不同标准要求，字体、大小、高低相同，便于排字印刷。我国最早使用的是泥活字，它是由北宋布衣毕升发明的。之后，又有木活字、锡活字、铜活字、铅活字等，现代通用的活字是用铅、锑、锡合金制成，通称"铅字"。我国刻书业（印书业）分为官刻本、坊刻本和私刻本三类。官刻本是由官府负责雕版印行的书籍，一般都雕刻精美，善本较多。如明代的经厂本、南监本、北监本、直省刻本、藩府刻本；清代的殿本、内府本、局刻本、聚珍本等，都属官刻本。坊刻本指市面上的书坊所刻印的书籍，包括五代的书肆，北宋的书林、书堂，南宋的书棚、书铺，近代的书店、书局等所刻印的书籍。私刻本是私人在自己家中刻的书，也叫"家刻本"、"私塾本"、"家塾本"。

如明代常熟汲古阁主人毛晋,自万历末年到清顺治初年的40多年间,校刻书籍多达600余种,其书雕印精美,校勘详备,凡原版初印本皆被视为善本。世称毛氏汲古阁刻本为"毛刻本"或"汲古阁刻本"。又如明代吴兴闵齐伋家采用朱墨和五色套版印书;凌蒙初家也汇辑各名家的诗文评语,加以批点后印行于世。这种刻本字体方正,纸色洁白,行疏幅广,印刷精工,其编纂虽闵氏与凌氏合作,但印行必署"闵雕",时称"闵刻本"。

油漆业　也称"油漆作",是油刷涂饰建筑物、家具、饰件、器物的行业。奉吴道子、普安为祖师。凡木、竹或金属材料所制成物,均需油饰涂漆,以增加美观和防腐防锈。油漆是指含有干性油和颜料或兼含树脂等的粘液状涂料。涂在物体表面,能自干或经烘干,结成坚韧的保护膜。由于油漆的种类很多,油漆艺人(工匠)要根据需要选用。一般说来,油漆作不仅涂饰,而且须有彩绘技术。凡建筑物的门、窗、廊、庑均须涂饰素漆、色漆,还要彩绘各种花卉、鸟禽、人物故事等。现代的油漆工匠,多采用人造漆作涂料。人造漆是由干性油、天然或合成树脂、颜料、溶剂等配制而成。方法除刷涂外,还有喷涂、滚涂、浸渍等。物面经自然干燥或烘烤等过程,结成保护薄膜。人造漆的种类很多,可按成份特点,分为油漆、清漆、水稀释漆、喷漆等。也可按主要功用分成防锈漆、绝缘漆、耐热漆、夜光漆等类。各种漆类广泛用来涂饰建筑物、交通运输工具、机器设备、家具器皿、艺术品及仪表等。

油篓业　旧时编制盛液体物品油篓的行业。该行业崇拜敬奉的祖师不详。油篓是包装容器,在玻璃瓶罐未兴起以前,我国古代就编制油篓作为面酱、酱菜等的包装容器。因其用量大而有专门行业加工制作。油篓因用途不同而形状大小不一。其制法是柳条劈子或竹篾编织成底小、肚大、上口小的器形(胎)。内部用猪血老粉填塞孔眼缝隙,然后用猪血封闭液做粘结剂粘贴拉力较强的毛头纸,毛头纸要剪成不规则碎块,横竖相压。粘糊的厚薄多寡,要视容器的用途而定。油篓外部的整体或上端,也依法糊纸,以防渗水和美化外观。油篓的优点是容量大,不渗水,柔性好,不怕磕碰。但在玻璃、金属、塑料等液体容器相继问世后,因其成本高,产量低,不卫生,制作粗糙而被淘汰。

泥瓦业　我国旧时营建房屋的行业,俗称"泥瓦匠"。其中包括木匠、瓦匠(泥瓦匠、泥水匠)、石匠、铁匠等,他们虽各执一业,但都是土木建筑业和木石器制造、修理业的主要工匠。故都奉鲁班为祖师,此外又有并祀普庵仙师或张班的,而广东泥水匠又奉有巢氏为祖师。泥瓦业中以瓦匠为首,承包营建土木工程。领导者的技术全面,不用图纸,仅按主家要求依房屋进深规划图样,计算工料,安排工序、日程。举凡刨槽、夯实、砌基砌墙、抹灰(泥)、封顶、挂瓦，准备门、窗、檩、柁及石础、石墩等，都安排得有条不紊，井然有序。放线刨槽以前，在四角要插竿挑红布，以镇邪取吉。墙砌好后，上柁檩要择黄道吉日，吃喜面，放鞭炮驱邪镇魅，特别是上中檩（脊檩）时，最为热闹。承包瓦匠还要懂"看风水"，替主家筹谋房屋的方位、朝向、院墙的形状、配房的大小规格，以求取子孙繁衍，家运昌盛。民间泥瓦业工匠的分工并不精细，技术要求全面，瓦、木、石互通，灵活性较大。若承包营建青砖瓦舍、殿堂楼阁，技术要求更高的工程，这需要经验丰富的瓦匠师傅组织领导，还须有磨砖、砖雕、木雕、油漆、彩画等技术匠人配合。所以说泥瓦业是庞大的技术队伍，在各行各业中居于举足轻重的地位。

泥人作坊 泥人即泥塑，作坊指生产传统手工艺品的小型厂家。奉女娲为祖师。一般是由一个师傅（手工艺人）带几个徒弟传艺。泥人主要用泥土塑造塑像，不上彩。是我国的雕塑传统工艺之一。通常的泥塑材料是在泥内掺入少量棉花纤维，捣合拌匀，反覆摔打，以增加泥的聚和性。然后捏制成各种塑型，有人物、走兽、禽鸟以及神鬼形象等，用竹镊、竹签或金属刀具等刻划眉目、衣纹等纤细处，即成泥塑工艺品。（参见"彩塑"条）。

细木作 我国旧时指制作家具木器的行业或其作坊，奉鲁班为祖师。也称"小木作"、"小器作"，专门制作家具或建筑装饰。江南地区称之为"巧木作"。因为这种工艺主要制作红木小件，技艺精巧，要求水平比一般木作业更高、更全面。在细木作坊从事作业的工匠称"小木匠"，以区别于建筑行业制作柁、檩、框架、门窗的"大木匠"。小木匠因作小件活，工艺精巧，使用的工具繁杂，其技艺远较大木匠高超。还有一种"雕花作"也属"细木作"之类，它是家具、建筑中的木雕行业，其雕刻艺人称"雕花匠"。

砚 俗名"砚台"，是写毛笔字时用以研墨的工具。汉代许慎《说文解字》："砚，石滑也。""滑"训作"利"，与研磨同义。我国自古就把砚解释为研磨工具。我国制砚，历史悠久，70年代末，在陕西姜寨仰韶文化早期遗址中，曾出土带盖"石砚"一方。截至目前，各地出土的古砚很多，不胜枚举。这些古砚多用铁、铜、银、石、瓦、陶、澄泥、玉、漆等制成，其中以石砚最早，也最普遍。砚的品种繁杂，装饰各异。随着历史的演进，形制也各具特色，富有强烈的时代气息。自唐代以后，我国有传统的四大优质名砚，即端砚、歙砚、洮砚和澄泥砚，闻名于世。端砚产于广东肇庆市端溪，肇庆古称端州，故名。相传它起始于唐代武德年间，世称之为"群砚之首"。端砚石质优良，细腻滋润，具有发墨不损毫，呵之可研墨的特色，且雕刻精美。歙砚产于安徽歙州（今歙县），因而得名。砚石来源于江西婺源县的龙尾山，故又名"龙尾砚"或"婺源砚"。歙砚的石质坚韧润密，纹理美观，敲击时有清脆金属声,贮水不耗,历寒不冻,呵气可研,发墨如油,不伤笔毫。雕刻精细,浑朴大方。歙砚已有千年历史。据《婺源砚谱》载:它始于唐开元中,到南唐时设置砚务,专门为朝廷督制石砚,此后,龙尾的制砚历久盛不衰,其造型多变,图案匀称挺劲,主要采用浅浮雕、浮雕、深雕、半圆雕等手法,以巧用料石纹理装饰见长。洮砚,全名"洮河砚",产于甘肃南部藏族自治州临潭县,临潭古称"洮州",故名。又因料石产于洮河,故又名"洮河砚"。宋代已有生产,明代达于极盛。砚石呈碧绿色,晶莹;石纹有的如海涛翻滚,有的如卷云缥缈。质地坚润,色泽雅丽,发墨快,能久保水份,蓄墨久而不干,历代书画家题名称赞者甚多。澄泥砚,产于山西绛县。从唐代开始,历宋、元、明、清各代,经久不衰,日益精美。它用泥烧制,质地类瓦,坚硬耐用,发墨细润,贮墨贮水均耐久。制作过程是缝绢袋置于汾水中,截住流水中的细泥,一年泥满结实,风干后将泥制成砚形,再经烧炼而成,故名"澄泥砚"。澄泥砚最初以山西绛县烧造最好,后来山东、河北和江苏各地均有生产,如鲁柘砚、潭阳砚等,均属此类。

砖雕　也称刻砖,是我国民间雕刻艺术品的一种。用凿和木棰在水磨青砖上钻打雕琢出各种人物、花卉、风景、动物、书法等图案,作为建筑物的装饰品。种类有浮雕、多层雕、透雕等。以北京、安徽、江苏、广东和天津等地所产最为著名,风格上南方较纤细秀丽,北方则较浑厚

豪放。北京砖雕的历史悠久,装饰性强,多用在大门、廊子、花墙、影壁、花窗等建筑物上。安徽徽州雕砖工艺精细,雕刻工整,运线流畅,主题突出,层次分明。苏州雕砖盛于明清,它主要用来装饰厅堂前的门楼、照壁以及墙的"墀头"和"裙肩"等部位,风格秀丽清新,细致生动。广东砖雕素负盛名,多与彩绘、灰塑、陶塑等装饰在一起,相互争辉。风格朴实华美,秀丽生动。甘肃河州砖雕有"捏活"、"刻活"之分,多用在民居及庵观寺院等建筑,风格朴实无华,粗犷豪放。天津砖雕雕技精巧,画面生动。一般镶嵌于门楼、影壁、屋脊、墙壁、烟囱之上。刀功娴熟,运线挺健,生动传神。

砖雕业　亦称"砖刻业"或"刻砖业"。是我国专门从事雕刻青砖工艺美术品的行业,该业奉鲁班为祖师神。雕砖是建筑物上的装饰品,用凿和木棰在水磨青砖上钻打雕琢出各种花纹图案。其技法是:(1)修砖。选质地优良细结、沙眼少的方砖,以砖刨刨平,将口(四周)做直,以备雕刻之用。(2)上浆贴样。将画好的图案稿上浆,贴在刷好白浆的备用方砖上。(3)描刻样稿。根据样稿的图案,用小凿在砖上描刻,然后揭去样稿。(4)雕凿。先将四周线脚雕好,然后进行主纹的雕刻,初步完成后,再凿底。(5)刊光。分两部进行,先刊底,后刊面。在前段工序中发现不妥处,同时进行修改。(6)磨光。如发现不光洁处,用燧石逐步磨光。(7)修补。刻成后,如因砖质较差,有沙眼,可

用猪血砖灰填补。(8)装置刷浆。雕砖刻好后,装置在建筑物的预定部位,用石灰嵌缝。装置稳妥后,再用砖灰加十分之一的石灰,掺水调和成灰浆刷上。如果是用山东临清特制的"澄泥砖"雕刻,雕成所需要的图案后,上面还要贴金箔,称为"贴金"。在河北遵化清东陵的普陀峪定陵的配殿内壁,就是由雕砖贴金制成的。(参见"砖雕"条)。

面塑　亦称"捏面人"。用糯米面加彩后,捏成各种人物、动物的民间工艺品。传说该业奉女娲为祖师神。在我国城乡各地流传甚广。初期只做鸡、狗、胖娃娃等儿童玩赏物。从20年代开始,才捏制比较精细的历史故事或戏曲人物的面人,如穆桂英、孙悟空、猪八戒、沙和尚等。面塑所用的面,是用七成白面和三成糯米面掺和而成,加有棉纸和蜂蜜,并经调色加工成各种彩面。面有黏性,需用黄蜡润手才能捏制。所捏面塑人物都附着在竹棍或苇杆上。工具有各种塑刀、篦梳和剪刀等。捏塑时用搓、捏、团、挑、揉、压、按、擦、拨等手法,身体衣裙成形成,而后装头、加手和插挂道具,如雉鸡翎(用苇毛做)、刀、枪等。面塑以北京、山东、上海、武汉等地的艺人较为著名。如北京的面人汤,是闻名的面塑艺术家,他能将面泥捏得细如线,薄如纸,塑造各种人物,形态生动,色调明快,没有市井艺人的匠气,是独具特色的艺术品。

指画　亦称"指头画"。是我国国画中的一种特殊技法。这种画用手指头、指甲和手掌蘸水墨或颜色在纸、绢上作画。手法自然,丹青秀美,不亚于用笔为之。相传这种绘画技法,始于清代,时人高其佩擅长以指作画,他的侄孙高秉著有《指头画说》,对指画的方法、用料等有详细说明。现代人潘天寿也擅作指头画,闻名遐迩,可称是绘画技法之一绝。

挂毯　亦称"壁毯"。它的编织原料和编织方法与地毯相同,挂在室内壁上作装饰用,故名。我国织造挂毯的历史悠久。新疆、西藏和内蒙古等是重要产区。它的纹饰以山水、花卉、鸟兽、人物、建筑风光等为题材,国画、油画、装饰画、摄影等艺术形式,均可表现,模仿维妙维肖。大型壁毯多用于礼堂、俱乐部等公共场所,小型挂毯则适用于住宅、卧室。我国壁毯以天津、北京、内蒙古、上海、河北、江苏等地的产品,最为著名。

柳编　我国传统的手工艺品。它是用柳条加工编织而成的日用物件。原料除柳条外,还有桑条、藤枝、红荆条等。各类枝条经去皮加工处理后,有的还要染色,然后采用多种编织手法,制成各类日用工具,品种主要有筐、篓、篮、箱、盒、盘、盏、笊篱等日用品。轻便牢固,物美价廉,造型优美,风格质朴,是我国广为流传的民间手工艺品,山东、河北、江苏、湖北、黑龙江和内蒙等都是著名产地。

草编　草编是用各种草类植物加工编成的手工艺品。它原料丰富。不仅有各种天然野草、水草,还包括玉米皮、麦杆、高粱杆、麻杆等。经加工处理，采用多种编织、装饰技法，编成各种日用品、欣赏品。山东、河南、河北、天津等省市，主要利用玉米皮、麦杆和野生草等，编织各种实用工艺品，有提篮、草帽、地席、门帘、茶垫、套盒和各种杂件。广西壮族自治区利用当地特产的芒萁草皮和芯，编织筐、篓、盘、盒等实用物件，具有独特的天然色泽。广东的水草编，上海和浙江的黄草编，湖南的龙须草编，福建的马兰草和龙舌兰草编，山东的琅琊草编，黑龙江的靰鞡草编以及台湾的草席等，都是负有盛名的草编织品，草编的图案新颖，纹饰瑰丽，色彩鲜艳。既经济实用，又美观大方，深受人民喜爱。

草药炮制业 我国炮制中草药的行业。其所奉祖师有伏羲、神农、黄帝、孙思邈、扁鹊、华佗、吕洞宾、李时珍、保生大帝、眼光娘娘、李铁拐等。炮制药材可分为两种，一是遵古法或照医生处方，将药材加以炮制，旧时中药铺称为"炒药"。二是将购运来的草药，加以切错，成为橛片，叫做"制药"。炒药也分两种：(1)炮制成药预备出售。这类药不必现制，只要医生在药味上加以"制"字或"法"字，便可依法炮制。(2)照医方炮制。有些医生或遵古法或以心得，注明炮制药方，药铺即依据药方所列，当时炮制。制药是大宗，一般是用刀切。此外，磨药的碾子、研药的钵、漉药的炉、沥药的锅、蘸蜡皮的木型水盆等，也都是必备的制药工具。制丸药也是一种特殊技艺。大型药铺，先按药方，将每味药大量碾成细面，按小丸、密丸、瓶装三种，分别称准分量兑匀。然后制丸装瓶，最后贴金、上碌衣、打蜡皮、盖戳记出售。制膏药也大致如此。

型范业 制做铸造铜、铁器物需要模、型的手工艺行业，该业所奉祖师不详。古代青铜器的铸造是根据所要求制作的器形，先用泥土塑出一个样子，称为"模"(母范)，有装饰花纹，先用朱笔在模上画成各种花纹，然后雕刻。将模烘干修整，在表面涂一层油脂，再在外敷澄滤过的细泥片，附在胎的外面，使成器形并显出花纹，这就是外范。而后将外范用刀分割成若干片，各片之间留下榫、眼或子母口，以便将来合范时严密相接，再行烘烤和修饰，待浇铸时备用。再将内模刮去一层就是内范，刮去的厚度就是铸出器壁的厚度。最后把内、外范合在一起，榫、眼相接，以免错列，在外范之外用绳索和厚泥加固，就可以浇铸铜液了。这种型范称为"陶范"或"泥模"。据《唐会要》、《洞天清录集》等书记载：春秋战国时期又出现"蜡模"。这种型范用蜡制成，制作简便，无须分块。仅用蜡制成器形和装饰纹理，内外用泥填充加固，待干后，倒入铜熔液，蜡液流出，有蜡处即为铸造物。用蜡模铸造的青铜器，花纹清晰，表面光滑，层次丰富，不必再进行打磨，精确度很高。但成本过高，蜡模只能用一次，器成模毁。战国以后，陶范仍流行不衰，继而又有铁范问世。南北朝以后由于瓷器的普及，青铜器的铸造,日趋衰落,铁铸器物相继兴起。直到近代,铸造型范已发展为砂型(用木模、金属模、塑料模)、金属型、陶瓷型、泥型和石墨型等多种。砂型铸造的模具,称"铸模"、"模样"或"模型"。用以在型砂中造成与铸件外形相当的空腔,其外形与所制物件基本相同,但尺寸须按照所浇注金属冷凝时的收缩量和为铸件切削加工而留的加工余量等加以放大。砂型只能浇注一次,金属型可浇注多次,故常称为"永久型",泥型和石墨型可浇注较多次数,所以也称"半永久型"。

骨器　用动物的骨骼制成的器物。它是我国传统手工艺品之一,产品主要分为两大类:一类是实用性的,如筷子、算盘、刀、叉、勺、棋子、分簪、梳子、牙签、挖耳勺等;另一类是装饰性的,如念珠、项链、别针、领花和手镯等。骨器的主要原料是牛骨、驼骨,以牛骨的质地最好,宗眼小、质地白细。山东、内蒙所产最优。制作过程要经过设计、开料、打眼搜边、锉、刻、磨和漂白等十几道工序,北京所刻制的骨器产品较为有名。

响器业　我国旧时生产打击乐器锣、铙钹、钹、镲等的行业。传说该行业尊春秋时晋国音乐家师旷为祖师爷。在古乐器中锣、钹等皆属响器,用响铜制作。响器艺人大都是耳音较好,技术精湛的师傅。铜用响铜板制成圆盘形,用锤头砸碾。一面锣的厚薄部位不同,用槌敲而发金声,技术纯熟的师傅在砸碾的最后能"一锤定音"。锣的种类很多,有大锣、马锣、虎锣、云锣等。各种锣因大小、用场不同而工艺要求各异。铙钹、钹和镲是圆形成双的响器,中央突起,类似大檐草帽。用两手各执一面,相对撞击发声,铙钹和钹的突起部位中央有孔,可穿系红绸或红布做纽,以为装饰和便于手执。镲的中央突起部位无孔,靠手抓突起处撞击发声。响器以发声粗犷高亢而为戏剧舞台、民间花会、婚丧喜事所广泛使用。

绒绢纸花　我国传统的手工艺产品。用绒、绫子、绸缎、土丝、纸张等做成的观赏、装饰品。包括妇女的头饰、节日用花、瓶插花等。绒花以各种小巧玲珑的飞禽走兽取胜,紫绢花有头花、光荣花等。主要产地为北京、扬州、上海、南京、沈阳等城市。其中京花、扬州绒花,通草花历史悠久,造型美观。绒花过去多用于婚寿喜庆作为装饰点缀,烘托气氛,所以称为"喜花",后来又出现了用于哀奠礼仪的绒花圈。绒花、纸花多含吉祥寓意,如"事事如意"、"岁岁平安"、"百年和合"等,色彩一般都采用大红、水红、银红、桃红、葱绿、果绿、墨绿等鲜明的对比色调。

绒绢花作　旧时制作绒、绢、纱、纸花的作坊,该业所奉祖师神不详。绒绢花是我国传统的手工艺品。作坊中集聚手工艺人进行操作生产。绒花是用细铁丝夹包绒,拧托成"麻花状",绒即卷成圆棒。然后以此为材料,艺人们盘结成花卉、鸟兽之类,小巧玲珑,非常可爱。还有的做成"双喜"字,供婚嫁喜庆使用。绢、纱、纸花的工艺过程比较复杂，需要经过揉料、刮料、冲压花瓣、染花瓣、做花、制叶、整理工序方可完成。

宫灯　封建社会皇宫中所用之灯，简称"宫灯"。因此而有宫灯之名。宫灯的造型各异，但都和我国古代宫廷建筑相谐调，悬挂或陈设在殿堂、居室，不但可照明，并能美化环境。宫灯的历史由来已久，从8世纪（唐代中期）以来，即已盛行，发展到明清时期，种类更多，地主豪富之家的门廊堂室，差不多都悬挂形制较大的宫灯，白天有良好的装饰效果；夜间燃灯显得气派豪华。宫灯一般用珍贵的花梨、紫檀、红木等作为木架，镂空透雕出各种图案，再镶嵌玻璃、纱绢，并在玻璃、纱绢上彩绘人物、山水、花鸟等。宫灯的形式有四角、五角、六角的；有在灯架上端加灯檐的；也有制成亭子形、扁圆形的，千奇百态，各式纷呈。宫灯内部底层正中有铁钉上竖，以备插烛。宫灯产地有北京、洛阳等城市。

宣纸　是我国独特生产的书写、绘画用纸。相传始于东汉，因产于宣州府（今安徽泾县）而得名。宣纸具有纯白、细密、均匀、柔软，经久不变黄等优点，书写绘画时的润濡性很好，耐搓磨、抗老化，使很多古老书画珍品赖以保存至今。1936年，安徽地方银行《宣纸业调查报告》中说："历观唐宋元明各朝书画用绢写者，脆而黑，存者甚少；用宣纸者，历千百年而不变色，光润如故，故有千年纸五百年绢之说"。现今故宫博物院珍藏的唐代韩滉所画《五牛图》、《文苑图》，皆以宣纸绘成。因此，宣纸独享"纸寿千年"的美名。宣纸的原料是青檀树皮，在山泉浸泡后经浸泡、灰掩、蒸煮、洗净、漂白、打浆、水捞、加胶、贴烘等18道工序，100多项操作后制成。宣纸是书画作品的最好材料。

首饰业　旧时制作男女全身饰物的行业，俗称"首饰楼"。这种行业的祖师神，不见记载。首饰本指男女头上的饰物，民间称为"头面"，以后又成为全身饰物的总称。《后汉书·舆服志》称："后世圣人……见鸟兽有冠角颙胡之制，遂作冠冕缨蕤，以为首饰。"又："秦雄诸侯，乃加其武将首饰为绛柏，以表贵贱。"三国魏曹植《洛神赋》："戴金翠之首饰。"古代首饰有发饰：簪（笄）、钗、步摇、胜、金钿、珠花等；颈饰：项链、项圈、长命锁等；耳饰：耳环、耳坠；手饰：钏镯、指环；带饰：带钩、带扣、蹀躞带等；冠饰：金冠、凤冠、步摇冠等；佩饰：佩鱼及金香囊等。现代的首饰主要有：手镯、项链、戒指、耳钳、耳坠、胸针、吊坠、袖扣、领带卡、发卡、领花等。制作（或称打造）首饰的材料主要是金、银、铜、珠、翠、玉、骨、象牙等。

纳鞋底　纳，密针缝纫的意思。纳鞋底是我国民间的手工业品。旧时人们都穿布底鞋，鞋底必须做得挺硬结实，经久耐穿。制作的方法是：先用一块木板，把破旧布一块块用浆糊粘在一起，通常要粘十层左右，晒干后，从木板上撕下，形成挺硬的布板，俗称"打夹子"。然后把夹子剪成鞋底形,周围镶以布边,一层层叠成一定厚度,上下两层敷以新布,而后进行缝纳,缝时针脚要密,都是花针走线,线绳要用苎麻线、丝线、或棉绳线。线纹有回纹、云纹、点纹以至吉祥语或图案,形状各异,其主要目的是密集结实。旧时妇女都会做鞋,纳鞋底、制鞋帮都是基本功。纳鞋底的工具要有夹板、针锥子、剪刀、针钳子、针等。

根雕 也称"树根雕"。是利用树根的自然形态,以写实或写意手法雕制的一种工艺美术品。所用的树根材料,要求木质坚韧、耐燥耐湿、树皮薄、枝干坚、皮包紧,以免雕制后变形收缩。一般常用的有杜鹃、鹊梅、山紫、黄杨等树根。通常在入冬选采为最适宜。造型时,以树根的原有形态为基础,因材施艺。根雕作品贵在自然、朴质、生动而具有情趣。我国根雕的著名产地有吉林山杜鹃树根雕、贵州毕节珍珠琅琊树根雕、宁波树根雕。尤以福建天然疤树根雕最具特色。

铁画 又称"铁花"。是安徽芜湖著名的传统工艺品。相传是明末清初安徽芜湖的铁匠汤鹏(又名汤天池)所创造。据记载:"康熙间,有汤天池者……少为铁工,与画室为邻,日窥其泼墨势",受到启发,而开始试作铁画。清代梁山舟《铁画歌序》也称:汤天池"能锻铁作画,兰、竹、草、虫,无不入妙,尤工山水,大幅积岁月乃成,世罕得之。流传者径尺小景耳。"汤鹏所创造的铁画艺术,很快流传到北京、山东等地。题材有山水、松鹰、竹石、败荷、衰柳、花卉以及书法等,形式有立体、半立体的。品种除立轴、中堂、横幅和条屏(一般都用外框)外,还有合四面而成一灯的铁画灯,更是构思巧妙,独树一帜。铁画以低碳钢(铁片)为材料,依据画稿制成。分为描绘、剪花、锻打、焊接、退火、烘漆等工序。它做为观赏装饰画,苍劲有力,古朴大方,黑白分明,虚实相生;是一种独具匠心的工艺美术品。

彩蛋 民间工艺美术品,据传始于清代。是在蛋壳上彩绘的技法。原先是把鸡蛋染成红色,或画上一些图案,做为婚嫁喜庆、生儿育女的吉祥礼品。以后发展为国画彩蛋。材料是用鸡、鸭、鹅、鸽等蛋,用针管抽出蛋青、蛋黄,仅余空壳,再加工彩绘。内容有花鸟、山水、戏剧人物、脸谱等。蛋壳的装法,有单立蛋、双立蛋和数只蛋壳组成的方圆、宝塔、挂灯、果盘、秋叶等形式。彩蛋用须眉笔绘制,敷彩明丽,秀美典雅。苏州、北京两地所产彩蛋最为著名。

彩陶 我国新石器时代的有色彩陶器。陶器用粘土做原料,成坯后,放在800—1000℃的高温窑中烧制而成。若在胎坯上事先彩绘,然后入窑烧造,就成彩陶。彩色固着于红地、橙黄地或灰地的陶面上,遇水不脱。图案最常见的是几何形纹,其次是动物纹和植物纹,人物纹样比较少见。新石器时代的仰韶、马家窑、大汶口、大溪和屈家岭等文化遗址中,都发现有这种彩陶,从制作工艺来看,当时已具有较高的水平。新石器时代晚期的大汶口文化遗址已发现有彩绘陶器，战国及汉代墓葬中亦有很多精致的彩绘陶（明器）出土。

彩塑　彩塑是我国民间的传统手工艺品。指表面着有彩色妆鎏的泥塑。俗称"泥人"、"泥娃娃"。该行业奉女娲为祖师神。它历史悠久，广泛流传于民间。大者有神鬼佛像，小者有儿童玩的小娃娃。其制作方法是：在粘土里掺入少量棉花纤维，捣匀后制成各种人物、动物的泥胚，用竹镊、竹签或金属刀具等刻划眉目、衣纹等细微处，成泥塑。干后先上粉底，再施彩绘。我国最著名的彩塑如敦煌莫高窟的菩萨、大同华严寺的辽塑和太原晋祠的宫女等，都是保留至今的传世名作。现代全国闻名的彩塑品种有"泥人张"和"惠山泥人"等。

脂粉业　我国传统制作脂粉的行业，所奉祖师神不详。脂是胭脂的简称，为一种红色的油膏，有面脂、唇脂等；粉是铅粉、末粉，均为妇女化妆用品，涂在脸上使皮肤柔滑光润。汉代刘安《淮南子·修务》记："不待脂粉芳泽而性可说者，西施、阳文也。"古代妇女施用脂粉很讲究色彩，据《妆台记》载："美人妆，面既敷粉，复以燕支（胭脂）晕掌中，施之面颊，浓者为酒晕妆，浅者为桃花妆，薄薄施朱，以粉罩之，为飞霞妆。"古代的粉，最初是用米碾成粉制成的，或加之以红色，可以敷面也可作胭脂。到夏商周时，始出现了以铅为原料的白粉，和以红蓝花、苏木等为原料做的胭脂。古时把胭脂做膏汁、粉类，还涂于纸上或浸以丝绵，做成胭脂纸或胭脂绵，以便涂额。除红妆外，还有用黄粉涂额面的，称为"佛妆"，清初就很流行。唇脂也称"口脂"，现在叫"口红"。《释名·释首饰》谓："唇脂以朱作之，象唇赤也。"我国古代妇女唇脂的点法很多，如"石榴红"、"大红券"、"淡红心"、"眉花奴"、"嫩吴香"等，唐宋妇女多喜用浅绛的檀色点唇，所谓"故着胭脂轻轻染，淡施檀色注歌唇。"现在，脂粉业已为化妆品行业所取代。

造纸业　我国制造纸张的手工艺行业，奉东汉蔡伦为祖师神。纸是我国四大发明之一，是用于书写、印刷、绘画或包装等的片状纤维制品。早在西汉武帝、宣帝时，我国已发明用植物纤维造纸，只是由于质地粗劣，不能用于书写。东汉和帝时，宦官蔡伦总结了前人的造纸经验，改进造纸技术，造出了便于书写绘画的植物纤维纸。《后汉书·蔡伦传》说："伦乃造意用树肤、麻头、敝布、鱼网以为纸。元兴元年（105年）奏上之，帝善其成，自是莫不从用焉，故天下咸称蔡侯纸。"魏晋南北朝时期，纸的使用已相当普遍。据载：东晋葛洪还掌握了用黄蘗染纸防虫蛀的技术。到隋唐时，纸的品类名目更多，李肇在《唐国史补》中有较详细的介绍。明末出现的毛边纸，也是书写的上好材料。古代用人工造纸，工艺流程比较复杂，先选柔韧的植物，截短，放在水中沤浸，百日后，去其青皮，然后用石灰水沤泡，再上锅蒸煮,蒸煮后捣烂(近世称"打浆"),和合粘液,倒入槽内,水浸过纸浆三寸,此时放入药水,后用两手持细竹丝编成的抄纸帘,入水荡起纸浆,使之入帘,轻轻托起,即结成纸膜。纸的厚薄由人掌握,"轻荡则薄,重荡则厚"。抄纸帘上的水淋入槽内,后扣帘在平板上,湿纸即落下,再送去压平焙干,纸即制成。这种古老的抄纸法,现已很少使用。

造船业　我国传统制造舟船的行业。传说奉鲁班为祖师。船是水上的运输工具,历史悠久。古来船的种类、名称、造型、大小不一,不能一一赘述。但其建造材料皆为木质,即用木板拼合而成。除船体外,掌握方向的舵、扬挂风帆的桅、划水用的橹、桨、撑船用的篙和拉纤用的纤板等,也都是木质。建造木船是一项技术要求很高的工艺。匠人不用图纸,只根据长、宽、形制要求下料,拼合成船舷、船帮、船舱、舱盖、船楼、船底等,最后组装成船体。木板之间的衔接处,要用两头尖的枣核钉抹上鱼鳔胶钉牢,严丝合缝。两板接口处的表面,还要挖槽,钉入铁扒钉勾合加固。扒钉陷入槽内,外用油灰(熟桐油与石粉、滑石粉或石膏粉调成)拌麻刀涂抹轧实,以防水浸而钉朽木烂,叫做"捻船"。捻船必须是新茬木质,将油灰凿实填严,凡露铁处,均需捻好,工艺要求也很高。船体表层还要用熟桐油油过,桐油干后结成薄膜,以防止木质直接浸水或久晒干裂,延长船的使用寿命。船体主要附件是舵和桅杆。舵在船体尾部,靠

舵柄、舵杆而似鱼尾左右摇摆,以掌握船行方向。舵尾(即舵板,半截浸水)、舵杆、舵柄的露铁扒钉处,也如前法,涂好油过,以防水延年。桅杆一般用杉木,笔直挺拔,立于船体中间部位,高矮视船体长短而定。船在顺风行驶时,不用橹、桨、篙或靠人力拉纤助行,而在桅杆上扬帆,借风力推进。帆(称"篷",因"帆"与"翻"同音,船工忌讳"翻"字)用白布制成,以横竹竿做骨架,呈长方形。桅杆的顶端系有滑轮,中穿篷索。顺风时,船工们拉曳穿滑轮的篷索,篷即徐徐升起挂在桅上,掌舵人拉住篷两侧的绳索,调好方位,无论顺风或偏顺风,皆可借力行驶,以节约人力和减轻劳动强度。

烫画　也称"烙画"、"火笔画"、"火烙画"或"烙花"。是一种用特制铁笔,在扇骨、梳篦、木制家具、三合板、薄木板及纸绢上面烙制而成的工艺画。相传它创始于清代,流行于豫、鲁、苏、浙、皖等地。解放前采用铁丝做"烙笔",在油灯上炙烤升温而后进行烫绘,仅能制做筷子、尺子、木梳等小件日用品。近年来,对制作工艺和工具进行了改革,将"油灯烙"改为"电烙"、"躺烙"、"座烙"。把单一的手工烙笔改为大、中、小三种型号,并可随意调温,从而发展了板烙、烙纸、烙绢等工艺,烙绘时可进行润色、烫刻、细描和烘晕,色泽呈深浅褐色,古朴典雅,别具一格。

瓷器　上釉或不上釉的高岭土制品。通常以高岭土为原料,经混和成形、干燥、烧制而成。具有坚硬

致密、洁白防水、音响清彻之特点。瓷器是我国古代的重要发明之一，在世界上享有盛誉，中国向有"瓷国"之称。"原始瓷器"（即青瓷）出现于商代，"早期瓷器"始于魏晋六朝。晋代潘岳《笙赋》："披黄苞以授甘，倾缥瓷以酌醹。缥瓷就我们所称的"青瓷"。到了唐代，瓷器已初具"洁白、质坚、半透明"等特色。宋代瓷业兴盛，出现了许多名窑，如"定窑"、"汝窑"、"官窑"、"哥窑"、"钧窑"等生产的瓷器，都各具特色，但其瓷胎都带有深浅不同的颜色。明清时期，瓷器完全达到"洁白"、"致密"、"半透明"的质量要求。（参见"瓷器业"条）。

瓷器业　烧造瓷器的行业。其所奉祖师南北各地不同，有董宾、赵慨、蒋知四、华尤、范蠡、土地神、火神、碗神、章氏兄弟、金火圣母等。瓷器是我国的重要发明之一，中国向有"瓷国"之称。它具有悠久的历史，有人说"早期瓷器"出现于商代，也有的说它起于魏晋六朝。这说明我国的瓷器烧制至少在魏晋时已进入成熟期。青瓷是最早的品种，它是在坯体上施以青釉（以铁为着色剂的青绿色釉），在还原焰中烧制成的。我国历代所称的缥瓷、千峰翠色、艾色、翠青、粉青等瓷，都是指这种瓷器。唐宋以后，品类更多，有白瓷、青白瓷、秘色瓷、绞胎瓷、薄胎瓷等相继问世，工艺水平日趋精湛。以薄胎瓷为例，它的瓷胎薄如蛋壳、透光，胎质用纯釉制成。其制作过程从配料、拉坯、利坯（修坯）、上釉、绘画到烧制，须经过几十道工序，全部采用手工，分三次烧成。成品品种有碗、杯、盘、碟、盅、花瓶、文具、酒具等。这种薄胎瓷，始于明永乐年间，到成化时已相当成熟，万历时有卵幕杯、流霞盏等著名产品。我国瓷器除江西景德镇著名瓷都外，湖南醴陵、广东枫溪、河北唐山、江苏江阴等地的产品，也都闻名海内外。（参见"瓷器"条）

料器　亦称"料货"。是一种含铅量较高、熔点低的玻璃工艺品。古时与玻璃、琉璃混称。明清以来特别是清代有了很大发展，康熙年间在宫内造办处设玻璃厂，进行料器生产。品种繁多，有：料瓶、料碗、料盆、料盂、料尊、料豆、料水丞、料楂斗等。色彩也十分丰富，有红、黄、蓝、绿、紫、白、黑、金等。其装饰方法有：套料、搅料、刻纹、金星料等。现今以北京、山东博山的料器工艺最为著名。

料器作　旧时制作低熔点玻璃工艺品的作坊。料器因含铅量较高，熔点低，适于做各种欣赏品。艺人们凭着灵巧的双手，在几百度火焰喷头前，将低熔点玻璃用工具拉制而成工艺品，多制作形态生动的小鸟兽，彩花似锦的花球，以及各种器皿和料花。北京和山东博山的料器最为有名。（参见"料器"条）

烟火　也作"焰火"，民间俗称"放花"。是烟火剂燃烧时所发出的烟和火的总称，有时就指烟火剂本身。有平地小焰火和空中大焰火两类。一般都是包扎品，内装药剂。点燃后，烟火喷射，呈各种颜色，并幻成各种景象。今又称"礼花"、"烟花"，为喜庆节日所常用。我国旧时的烟火，搭架燃放，显现空中楼阁或戏曲形象。古代傀儡戏中的"药发傀儡"，传即指此。古籍记载烟火始于南宋。周密《武林旧事·元夕》载："宫漏既深，始宣放烟火百余架，于是乐声四起，烛影纵横。"还说台州太守唐仲友放一次烟火，费银数千。烟火品类有"烟火、起轮、流星、水爆"等多种。南宋烟火制造已成为一种特殊手工艺行业。现在我们所看到的最早的放烟火图，是明代《金瓶梅词话》的插图。那时的烟火是在二丈高的木架上施放的。烟火的内部用药线连接，一经点火则连续燃放数小时。其间出现各种不同颜色的灯火、流星、爆仗等，时时变换，且不时有重重帷幕下降，出现花鸟和亭台楼阁等形象，真实生动的反映了明代烟火工艺的高水平。明清烟火更胜一筹，据《燕京岁时记》载："每至灯节，内廷筵宴，放烟火，市肆张灯……花炮棚子制造各色烟火，竞巧争奇，有盒子、花盆、烟火杆子、线穿牡丹……等名目。"宫廷设立官办花炮手工业工场，从各地招募优秀匠师，制造各式烟火爆竹，促进了烟火制作技艺的提高。广东的东莞、南海；广西的北海、合浦；湖南的浏阳、醴陵；江西的万载、萍乡等，都是烟花著名产地。

烧砖业　我国烧造建筑用砖的行业，其所祀之神有鲁班、老君、普安、窑神、窑土地公公等。在历史上，砖的出现比瓦晚得多，据推测它是由筑墙的土坯逐渐演变来的。在周代已有关于砖的记载，至今所见最早的砖是洛阳东周城遗址中出土的战国薄砖，其制作非常原始。用砖砌墙始于秦代，在陕西临潼县的秦俑一号坑中，发现了一段砖砌的边墙，这是我国目前已知最早的砖墙。在两汉的建筑中，砖已作为一种重要的建筑材料而被广泛运用。嗣后，随着用途的增加，种类也日益繁多。除了专用的铺地方砖和垒墙砖外，还有专为包砌台阶用的曲形砖；有用于建造砖墓的空心砖和画象砖；还有为垒砌墙体方便而烧造的榫卯砖、企口砖、楔形砖等异形砖。砖要建窑烧造，窑有砖窑和土窑两种，窑身大小不一。燃料用木柴或煤。制作砖坯的原料是具有沙性的粘质土，土内不能含有腐植质和杂物，需经筛选才能使用。筛土后经和泥、制坯、码架、阴干、装窑、焙烧、封窑、出窑等工序，才能烧造成砖。

唐三彩　唐代陶器和陶俑上的一种多色釉，和有这种釉色的陶制品。所谓三彩，是因经常采用黄、绿、褐等色釉，在器皿上构成花朵、斑点或几何纹等各种彩色斑斓的色釉装饰，所以称为三彩。三彩以白、黄、绿为主，此外尚有褐、蓝、紫茄等色，故三彩只表示多色，并不限于一件器物上用三种色釉。釉色以蓝色、紫茄色较少，也较名贵。唐三彩盛于初唐，唐人有厚葬之风，开初制作多为冥器随葬。据《唐会要》载："王公百官，竟为厚葬，偶人像马，雕饰如生。”后来才逐渐制作器皿和陈设装饰品，分器皿、动物、人物之类。器皿种类繁多，几乎涉及生活的各个方面，有水器、酒器、饮食器、文具以及家具、建筑模型等。人物造型有妇女、文官、武士、牵马俑、胡俑、天王等。动物造型有鸟、狮、骆驼、马等，其中马的塑造表现最为出色。是我国古代陶塑工艺的精品。唐三彩在陶瓷工艺上对后世有很大贡献，唐代以后的各种低温色釉，和釉上彩瓷，大都是在它的基础上发展起来的。

扇子业　我国传统制作扇子的行业，奉齐纨为祖师。扇子也称“箑”，别称“摇风”、“凉友”。是引风用品，夏令必备之物。而古之障扇、雉扇，又为障尘、蔽日的用具，属于仪仗的一种，因而扇子既有实用性，又有观赏性和装饰性。古代用扇，有团扇、纨扇、羽扇之别，但都不能折叠，属于平面扇。历史文献上有关扇子的可靠记载始见于西汉，实际上它的使用远早于此。扇面用料，隋以前都用绫绢，唐代始出现纸扇。折扇，一般认为非我国首创，说是宋时由日本（或朝鲜）传入，但也有少数专家认为折扇源于中国。历宋元而至明清，扇的品种渐多，艺术加工也越益精巧。形状更是千奇万变，有圆、长圆、团方、梅花、海棠、葵花形等。现代用扇有男式和女式两种，平面和折叠两类。扇面用料有绢、绫、罗、纸、羽毛、竹子、树叶、麦杆和牙骨等。扇骨（股）用材有竹、木、牙、骨等

四种。在扇面、扇骨上的艺术加工，有绘画、书法、印花、机绣、贴花、编织、烫画、泥金、镶嵌、雕刻和鬃漆等。著名产地有苏州、杭州、广州，四川和湖北等省市。

绦带业　我国旧时织造绦带的行业。北京的绦带业奉哪吒为祖师，苏州则供奉黄帝。绦是用丝编织的带子或绳子，称“丝绦”。《礼记·内则》曰：“织衽组纠。”汉郑玄注：“纠，绦也。”唐代孔颖达疏：“组、纠俱为绦，薄阔为组，似绳者曰纠。”编织绦带是民间的传统手工业，古时人们的衣着离不开绦带系束腰身，或作为佩饰物，在花纹和形制上都讲求艺术性。（参见“丝绦”条）

梳篦业　旧时制作梳发用具的行业。该业所奉祖师有赫胥、赫连、皇甫、陈七子、张班、鲁班等。梳篦，历史上通称“栉”，现在叫“梳子（拢子）”和“篦子”，用以梳理头发。梳篦都有整齐排列的齿。梳的齿疏，用以梳发，篦也叫“篦箕”，齿密，用以除垢。因为无论男女都蓄发，所以梳篦是最普通的日用品。梳篦通常用木或竹等材料制作，也有用角、骨、铝、塑料制的，少数还用象牙。精致的梳篦，于握处涂漆，或施以雕、描、刻、烫等装饰艺术，非常精美。在我国古代或少数民族中，梳篦不但是实用品，同时也插于发际作为首饰。从新石器时代到唐宋，插梳的风气一直流行不衰。新石器时代晚期有骨梳，商周时还有铜梳和牙梳。湖北江陵凤凰山秦墓出土的木梳篦上，漆绘有宴饮、歌舞、送别、相扑等画面，描

绘生动。南北朝时出现雕花木梳，是宫廷的御用珍品。唐宋时有用金银制作的梳子，雕镂华丽，并镶嵌有珠宝。在敦煌壁画上，唐代贵妇的发饰异常复杂，发髻上常见插有各种梳具，多的甚至有十几把，唐诗中就有"满头行小梳"的描述。从宋代起，插梳的数量逐渐减少，而梳篦的体积却日益增大。到宋仁宗时，宫女所插的角梳，均在一尺以上，据文献记载，最大的的长达两尺。明清时期，梳篦的制作式样更多，加工更细。所以梳篦业在我国历史上，从不曾衰落过。梳篦作坊还为老年男人制作一种梳理胡须用的"胡梳"，这种胡梳约为一般梳篦的四分之一，齿的排列更为细密，制作材料也比较考究，小巧玲珑，逗人喜爱。

帷幕业 旧时经营制造帷幕的行业。其所供奉的祖师神，不见记载。帷幕在室内或殿堂馆楼悬挂，以分隔空间。在旁边的称"帷"，在上边的称"幕"。唐白居易《牡丹芳》诗："共愁日照芳难驻，仍张帷幕垂阴凉。"帷幕除分隔空间外，还能和家具、陈设相配合，通过不同色彩、质地和款式，使空间环境具有某种情调和气氛。帷幕作为隔断和装饰，选用棉、麻、毛、丝绸、绒、纱等材料制成。厚重的材料，纹路挺拔；轻薄的材料，如云如烟，有的素雅，有的富丽，真可谓丰富多采，风韵万千。

剪纸 用色纸剪的花样，是我国民间传统装饰艺术品的一种。全国各地都有不同风格的剪纸，如吉林、海伦、陕西、延安、浮山、蔚县、烟台、南京、扬州、金华、阜阳、佛山和潮州等都是著名的剪纸产地。剪纸品种分单色、阳刻、阴刻、彩色、套色、填色、分色、衬色、拼色、染色、薰烟、金色彩纸、匀绘、木印、折叠等多种。在我国剪纸历史悠久，早在汉唐时期，民间妇女就有用金银箔或彩帛剪成方胜、花鸟，贴在鬓角为饰的风尚。后来逐步发展，在节日中用色纸剪成各种花草、动物或人物的故事，贴在窗上的叫"窗花"、门楣上的称"门笺"，用于婚嫁喜庆的叫"喜花"，作为装饰。也有作为礼品装饰或刺绣花样之用的。剪纸的工具，通常只用一把小剪刀，有的专业艺人，则用一种特制的刻刀刻制，称为"刻纸"。剪纸的工艺过程，分为起稿、剪刻、粘贴、揭离和成品的调整修改。剪纸分为简刻和繁刻两类：北方以粗犷豪放造型简练闻名，属于前者；南方以构图精巧、繁茂秀丽著称，属于后者。

麻布业 我国古代织造麻布的行业。该行奉九天仙女（织女）为祖师神。其原料是麻、葛、纻等。麻布的历史悠久，早在新石器时代的仰韶文化期，骨针、骨锥、陶纺轮、石纺轮等已经出现。到龙山文化期，发明了织布骨梭，改变了过去"手经指挂"的操作方法，大大提高了纺织效率。到了汉代，麻布已分成几等成色，布以经纬多少而命名，这种经纬的多少称为"缕"。《汉书·王莽传》称："一月之禄，十缕布二匹。"《史记》："后元二年，令徒隶衣七缕布。"《居延汉简》："九缕布三匹直三百。"两宋以后，由于棉织业的兴起，作为普通百姓衣料的麻布日趋衰落。因为麻织消暑祛汗，明代在东南沿海仍有发展。现代麻布除边疆少数民族地区外，已很少有人穿用了。

旋子活业　也称"旋业"。是我国民间传统旋制圆形杂木制品的行当。其工匠称旋匠，供奉鲁班为祖师爷，因旋匠与木匠相近，故借为共祖。旋制圆形杂木制品的方法是：先把粗制圆形木料两端卡在简陋的旋床上，旋匠脚踏转轮，使卡住的木料旋转如飞，旋匠手持刀具在木料上加工，凡刀具落刃处，即为圆形。如擀面杖、木棒槌、捣蒜槌、秤杆以及各种用具器物的木把等，都是这样旋成的。旋活所用刀具，宽窄、大小、规格式样不一，须根据加工料的不同用途和要求选用。

景泰蓝作坊　我国制作景泰蓝器皿的作坊。其所奉祖师为大禹。景泰蓝是我国著名的金属工艺，它的正式学名应为"铜胎掐丝珐琅"因起源或发展于明代景泰年间，故称。景泰蓝器皿的制作较为复杂，大体分为七道工序：制胎、掐丝、烧焊、点蓝、烧蓝、磨光、镀金。景泰蓝工艺的艺术特点，可用形、纹、色、光四字来概括。它产于北京，品类有瓶、碗、盘、碟、烟具、台灯、糖缸、奖杯等。

铸钱业　我国古代铸造铜钱的行业，其所奉祖师神有投炉神、财神、罗煊、老君等。自秦代以后，有圆形方孔钱和圆形圆孔钱两种。为注明铸造年代，都刊有"××（年号）通宝"四字。历朝历代由工部分司其事。铸钱原料以红铜为主，掺有倭铅。经过制模、浇铸、磨磋等工序制成。钱的质量优劣，以含铅量的多寡而定，厚薄重轻也可昭然易见，含铅量高的为劣质，扔在石阶上声如木石，含铜量高的为优质，扔在地上则发金声。

铸铜业　即铜器业，主要指先秦时期用铜、锡合金铸造青铜器皿的行业。该业供奉投炉神、火神罗煊或老君为祖师。青铜器简称"铜器"，包括有炊器、酒器、水器、乐器、车马饰、铜镜、带钩、兵器、工具和度量衡器等。我国很早就掌握了冶炼青铜的技术，用不同比例的铜、锡，冶炼出不同用途的青铜，造出的青铜器，形制和纹饰精美，为世界铸造工艺史上所罕见。商前期的制作轻薄，纹饰比较简单。商后期和西周前期的制作厚重、华丽，纹饰多饕餮、夔龙纹、动物纹和几何纹。西周中期到春秋中期，风格趋向简朴，纹饰多为粗线条的窃曲纹、重杯纹等，同时长篇铭文增多。春秋后期到战国，制作轻巧，纹饰多活泼的动物纹和复杂细密的蟠螭纹、三纹等。也有用细线雕刻的狩猎、攻战、宴乐等画面，或用金、银、红铜、玉石等镶嵌出的图像和画像。

湘绣　以湖南长沙为中心的刺绣品之总称。它形成独立系统是在清代后期。《沪渎羁后记》中说："长沙光绪末叶，湘绣盛行，超越苏绣，已不沿顾绣之名。法在改蓝本，染色丝，非复故步矣。"又云："绣象今复见之湘工，且流播海外，非顾氏所能几矣。"对于湘绣发展贡献最大的是胡莲仙和魏氏。早期湘绣以绣制日用装饰品为主,以后逐渐增加绘画性题材的作品。其特点是用丝绒线(无拈绒线)绣花,劈丝细致,绣件绒面花型具有真实感。常以中国画为蓝本,色彩丰富鲜艳,十分强调颜色的阴阳浓淡,形态生动逼真,风格豪放,曾有"绣花能生香,绣鸟能听声,绣虎能奔跑,绣人能传神"的美誉。

装裱业 我国旧时装饰裱糊书画、碑帖的行业。该业奉孔子为祖师,配祀颜回、曾参、子思、孟子。装裱字画碑帖是一门特殊技艺,在我国已有 1500 多年的历史。古代装裱的专称叫做"裱背",也称"装潢",又叫"装池"。《通雅·器用》载:'潢',其池也,外加缘,则内为池;装成卷册谓之'装潢'。"书法名画,一经装裱,才能便于观赏,墨妙神韵,跃然纸上,增进美质,便于观瞻。书画经过装裱,易于保存,可延长寿命。装裱不仅保存书画,而且对受到严重破损的书画,还能有起死回生的作用,所以装裱作坊被称为"画医院",而装裱艺人被称为"画郎中"。装裱的种类很多,就质地说,一般分为绫裱、绢裱和纸裱数种,按形式分,又有全绫、半绫、边绫等区别(绢、锦也相同);以工艺论,有镶、嵌、挖、补等手法。

缂丝业 我国传统的丝织工艺行业。奉褚载(或褚河南父子)、伯余、黄帝、嫘祖、三皇、张衡、织女、黄道婆、接头方仙、七仙女、蒋公等为祖师神。缂丝最晚起源于公元 7 世纪中叶,即唐代初期。到明清时已开始专业化生产,技术水平进一步提高。其织造方法:是以生丝做经,各色熟丝做纬。织造时,不同于一般丝织物的提花结本,而是用小梭、拨子等工具,采用抢、结、环和长短梭等技法,将多种彩色纬丝仅于花纹需要处与经线交织。过去缂丝著录所说的"通经断纬",即指这种织法,使花纹与素地、色与色之间呈现出一些小孔和断痕,"承空观之如雕镂之象"(宋庄绰《鸡肋篇》)。花纹色彩正反两面各一。现代又发明双面异色缂丝,织造技术更为精美,成了工艺美术品,专供欣赏。

编席业 我国民间编织席类的手工艺行业。其祖师是三国蜀主刘备。《三国志·先主传》载:"先主(刘备)少孤,与母贩履织席为业。"席是供坐卧铺垫的用具。古代谓:用蒉秸织成的称"荐",以莞蒲编成的叫"席"。有用五色蒲草编成的"合欢席"("缫席")、蒋草所织的"蒋席"、莞草织成的"丰席"、茅草编成的"苴秸"等。编席工序主要有:劈苇、轧苇、浸水、编织、撬边等。席之用途多为铺炕、围囤、苫盖。

蜀绣 亦名"川绣",是以四川成都为中心产地的刺绣品总称。其历史源远流长,据《华阳国志》介绍,晋时蜀中刺绣已很闻名,与蜀锦并驾齐驱,皆被誉为"蜀中之宝"。到清代道光年间,蜀绣已形成专业生产,成都市内就有许多绣花铺,既绣又卖。蜀绣以成都生产的软缎和彩丝为主要原料,题材内容有山水、人物、花鸟、虫鱼等。针法经初步整理,有套针、晕针、斜滚针、旋流针、参针、棚参针、编织针等共100多种。蜀绣针脚整齐,线片光亮,紧密柔和,车拧到家。蜀绣的制作品类很多,有被面、枕套、绣衣、鞋面等日用品,也有台屏、挂屏等欣赏品。其中以刺绣的龙凤被面和传统产品《芙蓉鲤鱼》最为著名。

墙围画　也叫"炕围画"、"墙围子"。是传统的民间室内装饰画。流行于我国北方的广大农村,张贴在土炕周围还可保持清洁。这种画一般高约80厘米,分"边"和"空"。"边"以"退边"、"夔龙边"、"万不断"等二方连续为主,加以装饰性小花边。上下边之中,有"长方口空"、"圆形空"、"扇子空"等形式,"空"中画戏曲人物、传说故事、山水风景、花鸟鱼虫,外加灶头画、锅台画。民间墙围的制作,包括做底墙、绘制、油漆等环节。墙围画用石色,需要匠人自己研磨、漂澄、加胶矾才能使用,历时经久,色泽如新。

熬盐业　我国古代熬煎食盐的行业。盐是人民生活中不可缺少的调味品,居咸、甜、酸、辣、苦五味之首。我国古代食盐有海盐、井盐、池盐、崖盐、砂石盐等多种,而海盐居十分之八。盐业所奉之神甚多,不下30余个,有凤沙氏、胶鬲、管仲、盐姥、詹打鱼、墙头神、池神、条山风洞之神、蚩尤、张飞、葛洪、张道陵、十二玉女、开井娘娘、金川神、梅泽神、扶嘉、杨伯起、僧一新、艾谭惠孟四井神、黄罗二氏、井口土地、颜蕴山、炎帝、鲁班、华祝神等。

榨麻油作　我国民间榨轧芝麻油的作坊。其敬奉的始祖不见记载。因麻油味香,俗称"香油"。我国很早就用它做烹饪调料。三国时,民间就掌握了榨油技术。它用于饮食的最早文献记载是《博物志》。距今已有1600余年。唐宋期间,吃麻油已相当普遍,《梦溪笔谈》称:"北方人喜用麻油煎物"。麻油的制作原料是芝麻,经过炒锅、榨轧、晃油等工序制成。

蜡烛业　我国旧时制作蜡烛的行业。蜡烛是照明消耗品,也是装饰品。这个行业的祖师神,南北各地不同,有关帝、葛仙、黄昆、黄梅花、九天玄女等。蜡烛之名,始于汉代,程树德《说文稽古篇》引《西京杂记》说:"闽越王献高帝蜜烛二百枚,帝大悦。"这种"蜜烛",可能是唐代贾公彦所说的:"以苇为中心,用布缠之,灌之以饴蜜。"这属于蜡烛的前身。到后汉始有脂烛,即用动物油脂制作。东汉历魏晋南北朝而迄唐宋,蜡烛业达于极盛,它被皇室贵族争相用为奢侈的照明用具。有的放异香;有的燃烟散为五彩楼阁龙凤文,争奇斗妍,大大越出了照明的功用。制蜡烛所使用的原料是四川等地蜡树虫所分泌的粘液或用牛脂等配料,兑色,熬制而成。蜡烛的表面还要用金粉彩绘或雕塑龙凤纹饰或图案,以及"天作之合"、"关睢雅化"、"福如东海"、"寿比南山"等吉祥语,以备婚、寿喜庆之用。

蜡染布　蜡染又称"蜡缬"、"蠒

缬"，是我国织物染色工艺的一种。它是在织物上先用蜡画出图案，然后入染。《贵州通志》载："用蜡绘画于布而染之，既去蜡，则花纹如绘。"腊液浸入纤维后，有防水作用，染液不能进。染毕，经过热煮脱蜡，形成色地白花的装饰效果。蜡染有单色染和复色染两种。复色染有套色到四五色的，色彩自然而丰富。唐代张萱《捣练图》中有几个妇女的衣裙，就是蜡染工艺制成的。蜡染实为现代纺织品加工中的一种"防染法"。

鼻烟壶　鼻烟是一种用鼻孔吸用的消遣奢侈品，原产欧洲，明代传入我国。明清时期，随着鼻烟风习的盛行，贮存鼻烟的容器鼻烟壶，款式逐渐增多，原料也不一样，以形状分，有"爆竹筒"式、坛子形壶、"荸荠扁"壶、方形壶、圆形壶、葫芦形壶等。以质料分，有玻璃、瓷、洋瓷、玛瑙、玉、琥珀、金属等。玻璃壶最为普遍，瓷壶也不少见；洋瓷壶是铁胎上挂瓷釉，与现代搪瓷的原料相仿，仅是较为细致。鼻烟壶相传由朗士宁（传教士）传入中国，所以上面画篇多半是西洋人物故事。宫内御用烟壶以吉祥颂语为主，如彩篇五只鸡，取名"五霸强"；白地抹红的"文武判"；梅花上三十二只喜鹊，是为三十二喜等，名目繁多，不一而足。北京马绍轩的内画水晶壶、胡轩的瓷烟壶都是鼻烟壶中的精品。

漆器　用漆涂在各种胎体表面的器具。它具有色泽明亮，光彩夺目，防腐、耐酸碱等特性，具有实用价值和审美价值。漆器是我国一种古老的优秀手工艺产品。早在商周时期，漆工技艺已达到相当高的水平。这时的漆器色彩已符合礼制的规定，如《春秋·谷果传》有"天子丹（朱红色，诸侯黝垩（黑白色），大夫苍（青色）"等记载，说明漆色已逐渐丰富。周代漆器还用蚌泡做镶嵌物，这是漆器中螺钿的前身。到春秋战国时期，器胎的种类有了变化，除木胎、编织胎外，又出现了木片卷粘胎、夹纻和皮胎，为的是质薄轻巧，有的再以金属做耳、钮、足等饰物，更显得精巧华美。装饰纹样描绘纤细，形象生动，具有清新活泼的艺术特色。汉代漆器除王公贵族享用外，还作为馈赠礼品运往国外。胎骨有木胎、竹胎、夹纻等，造型也较战国丰富，增加了大件物品。装饰花纹有云气纹、人物纹、动物纹、植物纹、几何纹等，装饰手法，除黑、红两色外，还有彩绘。所用颜料，有的调油，有的调漆。可以经久不脱，色泽鲜艳。魏晋南北朝时，漆器沿用传统的夹纻方法（用漆灰造型，并用麻布粘贴做为漆胎）塑造佛像，这种佛像较铜质轻便，较泥像牢固，便于装在车上游行。这时还有斑漆问世。斑漆是用几种颜色漆交混而产生斑纹的一种漆器，或用单色漆显出深浅不同的斑纹，这是现代漆器制作中变涂技法的前身。还有一种绿沉漆，是色漆的新发展。绿沉色是一种暗绿色，如物沉在水中，其色深沉静穆，故称"绿沉"。这种色漆的出现，标志着髹漆工艺在调色技术上的新成就。唐代的漆器，多制作镜、瓶、盘、碗、琴等生活用品,以及箱、柜、床等家具。为了适应封建经济的上升发展对物品富丽的艺术要求,其制作已向华美的装饰方面发展,漆器技法品种,除有金银平脱、描金、螺钿、夹纻等外,并新创了雕漆。宋元时期漆器工艺的发展,不仅官方设有专门生产管理机构,民间制作也很普遍。品种有金漆、犀皮、螺钿、戗金、雕漆等类。明清两代的漆器制造,有官营作坊制造宫廷器物,民间生产更布于南北各地。品种有金漆、螺钿、百宝嵌、雕漆、脱胎等类。漆器主要产地为福建、四川、北京和江苏。(参见"雕漆"、"螺钿"条)

墨 墨是我国古代书写、绘画用的黑色颜料,用松烟等原料制成。自明代以后,它和笔、砚、纸被文人学子们合称"文房四宝"。《述古书法纂》载:西周宣王时,"邢夷始制墨,字从黑土,煤烟所成,土之类也。"这不过仅是传说而已。古代写字,以竹梃点漆,后磨石炭为汁而书,叫石墨。秦汉多用松烟、桐煤制墨。东汉时,隃麋(今陕西千阳)地区有大片松林,盛行烧烟制墨,墨质很好,美誉为"隃麋墨"。《汉官仪》说:"尚书令、仆、丞、郎"等官员,每月可得"隃麋大墨一枚,小墨一枚"。因此,古人诗文中,称墨为"隃麋"。松烟墨的书写效果,远较石墨为佳。自三国以后,石墨遂逐渐被淘汰。现知最早的烟墨,曾在湖北云梦睡虎地秦墓和江陵凤凰山西汉墓中发现。魏、晋、南北朝时,墨的质量不断提高。两晋陆机所写的《平复贴》,距今已

1600多年,字迹仍清晰醒目,这是世界上保存下来写在纸上的最早墨迹了。《齐民要术》中也写了一篇我国最早的讲制墨工艺的《合墨法》。唐宋以后,歙州(北宋末年改称徽州)就成了全国的制墨业中心。明清两代"徽墨"仍久盛不衰,主要向"精鉴墨"(专供鉴赏的墨)和"家藏墨"(多作收藏或馈赠亲友之用)两方面发展,成为精美的工艺美术品。

箍桶业 旧时民间制做木桶、木盆的行业。工匠称"箍匠",该行业奉鲁班的妻子邓氏为祖师。古时盛水或液体物的用具均为木质。箍桶工匠根据桶、盆的规格、大小,将木板裁成若干块,每块木板都是长短一致而上宽下窄,两侧面也内窄外宽成弧形,叫做"收分"。围拢拼合成上口大下口小的圆形,即为桶帮或盆帮。桶(盆)底也是用木板拼合,锯成合适的圆形,周边边缘也要板的上圆直径大而下圆直径小,装在桶帮下部做底,利用"收分"的撑力撑住而不致下落。桶(盆)外围要用铁箍或竹箍箍住。然后,在桶底四周用"腻子"(即油灰掺麻刀)填实轧牢,以防水液渗漏。最后,桶(盆)的内外部都要用桐油油过,桐油晾干后,即可使用。木桶(盆)现已被铁、铜、塑料等质地容器所替代。

雕漆 在堆起的平面漆胎上剔刻花纹的技法。我国雕漆工艺始于唐代,以前的雕漆装饰是在木胎上先雕刻然后再上漆。而唐代的雕漆则是先在木胎或金属胎上涂漆八九十层,以至一二百层,待半干时描上画

稿,施以雕刻,这是一种髹饰技法。一般以锦纹为地,花纹隐起,精丽华美而富有庄重感。雕漆大多用鲜明的朱漆,故又名"剔红"。据《髹饰录》载::"唐制多印板刻平,锦朱色,雕法古拙可赏,复有陷地黄锦者。"到宋代,雕漆有了很大的进步。《清秘藏》载:"宋人雕红漆器,宫中用者多以金银为盛,妙在雕法圆熟,藏锋不露,用朱极鲜……所刻山水楼阁人物鸟兽,俨如图画,为绝佳耳。"宋代雕漆除朱漆剔红外,还有剔彩、剔黄、剔绿、剔黑、剔犀等。到元代,雕漆工艺更上一层楼,以浙江嘉兴府最著名。明代的雕漆工艺更为兴盛,除浙江嘉兴外,民间生产已普及南北各地,官营的北京果园厂雕漆名噪一时。刀法明快,讲究磨工,花纹深厚圆润,题材十分广泛。花卉有牡丹、菊花、茶花等,动物有龙、凤、孔雀、狮球等,并采用情节性题材,如"龙舟竞渡"、"货郎图"、"聚宝盆"等,与当时的瓷器装饰一样,流行花捧字,如"双龙捧寿"等。清代前期继承明代,雕漆盛而不衰,其特点是颜色鲜红,刀痕显露,不打磨,花纹已由浑厚转为繁缛纤细,除木胎外,还有瓷胎、紫砂胎、皮胎等。现代雕漆主要产地有北京、扬州、天水、徽州等地。

螺钿 亦作"螺填"、"螺甸"。是用贝壳(蚌壳)薄片制成的人物、鸟兽、花草等形象镶嵌在雕镂或髹漆器物上的装饰技法。具体工序是先把蚌壳磨成薄片,薄如纸的称"软螺钿",较厚的称"硬螺钿"。然后按图案花纹锯成各种形体,拼粘在漆坯上。再上底灰。表面髹一层上光漆,又通过磨显后,在螺钿上刻划花纹。一般的螺钿镶嵌都用乌黑臻莹的退光漆和白色螺钿相对映,黑白分明,朴实而清丽。这种工艺技法起源很早,周代已经流行。从现存唐代实物看来,当时已有很高的水平。《癸辛杂识别集下》云:"王楠……初知彬州,就除福建市舶。其归也,为螺钿卓面屏风十副,图贾相盛事十项,各系之以赞以先之。"《格古要论》:"螺钿器皿,出江西吉安府庐陵县,宋朝内府中物及旧做者,俱是坚漆或有嵌铜线者甚佳。元朝时富豪不限年月做,造漆坚而人物细可爱。"现代的螺钿制品已成为特种工艺品,镶嵌除贝壳外,有的也用滑石,色泽艳丽,古朴典雅,深受国内外人民的喜爱。

藤编 藤编是运用藤条,经工艺加工编织成的制品。山藤产于我国南方各地,品种很多。藤科纤维坚韧,富有弹性,色泽光亮,具有防腐、防水性能。广东、海南是我国藤编的主要基地。《广东新语》云:"大抵岭南藤类至多,货于天下,其织作藤器者,十家有二。五羊汾水之肆,衣食于藤,盖多于果布也。"《粤中见闻》:"粤中之藤为席、为盘、为屏风、盔甲之属,其用甚奢。粤中藤货岁中售于天下者,亦不少也。"但在旧中国,藤编只是些自生自灭的家庭副业,谈不到发展。解放后,我国兴建了许多大型的藤编工艺厂,这种工艺才兴旺发达起来。藤编工艺能编出各种的花样和网眼,根据器物的品类,先要制出各种各样的藤丝。例如称为"合丝"的藤条，两边锋利，用于编席；称为"沙丝"的藤条，两边平整，适于编织家具，称为"梨皮"的藤条，弹力大，韧性好，可以编织器物的提梁或双耳。藤条若经化学处理或用药物漂白、染色，可与竹木掺合使用，也可与塑料混合编织。除制作家具外，还可编织成提篮、灯罩、花插以及鸟兽灯笼等各种玩具。藤编物品的特点是轻便美观，便于携带；坚韧耐用，造型独特；尤其在炎热的南方，藤席、藤家具等凉爽透气，久坐长卧不热，特别受到欢迎，颇为人们所喜用。

鎏金业　我国古代在金属上涂金的行业。该业奉老君为祖师。鎏金是一种金属工艺的装饰技法，近代称为"火镀金"。这种技术早在春秋战国时期即已出现，汉代称为"金涂"或"黄涂"。鎏金是把金箔剪成碎片，放入坩埚内加热，然后以1比7的比例加入水银，即熔化成液体，这种金与水银的的混合物，称为"金泥"。将"金泥蘸以盐、矾等物，涂在铜器上，经炭火温烤，使水银蒸发，金泥则固着于铜器上。关于金泥的记载，最初见于东汉炼丹家魏伯阳的《周易参同契》，而关于鎏金技术的记载，最早见于南北朝。其主要工艺为：做金棍、煞金、抹金、开金、压光。

爆竹　也叫"爆仗"、"炮仗"。用多层纸张密裹火药，接以药线（即药信）。玩时点燃药线，引起火药爆炸发声。我国燃放爆竹的历史已有2000多年，最早是为驱逐一个叫"年"的食人怪物，后来相沿成习。《荆楚岁时记》说："正月一日，是三元之日也，鸡鸣而起，先于庭前爆竹，以辟山臊恶鬼。"。北宋时期，才开始出现用纸卷裹火药制成的爆竹，并改名为"爆仗"。这种"爆仗"声音清脆，但响一下就完了。到了南宋，爆仗发展成了烟火鞭炮。将许多小型爆仗用药线串在一起，引燃后噼噼啪啪的响声不绝。《武林旧事·岁除》中说："至于爆仗……内藏药线，一爇连百余不绝。"到明清时期爆仗制作已经是相当成熟的民间工艺了，《帝京岁时记胜》和《宛署杂记》等书，都对北京地区的爆竹作过详细的分类介绍。近代爆竹单响的称"麻雷子"，双响的称"二梯子"，俗称"二踢脚"。连续噼啪响的称"鞭"。外形以花纸包装的称"花炮仗"；以红纸包装的称"红炮仗"；内装黑火药的称"黑药炮"；内装白火药的称"白药炮"；内装黑火药和铝粉的混合物，点燃后以声和光同时并发的称"硝光炮"；以敏感烟火、起爆药制成，以撞击方法引爆的称"击炮"；以拉动绳线引起磨擦引爆的称"拉炮"；以抛投引起磨擦引爆称"摔炮"或"砂炮"。

酿酒业　我国传统的酿酒行业。该业所供的神有杜康、仪狄、刘白堕、焦革、葛仙、李白、酒仙童子、二郎神、祠山神、阿美、司马相如、龙王等。我国造酒的历史悠久。在远古农业未兴起以前，人们就曾利用野果发酵造酒。到商周时代，谷物酿酒已相当普遍。《礼记·月令》指出:造酒要用煮熟的谷物。提曲需掌握时机,制酒用具要选优良清洁的陶器,水质要好,火候要适宜。这是古代对酿酒技术的科学概括。也是世界上最早的酿酒工艺规程。秦汉时,曲的品种迅速增加,从原料看,汉代制酒所用原料有大麦、小麦、稻米、高粱、小米等。因为用不同的谷物制曲,所以酒的品种有所增加。两晋时,我国又出现了制作药曲和用药曲酿酒的工艺。《齐民要术》中,详细记述了十多种酿酒方法。而且这时的制酒工艺还远传日本、朝鲜和印度支那等国。唐代除粮食酒外,还酿葡萄酒、天门冬酒等。宋代不仅有曲蘖,饼曲和药曲,还使用曲母传醅,用酒花酿酒。从元朝以后,明清两代烧酒已风行全国,无人不晓了。

文　化　教　育

二人台　汉族民间传统文化娱乐
形式之一,流行于内蒙及陕西、河
北、山西三省的北部地区。初名"打
玩艺儿",后来统称二人台。其形成
过程有二说:一说清光绪年间,于内
蒙古西部,在蒙汉民歌和丝弦坐腔
的基础上,吸收汉族民间舞,创造出
了一丑一旦、载歌载舞的表演唱,取
名"蒙古曲";一说清末叶,由山西河
曲民间演唱小曲的"打坐腔"与秧歌
等结合发展为歌舞表演唱,之后,流
传至内蒙古西部,吸收蒙族歌曲声
腔而进一步成长起来。内蒙古的二
人台,以呼和浩特为界,分东西两
路。西路始终保持着早期二人演唱
的形式,遇有剧中人物超过两个角
色时,则由丑角采取兼演的方式演
出,俗称"抹帽戏"。东路已有发展,
遇此情况则多人分饰角色同台演
出。二人台的唱腔曲调有200多种,
大都曲专用,有的已向板式发展,
如[走西口]等。西路有牌子曲100
余个,在演出前单独演奏,东路有
20余个,结合剧情需要使用。牌子
曲中有蒙古民歌[巴音杭盖]、[森吉
德玛]等,是蒙汉民间艺术交融的结
果。乐队由笛子、四胡、扬琴和四块
瓦组成,东路还增加了锣、鼓、镲等
打击乐器。经常演出的节目近100
个,多是反映劳动人民生活的歌舞
小戏。现二人台继续发展,并且有了
专业团体,业余演出活动仍很活跃。
著名老艺人有计子玉、樊六、刘银威
等。经过整理改编的剧目有《走西
口》、《打金钱》。

二人转　亦称"蹦蹦"、"双玩意
儿",汉族民间传统文化娱乐形式之
一,流行于辽宁、吉林、黑龙江三省
和内蒙古东部地区。自草创至今,大
约已有200年的历史。艺人师承关
系可上溯到清嘉庆末年前后。二人
转是在东北大秧歌的基础上吸收河
北的莲花落而形成的。另说是河北
莲花落传入东北后,与当地大秧歌
相结合,增加了舞蹈、身段、走场等
演变而成。二人转在发展中还广泛
吸收了东北民歌、太平鼓、东北大
鼓、皮影、喇叭戏、河北梆子、评剧等
姐妹艺术的音乐唱腔和表演技巧。
二人转在历史上曾形成东、南、西、
北4个流派。东路以吉林为重点,舞
彩棒,有武打成分;西路以辽宁省黑
山县为重点,受河北莲花落影响较
多,讲究板头;南路以辽宁营口县为
重点,受大秧歌影响较大,歌舞并
重;北路以黑龙江北大荒为重点,受

当地民歌影响,唱腔优美。后各流派取长补短,互相融合。二人转演出形式很多,大体分为单、双、群、戏4类。"单"即单出头,由一人演唱;"双"即二人转,是主要演出形式,由甲乙二人扮一旦一丑,有说有唱,载歌载舞;"群"即群唱、群舞、坐唱等,由10多人表演;"戏"是在二人转基础上形成的拉场戏。二人转的表演艺术分唱、说、做、舞四功。唱词以七言、十言为主,兼有民歌体长短句。唱腔丰富,素有"九腔十八调,七十二咳咳"之说。常用曲牌有〔胡胡腔〕、〔喇叭牌子〕、〔文咳咳〕、〔武咳咳〕等,此外,还有不少辅助曲调、专调和民歌小曲。唱功讲究"字儿、句儿、味儿、板儿、腔儿、劲儿",高亢火爆,亲切动听。伴奏乐器有板胡、唢呐、竹板等。说功,主要指说口,有"成口"与"零口"之分。丑逗旦捧,多用韵白。说口语言风趣幽默,滑稽可笑。舞功以东北大秧歌为主,也吸收了其他民间舞蹈及武打成分,并有耍扇子、耍手绢、打手玉子、打大竹板等独到的技艺。二人转有传统曲目300多个,代表曲目有《蓝桥》、《西厢》、《包公赔情》、《杨八姐游春》、《猪八戒拱地》等。

儿歌　民间歌谣的一种。又名"孺子歌"、"童谣"、"婴儿谣"等。最早出现于先秦时代。各地均有流传。它是人们根据儿童心理特点、欣赏趣味、理解能力和生活经验,以简洁生动的韵语创作并长期流传的口头短诗。儿歌内容单纯,形象生动,音韵优美,体制短小,节奏鲜明,琅琅上口。儿歌大量运用反复、重叠和对答的形式,以及拟人、比喻、夸张等修辞手法。我国搜录民间儿歌入书已有很长的历史。早在两千多年前的古书中就有记载,但数量很少。清代郑旭旦的《天籁集》和悟痴生的《广天籁集》中记载了近70首儿歌,是极宝贵的古代儿歌资料。儿歌的内容丰富多彩。它基本上可以分为游戏儿歌、教诲儿歌和绕口令三大类。儿歌现在仍是儿童启智培德的重要形式。

八股文　亦称时文、时艺、制义、制艺等。明清科举考试主要方法和规定应试文体。试题主要出自四书,所论亦须以朱熹《四书集注》为准,故又称四书文。其体例源于宋之经义文,明成化后演为定式。每篇由破题、承题、起讲、领题(入手)、提比(起股)、中比(中股)、后比(后股)、束比(束股)八部分组成。破题二句,点破题目要旨。承题共三四句,承接题义而申明之。起讲概说全体,为议论之始。入手为起讲后入手之处。以下提比、中比、后比、束比四股方展开议论,而中比为全篇中心所在。这四段的每一段中又都有两股两相比偶的文字,合计八股,故称八股文或八比文。各部分间必须用固定的联接词。如"今夫"、"尝思"、"苟其然"等。字数亦有严格限制。八股文重章法,合骈、散文与辞赋为一体,创成一新文体。然以之考试其形式与内容桎梏人的思想至深。清人顾炎武曾批评:八股之害,甚于焚书坑儒。

入乡随俗　指进入某一地区,应该随顺当地风俗。脱胎于"入境问俗"一语。《孟子·梁惠王下》:"臣始至于境,问国之禁,然后敢入";又《礼记·曲礼上》:"入竟(境)而问禁,入国而问俗,入门而问讳";又苏轼《密州谢上表》:"入境问俗,又复过于所期"。入乡随俗即是历史的事实,也是应该遵从的非规范性要求。因为风俗独特而强固的地方性、排他性及一定的规范性,外来人不能不入乡随俗,否则寸步难行。由此,入乡随俗也就成为人们遵从的行为准则。现在,这一概念主要强调到一个新的地方首先要尊重、适应该地的风俗习惯。

三弦　汉族民间说唱形式,流行于河南开封、南阳、洛阳、许昌等地区。三弦相传在清代初年即已流行,长期扎根在农村,富于乡土气息,曲调朴实清新。早年曾流传到徐州、济南、北京、天津、沈阳、西安、武汉等地,对当地的曲艺产生过一定影响。民间有职业和半职业艺人。演唱时有一人自弹三弦自唱的;有一人操铰子或八角鼓主唱的;另有一人弹三弦、蹬脚梆、帮腔助势的;还有多人演唱。伴奏乐器主要是三弦。唱法有平调(平弦平唱)、高调(高弦高唱)、越调(低弦高唱)三种。唱腔有三挑四送、铰子腔、大小寒韵、鼓子腔、起篇、赞子、慢板、二八等。三弦的曲调音域宽,跳跃大,板式灵活,曲词口语化,富有风趣。演唱曲目,短篇小段多以民间日常生活为内容,俗称"针线笸箩戏",如《王婆骂鸡》、《吵驴》、《卖丫环》、《蓝桥会》等;中长篇曲目多属历史故事、演义传说,如《白绫记》、《刘秀访贤》、《玉环记》、《丝绒记》等。

大鼓　曲艺之一种,流行于我国北方和长江、珠江流域的部分地区。大鼓由一人击鼓、板演唱,一至数人用三弦等乐器伴奏。它种类很多,多按地区取名,如西河大鼓、东北大鼓、乐亭大鼓、京韵大鼓、山东大鼓、湖北大鼓等。据艺人传说,大鼓至少有近300年历史,早期流行在山东、河北的农村。明代永乐年间,河间府一带便有胡、梅、青、赵四门艺人组织行会。早期著名京韵大鼓演员刘宝全就是梅家门弟。更早一些的胡十、宋五、霍明亮等艺人,其原籍也是河间一带。如京韵大鼓原名"小口大鼓",又称"怯大鼓",是由"木板大鼓"吸收了民间小调和清音子弟书发展而成的。进入城市初期,还保持着河间一带的乡音。又如西河大鼓(亦称"西河调")起源于冀中,得名于天津,至今在唱腔和吐字中还保持一些河北的方音土语。早年著名艺人,如朱大官、李德全、赵玉峰以及稍后的马连登几个流派的著名演员,都是冀中一带的人。再如山东大鼓,又称"梨花大鼓",即由伴奏时使用的两片碎"犁铧"片而得名。《老残游记》里也说它"本是山东乡下的土调"。曲目以短篇居多,也有兼唱中长篇的。

三字经　旧时广泛使用的蒙学课本。相传为宋王应麟撰(一说为宋区适子所撰)。明、清学者陆续增补,至清初的本子为 1140 字。内容从阐述教育的重要性开始，进而依次讲述名物常识、经书子集、历史知识及古人勤奋学习的故事等。全用三言韵语，便于学童诵读。句法灵活丰富，语言通俗易懂。自编成后广为流传，一直使用至清末民初。元、明以后有多种改编和新编《三字经》。但均未能广为流传。在诸多的蒙教课本中，《三字经》的影响十分深广。它不仅是识字学习的课本，也是品德教育的教材。该书宣扬了许多封建伦理道德的糟粕，也有许多精华。其中关于古人勤学的故事及相关训诫，具有独特的作用。此书的许多知识和观念在今天仍有一定的借鉴作用。

木偶戏　亦称傀儡戏，戏曲类别，古代多用傀儡戏这一名称，或称傀儡子，窟礧子，传说渊源于汉代。三国时马钧所制木偶能表演各种技艺。据唐封演《封氏闻见记》，唐大历年间，有人"刻木为尉迟鄂公、突厥斗将之戏，机关动作，不异于生"。宋有杖头傀儡、悬丝傀儡、药发傀儡、水傀儡等；元、明、清以来傀儡戏均有流行。现一般均称木偶戏。宋代的肉傀儡，也属木偶戏之一种，表演形式不详。有人认为是由大人托举儿童，使之摹仿木偶的动作。后又发展一种木偶剧，即由演员操纵木偶以表演故事的戏剧。根据木偶形体和操纵技术不同，分为布袋木偶、提线木偶、杖头木偶、铁线木偶四类，各有艺术特色。现在我国的木偶剧多用戏曲曲调演唱，有的则用对话或歌舞。

下里巴人　古代楚国的民间歌曲。《文选·宋玉·对楚王问》："客有歌于郢中者，其始曰《下里巴人》，国中属而和者数千人。其为《阳阿薤露》，国中属而和者数百人。其为《阳春白雪》，国中属而和者数十人。"李周翰注："《下里巴人》，下曲名也，《阳春白雪》，高曲名也。"下里巴人一语中，下里的意思是乡里；巴指巴蜀，古代认为是偏僻的蛮地。后多泛指俚俗的作品。

山曲　民歌的一种。流行于山西河曲、保德及陕西省府谷、神木一带。有时也指北方许多地区如山西、陕西、内蒙古、河北、宁夏、甘肃的民歌，是一个使用比较广泛的概念。晋西北、陕北以及内蒙古西部区的山曲儿和爬山歌、信天游等大体一致，歌词以七字一句为基础，歌唱时自由变化，可多达十数字。上、下两句构成一首，押大致相同的韵。有时许多首连在一起，表达比较复杂、完整的思想感情。一般是独唱，或有对唱，无伴奏。音调高亢辽远，气韵悠长。

山歌　民歌的一种，有时也泛指民歌。流行于我国南北各地。大多在山野劳动时歌唱，曲调爽朗质朴，节奏自由。内容主要反映劳动、爱情等生活。北方的信天游、花儿、爬山调、山曲儿等均属此类。南方则有兴国山歌、客家山歌等。山歌之名，古已有之。唐代最能反映民间生活的诗人白居易《江楼偶宴赠同座》云："江果尝卢橘，山歌听竹枝"。四川《德阳县志·风俗》则云："有各处机匠每四时宵静更阑,机声与歌声互答,陋巷遥闻,亦有幽趣,谓之山歌"。山歌多为劳动人民创作传播,也为民众所喜闻乐见。亦有文人仿作的山歌。

小儿语 古代蒙学教材之一种。作者吕得胜,号迈溪。吕得胜主要活动于明嘉靖年间。其编撰《小儿语》、《女小儿语》,欲"以立身要务,谐之音声","使童子乐闻而易晓焉"。《小儿语》主要宣传提倡的是孝敬父母、友爱兄弟、谨慎守信、热爱人民、亲近仁人等伦理道德规范,这不仅是古代最伟大的教育家孔子的道德观,也是我们中华民族的美德。如"一切言动,都要安详","自家过失,不消遮掩"等行为守则,在今天也仍然是文明的举止和有教养的表现。

小道消息 与正统的、官方的消息相对的消息,即以民间渠道传播的消息。我国传流上缺乏新闻的公开性,故而多有非正规渠道的传闻、信息。这些消息似有若无,传播中往往附会传播者个人的感受,变异性极大,最终的传播往往可能和最初的原型大相径庭。小道消息的传播和传说的附会不无关系。这种风习,在我国古已有之,现代仍时有出现。

口头文学 即"民间文学"。是根据民间文学在语言表现形式上的特征而言的。包含两方面的含义:一方面民间文学的创作采用口头语言,而不是书面文字;另一方面民间文学在传播上运用口头表达方式。这一特征显然和作家创作不同,作家创作大都用书面语言和文字,从传播上看也是通过印刷工具,口头语言只用于宣讲的时候。民间文学之所以被称为"口头文学"、"口碑文学"、"口传文学",正是针对它口耳相传这一特征而言的。口头文学是文学的最早形态,在文字产生以前,作为文学只有口头创作一种形式,后来随着社会的发展,文字产生了,社会又有了明确的分工,这时才有专门用文字写作的作家产生。于是民间的口头创作和作家书面创作出现并存的局面。在文人作家或上层社会中有时也有适合他们趣味的口头文学流传。

千字文 旧时广泛使用的蒙学课本。南朝梁代周兴嗣编。梁武帝大同年间(535—545)编成。它将1000个字,编为四字一句韵语,介绍有关自然、社会、历史、伦理、教育、生活、日用等方面的知识,基本无复字。自隋代开始流行,至清末一直被广泛用作儿童识字课本,在识字启蒙教育中起到一定的作用。宋代以后,有种种续编和改编本,如宋侍其玮编《续千文》、葛刚正编《重续千文》、胡寅编《叙古千文》、明周履靖编《广易千文》、李登编《正字千文》、清何桂珍编《训蒙千字文》等。但均没有旧本流传广泛、长久。

千家诗 旧时比较流行的蒙学读物。有《新镌五言千家诗》、《重订千家诗》两种。前者题王相选注;后者题谢枋得选。王相注,所选均七言诗。两种选本都分绝句、律诗两部分,大都为唐、五代、宋作品,宋诗尤多。但选材均不严,注释亦时见谬说，故或疑为伪托。另有《分门纂类唐宋时贤千家诗选》，南宋刘克庄编。克庄号后村居士，故称《后村千家诗》，二十二卷，分十四门，所选亦宋诗较多。《千家诗》因人选诗歌浅近易懂，故被用作训蒙读物，流传较广，起到了一定的文化教育作用。

习俗传说　亦称风俗传说，为叙述某种民间风俗、习惯或节日由来的传说。在这类传说中人们往往结合着本民族生活中欢乐和苦难的回忆，结合着某一为人们所珍视的历史（或传说中）的事件和人物，对形成某种风俗的由来给以饶有情趣的和富有意义的解释。其中常常反映出人民群众的爱憎情感、是非观念和对美好理想的追求。如关于五月端午赛龙舟、吃粽子，就有关于屈原、伍子胥、曹娥等的传说。习俗传说以习俗的由来、形成等为其内容，同时又对习俗的传承有着一定作用，比如丰富习俗的内涵，增强其权威性和感染力。但习俗传说中也有相当多附会的因素，对于习俗的科学分析无多补益。

女四书　书名，与儒家经典相对的四种规范女性的典籍。明末王相辑。包括汉代班昭《女诫》、唐代宋若莘《女论语》、明成祖后徐氏《内训》、王相母刘氏《女范捷录》四种女子教育书籍。王相一一加以笺注，明天启四年（1624）由多文堂合刻为《闺阁女四书集注》，嗣后简称"女四书"。"女四书"中的四种典籍原本就有和"四书"相对的，如宋若莘《女论语》；并且起到了规范女性德操行止的巨大作用，如班昭《女诫》。合成"女四书"，其流传更加广泛，影响力更强。这四部由女性所撰写的书，对女性提出了严苛的要求，具有较强的封建色彩。

女论语　古代女子教育课本。据《旧唐书·女学士尚宫宋氏传》称，此书为唐宋若莘著。体例仿《论语》，采用问答形式，阐述封建妇道，共十篇。其妹若昭注释。明末王相辑入《女四书》。今本托名曹大家（即班昭）撰，十二章：立身、学作、学礼、早起、事父母、事舅姑、事夫、训男女、管家、待客、柔和、守节，为四言韵文，亦非问答体，恐非宋氏原著。

太学　古代的大学。据《大戴记·保傅》载，西周已有太学。西汉文帝时，贾山上书主张"定明堂，造太学，修先王之道"（《汉书·贾山传》）。武帝时，董仲舒在对策中亦建议"兴太学，置明师，以养天下之士"。元朔五年（前124），汉武帝准许丞相公孙弘等为博士置弟子的请求，置五经博士弟子50人，为西汉太学设立之始。后太学生逐渐增多，太学规模不断扩大。昭帝时100人，宣帝末增加到200人，元帝时增至1000人，到成帝末达3000人。东汉太学修建于建武五年（29）。太学有内外讲堂，长十丈，广三丈。顺帝时又重新扩建，太学有240房，1850室。质帝时，太学生多至30000余人。魏晋到明、清，绝大多数王朝均在中央设置太学，作为传授儒家经典的高等学府。

五经　指儒家的五部经典著作，即《诗》、《书》、《礼》、《易》、《春秋》的合称。①《诗》即《诗经》，是我国第一部诗歌总集，司马迁《史记》称其为孔子编定，但后人认为不可信。该书辑录周代诗歌 305 首，分风、雅、颂三部分，包括民间歌谣和宫廷雅乐、宗教乐歌等。"风"分十五国风，共 160 篇；"雅"分"大雅"、"小雅"，共 105 篇；"颂"分"周颂"、"鲁颂"、"商颂"，共 40 篇。主要产生于黄河流域，包括现在的陕西、山西、河南、山东、湖北等地区。内容广泛，有青年男女对美满爱情的追求，有关于周代经济制度和生产的记实，也有反映徭役赋税带来的痛苦。"风"大部分是各地民歌，质朴自然，文学价值最高。"雅"、"颂"大多是替统治者歌功颂德的作品。《诗经》总体形式以四言为主，普遍运用赋、比、兴的艺术手法，语言朴素，音节和美，富有艺术感染力。《诗经》受到历代诸儒的重视，孔子曾教育其子孔鲤"不学诗，无以言"。汉宋大儒对《诗经》多所诠释，从中阐述了不少微言大义，使其成为合乎儒家伦理规范的读本。②《书》即《尚书》（又称《书经》），该书所录为虞、夏、商、周各代典、谟、训、诰、誓、命等文献。其中虞、夏及商代部分文献是据传闻而写成，不尽可靠。"典"是重要史实或专题史实的记载；"谟"是记君臣谋略的；"训"是臣开导君主的话；"诰"是勉励的文告；"誓"是君主训诫士众的誓词；"命"是君主的命令。相传是孔子编选的。《尚书》一直被视为我国社会的政治哲学经典，既是帝王的教科书，又是贵族子弟必遵的"大经

大法"，在历史上很有影响。③《礼》即《礼记》，主要是对礼制、礼仪的记载和论述。其中涉及秦汉以前的社会组织、生活习俗、道德规范、文物制度等情况，反映了儒家的政治、哲学、伦理思想。《礼记》多数篇章系"七十子后学者所记"（《汉书·艺文志》）。孔子死后，门徒"七十子"散居各诸候国，他们的学生又各传其师说，所传讲礼文章流传至汉已有一百数十篇，相当繁复，戴德选其 85 篇为《大戴礼记》（今残），戴圣又选 49 篇为《小戴礼记》，即今本《礼记》。《礼记》至唐代列为"九经"之一，宋代列于"十三经"中，为士子必读之书，对后代思想、文学都有一定的影响。④《易》是《易经》（又称《周易》），古代占筮用书。全书分《经》、《传》两部分。《经》以八卦两两相覆，得六十四卦。卦有六爻，爻分阴（--），阳（—）。《经》文以"九"表示阳爻，以"六"表示阴爻。卦辞较简单，一般作说明题义之用。爻辞是各卦内容的主要部分。每卦六爻，各爻一般依据内容的时间先后或逻辑层次安排。卦爻辞中又分筮辞与非筮辞两类。筮辞是占筮的内容和占筮结果的记录，非筮辞是作者的理论说明。《周易》在中国文学史上有一定地位。编撰人将零散、简略的旧筮辞，经过选择、编排和加工成有中心、有层次的卦爻辞，大多都是一卦说一类事。⑤《春秋》是编年体的鲁史，相传是孔子据鲁国史官所编《春秋》加以整理修订而成。《春秋》为我国较早的编年史。以鲁国十二公为

次序，起于鲁隐公元年（前722），迄于鲁哀公十四年（前481）。文虽简约如大事记，而242年间诸侯攻伐、盟会、篡弑及祭祀、灾异、礼俗等，都有记载。它所记鲁国十二公的世次年代，完全正确，所载日食和西方学者所著《蚀经》比较，互相符合的有30多次，足证《春秋》并非古人凭空虚撰。从全书来看，发挥牵强、抵牾之处甚多，宋代郑樵说"以《春秋》为褒贬者，乱《春秋》者也"。所谓强调褒贬讽谕的"《春秋》笔法"，对后世产生了不可忽视的影响。《公羊传》、《谷梁传》以解经为主，侧重阐发微言大义。与《左传》合称"春秋三传"。"五经"在我国文化史上曾起过重要作用。它被视作儒家的经典而受到历代的尊崇，并被用作学馆、书院的教材，具有广泛的影响。

五魁首　旧时科举考试中各科第一名考生的总称。明代科举制度，以《诗经》、《书经》、《礼记》、《易经》和《春秋》五经录取考生，每经之首称为魁，魁首即为第一，获得第一名者称为"夺魁"，五种经书考试的第一名即合称"五魁首"。这也是民间酒席中划拳时"五魁首"一词的来历。

五禽戏　古代医疗体操。为东汉名医华佗所创。模拟虎、鹿、熊、猿、鸟五种禽兽的姿态和动作进行肢体活动，用以增强体质、防治疾病。华陀说："人体欲得劳动，但不当使极耳。动摇则谷气得销，血脉流通，病不得生。譬如户枢，终不朽也。"又说："体有不快，起作一禽之戏，怡而汗出，因以著粉，身体轻便而欲食。"（《后汉书·华佗传》）。原动作早已失传，现行的五禽戏，均为后人根据华佗的语意编制而成。第一称虎戏。虎勇猛力大，威武刚健。常习虎戏可使人四肢粗壮，增长气力。第二称鹿戏。鹿心静体松，动转舒展，常习鹿戏可引伸筋脉，使腰腿灵活。第三称熊戏。熊步履沉稳，气撼山岳，常习熊戏可生长气力，促使血脉流通。第四称猿戏。猿猴敏捷好动，纵跳自如，攀援轻盈，喜搓颜面，常习猿戏可使人手脚灵便，容颜不衰。第五称为鸟戏。飞鸟悠然自得，轻翔轻落，常习鸟戏可使动作轻快，心情舒畅。华佗弟子吴普坚持实行，"年九十余，耳目聪明，齿牙完坚"。五禽戏流传至今达数百种以上，已形成导引中的重要流派，在国内外享有一定的声誉。

五种遗规　传统礼教著作。清代陈弘谋（1696—1771）编。乾隆八年（1743）有合刻本问世。该书采录自汉至清约80位名人学者有关养性、修身、治家、为官、处世、教育等方面的著作、言论和事迹，分辑遗规五种：《养正遗规》、《教女遗规》、《训俗遗规》、《从政遗规》和《在官法戒录》，合称《五种遗规》。光绪二十九年（1903）制定的《中学堂章程》、《初级师范学堂章程》，规定为修身科课本。本书既称"遗规"，一是说其所载具有规范性，一是说其规范以古为法。作为礼教名著，此书曾有比较广泛的影响。

开蒙要训　古代蒙学课本。作者和成书年代不可考。在敦煌石窟保留唐代写本。全书 1400 多字,内容介绍自然名物、社会名物、寝处衣饰、身体疾病、器物工具、行动操作、饮食烹调等知识。用四言韵语,基本无复字。较通俗,注重实用。流传于唐代、五代。

风人　古代的采诗官。古代各地诗歌在《诗经》中称为风,采录地方诗歌也为了观民风,故称采诗者为风人。在先秦典籍中,多处写到了风人"采诗以观民风"的史实。由于采诗和民情风俗有密切联系,故而后世称采录民情风俗的人为风人,并不专限于官府,有时也称诗人为风人。《文心雕龙·明诗》云:"自王泽竭,风人辍采。"

风气　"风尚习气"的简称。原指一定风土气候造成的习俗特征。《汉书·地理志下》:"凡民函五常之性,而其刚柔缓急,音声不同,系水土之风气",泛指一定环境条件下形成的风尚习气。在民俗学的范畴中间,它与有稳定性的风俗习惯相比,缺乏长期稳定传承的基础,随着时间的推移,其中一部分被淘汰,一部分逐渐沉淀凝聚为风俗。但风气具有一定的群体性和冲击力,短时间内可对社会生活产生重要的影响。因此,把握和利用风气是移风易俗的重要内容。传统的风气和现代的时尚、时髦有一定的联系,应该引起人们一定的注意。

风物　与民俗文化有密切联系的自然景物、名胜古迹、土特物产的统称。因具有鲜明的地方特色,大多成为民俗学涉猎的对象和研究线索。

如峨嵋山的"佛光",杭州的雷峰塔.武当山的金顶,新疆的哈密瓜等。风物和乡土密切联系,具有突出的地方特色,同时往往和一些地方性传说联系,两者互相影响,相得益彰。由于其突出的地方特色,甚至他处别无的特点,它也被称作"方物",历来是亲朋馈送及属下供奉朝廷的独特品种。同时,也多为历代史乘及文人笔记等等记载。至今,许多著名地方风物仍为国内外旅游者所欢迎。

风物志　专门叙录一定地区风物的方志。载述地方风物之举,在我国早有其事。一般地方,志书都有所载述。有的专书虽不以"风物志"名,但实质却没有差别。近年来,由全国各省、自治区、直辖市出版部门负责组织编纂,分册出版中国风物志丛书,其内容一般包括地理风貌、历史渊源、名胜古迹、革命纪念地、土特名产等。是地方志中侧重记述自然景观、地方物产的一种。

风俗　一地方或一民族等长期承传而形成的风尚、习俗。与其相近的概念有民俗、民风、习俗等,常与习惯合称"风俗习惯"。风俗一词在汉语古文献中出现很早,《荀子·强国》:"入境,观其风俗。"《汉书·平帝纪》:"(元始四年)遣太仆王恽等八人,置副假节分行天下,览观风俗。"风俗反映在人们物质生活、精神生活的许多方面,具有其独特的个性。首先,风俗是集体的产物,具有民族特征;同时,又因地区而有所差异,形成其地域特性。其形成受社会因素的影响最多,物质、自然的因素对其也有一定的影响。风俗是自然沿袭传承的,因而具有顽固和保守的倾向。同时,由于历史的发展和地区、民族间的交流,风俗也常发生变异。按照内容和形式,风俗可分为许多类别,如本书即分为人生历程、岁时节令、居住器用、饮食肴馔、服饰妆扮、家庭社会、生产经济、工艺制作、文化教育、宗教信仰等类。按形成和流行范围,则可分为国俗、民族风俗、地方风俗等。按风俗的优劣尚可分为美俗和陋俗。此外,对风与俗的认识历来即有所差异,《周礼》云:"俗者习也,上所化曰风,下所习曰俗。"《汉书·地理志下》云:"凡民函五常之性,而其刚柔缓急,音声不同,系水土之风气,故谓之风;好恶取舍,动静亡常,随君上之情欲,故谓之俗。"风俗具有广泛的作用和价值。它是一种软性的行为规范,对人们的行为举措、思想情感有着潜移默化的作用,具有行为调控和社会整合功能。对于外部世界来说,风俗具有认识价值,通过它可以了解一国、一民族、一地区;同样,它具有相当的表现功能,故而成为文艺作品常用的素材。

风俗志　专门记述地方风俗的史志。"民俗志"、"方俗志"、"风土志"都是与其相近的概念,由地方志书中的"风俗门"发展而来。最早设有专类介绍风俗的志书有汉代的《郡国书志》,南朝梁宗懔《荆楚岁时记》开风俗志的先河。隋唐时编纂方志都列有风俗门类,并为后世史志所沿习。地方史志中狭义的风俗门类一般仅指风土人情,专门风俗志书除专项志书外,大多记述风土人情、生活习俗、地方风物、岁时活动、礼仪、社会、方言以及信仰等。近代以来,风俗志书的编修渐趋繁荣,有综合性的、专项性的,有全国性的、民族性的、地区性的,诸如《中华全国风俗志》、《西藏风土记》、《布依族民俗志》、《新年风俗志》等。风俗志反映一国、一民族、一地区的社会生活、风土人情,具有较高的认识价值和研究价值,对于移风易俗等具有一定的实践作用,已为越来越多的人所重视。

风俗诗　以民情风俗为描摹歌咏对象的诗词,今人多称其为风俗诗。此类诗作的源头可以上溯到周代,《诗经》中的《七月》等篇即可算作风俗诗。至汉唐,描摹歌咏风俗的诗作层出不穷,有的是单篇的,有的则是系列诗作,如唐刘禹锡的《竹枝词》、杨韫华《山塘棹歌》、宋姜夔的《观灯口号十首》等。明清以降,此类作品急遽增多,尤以清代为最。尤其是历代文人写作的以"竹枝词"为题的诗歌,都是记述地方风土人情之作,其数量十分可观。风俗诗对民情风俗的描摹大多比较形象,又富有概括性,有的风俗诗还有作者的自注(如陆游),效果更好。风俗诗与有关风俗专书、杂言一样,也是保存历代风俗的宝库,具相当重要的民俗学研究价值。

及第　指科举考中之称。因列榜有甲乙次第,故称。宋高承《事物纪原·学校贡举》记云:"汉之取士,其射策中者谓之'高第',隋唐以来,进士诸科遂有'及第'之目。"明清进士,只有殿试一甲的一、二、三名赐进士及第,其余的称进士或同进士出身,不称及第。

方志 亦称"地方志"。我国传统的记述地方各方面情况的史志。有全国性的总志和地方性的州郡府县志两类。其内容涉及地方各方面的情况,诸如地理分野、山川湖泽、土地草场、聚落村镇、物产经济、交通远输、户籍人口、庙殿建筑、职业修为、学校教育、民情风俗、地方官绅耆宿、艺文碑铭等等。我国的方志起源很早,《尚书·禹贡》即有记载方域、山川、土质、物产、贡赋的内容;《山海经》记山川、形势、土性、怪异、古迹和道里的远近,物产的状貌,都具有总志的性质。汉魏六朝时期,无论是总志还是地方性的方志,都有了长足的发展,涌现了《舆地志》、《华阳国志》等优秀志书。隋、唐、宋时期,方志有了进一步的发展,体例日臻完善。这一时期著名的总志有隋虞世南《隋区宇志图》、唐李泰《括地志》、李吉甫《元和郡县图》、宋乐史《太平寰宇记》、王存《元丰九域志》、欧阳态《舆地广记》、王象之《舆地纪胜》等,地方性的有宋高似孙《剡录》、宋敏求《长安志》、《河南志》等。元、明、清三代都有官修的总志,如《大元一统志》、《大明一统志》、《大清一统志》等,内容、卷帙都十分宏博。方志中以省为单位的称"通志",最为常见。其体例分为两种:一是总志式的,把一地分成若干子目;一是地方史式的,立有纪、传、表、志、略、录等款。自元代以后,著名的乡镇、寺观、山川也多有志书,如《乌镇志》、《南浔志》、《庐山志》、《灵隐寺志》等。清及民国以来,国家有意地刊行方志。解放以后,方志事业尤其突出发展,各地各级都设立有史志办,修订或新修方志,相关的全国、地方性刊物相继创办,新、旧方志的刊刻印行也多有建树。方志分门别类,取材丰富,是研究历史及历史地理、地区文化的重要参考资料。晚近的方志大多设有"风俗门",是记载民情风俗的重要文献,是民俗学的重要资料。

文庙 唐玄宗开元二十七年封孔子为文宣王,因称孔庙为文宣王庙,明以后称为"文庙",对"武庙"(关、岳庙)而言。《明史·礼志四》:"天下文庙,惟论传道以列位次;阙里家庙,宜正父子以叙彝伦。"文庙所供为孔子,另有孟(子)、颜(渊)、曾(子)等人陪祀。旧时各地县城都建有文庙。明人尹直为句容县儒学所撰《重建文庙记》云:"学必有庙,以祀孔子,以行释奠释菜之礼,以示不忘其学之所自。"文庙孔子塑(或挂)象上写"大成至圣先师孔子之神位",两旁或有对联写"三千徒众子;七十二贤人"。各地文庙经常洒扫奉祀,《津门杂记》云:"文庙至圣先师。每年春秋两丁,除官照例备办祭品外,阖学人等按月出资,添备大小彩灯,随班扶事与祭,以崇祀典。""文庙朔望行香,除官长照例展谒外,阖学人等立会出资,掣签值月。每朔望前,派庙丁洒扫殿宇,值月者亲焚香烛于各神位前,以昭诚敬。"又传八月二十七日是孔子诞辰,这天的祭孔尤为隆盛。

文字蒙求　旧时儿童识字课本。清代王筠撰。该书从许慎《说文解字》中选辑基本字 2044 个,根据汉字造字规律,依次介绍纯体象形字 264 个、指事字 129 个、合体会意字 1260 个、形声字 391 个。释文简明,便于初学。在历代蒙学教育中,该书起到了一定的作用。它从汉字特点出发说文解字,易于理解,便于记忆,是一种可取的方式。

双簧　民间曲艺曲种。据传系清咸丰、同治年间北京艺人黄辅臣所创。黄为评书艺人,擅长模仿人物语言、动态和鸟兽声、市声等,以连学带做著名。后发展为一人做、一人学,称为"双簧"。一说黄系乾、嘉时人,原为曲艺"硬书"艺人,晚年嗓音失声,不能演唱,遂有两人合作,一人模拟簧的表演,一人学簧的唱腔,故称"双簧"。表演者两人,一人藏在后面说唱或说讲,不露面;一人坐在前面,不说不唱,只按照后面一人说唱或说讲的内容表演各种动作,使观众看来好象是他自己说唱的一样。一般最后故意露出破绽,以逗引观众发笑。

书院　封建社会特有的一种教育机构。书院之名始于唐开元六年(718)设立的丽正修书院,十三年改称集贤殿书院,为朝廷修书、校书和藏书之处。唐德宗贞元以后,有些书院始有讲学、教授生徒的活动。书院

盛于宋代。宋初最著名的书院,除了有四大书院之称的白鹿洞、岳麓、应天府、嵩阳(一说为石鼓)之外,另有茅山书院等。书院一般设在山林名胜之地,由私人或官府创办,置山长(或称洞主、主洞等)主持。书院课程以研习儒家经籍为主,教学重视自学,提倡独立钻研,并允许不同学派共同讲学。元代诸路州府皆设书院,受官方控制较严,书院开始官学化。明、清书院在数量上获得较大发展,但大多数书院成为准备科举的场所。清末书院改为学堂。尽管历代书院呈逐渐官方化,但私家书院和较少受官方控制的书院仍多有存在。由于书院有允许独立钻研、自由讲学的传统,以及优裕的治学环境等,使书院在历来学术研讨中起到了独特的作用,其中一些著名的书院往往成为某一学术流派的基地。

书灯田　旧时乡里社区或家族专供子弟读书费用的田地。一般以租佣收入支付学费,借读书课业所耗灯油为名,故称书灯田。

龙文鞭影　蒙书教材之一。明代萧良友用韵语编《蒙养故事》,经杨臣净增订改名为《龙文鞭影》,分上、下两卷。以介绍自然知识、历史典故为内容的蒙学课本。取意于"龙文,良马也,见鞭则疾驰,不俟驱策"。比喻此书可使学童自觉学习,进步如骏马,一日千里。全书内容较多地从古代神话、小说中取材,比较活泼,编写逐联押韵,诵读流畅顺口。清代李晖吉、徐澄曾续编《龙文鞭影二集》两卷,将自然名物和历史典故编

为四音韵文,以利学童记诵。清中叶广为流传。

巧媳妇故事 民间故事的一类,又称作"巧女故事"。故事的主人公多是巧媳妇或巧女,是我国封建社会特有的产物。它反映了社会最底层的劳动妇女要求改变自己卑下的社会地位和解除"四权"束缚的强烈愿望,它塑造了封建社会里敢于追求人格自主、男女平权、才智超人的妇女典型形象,高度赞扬了劳动妇女在生活斗争实践中积累的聪明、智慧,以及他们敢于向封建家长的刁难,封建文人的轻蔑和封建官僚的威势挑战的胆略。如《万事不求人》中,巧媳妇让丈夫告诉县官,先用秤去称一下泰山的重量,用斗去量一下海水的容量,用尺子去计算一下路的长度。然后,再在三天之内养成象泰山一样重的猪,酿出象海水一样多的酒,织出象路一样长的布。她用这种以有限的度量衡去计量无限的客观事物的道理和办法,轻而易举地击败了县官的无理刁难。巧媳妇故事的艺术特点是在反复测验中来塑造巧媳妇的形象、性格,突出其智慧、才干。对方往往提出三个难题,要求立即回答或限期完成要办的事,女主人公总是轻而易举地获胜。这是生活中大量事实集中概括的反映。这类故事反映了对敌斗争,也反映了人民内部的思想斗争。许多故事都取材于家庭生活事件,正是她们在长期生活斗争实践中得来的丰富知识的集中体现。巧媳妇的言谈话语和一举一动,都表现了她们作为生活主人的风度和气魄。在男尊女卑的封建礼教制度下,这类故事具有深刻的人民性。

史诗 民间叙事诗的一种。是民间叙事体长诗中一种规模比较宏大的古老作品。它用诗的语言,记叙各民族有关天地形成、人类起源的传说,以及关于民族迁徙、民族战争和民族英雄的光辉业绩等重大事件。它是伴随着民族的历史一起生长的。从某种意义上来说,一部民族史诗,往往就是该民族在特定时期的一部形象化的历史。史诗是一个历史范畴的文学现象,它虽然与民族历史密切结合,但并不是凡歌咏历史内容的都是史诗。作为一个特定的形式,它只能产生在各民族形成的早期,并和古代的神话、传说有天然的联系。人类早期丰富优美的神话,为史诗的孕育和发展提供了素材,使史诗的艺术表现带上了浓厚的神话色彩,甚至有些早期的史诗,可以看成是韵文形式的神话和传说。在史诗里,人和神的行为常常是交相混杂的。尽管如此,史诗和神话思想倾向不完全相同。在史诗的发展中,神的地位逐渐被人所取代。越到后来,史诗的现实性就越强,而神话色彩则逐渐消退。史诗是一个民族的特殊的知识总汇。史诗所反映的,是古代人民的生活和斗争、理想和愿望。它既保留着这个民族与自然界、与邻近部落斗争的历史,同时也汇聚着该民族人民千百年积累下来的智慧和经验。其丰美的艺术形象,壮阔宏伟的艺术结构,显示了古代人民的巨大气魄和创造才能；其诗体语言的哲理性与形象性的结合，也表现出人类早期艺术思维的光华，在民族文化传统的形成上具有重要的作用。史诗叙述的格调与演唱风格都十分庄重，布局规模、起落开阖，也都严严正正，演唱时给人以肃然起敬之感。根据所反映的内容，史诗可分为两大类：创世史诗和英雄史诗。创世史诗，亦称"原始性"史诗或神话史诗。这是一个民族早期集体创作的长篇作品。我国纳西族、瑶族、白族流传的各种不同的《创世纪》，彝族的《梅葛》、《阿细人的歌》，还有《苗族古歌》等，都属于这一类型的史诗。这些作品内容基本相同，主要叙述了古代人所设想和追忆的天地日月的形成，人类的产生，家畜和各种农作物的来源以及早期社会的生活。它们共同的、最突出的特点是：十分真切地反映"人类社会的童年"所特有的"天真"。史诗充满了各种奇特美妙的幻想和对世界万物幼稚天真的解释。史诗对劳动人民征服自然、创世立业的丰功伟绩和大无畏精神予以热情赞美。英雄史诗，是一种以民族英雄的斗争故事为主要题材的史诗。在我国西、北方的少数民族中，有斩妖降魔、除暴安良的英雄史诗，如藏族的《格萨尔》，蒙古族的《格斯尔传》、《江格尔》及柯尔克孜族的《玛纳斯》。较晚产生的《嘎达梅林》、《张秀眉史歌》则同时描写尖锐的阶级矛盾和民族矛盾。英雄史诗产生的时代比创世史诗要晚一些，英雄史诗的主要内容，是反映民族之间频繁的战争，还有与之相联系的民族大迁徙。因此，英雄史诗所反映的并不是个别人的思想和行为，而是全民族的命运，是当时全体族人的思想和意志。这就决定了英雄史诗的性质和特点。史诗英雄一般都是民族精神的化身，英雄史诗常以一定的历史事件作基础，它有比较实在的历史性，它也是早期人类艺术的范本。一部史诗并不是一时一刻、一个时代或少数人就能完成的。它们最初可能是分散地流传在民间的传说或叙事歌谣，经过世世代代，甚至好几个世纪的传唱，不断加工补充与复合，才逐渐形成的。在这过程中一些半职业的史诗演唱艺人、歌手起了较大的作用。史诗形成后在流传的过程中，每个地区的人民都可能依据自己的经历、斗争和感受添加上新的材料，涂染上新的色彩。

四书　《论语》、《孟子》、《大学》、《中庸》四部书的合称。南宋理学家朱熹将这四部书辑录在一起，加以注释，题称《四书章句集注》，始有"四书"之名。其中《论语》是孔子的学生和再传学生记载孔子及其部分学生言行的书。《大学》是《礼记》中的一篇，传说是曾参的学生记述曾参言论的。《中庸》也是《礼记》中的一篇，相传为孔子的学生子思所作。《孟子》是孟子及其学生的著作。宋代以后，"四书"被规定为科举取士的初级标准读物，成为想通过科举考试进入官僚阶层的士子们的必修课目。在民间，"四书"的影响也极其广泛,私塾、公学等也多以此作初级教本,以此来识字解义,学习文章章法,进行操行教育。这种情形一直持续到近现代。"四书"在我国历史上有着广泛而深刻的影响,其中的封建主义思想起到了统治人民思想的作用,而一些有关修身、处世等方面的伦理道德、规范原则等也有一定的借鉴意义。

四大传说 梁祝、牛郎织女、孟姜女、白蛇传我国民间四大传说的简称。①"梁祝传说"情节:祝英台女扮男装与梁山伯同窗共读三年,感情深笃。英台回家前托言为妹同梁媒而许婚,但后来祝父强将英台另许,两人在封建礼教的压迫下,先后殉情而死,死后双双化成蝴蝶。故事雏形最早可见于晚唐张读的《宣室志》。这一故事也曾作为脍炙人口的剧目,保存在许多剧种之中。②牛郎织女传说情节:天帝的孙女织女,自嫁给河西牛郎,天帝得知后大怒,强令她与牛郎分离,只准每年七夕相会一次。故事初见于《古诗十九首》。至《荆楚岁时记》,内容有了较完整的发展。《风俗通》佚文又记织女会牛郎时,乌鹊于天河上为之搭桥,名为鹊桥。③孟姜女传说主要梗概是:秦始皇筑长城,范杞良因躲避抓夫,逃入孟家花园;小姐孟姜女正浴于池中,肉体为他所见,因以托身;成婚之夜,范终被抓夫,去边关修长城。孟姜女寻夫至长城,知夫已死,向城而哭,城为之崩;孟通过滴血认出夫骨;秦始皇想霸占孟,孟提出三个条件,要求厚葬夫尸骨;秦始皇照办

后,孟即投海殉夫而死。孟姜女故事源远流长,它的主要情节早在唐人编纂的《雕玉集》中即已有记载。除口头的散文体故事外,宋元以后更被改编成多种戏曲剧目及民间说唱体裁。因此它的流传范围几乎遍及全国各地,而且异文甚多。④白蛇传说主要讲述由白蛇所变的白娘子与青年许仙的恋爱婚姻故事。传说以南方杭州为背景,讲述他们由西湖边遇雨相识,由借伞还伞结下姻缘,后金山寺和尚法海以白娘子为妖而从中破坏,使美满婚姻造成悲剧。这一传说在中国流传极广,深得人们的喜爱。传说雏型源于民间关于蟒蛇的传说,唐代传奇即有《白蛇记》的记载。民间关于法海斗法、白蛇显形等许多传说片断,加以西湖雷峰塔的风物,衍成完整传说。为戏曲、小说、宝卷等所发展,情节逐渐定型。人们在讲述中出于对白娘子的同情与热爱,减弱其妖气,突出其忠贞善良,表达了反封建的主题。它是民间口头文学与通俗文学的共同产物。有关著述有《西湖三塔记》、通俗小说《白娘子永镇雷峰塔》及清代《雷峰塔传奇》等。四大民间传说是我国民间文学中的瑰宝,具有深远的思想意义和广泛的影响。在历史发展的过程中,其情节历经变异,思想意义日趋深远,人物形象日趋生动,成为广大人民群众最为喜爱的传说。其间情节、故事多被其他文艺样式所用,有关节目数不胜数。以此为素材,产生了许多优秀的文艺作品,如小提琴协奏曲《梁山伯与祝英

台》，越剧《白蛇传》等。

田野作业 民俗学工作和研究方法之一，又叫"直接观察法"。人类学、社会学、民族学、语言学、民间文艺学等学科研究也普遍采用这种方法。民俗学是一种实践性很强的学科，它的研究不仅需要大量丰富的历史文献资料，而且要靠直接从现实中考察得到的活资料。这就要求民俗学工作者完成的首要任务是向所研究的对象作深入细致的调查，系统了解、亲身体验各类民俗事象，并作出科学的记录和描述。田野作业的传统项目和内容一般包括地理、自然环境、人口、经济活动、各类物质文化和精神文化事象等。在田野作业中方法可多种多样，既注意微观，又顾及宏观，从微观和宏观的比较中把握各类民俗事象的本质和发展规律。历史追溯法、地图调查法、自然调查法、访谈法等都是民俗调查的具体方法。我国的风俗记录、研讨者很早就认识到了这种方法，并给予充分的实践。周秦时代，即有"风人"采风，《诗经》即是"采诗以观风俗""的结晶。进入二三十年代的民俗学科学研究阶段，田野作业法在我国学者中广泛运用，当时所取得的学科成果可以说多由此得来。现在，这种方法已成为我国学者熟练运用的方法，并且业已形成完整的专业、业余工作队伍。

冬学 旧时我国农村冬季农闲时期开办的学校。南宋陆游《秋日郊居》诗："儿童冬学闹比邻，据案愚儒却自珍。"自注："农家十月，乃遣子弟入学，谓之冬学。所读《杂字》、《百家姓》之类，谓之村书。"这是传统中国依农时而确立的教学体制，烙有深深的农业文明印记，在旧时代起到了巨大的文化启蒙作用。晚近以来无论是战争时期的抗日村学，还是建设时期的扫盲班、识字班，也多采取这种方式。时至今日，它对扫盲教育、成人教育来说，仍有一定的借鉴意义。

皮影戏 传统民间戏曲样式，也叫"影戏"、"灯影戏"、"土影戏"。一般用兽皮或木板等制人物剪影，然后以灯光照射演出。剧目和唱腔大都与地方戏曲相互影响，由艺人一边操纵一边演唱，并配以音乐。我国的皮影戏在北宋时就有演出。南宋耐得翁《都城纪胜》："凡影戏乃京师人初以素纸雕镞，后用彩色装皮为之。"由于流行地区、演唱曲调和剪影原料的不同而形成许多类别和剧种，河北滦县一带的驴皮影和西北的牛皮影较著名。现在，皮影戏除流行民间外，还被搬上了舞台。

幼学琼林 旧时的启蒙教育课本。原名《幼学须知》，亦称《成语考》、《故事寻源》。明程登吉原编（一说明邱浚原编），清邹圣脉增补注释，改名《幼学琼林》，简称《幼学》，亦称《幼学故事琼林》。全书共四卷，内容分成天文、地理、人事、鸟兽、树木等三十多类。语言灵活，编成两两相对骈语。在清代流行全国。各类均按其类属的远近加以排比，编成字数不等，两两相对的韵语，并对其中的典故等加以简要的注释。该书以骈骊的韵语为经,易于记诵;释文简明扼要,易于通晓。对于学习古代成语典故来说,较有价值。在清代,《幼学琼林》流行全国,其后的影响仍然存在,直至当代仍被人们所重视。

礼俗 礼仪习俗。"礼俗"一词在我国出现甚早。《周礼·天官·太宰》:"以入则治都鄙。一日祭祀,以驭其神;⋯⋯六日礼俗,以驭其民;⋯⋯"。古文献"十三经"多有关于礼俗内容的记载,其中《周礼》、《仪礼》、《礼记》等,更是专门关于礼俗的经典。礼俗来源于民俗。在阶级社会里,有些民俗被统治阶级固定化、程式化、复杂化、神秘化后,即成为礼俗,如奴隶社会、封建社会贵族等级制度的社会规范和道德规范等,它们反映统治阶级的意志和利益。礼俗的内容十分广泛,涉及饮食起居、服饰、祭祀、交往、节日、人生礼仪等各个方面;而人生礼仪又可分作诞生礼、冠礼、婚礼、寿礼、葬礼五种,每种尚可再分成若干小类。中华人民共和国成立后,对礼俗进行了改革,逐渐形成社会主义新风尚。旧礼俗多繁缛奢靡,新礼俗则简约俭朴。礼俗作为民俗文化中的一个重要部分,有着极其重要的作用。其中最重要的,是对人们的行为以及思想观念的规范作用,它具有导引、协调、纠正的功能。对于礼俗的研究,先秦诸子即已开始,历代不辍,尤其是对所谓"三礼"的研究更其如此。20世纪上半叶,北平女师大(后北平师大)曾出版《礼俗》月刊,以礼俗的研究和资料的揭载为主要任务。解放后,特别是新时期,我国礼俗研究迈出了新的步伐。

民艺 民间工艺的简称。民间工艺一般均具有浓郁的乡土特色,其创作者也非专门艺术家,而是普通的劳动群众和民间艺人。其创作的目的具有实用和艺术双重性,比如剪纸窗花、炕围画等。其创作的过程也是和生产、生活劳动相伴随的。我国民艺的历史十分悠久,春秋战国时代已经萌牙,经两汉的发展,到唐宋业已蔚为大观。其后不断发展,至今不衰。民艺的涉及面相当广泛,涉及雕刻、描绘、剪镂、缝缀、编扎、印染等许多方面,民艺品亦十分丰富。(参见"工艺制作"条)

民歌 民间文艺的一种。是劳动人民为了表达自己的思想感情而集体创作的一种艺术形式。它一般口头创作,口头流传,并在流传过程中经集体不断加工而得到不断完善。我国民歌有悠久的历史传统。在远古的原始社会,我们的祖先在劳动实践中,在和自然界斗争中,就已经创造了歌和舞,如传说中的葛天氏之乐等。现存的《诗经》中的国风,是西周到春秋时代15个地区的民歌。这以后的《楚辞》、汉乐府、唐曲子,直至明、清小曲,也都是各地区的民歌。民歌多抒发主观感情。通过悠扬的乐曲,来歌唱生活的痛苦和快乐,如各种民间颂歌、苦歌、情歌、劳动歌等等。民歌有很强的抒情性,有抑扬高下的优美旋律,常常运用衬字调济节奏,而句法一般比较整齐。

民歌和音乐有着密切的联系,古今都是如此。音乐部分叫曲调,文学部分叫词或辞,但一般人将民歌歌词的文字部分仍旧称为民歌。民歌的体裁很复杂,各地民歌的曲调有很大差异,歌词结构也各不相同。南方山歌以七言四句为主,北方小调不全是整齐的七言,甘青花儿、内蒙爬山调、陕北信天游就显得更不整齐。民歌的主要体裁有以下几种:山歌、爬山歌、信天游、花儿、民间小调、少数民族民歌等。山歌是我国南方各省对民歌的统称。山歌的名称唐代就已产生,白居易《琵琶行》有"岂无山歌与村笛"之句,李益亦有诗曰:"山歌闻竹枝"。明代冯梦龙收集了江南民歌二百多首,编为十卷,总名之曰《山歌》。卷一至卷六是四句开头山歌208首,卷七至卷十则为长歌杂体,有的和弹词、散曲相近。冯梦龙所记山歌多七言但常常杂有九言或十一言,无变化的整齐的七言山歌很少。现代南方山歌情况与明清山歌相似。多为七言四句一首,但句法仍然多变,衬字颇多。山歌的内容随着历史的发展而变化。山歌有对唱、和唱,但独唱者居多。很多独唱歌词亦可即兴变为对答山歌。对答性的山歌一般称为"盘歌"。南方各地,多有赛歌的风俗,互相盘古问今以决胜负。盘问内容有对花、对事、对历史人物等等,谁回答不出就算输了。爬山歌,又称爬山调、山曲。流传在今内蒙西部的汉族中。信天游流行于陕北。花儿又称少年,流传在甘肃、青海、宁夏等西北的汉族和少数民族地区。民间小调曲式多样。但歌词仍以七言为主,且多衬字,如"绣荷包"、"小放牛"、"四季歌"、"秧歌调"等,少数民族民歌都有自己独特的形式和风格。如蒙古草原调悠扬宽广,一唱三叹;维吾尔民歌热情奔放;藏族民歌宛转动人,有一定的格式。"谐"流传西藏农业区,是整齐的六言四句体。"拉夜"流传在甘青康藏等地的广大牧区,一般每首三段,句法自由。西南苗、壮、侗、彝、纳西等少数民族民歌均为整齐的五、七言,有的押韵,也有的不押韵。而傣族、瑶族以及四川彝族等民歌则为自由体。此外,各民族还有许多其他民歌形式。民歌是劳动群众生活的伴生物,它来源于劳动生活和日常生活,又运用于其中。它对表达人民的情感意愿,调济人们的生活等都有巨大的作用。时至今日,一些传统民歌仍活跃在人民的文化生活中,受人们的喜爱。

民俗集团　一般指民族内部的分支,即具有一定文化特征的集团。一个在地域上分布广泛的民族,其成员由于生活在不同的自然环境和社会环境之中,或从事不同类型的经济活动,尽管有着共同的语言、文化传统、心理素质和民族归属感,但在民间习俗上并非完全一致,而是有着相当浓厚的特殊色彩,从而在同一民族内部形成以不同地区、经济文化生活等为单位的民俗集团。

民间文学　劳动人民的一种集体口头创作。是文学的一部分,是和作家文学并行的一种文学。它在广大人民群众当中流传,主要反映人民大众的生活和思想感情,表现他们的审美观念和艺术情趣,具有自己的艺术特色。我国早在先秦时代就开始搜集记录民间文学,关于民间文学某些体裁的名称,如"歌"、"谣"、"谚"等,也很早就产生了。《诗经·魏风·园有桃》中说:"心之忧矣,我歌且谣"。《说文》把"谚"解释为"传言"。在其他一些古籍中也常常对民间文学有所论述,如"天子五年一巡守,……命太师陈诗以观民俗"(《礼记·王制》),"圣王辟四门,开四聪立敢谏之旗,听歌谣于路"(《后汉书·郅寿传》)。这些材料说明,人们一直认为民间文学之一的歌谣流传于"里巷"、"道路",它是一种反映"民俗"和民间男女之情的东西。民间文学作品按体裁粗分可归结三大类:民间故事——包括神话、传说、生活故事、寓言、童话、笑话等散文作品;民间诗歌——包括民歌、民谣、谚语、民间长诗、绕口令、迷语等韵文作品;民间曲艺和民间戏曲——包括反映人民生活的民间小戏和曲艺。曲艺又包括评书、鼓词、弹词、快板、相声、快书等多种说唱文学形式。这三类作品都以口头语言表现和传播、歌咏、演唱或讲述于平民和社会下层劳动者之中。在民间文学里,人们很早就讲述如何战胜洪水和其他自然灾害,如何创造劳动工具,如何发现药草,如何驯养动物等神话传说;人们用歌声陪伴自己的劳动,用歌舞和戏剧再现劳动生活的情景;还用谚语来总结自己

的生产经验。在民间文学里,人们还常常把许多"工艺化"的思想用传说故事的形式表现出来,他们幻想用木头制造出能飞的鸟,能代替真人劳动的木头人,幻想着能够活起来的画,能够听出地下声音的耳朵,能够看到千里之外的眼睛,等等。充分肯定了人类征服自然的巨大可能性。民间文学是一种集体创作、集体流传的特殊的文学。它反映了人民的生活与愿望,集中了群众的智慧,融汇了人民的艺术才能,并为人民集体所承认和保存。这就是民间文学的集体性特征。民间文学大多是不知姓名的群众集体的创作,在流传中集体参与,受到无数演唱者和讲述者的加工和琢磨,一些具有特殊才能的演唱家、讲述家,对它的创作和发展有过较大的作用。民间创作一经流传,便成为大家共同享用的财富。它没有个人著作权,也没有最后的定本。由于口头语言的不稳定性和流传中的需要,在具体讲述和演唱中,常常因时间、地域和听众的不同而发生变异。传播者的感受及接受者的心情对作品的语言、情节、结构乃至主题经常发生影响。在社会大变革时期,从旧作品变化出新内容的情况经常发生。民间文学各类作品由于长期的传承,既具有历史的沉积,也有时代的印迹,并多与生产活动、民俗活动结合,在日常生活中发挥多种功能,具有重要的文化史价值。它在思想上,以人民大众的立场,真挚地表现人民的爱和憎,表现他们的生活处境和理想追

求。民间文学的形式一般都很简便、灵活,群众比较容易掌握。但也有宏篇巨制,如藏族的史诗《格萨尔》,长达一百万行,柯尔克孜族的《玛纳斯》也是几十万行的巨著,它们是整个中国文学史上辉煌的篇章。民间文学善于运用简结、灵活的形式,反映丰富的社会生活内容,创造鲜明、生动、具有巨大概括性的形象和典型,在我国民间文学中诸如夸父、大禹、精卫、愚公、刘三姐、花木兰、阿诗玛、阿凡提、武松等著名的典型人物。民间文学以易于记忆和接受,便于讲述和流传为原则,体现人民的欣赏习惯和艺术趣味。一些重大题材的史诗和神话,往往具有人类童年的天真幻想和较高的艺术魅力。从历史发展来看,民间文学是一切文学的源头,并在各个历史时期,对文人作家的文学发生影响。中国民间文艺家协会主办的全国性民间文学方面的刊物有《民间文学》、《民间文学论坛》。

民间传说 民间口头文学体裁。指民间口头叙事文学中与历史事件、历史人物、地方风物有关的故事。它在讲述中既有别于以神话为主的幻想故事,又与一般幻想童话和生活故事不同。传说讲述中多有附会和对人、事的说明解释成份,故事的主人公大多有名有姓或取历史人物、英雄人物的真名实姓,且赋予故事以具体的时间、地点,因而往往使人信以为真。民间传说按其题材,大体可分为人物传说、史实传说、地方风物传说等。传说中包含某种历史的、实在的因素,具有一定的历史性的特点。但是传说不是严格意义上的历史。传说主要是通过某种历史素材来表现人民群众对历史事件的理解、看法和感情。传说从艺术创作的角度选材,有些素材从历史的角度看并不重要,但作为传说的创作素材却很有社会意义。传说由于和历史事件、历史人物及实有事物相联系而具有被人相信的形态。特别是在当地和刚产生的时候,人们往往把它作为真事讲述、传播。随着时间的推移,情况的变化,相信它的人愈来愈少;然而由于其讲述方式同陈述历史相似,仍然显得象真的。这种真实可信的感觉,形成了民间传说特有的艺术魅力。民间传说产生后,在流传过程中,人们根据现实的需要,切身的感受,对原有的传说进行不断地加工,使其更加符合实际需要。民间传说在故事情节和人物塑造两方面都有显著特色。在故事情节上主要表现为具有"传奇性"。故事情节往往把生活素材加以剪裁、集中、虚构、渲染、夸张、幻想,通过偶然的、巧合的,以至"超人间的"情节来引起故事的转变。使故事情节的发展既在情理之中,又出乎意料之外;既给人以真实感,又比较曲折离奇,而且有引人入胜的效果。这种情况,不仅在一些流传广、影响大的传说中表现得相当普遍,就是在大量规模较小、情节比较简单的传说中也有不同程度的表现。传说刻划人物大都采用粗线条的手法,强调人物思想性格的一个方面,因此形象单纯明朗,比较突出,能给人留下鲜明的印象。民间传说中有关风俗的传说,更具有重要的民俗文化价值。

民间故事　民间叙事散文作品的一种。民间称之为"古话"、"古经"、"说古"、"学古"、"瞎话"等。民间故事可分5类,即:幻想故事、动物故事、生活故事、民间寓言、笑话。①幻想故事(或叫民间童话)包含丰富的想象成份,充满浪漫色彩。它发源于原始社会,到阶级社会又继续发展,它们反映古代社会人们的生活、习俗和信念,人与人之间的关系和某些社会矛盾。幻想故事的主人公多为普通劳动者,其中出现的情节、事物和一部分人物,大都带有超自然的性质。它常把某些现实生活中不可能的事情,当作可能实现的事情表现出来。它借助法术和宝物的帮助,实现贫困、诚实主人公的愿望和憧憬,并对恶人、贪心者予以惩罚。这类故事中的宝物大多为日常事物,它们的神奇性能实际是人类知识和技能的作用的理想化,并且经过幻想的物质形态表现出来。幻想故事情节常采用"三段结构法";人物、情节、语言基本定型,在不同地区也时有变异;叙述经常夹有韵语。晋代干宝《搜神记》中的《笔衣女》、陶潜《搜神后记》中的《白水素女》和唐代段成式《酉阳杂俎》续集里的《叶限》、《旁毪》、《原化记》中的《吴堪》等,记录的都是古代流传的幻想故事。②动物故事以动物为主人公。故事里的动物常被拟人化。这类故事,有的借动物之间的纠葛表现某种社会现象、人与人的关系;有的着重解释动物的习性;也有的寄寓着比较明显的教训意义。③生活故事取材于现实生活而加以虚构,亦称"世俗故事"或"写实故事"。它的现实性较强,故事往往赞美正直、勤劳、善良、智慧的人,批评懒惰、自私、愚蠢的人,也讽刺剥削者和压迫者。中华人民共和国成立后,出现的许多新的民间故事,反映了新时代人民的生活和愿望,表现了高尚的精神面貌,它对传统民间故事的艺术特点也有所发展。生活故事一般比较短小,人物性格单纯,常常运用对比的手法。有时也采用"三段结构法"。它的风格较为朴实、明快。④民间故事寓言是广大人民创作的包含有明显教训意义的口头散文故事。民间寓言最早大概是由动物故事发展而来。先秦的著作中,记录或引用了不少以人和动物等为主人公的寓言故事。如《揠苗助长》、《守株待兔》、《刻舟求剑》、《鹬蚌相争》等。民间寓言大多通过生活片断表现主题,作品的故事情节和寓意往往达到浑然一体的程度。风格含蓄、幽默,发人深省。⑤民间笑话是幽默、滑稽性短小故事,其中一部分讽刺锋芒指向昏庸贪婪的统治者,但大量是讽刺人民内部生活和性格中的某些缺点的作品。

民间笑话　民间口承文艺的一种。指民间创作的以幽默讽刺为特点的短小故事。笑话以诙谐有趣和引人发笑的活泼形式使人们爱听爱传。但是它的目的，并不仅仅是叫人笑笑，而在于引人捧腹之后，对于不良思想和道德行为的批判和嘲讽。笑话的形式是"喜剧"式的，本质却是严肃的，并往往具有正直的是非观念和鲜明的爱憎情感。笑话按其讽刺对象来说，可分为讽刺敌对阶级和人民内部两类。前一类笑话所讽刺的，多为愚蠢无能的皇族官吏、脑满肠肥的财主豪绅、自命不凡的书儒雅士以及欺诈群众的市侩街氓。如《金老鼠》、《太太属牛》、《天气不正》、《叫我怎么等得了》等，长时间流传不衰。后一类笑话常常讽刺懒惰、吝啬、愚昧、憨傻、自私等行为，具有深刻的教育作用。笑话是一种特殊结构的叙事艺术，常常是把要揭露和否定的对象构成简单的情节，在简短情节交代之后，立即一语道破，把全部主题放在最后一句中揭示出来，构成笑话的艺术效果。夸张手法在笑话中也得到充分的表现，对文人喜剧、讽刺诗，以及曲艺艺术的创作经常发生重要影响。

民间说唱 又叫民间曲艺，民间文艺的一个重要门类。通常以带有动作的说唱叙述故事情节塑造人物形象。表演上以叙述为主，一人扮演多种角色。道具简单，形式多样，演员人数通常一至二三人。我国民间曲艺历史悠久，唐代就已经出现说唱故事的"说话"，敦煌变文也是受民间说唱影响形成的；宋代说话已很流行，出现了"说话"、"鼓子词"等；到了元明清时期，出现的曲种、曲目就更多。据不完全统计，全国各民族各地区有曲种三百多个，包括大鼓、弹词、琴书、快板、评话、相声等。我国少数民族中民间曲艺形式也很发达，白族的大本曲、蒙古族的好力宝、哈萨克族的阿肯弹唱等，都是比较成熟的曲种，它们多以口传心授的方式传承。民间说唱的内容一部分和民间传说故事大体一致，其情节更为曲折，更有戏剧性。旧时民间说唱多深入到群众之中在田间地畔村头院落表演，或搭野台子演唱。由于其演唱有一定的技巧，且需辅以一定的道具，其传承多为师徒直接授受，并且有专业的表演艺人和团体。现在，民间说唱仍是各地区人民喜爱的艺术样式，有些曲种还超越地域限制，受到全国人民的喜爱，获得长足的发展，如相声、评书等。

民间情歌 歌谣的一种。是有关男女之间爱情的民间歌谣。起源很早，在各地区、各民族中均广泛流传。蕴藏量大，是传统民歌中相当重要的部分，也是艺术成就较高的部分。情歌是劳动人民爱情生活的真实反映。它主要抒发青年男女由于相爱而激发出来的悲欢离合的思想感情。它采用多种多样的艺术手法，或含蓄、或直率地表达青年们对幸福爱情的热烈追求，充分表现了劳动人民纯补健康的恋爱观点和审美情操。情歌丰富多彩，特别是许多少数民族，他们爱情生活的各个阶段、各个方面都离不开歌，如初识歌、试探歌、赞美歌、迷恋歌、起誓歌、相思歌、送郎歌、苦情歌、逃婚歌等。具体内容包括表达相互爱慕和选择情人标准的歌，离别或得不到爱情所感到的相思之苦的歌，表现对爱情的坚定不移以及同封建势力进行坚决斗争的歌以及新情歌等。不论是传统情歌还是新情歌，艺术手法的运用，均很丰富，比较突出的有比兴、双关、重复等。谈情说受，有时是不便直说的，特别是在刚开始时，青年们总要采用比兴、双关的词语来试探对方。也喜欢用形象而生动的比喻来强调某种思想感情，借以增强其感染力。还利用语词的谐音或一词多义，同时兼顾或暗示两种不同的事物，来表达青年男女内心深处的某些复杂感情。这种双关手法常使某些真挚、热烈的感情比较含蓄地表现出来，能引起对方的联想和深思。在情歌中还普遍使用重迭手法。它把相同或相近的词语，在同一首作品中接二连三地使用，给人以情意婉转、回肠荡气的感觉。一般说来有词的重复、韵的重复和段落的重复三种情况，有时单独使用，有时也交叉出现。情歌的代表作品集子有明代冯梦龙的《山歌》、清代的《粤风》、藏族的仓阳嘉措的《情歌集》等。情歌大多为即兴之作，也有传世的佳作。绝大部分作品以歌唱形式来表现。

民间寓言　是一种具有讽喻和哲理性的小故事，一般都是借某种自然物（动物居多，也有植物，元生物）或人的活动现象，来表现作者对某种人或社会现象的理想、评价、赞扬、批判或嘲讽。寓言是人民的智慧、经验和知识的结晶。它形体短小精悍，人物性格突出，故事情节常常集中在一件极简单的事情上，而以曲折的方式反映出人民从生产斗争和社会斗争生活中提炼出来的有关某些客观事物的规律和真理，是民间口头文学的重要体裁之一。民间寓言最初是由动物故事发展而来的。在人类的原始时代，人们和动物的关系极为密切。人们在从事狩猎、畜牧的社会生活条件下，深感动物对自己的生存有直接关系。人们常以动物作故事的主人公，并能对其作准确、生动、形象的描写。后来，随着人类社会的发展，人与动物的关系逐渐疏远。人们虽然仍以动物作为创作的重要对象，却已经着重于表现人事方面的内容。同时，也常赋予动物以人的思想，从而逐渐形成一种带有明显教训寓意的作品——寓言。民间寓言有时和动物故事很难区分，很多动物故事往往同时又是寓言。其主要区别在于教训意义是否明显。寓言是借某种自然物（动物、植物、元生物）或人的活动现象，来表现作者对某种社会现象的理想、评价、赞扬、批判或嘲讽的。我国汉族古代寓言以人为主人公居多。民间寓言反映的是人们的道德观以及人们从现实生活中总结出来的丰富的知识和经验教训。民间寓言是用独特的方法写人写事，来表现主题。它具有新颖、风趣、明朗、含蓄的艺术风格。深远的教训意义，寓寄在优美的故事之中。民间寓言不仅有健康、充实的内容，同时还有高度简约、含蓄的艺术特色。它长期活在人民的心中,发挥着重要的教育作用。我国古代具有代表性的民间寓言作品有:《刻舟求剑》、《杞人忧天》、《郑人买鞋》、《画蛇添足》、《揠苗助长》、《守株待兔》、《邯郸学步》等。

民间歌手 又叫"歌手"。指民间诗歌的创作者和演唱者。民歌是文学的源头之一,当它产生时就逐渐有了自己的创作和演唱者。这种传统一直延续发展到今天。从民间文学发展史看,古代歌手最早的代表是巫师。他们既是巫术、原始宗教的组织、传播者,也是民间诗歌的传播、加工和创作者。后来随着社会的发展,巫术和原始宗教的衰退,一般地说,歌手便不再和宗教相联系。民间歌手大都有特殊的技能,他们既是民间文学传统的继承者,又是传播者。他们大多从事生产劳动,歌唱活动是其业余生活。他们来自民众,和民众紧密联系,从民众那里汲取营养,同时又引导、影响群众,因此在民间诗歌发展中也起重要作用。现代歌手根据职业不同,可分为农民(牧民)歌手,工人歌手。职业歌手指专门创作演唱民歌的人。

民俗学 研究和表述民俗精神、物质文化传统的科学。在学术发展过程中,民俗学曾被许多学者给予定义。其早期的意义是指关于民众知识和智慧的科学,其研究内容包括风俗习惯、信仰禁忌、神话故事、歌谣谚语等。其后研究内容不断扩充,对象范围日益广大。时至今日,其对象已绝不仅在于精神领域,而

是包括了聚落、民居、饮食、服饰、工艺等物质因素。近年来,学科研究对象除乡土民俗外,都市民俗也成为重要的课题。民俗学创立于19世纪中叶,1877年第一个民俗学会在英国伦敦成立。由于研究重点和目标的不同,逐渐形成了许多分支学科,诸如乡村民俗学、都市民俗学、民俗志学、语言民俗学、经济民俗学、旅游民俗学等。由于研究者兴趣和方法的不同,民俗学科内部形成了许多派别,以研究民间故事为例,即有文学派、神话学派、人类学派、礼仪学派、史地学派、心理分析学派、功能学派等。民俗学的特点决定其研究方法的实践特性,"田野作业"是历来的民俗学家所重视和广泛使用的方法。时至今日,民俗学已成为一门有独特研究对象、研究方法的独立的、有影响的学科。我国是一个民俗资源丰富的多民族国家。早在先秦及两汉时代就出现了记载民俗资料的著作,学科前研究也在先秦诸子即已展开。中古及晚近以来,专门的资料著作和研究著作不断涌现。20世纪初叶,学科意义上的民俗学在我国得到长足发展,尤其是资料发掘工作取得了巨大的收获;成立了相应的研究机构,创办了刊物。建国初期,民俗学的资料收集和研究工作仍未停滞,其后受到冲击,停滞20余年。1978年,七教授倡议恢复民俗学学科地位和建立相应研究机构。1983年中国民俗学会成立,其后各地相应地成立了地方性机构。民俗学课程也在各大学开设起来,

民俗学专著、教材、理论读物、风俗志、风土志、风情录、采访专集以及相关的报刊纷纷出现。现在,民俗学已经成为我国人文学科中一门独立的、活跃的学科。

对联　春联、门联、门帖、楹联等的总称。岁除日以红纸书联语于门上谓之春联。源于桃符。桃符既出,有人即在上面题避邪符咒。在此基础上出现联语,内容多为吉语佳言。五代后蜀主孟昶所题"新年纳余庆,佳节号长春",是我国第一副春联。后以纸代板。宋代以后,春节贴春联已盛行民间,当时尚称"桃符"。正式命名为春联,始于明太祖。皇帝倡行,此风益盛。在发展过程中,对联逐渐成为一种独特的艺术样式,即有上、下句之分,押韵,要求对仗,字数不限。依据用途的不同,对联可分作好多种:春节所用的叫春联,板刻挂或雕漆在楹柱上的叫楹联,用于婚礼的叫婚联,用于寿礼的叫寿联,用于丧葬的叫挽联……其间还有许多具体情形。就其制作的质料及工艺而言,有墨或金粉写在纸上的,有写后髹漆的,有雕刻后髹漆的……对联是我国独特的一种文化样式,形式别致。历史上留存下来的名联,具有很高的艺术欣赏价值和研究价值。时至今日,对联艺术仍然被广泛运用于各种场合,亦被当作艺术作品欣赏,吟联作对之风依然颇盛。

对歌　亦称"撞歌"。采用对唱形式的赛歌活动。为我国民间常见的歌唱形式。此俗古已有之,明姜准《歧海琐谈》:元宵玩灯中,"儿童结伙踏歌,一唱百应,遇到伙,歌者与之较胜,谓曰撞歌"。对歌所唱内容丰富,有颂古人、赞名胜、猜谜语、讲故事等。其形式亦多种多样,因地区、民族和场合而有所差别。我国南方各省的山歌中有一种即兴的对答山歌,又称"盘歌",互相盘问古今以决胜负。盘歌对唱开始时先唱"歌头",接着再进行盘问。盘问内容有对花、对事、对历史人物等,谁回答不出就算输了。常常两乡或两区各推出优秀歌手进行对歌,以决胜负。山歌对唱时,常围得人山人海,盛况空前。西北地区的"花儿"也有对歌形式,常拦路问答。每年夏天,莲花山等地有花儿会,各地歌手打着伞一路唱上山去,边走边拦边对歌常常日夜对歌,通宵达旦。在广西三月的歌圩,壮族青年男女对歌,一般是三五男女各为一群相对,歌词的内容由远及近,由浅入深,一般都要落到谈情说爱的主题上来。除节庆活动外,婚礼等礼仪活动中亦有对歌之举。汉族对歌亦有发展为表演的,如"对花"等等。

对台戏　亦名"对棚"、"卡戏"、"斗台",传统民间娱乐形式,流行于全国许多地区。在民间节日、庙会活动中,人们常常同时请两个甚至三个戏班在广场上演出,进行比赛,看谁能赢得更多的观众,以助热闹氛围;此时戏班也往往顾及自家声誉而卖劲地表演。这种情形,在当代农村的年节活动中仍可见到。旧时的对台戏还见于另一种情况:富贵人家在结婚、丧葬、还愿或节庆活动上,雇请两个戏班或两伙鼓乐,同时演出内容相同的戏或吹奏同一支曲子,借以炫耀财力和势派。

母歌 儿歌的一种。儿歌多是儿童咏唱,母歌则是母亲吟唱给儿童听的。摇篮曲即其中的一种,但母歌不只是哄孩子睡觉的,它的内容包括一般常识灌输、生活教育、游戏安慰等,范围颇广。如哄孩子吃饭的:"菜菜是好菜,孩子吃了人人爱;饭饭是好饭,孩子吃了都喜欢";孩子摔跤后一边揉痛一边唱:"疙瘩疙塔散散,别叫老娘看看",等等。

百家姓 旧时广为使用的蒙学课本。北宋时编,著者佚名。集姓氏为四言韵语。以"赵、钱、孙、李"始,为"尊国姓",故"赵"姓居首。通行本472字,虽是前后并无联系的字的堆积,但因编排巧妙,便于诵读。明、清时有各种改编本。如明吴沉和刘仲质编、以"朱"姓居首的《皇明千家姓》,黄周星编《百家姓新笺》(又名《重编百家姓》),清康熙时编、以"孔"姓居首的《御制百家姓》,及崔冕编《千家姓文》等。各种改编本都未能取代旧本。百家姓不仅使读者了解了我国常见的姓氏,也识了字(尤其是其中许多与日常用法读音不同的字),起到了比较好的启蒙教育作用。

地域风俗 民情风俗具有极强的地方性,地域风俗即指某一地区内风俗的总和。风俗的产生具有地域局限性,其传播过程中又多发生变异,如此就形成了"十里不同风,百里不同俗"的情形。不同的地域风俗或大同小异,或大异小同,其间情况交叉复杂。不过,一般能够成立的地域风俗都有自己的特色,有其不同于其他地区风俗的独特因子。我国地域辽阔,不同的地域风俗的存在就成为必然。早在先秦时代,即有地域风俗的存在,并且引起了人们的注意。《诗经》中十五国风就是当时地域风俗的忠实记录和真切反映。从那个时候起,我国的几大风俗区域即逐步形成,得到人们的首肯,也引起了文人学者的研究。我国风俗区域的划分与地理区划和行政区划有密切的关系,并且也有着大小级次的不同。比照现行的省级区划看,有大或等于省级区划的风俗区域,如燕赵、齐鲁、吴越、东北、西南等,也有小于省级区划的,如晋西北、关中、三晋等。近年来,地域风俗的发掘研究日益引起人们的注意,各地多有相应的刊物出版。

竹枝词 民间及文人创作的一种诗歌形式。本是巴、渝(今四川东部)一带民歌。唐刘禹锡根据民歌改制新词,作"竹枝词",其内容有的描写群众劳动场面,有的表现劳动人民的爱情生活,有的展示江南水乡的人情风俗,题材十分广阔。风格上汲取了巴蜀民歌含思宛转、朴素优美的特色,如"杨柳青青江水平"等都是脍炙人口的名篇。此后各代诗人写竹枝词的也有很多。形式皆为七言绝句。语言通俗,音调轻快。仅清代就有《都门竹枝词》等数十种。其内容也大多是描绘地方民情风俗,歌咏男女爱情的。竹枝词语言通俗,音调轻快,读来明白易晓,深受人民群众的欢迎。竹枝词源于民间,被文人取用后仍保持民间特色,也常被民众吟诵,体现了民间文学和文人创作的交互关系。由于竹枝词多描绘风俗民情,故而形象地保存了许多各代、各地的民俗资料,因而除是文学创作研究的资料外,更是民俗研究的宝藏。

农忙假　即农忙时节学馆放假,生徒参与农忙活动。因假期在农忙时节,故称。古称"田假"。唐代的教育制度规定,太学、国子学农历五月放田假,《新唐书·选举制》载:"诸学生通二经,俊士通三经已及第而愿留者,四门学生补太学,太学生补国子学。每岁五月有田假,九月有授衣假。"后世所谓农忙假,主要是指乡村学校农忙时期放假,其目的是让学生帮助家人干农活,渡过农忙时节。直到现在,一些农村地区的学校,农忙时节仍放农忙假。

状元　科举考试以名列第一者为元。唐制,举人赴京应礼部考试都须投状,因而进士科及第的第一名为状元,也叫状头。宋太祖开宝六年(973年)以前常称榜首,开宝八年礼部复试之制,才以殿试首名称状元。明清会试以后,贡士须行殿试,分三甲取士,一甲三名,第一名为状元,第二名为榜眼,第三名为探花。在传统中国,唐宋起实行科举考试,科考中式几乎成为人们进身立业唯一的途径,成为人们向往的事情,而夺取头名状元则更是人们所至盼的。故此,在民间风俗中,以祝颂夺取状元为内容的吉庆话、吉祥物便屡见不鲜,如以桂圆代状元祝吉,生子三朝、满月、百岁、周晬以状元郎相期等。

放年学　指旧时学校每到临近年节时放假过年。传统社会视年为大节,临近过年时,官府要封印,即把官印封存起来,停止办公;戏班子、戏院要封台,停止演出;学馆则要放年学。《燕京岁时记》云:"儿童之读书者,于封印之后塾师解馆,谓之放年学。"

动物故事　以动物为主人公的传说故事。故事中的主要形象是各种被人格化了的动物。在这些动物形象身上,同时又具有动物本身的特点。故事在表现动物的生活习性的时候,也曲折地反映着人的社会生活心理,特别是人与人之间的关系。动物故事可分三类:第一类通过动物之间的矛盾和纠葛侧重表现某些社会现象,反映出一般世态人情和人与人的关系,富有浓厚的生活情趣。如《虎和鹿》、《聪明的兔子》、《黄牛和水牛》、《老雕借粮》等。第二类是在动物故事中,包含哲理或教训的意义,成为动物寓言,如《枭鸟搬家》。第三类是通过生动有趣的幻想情节解释和说明动物之所以具有今天的习性、特点和声音、形态的原因,如狐狸为什么是花毛的?因为它听了猴子的话,把腿拴在马腿上被马在地上拖的。故事情节往往把某些动物的特点设想为原来并非如此,而是经过某种事件之后才落得这个样子。这类故事侧重于解释。在其中也常常反映出某些社会现象。在丰富的动物故事中,有些动物的形象及性格特点相对稳定,具有一定的典型性。在通常情况下,虎、狼、豹、鹰等是强暴、凶残的;羊、鹿、兔子、喜鹊等是善良弱小的或被残害的;狐狸、猴子等是奸诈狡猾的。而憨厚、愚钝的典型则又多用熊、马来表现。但有些动物在不同的故事中又因处于不同的地位而扮演了不同的角色。如虎有时也很善良,而兔子也常常挑拨是非干坏事。动物故事形式短小,结构单纯。它在艺术表现上的特点,是把人的思想行为结合动物的习性特征,使之浑然一体,并赋以生动的趣味。动物故事多富有风趣,很少严肃气氛。在动物故事中,对有关动物的形体、习性特点大多作出准确、生动、形象的描写。即使带有明显教训寓意的作品也都与动物本身的特点结合得十分贴切,与所表现的生活内容与主题和谐统一。

安塞腰鼓 汉族民间娱乐风俗,俗称"打腰鼓",主要流行于陕西安塞,故得名。表演时,每人左腰挎一个尺半长的圆形小鼓,双手执系彩绸之鼓捶一对,边行进,边击鼓,有各种击鼓花样。由于腰鼓队伍庞大,动作齐整,花样翻新,彩绸飞舞,鼓声震天,十分壮观,颇振精神。安塞腰鼓尤以豪壮、英武、粗犷、鼓点花样多、队形变化大而闻名遐迩。当地逢年过节皆有腰鼓表演,深受群众欢迎。40年代初期,随解放军进军带至全国各地。目前,除当地节庆活动仍盛行之外,全国性的节庆活动亦多有大型表演,并被搬上银屏,走向世界。

导引 古代医疗保健方法之一,亦即古代气功。是我国最早的一种医疗保健体操,传说在陶唐氏时代,便创造出"宣导郁阏""通利关节"的舞蹈。春秋战国时进而产生了导引术。《庄子刻意》中云:"吹呴呼吸,吐故纳新,熊经鸟伸,为寿而已矣。此导引之士,养形之人,彭祖寿考者之所好也。"导引包括肢体运动、呼吸方法及按摩等内容。先秦时的珍贵文物《行气玉佩铭》简述了当时气功的行气过程及其作用,是研究导引的重要资料。《吕氏春秋》一书还总结出"顺生""节欲""去害""运动"等养生之道。《黄帝内经》中也有类似论述,都为后世的养生术奠定了基础。1973年,在湖南长沙马王堆汉墓中,发现一卷丝织品上绘着古代的《导引图》。其上有四十余人正在做各种导引动作,在图解之侧,注有文字说明。其动作大体可分三类。一类属呼吸运动;一类属上下肢和躯干的全身运动;还有一类属手持械的运动。西汉刘安《淮南子·精神训》中有"熊经、鸟伸、凫浴、猿躩、鸱视、虎顾"六式导引名目,即后人所称的"六禽戏"。汉末华佗创编的"五禽戏",据《三国志·华佗传》载:华佗向其弟子传授"五禽戏"。"五禽戏"成为后世导引中的一个重要流派。导引术中的呼吸运动谓之"行气"、"服气"、"食气"。西汉荀悦在《申鉴》中从理论上对"行气"进行了探讨,并提出"邻脐二寸谓之关",这是较早的关于"气沉丹田"的论述,同时表明气功在汉代已发展相当高的水平。魏晋南北朝时期,养生导引术有了巨大发展。嵇康《养生论》肯定了导引行气对增强人体健康的作用;葛洪《抱朴子》一书对导引、行气理论与方法也有详细的论述。陶弘景的《养性延命论》辑录多种导引行气的方法。而《五禽戏诀》是见于文字记载关于五禽戏具体动作的最早资料。隋唐时期,导引用于医疗方面有较大发展。隋代巢元方《诸病源候论》总结了大量导引治病资料,并按病证列入导引法三百余种。唐代孙思邈的《千金方》对导引行气有专门论述,其中提到的"十八势天竺婆罗门按摩法"是研究从印度传入我国导引术的可贵资料。宋代新的导引术与流派的出现是一重要特点。这个时期,人们从大量导引方法中选取若干行之有效的术式,组成较为固定的导引套路。其中突出的代表是南宋时出现的"八段锦",后代按坐、立不同分为"文八段"与"武八段";后又发展为"十二段锦"。成为流传至今,影响巨大的导引术中的主要流派。另据蒲处贯撰写的《保生要录》中提及的"小劳术"也是一种导引术。明清两代,导引术的发展主要表现是:其一对唐宋以来的导引养生著述的整理,如高濂编撰的《遵生八笺》,对"八段锦""陈希夷坐功"进行了全面整理。周履靖编写的《夷门广牍·赤凤髓》,整理出"五禽戏"等四种导引术。当时还刊印不少图

文并茂的养生导引书籍,极大地推动了导引术养生的传播。其二创新了一些导引术式,其中重要流派是"易筋经"。据《易筋经》总论载:"易筋者,谓人身之筋、骨由胎禀而受之。""以挽田斡旋之法,俾筋挛者易之以舒,筋弱者易之以强,筋驰者易之以和,筋缩者易之以长,筋摩者易之以壮,即绵涯之身可以立成铁石。"易筋经含"内壮"与"外壮",于古导引行气中增添了"外功锻炼",这是导引术的新发展。

村书　旧时农村幼童的启蒙读物。宋陆游《秋日郊居》诗自注云:冬学"所读《杂字》、《百家姓》之类,谓之村书。"村书或在村学教学中使用,或供居家自修。其文字都比较浅显、适用,或为农家日用杂字,或为名贤格言。如旧时流行颇广的《六言杂字》,蒲松龄编写的《日用俗字》、《农桑经》也是这一类著作。晚近以来我国农村的"识字课本"一类可视作其余绪。

村学　旧时乡村的学塾,也叫"村校"。唐人元稹《白氏长庆集序》云:"予常于平水市中,见村校诸童竞习诗,召而问之,皆对曰:'先生教我乐天、微之诗!'固亦不知予之为微之也。"村学是和官学相对的,是起源比较早的民间教学机构。村学一般都比较简陋,学堂、课桌及其他教学设备有的固定,有的则是别的建筑、用具临时利用而成的。村学的教师多是乡村的饱学之士,也有从外地延请的。教学具有极大的机动灵活性,除了全日制的以外,更多夜校、

冬学。其学生忙时务农,农闲时入校学习,甚至教师也是如此,学习的内容不外是日常杂字、百家姓氏等等实用性较强的知识。村学一般由村社集体兴办,由约定俗成的村社组织者或族长之类管理。塾师的工钱或其他开支由村民共同负担,或由公共的学田收入负担。在我国二千余年的封建社会中,村学为普及初等文化知识起到了极大作用,有着一定的借鉴意义。在抗日战争时期的根据地,就有这样由一村或数村设立的民办学校,陕西宁边地区称村学,山东解放区叫庄户学。其办学形式灵活多样,有早学、午学、半日制等。解放以后,成人教育的扫盲班、识字班也有村学的性质。近年来一些地区村社支持办学,可以说是旧时村学传统的发扬。

孝经　儒家经典之一。作者各说不一,以孔门后学所作一说较为合理。论述封建孝道,宣传宗法思想和孝治思想。《孝经》分今文、古文两种文本,今文本据称为郑玄所著,分18章;古文本据称为孔安国注,分22章。《孝经》在汉代被列为七经之一,当然也是十三经之一。现在通行的文本为《十三经注疏》本,系唐玄宗注、宋邢昺疏。《孝经》在封建社会广泛流行,不只作为行为规范,也被用作村书等,故影响极广,对宣扬封建孝道起到了极大的作用。

进士　科举中通过进士科考试中式者之名称。进士之名,始见于《礼记·王制》,是逐级经秀士、选士、俊士、造士之选,最后进荐于天子之人。隋以进士为取士科目。唐代照设。应此科之试谓之举进士,合格者称为进士。唐宋以后视进士为正途,以为入仕资格之首选。明清举人应会试中式,又须经殿试,殿试一甲三名,赐进士及第,二甲赐进士出身,三甲赐同进士出身,通称进士。

花鼓戏　戏曲的一种类别,流行于湖北、湖南,安徽等地。各地花鼓戏均从民间歌舞发展而成,后产生不同的流派,因旧时以鼓作伴奏乐器而得名。据传,各地花鼓戏约有30种,各具艺术特色。其中湖北花鼓戏尤盛。湖北花鼓戏多唱打锣腔或唱大筒腔。打锣腔,是在鄂东民歌的基础上,受清戏(高腔)影响而形成,当地称"哦呵腔"。演唱时用人声帮腔,锣鼓伴奏(现已普遍改用丝弦托ům)。唱腔结构以上下句为基本形式。常由起腔、正腔、腰板、落腔4部分组成,又有多种板式变化。打锣腔的特有剧目,如《告经承》、《告提霸》、《闹公堂》、《大清宫》、《荞麦记》以及喻老四、张德和为主角的组戏等,描写的多是黄梅、广济、圻水一带的故事,有"花鼓戏开了锣,不是喻老四就是张德和"之说。大筒腔因主奏乐器为大筒胡琴而得名。源于四川梁山,亦称梁山调。据清咸丰二年(1852)的《长乐县志》记载:"正月十五夜……张灯演花鼓戏,曰闹元宵……演戏多唱杨花柳戏,其音节出于四川梁山县,又曰梁山调"。常演剧目有《天平山》、《刘海戏蟾》、《打芦花》、《蓝桥汲水》、《杨氏送饭》、《铁板桥》、《雪山放羊》等。湖南花鼓戏剧目有《刘海砍樵》、皖南花鼓戏《打瓜园》等。花鼓戏与花灯戏、采茶戏等艺术风格相近。有的花鼓戏如湖南的衡阳花鼓戏也称为采茶戏或马灯。

劳动号子 民歌的一种。习惯上把从事重体力劳动或集体劳动时唱的协调劳动动作的民间歌谣称为劳动号子,简称号子。它是民歌中最早产生的一种体裁。由于地区不同,北方称为"吆号子"、"喝号子",南方称为"喊号子"、"叫号子",四川则称为"哨子"。号子是劳动歌的一部分,由简单的歌词和有节奏的呼声组成。多种多样的劳动,产生多种多样的号子。如农事劳动有栽秧号子、车水号子、打场号子、舂米号子等,建筑劳动有打夯号子、打硪号子等,搬运劳动有装卸号子、挑担号子等,水上劳动有摇橹号子、拉纤号子、排伐号子、捕鱼号子等,林区劳动有伐木号子、滚木号子等,作坊劳动有榨油号子、擀毡号子等。每一种劳动号子的音乐都与这种劳动动作的特点紧密相连,因而产生不同曲调、节奏、曲式结构和歌唱形式。一般说来,劳动强度轻的号子,旋律性较强,随着劳动强度的增大,号子的节奏性就愈强,而旋律性就减弱。同类劳动,各地的号子也不相同。歌词多即兴创作,题材极为广泛,除与劳动生产有关的外,天上地下,古往今来,无所不包。并大量运用衬词,有的号子甚至全由虚字构成。歌唱形式一般是一人领唱,众齐声应和,也有齐唱和独唱的。其风格多热烈红火,诙谐有趣,洋溢着乐观主义精神,如川江号子等。

吴歌 民歌的一种。流行于江苏南部、浙江西部以及上海一带。是吴语方言区各类歌谣的总称。吴歌起源很早,在我国历史文献中多有记载。《晋书·乐志》:"吴歌杂曲,并出江南,东晋以来稍有增广。其始皆徒歌,既而被之管弦。盖自永嘉渡江之后,下及梁、陈、咸都建业,吴声歌曲起于此也"。现存的吴歌,大致可分为两类,一为短歌,一为长歌。短歌多为抒情情歌,一般是七言四句或七言八句。长歌多是长篇叙事诗,句式和歌段都比较自由、灵活。吴歌内容广泛,语言清新秀丽,多用衬词,并善用谐音双关语,曲调委婉细腻,富有江南水乡特色。关于吴歌,早在明代即有冯梦龙等人收集、研讨。

秀才 另称"茂才"。本系优秀人才的通称,始见于《管子·小匡篇》:"农之子常为农,朴野而不慝,其秀才之能为士者,则足赖矣。"汉代以后,成为荐举人才的科目之一。东汉时曾因避汉光武刘秀的讳改称茂才。南北朝时,最重此科。唐代初期,设秀才科,后来渐渐废去,仅作为对一般儒生的泛称。明太祖曾采取荐举的方法,举秀才数十人,任以知府等官。明、清两代,专门用来称府、州、县学的生员。习惯上也称为"相公"。不过即使在科举取士的时代,民间也把"秀才"一语作概称用,泛指那些识文断字的人。故而在文化不发达的乡土社会,粗通文字者也有被称作秀才的。由于乡村文化落后以及人们对文化的向往，秀才往往受到乡里社会人们的尊重；同时因其迂腐，也常常成为奚落的对象。

针灸　用针法和灸法治疗疾病的总称。针法是用金属制成的针，刺入人体的一定穴位，运用操作手法，以调整营卫气血。灸法是以艾绒做成艾炷，或以艾绒搓成条状，点火燃烧，温灼穴位的皮肤表面，而达到温通气血，扶阳散寒的目的。针和灸是两种不同的治疗方法，但在临床上常配合使用。针灸是我国传统医学的宝贵遗产，在医疗保健、救死扶伤方面起到了突出的作用。至今，针灸仍是中医独特的疗法，并与现代科技和医疗手段结合，显示了光辉的前景。近年来，针灸日益受到国外医疗界的重视，并已迈出国门，走向世界。

私学　历代由私人办理的学校。私学产生于春秋时期，孔子创办的私学规模最大，影响最深。战国时期私学大盛，出现"百家争鸣"的局面。秦始皇采取以法为教，以吏为师，严禁私学。汉代私学转趋兴盛，著名经师设立的私学，学生多至千人，著录弟子竟达上万人。自汉以后，私学主要有三种类型：私塾、经馆和私人设立的书院，构成中国封建社会学校教育制度的重要内容。近代以来，各级私立学校亦为私学性质。

私塾　旧时私人设立的蒙学，是私学之一种。有村塾、家塾、义塾之分。村塾、义塾是村社集体开设的，入学者为该村社子弟；义塾有的是某位富户或乡里贤达出资开设的。

家塾是由家族开设的学校，设在家府或在另外租用学舍，入学者为该族子弟。此外，也有塾师自己开设的学塾，也就是狭义的私塾，只要出一定的学资，任何人都可以入此塾学习。每个私塾仅有一位塾师，学生也比较少（家塾更甚如此），往往施行针对性强的个别教学法，注重基本功训练，强调死记硬背，教材及学习年限不定。私塾在传统中国教育史上占有重要地位，其重视基本功的特色值得借鉴。

饮食民俗　日常消费民俗的一种。指人类生活中围绕吃喝行为而展开的习俗事象及生活习惯。饮食民俗包括饮料和食品两个方面的风俗习惯。通常主要指食的习俗。它涉及到饮食的嗜好、口味习惯、进餐顿数、食品原料、饮食器皿和炊具、烹制方法、食用方式，以及节日食品、宗教食品、祭祀食品等，还包括某些特殊行业的饮食要求、与饮食有关的禁忌信仰等各个方面，内容非常广泛。饮食民俗是由人类人工食物开始而逐渐形成的，是历史最为悠久的民俗之一。它与人们的生活、生产、自然环境有着密切关系。并在历史发展过程中，形成了以主食和副食互相配套为主体的饮食结构。它一方面为自然物产和社会文化所制约，另一方面又通过民族性、地区性和时间性表现出来。民族的经济生产方式和所处的寒、温、热等不同的气候条件，对不同饮食习惯的形成有重要影响。稻谷薯类的栽培与渔猎获取之间，区分出饮食的不同系统。文化的发展与历史的变迁，使传统饮食与现代饮食呈现出明显的阶段性。乡村饮食、都市饮食、季节饮食、日常饮食、宾宴饮食、正餐与零食小吃，使饮食类型向不同方向发展。民族发展的文明程度，决定饮食方式及烹饪技术的水平。信仰与禁忌、节日与仪礼使各项饮食习俗带上各种民俗色彩。饮食的社会性不断改变着饮食的家庭风味，近代以来众多的食品、菜肴、饮料逐渐商品化。人们的频繁交往也打破了各民族固有的饮食领域，产生互相影响和吸收的新趋势，不断改变着传统的饮食习惯。现代化生活促使饮食习俗走向类型化，而乡土民俗饮食、落后民族的饮食则保留了更多的人类饮食文化的足迹。

花儿　亦称"少年"、"山花儿"、"土花儿"。旧称"野曲子"、"山歌子"。山歌之一。流行于甘肃、宁夏、青海、新疆等地区。在对歌时男方称女方为"花儿"，女方称男方为"少年"，故名。约有300年历史。一说由"元曲"演变而来。曲调称"令"，有百十种。旋律高亢嘹亮，婉转舒展。即兴编词，语言朴实，比喻运用自如，为当地汉、回、东乡、撒拉、保安、裕固、土、藏等族口头文学的重要形式。分独唱、对唱和联唱3种，既可抒情又可叙事，长于写景。内容涉及天文、地理、历史、家庭生活等方面，情歌尤多。因流行地区不同，在发展中受民族文化影响，形成以临夏为代表的"临夏花儿"和岷县为代表的"洮岷花儿"两大流派，各具特色。除

平时演唱外，各地每年都举办"花儿会"，进行比赛。

社学　元、明、清的地方学校。元世祖至元二十三年(1286)，颁令各路五十家为一社，每社立学校一所，选择通晓经者为教师，农闲时令子弟入学，读《孝经》、《小学》、《大学》、《论语》、《孟子》。明代社学创立于洪武八年(1375)。弘治十七年(1504)，令各府、州，县皆立社学，招收十五岁以下民间儿童入学。教育内容包括《御判大诰》、本朝律令及冠、婚、丧、祭等礼节。清初令各直省的府、州、县置社学，每乡置社学一所，选择"文行优者充社师，免其差徭，量给廪饩"，近乡子弟凡十二岁以上者可入学肄业。清中叶后，社学逐渐成为地方办"团练"、"御盗贼"之所。鸦片战争时期，广东人民曾利用它作为抗敌斗争的组织。

评书　我国民间曲艺类别之一，又称说书，起源于民间故事，隋唐时期出现"说话"。两宋城市经济发展，说话艺术勃兴，《东京梦华录》里，载有当时汴京勾栏、瓦肆林立的盛况，以及说书的家数和内容。宋代说话分为四家，实际只有"小说"、"讲史"、"说经"三家，以"小说"、"讲史"为主。宋元以来产生的口语写定的说话人的"话本"，如《京本通俗小说》、《清平山堂话本》等，开后来白话短篇小说的先河。元代反映当时社会生活的评话不多，比较偏重于讲史。明代说书艺术复兴，在前两代评话的基础上，经过长期流传、加工，出现了《三国演义》、《水浒传》、

《西游记》等几部优秀古典小说。明末大说书家柳敬亭的出现，是说书事业达到成熟阶段的一个标志。他擅长说大书。清代鸦片战争以后，沿海一带城市畸形发展，说书事业盛极一时，又产生了《三侠五义》、《聊斋》等几部较好的书。传统书目里以金戈铁马为内容的叫"大件袍打书"，如《三国》、《列国》等；以绿林侠义为内容的称"小件短打书"，如《水浒》、《三侠五义》等；也有以烟粉、灵怪为内容的，如《聊斋》、《西游》等。说书底本分为两种类型：一是由师承关系、口传心授得来的称"道儿活"；一是由文学著作发展敷衍而成的称"墨刻儿"（这是指北方评书的说法）。著名说书艺人多宗"道儿活"，由一个故事梗概经无数艺人长期的讲述、改作，具有非"墨刻儿"所能比拟的思想和艺术魅力。如已故著名扬州评话艺人王少堂的《水浒》，已是4代家传。天津评书艺人陈士和的《聊斋》也是在蒲松龄的原作上再创作的。

快板 我国民间曲艺之一，流行于全国各地。有些地区叫"顺口溜"、"练子嘴"。北京、天津等地的快板和快板书由数来宝发展演变而成。快板是唱故事类中的韵诵体，虽无乐器伴奏，但合辙押韵，有音乐节奏。北京快板最流行，它有两种类型：一种有故事和人物的称为"快板书"；一种不强调故事、人物而以叙事、抒情取胜，称为"顺口溜"或"数来宝"。山东快板书发源于山东临清、济宁、兖州一带，传说有百年以上的历史。

艺人里有两种流行的说法：一是明万历年间，山东有个不得志的武举刘茂基，闲着没事，以两片破瓦演唱《水浒》故事，因有武功，架式好看，很受群众欢迎。一是清咸丰年间，有个落魄文人赵大桅，因家境贫寒，吸收山东大鼓里的"窜钢腔"沿街卖唱，渐渐发展而成。山东快板书的传统曲目有《武松传》、《鲁达除霸》、《闹江州》等《水浒》片断。表演者通常自击竹板和节子，按较快的节奏念诵唱词。因此它比起有音乐唱腔的鼓词、曲词表演起来要紧凑，有较大的容量。因它缺少音乐的渲染和陪衬，需要以情节的跌宕和语言的明快取胜。快板书中都有冲突和悬念，有一个波澜起伏、曲折连贯的中心情节。冲突的过程即是情节发展的过程。往往经过"起、承、转、合"——矛盾的发生、发展、高潮和解决几个阶段。快板书具有幽默风趣的艺术风格，紧张的情节穿插上轻松的笑料可以张弛有致，庄谐结合。快板书里的语言趣味，多借助各种修辞手段，如夸张、重复、排比等。此外，说唱者的跳出跳进，人物描写的拟人手法，表演时的流利而俏皮的语言节奏，以及拟声拟态等，也能形成风趣的风格。快板伴有锣鼓等打击乐的，则称"锣鼓快板"，形式灵活，能叙事、说理和抒情。四川金钱板的形式同快板接近。

弟子职 古代学校弟子的诸种职责、规矩，即"学则"。汉应劭说为管仲所作，旧说系"言童子入学受业事师之法"。郭沫若认为是战国"齐稷下学官之学则"。该书讲述弟子受业、应客、坐作、进退、洒扫、馔馈等仪节。流传较广。注解本有清人王筠《弟子职正音》、庄述祖《弟子职集解》、洪亮吉《弟子职笺释》等。

弟子规　清代李毓秀编的学规。全书以《论语》中的话为题，分"总叙"、"入则孝出则弟"、"谨而信"、"泛爱众而亲仁"、"行有余力则以学文"等五部分。共1080字。采用三言韵语，好懂易诵。被列为"童蒙必读书"。清中叶后在蒙学中广为流传。

居住民俗　日常生活民俗之一。国外研究者有称作空间民俗，或划归经济民俗。指与家和家庭有关的居住屋室、院落布局、建筑传统的传承与惯习。居住民俗有长期历史发展过程，是民族发展进程的标志之一。它与衣、食等消费民俗一起，成为物质生活的重要表现。居住民俗，具有空间性，表现鲜明的地域文化色彩，不仅寒、温、热带各有不同，而且山区、农区、牧区、林区、渔区各有不同。居住民俗在历史的过程中，有其进化的明显轨迹，原始居住形式与文明社会的居住形式表现出鲜明的历史阶段性。从中世纪民居到现代化居住形式也有很大变化。居住民俗中，屋室布局、长幼分配与家庭伦理观念密切联系。庭院、门灶、神敷、畜厩、茅厕的具体安排体现各种民俗观念。民居以家庭为单位，血缘亲族的大小远近直接影响其构成形态。村落的组成也以个体民居为基础。居住民俗还体现各民族生活习惯。游牧民族、水上人家无屋室，经常处于迁徙游动之中，呈现独特的民俗特色。定居的居住形式，往往形成一套建筑习俗，贯穿许多信仰成份。并以居住人的生死区分家宅、阴宅、鬼宅等，与鬼灵观念结合，产生驱鬼、净宅、除殃等民俗举动。

国子监　古代最高学府和教育管理机构。源于国子学，西晋武帝咸宁四年(278)始设，为与太学并立的另一大学。北齐改称国子寺。隋文帝时以国子寺辖国子、太学、四门学、书学、算学，隋炀帝大业三年(607)改国子寺称国子监，始为教育管理机构。唐武德初曰国子学，隶太常寺，贞观二年(628)复称国子监。辖国子、太学、广文馆、四门、律、书、算七学。宋代凡学皆隶国子监。元代设国子监和蒙古国子监，分辖国子学与蒙古国子学。明清国子监兼具最高学府和教育管理机构的性质。明代国子监分南北二监，一在南京，建于洪武十五年(1382)，称南京国子监，一在北京，建于永乐元年(1403)，称京师国子监，清代国子监于顺治元年(1644)设在北京，沿袭明制置率性、修道、诚心、正义、崇志、广业六堂。光绪三十二年(1906)设学部，国子监遂废。

采风　深入民间采录风俗民情的活动，是我国两千多年来官方、文人都曾施行的活动，也是现当代民俗学科的科学研究工作之一，其内涵接近于学科术语"田野作业"。采风之举，商周时代即已存在，当时官府设采诗官，称风人，是"采诗以观民风”的,《诗经》中的许多篇什就是采风而来的。其后,除官府之外,许多文人亦都涉足其间。汉代司马迁撰《史记》,即四处观光采风。唐白居易、刘禹锡等也因采风而写出了内容、形式上都比较贴近民间的作品。现代民俗学发展以来,自觉、科学的采风活动取得了突出的成绩。古时的官府采风,多是考察民意以作用于政令,文人采风多是用于创作。但不论如何,采风活动都显示了其作用。现代的采风,基本上专指民俗学科领域的采录、采集民情风俗、口头文学及相关实物等的活动。

爬山歌 中国北方民歌体裁之一。流行于内蒙古西部、晋西北和陕北榆林地区。也叫“爬山调”、“山歌”、“山曲儿”。歌词的基本形式是:每首分上下两句,押脚韵,一般每句七字四拍,如“大青——山来——乌拉——山,海海——漫漫——土默——川”。根据所唱内容和当地群众口语的特点,往往在每句字数上加以变化,但拍数基本不变。为了表现更为丰富的内容,常常把若干首连接起来歌唱,这些都同陕北信天游相似,但曲调有所不同。爬山歌曲调种类比较丰富,具有明显的地域特点,如伊盟调、河套调、中滩调、土默川调、大青山调等。爬山歌深受塞北农村劳动人民的喜爱,长期流传在长工、佃户、船夫、磨倌、更夫、贩夫、牧羊人以及广大妇女中,反映的生活面比较广泛。在艺术上,爬山歌有鲜明特点。其中有:大量地运用当地口语中的叠词,如山沟沟、野鹊鹊、

泪蛋蛋、一伙伙人、白格生生脸脸等;演唱中还加进一些表示语气和称谓的衬词,如啊、来、呀、那、亲亲等。爬山歌的上句常为起兴句,所用形象比较丰富,许多都是塞外风土人情的生动描写。其夸张手法的运用和真切的心理描写,也很有特点,如:“三眼眼玻璃两眼眼遮,留下一眼眼睐哥哥”,“灯瓜瓜点灯半炕炕明,烧酒盅量米不嫌哥哥你穷”。新中国成立后,出版有韩燕如选编的《爬山歌选》3集。

金榜题名 指考生会试考中。金榜原指金字或金漆的匾额,较为尊贵。后专指科举考试殿试后揭晓的榜示。科举考试的榜示,清代乡试于八月底至九月初发榜,会试于四月十五日前发榜,发榜日多选在寅、辰日,因为寅属虎,辰属龙,取龙虎榜之意,所谓榜,乃一纸揭示,会试榜上填写取中考生之姓名,甲次;所谓金榜题名,也就是在这揭示上有个名次。金榜题名是传统中国科举取士时代人们的人生理想,被认为是人生大喜事(流传的“四喜诗”即有“金榜题名时”一喜)。个人之外,金榜题名也是家庭、乡里社会和国家的期许。它在封建时代鼓励人们好学上进起了一定的作用,也戕害了不少人的生命。

狗耕田故事 又称作“兄弟分家故事”或“两兄弟”故事。是以兄弟之间的矛盾作为线索而展开的故事。故事中一般都是老大懒惰、自私、贪心,为了争夺家产和满足自己的贪欲,不惜损人利己,欺负坑害自己的

弟弟;勤劳、淳厚的弟弟在狗或牛以及它们被迫害致死后变幻成宝物的帮助下,历经磨难,终于获得幸福,而贪心的哥哥则最后遭到惩罚。两兄弟故事中的矛盾与纠葛虽是在家庭之内展开,实际上则是鲜明地反映出劳动人民与剥削阶级两种思想意识与道德观念的矛盾和对立,例如我国汉族的《狗耕田》、侗族的《兄弟分家》、瑶族的《两兄弟》等皆属这类故事。

学田 旧时用以提供学费用的田地。以地租作为教师薪俸和补助学生等的费用。南唐时,庐山国学已有学田数十亩。宋仁宗天圣元年(1023)诏赐兖州学田,后推行于各郡学。元、明、清各代分府学、州学、县学为三等,均置学田,或由皇帝诏赐,或由地方官建置,或由私人捐助,以辅助廪生和学中经费。1913年北洋政府内务部令以学田收入充小学经费。建国后废。旧时除官学设学田外,村学、私学亦有设学田的。村学学田有村社提供,私学学田多是家族的公田。学田之制是农业文明的反映,在支助办学等方面起到过一定的作用。晚近以来,虽然国家废止此制,但一些乡村仍有设学田,以作为助学措施个别地存在。

学究 唐代取士,明经一科,有"学究一经"的科目;宋代简称"学究",为礼部贡举十科之一。应学究试的往往只凭背诵经文,未必通晓文义,因而有才思的人往往举进士而轻学究。由此,学究也用以专指迂腐浅陋的读书人。如:村学究、学究气。陈师道《后山谈丛》卷一引王安石曰:"欲变学究为秀才,不谓变秀才为学究也"。

学官 亦称教官。古代管理官学的官员和官学教师。如汉代开始设立的五经博士、博士祭酒,西晋设置的国子祭酒、国子博士、国子助教,隋唐以后的国子监祭酒、司业、监丞,以及宋代以后设置的提举学事司、儒学提举司、提学御史、提督学道、提督学政和教授、学正、学录、教谕、训导等。

学校 西周时,中央学校称"学",即国学;地方学校的最高级为"校",设于乡,称"乡校"。至汉代,郡设立的学校称"学",县、道、邑或侯国设立的学校称"校",凡学与校毕业的学生,都有升入中央太学的资格。至近现代,凡读书教授之所均称之为学校。在我国教育史上,除了个别时期较为突出的家学、私学之外,学校一直占有重的地位,形成了官民、公私、高低等层次和种类的学校。现代意义上的学校一直到近代才兴起。时至今日,学校已经成为我国学龄教育以及职业教育、终身教育的主导机构,并且发展有电视、函授等新型学校。

官学 历代各级官府设立的学校。分中央官学和地方官学。中央官学是历代中央政府直接办理的学校,主要有古代大学、专科学校和贵族学校三大类。如汉代的太学,唐代的书学、算学、律学,宋明清三代的宗学等。地方官学是历代地方各级官府按行政区划设置的学校。西周的乡学,汉代的州郡县学,唐宋以后的府州县学,元代以后的社学,都属地方官学。近代以来,官学改称公学或国立学校。现今我国的学校绝大部分是国家兴办的,可分作国家、地方、行业等几种公办形式。与此相对有民办学校,多为集体性质。

治家格言 我国传统蒙学教材的一种,也是一部传统的家训名著。作者为清人朱柏庐,故世人亦称之为《朱子家训》。全文共516字,文字平易朴实,很少用典,但其内容的意义却比较深刻,发人深省。文中从读书、做人、治家、处世等方面正反举例,教育子女后辈,颇具说服力量。旧时这部家训被视作家庭教育的典范,广为流传、实施,几乎家喻户晓,妇孺皆知,其中许多文句成为警世格言,如"黎明即起,洒扫庭除","宜未雨而绸缪,勿临渴而掘井","一粥一饭,当思来处不易",等等。

陋俗 庸俗粗鄙、不科学、不健康、不好的风俗习惯。风俗中的糟粕部分。就性质与内容而言,大体可分为5种类型:(1)反动习俗。如古代的殉葬、陪葬习俗;再如封建农奴制度下的贩卖奴隶、以人陪嫁等风俗。(2)愚昧的原始风俗。例如有些原始部落的杀人祭祀之俗,村落部族之间的"打冤家"、"血族复仇"等。(3)封建旧俗。如君权、父权、夫权、族权影响下,"三从四德"、"男尊女卑"、"多子多福"旧的传统观念。(4)封建迷信。如求签卜卦,跳神讨药焚化纸钱习俗等。(5)其他陋习,如吃喝嫖赌、打人骂人等。陋俗是阻碍社会进步的,是社会生活中的"精神垃圾",当根本革除,并彻底肃清其影响。在我国社会主义精神文明建设过程中,广大城乡正在尊重健康民俗的前提下,在自愿基础上,由群众自己来开展移风易俗的活动,提倡文明健康科学的生活方式,克服社会风俗习惯中还存在的愚昧落后的东西。

相声 我国传统曲艺之一种,起源于北京,流行于全国各地。它形成于清咸丰、同治年间。它以语言为主要表演手段,以说、学、逗、唱为其艺术特点。表演方式分为单口、对口、群口(三人或三人以上)等,以对口最为常见,相声的结构大体分为垫话、瓢把、正活、收底四个部分。传统曲目有《关公战秦琼》、《扒马褂》、《戏剧与方言》、《醉酒》、《歪批三国》等。朱少文(穷不怕)、焦德海、李德锡(万人迷)、张德泉(张麻子)、马德禄(小恩子)、周德山(周蛤蟆)、张寿臣、马三立、刘宝瑞、侯宝林等都是著名的相声演员。相声一直是群众喜闻乐见的文娱样式。

草台班 我国旧时演员少、设备简陋的戏曲班社的俗称。由于常在乡村庙台或广场演出,故称。大都歌舞并重,讲求红火热闹,表演风格较粗犷。所演也叫"草台戏"。清李斗《扬州画舫录·新城北录》:"自集成班,戏子亦间用元人百种,而音节服饰极俚,谓之草台戏。"

故事篓子 民间对于善于讲述故事者的称呼。意指其故事多,犹如装在篓子里一般,倒不尽。故事篓子的故事或是家传，或是在听别人讲述中学来的。他们不仅有丰富的故事，并且还有讲述的天才，很受人们的欢迎。这些人往往见多识广，在乡村事务中起一定的调停作用，受到人们的尊重。

故事讲述家　指民间散文体故事表演艺术家。一般都是在业余从事故事讲述活动。业余故事讲述家出自民间，以讲传统故事为主。他们是传统故事的传承者，又是加工创作者。故事家作品来源一为家传，一是继承社会讲述传统。因为他们见多识广，常将听来的故事结合本地区、本民族的特点和个人经历、体会加以发挥，再传达给听众，常常表现出自己讲述的独特风格。

科举　我国历代王朝通过考试选拔官吏的一种制度。由于采取分科取士的办法，所以叫科举。科举制从隋代开始实行，到清光绪二十七年（1903）举行最后一科进士考试为止，经历了一千三百多年。隋朝统一全国后，为了适应经济和政治关系的发展变化，为了扩大统治阶级参与政权的要求，加强中央集权，把选官权力收归中央，用科举制代替九品中正制。隋炀帝大业三年（606）开设进士科，用考试办法来选取进士，揭开我国科举史新的一页。唐承隋制，科举制度逐渐完备起来。考试的科目分常科和制科两类。每年分期举行的称常科，由皇帝下诏临时举行的考试称制科。常科的科目有秀才、明经、进士、俊士、明法、明字、明算等50多种。此外，武则天长安二年（702年）开始武举考试。武举由兵部主持，科目有马射、步射、平射、马枪、负重等。宋代科举亦分常科、制科和武举，但形式和内容上有重大改革，放宽了录取和任用的范围，以《四书》《五经》为士子应考必读书。元代科举制度中衰，但以《四书》（以朱熹《四书集注》为准）试始于元代。明朝科举考试复受重视，方法之严密超过历代，八股试士即始于此时。清代科举制度与明代基本相同，但对满族等有许多优待措施。至清末，科举制度已走上没落，弊端日见，最终消亡。科举考试在我国历史上存在一千多年，对文化教育及至社会风气有过极其重要的影响。它曾经起过积极的作用；也对禁锢人们的思想，消磨人们的创造力有过消极的影响；其中尤以八股取士为最。

胎教　古人认为母亲怀孕期的行为修养会影响胎儿日后的身心，故要求妇女在怀孕期间要特别注意自己的言行，以便对胎儿施加有利的影响，是为胎教。古人对胎教之道非常重视，《大戴礼·保傅》说古人将胎教的有关规定刻写在石版上，然后"藏之金匮，置之宗庙，以为后世戒"。《颜氏家训》亦称："古者，圣王有胎教之法；怀子三月，出居别宫，目不邪视，耳不妄听，音声滋味，以礼节之"。胎教的具体内容，一是注意饮食卫生，要求食物营养丰富，滋味纯正。贾谊《新书·胎教》："所求滋味者非正味，则太宰荷斗而不敢煎调"。甚至连切割肉的形状，也有严格要求,《韩诗外传》:"割不正不食"。二是讲究听觉和视觉的卫生,要求"目不视恶色,耳不听淫声"(《列女传·周室三母传》),都要符合礼法。如果听见音乐不符合礼法,即使身为王后,侍奉者也有权拒绝,《新书·胎教》:"王后所求声音非礼者,则太师抚乐而称不习"。同时,还要看好的色彩,听美妙的声音,诸如"夜则令瞽诵诗"(陈弘谋《五种遗规》),"听诵诗书讽咏之声","观犀象猛兽珠玉宝物,见贤人君子圣德大师,观礼乐钟鼓俎豆军旅陈设"(孙思邈《千金方·养胎论》)。三是起居行动要有规矩,《新书·杂事》说,孕妇平时"立而不跛,坐而不差,笑而不谊,独处不居"。四是要有良好的心境和精神修养,要"口不出敖言"(《列女传》),"虽怒不骂"(《新书·杂事》),"弹琴瑟,调心神,和性情,节嗜欲,庶事清净"(《千金方·胎教论》)。五是在怀孕七月后,要与丈夫分居,避免房事,保持身心的宁静,前述《颜氏家训》记古圣王之法,"怀子三月,出居别宫",汉贾谊又云:"王后有身,七月而就蒌室"。我国古代的胎教是有意识的、积极的。古代胎教建立在以下认识之上:一是妇女受胎三月,胎儿开始成形,但"形象未定,因感而复",(《千金方》),就是说此时胎儿尚无定型,有极大的可塑性;二是初期胎儿"逐物变化","因感而变","感于善则善,感于恶则恶",具有"外象内感","同类相感"的特点。可见,古代胎教有其迷信成份,也有相当的科学道理。

修志 指编纂、修订地方志书或其他史志。我国历代均十分注重史志的编修,不仅乡里社会修志,官府、朝庭也组织编修。至清代,编修地方志之风大盛,几乎全国各县都编纂、刊刻县志,州、府更毋庸赘言。地方民间修志,多是乡里社会共同出资,或由地方首富资助,由耆老博学之人组织编修;官方修志则有一套庞杂的机构,所成史志以"敕修"相称。近代以来,史志编修曾因战争及"文革"等中断,建国初和近年来,各地都有新修、补修、重修方志之举。方志是一方沿革、水土人情、经济发展等的详尽记录,具有极大的文化地理价值。新时期,方志的编修已经被列入国家的文化建设计划。

信天游 又名"顺天游"、"烂席片"。汉族民歌形式。流行于陕西、山西和河北的西部山区。意谓触景生情,即兴演唱,到处可以听到。形式是两句一首,在七言的基础上歌词较多变化。同一曲调可反复演唱。但衬字较少。曲调高亢自由,语言音乐性较强,多用叠音词和比兴手法,如"青线线那个蓝线线蓝格英英的彩,好一个蓝花花实实的爱死人"。一段中连用了五个叠音词。陕北人的生活中离不开信天游,他们唱道:"信天游,不断头,断了头,穷人就没法解忧愁"。著名乡土诗人李季搜集了三千多首信天游。他运用信天游的形式创作了著名的长诗《王贵与李香香》。信天游通常在野外演唱,近年来其曲调、风格多被作家创作所借鉴。作为我国民歌的一种代表样式,信天游现已走上国际舞台,具有广远的影响。

重订增广 古代蒙学教材的一种。作者周希陶,是清同治年间老学究,里贯不详。同治八年(1869)取无名氏《昔时贤文》(又名《古今贤文》)稍作删补,以平、上、去、入四韵重新编排,而成此书。本书将训诫的对象进一步扩大,用劝世箴文、格言、警语进行道德伦理的初级教育。《重订增广》的影响极为深远,历来有"贤文一篇,古谚三千"、"读了《增广》会说话"的称誉。增广的意思是增智慧、广见闻。《重订增广》十分注重语言的通俗与形式的活泼。文句基本上都押韵,读来琅琅上口,便于理解,易于记忆。

家教 家族中的长辈对后辈子女施行教育的习俗。是沿续家族传统、门风和社会地位的重要手段。家教以品德教育和知识技能教育两方面为主,后世人们注重德、智、体、美几方面的结合。教育多用言传身教的方式,即家族中的长辈在日常的生活、人际交往、言行举止、收授给予中对幼辈进行劝诫和教导,训练家族成员优良的品德,教育他们如何做人治家。同时注意根据教育对象的年龄培养他们认识、分析、判断事物的能力,灌输生产和生活知识,提高他们治家从业的技能。除言传身教以外,也时有书面、书本教育的情形。如制定或借鉴别人的家训、家规、家法等等,要求子弟谨遵慎行,形成一种较为规范的书面教育或书本教育。父祖辈的家书,也是教育子弟的手段。我国家庭教育从孔夫子到孙中山,已经有两千多年的历史。第一大教育家孔子即施行过家教,关照儿子孔鲤学诗学礼。孟子之母则有"择邻处,子不学,断机杼"的家教美谈传世。历史上出现了许多家教名家和家教名著流传,如南朝颜之推的《颜氏家训》、宋人袁采的《袁氏世范》、清人朱柏庐的《治家格言》,以及许多零散的家教文字,如诸葛亮的《戒子书》、司马光的"训俭示康"、郑板桥的"与弟书",等等。直到现、当代,还有此类名著出现,如傅雷的《傅ъ家书》。家教在我国传统教育中占有重要地位,是社会教育的重要基础和组成部分。传统家教在培养中国人的个性、人格和塑造中国民族性等方面发挥了巨大的作用,比之西方家教具有更为重要的意义。直至当代,家教仍被人们所强调、重视。

庠序 中国古代的地方学校。《礼记·学记》"党有庠,术有序",郑玄注:"术当为遂,声之误也"。孔颖达疏:"党,谓周礼五百家也;庠,学名也,于党中以学,教闾中所升者也"。周制,都城以外百里之内的地区称"乡",百里以外的地区称"遂"。后人通释庠、序为乡学(地方学校)。也以庠序来概称学校或教育事业。又商代称学校为序,周称为庠。庠又分上庠、下庠。传说庠起源于虞舜时代,《礼记·王制》:"有虞氏养国老于上庠,养庶老于下庠"。郑玄说:上庠为大学,在王城西郊;下庠为小学,在城内王宫之东。唐代杜佑说:有虞氏大学为上庠,小学为下庠;殷制大学为右学,小学为左学。

神话 表现远古人民对自然及文化现象的理解与想象的故事。它是人类早期不自觉的艺术创作。神话并非现实生活的科学反映,而是由于远古时代生产力的水平很低,人们不能科学地解释世界、自然现象及原始社会文化生活的起源和变化,以他们贫乏的生活经验为基础,借助想象和幻想把自然力和客观世界拟人化的结果。神话的创作与远古人民争取生存,向自然力抗争的活动紧密结合在一起,与远古的生活和历史有密切关系,往往表现了远古人民对自然力的抗争和提高人类自身能力的渴望。我国神话充满神奇幻想,它把远古人民的认识和世界万物的生长变化蒙上了一层奇异的色彩。神话中的人物形象,大多具有超人的力量,是根据原始人的自身形象、生产状况和对自然力的理解与提高自身能力的要求而想象出来的。处于狩猎经济的部落所创造的神话人物,大多与狩猎有关;处于原始农业耕作时期的部落,其神话人物大多与农业有关。当时人以弓箭刀斧为武器,神话中的人物也就成为创造和使用这些工具武装起来的能手。神话中的主人公(神)常为人间奇迹的创造者,他们也遇到挫折和厄运,这反映了神话幻想的现实制约性。原始神话为人类童年时期特有的历史条件下的产物,为原始人对自然和社会的一种认识形式。反映了人类早期的思维活动。处于蒙昧时代的远古人民,其对客观世界的认识水平,不能超越其生产力低下的状况和对自然抗争无力状态。因而在对自然和社会现象的观察中,便多是直观、猜测和臆想。在社会生产力水平和人类智慧高度发展的情况下,原始神话一般不再产生。神话中有远古人民种种幼稚的思索和追求,多方面地反映了原始人的宇宙观。其中往往寓含着原始科学、原始哲学、原始宗教的因素。相信有超自然的主宰,相信万物有灵,相信灵魂和神灵的存在等种种原始观念和意识,以及图腾崇拜、巫术信仰、自然崇拜、祖先崇拜等组成远古人民世界观的因素。在神话中,一切自然现象乃至某些社会存在都被看成是有生命的,都被赋予人的特点和超自然的能力。神话中的奇禽奇兽、怪神怪物以及氏族神、部落神、雷神、雨神等夸张与想象的形态,都不能和这些观念分开。神话中对于人和动物、人和自然、自然与自然之间的某些因果联系的认识与想象,是作为处于神话时代的人们意识形态的种种表现而存在下来的。我国古代神话在各类古籍中均有记载,如《山海经》、《左传》、《国语》、《楚辞》、《吕氏春秋》、《淮南子》、《史记》、《汉书》、《吴越春秋》、《三王历纪》、《搜神记》、《述异记》等书有许多古典神话记载。其中,《山海经》保存的神话最为丰富,而且接近古代神话的原貌。诸如女娲、常羲、夸父、精卫等神话以及羿、鲧、禹、黄帝和蚩尤的神话,刑天、帝俊神话,西王母神话以及关于日月山、昆仑墟，各种自然神和奇异的族国等记述。在这些记载中呈现出许多英雄神、始祖神、创造神以及自然神、统治神、反抗神等丰富多彩的神话人物形象。他们各具性格，多彩多姿，活动在古代幻想艺术世界之中。这些不同时期的文献所记载的古典神话，以部族神话为主体，具有地域性和部族的差异性，各有不同的产生区域和传承范围。按地域系统，大体可分为西方昆仑神话、东方蓬莱神话、南方楚神话及中原神话等。按所表现的内容，有关于天地开辟、人类起源的；有关于日月星辰、自然万物的；有关于洪水和部族战争的；还有关于工艺文化的。这些神话在古代人的幻想解释中多方面地说明了天地宇宙、日月星辰、山川草木及人类、民族的由来，呈现出我国古代人对天地万物的天真美丽富有趣味的艺术想像。

神童诗　用以陶冶儿童性情的诗歌读本之一。古代蒙学教育十分重视用咏歌古诗"以养其性情"。唐以后，诗歌成了蒙学教学中固定的教学内容。宋以后在蒙学中流传较广的是《神童诗》、《千家诗》和《唐诗三百首》。《神童诗》的思想性和艺术性均较低，由于封建统治阶级的提倡，曾长期在蒙学中传诵。

破除迷信　泛指破除对人或事物及某种思想、制度的盲目崇拜；在风俗的领域，专指破除鬼神等的迷信。在我们的民俗中，既有淳厚优美科学的部分，也有落后、卑陋、迷信的部分。对风俗中不良、不适时宜的部分要在群众自愿的情况下予以谨慎地移易，而对迷信则应坚决破除。破除迷信也并非大砍大杀，而要在破——即指出其虚妄、不科学、没有好效果且有坏作用——的前提下革除。在我国封建迷信有着漫长的历史，根深蒂固，破除迷信的任务十分艰巨。近代以来，随着封建制的结束，一些迷信已被革除。但时至今日，封建迷信活动仍然比较普遍。故此，破除迷信应该是社会主义文化建设、精神文明建设不可或缺的内容。

都市民俗　存活于都会、城市的民情风俗。是对于乡村民俗而言的。都市民俗概念的提出和研究的兴起都是近几年的事情。但都市民俗的出现，在我国最早可以推溯到唐、宋。随着经济的全面发展，唐宋都市的规模以及繁荣状况显现出前所未有的景象。与此相应，都市特有的民情风俗也渐趋形成和稳固。如孟元老《东京梦华录》记载东京汴梁（今开封）市井民俗风貌云："凡百所卖饮食之人，装鲜净盘器皿，车担使动，奇巧可爱，食味和羹，不敢草略。其卖药卖卦，皆具冠带。至于乞丐者，亦有规格，稍事懈怠，众所不容。其士农工商，诸行百户，衣装各有本色，不敢越外。"明清以来，都市民俗更形发展，显示出其独特的内容。如同都市在乡镇的基础上发展起来一样，都市民俗也是在乡村民俗的基础上发展起来的。同时，它也受到宫廷礼俗的强烈影响。都市民俗也涉及到人生、岁时、社交、饮食、衣饰、住居、器用、游乐等许多方面。其特色是具有更强的规范性,与商贸、游赏活动的联系更为密切。现代都市民俗已经成为都市及社区研究不可或缺的部分,其中都市民俗对乡村风俗的影响成为一种新的趋势,提供了不少新的研究课题。

旅游民俗　指应用于旅游活动中的民俗文化。这个概念着重在旅游和民俗的关系及其相互影响。旅游事业和活动离不开名胜和风景区,而名胜和风景又是与民俗的各种事项紧密相连的。旅游涉及的民俗事项诸如风土人情、风景名胜以及地方风物的传说、民间礼仪、饮食、工艺品等等。搞好旅游事业,离不开民俗的辅助。近年以来,专以民俗为对象的民俗旅游发展起来,或将地方民俗浓缩展现,如深圳的民俗文化村;或直接深入原始风俗区域,如山东一些地区的民俗旅游。与此相适应,一门以旅游和民俗的关系为对象的新型学科旅游民俗学也逐渐兴起。

陪堂生　元代学校中的伴读学生。开始于元初,平民中的俊秀者,经在朝三品以上官员的保举,可入学读书,称陪堂生。至元二十四年(1287)国子学定额陪堂生20人,延祐二年(1315)又增20人。武宗至大二年(1309),蒙古国子学定额伴读学生40人。

探花　科举考试殿试一甲第三名。唐代省试进士取中后即须会宴于杏园,名为探花宴。选最年少者二人为探花使,亦称探花郎,遍游名园,必须先于他人折得名花,否则受罚。探花之名源于此。南宋起乃专称一甲第三名为探花。后世因之。

推拿　中医传统医疗方法之一。又称按摩疗法。古称"按跷"。为一种不用药物和医疗器械,由医生使用双手或上肢,通过各种手法作用于病人体表的部位,以治疗疾病的方法。具有疏通经络、滑利关节、调整脏腑气血功能、增强抗病能力等作用。此法远在先秦时期就已用来治疗疾病。长沙马王堆汉墓出土的、成书于先秦时期的《五十二病方》一书中,就有现存最早的治疗内科疾病"癃病"的按摩医方。其常用的手法有:按、摩、推、拿、揉、掐、搓、摇、滚、抖等。一般常用于治疗扭挫伤、腰腿痛、漏肩风、胃痛、消化不良、小儿泄泻等病症。为世界上最古老的一种物理疗法。今天,推拿疗法仍在临床实践中被广泛运用。同时,在医生或医书指导下普通家庭推拿也渐趋兴盛。

常用杂字　古代蒙学教材的一种。"杂字"书在历代史书上很少著录,但其内容切合日用,又分类编纂,既可作识字课本,又能起字典作用,适合一般手工业者、农人、商人略识文字的需要,在蒙学中也占有一定的地位,如《益幼杂字》、《群珠杂字》、《六言杂字》等,过去都曾流传过。

傩戏　民间戏曲,流行于安徽贵池、青阳和湖北西部山区和湖南大部。它是酬神的宗教戏,源于"傩舞"。明顾景星《蕲州志》对傩戏有详细记载。傩戏在安徽贵池、青阳系农民业余班社每逢节日在祠堂内演出,以祈祷乐神,演员戴柳木面具,扮成庙中神像,其表演动作简单原始,舞蹈程式化,唱腔有"新水令"等曲牌,以锣、钹、鼓等伴奏,主要剧目有《关公斩妖》等。傩戏在湖南和湖北西部山区,为酬神还愿后的娱乐活动,演出的戏班称为坛,唱腔简单朴实,有平调、悲调、神仙调等,用锣鼓伴奏,人声接腔,剧目有《柳毅传书》等。

移风易俗 指改变旧的风气不良习俗。移:改变、易:变换。《礼记·乐记》:"移风易俗,天下皆宁",《史记·李斯列传》:"孝公用商鞅之法,移风易俗,民以殷盛"。也作"移风改俗",《宋书·乐志一》:"故通神至化,有率舞之感;移风改俗,致和乐之极"。移风易俗向来都是一项巨大的实践活动,它是由风俗的特性和社会发展的需要而决定的。风俗具有某种程度的惯性、惰性,这就决定其不可能轻易改变;而社会的发展则要求革除不适宜的旧风俗。由此,移风易俗就成为必要。早在周秦时代,我国已有移风易俗之举,以后各代此举不断。封建统治结束以后,闭关锁国的大门打开,移易风俗的步伐迈得更大。新中国成立后,国家把握风俗的特点,进行了细致、耐心的系统的移风易俗工作,取得了成效。但是,时至今日,仍有一些陋俗存在,如婚娶要财礼、婚丧之事大操大办、重男轻女等,移风易俗仍是艰巨的工作。

弹词 亦称"南词",南方曲艺之一种。源于宋代的陶真和元明代词话。表演者一至三人,以三弦、琵琶、月琴伴奏,自弹自唱为表演形式。弹词分为苏州弹词、扬州弹词、福建南词、长沙弹词、桂林弹词、绍兴平湖调及广东木鱼书等,其中以苏州弹词最为著名。苏州弹词以"说噱弹唱"为主要艺术手段,叙事为主,代言为辅,说表技巧有火功、阳功、方口、活口等不同风格,演唱用苏州方言。弹词传统曲目有《珍珠塔》、《玉蜻蜓》、《三笑》等。

续小儿语 古代蒙学教材的一种。作者吕坤,明代著名思想家,万历二年进士,官至刑部侍郎。承其父命,作《续小儿语》。该书在《小儿语》的基础上是采用劝世箴文、格言、警语进行道德伦理的初级教育,因此该书在社会上的影响也极为深远。历来有"《小儿语》天籁也,《续小儿语》人籁也,天籁动乎天机,人籁餍乎人意"的评价。《续小儿语》大量采用当时的口语,文字浅俗而亲切,易于学习,对研究当时的语言来说,也是极好的材料。

蒙书 又称"蒙养书"、"小儿书"。是中国古代专为学童编写或选编的,在小学、书馆、私塾、村学等蒙学中进行启蒙教育的课本。它不包括蒙学中学习的儒家经书,如《论语》、《孝经》等。古代的蒙书是从字书发轫的,早在周代就有了供学童识字、习字用的字书。《汉书·艺文志》载:"《史籀篇》者,周时史官教学童书也"。《史籀篇》是著录于史册的最早的蒙书。秦代为统一文字,曾由李斯、赵高、胡母敬分别用小篆编写了字书《苍颉》七章、《爰历》六章、《博学》七章,"文字多取《史籀篇》"。汉兴,闾里书师合《苍颉》、《爰历》、《博学》三篇为一本,统称《苍颉篇》。1977年安徽阜阳出土的汉简中,有《苍颉篇》541个字,这是《苍颉篇》亡佚近千年后最大的一次发现。残简《苍颉篇》用隶书,为四言韵语,常将同义、近义或反义词编排一起,这种"以类相从"的编排法,对后代蒙学字书的编纂很有启发。两汉魏晋南北朝时也编过不少蒙学字书,《汉书·艺文志》"小学"类著录的即有10家35篇。但这些蒙书多已亡佚,完整保存下来的只有《急就篇》和《千字文》。隋唐以后续有很多这方面的书籍出现。在历史上,蒙书对蒙学教育起到了巨大的作用,深受塾师、家长及学子的喜爱。因其简明、适用,时至今日,此类蒙书还有一定的市场。

蒙学 亦称蒙馆。古代对学童进行启蒙教育的学校。有小学、书馆、私塾、村学、家塾、义学、义塾等名。主要对儿童进行以识字、读写为中心的文化知识教育和伦理道德教育。教材一般为《蒙求》、《千字文》、《三字经》、《百家姓》及儒家经书等。注重熟读背诵,严格训练,有些采用个别教学。没有固定学习年限。作为我国传统教育的一个重要组成部分,蒙学在启发蒙童、普及文化知识方面起到了一定作用。它所总结的

一套教学原则、教学方法以及蒙学教材,至今仍有一定的借鉴作用。

琴棋书画 我国传统文人的娱乐方式。琴,弦拨乐器,原称琴或七弦琴,唐宋以后称作古琴。它最早见载于《诗经》、《尚书》等文献,是古人用来祭祀、娱乐、表演的乐器。它最初为五弦,周代发展为七弦,到三国时期成"七弦十三徽",型制基本确定,并沿袭至今。它由琴身和张弦组成,演奏时右手弹弦,左手按弦,有吟、猱、绰、注等技法,音域较宽,音乐丰富。现存琴曲谱集150余种,《琴史》(宋朱长义著)、《琴说》(刘向著)记述了古琴发展的宝贵资料。著名琴曲有《高山流水》、《胡笳十八拍》、《广陵散》、《梅花三弄》、《阳关三叠》等。时至今日,琴的概念已经扩大,现为多种乐器的通称,如胡琴、月琴、风琴、钢琴等。棋,文娱用具,在古代专指围棋。《世本》说:"尧造围棋",晋张化《博物志》曰:"或曰舜以子商均愚,胡作围棋以教之"。可见围棋已有4000多年历史。春秋战国时已成规模,汉时已定19道棋局,南朝设围棋九品制,唐设棋待诏,隋唐时传入日本,宋时出现棋谱,发展到今天,围棋已成为世界性娱乐和比赛项目。围棋棋盘纵横19条平行线,361个交叉点。棋子分黑白两色,各有180枚。有对子局和让子局之分。它对弈时千变万化、紧张激烈、富于战斗性,是提高智力、陶冶情操、培养意志的娱乐方式。书,中国传统艺术,指毛笔字书写的方法。它以线条的变化来表现风格和意

境,在轻重、快慢、偏正、曲直中,在浓淡、枯润、疏密、仰覆里创造艺术之美。在字体上分为:真、行、草、隶、篆;在运笔上要点画圆满周到,结构呼应相安,布局疏密得宜,谋篇气贯全章。历代书法名家有:钟繇、王羲之、王献之、欧阳询、褚遂良、柳公权、颜真卿等。书法论著有《书品》、《书谱》等。画,中国画的简称,它以毛笔、墨和中国画颜料,在特制的宣纸和绢上作画。中国画在题材上分为:人物、山水、花卉、翎毛、草虫等画科;在技法上有工笔、意笔、钩勒、没骨、设色、水墨等形式,用钩皴点染、浓淡干湿、阴阳背向、虚实疏密和留白表现手法来描象构图;它有壁画、屏幛、卷轴、册页、扇面等画幅形式,并有独特的装裱方式。它以线条墨色表现形体、质感,与诗文、书法、篆刻的相得益彰是其显著的艺术特征和民族风格。顾恺之的《洛神赋图》、吴道子的佛道壁画、王维的《辋川图》、韩干的《照夜白图》、苏轼的《竹石图》、张泽端的《清明上河图》、黄公望的《富春山居》、朱耷的花卉禽鸟、郑燮的兰竹、齐白石的花鸟虫鱼、徐悲鸿的《愚公移山》都是中国画的瑰宝。琴棋书画不仅是传统文人娱乐、消闲的方式,而且对传统社会生活方式的形成,对传统文人人格的模塑,对中华文化遗产的创造都有着难以估量的作用。时至今日,琴棋书画已跳出文人圈子,成为平民百姓闲暇生活的消遣内容。

祭酒　中国古代主持国子监或太学的学官。古代祭祀或宴会时,由年高望重者一人举酒祭神,所以祭酒原为一种荣誉之称,后引申为学官的主持人。战国时,荀子在齐国临淄稷下学官“三为祭酒”,被尊为卿。汉武帝于太学设五经博士,首长称仆射。东汉光武帝时,立五经十四博士,由太常(掌选博士之官)选出其中有威望者一人为“祭酒”,作为总管教务的首长,祭酒因此成为学官名。西晋改称国子祭酒,主管国子学或太学。隋以后称国子监祭酒,为国子监的主管者。清光绪三十一年(1905年)废国子监,设学部,改国子祭酒为学部尚书。

释菜礼　释菜亦作“舍菜”。释菜礼为古代读书人入学时祭祀先圣先师的一种礼仪,因为所用的祭品为“芹藻之属”,故称。《礼记·月令》:“[仲春之月]命乐正习舞释菜”,《周礼·春宫·大胥》:“春,入学,舍菜合舞”。后世释菜礼不只用于春季入学时,如八月二十七孔子诞辰的奉祀亦为释菜礼。与释菜礼相对的另一项祭祀先圣先师的礼仪叫释奠礼,所用祭品为酒食。《礼记·文王世子》:“凡学,春官释奠于其先师,秋冬亦如之;凡始立学者,必释奠于先圣先师。”郑玄注:“释奠者,设荐馔酌奠而已。”受释菜、释奠礼的除孔子以外,还有文字祖师仓颉等。

道情　曲艺的一种,流行于全国大部分地区,以陕西、甘肃、江西、浙江、山东、河南、湖北等地尤盛。渊源于唐代的《九真》、《承天》等道教音乐曲调。演唱内容多取材于道教传说故事,宣扬出世思想。南宋时开始用渔鼓和简板为伴奏乐器,时称"渔鼓道情"。元代杂剧中常有穿插演唱。明清以来流传颇广,演唱题材也有所扩展,演唱范围也增大,不再限于道教故事,历史演义、民间传说都成为演唱内容。它同各地民间歌谣小曲相结合而发展成为许多地方曲艺,而且多以流行地区定名。如浙江的温州道情、义乌道情、东阳道情;山西的洪赵道情、神池道情、临县道情等。四川地区又称道情为"竹琴",江西有些地区称其为"古文",如南康古文、于都古文等。均与当地民歌小调结合,亦或吸收戏曲、曲艺的音调唱腔,形成不同风格。多以唱为主,说为辅,也有只唱不说的。伴奏乐器除渔鼓、简板外,有的还有弦乐、打击乐。主要剧目有升仙化道、修贤劝善、民间生活、历史故事等四类。

摆龙门阵 四川民间对闲聊谈天的称谓。指在阴天下雨或劳动休息时,人们习惯围坐一起听讲各种趣闻和故事传说等。这种行为各地称谓不同,四川叫"摆龙门阵",河南叫"说瞎话",山西叫"讲古典",东北叫"闲唠喀",闽浙一带叫"说山海经",等等。龙门阵所摆的除了时新趣闻、地方性传说之外,更有讲说民间传说故事和历史演义故事的。作为一种口头的传承方式,它对民间文学的传承以及历史、风物知识的传播等具有一定的作用。时至今日,它仍是农村乃至工矿等处为人所喜闻乐见的休闲方式。

傻女婿故事 民间故事的一类。又称作"傻姑爷故事"。故事中的男主人公常因不懂世事,办事机械却又自作聪明,而做出种种愚蠢和滑稽可笑的事情。但在"傻"女婿故事里封建"礼教"也往往被"傻"女婿无意中予以嘲谑、戏弄。有的故事主人公并不是真正的傻,而是被财主、读书人认为"傻"。如《三女婿拜寿》中,在酒宴的场合赛诗,财主丈人和官吏、富豪的儿子想捉弄身为庄稼人的"傻"女婿,想叫他现场出丑,但结果他们却一一被"傻"女婿击败,弄得狼狈不堪。又如在学话成功的《"呆"女婿得妻》中,当"傻"女婿受到怠慢、戏弄、侮辱甚至被赖婚时,他却用自己学来的话,击败对方,最后胜利而归。这类故事,构思新颖,其中的诗文、韵语,具有点染、描画人物身分性格的作用。

数来宝 我国民间曲艺曲种,流行于全国各地,又名顺口溜、流口辙、练子嘴。最初是艺人用以走街串巷,在店铺门前演唱索钱。由于艺人把商店经营的货品夸赞得丰富精美,"数"得仿佛"来"(增添)了"宝",因而得名。据说早在明初就有了数来宝的师承关系和13个门户。数来宝进入小戏棚演唱始于清末民初,当时比较著名的艺人有曹德奎、刘麻子、霍麻子等。数来宝为见景生情,即兴编唱,讲今比古,引经据典,夹叙夹议,并有固定的套子词。后来吸收对口相声的表现方法,形成对口数来宝。诙谐、风趣是数来宝的艺术特色。数来宝的基本句式为上六下七,并要合辙押韵。数来宝击节乐器,曾用过高梁杆儿、钱板儿、撒拉机、牛胯骨、三块板儿、三个碗儿、开锄板儿等。现在普遍使用大小七块竹板儿。数来宝的传统书目有《十字坡》、《杨志卖刀》等。现代多有反映新生活新思想的作品。

榜眼 科举考试中殿试一甲第二名。其称始于北宋初年,当时殿试第二三名都称为榜眼,意指榜中之双眼。明清定制,专指殿试一甲第二名为榜眼。

歌谣 民间文学韵文体裁之一,民歌、民谣和儿歌、童谣的总称。在我国古代,歌与谣有明显区别:"心之忧矣,我歌且谣"(《诗经·园有桃》),"曲合乐曰歌,徒歌曰谣"(《诗诂训传》),"有章曲曰歌,无章曲曰谣"(汉·韩婴)。这说明,古代歌和谣的主要区别是前者合乐歌唱,后者主要是吟诵。后来常联用,并出现许多异称,如"风谣"、"民谣"、"谣辞"、"乐府"、"民歌"、"山歌"、"小调"等。歌谣系民间的口头创作,在文学发展中是韵文体创作的源头。词句简练,大多押韵,风格朴实清新。歌谣的格律有自己独特的表现。从句式上看,汉族歌谣有三、四、五、六、七、八言,也有多达十几字的。就章段看,四字头最多。在韵律方面,大都押尾韵,也有押头韵、腰韵和腰脚韵的。许多少数民族的歌谣都有自己独特的韵律和形式。歌谣的种类繁多,按传唱者来分,可分为成人歌和儿歌两大类;按内容来分,可分为劳动歌、仪式歌、时政歌、生活歌、情歌、儿歌等。歌谣是劳动人民自己的创作,它直接反映人们对生活的感受和愿望。在当代,歌谣受书面文学及其他艺术样式的冲击已渐趋式微,但仍是人民群众表情达意的文艺样式之一。

颜氏家训 传统家教名著之一。南北朝时期人颜子推编撰。颜子推为当时最博学的知识分子,深知南北政治、俗尚和学术的短长,又长于文词、音韵、训诂,校勘之学也颇有造诣。此外他治家有方,家教谨严,家风淳正。所著《颜氏家训》共两卷20篇,上卷为序致、教子、兄弟、后娶、治家、风操、慕贤、勉学、文章、名实10篇,下卷为涉务、省事、止足、诫兵、养生、归心、书证、音辞、杂艺、终制10篇。此书内容广泛,包罗宏富,几乎涉及到家庭教育的各个方面。其中主要观点有:要求子弟以学习汉儒经典为主,兼及各家之言,注重实用知识的学习;教育子弟要勤学守行,应世经务,成为一个厚重、勤勉、博学、多能、务实、学以致用的人才;提倡进行早期教育,甚至进行胎教,等等。此书为散文体式,所论能铺展开来,旁征博引,引喻取譬,论述透彻。《颜氏家训》是我国第一部全面系统的家教著作,有"家训之祖"的称号,具有很高的价值。自刊行以来,多为各代取法,影响深远。

家 庭 社 会

九拜 古代的九种拜礼,为跪拜礼的总称。九拜之礼始于周代,其后相沿成俗。古礼对九拜的动作规范和对象作了严格的规定(见《周礼·春官·太祝》)。九拜分别为稽首、顿首、空首、振动、吉拜、凶拜、奇拜、褒拜、肃拜。其中前四种是觐见礼,是正常交往时的拜礼,后四种是特殊情况时的拜礼,如军礼、丧礼等。除稽首、顿首(参见相关条)外,空首又称拜、拜手,行礼时屈膝跪地,手由胸及地,叩头至手而不着地,是男子的常礼;振动指屈膝跪地时两手相击然后叩拜;吉拜、凶拜都用于丧礼,前者先定首、后顿首,后者先顿首、后空手;褒拜指再拜、三拜,是拜礼中的大者;肃拜是拜礼中最轻者,仅只俯身拱手下地,军中、妇人用肃拜。

八字席 汉族民间传统宴饮风俗。指宴饮时桌子的排列方式。如果客人不多,中堂内左右各摆一桌,成"八"字形,故名。

人头钱 旧时社会生活风俗,一般指以人口计算的用于公共事业等的财物。而壮族的人头钱称"偿命钱",是流行于广东、广西地区的远古血族复仇的残余形式。村寨、宗族、家族之间发生仇杀事件后,被杀之村寨、宗族、家族虽经数代,其仇必复。被杀者之子,或因年幼不能复仇者,则植树于庭,待其子与树俱长,乃履行复仇义务。如系误杀,以牛畜偿命,或数十头至百头不等,故名。

三揖 古代的拱手礼。本指卿、大夫、士三种臣属向君王行礼时君王所还之礼。行礼时拱手作揖,或上下,或左右,或推行。后来泛指多次拱手作揖。《昌黎集》(卷三十六)《送穷文》有"三揖穷鬼而告之"句。

三纲五常 封建社会关于诸种人际关系的基本原则。三纲指君臣、父子、夫妇间的基本原则,即君为臣纲、父为子纲、夫为妻纲。三纲由汉儒董仲舒提出,后经封建统治阶级加以系统化。其核心思想是臣要绝对服从君,子要绝对服从父,妻要绝对服从夫。五常指君臣、父子、夫妇、兄弟、朋友五种人伦关系,其原则为"父子有亲,君臣有义,夫妇有别,长幼有序,朋友有信"(《孟子·滕文公上》)。三纲五常所确立的等级关系为维护封建制度曾起过巨大作用,对人际关系也造成了一定的戕害,已随封建制度而被消灭。

三教九流　旧时泛指各色人物和或各种行当。本指儒、释、道三教，和儒、道、阴阳、法、名、墨、纵横、杂、农九家。后来泛指宗教、学术中的各种流派。《云麓漫钞》云："帝问三教九流及汉朝旧事，了如目前。"同时指社会上的各色人物或各种行当。《水浒传》第六十九回："原来董平心机灵巧，三教九流，无所不通"；第七十一回："其人则有帝子神孙，富豪将吏，并三教九流，乃至猎户渔人，屠儿刽子，都一般儿哥弟称呼，不分贵贱。"现在，三教九流仍被用来概括社会上的各色人等。

万福　古代妇女致敬的礼节。万福本指多福，后被用作祝颂之词。《昌黎集·与孟尚书书》："未审入秋来眠食何似，伏惟万福。"妇女相见行礼常口称万福，这种礼节也叫"福"。《老学庵笔记》云"王广津（建）宫词云：'新睡起来思旧梦，见人忘却道胜常。'胜常，犹今妇人言万福也。"福的姿势是上体不弯，微屈其膝，或有双手叠于膝上者。《留青日札·拜》载："古时妇女皆肃拜也，今则但微屈其膝而躬不曲，其名曰起曰福。"近代以来，这种礼节已不复存在。

女换地　旧时汉族社会生活风俗。流行于陕西保安等地。当地常迁来一些外县、外省的客民，他们无一寸土地，故常常将自己的女儿和当地农民交换土地。双方共请中人说合，讲清客民嫁女不要彩礼，男方则需划出多少土地交客民耕种，土地也不作价。商议妥当后，即由男方出立契约，写明以女换地。待女方嫁到男方，男方即将土地交付给女方使用。这种风俗是交叉影响到经济（土地买卖）和礼仪（婚嫁）的活动，具有特殊的意义。除陕西保安以外，其他地方亦有此俗。

乡规民约　旧时乡里社会制订的规范和条约。在法律不太健全的时代或有其他特殊情况，乡村的民众常常自发地制定一些规范性的文字，晓谕其区域内的人们遵行。其内容十分广范，涉及经济、文教、道德等许多方面，或综合立约，或单项设规，有繁有简。《宋史·吕大防传》载："关中言礼学者推吕氏。尝为《乡约》曰：'凡同约者，德业相劝，过失相规，礼俗相交，患难相恤。'"旧时，乡规民约在促进生产、保护公私利益、维护伦理道德等许多方面都起到了积极的作用。晚近以迄当代，一些地区仍有制订新的乡规民约者，亦多起到了良好的作用。

分家　民间大家庭分割为小家庭的民俗活动。旧时，新婚夫妇并不与父母分开另过，而是合住一处，共同生活。等一段时间或遇特殊情况，即分家析产，已婚子女独立生活，俗称"立灶"。一般分家时，要请舅父或乡里德高望重的人主持，对家产等进行评估，然后按权利义务关系进行分割，各户取得应有的财物，包括土地、房屋、粮食、银钱以及其他物品。分家之后，各户经济独立，相互间的依存关系削弱。为了维护宗法家族制，旧时亦有几代同堂而不分家另过者。晚近以来，子女大多婚后即独立生活,组成独立家庭。

分圈子肉　旧时汉族宗祧风俗。流行于湖南宜章等地。"圈子肉"因用竹片穿上若干肉块,弯成圆圈而得名。每年夏历清明节,当地农村各宗族,集体杀猪,做圈子肉。祭祖后,即将肉按人口分发,一人一块,各户派人领取。唯闺女与当年生女孩的妇女不分,当年生男孩的妇女则分两块。"巴肚(怀孕)"的妇女,尤为人们看重,分得的肉块大而整齐,有俗话云:"女人靠'巴肚'"。此处的"圈子肉"即祭祖后的馂馀,是古礼的变异,全国各地这种变异的形式极多。(参见"房食"条)

认干亲　干亲即拟制亲属的俗称。认干亲即指孩子出生以后由父母通过不同的方式为其缔结拟制亲属(多为干父亲、干母亲)。认干亲在我国曾有上门拜认、撞亲、拜物为亲、拜胡干爷等方俗。上门拜认指抱孩子携礼品到选定的人家拜认。撞亲具有随机的性质,即拜早晨出门的第一人为干亲。如果整天碰不到人,则需拜物为亲。拜胡干爷曾流行于杭州一带,指拜无常鬼为干亲:"传说无常鬼是阎罗王遣以拘摄死者之魂的鬼,将子女寄于无常鬼,是冀其不要拘摄寄子之魂,以保长寿之意。世人不知无常鬼二字义,而讹为姓胡,乃有胡干爷之称。拜寄方法,父母做新白衣衫一件,至庙宇取胡干爷偶象旧衣而易新,以烧酒、烧饼、香烛、银锭供而焚之,由庙中和尚为寄之子取名。之后,每年七月,其父母抱子往拜胡干爷之生,至十六岁止"(《中华全国风俗志•浙江》)。初生婴儿拜认干亲一是怕孩子不好养活,拜干亲以保护孩子;二是孩子命相不好,克父母,借认干亲以转移命相。

打千儿　旧时社交礼节。本为满族等少数民族的见面礼,后成为清朝时男子向人请安时通行的礼节。行礼时左膝前屈,右腿后弯,上体稍向前倾,右臂下垂。《红楼梦》第八回:"独有一个买办,名唤钱华,因他多日未见宝玉,忙上来打千儿请宝玉的安"。近代以来,这种礼节已消失。

打平伙　又称"打平火"。汉族民间社交风俗。流行于全国大部分地区,北方尤盛。即由众人均摊费用或各出酒食疏菜,在一起聚餐。此俗由来已久,至迟明代已出现,如明凌蒙初《二刻拍案惊奇》卷二十二:"众人又说:'不好独难为他一个,我们大家凑些,打个平伙'"。该书卷五:"而今幸得无事,弟兄们且打平伙,吃酒压惊。"又卷三十九:"有个纱王三,乃是王织纱第三个儿子,平日与众道士相好,常合伴打平伙。"这种社交性的宴饮活动多发生在经济收入有限、家庭负累又比较轻或出门在外的人身上,不分主宾,关系平等,一方面为果腹打牙祭,一方面为晤谈闲聊。此俗现今仍在农村的一些地区乃至都市的青年阶层中存在,西方传入的 AA 制与其近似。

打牙祭　旧时的社交宴饮风俗。在民间,人们称合伙到饭店吃饭等为打牙祭,其意义与"打平伙"相近。

在工商行业,旧传有夏历每月朔望后一天打牙祭的习俗,俗称"初二、十六打牙祭",其中以正月朔望的活动最为隆重。届时由老板出资宴请店伙,旅店业则连住店旅客一并宴请。宴席需杀鸡、献饭、放鞭炮。民间普通的打牙祭作为聚餐活动,具有联络感情的作用;工商业的此项仪俗可看作主人对伙计的犒劳,目的也在于联络相互间的关系。

打秋风 又称"打抽丰"。旧时汉族社会生活风俗。流行于全国各地。原指利用各种关系,借口向人索取财物。《唐摭言》(卷十五)"贤仆夫";"当今北面官人,入则内贵,出则使臣,到所在打风打雨,你何不从之。"《七修类稿》云:"米芾札中有'抽风'二字,即世云秋风之义。"《世事通考·商贾》:"打抽丰,因人丰富而抽索之,故曰打抽风。俗语谓之打秋风者是也。"旧时,因地域不同,丰歉不一,灾民多流入灾区索取,至白露时节,田间尚存有棉花或豆谷者,灾民可不与主人招呼,即闯入田里采摘,田主见之,亦不许动武,官府亦不问津,也称"打秋风"。亦泛指向有钱人求得财物赠与。此陋俗后为旧上海的地痞、流氓、恶霸所用,常有以过生日和举行红白事等为由,四处散发帖子,迫邻里送礼,俗称之"发帖子打秋风"。打秋风具有浓厚的平均主义特色,也极易为好吃懒做的地痞流氓人等所利用,所以历来都受到反对。《龙膏记罗织》云:"且把衙门掩上,如有星相求见与乡里来打抽丰的,不可放进。"《儒林外史》亦云:张世兄屡次来打秋风,甚是可厌。此举现今仍有所存在,是应杜绝的陋俗。

打斋饭 又称"打盏饭"。旧时社会生活风俗。原指僧道沿门索食,宋《夷坚志》载称:"将打回斋饭归家"。佛、道二教教徒的这种仪规后来逐渐波及民间,衍化为向家户或粮铺等取米做百家饭,以祈安乐康健。婴儿百岁(百日)及为老人祝寿时常有此俗。

功德碑 旧时乡里社会用以铭记乡人功德等的碑石。传统社会称为社会公益事业等做出贡献为做了功德,将这些功德及其主人勒石立碑,其碑即称功德碑。碑上一般具体写出为何立碑,何人有何种功德等(或仅列其名),以旌表有功德于民者,也作后人的借鉴。旧时这类碑刻多见于修桥补路、扶助危困、抗御灾害等场合,有一定的社会教育和激励作用。近些年来,立功德碑之举又偶有所见,如为出资办学者立功德碑者等。

叩头 俗称"磕头"。传统交际礼节。行礼时屈膝下跪,双手扶地,以头叩地而拜。是一种比较隆重的礼节。此礼源自"九拜"的"稽首"和"顿首"。《史记·田叔列传》:"叔叩头对曰:'是乃孟舒所以为长者也。'"《汉书·李陵传》:"叩头自请曰:'臣所将屯边者,皆荆楚勇士,奇材剑客也。'"叩头通常用于晚辈对长辈、下对上等。此外,拜祭神明及先祖也行叩头礼,这可以看成是人际关系向人神、人鬼关系的位移。叩头是封建等级观念的产物,业已随封建制度的消灭而基本消失。

田字席 宴饮时摆设筵席的一种方式。指宴饮时若摆四桌,中堂上下各设两桌,成"田"字形,故名。上方两桌为上席,下方两桌为朝席。

曲江会 又称"曲江大会"。古代社交礼俗。曲江,又名曲江池,故址在今陕西西安市东南,以他水曲折而名。唐代,曲江岸畔筑紫云楼等殿宇楼阁亭榭,花卉周环、烟水明媚,为长安市郊的游赏胜景。自帝王将相至商贾庶民,均喜游此地,其中尤清明时节为最。此外科举每次会试之后,及第进士皆醵金来此宴集同年,盛况非常。皇帝登楼观会;长安丽人美女,倾城出动;官府人家常借此机会,来会上为女儿挑选女婿。《王杂俎·事部二》云:"至曲江大会,先谍教坊,奏请天子,御紫云楼以观,长安士女,倾都纵观,车马填咽,公卿之家率以是日择婿矣。"至宋代,此会称"闻喜会"。

团拜 传统节日交际风俗。常见于每年元旦或春节。《朱子语类·杂议》:"团拜须打圈拜;若分行相对,则有拜不著处。"可见当时即有团拜之礼。旧时团拜多是官吏、文人以及一般朋友组成集体,互相拜谒慰问。此俗沿习至今,其团体一般由政府机关或群众团体等组成,团拜时举行简朴的仪式,互相致词祝贺。除了元旦、春节之外,其他节日(如"八一"建军节),也有进行团拜的。

品学席 汉族民间传统社交宴饮风俗。指宴饮桌椅排列方式。即摆三桌宴席,按上一下二"品"字形排列,故名。分"正品"、"倒品"两种。正品席,上面一席为上席,右方为首席。倒品则是品字倒过的形势,即上二下一。

吃讲茶 旧时民间解决纠纷的一种方式。在乡间或街坊,如发生房屋、土地、水利、山林、婚姻等纠纷,双方又都认为不值得到衙门去打官司,就到茶店去摆事实、讲道理解决,故名。其步骤是:由发生争执双方约定时间去茶店,先按在座茶客人数,不论认识与否,各给冲茶一碗,再由双方分别奉茶一碗。接着,由双方分别向茶客陈述纠纷的前因后果和各自的态度,让茶客分析评理。最后,由坐马头桌(靠近门口两张桌子)的辈份较大、办事公道的人,根据茶客议论,评定是非、作出结论,大家表示拥护,就算了事。如某方过错,所有茶资概由其负责付清。在现今有了基层民间调解组织和人民法庭后,个别偏僻地区仍有此俗。

血亲 建立在真实的或虚拟的血缘关系基础上的亲族关系。是相对于姻亲的最重要亲族关系。血亲的特点是其间的人们具有共同的祖先,不论是直系的,还是旁系的。其中直系包括祖、父、子、孙一脉相承的关系,旁系包括叔侄、堂兄弟姐妹等并非直线相承的关系。在传统中国,血亲按远近亲疏排出五服及远房等诸种关系。血亲间具有强固的统续性,尤其是在宗亲之间。

行会 旧时行业同仁组成的民间

组织。行会是社会分工日趋细密完善、行业特色突显的产物，它由同行业或相近行业的同仁组成，有一定的组织形式乃至会馆（所），有共同制订的章程，其目的在于维护本行业的集体利益、加强合作联络等，发展了的行会具有一定垄断性质，排斥未加入行会的本行业人员。此外，行会还是崇敬行业祖师或行业神的组织者，定期不定期地祭奉本行业的神明，举办一些公益活动。这种组织今已消失。

名帖 古代社交用的通报个人情况的帖子或片子。《陔馀丛考》（卷十三）"名帖"云："古人通名，本用削木书字，汉时谓之'谒'，汉末谓之'刺'，汉以后则虽用纸，而相沿曰刺"。名帖书姓名、职衔、籍贯等，其格式因时、地或作用等有所不同，且有异名，如写有官衔和籍贯的称"爵里刺"。随着历史的发展，名帖之用，其意义远远超出于原始形态，至有非常奢华的名帖。《陔余丛考》（卷三十）载："《涌幢小品》记张江陵盛时，诣之者名帖用纸锦，以大红绒为字。"现今通用的名片，即是古代名帖变型。

印信 刻有文字的信用标记物。印、章、玺等都属此类。先秦即已产生，称"玺"、"玺印"或"印玺"。秦统一后，仅只皇帝的印称"玺"，其余则称"印"。至汉，官印中始有"章"和"印章"之后，后又有"宝"、"记"、"朱记"等名称。其上刻姓名或衙署名，盖印于简牍、封发物件和其他文件以及书画，以为凭信。一般以金、银、铜、骨、玉石、木、琉璃、琥珀材料。近现代以来，此种印信仍被广使用，除实用价值外，艺术欣赏作用也为越来越多的人所重视。

合会 旧时民间信用互助组织，多见于乡村或小城镇。即众人自愿集资储金，按一定次序由会内成员支用，以达资金的集中使用。其组织一般由发起人（俗称"会头"）邀集邻里亲友若干人（俗称"会脚"）参加，逢举会日缴纳一定会金，轮流交给一人使用，借以互助。会脚按予先排定的次序或抓阄、投标等方式决定的次序支款使用。这种组织因地区的区别而有不同的名称、组织方式和操作方法。如四川一带称"打会"，且因集资用途的不同而分"八仙会"、"龙头会"、"孝议会"、"田圆会"、"公益会"等。江津一带的打会还有会谱，每人各持一谱，上载会众姓名、出资多少等，每届会期携谱赴会。浙江等地称"月月红"，参会者每月都缴纳一定资金，且由其中数人按月支用，故称。若遇会员当月一时无法缴纳者，筹集人须设法垫上。这种信用互助组织或有少量利息，或不付利息，但在旧时均起到了一定的资金融通作用。

众会 旧时民间宗族组织。一般由族人倡导组织。其主持事务者由族内成员公推。众会向族内成员募集款项，按事先制定好的办法使用。其资金，全都用于公益事业和慈善事业，如修族谱，供祭祀，修道路等。这种组织带有浓厚的宗法性质，对维护封建宗法制有一定的作用。现已消失。

全福人 民间称父母、子女等齐全的人为全福人。旧时的婚嫁活动以及其他礼仪活动中,全福人常被请去充任铺房、压轿等的主角,以此寓义,祝颂全福喜庆。

年龄组织 社会学、文化学称一定年龄的人们共同组成的集团为年龄组织。年龄组织是世界各民族文化中常见的社会现象。它是由相同、相近年龄的人们自愿组成的,没有政治、经济等色彩。这种组织多发生在青少年阶段,世界许多民族的青少年都有这样的集团,并且有性别的区分。我国历史上的"同庚会"即是此类年龄组织。其内部组织或严密或松散,大多有一定的共同兴趣和活动,有集体的活动场所或集体居处。大多数的青少年年龄组织可以看作是为过渡到成年而结成的组织,一经通过成年礼,这种组织也就宣告解散。有些民族的年龄组织则依年龄逐级过渡,终其一生。

安席 传统宴饮风俗。指按一席次序安排座席或主人以礼安点宴客。前者一般由执事者依长幼、亲疏、贵贱等安排尊卑次序。宴饮次序的安排随其性质而别,如寿礼以寿星为最尊,营造以墨师居首,婚宴则舅姑等为尊。这种尊卑次序的排列亦因地区而有一定的差异。后者指婚宴宾客按次序入座后,新郎新娘(或加其家长)在执事者的带领下,向每桌的客人拱手、鞠躬或敬酒安席,客人亦举杯贺喜,并祝愿新人"百年好合"、"白头偕老"、"早生贵子";丧宴则由执事者带孝子分桌叩头安席;生儿祝贺时则由一位妇女抱婴儿向客人鞠躬安席,客人祝愿婴儿"长命百岁"。安席具有分清尊卑、周到礼数的作用。

羊头会 旧时保护公共财产的自发性协作组织。由乡里群众自发组织,制订一定的公约,并设专人以处置违约事件。其公约条文如树木不折枝、饮水不洗衣、田地不放牧、城道不放物、青苗不践踏、熟果不偷摘等。在陕西,南北做法不同,陕北、关中为杀羊集会,将羊头挂于树上,宣布公约,晓谕人们互相监督,违者及隐匿不报均受罚;陕南则是由众人出钱请"羊头"看守庄稼,损失由其赔偿,抓到小偷则大家议罚。旧时,民间此类组织甚多,名目不一,都起到了一定的作用。(参见"青苗会"条)

花押 旧时民间用作为凭信的签字或其他图文符号。亦称"画诺"、"凤书"、"花书"、"花字"、"画押"等。其作用与印信略同,用于文书或契约的签字处。因其文字笔划如花或图符,不易模仿,故称。《国史补·下》:"宰相判四方之事有堂案,处分百司有堂帖,不次押名曰花押。"《石林燕语·四》载:"唐人初未有押字,但草书其名,以为私记,故号花书,韦陟五云体是也。"晚近以来,花押仍是一种普遍流行的签名方式,因其不易让人模仿,又有美观之效而为人所乐用。

抓阄 亦称"拈阄",一些地区亦俗称"抓纸蛋蛋"。我国传统的决断事物的一种方式。旧时，每遇难决之事或难分之物，以标有记号的纸片或纸团，抽取其一或各抽其一，以抽取纸片或纸团上的记号来决断。如五人分二物，纸团三写无、二写有，抽到有者分物、无则不获。《礼部志稿》（卷八十九）"罪纳贿度僧"载："（景泰三年）时天下僧童数万赴京度，有诏两京各度一千名，各府四十名。各州三十名，县二十名，不必查勘稽留。左阐教清让等令各僧童拈阄定数，逼取银万余两。"这种决事分物的方法，至晚近以及现代，民间仍有一定流行。

护林会　传统民间经济协作组织。旨在保护森林。一般由威信较高、办事公道、敢作敢为者组成，其组织有一定的地域性。护林会主持制订护林公约，对违犯者给以程度不同的处置。护林会不仅保护私有林木，更保护公共林木。每当不宜采伐时节，要对山育林。届时还要吃封山饭和封山酒。这种民间自发的协作组织，对保护、培育林木起到了一定的作用。

坟头会　旧时汉族民间会社组织。这种组织由共祀一祖的同族的人组成，目的亦是为上坟祭祖，故称。其方法是各参加者缴纳一定的会费，然后将会费置地或放债，所收租粮、利息用来上坟祭祖。旧时，我国的封建家族大多有专用于祭祖（包括家庙祠堂的修建及日常活动、坟茔管理及祭祀活动等）费用或田地等。如果此一家族合炊，由家族资产中拨出泽费或田地即可；如已分家，即可能出现上述组织。这种组织现已消失。

折柳赠别　古代送别风俗。始于汉代。《三辅黄图》（卷六）"桥"载："霸桥在长安东，跨水作桥，汉人送客至此桥，折柳赠别。"后世则以折柳一词代指送别，且有折柳赠别之仪。民间认为"柳"谐"留"音，有挽留的意义，故用以赠别。唐雍陶《折柳桥》诗云："从来只有情难尽，何事名为情尽桥？自此改名为折柳，任他离恨一条条。"

利是　又作"利市"，俗称"红包"或"封包"。指旧时喜庆、节日时的喜钱，因其有祈祷、祝福发财利市之意，故称。即用封套或红纸等包裹银钱，春节贺岁、互送吉利；或于婚嫁时作为贺礼。此俗起源颇早，《东京梦华录·娶妇》即记其事。开始用于婚嫁，后用于贺岁。除夕给孩子压岁钱、春节给拜年者的礼钱均属此俗。清末开始出现印制的"利是封"，红纸上印着金字或图案。本世纪30年代发展为"七彩利是封"。今深圳、广州、惠阳等地，春节派"利是"的风气仍在民间流传；香港盛行"百家姓利是封"。

作客十忌　传统交际风俗。指出门作客时的十种禁忌。因地区的不同而有所区别。陕西吴堡的作客十忌为：一忌开门不进家，在门口探头探脑；二忌上炕不脱鞋（小脚老太太例外）；三忌笑声不开朗，靠鼻子冷笑；四忌衣帽不整洁；五忌自傲不尊老；六忌孤僻不爱小；七忌晚辈吃饭坐上席；八忌抢先动碗筷；九忌问人辈伤事；十忌走时不告辞。

序辈字　旧时我国某一家族一家庭人名中用以排列辈份的用字。比如以"正大光明"四字序辈，第一辈的序辈字即为"正"，第二辈为"大"，依此类推。旧时大家族给孩子命名多用此法。孔子及其弟子的后代从第七十一世开始用昭、宪、庆、繁、祥、令、德、维序辈，孔氏宗族有昭焕、宪培、庆镕、繁灏、祥阿、令贻、德成、维益等人名，一望可知辈份。除专门的序辈字以外，排列辈份尚有以偏旁和字形结构的，如《红楼梦》中贾府以文、玉、草偏旁序辈，人名有贾政、贾赦、贾琏、贾环、贾兰、贾蓉等；又如以朋、刍、炎、羽、林等二合一结构的分别取名为一辈，以三合一的结构如鑫、森、淼、晶、焱等字取名为一辈。三种方式之中，前三种较为常用。晚近以来，序辈字、序辈法仍十分流行，近年由于家庭结构和人们意识的变化已逐渐销歇。用序辈字取名，除了排比辈份以外，还有强化宗族、家族意识的作用。

青苗会　传统民间生产经济合作组织。是一种为保护青苗而设的临时性组织。每年庄稼即将长成之时，以村为单位组织集会，选出头领，由其主持制订保护青的乡规民约，如严禁人畜践踏庄稼，不准砍伐公私树木等，违者给以一定的处罚，并晓谕乡里谨慎遵从。如果发生纠纷，青苗会则予以调解、处置。庄稼收获后即行解散，第二年重新组织。旧时，民间的这种协作组织对保护庄稼收成、促进农业生产经济起到了一定

的作用，今已少见。

拥篲迎门　又作"拥彗"。篲指扫帚。古时人们迎接客人，要扫净庭除，抱持扫帚以迎接尊贵的客人。《史记·孟子荀卿列传》云：："(驺衍)如燕，昭王拥篲先驱，请列弟子之座而受。"在后世，迎接宾客不一定要拥篲，洒扫庭除则是必要的礼貌之举。

拟制亲属　指人为假拟的亲属关系，是世界各民族曾经普遍存在的文化现象。拟制亲属之间不存在血缘的、姻缘的等生物性的联系，其间关系是依据习惯等确立的。拟制亲属有多种表现形式：教亲关系，流行于信仰者之间，如我国伊斯兰教民中即有此关系；养亲关系，这种关系由上一辈对下一辈的抚养而成立，当事人之间认同感较强，关系稳固；寄名亲关系，由寄名而缔结；义亲关系，一般是由具有意识能力和行为能力的人自愿结成的，是志向、情趣、品格，操行的结合，是对自然形成的亲属关系的最有力的补充，最具社会意识。拟制而成的亲属关系基本都是血缘性的，有父子女、母子女、兄弟姐妹等关系，有纵向的，也有横向的。拟制亲属虽然是假定的，但却有着深广的社会文化意义，是生物性亲属关系的延长和补充。在我国历史上，各种形式的拟制亲属都曾存在，义亲关系尤其突出。现在，这些关系仍有一定存在，其中以有意志能力的人依情操、志趣为基础缔结的为最多。

牵羊扛酒礼　旧时社会生活风

俗。流行于湖南汉寿、益阳、安化、湘阴等地。是一种调解、弥息民间纠纷的方法。倘若领居间发生纠纷,事情的性质又比较严重,如触犯乡规、惹恼亲族等。经调解后,让理屈的人出钱若干,买羊一只,沽酒一坛,送到受损害的人家去赔礼道歉;如果事情很细微,理屈者只须买肉一块,买酒一壶、前往道歉即可。事情解决后,一般还要书写一份“和息字”,双方各执一纸,以示永敦和好。这种经调解后以酒食补助、弥息纠纷的风俗在我国十分普遍,可适用于多种情形(如给别人造成经济的、名誉的损害等),具有相当的社会整合功能。(参见“吃讲茶”等条)

饯行 亦称“饯别”。为送别亲友远行而举行的一种礼仪。为汉族及部分少数民族的交际风俗,流行于全国各地。饯行指在亲友出远门上路前以酒食送行,饯别则指设宴送别。《宋书·刘敬宣传》:“(父)牢之南讨桓玄,(司马)元显为征讨大都督,日夜昏酣,牢之骤诣门,不得相见,帝出饯行,方遇公做而已。”以酒食送行之举产生较早,《尚书·尧典》(“寅饯纳日,平秩西戎”)和《诗经》(《邶风·泉水》“出宿于泲,饮饯于祢祢”)即有记载。《梁书·王珍国传》云:“罢任还都,路经江州,刺史柳世隆临渚饯别。”古时饯行要有诗文酬唱,以表示惜别和祝福。《梁书·谢朓传》亦记其事:“因请自还东迎母,乃许之。临发,舆驾复临幸,赋诗饯别。”饯行之俗后世十分发达,为主要的社交礼仪性宴饮活动。现代的“告别宴会”即由此发展而来。

金兰会 旧时女子拜盟结为姊妹而成的组织,流行于广东顺德、南海等。清梁绍壬《两般秋雨庵随笔·金兰会》载:“广州顺德村落,女子多以拜盟为姐妹,名金兰会。女出嫁后,归宁,恒不返夫家,至有未成夫妇礼,必俟同盟姐妹嫁毕,然后各返夫家。《广州府志》(卷十五)载,顺德、南海一带,“女子多有结金兰会,相互依恋,不肯适人。强之则归宁、久羁不复归其夫家。”有的虽被迫在夫家暂住数日,但不与丈夫同居,严密设防,洁身自好;有的还装神弄鬼,嫁害于强迫成婚的丈夫,甚至置其于死地。这样的女子,人们称之为“自梳女”,即终身不嫁人者,或只“下嫁不落家”者。金兰会虽无严密组织和章程,但不能背约,否则姐妹们将问罪,甚至殴辱。

金兰簿 又称“金兰谱”,简称“兰谱”。旧时异姓结金兰的凭证。流行于全国各地。旧俗交友情投意合,便结为异姓兄弟,在拜告天地后,各书其谱系,互相交换。《云仙杂记·金兰簿》载:“戴弘正每得一密友,则书于编简,焚香告祖考,号为金兰簿。”随着异姓结拜之俗的消失,金兰簿亦不复存在。

拱手 传统交际礼节。指站立、两手合抱于胸前。《尔雅·释诂》郭璞注:“两手合持为拱”。起源甚早,《尚书·武成》即有“垂拱而天下治”之句。多用于相见或答谢,如《礼记·曲礼上》载:“遭先生于道,趋而进,正立拱手”。拱手姿式有吉凶、恭褒之分，一般吉拜尚左，即左手握右手（一说拱手于左胸前），凶拜（死丧）反之；如无死丧而右手握左手，则有不敬之意。这种礼节现仍有一定程度的存在，多用于答谢致敬。

挂礼簿　旧是民间交际风俗。指喜庆活动中，主家委托的专职收礼人将来客所携贺礼逐一登记在册，或钞写在红纸上张贴公布；待喜事结束时，向主家交帐。挂礼簿不仅是一种往来登记，也有一定的社会意义，且有一些俗信附丽其间。如在湖南，礼簿所记贺礼依次编号，第一号为主人所有，又写"天字第一号"或"天长地久"等吉语（用于红喜事）。第三十六号、第五十一号均非吉祥数字，略去不写。对第一百号来宾，除将其所赠礼品全部退还并仍照数登记入簿外，还要奉送一定数量的喜钱。

贺冬　传统岁时社交礼节，指在冬至节贺尊长、老师等。《清嘉禄》（卷八）："至日为冬至朝，士大夫家拜贺尊长，又交相出谒，细民男女，必更鲜衣以相揖，谓之'贺冬'。"徐士铉《吴中竹枝词》，"相传冬至大如年，贺节纷纷衣帽鲜。毕竟勾吴风俗美，家家幼小拜尊前。"贺冬之俗大约与中古的履长有关，是由其衍化而来。贺冬除对尊长及友朋邻里外，还有拜师。河北《怀来县志》云："冬至，祭先祖。冬至前一日，馆徒为师具馔，宴将尽欢。次日，衣冠拜师，师亦命酒。次贺家长，次及岳家，外戚亦往复之。"冬至拜节亦有馈赠礼品的，《怀来县志》云："冬至拜节，或

以羊酒相馈遗，谓之'肥冬'。"

修桥补路　旧时民间的传统公益活动。传统社会的乡里民间，桥梁、道路等或官修，或乡里集资修筑，出资出力修桥补路被视作一种慈善、公益活动，是修行积德的重要方式，故人多有乐为者。桥成路通时，一般要立牌勒石，刻上资助者的姓名乃至所出资金或劳力数目。在广西瑶族居住地区，每6年或12年要举行一次修功德桥的活动，桥成以后，村民要欢聚庆贺，对于外村来帮助修建的亲友每人发1斤"功德肉"。修桥补路的公益活动向来被视作美德善举，对于旧时的公益事业起了一定作用。

点汤　旧时社交待客风俗。宋时，客来上茶，去则送汤，故称送客为点汤。《萍洲可谈》云："今世俗客至则啜茶，客去则啜汤。汤取药材甘香者屑之，或温或凉，未有不用甘草者。此俗遍天下。"点汤初时仅是一种待客之礼，后渐变为欲客离去或逐客的礼节性举措。宋佚名《南窗纪谈》："客至则设茶，欲去则设汤，不知起于何时。然上自官府，下至闾里，莫之或废……盖客坐既久，恐其语多伤气，故其欲去，则饮之以汤。"，这里的点汤是对客人的关怀。元杂剧《冻苏秦》第三折："张千云：'点汤！'……正末云：'点汤是逐客，我则索起身。'"这里的点汤就是有意的逐客了。辽及清以迄晚近，点茶亦有送客、逐客之意。（参见"点茶"条）

点茶　本指泡茶。辽以前，客至点

茶为社交习俗中的通例。《饕餮闲评》(卷六)云:"古人客来点茶,茶罢点汤,此常礼也。"至辽,点茶成为送客之礼。《萍州可谈》(卷一)云:"辽人相见,其俗先点汤,后点茶,至饮会亦先水饮,然后品味以进"。清代官场端茶表示送客,是辽俗的余绪。晚近以来,上茶亦有送客之意。(参见"点汤"条)

送节 亦称"望节"、"望头年"。民间交际风俗。流行于全国各地。指逢节日亲友互相馈赠时品、礼物的活动。一般是后生晚辈携带礼物拜望尊长先辈或派人送给长辈,亦有长辈赠与后辈,俗称"回盘"。礼物因时因地而异,多为应节时品和土仪等。如在江南一带,每逢端午节,对岳家、外婆家、干爷以及塾师,都需送粽子、鱼肉等物;如是婚后第一个端午,女婿送节礼称为"望头年",亦称"送新庚"。在有钱人家,礼品甚丰。如是中秋节,婿家送丈人的礼品,一般是一对鸭,加上鱼、肉、豆糕,岳家回盘则用月饼、雪梨等。订婚后男家依节序和逢节庆送给女方衣物、礼品也是送节。此外,长江中下游地区还流行佃户逢节给户主送礼之俗,亦称"送节"。其俗在秋收基本结束,无地的佃农,害怕东家(田主)抽佃。为生活计,集粉作饼,凑钱备应时礼品,于是日供奉给田主,再穷的佃户亦不能免。现在,佃户给户主送节之俗早已不复存在,民间乃至官方(如过节时送军烈属慰问品等)仍有送节之俗,且具有关怀问遗调节关系等作用。

送人情 汉族社交风俗。流行于全国大部分地区。早在唐代已记载此俗,杜甫《戏作俳谐体遣闷》诗句:"粔籹作人情"。《通俗编·仪节·人情》载称:"以礼物相遗曰送人情。唐宋元人皆言之也"。《川沙县志、方俗志》曰:"庆贺多以银币,曰送人情。"民间日常生活中凡遇旁人家婚丧喜庆,均需送礼。遇婚事,亲朋好友用大红纸包钱赠予婚家,钱成双数,表示吉利。婚家照数全收,不得退回。遇丧事,旧时以烛锭帛相赠,现亦流行送钱,须单数。除婚丧之外,举凡生子、中举以及岁时节会亦多有送人情。民间视其为一种社交往来活动,故有主家将客人所送之礼记帐保存之俗,以备将来还礼。中世以来,求职、求学等等亦多有送人情的,由此逐渐演化为晚近以来的送人情走后门之俗。礼节性的送人情之举有许多规矩,所送礼品及送的方式都很有讲究。其作用是联络亲戚朋友间的感情。有的则绝粹是为了尽礼数、随世俗,并非发自内心、自觉自愿的,现今结婚讨喜、凑分子即如此,是一种不宜提倡的风气。而送人情走后门等则是为达个人目的、满足一己私利,其间并无多少情谊,对社会危害颇大,应当革除。

送年饭 旧时民间岁时交际风俗。指每年夏历腊月廿一,凡嫁女不足一周年的人家,须向婿宅赠送年节食品。皖南徽州诸县在所送食品中,一般得有"油粿豆腐"(又称"油炸豆腐粿")。数目少则数百,多则上千枚,以祝多子多福。在某些农村地区,现仍行此俗。

洗尘 又称"洗泥"、"接风"、"迎风"、"软脚"。传统交际风俗,流行于全国大部分地区。指设宴款待远来客人,为其洗却一路风尘。《通俗编·仪节·洗尘》:"凡公私值远人初至,或设宴,或馈物,谓之洗尘。"起源很早,至晚在宋时已有。《宣和遗事》云:"多年不相见,来几日,也不曾为洗尘;今日办了几杯淡酒,与洗泥则个";《水浒传》第二十六回云:"小人们都不曾与都头洗泥接风,如今来倒反扰";苏轼《和钱穆父送别并求顿递酒次韵》诗云:"伫闻东府开宾阁,便乞西湖洗塞尘"。接风之举多见于戚友之间,规格不等,主人大多要在席间致词表示欢迎之意。是社交性比较强的宴饮活动,意义在于联络情谊。此俗现今犹存,不仅行于个人间,也行于团体间,郑重的场合一般以现代语称作"欢迎宴会"等。

说合人 传统社会中居间介绍双方情况、意见以勾通或解决问题的中介人。这种人具有"媒介"的特性,往往在婚姻缔结、纷争调解等方面起重要作用。《世说新语》即记"何晏、邓飏、夏侯玄,并求傅嘏交,而嘏终不许,诸人乃因荀粲说合之",其中荀粲即充当"说合人"的角色。说合人多由德高望重、通晓事理、能言善辩的人充任。在传统前法律社会,这种人对于人际关系的调整和社会的整合起了一定的作用。

施茶会 旧时民间义务服务组织。其会由地方上有名望的热心公益人士相约组成。时间一般自入夏始,借用行人必经之地的茶亭、路亭或结棚为舍,雇人烧水泡茶,配上竹管或杯碗,行人经过,或者农民劳动口渴,都可自行倒茶饮用,不必花钱。直至秋后天气转凉为止。施茶会成员均为义务服务,经费由募捐集资而来,收支数目均需张榜公布,请众人监督。这种松散的季节性组织活动单一,方便了民众,又可赢得一定的好声誉,故为缙绅之士所乐为。

亲族称谓 民俗学、人类学、社会学、语言学等指相对于其他社会关系称呼的血亲、姻亲间人们相互关系的称呼。由血亲关系产生的诸如父、母、子、女、兄、弟、姐妹,以及祖父母、曾祖父母、高祖父母、孙男女、曾孙男女!玄孙男女和堂兄弟姐妹等,由姻亲关系所产生的诸如岳父、岳母、公婆、女婿、媳妇。世界各地、各民族亲族称谓有着很大的差异,不仅表现有语音的不同,也有所称宽狭之分。亲族称谓是亲族关系的识认标志,具有重要的社会意义。

姻亲 建立在婚姻关系基础之上的亲族关系,是相对于血亲的另一种重要的亲族关系。姻亲有以下三种关系:一是血亲的配偶,如兄、弟的妻子,姐、妹的丈夫等等;二是配偶的血亲,如丈夫的祖父母、父母、兄弟姐妹,妻子的父母、兄弟姐妹等;三是配偶的血亲的配偶,如丈夫兄弟的妻子,妻子兄弟的妻子等。较之于血亲,姻亲关系的延续性比较弱,在宗法性质突出的古代中国更其如此。

结拜 又称"结盟"、"结义"等,俗称"拜把子"。传统社交礼俗,指朋友同志间结为异姓兄弟,由此缔结的拟制亲属称"结拜兄弟"、"把兄第"等。结拜时多有郑重其事的仪式,如换帖、歃血等,且要盟誓"有福同享,有难同当"、"不能同生,但愿同死",以此来维护、约束结义关系。这种关系的缔结,多基于共同志趣或经济利益,也有基于政治倾向和利益的,其目的也多种多样。结拜者除常见的两、三人者外,也有多至10余人者。此俗晚近时仍然存在,现在已属罕见。(参见"结金兰"条)

结金兰 亦即结拜,结义,拜把子。《易·系辞上》有"二人同心,其利断金;同心之言,其臭如兰"句,结金兰一语即取其义而成。《太平御览》引《吴录》云:"张温英才环玮,拜中郎将,聘蜀与诸葛亮结金兰之好焉。"由此所结之异姓兄弟叫"金兰之交";结拜时各序谱系,交换为证,称"金兰谱"、"兰谱";旧时广州一带女子结拜姊妹,称"金兰会"。(参见"金兰谱"、"金兰会"条)

顿首 古代拜礼,为九拜的一种。一般见于平辈之间。《周礼·春官·大祝》郑玄注云:"顿首拜,头叩地也。"贾公彦疏:"顿首者,为空首之时,引头至地,首顿地即举,故名顿首……顿首者,平敌自相拜之礼。"顿首亦多用于信札开头或末尾的敬语,如唐柳宗元《献平淮夷雅表》:"臣宗元诚恐诚惧,顿首顿首,谨言。"也有首尾均用的,如南朝梁丘迟《与陈伯之书》:"迟顿首。陈将军足下无恙。幸甚幸甚……丘迟顿首"。在现代书信中,"顿首"一语仍有所用。(参见"九拜"条)

恭喜包 旧时贺客赏给主家仆人的礼钱。《金陵岁时记》载称:"贺客以红纸裹铜钱十枚或八枚、六枚,给主人之仆,曰'恭喜包'。"这种风俗由主及仆,充分说明对主家的重视,也是礼数周全、夸财呈富的表现。

家长 一个家庭、家族的首领。大家族的家长亦称族长。《诗经·周颂·载芟》:"侯主侯伯",汉毛亨《传》:"主,家长也",《疏》:"《坊记》云,家无二主。主是一家之尊,故知主家长也。"封建社会的家长在家里享有至高无上的权力,管理家庭内部以及对外的一应事务,诸如内部的祭祖、修谱、经济、惩处等等,对外则是本家的代表,处理婚姻、社交、纠纷等事务。旧时大家庭的许多事务是家长主持和最后决断的。封建家长是宗法制度的代言人,对维护宗法家庭起过巨大的作用,同时对家族、家庭其他成员也造成了一定的戕害。

家业 指家庭、家族的基业,可指物质的产业,《汉书·杨王孙传》:"学黄老之术,家业千金,厚自奉养生,亡所不致";亦可指家传的学问等。物质的家业,包括田地、房舍、金钱、器用等,是家族经济的支柱;析炊分家,也主要是按一定的规制分割家业。在传统中国,子孙能够持守家业,就完成了先辈的起码要求,否则就会视为不孝。家业除是经济基础外,也是政治地位、社会地位的基础和调节剂。

家风 亦称"门风",指在德行、操守、作风方面的家庭、家族传承和特点,是一个家庭、家族在世代承续过程中逐步形成的较为稳定的生活作风、生活方式、传统习惯、家庭道德规范和为人处世之道等等。我国历代小家大族都十分注重家风的培养和维护。《颜氏家训》即专设"风操"一节讲家风。近人左宗棠称家风为"一家之习气",并与一国、一乡的习气相并列。良好家风的培养、维护与倡导,对维护家庭、社会有着积极的影响,对形成良好的社会风气大有裨益。传统家风中提倡的尊老爱幼、互相谦让、家庭和睦、邻里相安、勤俭持家以及戒赌、戒酒、戒嫖、戒殴斗等,在今天亦是应该倡导和坚持的。

家书 家人来往的书信。唐杜甫《杜工部草堂诗笺·春望》云:"烽火连三月,家书抵万金"。我国传统的家书不仅是通消息、道问候的文字,而是有着更为广泛的内容。其中进行家庭教育,就是极其重要的部分。家书的这一传统很早就已形成,三国时蜀相诸葛亮的"诫子书"即是家书名篇。其后历代士宦,文才多有此类文字,如宋司马光的"训俭示康",清代郑板桥的十六通"与弟书",以及近代曾国藩的"与弟书"、"教子书"等。这些家书涉及当时社会的各个方面,对我国传统美德的继承、读书治学均不乏有益的见解。现当代一些政治家、思想家、艺术家仍不乏此类名篇,如傅雷的《傅雷家书》。

除家人来往书信外,家书还指家藏之书。《文选》引汉孔安国《尚书序》云:"我先人用藏其家书于屋壁"。家藏之书,显示这一家庭为书香门第,也是造就家学、家风的一个方面。

家世 指家族的门阀和世系传统。家世是家庭、家族的固有形象,具体指社会地位、职业传统等,表现为家族的世系、世业、门第、门祚、门阀等。家世如何,直接影响着家族及其成员的社会地位以及社会生活的诸多方面。在重视门阀世系的封建社会,举凡官吏遴选、配偶选择以致交友、从业等诸多方面都受家世的影响。因此,历史就有不遗余力地宣传、张扬家世的事情,而那些家世不好的人则往往改名换姓、迁徙移居,以避家世之丑的。家世观念的思想基础是家族观念以及血统观念。

家学 指某一家族世代相传的学问。《后汉书·孔昱传》云:"昱少习家学",孔昱的先辈孔安国世习《尚书》,学习、研讨《尚书》即为孔昱的家学。家学也称"家传学",《宣和画谱·王僧虔》云:"至僧虔,家传之学不坠",僧虔的父、祖、曾祖都擅长画画,自己也如此,故称"家传之学不坠"。家学作为某一家族世代相传的学问,体现了家族传承的特点,也体现了家庭教育的重大影响,更体现了传统中国家庭观念的强烈。家学历来受到各代有识之士的重视。对于学校制度不健全的中国来说,家学对于某一门学问的深入研讨,起到了不可估量的作用,它能够使某一门特殊的学问、技艺延续下去并发扬光大,我国许学的绝学、绝技就是由这一渠道保存下来的。

家号　旧时标志本家族门第的特殊名号、记号或图记。与此相近的尚有家印、宅号、屋号等。家号的来源大约有:先祖姓氏;封号,如孔府称"衍圣公府",孔府的北京驻地称"圣公府";职业,这类家号常见于手工业家庭,如剪刀王、剃刀刘之类;吉祥字号,除一般大家族外,商家多用;部落、地名等,如孔子后裔的厥里孔氏共有六十宗户,除大宗户"衍圣公府"外,其余的宗户都以地名为家号,如临沂户、道沟户、旧县户等。在封建社会,家号并非每个一般家族都有,近世以来则几乎绝迹。

家讳　避讳的一种,即子孙在说话和行文中,避免提到父祖的名。如司马迁父名谈,故《史记》一书中碰到"谈"字都改写作"同";范晔文名泰,故《后汉书》一书凡"泰"皆写作"太"。不仅言谈,行文如此,社会生活的其他方面也多涉及家讳。唐代明文规定,如官名犯父、祖之名,可提出申请调任他官。又唐李贺因父名晋,终身未能考取进士。由于家族观念和祖先意识的影响,家讳曾被某些无限扩大,如有人因避家讳而终身不吃肉、不用刀砧。家讳不仅在家族内部有绝对的约束力,犯家讳也受到社会的谴责。如李贺欲号进士,虽有大文豪韩愈为其争辩,亦未能得到社会的认可。

家庭　社会学所指的以血缘、姻缘关系组成的生物——社会群体。

一般的家庭需包括因姻缘而缔结的夫妻关系,因血缘而缔结的夫母子女关系。社会学研究者根据家庭的不同情形给出了家庭的不同类型及其称谓。依据家庭的规模,可分为核心家庭和扩大家庭,核心家庭由夫妻和子女,这个家庭包含了血缘和姻缘两重关系,是基本的家庭模式,因此亦称基本家庭和自然家庭;与此相对的是在此基础扩展的扩大家庭,又可分为小型扩大家庭或主干家庭,包括夫妻、子女及夫或妻的父母,大型扩大家庭可包括三代、五代乃至更大,传统中国的家庭还包括妾及奴仆等。按一个人的经历来分,每个人一生之中都要经历生育和养育家庭,前者是当事人出生的家庭,后者是当事人结婚而组建的新家庭。按当事人的不同身份角度来看,又有血亲家庭和配偶家庭之分,比如一个核心家庭对子女来说是血亲家庭,对夫妻来说则是配偶家庭。家庭既是生物性的集团,更是社会性的集团,具有独特的社会文化意义。在传统中国,较其他社会集团来说家庭的地位更高,作用更大。由此组成、结构、和功能等,可总括出家庭的一般特点,即:异性之间结成的婚姻关系;公认的血缘关系;具有某种形式的居处;完成某些个人的和社会的功能,诸如情爱与性欲的实现和满足,生育和抚养后代,成员间的关怀和共同承当社会权力与义务,文化的传承,经济功能,其他如政治的、宗教的等方面的功能。

家族　家、家庭、家族是一些意相

近的概念,现代语文中亦普遍使用。在古代中国,使用与现代意相近的更多的是家和家族,家庭多指家的地点而言。家的使用更为广泛,除指住居的家之外,主要指血缘的、姻缘的生物——社会组织,可小可大。《大学》云:"欲治其国者,先齐其家;欲齐其家者,先修其身。"《颜氏兄弟·兄弟》:"有夫妇而后有父子,有父子而后有兄弟;一家之家,此三而已矣。"家族就其结构来说,大于一般的小家,甚至是专指同姓的亲族。《管子·小匡》:"公修公族,家修家族,使相连以事,相及以禄。"家族往往指众多同姓亲属的结合,其关系有时超出五代、七代以至更多。家族不仅仅是一个以血亲关系为主要纽带的生物性集合,更是一个社会性、文化性的集合。我国古代的家族除了血缘、经济关系以外,尚有一些特点:就社会组织而言,它是一个独特排外的社会集团,具有极强的稳固性和凝聚力,有的甚至有自己的徽号、标志;在宗教上,它是一个准宗教的祭祀集团,有共同的祖先,有本族的祠堂或其他公共祭祀设施,并举行共同的祭祖活动;在政治上,它是社会的基层组织,其结构往往与地方基层行政组织重合,并担当其权利和义务。我国传统上的家族是宗法制度的产物,且有"大"的特点。随着历史的发展,家族制度已经消亡,大家族也逐渐少见。不过,在一些地区家族意识还是比较强固的。

家谱 封建家族记录世系和事迹的文字。亦称家谍、家牒、家乘、族谱、祖谱、宗谱、谱书,有的地方俗称影子、老地老母。家谱源自史乘。春秋时期,晋国的史书称"乘",后人撰作家谱,袭用宋黄庭坚"家乘"之称,意指家族的历史。家谱的内容,最简单的是以谱表的形式记录本家族的世系——各代成员和相互关系;有的家谱内容包罗象,除谱表外,尚有渊源(家族的渊源)、移驻(迁徙情况)、祠宇(家庙、祠堂以及其建筑)、谱图、墓图、家训、恩荣(家族成员的升迁、赏赐、旌表等),此外尚有关于家谱编修情况的序例、题跋等文字。旧时家谱的编撰、修订是合族大事,颇为郑重。家谱一般由族长等妥为保存,遇修谱、家祭或其他家时才取出。家谱是封建宗法制的产物和体现,只有入谱才算本家之人;反之,因犯家规或其他事件,则要被除名。家谱对维护封建宗法制和家族统治起到了重大的作用。近代以来,修谱之举逐渐衰微,解放后基本不复存在,近年又有所抬头。

家生子 指封建社会的奴仆所生的、仍在主人家当奴仆的子女。亦称"奴产子"、"家生奴"等。《汉书·陈胜传》"奴产子"注谓:"奴产子,犹今人云家生奴也。"若是女孩,则称"家生婢"。干宝《搜神记·李寄》:"共请求人家生婢子兼有罪家女养之。"家生子的父母大都是同为主人家奴婢的男女,结合后生育家生子,仍在主人家为奴。由此而形成的主奴关系比较稳固,人身依附关系较强,奴仆在主人家的地位也比较高一些。家生子多见于一些能够养活、任用较多奴仆的富家大族。晚近以来,随着封建主奴关系的崩溃而消失。

请会 旧时民间经济互助活动。流行于江浙一带。《东台县栟茶市乡土志》载称:"栟人有请会之举,大家小户几无家无会。"其过程是谁家困难就提出请会,先找人作会书序,说明家中所需款项,然后找10个出会人,募集资金若交与首会人使用,以后由首会人分次摊还出会人。首会人需在首会之后集合出会人拈阄或摇骰子以确定各出会人得会次序,每年一轮或十月一轮,所出与所得银钱数目相等。这种组织使人们平时未必需用的零散资金集中起来用于一家一事,有效地利用了资金,也起到了较好的经济互助作用。

请帮忙 传统民间互助风俗。在农事生产中请帮忙亦称"帮工",如以劳力互换则称"换工"。这种情节多发生在农事繁忙,家庭劳力不够的时节。此外在婚丧等礼仪活动中,亦有请帮忙之俗。如在四川的川西、川东一带,遇婚娶主家于前一日即请邻里或亲戚来帮忙,诸如置办婚事用具、布置房舍、准备宴席等,主家犒以酒食;不付工钱。这种互助活动在旧时的乡里社会比较普遍,是敦朴民风的突出反映。

敬茶 传统社会风俗,流行于全国各地。我国是茶的故乡,除红、绿、花茶之外,少数民族尚有马奶茶、酥油茶等,故以茶待客的风俗流传颇广,不仅一般家庭以茶待客,饭馆、娱乐场所亦有以茶待客的。此俗起源比较早。唐颜真卿《月夜啜茶联句》:"泛花邀坐客,代饮引情言"。宋杜丰《寒夜》诗:"寒夜客来茶当酒,饮炉汤沸火初红"。其内容和名称因地而异,如七家茶、元宝茶、香茶、工夫茶、盐姜豆子茶等。内蒙古、青海等地的蒙古族以奶茶招待来客。奶茶制法为将砖茶砸碎,放入水中煮熬,去掉茶叶,加入鲜奶煮沸,根据各人的口味,加炒米、盐或糖。主人将茶,端至客人面前献茶,以示敬意。藏族则以酥油茶敬客,该茶为酥油加砖茶水及盐巴等打成,单独或与糌粑一起敬客。敬茶有一定的仪规,比如茶具需洁净,汉族中有"酒满茶浅"(即敬茶不倒满杯)之俗,主人敬茶时要一手端杯、一手在杯侧持拥或双手捧杯,旧时还有举案齐眉之俗,表示对客人的极端尊敬。客人也要双手礼节性地接茶,且不可一气喝干,主人则旋喝旋添。客人如不想喝,即在添满时不再喝,临别起身前一并喝下。喝茶的这些仪规,各民族各地区都有自己的独特之处。

敬烟 传统社会交际风俗,见于一般社交场合,也见于专门礼仪活动(如婚礼闹洞房时新娘给客人敬烟)。旧时各地区因烟叶、烟具不同,所敬亦不同,如敬旱烟、敬水烟等,现在则一般为敬卷烟(香烟)。一般敬烟除递烟上前外,还需点燃,又讲究一根火柴不能连点三人的烟。其间仪规颇多,兹前达斡尔族敬烟风俗。据《黑龙江外记》载:"达斡尔敬客,以烟为最,客或自吸烟,邃擎其筒于口,装已烟以进,礼也。"晚辈见了长辈,说声"啊咧",即是示意请把烟袋给我,让我给你装烟。将自己的烟为之装好点燃后,用袖口或衣角把烟嘴擦拭一番,再双手举起递还长辈。即便长辈已抽着烟,亦为之换上自己的烟。平辈则行互为对方装烟的"对装"之礼。女人出嫁前不为别人装烟,出嫁后不为丈夫兄辈装烟外,其余场合均需为其他长辈装烟。若长辈前来串门,即使在炕上干活,也要下地为之装烟。儿媳妇刚过门时,早晚要为公婆请安装烟;过门3天后,需在婆嫂陪同下,登门为本屯长辈装烟,平时公婆外出回来,起床和饭后,也要装好烟送上,人死上供或祭祀亦需装烟。烟袋杆长2尺有余,传说早为木制,后改竹制。烟锅直径1寸,长2.5,以榛树根用弓锥子剜空内镶一层银片而成。烟杆与烟锅口间用"罕达罕""骨或牛角装饰,"罕达罕"骨饰品刻有水纹或旋纹纹。烟嘴用本地产的一种江石加工而成,有的雕有花卉,禽兽,昆虫等图案。烟荷包用狍子皮制成口沿多绣云朵或吉祥结纹饰,引火物有火链,火绳等。

接风　传统社交风俗,指设宴款待远来的亲朋好友。常与"洗尘"合称,其意义、作用相同。至晚在宋代已有此俗。《水浒传》第五十四回云:"宋江吴用等出寨迎接,各施礼罢,摆了接风酒,叙问间阔之情";元石子章《竹坞听琴》亦云:"便安排酒肴,与孩儿接风去来"。此俗现今犹存。(参见"洗尘"条)

唱喏　古代男子交际礼节。指在作揖的同时出声致敬。《老学庵笔记》:"古所谓揖,但举手而已。今所谓唱喏,乃始于江左诸王。"《昼漫录》:北人"待亲则先汤后茶,揖则礼恭。今人唱喏,乃喏也,非揖也。"旧时显贵出行,喝令行人让路也叫唱喏,又称"唱喝"。《名义考》:"贵者将出,唱使避己,故曰唱喏,亦曰鸣驺。"

族长　旧时掌管宗族事务的人。我国宗法制很早即确立,族长亦早就存在。《仪礼·士丧礼》云:"族长莅卜,及宗人吉服立于门西东面南上。"注谓:"族长,有司掌族人亲疏者也。"一般来说,族长是自然形成的,即宗子一门或合族年最长者为族长。旧时族长有着较大的权力,内部一应的宗族事务都需经其处理,甚至掌有生杀予夺等司法大权;对外则代表本族进行各种社会活动;族长也是国家统治的代表,往往与国家行政长官重合。族长是封建宗法制度的代表人和维护者,随着宗法制度的解体而消失。

族名　同一家族、宗族的人们所有的具有特定关系的人名。这种人名间在用字等方面有着一致之处,比如规定相应的序辈字,同族之内同辈人都用相同的序辈字。我国历史上族名的存在屡见不鲜,其中尤以孔孟颜曾四大家族以及皇室等为最。满清皇室及王公贵族使用的就是族名。族名是宗族、家族集团内部的认同标志,也是外部交往时的识别标志,还是宗族结构秩序的形象体现。现代由于家族、宗族结构的松散、大家族的解体,族名也逐渐消

逝。（参见"序辈字"条）

凑份子　又称"出份子"。传统交际风俗。流行于全国各地。指集体合伙送礼，分摊钱财。明汤显祖《牡丹亭·秘议》："便是杜老爷去后，谎了一府州县士民等许多分（份）子，起了个生祠。"所分摊的钱财称"份子"或"份子钱"。凑份子多见于婚嫁、生子等礼俗活动，也见于建祠立碑、修桥补路等社区性公益活动和扶危济贫等等慈善活动；大多为自愿的，有的则是被迫从众。现今祝贺婚礼的"随喜"与此近似。凑份子有一定的实际功能，如修桥补路、扶危济贫；有的则是纯礼节性的，却可以联络情感。碍于人情被迫凑分子是不可取的。

绰号　亦称"诨名"、"诨号"、"混号"、"外号"等。是人的本名以外别人根据其特征等为其另起的名号，具有尊敬、亲昵、憎恶、嘲讽、赞誉、谐谑等多种意味。绰号起源很早，先秦时代即已产生，《左传》等书中即有记载。其后各代有增无减，成为人的名中最具特色的部分。历史上许多名人都有绰号，如唐代李林甫绰号"李猫"等。文学作品中的绰号更多，且被作家有意识地当作塑造人物形象的手段。《水浒传》中一百零八将几乎每一个人都有绰号，如第三十七回写张横："原是小孤山下人氏，姓张，名横，绰号船火儿"。绰号多依人的相貌、性情等来取，多采用比喻、描模、借代等方式。绰号因其适用性而有通用和专有之别，前者是可以通用于某一类人的，如"铁算盘"、"智多星"等，有的则只能专用于某人。绰号大多形象、生动，能给人以比较深刻的印象。

喜蛋　用于庆贺喜事的鸡蛋等。制作并陈列喜蛋，为汉族及部分少数民族的一种礼仪风俗。女子出嫁，将鸡鸭蛋煮熟，染成红色、绿色，或外敷金彩，或敷双喜字，杂陈妆奁之上。生孩子时，亦用以催生、贺生子，故称。作为一种馈赠礼品，喜蛋除了"喜庆"的象征含义之外，还有更深层的文化意蕴。在我国的少数民族中，许多民族都有其先祖诞生与蛋相关的神话传说，蛋是生育的象征。生子、婚娶以喜蛋相赠，就有这方面的含义。

喜丧会　旧时民间互助组织。为群众自发组建，其职能是解决婚丧的资金、用具等方面的困难。会费在会内外募集，由公推的会首管理。会内购置花轿、凤冠、棺罩、抬扛等大型红白喜事用具及碗碟、盆筷等食具廉供会内人租用。此俗在古代即已存在。商周时有"相葬之俗"，即一百家（古称"一族"）人中某一家遇丧事其余各家出物出力相助。《周礼·地官·大司徒》："四闾为族，使之相葬。"这种互助组织在旧时的婚丧活动中起了一定的作用。

赌咒　旧时社交活动中的一种立誓方式。即用发咒语的方式然否事物，以为证明。赌咒与抓阄、神判等一样，都有一种神秘的性质，在旧时的社交活动中常用以判明是非。

歃血为盟　传统盟誓风习之一。指双方会盟时，双方含口牲畜血或以血涂口旁，以表示信誓。后世亦有将血掺入酒中一并喝下的。此俗在先秦时即已存在。《谷梁传·庄公二七年》云：“衣裳之会十有一，未尝有歃血之盟也，信厚也”。文中虽具体说无歃血之盟，但正说明当时这种盟誓形式的广泛存在，并且是保证信义的重要仪式。《淮南子·齐俗》亦云：“故胡人弹骨，越人契臂，中国歃血也，所由各异，其于信一也”。少数民族中亦有此俗，《续资治通鉴长编》卷八十七载称："大中祥符九年（1016年）九月，丁巳，……抚水蛮人……悉还所掠汉口、资畜，乃歃猫血立誓，自言奴山摧到，尤江西流，不敢复数"。

登科社 旧时民间互助组织。民间以科举的登科比拟娶妻，称之为“小登科”，为子女婚事所结的社即称“登科社”。其法在子女年幼时，同样情况的邻居亲友结而为社；以后无论谁家婚嫁，社友都必须出一份钱，以供那家操办婚事；到全体会友子女均已嫁娶后，登科社遂告解散。这种互助组织在旧时的婚嫁过程中起了一定的作用。

摆席 又称“铺席”。传统社交宴饮风俗。即摆放桌凳和杯筷等。民间办喜事讲究规矩，摆桌子有一定格式，如一席放堂屋中央，两席左右平方，三席成品字形，四席成田字形，六席、八席左右两边对称。如堂屋小不够用，可在院内、庭中搭棚摆席，客人多时可分批开席。汉族喜用方桌，亦有民族摆长桌。摆杯筷、调羹各地风俗不同，但均有一定规矩。

此外，有时也把摆酒设席、宴请客人以敦亲睦族或排解纠纷等称作摆席。

跪拜 古代社交礼节。为我国封建社会根深蒂固的使用最长、最频繁的礼仪。基本姿势为屈膝及地，上体弯屈至头或手及地。这种礼节产生于先秦时代，一直沿用到封建社会末期。依据尊卑、亲疏以及场合等方面的不同，又可分出若干种，每种各有其独特的姿势，诸如稽首、顿首、空首、振动、吉拜、凶拜、奇拜、褒拜、肃拜等。近现代以来，跪拜礼仍见于某些场合，如乡村的祭祖等。跪拜礼适用于卑对尊、下对上、晚辈对长辈、人对神等情形，是表示恭敬、屈从等意义的礼节，是封建等级制度在礼仪风俗领域的突出反映。近代以来，它已逐渐被更为文明的礼节所代替。（参见“九拜”等条）

膝行 古代社交礼节。指跪着向前行走，以表示尊敬或畏服。上古时代已有此俗，如《庄子·在宥》载："广成子南首而卧，黄帝顺下风，膝行而进。"《史记·项羽本纪》载："项羽召集诸侯将，入辕门，无不膝行而前，莫敢仰视。"亦称“膝步”，汉王褒《四子讲德论》云："陈仵子见先生言切，恐二客惭，膝步而前曰：‘先生详之’。"由此而发展出两种程度上更甚的礼节。一是膝袒，指袒露上身跪地而行，表示畏服请罪。《史记·范睢传》："须贾大惊，自知见卖，乃肉袒膝行，因门下人谢罪。"另一种是“膝行肘步”，指匍匐前行，是极端畏敬臣服的表现，是古代社交中程度较重的礼节。

稽首　古代拜礼之一,九拜中最重的礼节。《周礼·春官·太祝》贾公彦疏:"稽是稽留之义,头至地多时,则为稽首也。稽首,拜中最重,臣拜君之礼。"行礼时,屈膝跪地,拱手于地,左手按于右手,头缓缓叩至手前面的地上。稽首礼用于臣下拜见君上或祭祀先祖。(参见"九拜"条)

鞠躬　传统交际礼节。即向前弯曲身体以表示谨敬。《论语·乡党》中"入公门,鞠躬如也",指向前微倾身体以示尊敬。后来则演化成一种礼节,且有弯曲深浅、次数的区别,即曲身深、次数多(一般为三次)表示礼数重。《敦煌变文集·庐山远公话》:"来至山神殿前,鞠躬唱诺"。这种礼节一直沿用至今,凡婚礼、丧礼乃至日常对师长等均用次礼,一般相交际只是一次鞠,而告别遗体等大礼则多是三鞠躬。相较于跪拜礼,鞠躬被认为是一种文明的礼节。

覆手　古代日常礼节。覆手本指手背向上、手掌向下的姿式。作为礼节,指吃过饭后以这种姿式掩口,揩去嘴边剩留物,以示礼貌。《礼记·玉藻》:"君未覆手,不敢飧。"疏谓:"覆手者,谓食饱必覆手以循口边,恐有肴泣污著之也。"《管子·弟子职》:"既食乃饱,循咡覆手。"注谓:"咡,口也,覆手而循之,所以拭其不洁。"这种礼节现仍有留存。公共场合饭后覆手拭口、剔牙都是应有的礼貌之举。

宗 教 信 仰

二郎神 亦称"灌口神",为水神之一。二郎神信仰起源于四川灌县,并因水神的身份,以化为牛或蛟与水神相斗的故事为中心,成为全国性的神祇。民间相信,该神司水患及其他病灾,凡遇水旱疾病,辄祷祀。二郎名声很响,但其对象则历来说法很多。最常见的说法是秦时蜀守李冰和他的二子。李冰宋时被封为广济王,但此后其影响衰落,为唐代兴起的二郎信仰所掩盖。其子李二郎,宋仁宗时被封为惠灵侯,宋徽宗时则封其为昭惠显灵真人。至雍正五年,父子二人同时进位为王爵。在信奉李氏父子的同时,被称作二郎神广泛信仰的还有赵昱。据传为隋时的赵昱因治水有功被唐太宗封为神勇大将军,宋真宗则封其为真源妙道真君。当时,后蜀国王孟昶也被当成二郎神信仰。而宋徽宗时的宦官杨戬因侦破过一起冒充二郎神的案子,也由于民间的附会,加上《西游记》、《封神演义》这些通俗小说的宣扬而成为明清时得到普遍信奉的二郎神。其它地方也有他们各自信仰的二郎神,如浙江的邓遐,他的事迹也是与水中蛟相争。据专家考证,二郎神的出现与佛教的毗沙门天王有关,他的次子二郎独健在唐代很受重视,他用来破敌的神鼠后来成了二郎神杨戬手中牵的哮天犬。今四川灌县都江堰有"二王庙",奉李冰父子。旧时灌口有赵昱之庙,称"灌口二郎神庙"。

八字 中国算命术将人的出生年、月、日、时称为四柱,四柱各配以所属干支,每项两字,合为八字,根据这八个字所属五行的相生相克,来判断命运,称为"批八字"。根据八字算命,称为八字推命术或四柱推命术。唐李虚中始以人生年、月、日所值干支算命,至宋代徐子平时,始加入时辰,合为八字,故旧时又称"批八字"为"子平术"。旧时八字对于结婚男女非常重要,若两人八字不和,则婚姻之事就不能成立。八字之说是封建迷信的东西,今天基本丧失市场。

八仙 民间传说中的八位神仙。一般指李铁拐、钟离权、张果老、何仙姑、蓝采和、吕洞宾、韩湘子和曹国舅。八仙的名目在唐、宋时代就已经个别出现,但其成员并非上述八位,也无"八仙"的统称。元朝时,八仙的成员基本确定,元人杂剧中多描绘八仙故事。今所见八仙完成于明人吴之泰的小说《八仙出处东游记》，其中，"八仙过海"等故事使这八位仙人的影响扩大不少。八仙中的各位仙家经历不同，本领各异，影响大小也有差别，其中以吕洞宾，张果老，李铁拐等为最。八仙常被道教宫观所奉祀，其中吕洞宾等人还有单独或几仙的合庙。在民间信仰中，八仙除了各自有其特点、功能之外，还一起被用来祝吉，尤其是祝寿。八仙用以祝寿，源于八仙定期赴西王母蟠桃大会祝寿之举。八仙除道观中塑像之外，其形象与图案还常见于画稿、建筑、什物、服饰之上，或仰望寿星，或举杯向西王母祝寿，或衬以古松仙鹤，题"八仙仰寿"、"八仙庆寿"、"八仙祝寿"、"群仙拱寿"等。此外，八仙所持的八种物件葫芦、扇子、玉版、荷花、宝剑、萧管、花篮、渔鼓称"暗八仙"亦称"八宝"，也多被用来祝吉、祝寿。（参见八仙各条）除以上八位神仙（中八仙）之外，还有上八仙，下八仙之说。

人祭　以人作为祭祀的供品。古代的人祭现象曾十分盛行，商代帝王为祈年，或祝捷、建房等常常将奴隶和战俘杀掉。据传，商朝的首领汤也曾为祷雨，愿将身体作祭品，在社坛桑林祈祷。至春秋战国时，这种现象仍时有发生，有的国家用战俘向土地神致敬。著名的西门豹治邺故事，讲的就是当地人用妇女祭河伯的陋俗。秦汉以后，在广大中原地区，虽仍有模拟性的节日人祭仪式，但除去复仇时用仇人的心肝等作祭品外，此俗已不复存在。但在南方一

些地区，如荆、川、闽、越等直至宋代仍有以人为祭品的习俗。在少数不开化地区，明清仍有此俗。

人体兆　将人自身的异常现象看作某种前兆。最常见的是左眼跳财，右眼跳灾；早在商代卜辞中便有耳鸣主不吉的记载；浑身肉跳也主不吉；脚心跳，则主有盗贼；至于打喷嚏，则因时日不同，有不同的说法，如明周履靖《占验录》："占嚏喷：子日有酒石，丑日主忧疑，寅日有外事，卯日主大吉，辰日婚会吉，巳日主口舌，午日有喜事，未日主寻常，申日只平平，酉日有客至，戌日要思念，亥日有人思"人体兆是人对自身的一种不科学认识。

人祖庙会　所谓人祖即人类的先祖，有的地方叫人祖奶奶，有的地方供奉女娲。在北方地区某些地方如淮阳、陕西骊山每年二月二日至三月三日乡民都要举办庙会，其主要目的是祈子祈年。届时人们进行祭祀、占卜、巫术、唱戏娱神等活动。不育妇女将泥人带回家以求生子。淮阳人祖庙会别具特色，至今每年都要举行。

七娘妈　闽、台地所崇拜的儿童保护神，又叫"七娘"、"七星奶"、"七星娘"。每当农历七月七日，俗称"七娘妈生日"，妇女们都要用纸扎成彩亭、轿、神灯，灯上画抱子仙女，然后用酒肴、花、香等祭祀之，以求子女生长顺利。七娘妈信仰是从织女牛郎神话中产生的，据说16岁以下儿童皆受七娘妈庇护。

九天玄女　亦作"玄女"、"九天

女"，俗称"九天娘娘"。原为古代神话中的女神，《史记》载，黄帝与蚩尤战于涿鹿，玄女下降，以兵符授黄帝，黄帝遂得胜。后被道教所信奉，《云笈七签》说她"人头鸟身"，是圣母元君的弟子，她以六壬、遁甲、图策、印剑等授黄帝，又制夔牛鼓80面，黄帝遂破蚩尤。旧时，南北各地皆有玄女庙、九天娘娘庙。民间奉祀九天玄女，主要是用以祈子。

三世 又称三际。佛教用语。佛教的因果论中将个体存在的时间称为世。三世即过去、现在、未来三世。或称前世、现世、来世；或称前生、现生、来生。《集异门论》云："三世者，谓过去世，未来世，现在世。"

三界 佛教把人世的生死流转分为三个层次，即欲界、色界、无色界。欲界为具有食欲、淫欲之众生所居；色界为已离食淫二欲而进入精妙境界，但仍离不开物质之众生所居；无色界最高，为脱离物质享受，而精神具足之众生所居。佛教以三界为"迷界"，认为从中解脱达到"涅槃"才是最高境界。

三官 又名三元大帝。道教所信奉的主管天、地、水三种自然事物的神。道书称天官赐福，地官赦罪、水官解厄。东汉时早期道教吸收了民间宗教信仰，在为人治病时，写病人谢罪之意，分作三通，一藏于山，一藏于地，一沉于水，谓之"三官手书"。后来，道教认为三官不仅掌人间福祸，且掌鬼神升化之事。宋时三官与历法上的正月、七月、十月的十五日相配合，又称三元，演化出三个宗教节日。后世有关其来历的传说很多，或说陈子椿与三龙女所生，或说乃尧、舜、禹封神，或说乃天门唐、葛、周三将军。三官中天官最为显赫，被道教封为赐福紫微帝君，近代民间认他作福神，与禄、寿二神并列，或充当财神助手。

三清 指玉清、上清、太清，为道教所奉最高尊神。玉清是天宝君，亦称元始天尊，据说是由混洞太无元之清气所化生，居青微天玉清境；上清是灵宝君，又称灵宝天尊，据说是由赤混太无元玄黄之气化生，居禹余天之上清境；太清是神宝灵，也称道德天尊，即太上老君，据说是由冥寂玄通元玄白之气化生，居大赤天之太清境。它们所由此化生的三气是天地万有的本原。比三尊神统御诸天神。道教的此种说法在普通民众中并不流行，因此民间却把玉帝当作最高神。道教宫观大多奉有三清，并专有三清宫，三清殿，三清阁。

三皇 神话传说中远古时代的三位圣王。其组成成员一直没有定说。《吕氏春秋》始有三皇之称，至李斯上奏始皇帝，始将三皇命为天皇、地皇、泰皇；后纬书中又说三皇是天皇、地皇、人皇。徐整《三五历记》则载三皇在盘古之后。秦汉以后，人们以古帝王配之皇，说法有很多。《尚书大传》是燧人、伏羲、神农；《白虎通》是伏羲、神农、祝融；《春秋纬·运斗枢》是伏羲、神农、女娲，《帝王世纪》是伏羲、神农、黄帝；唐司马贞则以伏羲、女娲、神农为三皇。

三皇会 四川地区的卜卦算命

者、江湖医生和说书卖唱者因伏羲画八卦、神农尝百草、黄帝臣苍颉创文字，遂将三皇奉为行业神，每年农历六月十九日同行聚会，演戏酬神，吸收新人，重申内部团结，以便在今后谋生中互相帮助。

五祀　古时的五种祭祀，其所指范围各有不同。《周礼·春官·大宗伯》所言祭五祀，郑众认为是指于宫中祀五色之帝，有赤黄青白黑五色；郑玄则认为是祭五官之神，即木正句芒、火正祝融、金正蓐收、水正玄冥、土正后土。《礼记》中所言五祀，又有不同认识。或说为户、灶、中霤、门、行；或说诸侯之五祀为司命、中霤、国门、国行、公厉。《白虎通》则说是户、灶、中霤、门、井。此外还指禘、郊、宗、祖、报五种祭礼。其中《礼记》所言五祀在后世朝野流行较为广泛、深远。

五猖会　江南地区祭祀五猖神的活动。五猖神就是五圣神。五圣是民间信奉的财神，明清以来，委巷空园、屋檐树下、树头花间、鸡埘猪圈，多有小庙，所奉即祀五猖神。据传说，五圣庙是明太祖为安抚战殁亡魂而立，后被奉为财神。在安徽省，夏历八月十四日被看作是五圣生日，安徽古多商人，故多于此日奉祀五圣，以求财运亨通。届时各家备鸡血酒，于庙前燃爆竹，敲锣鼓，老幼团聚会饮，名为为五猖神"祝寿。"

万回　唐朝时有万回僧，相传俗姓张，陕西阌乡人。民间传说中，他万里寻兄，朝发夕还，因而称作万回。或说他是菩萨，来东土教化世人。当时宫廷、民间皆虔诚奉祀，谓其能预卜休咎，排解祸难。宋时杭州城仍有以腊月祀万回哥哥的习俗，说他蓬头笑面，身着绿衣。"祀之可以使人万里外亦能回来"（田汝成《西湖游览志余》)后来万回神经过一系列复杂的变化，成了和合二圣。（参见"和合二圣"条)

土地爷　即"土地神"，简称"土地"。其前身为"社神"。土地生养五谷，古人遂立坛崇拜之。其始为一土坛，周围植树，古人定期于此祈祷丰年，报答神赐。各地皆有各自的社坛，春祭祈年，秋祭报成，民间宴享游乐亦在此时。统一帝国形成后，以某地社神为中心的居民团体，称为"里社"、"民社"是一种社会组织形式，社神的土地崇拜象征功能开始向地方守护神扩张，社坛上开始修建房屋，社神也开始被称作土地神，其庙则为土地庙（或祠）。东吴赤乌年间，孙权为秣陵尉蒋子文建立土地庙奉祀。此后土地庙遍布乡村，连住宅、园林、寺庙、山岳也各有其土地神。在城市，由于城隍神的出现，土地神被当作其属神。多数的土地庙中都塑有须发皆白、和蔼可亲的老翁形象，还有一个女像（俗称土地奶奶）作配偶。有的地方则以当地名人作土地神。作为阴间一个小官僚，民间对他敬而不畏，凡有人逝世，必至庙前"报庙"。夏历每年二月初二日，为神诞辰，各地皆有祭祀，演戏娱神。

土地会　为土地神举行的庆典。一般在农历二月二日，其前身是古代的社日。根据古代"春祈秋报"的祀典模式,立春后第五个戊日和立秋后第五个戊日,也就是春分和秋分时节都要供奉社神,并享用供品。唐代以来,春季的社日逐步固定为夏历二月二日,传说为土地神生日,也有在三月的,其时崇拜对象也由社神变为土地神,因而称为土地会。秋季的社日为一系列的新起的秋季节日取代,唐宋以后便不甚普遍了。春季的土地会意在娱神祈年,不外乎张灯演戏,焚香设供,然后分而食之。北方近代多将二月二日称为"龙抬头",也有祈年的作法。《广州府志》引《番禺志》记广州土地会云:"二月二日土地会,大小衙署及街巷无不召梨园奏乐娱神。……每日晚,门前张灯焚香祀土地设供。谚所谓'家家门口供土地,香火堂灯到天明'。"四川川西一带,则是七月七日亦有土地会,届时城乡街巷皆持纸钱醴酒,有的则提大红公鸡奉祭神灵。俗以为享祀土地能消灾免难,保佑一方平安。

上坟 又称"扫墓",为祭祖的墓祭形式,主要在节日及忌辰等特殊时日进行。届时家属亲友至郊外坟前,供饭食果品,烧化冥币,添土以表哀思。扫墓之俗,古时只行于庶人,至唐代开始波及各阶层,至今仍流行全国。上坟因其时间及依据的不同,尚有各种特别的称谓,如过春节上坟称"上年坟",新娶妇后上坟称"上喜坟"。1935年铅印本《张北县志》记该地此俗云:"墓祭,除新丧未满三年,于忌辰日必须墓祭外,余

则每岁元旦、清明、中元及十月之朔,皆为墓定期。祭品、仪式,同以上各祭……贫者墓无明堂,则于适中地点行之。富者即于明堂位设案陈供,以示合祭。更于较亲者之墓,供拜如仪,以示近支。祀毕则取土于吉地,增于各坟上,谓之'添土'。"

门神 得到广泛信仰的把守门户之神。古代早期祀典中有祀门户神之说,并无实指,后来成为国家祀典的一部分,在民间影响不大。早期民间的门神崇拜有着远古植物崇拜、动物崇拜的印迹。自汉至魏晋,人们常常在年终腊日时在门上饰以桃人,苇索以及老虎的画像,用来卫护门户。但很快便向人格化神转变,于是有神荼、郁垒兄弟二人守门御鬼的传说,说他们在度朔山上用苇索执鬼,然后投以饲虎。到唐代以后,武士门神成为主流,当时认为唐太宗的二位将军秦琼和尉迟敬德能御鬼,因此多画像于门上。唐代又有钟馗捉鬼的传说,因而钟馗像或写有"钟进士"的纸条也成为防御门户的另一选择。一般说来,武士装束的门神更为普遍,各地因信仰不同,武士所指的对象也有差异,有画温峤和岳飞的,有画孙膑、庞涓的,有画赵云、赵公明的,总之都是在历史上或传说中声名显赫的武将。在明清时,门神的防御功能逐步为祈愿功能所取代,因此"爵鹿、蝠喜、状元、福禄寿星、和合、财神"也就成为门神的主题了。

山神 山峰拥有丰富的资源,且高峻雄伟、云雾缭绕,这使得古人很

早就产生出对山的崇拜。商周时代，人们便把山当作求雨、止雨、祈年的对象，而且人们很早就认为山顶是群神所居住的地方，只要顺着山峰爬上去就可以到达天神所在的地方，当然山的下方便是地府，山就成为沟通阴阳地界的中介。在我国，早期的各文化区域都有各自名山崇拜，统一的封建王朝建立以后，国家便以五岳系统为主，将各文化区域的代表性山岳纳入国家祀典体系，但终究没有象土地一样抽象出一个单一的神祇来。随着社会发展，早期人们关于山神的观念日益扩大，其社会属性日趋明显，而其神格日益降低，象土地神一样成为地方性小神，主管一地的民政事务，而山神也多由人鬼来充当。（参见"东岳帝君"等条）

马头娘　民间所奉蚕业之神，又称"蚕花娘娘"、"马头神"等。古人以蚕与马在形体上有相象之处，故综合各种传说创造一蚕神——马头娘。马头娘来源甚古，《山海经》中载有据树吐丝之女子，荀子《蚕赋》中将蚕描写成一马首之美貌女子。至三国以后，马头娘传说的基本形成：上古时，有人出门远征，家中唯有一女一马。女思父，谓马曰：汝能迎得吾父，将嫁汝。马果迎父而归，而父女皆食言。父且杀马曝其皮，而马皮忽一日裹女而行，飞入桑树间，化为蚕（见干宝《搜神记》）。魏晋间马头娘传说广为流传，唐时蜀中寺观多有塑女披马皮像以祈蚕的，后来演化为女骑马像。道佛两教均利用这

个传说，各于庙宇中塑象，佛教称之为"马明（鸣）王菩萨"，道教则称太上授此女为九宫仙嫔。

马王爷　又称"水草马明王"。马为古代民族耕战所必用，故祭祀亦早而繁。《周礼》有四时祭马祖、先牧、马社、马步诸神之文，历代王朝皆列在祀典。而民间多在夏历六月二十三日其诞辰（或在十月一日）祭马神，尤以武人及畜养车马者奉之最勤，或称之为马明王，其像为四臂三目，故俗语有云："马王爷三只眼。"传为汉武帝大臣、匈奴休屠王之子金日磾。祭马神的物品为一全羊，人们认为马王在回教，不受猪肉。此外尚有诸说：房星（天驷星）；殷纣王的儿子殷郊；灵官马元帅。马王掌管马和其他大型力役畜，"凡驴马等健肥疲羸，死亡疾病，莫不归于马王主之。享祀丰洁，则牲畜蕃庶、营利顺利，否则灾病交侵，营业亦大蒙其损焉。"旧时马王庙颇为普及。民间所奉马王神象赤面多须，额竖一眼，手执枪械，身披甲胄。

天妃　亦称"妈祖"、"天后圣母"，俗称"海神娘娘"、"归山娘娘"。沿海地区以及一些江河码头的船工渔民虔诚信奉的神明。该神起源于宋代，本是泉州地区渔民们信奉的保护神，相传姓林，是五代时闽王都巡检林愿之女，生有灵异，预知休咎，可乘席渡海，人称神女，后坐化飞升，常服朱衣，现身海上，祷祠则有灵应。宋时其功能就已泛化，成为一位司孕嗣、主水旱、助战事的圣母型人物，其封号也由夫人上升为妃。到元

代，海上漕运非常重要，故官方崇拜
特异，封为天妃，并多次遣官在今天
津地方祭祀海神天妃并作天妃宫。
明初，郑和下西洋，永乐皇帝命加封
致祭，明末崇祯时改封天仙圣母青
灵普什碧霞元君。清初以征台湾加
封天后，祀准黄河神。旧时人们又多
相传惊涛中天后送灯相救之事。今
天妈祖信奉仍盛行于台湾南洋等
地。奉祀天妃庙称"天妃庙"、"妈祖
庙"、"天后宫"，其最名者为天津天
后宫。旧时天津天后宫每年夏历三
月二十三日都要举行盛大"皇会"，
以庆祝其生日；山东蓬莱著名的天
后宫则在正月十六日举行庙会；泉
州，漳州春秋亦有致祭。清张焘记天
津天后宫祭天妃云："三月二十三
日，俗传为天后诞辰。天津系濒海之
区，崇奉天后较他处尤虔。东门外有
庙宇一所，金碧辉煌，楼台掩映，即
天后宫，俗称娘娘宫。……神诞之
前，每日赛会，光怪陆离，百戏云集，
谓之'皇会'。香船之赴庙烧香者，不
远数百里而来，由御河起，沿至北
河，海河，帆樯林立，……河面黄旗
飞舞空中，俱写'天后进香'字样。"

天地祃 即"天地纸"。旧时民间
多于纸上书"天地君亲师"五字供奉
于家中，虔诚的人晨夕致敬，各烧香
三炷，一般人则在朔望日和岁除时
供奉。"天地君亲师"五字代表了封
建时代人们所要尊奉的对象。《遵化
通志》："岁除供神马，曰'天地纸'；
村舍结棚，曰'天地棚'，五日而撤，
祭以茶果，鲜用牲醴者。婚娶家亦供
神马于案，曰'天地桌'。"

天象兆 一种前兆迷信，将日月
星辰等天体现象的变化和雷电、风
雨、虹霓等气象变化看作事物发展
过程和结果的前兆。天象迷信与古
代星占学和风角望气之术有紧密联
系。天体现象在古人看来往往预兆
着政治变动、军事冲突和水旱灾害。
日蚀、月蚀都是凶灾之兆，主有水旱
灾害和战争；五星联珠则表明天降
祥瑞。气象变化中特别奇异的现象
尤为引起古人注意，天雨草、粟、血、
石等都是不吉之兆。有的气象兆与
农业生产有关，并包含有一定的科
学因素。尤以节气时的气象为人所
重视，如"惊蛰闻雷米似泥，""元宵
大风主油贵"之类。

太岁 我国古代的值岁凶神。它
来源于天体崇拜，古人为计时方便，
战国以来便假想出一个"行于地"的
与木星运行周期相对应的太岁。后
来它象一个实体受到神化，人们认
为太岁每年所经行的方位，与当地
的动土兴造，迁徙，嫁娶等活动有妨
碍，这种观念自西汉时就已盛行，至
今日未衰。相传如不遵守禁忌，在当
方太岁头上动土，就会挖出一个肉
块，它将给人带来灾难和死亡。太岁
信仰在元明时进入国家祀典，明洪
武九年定制，祭太岁风云雷雨诸神
于新坛。而太岁神的人格化也早在
宋代就开始了，《封神演义》中以殷
纣王太子殷郊为执年岁君太岁之
神，管当年之休咎；杨任为甲子太岁
之神，察人间过往愆由。俗传太岁逢
子日出游，巳日回归，其间动土建屋
可逢凶化吉。

太上老君　即老子。历史上实有其人，但自司马迁为之作传时，身世即已渺茫难稽。《史记》中的老子，或说是李耳，字老聃；或说是老莱子，与孔子同时；或说即是周太史儋。有的说他年寿160余岁，或说他200余岁。相传他是道家的创始人。东汉时，方士们以道家黄老思想为基础，吸收民间流行的鬼神观念和迷信方术创立道教，并奉老子为祖师，以《老子》五千文为经典，神化老子的趋势由此愈演愈烈。晋人葛洪开始称他为老君，说他"身长九尺，黄色，鸟喙，隆鼻，秀眉长五寸，耳长七寸，额有三理上下彻，足有八卦，以神龟为床，金楼玉堂，白银为阶，五色云为衣，重迭之冠，锋铤之剑，从黄童百二十人。"其身世也被信徒神化，有的说其母感大流星而有娠；有的说老子先天地而生；有的说他是天的精魄；有的说其母怀他72年始降生于左腋，出生时头发就白了，所以称为老子；有的说他在远古各个历史时代都化身出世。这些曾经被认为是"不可据"的说法，被道教全盘吸收并加以丰富，认为老子与元始天尊一样乃是宇宙生成之本源。南北朝时，北魏开始出现"太上老君"的称号。但南朝梁陶弘景所编《真灵位业图》中，老子的地位则很模糊。他以元始天尊为众神之首，以太上老君为太清道主，位居第四，第三阶却又有"太极金阙帝君姓李"及"老聃"。唐朝因自认与老子同姓，遂自高祖以下历代皇帝均尊崇之，累加封号，玄宗天宝十三载加号为大

圣高上大道金阙玄元皇帝，各地立玄元皇帝庙。可是唐朝以后，其地位日益下降，除宋真宗尚尊其为混元皇帝之外，老君只能位居三清之末。作为三清之一，太上老君多被设宫观奉祀。由于其号"太清太上老君"，故主祀他的宫观称太清宫、太清殿、老君殿、老君庙。俗传夏历二月十五为太上老君诞辰。俗称道诞。《宋史·礼法》载：宋徽宗迷信道教，在政和三年（公元1113年）定二月二十五日太上混元上德皇帝（即老君）的生日为真元节。这天，一般道观要设醮作法，甚至演化成庙会。清潘荣陛《帝京岁时纪胜·道诞》记北京此俗云："（二月）十五日为太上玄元皇帝诞辰，禁止屠割。太清观各道院立坛设醮，谈演道德宝章。"

井神　井在古代属于门、户、灶、行、中霤等五祀之一，但历来地位不显，与门神、行神不可同日而语。先秦以后，人们相信井水与江河海湖等一样都有龙居住其中，据说古井中常有龙吼。又据《太平御览》卷189引《白泽图》："井神曰吹箫女子。"井神也有两尊的，一叫井水公，一叫井水妈，被供奉在井旁的神龛之中。

无常鬼　民间相信，人之将死时，阎王要派勾魂鬼去勾魂摄魄，因此叫无常鬼，有黑无常和白无常两种。这种信仰来自佛经，所说阎魔法王手上有阎魔卒，一是夺魂鬼，二是夺精鬼，三是缚魄鬼。无常鬼一般被描绘成素衣高帽、长发、口吐长舌模样。

仓神　又称廒神、仓王或仓官,是粮食商人和守粮仓的官吏士兵的保护神。所奉仓神或指韩信,或指萧何,或指刘晏,也有只称仓神的。北京仓神庙中所奉为一王盔龙袍的英俊青年,人称韩王爷。旁边还有配祀的掌升斗之神、大耗星君。北方一般把正月二十三日称为"小添(填)仓",正月二十五日称为"大添(填)仓"。每到"大添仓"日即仓神生日,粮商、仓官要燃放鞭炮,祭拜仓神,同业还要聚会,唱戏娱神。是日粮行开始籴粮,以求"财谷丰盛"。一般民众也要饱食一顿并购买家常日用之物,以求吉利。

勾芒　古代传说中主木之官,又为木神名。根据古代的五行理论,春季是木盛的时候,所以《礼记·月令》说,孟春之月,"其帝大皞,其神勾芒。"《山海经》载其形象为"鸟身人面,乘两龙。"在立春时,官吏到东郊行出春牛之礼,以此来劝农时,常常由人扮作春神勾芒,牵牛或驱牛前行,其前后顺序和是否穿鞋,在农民看来关系农耕早晚和水旱丰涝。

风伯　又称"风师",司风之神。古代中原以为箕星或荧惑星主风,南方则创造出雀首鹿身,长毛有翼的飞廉为风伯。秦汉以后,两者在国家祀典中统一起来,唐宋以后又有了封姨、方天君等传说。风伯在民间的形象是一白须老翁,左手执轮,右手执箑,若扇轮状;亦有手持喙(风袋)者。在古籍中,飞廉作为风神很早即有记载,屈原《离骚》即有"前有望舒使先驱兮,后飞廉使奔属"的句子。风伯无专庙奉礼,平时的祭奉也较少。

风水先生　民间称专门为人选择宅基、墓地的人为"风水先生",又叫"地理师"、"阴阳生"、"堪舆家"。人们认为住宅或墓地的地脉、风向、水流的好坏会影响家族的兴衰,因此必须请专家相看,看墓地称"选阴宅",看宅基地称为"选阳宅"。风水先生的主要工具是罗盘。旧时,为人看风水基本上形成为一种职业,同业者有其崇奉的祖师(郭筠松、郭璞、地藏王等)。现此行业已不存在,但操看风水之业者间或有之。

月光祃　又叫"月亮马子"。华北地区中秋供月时所用。据《天津志略》称:"月光祃上绘太阴星像,下绘月宫及执杵作人立形之捣药玉兔像,大者三、四尺,小者尺余。"月亮时节,妇女设月光祃,再供奉瓜果、月饼、毛豆、鸡冠花、萝卜、荷藕等,对月而拜,然后焚烧。《燕京岁时记》记此俗云:"京师谓神象为神马儿,不敢斥言神也。月光马者,以纸为之,上给太阴星君,如菩萨像,下绘月宫及捣药之玉兔,人立而执杵。藻彩精致,金碧辉煌,市肆间多卖之者。长者七八尺,短者二三尺,顶有二旗,作红绿色,或黄色,向月而供之。焚香行礼,祭毕与千张、元宝等一并焚之。"

月下老人　又称"月老"。民间传说中专司人间婚姻之神。据《续玄怪录》卷四《定婚店》记,韦固夜经宋城,遇一老人倚囊而坐,就着月光翻书,韦固问他看的什么书,答称,是天下人的婚牒，又问囊中赤绳，答称：用它来系夫妻之足，即使远在天涯或贫富悬殊，赤绳一系，也终当为夫妻。韦固又以自己的婚姻相问，后果然应验。由此月下老人被奉为职掌婚姻的神明。明王世维传奇《双烈记·就婚》云："岂不闻月下老人之事乎？千里姻缘着线牵"。月老形象也有入婚联的。后世又将媒人称作"月老"。

牛郎织女　传说中的仙女和农夫，亦为民间奉祀主婚姻美满之神。牛郎、织女本为星宿，即牵牛星和织女星，二星以银河为界，遥遥相对。在《诗经·小雅·大东》篇中已有对牛郎星和织女星的歌咏，但并没有具体情节。到东汉末年的《古诗十九首》中的"迢迢牵牛星"一诗牛女故事的大致情节已基本形成，而其完整记录最早见于任昉的《述异记》，大意是：银河东边的织女是天帝孙女，长年织造云锦，天帝可怜她独处，将她嫁给河西牛郎，婚后中断织造，天帝怒责，令她回归河东，只许每年七月七日相会一次。这个传说后来情节越来越复杂，演变得与董永遇七仙女的故事很相似。这个以悲剧性结尾闻名的传说实际上是古代秋季水边被禊节中男女自由交往习俗在星辰神话中的折射，它的核心是性生活与生产活动的冲突及两者的妥协。牛郎、织女传说与传统家庭信念吻合，又可寄寓婚姻美满之吉，故被人奉为神明。旧时有的地方筑有织女庙，供织女；如今台湾的"情人庙"则牛郎、织女合供。俗传七

月初七牛、女隔河相会，民间有童子乞文，少女乞巧之举。其俗初六少女要"拜仙"，初七童子"拜牛郎"。《中华全国风俗志》云："初六日夜初更时，焚香燃烛，向空礼叩，曰迎仙。自三鼓以至五鼓，凡礼拜七次，因仙女下凡七也，曰拜仙。……初七日，陈设之物仍然不移动，至夜则礼神如昨日，曰拜牛郎。此则童子为主祭，女子不与焉。"

斗姆　道教所说的众星之母，又名斗姥。道书称，斗姆为北斗众星之母。据《北斗本生经》说，周御国王妃子紫光夫人一胎生九子，长子为天皇大帝，次子为紫微大帝，七幼子则为北斗七星，名叫贪狼、巨门、禄存、文曲、廉贞、武曲、破旱。紫光夫人因生九子有德，被封为"北斗九真圣德天后"，又称斗姆，其象三目四首，左右各四臂，正中两手合掌，其余分别执有日、月、宝铃、金印、弓、戟等。斗姆一般奉祀在斗姆宫、斗姆殿。民间认为，只要诚心礼拜斗姆，念诵其名号，就能消灾免祸、延寿获福。又传夏历九月九日是斗姆星君诞辰，从八月初一至初九或初十持斋茹素称"九皇素"，各道观的纪念、享祀活动称"九皇会"。《帝京岁时纪胜·九皇会》云："九日各道院设坛礼斗，名曰九皇会。自八月晦日斋戒，至重阳，为斗姆诞辰，献供演戏，燃灯祭拜者甚胜。供品从鹿醢东酒、松茶枣汤，炉焚茅草，云蕊真香。"（参见"礼斗"条）

方相　古人认为有驱鬼能力的一种鬼。方相主要用于大傩时驱鬼和

出殡时护枢，为墓穴逐鬼。其形象为"蒙熊皮，黄金四目，玄衣朱裳，执戈扬盾。"(《周礼·夏官》)后来主要用于护丧，演化成开路神和险道神。明代传说中，将方相看作是黄帝部下的长人，封为阡陌将军。《封神演义》中则谓纣时武将方相、方弼分别被封为显道神、开道神，为送殡队伍伍之先导。

文昌帝君 旧时主科举文运之神。文昌神始为星辰崇拜。《史记·天官书》载：斗魁附近有六星，名文昌宫，其星分主人的文运、禄命、灾祸等事。至汉时已开始人格化，为民间敬奉，后来司命寿之神越来越多，其神渐渐不显，民间也不再信仰。唐宋时，科举开始成为朝廷取士命官的主要方式，四川梓潼地方的保护神张恶(垩)子开始受到士子崇拜，影响逐步及于四川之外，各地皆有庙祀。民间传说中梓潼神本是蛇精，由于他经常显灵，"凡禳灾祛沴，祷雨祈嗣，有感必通"(《历代神仙通鉴》)加上据说唐朝皇帝避乱蜀中时该神曾加以护佑，故此累次受封，宋代称为英显王，影响渐大，而其神性至宋朝力倡科举之时，便集中于主管文运了。很多传说都认为他能够通过扶乩、托梦显示祷祀者的科名前途。传说其生日在二月三日，出驾时乘白骡，有天聋、地哑二童子相伴随，以防天机泄漏。鉴于他的巨大影响，道教将其改造，与古时的文昌神相合，元代封为"辅元开化文昌司禄宏仁帝君"(简称文昌帝君)，正式列入国家祀典。其庙祀也遍及各地，其

庙称文昌宫、文昌祠、文昌阁。在梓潼神专主文运之后，他的座骑白骡子也颇显灵异，在北京的东岳庙里，人们抚摸它以治愈疾病。俗传二月三日文昌帝君诞辰，时有享祀活动。(参见"文昌庙会")

文昌庙会 民间传说农历二月三日是文昌帝君诞辰，士子们一般都到庙中或道观中有文昌殿的地方去礼拜，并演戏酬神。有的地方平时只拜魁星，而到了科举中则重祀文昌帝君。有的家塾里，在三日这天，让儿童习字作文，以取吉利。在清代，不仅士庶奉祀，朝廷也要在这天派遣大臣前往文昌庙祭祀。此外，是日尚有惜字会，《帝京岁时纪胜·惜字会》记云："香会，春秋仲月极盛，惟惜字文昌会为最。但于文昌祠、精忠庙、金陵庄、梨园馆及各省乡祠，献供演戏，动聚千人。"

文殊普贤 佛教寺庙中释迦佛像旁的左右二胁侍菩萨。文殊全称"文殊师利，"又译作"曼殊室利，"义为妙德、妙吉祥；普贤全称"三曼多跋陀罗"，又译作"遍吉"，义为行一切善。文殊头顶有五髻，象征大日五智，手持剑，驾狮子，专司"智慧"，表"大智"；普贤则骑六牙白象，专司"理德"，表"大行"。文殊普贤其始皆非女相，至宋代以后塑像都变成女身女相了。民间传说，五台山是文殊菩萨的显灵道场，峨嵋山则是普贤菩萨的显灵道场。北魏时，五台山就建有奉祀文殊的佛寺，唐代时文殊信仰达到顶峰，现已式微。由于文殊司智慧，故为知识阶层所信仰。普贤

寺则在晋代于峨嵋山始建。

龙王　龙本为古人幻想出来的一种神物，其功能之一便是降雨，汉代祈雨时就要用土龙。自佛教传入之后，佛经中龙王兴云布雨的说法与古人龙能致雨的观念相结合，龙王信仰开始取代水神或与之并列。唐宋以后，凡江河湖海，渊潭塘井都有各自的龙王，主管水旱丰歉，一些人鬼因而跻身龙王之列。古来龙王不只一位，其名目有诸天龙王、四海龙王、五方龙王等。旧时，我国有水的地方几乎都有龙王庙。平日香火祭果奉祀，遇水旱之时，更要"领牲"以祀，祈雨或是祈晴。

术数　又称"数术"，古代方术之一类。术即方法，数即气数。术数就是用阴阳五行生克制化的数理推测个人或国家的命运吉凶。《汉书·艺文志》将天文、历谱、五行、蓍龟、杂占、形法等六方面的图书归入术数类，并说："数术者，皆明堂羲和史卜之职也。"后世则把与之有联系的星占、卜签、六壬、奇门遁甲、命相、拆字、起课、堪舆等统归于术数。术数之学古代颇为流行，尤其为统治阶级所重视。《三国志·吴范传》云："募三卅有能举知术数如吴范、赵达者，封千户候……"。

打鬼　与汉族傩仪作用相同的信奉喇嘛教的蒙藏民族所进行的驱鬼活动。藏族称"莫朗木多"，意为"传召送鬼"；蒙族语称为"跳布扎"，意为"驱魔散祟"。举行日期一般在岁尾年初。如北京的三大喇嘛庙黄寺在农历正月十五日、黑寺在二十三

日，雍和宫在三十日。藏族则在藏历正月旬至二月初。其过程一般是戴面具或化妆的僧侣与扮演的鬼怪争斗，模拟性地将其打败，驱逐、或焚烧。擒鬼者多为佛，以宣扬佛法广大。《中华全国风俗志》记蒙古风俗：正月"十五日或十八日为大喇嘛庙会期，行跳鬼与唱戏。至庙期，喇嘛饰以龙头鹿角等假面具，衣彩色衣，手执武器、铁器或木器，械斗歌跳，即吹喇叭、鼓铜锣者亦除其面，望之不似人形，故曰跳鬼。"

打醮　醮仪本是古代中国的一种在土筑高坛上祭祀的仪式。醮即祭祀之义。《高唐赋》云："醮诸神，礼太一。"后来成为道教专用的仪式，《隋书·经籍志》载："又有诸消灾度厄之法，依阴阳五行数术，推人年命书之，如章表之仪，并具贽币，烧香陈读，云奏上天曹，请为除厄，谓之上章。夜中于星辰之下，陈设酒脯饼饵币物，历祀天皇太一，祀五星列宿，为书如上章之仪以奏之，名之为醮。"醮仪的基本程式一般为设坛、上供、烧香、升坛、礼师存念如法、高功宣卫灵咒、鸣鼓、发炉、降神、迎驾、奏乐、献茶、散花、步虚、赞词、宣词、复炉、唱礼、祝神、送神等等。旧时民间多为消灾祸请道士打醮，明代以后，为迎合群众需要，道士们吸收佛教法事仪式和民间迷信及地方戏曲，创立了名目繁多的醮仪。如超度缢死者之"金刀断索"，溺毙者之"起伏尸"，死于异乡者之"追魂"以及浮厝前"招魂"，柩前"斩煞"，出殡"引丧"等等。此举解放后一度销歇，

近年又有所抬头。

东岳大帝 全称"东岳天齐仁圣大帝",指五岳之一的东岳泰山神。名山崇拜是中国古代各文化区所共有的现象,五岳独尊的出现表明了统一帝国的文化综合倾向,其中泰山神,由于其文化的深厚悠久,以及对主流文化持久的影响力,尤其受到尊崇。古代中国人的天地人三界的萨满式世界观集中体现于泰山崇拜中。泰山是东方民族上天下地沟通人、神、鬼世界的梯子、通道,即所谓万物之始,阴阳交代之所。于是,泰山不仅成为君主上觐天帝的封禅之地,而且也顺理成章地成为死人回归之所,东汉镇券中即有"生人属西长安、死属太山"之铭文。随着泰山神的社会职能不断增加,汉代泰山出现了一位人格化的"主召人魂魄,知人生命之长短"的泰山府君,至魏晋时,民间认为泰山府君掌管阴府,他有子有女,其阴府如同阳间官府。唐宋时,泰山神被封为天齐王、东岳大帝,此后,东岳庙开始在全国各地普及,俗称天齐庙,又称东岳庙。人们认为东岳大帝是商时大臣黄飞虎,助周伐纣有功,被姜子牙封为东岳大帝"总管天地人间吉凶祸福,执掌幽冥地府一十八重地狱,凡一应生死转化人神仙鬼,俱从东岳勘对,方可施行。"(《封神演义》99回)佛教传入中国后,以地藏王、阎罗王主阴府的信仰渐为民间接爱。明清时,东岳大帝与阎罗王合流,二位冥神往往并存于东岳庙中。东岳庙中还配有 75 司(或 72 司、76 司)分掌众务,各有神作司主。

东岳庙会 又称"天齐庙会"。民间传说夏历三月二十八日为"东岳大帝诞辰,"所以这天要在东岳庙举行庙会。据《宛署杂记》,北京举行东岳庙会时"集众为香会,有为首者掌之,盛设鼓乐旗幡,戴甲马,群迎神以往,男妇有跪拜而行者,名曰'拜庙'。旧时北京东岳庙每月初一、十五都要开庙,三月则从十五起开半个月庙,到二十八日最盛,叫"掸尘会"(《燕京岁时记·东岳庙》)。东岳庙会以华北、东北地区为最盛,江南亦有,《中华全国风俗志》记杭州此俗云:"三月二十八日,俗传为东岳齐天圣帝诞辰。杭州行宫凡五处,而在吴山上最盛。士女答赛拈香,或奠献花果,或诵经上寿,或枷锁伏罪,法音嘈嘈竟日。"

玉皇上帝 民间信仰中的最高神,亦称"玉皇"、"玉帝"。在早期道教文献中还没有玉皇上帝为至高神的概念,陶弘景《真灵位业图》中,玉皇、玉帝都排名靠后,为三清之一元始天尊所统。唐代,玉皇、玉帝之称开始泛滥,成为道行高深者的泛称,唐代诗人也经常吟咏玉皇、玉帝,描绘其至高无上的地位。而民间很久以来便已存在的对天翁、张天帝的信奉此时与之逐步合流,玉皇则俨然已如人世皇帝。宋时,玉皇成为国家奉祀对象,与传统的昊天上帝合为一体,宋徽宗为其上尊号曰昊天玉皇上帝。但此后玉皇上帝又被摒除了官方祀典,只有个别皇帝自己奉祀。但在民间传说中,玉皇上帝则是总管三界十方，神鬼世界的昊天金阙玉尊玉皇上帝。道教承认了玉皇地位的变迁，并编造了以释迦成佛故事为蓝本的光严妙乐国太子修道功成，始证金仙，号清净自然觉王如来，以后位证玉帝的故事，但三清仍是道教的最高神。

布袋和尚　相传是五代后梁时僧人，名契此，号长汀子，浙江奉化人。常以杖背一布袋，随处偃卧，形如疯颠，能知人祸福。当他在明州岳林寺坐化时，说偈道："弥勒真弥勒，分身千百亿。时时示世人，世人自不识。"人们听后，认为他就是弥勒佛的化身，所以就到处塑造这个笑口常开、袒胸叠肚的胖和尚像，以此代表弥勒佛，弥勒佛的真形象反倒因此不显。民众认为布袋和尚的肚子颇灵应，摸一下就可以消灾免祸、确保平安。另有"送子弥勒"，即在布袋和尚的身边加几个嬉戏的小儿，称"五子戏弥勒"。观在，布袋和尚的塑象仍随处可见。

占卜　占卜术是古人为预知事物发展的过程及结果而采用的一系列方法和技术的总称。占为观察征兆以预测之义，卜指以火灼龟壳。占卜的起源很早，如今人们所看到的甲骨文就是商周时期古人问卜的纪录；专门掌握占卜事务的官员在上古时期曾经具有很高的地位，他们是古代社会中知识的纪录者和拥有者。进入封建社会后，占卜者的地位随着人们文明程度的提高开始逐步下降，但是占卜术仍然不断丰富自己的内容，成为中国封建文化中独特的一支。以《周易》为代表，中国人发明了各种各样的占卜法，如六壬、文王课、骨卜、奇门遁甲、求签、卜卦、金钱课、测字、圆梦、相术、扶乩以及占星、风角、望气等。

叫魂　又称"喊魂"、"叫儿魂"，主要施于有病的儿童。人们相信儿童有病是因为魂灵不附体，故而要将其招回。具体作法各地有差异：孩童若惊哭或发烧，家人则称小儿衣履，以秤杆衣之，一人张灯笼，一前一后，一人呼小儿名，一人应答以"回来吧，"至某处，则象征性地张开衣服，随即夹于腋下，高叫小儿名及"回来吧"，便返回，至家中将衣履穿在小孩身上，再呼应一遍，就认为灵魂已经回来。叫魂者多数是母亲。浙江地方，叫魂由母亲抱小儿至河边街巷，与随行者一问一答地叫魂，上海和苏南地区则用一碗清水是否在呼叫过程中起泡来判断魂是否叫回。

电母　又名"金光圣母，"从雷神信仰中分化出来的司闪电之神，原来可能是男性神，但作为雷神的配偶，自宋代以后，一般看作女性。她两手执镜，形貌端雅，民间称作电母秀天君。俗传闪电即由其所持镜中发出。

瓜祭　以瓜祭祖，实际上是一种尝新祭。每年瓜熟时都要先进献于祖宗。《礼记·王藻》："瓜祭上环。"孔疏："瓜祭上环者，食瓜亦祭先也。"

礼斗　崇拜南斗与北斗及斗姆等的风俗。北斗七星由于它在制定历法上的重要作用,很早就受到崇拜,其功能也随之扩展到主州国分野、年命寿夭、富贵爵禄、岁时丰歉方面;而与其相对应的二十八宿之斗宿——南斗也因之共同受到崇拜。在东汉末便流传着南斗注生,北斗注死的说法。后来由于北斗注死的信仰无法与其他主阴间的大神信仰抗衡,遂转向主管生辰,以为只要虔奉本命辰之星即可获神佑。南斗星君崇拜后亦不甚彰显,其庙民间称为"延寿司",唯南方较为盛行。礼斗(亦称拜斗)之举在宋代即已有记载。《东坡志林》云:"绍圣二年五月望日,……请罗浮道士邓守安,拜奠北斗星君。"道家以夏历九月初一至九日为礼斗之期,一般是摆列香案,供献三牲,诵经之后,则献演佛教戏剧。

出巡 旧时敬神并通过神的巡游来保障一方平安的仪式。主要的出巡神是城隍神,还有象关帝、东岳大帝及其他地方神等。出巡的队列基本上仿照官府出行的模式,只是前边有僧道开路,后边才是执事。在巡游队伍中除了行香祈祷或作出各种伤残肢体的行为以求神佑的信徒而外,有时还有各种文艺表演,用以娱神。《帝京景物略》记东岳大帝出巡云:"帝诞辰,都人陈鼓乐、旗帜,楼阁亭彩,导仁圣帝游。帝之游所经,妇女满楼,士商满坊,肆行者满路,骈观之。帝游聿归,导者取醉松林,晚乃归。"

民间宗教 下层群众所信奉的未得到官方承认的、形式较为简单的宗教。中国的民间宗教以兴起于唐宋时的白莲教最为著名、持久。民间宗教一般都是吸收佛、道、儒三教的某些教义,学说、仪轨、戒律,又借助民间迷信思想如梦兆、显灵、扶乩之类构成各自教义。一般以通俗易懂的宝卷形式宣传自己的教义。民间宗教仪式简明,其教义又适合下层群众的心理和生活需求,故而历千百年而不衰。自张角太平道起,历代农民起义都曾借助民间宗教来团结、约束民众,如天理教林清于嘉庆年间的起义、光绪年间的义和团运动。但后来民间宗教在新的历史条件下,则退化为反动组织,如一贯道、九宫道等。他们与军阀、日寇和国民党反动派沆瀣一气,疯狂进行反共反人民活动,其反动性日益显著,故解放后,这些反动会道门均被人民政府取缔。

民间信仰 与官方信仰相联系的,却很少受到官方承认的,不成体系的以及往往是不成文的世俗信仰。民间信仰没有统一的教义、教团组织、行教场所。就中国来说,民间信仰是一个以民众日常生活需求为核心的驳杂的信仰丛体,其中既有远古神话和原始信仰的影响,又有伴随社会发展而产生的民间独创。其主要特点:一实用性,即功能性,中国的民间信仰总是围绕着人们自身生存以及维持生存所必需的条件发挥作用。人要有后代,遂创造出观音、碧霞元君、人祖等用来祈子,尤其是祈求男子的神;人须获取食物,则崇拜土地神、五谷神、沟渠神、江河神、龙神、雨师，并作法求雨；人有生老病死，则送瘟神、行大傩礼、拜药王、行巫术、作祈祷、厌胜。二是包容性，民间信仰不是以单一信仰为主干，而是将官方的、外来的各种宗教观念、神祇融汇于一炉，还有多种巫术、迷信信仰如占卜、相面、看风水、占梦等在内的驳杂丛体。如地狱的主宰就有中国的土产如东岳大帝、城隍神和外来的神灵如阎罗王、地藏王，他们并驾齐驱地行使着职权。三是世俗性，超越现实生存境界的信仰对于中国民众来说是难以想象的，上帝的圣洁、原罪的救赎不存在于他们的头脑中，他们只会按照尘世的方式同神鬼作交易，通过祭祀来贿赂鬼神，通过符咒来驱使鬼神，通过咒诅、破坏偶像和庙宇来谴责鬼神，以此来避灾免祸。

进香 向神祇或祖先焚香致敬，亦特指信徒朝拜某座神山或著名庙宇的朝拜活动，又叫"烧香"、"上香"。宋赵升《朝野类要·进香》："北宫圣节及生辰，必前十日车驾诸殿进香。"朝山进香之俗旧时十分盛行，佛道名山进香者络绎不绝；民间于家中则主要向家神、祖先进香。此俗现仍十分盛行。

厌胜 古时民间的一种巫术，认为能够通过咒语、巫蛊、画符、作法术念咒下镇物等方式来制服人或物。《汉书·匈奴传》下："元寿二年，单于来朝，上以太岁厌胜所在，舍之上林苑蒲陶宫。"古时厌胜又根据方式不同而分作厌当、厌魅等等，广泛适用于社会生活的各个方面。现在，

这种迷信风俗仍有一定残存。

求签 民间占卜的方式。旧时寺庙多制竹签，上书编号，插于竹筒内，放置神案上，以备进香者问卜。求签者祈祷之后，持签筒摇动，或自取一支，或视其自筒中掉落者，依其编号至司签者查阅签书，据签书所言推断吉凶。签书多由旧诗拼凑而成，分为上、中、下三等，有吉有凶，大多是一些含糊话语，视解释者如何理解而定。签占之法自五代时便已出现，除一般占问吉凶而外，僧道寺观还根据人们的需求，设有内容各有侧重的签占，如观音签、关帝签、吕祖签等。吕祖药签细分为男科、妇科、幼科、外科等目。至今一些庙观仍设神签供人求卜。

机神 纺织业的行业神。苏杭一带纺织业发达，城中建有机神庙，供奉褚载和东汉时科学家张衡。前者是由于褚载始将纺织技术传授于当地人，后者则因其擅长机械工艺，曾造过地动仪。张衡之外，纺织业还供奉黄道婆。黄道婆又称黄婆，民间也叫她黄母、黄娘娘、黄道仙婆、黄小姑。她是元代有名的纺织能手，技艺高明；又传她曾把海南崖州黎族人民的纺织技术传给了家乡，所以被奉为这个行业的祖师。民谣有云："乌泥泾庙祀黄婆，标布三林出数多。衣食我民真父母，千秋极赛奏弦歌。"

动物兆 一种前兆迷信，将动物的行为看作事物发展过程和结果的前兆。如一般都认为乌鸦叫是凶兆，喜鹊叫是吉兆。古人还创造出一些

象征祥瑞的神异动物,如龙凤出现,赤雀衔书,象狮子一样的白泽、麒麟等等。动物所呈现出的异象就更为古人所关注,白鱼、白狼、白雀、白鹿、白虎都象征着吉祥;而母鸡打鸣、鸡狗生角、狗与豕交等都是凶兆。不过;有些前兆是有科学依据的,如燕子低飞、蚂蚁搬家为下雨之征等天气预兆就是。

西王母　古代神话中著名的女神,又称"王母娘娘"、"王母"、"金母"、"西姥"。其原始形态,据《山海经》记载,是位"其状如人,豹尾虎齿而善啸,蓬发戴胜"的半人半兽神,主管瘟疫和刑罚。在战国时,她开始成为人神,并掌握着不死之药。西汉末年民间盛行西王母信仰,西王母在传说中成为一位白发苍苍、长生不死的仙女,并与帝王相往来。随后她又与东王公相偶,变成道教尊神元始天尊之女,群仙之首,年仅30,天生丽质。唐以后人们又为她安上姓名,杨回或何婉妗。玉皇大帝信仰出现后,西王母又与之相匹配,称为王母娘娘。西王母在民间是长生的象征,她掌握着令人长寿永生的不死之药和仙桃。对西王母的奉祀从西汉兴起以后长盛不衰,奉祀她的蟠桃宫遍及全国。王母名号及其形象常见于祝寿等喜庆活动和日常器物。俗传三月初三为西王母的诞辰,其间在蟠桃宫庙会。清杨敬亭《都门杂咏》竹枝词咏其盛况云:"三月初三春正长,蟠桃宫里看烧香。沿河一带风微起,十丈红尘匝地扬。"

地狱　亦称"阴间"。指人死后灵魂受苦的地方。与天堂相对,将善恶生死分处两地的观念,多数宗教都有。在中国,古时人们相信人死要归于地下黄泉,战国楚宋玉《招魂》中将地狱称为幽都,有土伯把守。受齐鲁文化影响,两汉是人们相信人死后要回归圣山——泰山,泰山由泰山府君管辖,后来演化为阴间的主宰东岳大帝。由于佛教的传入,道教的兴起,地狱的主人变得叠床架屋起来,有城隍、阎王、地藏王等,地狱的组织形式也愈来愈像阳间的官府。有所谓72司,有判官、小鬼作执事,阳间的刑具也搬到了阴间。基督教传入后,又为中国的地狱增加了新的成份。

地藏菩萨　佛教传说中的阴间主宰,梵语为"气叉底蘖婆",地藏为意译,义为如大地一般,有无数善根。据《地藏菩萨本愿经》上说,释迦命地藏大士永为幽明教主,使世人有亲者都得报本成佛。地藏发誓,必须尽渡六道众生,方始成佛,因现身人天地狱之中,救众生苦难。佛教徒认为,九华山是地藏菩萨显灵道场,夏历七月三十日是地藏主诞辰,届时寺庙多举行法会,礼忏诵经,街巷到处燃香火莲灯。民间多以为地藏即救母之目连,夏历七月十五日盂兰盆会即因目连而设,也有的认为地藏原是新罗(古朝鲜)王族,来中土九华山坐化为菩萨。地藏菩萨在99岁时入火,肉身不坏,筑于塔中。佛教寺院供奉的地藏菩萨像,常是一幅比丘装束,右手持锡杖,表示爱护众生,也表示戒律精严;左手持如意宝珠,表示要使众生愿望都得到满足。

虫王　民间信奉的驱蝗之神。蝗虫为农作物之大敌,故蝗害地区皆有各自的蝗神。但自明清以来刘猛将军以灭蝗卓异,受到广泛信奉,而刘姓将军究为何人,其说不一。其中南宋名将刘锜最受崇奉。虫王对农作的丰歉有极大的左右力,故旧时亦设庙奉祀。李景汉《定县社会概况调查·信仰》云:"虫王庙里供的是虫王爷。农民信他管辖一切虫类。乡间闹蝗灾的时候,乡民成群打伙的到虫王庙里烧香叩头,求虫王保佑自己的庄稼。有时乡村连年闹蝗虫,乡民就要给虫王搭台演戏,求他把蝗虫收回。如果多少年不闹蝗虫,乡民也有办武术会、竹马会的,在村子里敲锣打鼓玩耍一天,为的是酬谢虫王。享祀虫王的活动以其生日为最。(参见"虫王庙会"条)

虫王庙会　民间享礼虫王的活动。东北民间认为夏历六月六日是虫王生日,届时农民多聚会于虫王庙、土地庙,宰猪羊供奉虫王,祈求免除虫害,父老相聚欢饮,并成立青苗会,约定看护青苗乡规。也有的地方在田中遍插小旗,以祈求丰收。黑龙江《宁安县志》:"乡间农民恐虫蝗害稼,均于六月六日集资杀牲,以报赛虫王。"北京此项活动则在六月二十二日:"二十二日,俗称虫王生日,相传虫王为掌管虫蝗之神。北京西郊各农圃,多于是日祀之。"(《北平岁时志》)

吕洞宾　被尊称为"吕祖",因全真教奉他的纯阳祖师而得名,为八仙之一。姓吕名岩(喦),字洞宾,号纯阳子,蒲州永乐县人(一说京川人,京兆人),生于唐末。相传,生有异相,咸通三年,64岁时因两举进士不及弟,于长安遇钟离权,经过黄粱梦及其他十次考验,始受大法及仙人宝剑。吕氏以"神仙侠客"面目出现,又兼外貌潇洒,性格幽默,颇受民间拥戴。宋徽宗始封为妙通真人,元代封为"纯阳演政警化孚佑帝君",后又加封为纯阳帝君。吕洞宾传说始于宋代,故又有宋时生人之说。其传说衍化为戏曲、小说,诸如《吕洞宾三醉岳阳楼》《吕洞宾三戏白牡丹》、《吕洞宾飞剑斩黄龙》、《吕祖全传》、《吕仙得道》等。吕洞宾是八仙中最突出的一个,其金身除与其他七仙合祀以外,还有单独的吕祖庙,并且旧时几乎各地所有的大城市都有吕祖庙。现存如山西芮城的永乐宫(大纯阳万寿宫)。俗传吕洞宾生于夏历四月十四(一说十三),故此日俗称"神仙生日",对其奉祀尤盛。(参"吕祖庙会"条)

吕祖庙会　俗传八仙之一的吕洞宾生于夏历四月十四日(一说十三日),届期民间,道观皆有纪念、享祀活动,称吕祖庙会。吕祖庙会主要活动集于吕祖庙,其活劲除享祀、祀祷外,一般还多取吕祖庙的香灰,称"炉药",俗传能包医百病,也有求签问卜的。《中华全国风俗志》记浙江湖州此俗云:"四月十三日,游云巢山。上有吕祖庙,是日吕祖诞期,善男信女,结队成群,赴山烧香者有之,一般好热闹游览者亦有之。"又,浙江吴中"四月十四日为吕祖诞,俗称神仙生日。食米粉五色糕,名神仙糕。帽铺制垂钹帽以售,名神仙帽。"

吊天灯 防止眼病的一种巫术。在南方,农历正月十三日开始,有人在三叉路口竖起灯杆挂灯笼一盏,每日黄昏前去敬香点烛,供祭"青神"。将满一月时,向邻舍讨"愿头米",并将它做成年糕或米饭,在满月时再祭"青神",随后将供品分发给邻舍孩子吃,以为可保眼睛不生病。

肉身灯 亦称"烧肉香"、"祭肉香"、"身灯。"信徒通过自残肢体以求福佑或避免灾病,这种行为多出现于庙会上。在迎神出游的队伍中,有的人将香炉或油灯挂在赤裸的身体上,随队前行;也有用针刺臂,穿线系香的。这种习俗在各地都有,以江浙等地为盛。

兆 指古时以龟甲兽骨占卜时,占卜者用火灼烤甲骨时所呈现出的裂纹,占卜者根据裂纹预言吉凶。《说文解字》:"兆,灼龟坼也,"后来将一切预示后来发生的事情的征象,都称为兆。可以看作预示征象的兆有很多,星相、人体、动值物、梦幻、气象甚至民谣都可以成为兆。

自然崇拜 在原始社会中,人们认为自然界的一切都是有生命的,并具有神奇的能力,它们能够对人施加影响,所以向山川海河、动植物乃至非生物表示敬畏,求其保佑和降福。在古代中国,直到文明高度发达阶段,自然崇拜仍很盛行,在国家

祀典中,五岳四渎、日月星辰、天地都按时受到祭祀,各地方也祭祀各地的山川神。对猪马牛羊等人类赖以生存的动物,对虎豹等猛兽、对幻想中的龟、凤、麟、龙等神异动物,以及对灵芝等奇花异卉的崇拜一直都广泛地存在着。在非生物中,玉的崇拜及其所派生出的一系列文化制度,成为中国文化独特的一部分。

江神 长江水神。长江是古人所称四渎之一,在统一的封建王朝确立后,它受到统一的奉祀,唐以后被封为广源公、广源王。在民间,由于地域差别,长江水神一直没有统一的信奉实体。四川地区先是将奇相奉为神,荆楚地区则是湘君、湘夫人,江浙地区则是伍子胥,唐代以后古人将长江分为三段,在马当、采石、金山三处设庙祭祀,并在宋代受封。明代前后,屈原、柳毅也都被尊为江神。佛教传入中土以后,龙王信仰不仅适用于大海,亦波及江、河。

刘海蟾 传统俗神,曾为民间传说中的八仙之一。一般认为,他本名操(一说名哲),五代时人,曾为燕王刘守光相,后随汉钟离、吕洞宾学道,号海蟾子。也有的说他是辽代进士,仕辽为相。全真教奉其为北五祖之一,元时受封为明悟弘道真君。民间因其号有蟾字,于是或以为其形为蟾,又有"刘海戏金蟾"的故事。通常他以一个脚踏蟾蜍,挥动铜钱的青年男子形象出现。刘海蟾的形象与金钱有关,故被民间当作主财货的神明奉祀。民间年画的"刘海戏金蟾"有画成两幅的,分别题写"招财

童子至,利市仙官来",含有祝吉求财的意思。民间又有"刘海戏金蟾,步步钓金钱"的俗语,因此又有"刘海戏金钱之说"。

产房忌 关于生育、产房的禁忌,流行于各地和各民族。产房忌指向两个方面,一是妨碍他人的,一是妨碍产妇和新生儿的。古人认为,遇到刚刚分娩的妇女是不吉利的,产妇不能在家中生产,要在处边搭盖的小棚中居住到小孩满月才能回家。古时又以为产妇应在婆家分娩,若在娘家则令女子不吉、娘家败落。另一方面,产房外贴红纸或挂红布条等,不许生人进入,谓进产房会使婴儿抽风而死,名曰"踩风";尤忌带金属器皿进入,以为会使产妇无奶。

许愿还愿 汉族崇拜神祇的一种方式。当人们有某种要求时,就在祈祷时向神许下诺言,表示当神满足了自己的要求之后,就要以"重塑金身"、"唱戏说书","为庙宇捐献钱财"等酬神,这一过程,就是许愿与还愿。《万全县志》载:"四月十八日俗为奶奶庙会,各地住户皆到奶奶庙,焚香送供以及历年所许之愿物,如替身、鸡羊、纸花、椽檩等,为子孙祈福,多加保佑。年满12岁者,必亲到庙焚香叩头,谓之'扫愿'"。

关圣帝君 简称关帝,又称关公,即三国时蜀国大将关羽。他在与吴国争夺荆州的战争中战败而死,被追谥为壮缪侯。当时虽已有人在湖北当阳县的玉泉山立祠奉祠,但自魏至唐,并未有很大影响。至宋代,关羽始被封为真君,宣和年间,宋徽宗封为武安王,配祀武成王姜太公,始列为国家祭典。元朝时仍封王,明初复降为侯,至万历年间,被封为三界伏魔大帝神威镇远天尊关圣帝君。佛道两家也竞相神化他,佛教将他作为护法伽蓝,道教则拯其前身为雷首山泽中之老龙,并有假托关羽的《关帝觉世真经》、《关帝明圣经》等通俗劝善文出笼。至清代初期,关羽庙宇已遍及全国城乡,庙中除关羽外,有关平、周仓配祀。关羽之影响甚至波及海外,日本、东南亚等地华人社区都有关帝庙。现存最大关帝庙在关羽家乡解州(今山西运城),其规模与孔庙相埒。关帝之所以能在封建社会各期达到与孔夫子并称为文武二圣人的地位,并且成为人们敬奉的财神,司命禄,佑选举、治病除灾、驱邪辟恶、诛剪叛逆、巡察冥司等,关键在于他所体现出的"忠义"精神,成为符合封建社会各阶层利益和道德标准的楷模。统治阶级利用他号召人们效忠于皇帝,下层社会、江湖人士则崇敬他的江湖义气,五行八作则推崇他讲信义,因此,关羽自宋以后一跃而为炙手可热的人神之首。

关帝庙会 关羽被统治阶级逐级加封,捧到吓人高度而后,全国各地到处都有关王庙、关帝庙、关庙、武庙等各种奉祀关羽的庙宇。民间传说,夏历五月十三日是关帝的生日,又是"关公磨刀日",忌动刀砧,当天必然有雨。因此称为"天降磨刀水",亦称"雨节"实际上有乞雨之意,民谚说:"大旱不过五月十三"即本于此。每到此日，各色人等都要去关庙中拜祷，割牲演剧，大放鞭炮。又传是日为关公"单刀赴会之期"，故称"单刀会"。关帝庙会即是以此日为主（此外尚有春节、六月二十四等）举行的纪念、享祀活动。其内容大体为：进香礼拜祷祀，"十三日乃关帝诞辰，官民祭享，演戏建醮，龙舟游舫如（五月）五日"（《中华全国风俗志·江苏六合》；演戏酬神，所演多为关公戏，如《单刀会》；进刀马，即制作大刀、纸马进关帝庙；此外尚有民间商贸活动。

阳间　与阴间相对，古人认为人有灵魂有肉体，还认为出生到死亡是在阳间，死后肉体不存在了，但灵魂还继续存在，它所寄托的地方是阴间。在阴间和阳间之间，由于灵魂是长存的，因而两种存在境界是可以沟通的。

阴间　与阳间相对。亦称"阴曹"、"地狱"、"地府"。是灵魂栖息的场所。

阴阳　中国人对宇宙最基本的两种力量属性的理解。其原意为日照的向背，后来引申为两种相互对立又相互依存的事物及其属性。古代世界观认为事物的发展变化是阴阳两种力量相互作用的结果。凡主动的、旺盛的、在上的、外向的、明亮的皆属阳，而被动的、虚弱的、在下的、内向的、晦暗的都属阴。《管子·乘马》："春秋冬夏，阴阳之推移也；时之短长，阴阳之利用也；日月之易，阴阳之化也。"在民间习俗中，婚聘、丧葬等都与这一俗信相关。此外，旧时操阴阳之术者称"阴阳先生"，简称"阴阳"。

如来佛　佛教创始人乔达摩·悉达多，佛教徒尊称其为释迦牟尼，义即释迦族的圣人。相传为净饭王太子，出生于迦毗罗卫，在今尼泊尔境内，其活动年代大约与孔子同时。他幼年受婆罗门教传统教育，因目睹社会不公、人民痛苦，遂于29岁出家，35岁时于菩提树下悟成正道，获得解脱，创立佛教。如来是释迦牟尼的十种称号之一，义为从如实之道而来，开示真理。佛教在一世纪时开始传入中国，对中国文化产生了深远影响，民间将如来佛视为佛教最高神，又尊称为"佛爷"。一如其他神仙，如来佛也被广立寺庙、大塑金身，现存供奉如来的寺庙各地都有，数不胜数。相传四月初八、十二月初八和二月十五分别是如来佛的诞生、成道、涅槃日，届期有大型的庙会活动纪念、享祀。其中尤以四月八日的浴佛会为最。

观音会　民间认为夏历二月十九日是观音的诞辰，六月十九日是其成道日，九月十九日是其涅槃日，每年一到此时都有盛大庙会。士女云集寺庵，诵经祷告，顶礼膜拜，乞求家中人口安康，早生儿子。虔诚的人还要在二、六、九三个月嗥大悲咒戒荤戒酒（见《帝京岁时纪胜》）。各地风俗不同，三个节日的重视程度也有差异，其中以二月十九日为最盛。《中华全国风俗志》云："二月十九日，为观音诞辰。士女骈集殿庭炷香，或施佛前长明油灯，以保安康。

或供长幡,云求子得子。既生子儿,则于观音座下,皈依寄名,可保长寿。僧尼建观庙会,庄严道场,香花供养。"

观音菩萨 受到中国人最广泛信仰的佛教神祇之一。又名"观自在","观世自在"、"观世音"、"观音大士",因避唐太宗李世民的名讳,而改称"观音"。菩萨是梵语菩提萨捶的简称,意思是既能自觉本性,又能普度众生。观音菩萨与大势至菩萨同为阿弥陀佛的胁侍,早期传说都认为二菩萨是兄弟,共同协助阿弥陀佛推行教化,而观世音以大慈大悲著称,佛教经典说,只要遇难众生诵其名号,菩萨就可前往解脱,故名"大慈大悲救苦救难观世音菩萨"(简称观世音)。传说观音能以33种化身救苦救难,但唐宋以后观音本像才以女性形象出现,这种变化始于南北朝。随着这种变化,观音在民间传说中也就逐步演成妙庄王的女儿妙善了。民间认为浙江普陀山是观音菩萨显灵的道场。观音菩萨除合祀外,专门的观音庙四处可见。同时,在汉代佛教中,观音菩萨的造像最多,除寺庙外,民间家庭亦多有供养。其常见的造型有杨柳观音、鱼篮观音、水月观音、滴水观音、送子观音、千手千眼观音。相传观音菩萨夏历二月十九日出生、九月十九日出家、六月十九日成道,民间和寺庙在这三个时日多有隆盛享祀。(参见"观音会")

巫术 起源于原始社会早期的一种准宗教现象。作为一种技术,施术者企图利用超自然力对客体施加影响或加以控制,以实现其目的。巫术实施者相信"在宇宙中没有什么东西不是相互影响的。"因此,英国人类学家 J·弗雷泽揭示了巫术的两条基本原理,即相似的东西产生相似的东西,那些曾经发生过接触的东西继续在一定的距离内发生相互作用。这就是巫术的两支,模仿巫术和接触巫术。用作土龙的方式以祈求下雨,就是模仿巫术;将仇人的毛发、指甲等收集起来加以诅咒以为某人就可以受到伤害,则是接触巫术。在巫术中,有的试图以积极手段去影响事物进程,有的则希望避免作某些事以免除灾难性后果,如孕妇不能吃兔肉,以免生下的孩子是兔唇,这就构成了巫术的消极方面——禁忌。此外,巫术还可以分为白巫术、黑巫术。白巫术就是有益的,对人无害的法术;而黑巫术则是一种妖术,用于干扰破坏他人所从事的事情,或使人致死,如养蛊。使用巫术的人一般是巫师,但普通人或团体也会在某些情况下使用巫术,如祈雨、逐瘟疫之类。巫师被认为是具有超自然力,能与鬼神交往的人。巫师常自称能呼风唤雨,能使人生病并为人治病,能预知吉凶,能变化自身为动植物等,能够与神灵接触或邀神灵附体,能够用符咒法物等作各种人力所不及的事。巫师通神的主要手段是通过舞蹈使自己进入迷狂状态。在中国文化的发展过程中,巫文化具有极其重要的地位,巫师是古代文化的保有者和纪录者,在夏商时代,中国建立了史官制度,史官是从巫师中产生出来的,他们掌管文书、记录历史、进行占卜,制定祭祀仪典,教授知识,对中国文化的发展起到了重要作用。

巫医　古代用祝祷、占卜等迷信方法或兼用一些药物以治病为业者。《逸周书·大聚》有"巫医"的记载。奴隶主、封建统治阶级宣扬患病是由天罚神遣,利用巫医来麻痹人民的思想。东周以后,医学日益发展,巫与医就分开,《史记·扁鹊仓公列传》有:"信巫不信医,六不治也"之说,揭露了巫医的欺骗性和危害性。巫医在科技落后、缺医少药的旧时代曾经占据了重要位置,影响极坏,危害极大。新中国成立后基本绝迹,但近年仍有复萌,应该予以取缔。

巫婆　女巫。古时巫师多为女性。《说文解字》载:"巫,祝也。女能为无形,以舞降神者也。……在男曰觋,在女曰巫。"直到现在,农村仍有巫婆在活动。

抉乩　又称"抉箕"、"抉鸾",是一种降神问卜术。其源头来自正月十五日迎紫姑习俗(参见"紫姑"条),后来在宋时日益受到士大夫崇信,变成一种随时随地举行的占卜术。乩,即"卜以问疑"之义;鸾则因神仙多乘风驾鸾而来。抉乩之法:用木制丁字架置于沙盘上,与沙盘垂直的一端,称为"乩笔"。由两人分执丁字架之一端,称为鸾手,或鸾生,口诵咒语请神下降,开始民间仅仅是请紫姑,后来由于其应用范围越来越广,则无神不降,无神不请了。当乩架因手臂抖动而开始在沙盘上画字时,便称神灵已下降。所划文字或是示人吉凶,或是与人诗词唱和,或开药方治病,无所不有。由于抉乩的木架本来是民间所用笭筛、畚箕,故又称"抉箕"。

攻魃　逐除旱神,祈求雨雪的仪式。攻,在古代是一种在天灾时用币祭神并同时击鼓指责神的仪式。魃则是古时传说中的旱灾之神。《山海经》中载,黄帝与蚩尤大战时,蚩尤请风伯雨师,纵大风雨助战,黄帝则请一位叫魃的天女,止住风雨,于是黄帝杀死蚩尤。而魃则不能再回天上,她所在的地方就不下雨。《神异经·南荒经》上说,魃是一种居于南方的、袒身而行,眼在头顶上的东西,非常善于跑,有人若遇到它,投到厕中便可止消旱灾。攻魃的具体作法,据《山海经》载:"魃时亡之,所欲逐之者,令曰:神北行!先除水道,决通沟渎。"实际上属于一种模拟巫术。《神农求雨书》则说:"比不雨,命巫视雨,暴之;不雨,祷山神,积薪,其击鼓而焚之"也是攻魃的一种。

花神　近世民间所信奉的百花之神。一般以善种花者魏夫人弟子女夷为花神。《月令广义》:"女夷,主春夏长养之神,即花神也。魏夫人之弟子花姑亦为花神"。民间又传说花神不只一位,而是有十二位,即被天帝贬到人间的洛阳牡丹等"十二花神"。花神亦建有庙,北京西南花乡旧时即有花神庙。奉祀花神以百花生日和花朝节为盛。北京花乡在二月十二日花诞辰至花神庙进香，三月二十九日各档花会献艺"谢神"；南京于二月十二百花诞辰和九月十六日菊花诞辰为祭庙时间，届时打旗携香烛祭品至庙顶礼膜拜。

寿星 民间所奉祀的长寿之神，又名"老寿星"，常与福、禄二神相伴。寿星崇拜起于周秦时，所指有二，一是西宫的南极老人星，星占家认为南极老人星出现就意味着天下平安；一是指二十八宿之东方角、元二宿，以其居二十八宿之首，所以有长寿之意。秦汉之时有寿星祠，祀奉的是南极老人星，其目的主要在于老人星所具有的政治意义，而后才被当作主人间寿夭之神，并与国家秋季举办的敬老活动相联系。唐宋以降，上述二星的崇拜开始混淆起来，并共同受到崇拜，至明初时始从国家的礼典中删除。近代所奉寿星形象皆为白发老翁，拄一弯曲拐杖，头甚大。其拐杖来自东汉时敬老之俗，当时凡70岁以上的老人都由朝廷颁赐9尺长的鸠头王杖，在南宋时寿星已是如此模样了。寿星虽无庙祠奉祀，但其名号、形象则多被用以祝寿、祝吉，至今不辍。寿联、寿幛中常见寿星名号。民间年画及其他图案中常有寿星形象。亦见于雕塑。

李铁拐 又名铁拐李，为八仙之一。最早见于元岳百川杂剧《吕洞宾度铁拐李岳》。相传，他从太上老君学道，与其徒相约魂游七日不返，则焚其尸。不料其徒为事所迫，未及期而焚之。李魂无所依附，遂附一乞丐尸身还魂。于是变成如今的一副形象：黑脸蓬头，坦腹跛足，脚拄铁拐，肩背葫芦，常对贫苦病人施药行善。铁拐李的身世多为多种民间传说附会而成，所以异说甚多。或言其名孔目，为西王母所化；或言其名洪水，小李拐儿，隋朝时人；或言其乃李凝阳，为上古长淮讵神氏。

财神 民间信奉的掌管钱财之神。充当财神的有很多，但起源皆不甚早。主要的财神是赵公明，他本是南北朝道书中所说的瘟神、冥神，后成为张天师炼丹炉的守护神，戴铁冠、执铁鞭，黑面浓须，骑黑虎，封为正一玄坛元帅，故民间又称他为赵公元帅。明代小说《封神榜》正式确立了他的财神地位，称为正一龙虎玄坛真君，下辖招宝天尊、纳珍天尊、招财使者、利市仙官。《三教源流搜神大全》称其能"驱雷役电，呼风唤雨，除瘟剪疟，保病禳灾，元帅之功莫大焉。至如诉冤伸抑，公能使之解释公平，买卖求财，公能使之宜利和合。但有公平之事，可以对神祷，无不如意。"赵公明之外的财神，北方有"五显神"（亦称五哥），或谓即南方之"五通神"，亦称"五圣"，还有"五路神"、"五盗将军"。近代更有文武财神之说，殷代比干为文财神，关帝为武财神。财神是我国民间各阶层奉祀的神灵，春节有接财神之俗，多于除夕深夜时焚香供祭接神。年节期，人家亦多张贴财神画像。又俗说正月初五是财神生日，商家都要买鱼肉三牲、水果、鞭炮，供以香案。直至今日，财神仍是我国民间奉祀最广的神明之一，有关仪俗一仍其旧。

何仙姑　八仙之一。其原型本于女巫，以服饵身轻显出神异。其出生地，言人人殊，大致来说多在南方各省，如永州、衡山、增城等。宋时有一永州何仙姑颇受文人官僚崇拜，多往拜问休咎。后来，何仙姑的传说越来越多，相传是吕洞宾点化于她，其活动年代也上推于唐代天宝年间。她的基本形象是一年轻貌美女子，手持荷花或桃子。民间对何仙姑的崇奉，莫过于传为其家乡之一的广州增城县。传说夏历三月初七为何仙姑诞辰，届时乡里要演戏娱仙，少则三五日，多则数十天。此外道家还要组织一系列法事活动。何仙姑列入八仙使八仙有了性别差异，获得了广泛的社会性，更能迎合民众的信仰心理。

饮福酒　我国南方的祭祖习俗。清明节时，全族扫墓之后，再聚集于宗祠，按辈份高低向祖先礼拜致敬，随后分食祭品，象征祖先赐福于后代子孙，称为饮福酒。

灶神　汉民族的守灶之神，被奉为一家之主，又称"灶王"、"灶王爷"、"灶君"、"灶君菩萨"、"东厨司命"。古时有五祀，即门、户、灶、中霤行，《礼记·月令》有孟夏祀灶之说。从起源上看，灶神与火神有紧密联系，灶的自然属性，将食物煮熟的功能对先民来说是至关重要的。主灶的人自然就是家长，灶本身连带着就受到崇拜。因此，汉代以前有火神炎帝，祝融为灶神；以及灶为先炊，祭老妇人的看法，后者有着母系制

度的遗迹。后来灶神的功能开始社会化，人们认为他会"上天白人罪状。大者夺纪。纪者，三百日也；小者夺算。算者，三日也。"（《抱朴子·微旨》）道士们鼓吹祀灶可以致物炼丹，使人长生。灶神逐步成了掌管各家祸福、监视人们行为的神灵。宋代以后，每到腊月二十三、四日人们都要祭灶神，祭品丰盛，明清以后只用胶牙糖和糯米花糖，人们试图以此粘他的嘴，叫他"上天言好事，回宫降吉祥"，到除夕时再恭敬地接回来。封建时代，先炊老妇之说已不适合父系家长制的需要，男子独占了祭灶的权力，灶神也就逐步成了男性，一般认为他叫张单（或禅），夫人字卿吉（忌，俗称灶王奶奶），其形象也变成黑面长须。

灶祃　岁暮祭灶时所用印有灶神像的纸质供品。宋代已有此俗，《东京梦华录》："年夜贴灶马于灶上……。"除夕时祭过灶神之后，灶祃即行焚毁，以为神已乘马升天。《清嘉录》载："篝灯载灶祃，穿竹筋作杠为灶神之轿，舁神上天，焚送门外，火光如昼。"旧时北京的灶祃一般为木版彩印，中间为身着官服的灶王爷，身边是灶王奶奶，两边或有"上天言好事，回宫降吉祥"的联语。

祀月　先秦时即有"朝日夕月"之礼，帝王于黄昏时分祭月，汉宣帝曾于莱山祀月。但月神地位一直不很高，只在从祀范围之内。明代恢复朝日夕月之礼，于北京建有月坛，按时致祭。民间祀月在八月十五日中秋节，又称"拜月"、"祭月"等。多由妇

女以月饼等物祭神。《帝京景物略》：八月十五日祭月，其祭果饼必圆，分瓜必牙错瓣刻之，如莲花。……家设月光位于月所出方，向月供而拜，则焚月光纸，撤所供，散家人必遍。"江南拜月亦称"斋月宫"："（中秋夜）每户瓶兰，香烛，望空顶礼，小儿女膜拜月下，嬉灯前，谓之'斋月宫'。"

判官　本是唐宋以后地方官员的僚属，佐理政事。后来民间传说将它移入地狱，成为阎王手下掌管生死簿等事务的属官。传说中的判官有四位，即掌刑判官、掌善簿判官、掌恶簿判官、掌生死簿判官，其中后者为首席判官。相传首席判官是由唐时的县官崔府君充任的，据说他昼里阳、夜里阴。此外，正直、公允的钟馗也曾被当作判官。

惊天狗　民间在日食、月食时，为挽救日、月而举行的仪式。民间认为，日、月蚀是因为"天狗吃日头"、"天狗吃月亮"。于是民间多在日、月蚀时击鼓鸣器，大声呼喊奔走，以便声达于天，恐吓恶兽。或者献牲献币，诱使恶兽吐出太阳或月亮，或以为可使之有力量与恶兽搏斗。

鸡卜　鸡在古代是象征阳气和生命力的神鸟，因此用鸡占卜的方式也是五花八门。鸡卜主要流行于南方地区。汉武帝时曾请江浙一带的巫师在宫中用鸡占卜，据《史记·孝武本纪》张守节《正义》说，鸡卜是用一鸡一狗，祝愿之后，杀死煮熟，再祝祷，通过观察鸡两眼附近骨头的形状来占卜吉凶，唐代岭南仍有此俗。古时另有一种用鸡股骨占卜的方法。据《桂海虞衡志》说，宋时南方，用雄鸡一只，祝祷杀死之后，将两股骨洗净，用线束紧，然后将竹筵横贯束处，再执竹祝祷。两股骨上有许多孔窍，卜者用竹签插入，然后占之，"大抵直而正，或近骨者多吉，曲而斜或远骨者多凶"。这种占卜法至今仍在西南广大地区的彝族、黎族、佤族、布朗族、独龙族中流传，凡天气阴晴、生老病死、插种盖房、械斗猎头都以鸡占卜。此外，还有用鸡肝、鸡顶、鸡嘴、鸡蛋等占卜的方法。

灵魂　灵魂是宗教信仰中关于居于人的躯体内并主宰躯体的超自然体。古人想象人的灵魂能离开形体而存在。《左传·昭公七年》："人生始化曰魄，既生魄，阳曰魂。"孔颖达疏："附形之灵为魄，附气之神为魂。"故此，中国人认为，当人死后，低级的感性的魄消散，而灵魂则仍存在，可以参与轮回、享受子孙祭祀。

妖怪　古人将事物的异常状态称为妖怪。妖怪是超越人类、动物、植物、有时包括矿物等的现实形态和生存形态的、表现于人类观念之中的东西，又可以称为"妖精"。根据法国人比封的分类，妖怪的形态有三种，一是因器官过多而形成的，如蛇长角；二是因器官欠缺而形成的，如无头人；三是各器官颠倒或错置而形成的，如头顶长角的犀牛。一般人们所称的妖怪，是指那些超越自身生存状态和性能的动植物和无生物。因此，人们相信狐狸、蛇、黄鼠狼等均可以通过修炼，幻化成人形，与人共同生活,甚至具有超人的能力,这在民间传说、故事中有充分体现。

张天师 即东汉五斗米道的创始人张陵,后来他被道教徒称为张道陵。张陵是今江苏丰县人,他在今四川大邑鹄鸣山创立五斗米道,至其孙张鲁据有全蜀,成立政教合一政权,自号师君。至魏晋时,传说中的其后裔移居今江西贵溪之龙虎山,张陵被尊为天师,其继嗣后人亦被尊为天师,其道即为天师道。南宋以后,道教分为全真道和原为天师道的正一道两支。元世祖统一中国后,命三十六代天师张正演"主领江南道教",元成宗大德五年(1301年)授三十八代天师张与材"正一教主,主领三山(龙虎、阁皂,茅山)符箓"。明代改天师为"正一嗣教真人",后又复原。清代道教衰微,官方只许称"正一真人",绝朝请,但民间仍尊奉为天师。正一道以《正一经》为主要经典,崇拜神仙,重视画符念咒,降神驱鬼,祈福禳灾,不注重修持,道士可不居观而有家室。民间最信其符箓,即天师符。旧时大多数道教宫观有天师符,用以给人除邪去病。民间端午节亦有供天师符之俗。届期,道教宫观用朱砂笔在黄表纸上画符馈送或出售,供民间端午一或端午贴在门楣上辟邪。《燕京岁时记》云:"每至端阳,市肆间以尺幅黄纸,盖以朱印,或给天师、钟馗之像,或绘五毒符咒之形,悬而售之。都人士争相购买,粘之于中门,以避祟恶。"《岁时广记·画天师》引《岁时杂记》又记云,宋代端午节,京都人们除了画天师像贩卖以外,又作泥塑的张天师像,以艾为须,以蒜作拳,置于门上,称天师艾。

张果老 又名张果,为八仙之一。据《唐书·方伎传》,他长期隐居中条山,在汾晋之间游历。自称年逾数百岁,曾遇汉武帝。武则天曾试图召见他,未成,玄宗时数次至长安,表演法术,被玄宗授以银青光禄大夫,赐号通玄先生。由此可见,其人不过一江湖术士,以精演幻术得幸,后为民间附会成仙。他最显著的特征是倒骑一白驴,日行数万里,休息时则象纸一样折叠起来,置于巾箱,乘用时将水喷上,又成活驴。旧时民间结婚,洞房中常悬其像,以为能得子。张果老是八仙中比较突出的一位,民间传说颇多,现在河北赵州桥、山西北岳恒山都传有其遗迹。

雨师 主管雨水的神。古时,雨师称作屏翳,古人还相信,毕星或太白星是主雨的。汉代,五行说盛行,主管北方的玄冥神被看作雨神。此后,仙人赤松子、李靖、陈天君之类也被当作雨师。祭雨师在汉代即被作为国家祀典,但对民间影响不大。民间祈雨,往往供奉本地的神灵。民间所信奉的雨师形象一般为黑髯壮汉,左手执盂,中盛一龙,右手若洒水状。晚近以来,民间大多将晴雨旱涝的职能归在了龙王的名下,雨师的奉祀则相应减少,以致消逝。

厕神 民间俗神之一。此神虽名为厕神,但并非掌管排便一类事情,而是掌管生育、婚嫁、吉凶祸福等。民间俗传的的厕神有好多位。比如在唐代,人们相信厕神是位名叫郭登的女子,她蓬头青衣,身长数尺。据说她每月六日出外巡游,谁遇到就会灾祸降临,轻则生病,重则死去。一般厕神指紫姑,俗称"三姑",也叫"坑三姑娘"。本只一人,后被附会为三,称"三霄姑娘",即财神赵公明的三位妹妹。《集说诠真》云:"《封神演义》载,坑三姑娘者,系三仙岛之仙姑云霄、琼霄、碧霄三姊妹也。……追周武克商后,姜子牙敕封云霄、琼霄、碧霄三姑为坑三姑娘之神,执掌混元金斗,专擅先后之天。凡一应仙凡人圣,诸侯天子、贵贱贤愚,落地先从金斗转劫,不得越此。"厕神多为妇女所供奉","所有妇女之心事俱可问之于紫姑"。(见《民间新年神像图画展览会》)旧时,民间还常买来紫姑或三霄神码,祭祀时焚化。民间亦曾修庙供奉厕神,旧时峨眉山曾有三霄姑娘庙(三霄洞),供奉三霄。

拦街福 又叫"平安福",流行于浙江温州地区的祈福活动。据记载,自夏历二月初至三月十五日各街轮流举行敬神仪式,以求闾里平安。沿街设立戏台,有各种戏曲和木偶表演,还有舞龙、高跷、放焰火等社火表演。人们昼夜狂欢,夸富竞奢,以此膊得彩头。

抱佛脚 古人以为凡抱佛像之脚者,可获神佑。翟灏《通俗编》引宋张世南《游宦纪闻》载,云南有信佛之国,犯罪者被追捕时,急往庙中抱佛脚,便可获免罪。后民间有俗谚:"急则抱佛脚",比喻不能事先有所准备,而临时采取措施。

咒语 为了达到巫术的目的而朗诵或歌唱的言辞。在施行法术时,为启动超自然力必须要使用咒语,伴随一定的姿态,才会奏效。如果念错了就会殃及自己。术士或平常人所用的咒语不一定为其本人所理解,它们是世代相传的或具有神秘含义的。人们认为祝福或诅咒是否灵验与用词本身的魔力和某一精灵的法力有关。

狗占 在青海东部农业区,人们常常在夏历正月初一进食之前,在盘中置食物数种,如青稞面饼、油饼、油果等,让狗先吃,以狗吃的顺序来占验新的一年哪种作物收成最好,称为狗占。

狐仙 近代北方民间流行的"胡(狐狸)、黄(黄鼠狼)、白(刺猬)、常(亦称柳,指蛇)"四大门信仰中,最为流行一种动物崇拜。传说狐狸可修炼成精怪,化为人形,人或稍有触犯则以妖媚惑人,故被民间尊称为"大仙"、"胡三太爷",设有狐仙堂,加以供奉。有的地方甚至各家皆供狐仙,每人皆供狐仙,称为本身狐仙,人死后,亦随之入葬。有的巫婆神汉则伪称狐仙附体为人医病,解祟除邪。狐仙信仰起源很早,汉魏即有称为"阿紫"的狐仙,唐张鷟《朝野金载》称:"唐初以来,百姓多事狐神,房中祭祀以乞恩,食饮与人同之,事者非一主。当时有谚曰:"无狐魅,不成村。"志怪小说中关于狐仙的故事就更多了。

物象兆 物的异常动向被认为是

某种前兆。最常见的是灯花爆响被人们看作是喜兆，汉朝人曾著有《占灯花术》，还有如火炉无故自鸣、家具无故作响、金像生毛等则被看作是凶兆。

物灵崇拜 又叫"拜物教"。原始人认为某些自然的或人工制作的物体具有超自然的力量，遂加以崇拜。如中国人对于各种玉器所具有的力量就非常崇拜。文明社会以后，这种现象仍长期存在，比如很多人相信生病时吃庙中的香灰会治愈病痛，将某种治病的药材的名称分别写在纸上将纸烧成灰吃掉也被认为可以治病。

金钱卜 亦称"金钱课"、"火珠林"。筮卜者用三枚铜钱，掷地问卜，以其正反面定阴阳交位，然后以《周易》之辞定吉凶。这种方法起源很早，《周易·启蒙翼》说："金钱卜，以京《易》考之，世所传火珠林者，即其法也，以三钱掷之也。"后来人们采取更为简单的作法，以六枚制钱置于竹简中，连摇数次后倒出，以其正背面直接得出卦来。

和合二圣 民间传说中象征团圆和谐吉庆的二仙人。其原型为唐朝有缩地之术的万回僧。相传俗姓张，陕西阌乡人，他的神异在于万里寻兄，当日往返，故称万回，民间俗称为万回哥哥。唐朝时颇受时人崇拜。南宋时杭州人腊日仍有奉祀万回哥哥的习俗，"其像蓬头笑面，身着绿衣，左手擎鼓，右手执棒，云和合之神。"合和本义为团圆，但后来则转为喜庆之神，这可能是因为万回僧

出现于后世的正月傩队社火之中，与众多象征和谐美满的神仙共舞，其象征意义发生变化，因此逐步由一神演变成二神。清代始正式承认这种变化，雍正十一年（1733）封唐代诗僧寒山、拾得为和合二圣，又称和合二仙、和合。但其基本形象仍来自万回哥哥。他们一捧圆盒，一持荷花（或一如意、一宝珠），取和谐合好之意。和合二圣为掌管婚姻的喜神，并且有"欢天喜地"的别称。旧时婚礼多陈设、悬挂和合像。也有瓷塑、泥塑者，以为装饰和祝吉。

祈雨 中国广大农业地区经常干旱少雨，自古至今，流行多种求雨的方法。早在甲骨文中就有商王求雨的占卜记录，据《吕氏春秋·顺民》载，商汤曾以身祷于社坛——桑林，愿以自己作牺牲，请求上帝降雨，其实汤在这里充当的是大祭司的角色。祈雨在古时一般是由女巫来进行，称作雩祭。她们被置于艳阳之下舞蹈、曝晒，直到明代仍有曝晒妓女以求雨的方法。求神降雨的仪式民间也很流行，所求的对象非常广泛。土地神、山神、城隍以及一系列对当地事务有影响的神，最普遍的是龙王，它是佛教传入的结果，不过最早龙也被认为与降雨有联系，各种神祇在庶民心目中成为象巫一样，为他们传递信息的中介，经过一番祭献祈祷之后仍无灵应，则神像也要被曝晒于艳阳之下，受到惩罚。作龙的泥像以求雨的办法，在汉代同女巫舞蹈求雨的方式结合起来，成为一种标准模式。据《山海经》，黄

帝派遣应龙杀死劲敌蚩尤和夸父之后，"不得复上，故下数旱，旱而为应龙之状，乃得大雨。"因此，人们在大旱时就要作应龙之状，并且在池中养四、五个小青蛙，舞蹈祈祷以求大雨。宋时用蜥蜴求雨的作法，同养青蛙相似。近代，各地祈雨方式差不多。刘侗《帝京景物略》记北京风俗："凡岁时不雨，贴龙王神马于门，磁瓶插柳，柳挂门之旁，小儿塑泥龙，张纸旗，击金鼓，焚香各龙王庙，群歌曰：'青龙头，白龙尾，小孩求雨天欢喜。麦子麦子焦黄，起动起动龙王，大下小下，初一下到十八，摩诃萨。'"

视鬼　古人认为生病的人是由于被某种鬼附体作祟，须请巫师找到致病之鬼，并驱逐它，就可使病人痊愈，此种法术称为视鬼。《汉书·江充传》："充将胡巫掘地求偶人，捕蛊及夜祠、视鬼。"颜师古注："捕夜祠及视鬼之人。"

河神　黄河水神，古称河伯。上古时初民以白龙、大鱼为河神。后人溺水为厉鬼的观念，使得相传渡河淹死、受上帝封为水神的"冯夷"，又名"冰夷"、"无夷"的人在战国时成为河伯，人们往往用妇女祭祀它，以防止它为害生民。据说河伯人面鱼身，曾向大禹传授河图。秦汉之间，国家在山西临晋为河神立祠祭祀，河神作为一个非具体的神灵列入国家祀典。此后，佛教传入，龙王开始替代河伯在民间的神圣地位，但人鬼为河神的传统信仰仍然以各种形式体现出来。汉代王尊因治河殒身，成为

河侯；金代也曾在郑州河阴祭祀河阴圣后；陈平、泰逢氏、金龙四大王、黄大王都因有灵异被民间奉祀为河神。民间以河神庙供奉河神。河神庙在殷代即有，后来黄河水域多有河神庙。往来于黄河上下的船家视河神为保护神，祀奉颇虔诚。旧时黄河行船，每遇河神庙，大多要设供享祀河神，行船前祭神之举更为隆重。

油花卜　古代民间一种占卜法，流行于唐宋时的中原地区。上巳节（夏历三月三）妇女以荠菜花点油，祝祷之后，洒于水中，若油在水面形成龙凤花卉之状，就是吉兆。

汉钟离　又名钟离权，为八仙之一。相传，他是东汉时钟离简将军之弟，生有异相，后为汉将军与西羌战，大败逃逸，得遇数位仙人，受长真诀及金丹火候、青龙剑法等，自称"天下都散汉"。得道后，又曾出仕东晋。至唐时复出，度吕洞宾为弟子。也有记载说，钟离权是唐朝人，因他自称"天下都散汉"，遂有"汉钟离"之称。据考证，钟离权传说起于五代、北宋，原型为一闲散道人。钟离权的基本形象是手执扇子或拂尘，有时也以武将面目出现。元时，全真道将他奉为正阳祖师，列为北五祖之一。

夜哭帖　传统民间迷信治病方法。俗谓小儿夜哭不止，需写夜哭帖，帖在四处，任人念诵，以为可以治愈。其帖写："天皇皇，地皇皇，我家有个夜哭郎，过路君子念三遍，一觉（或为"家"）睡到大天光（或作

"亮")。"此举纯属迷信,但至今仍在一些地方存在。

炉火神 冶炼工人和金银匠的保护神。因唐代大将尉迟恭曾是铁匠,故民间铁匠都奉祀尉迟公;有的地方则因《西游记》上说太上老君曾在八卦炉中炼孙悟空,而供奉太上老君。旧时金银铜铁锡作坊及小炉匠等行业专门修有炉神庵、炉圣庵或炉神会馆,供老君神像。清乾隆十一年《重修炉神庵老君碑记》云:"都城崇文门外,有炉神庵,仅存前明张姓碑版。初不详其所建由,询庵所得名,则以供奉李老君像,故炉神之。"祭祀太上老君叫"老君祭",每年四次;还有老君圣会,是行业性的祭祀祖先的聚会。

送寒衣 汉族民间在夏历十月初一日祭扫祖墓,届时在坟前焚烧纸作衣物,称为送寒衣,意在为祖先送衣服御寒。此俗宋时即有,《东京梦华录》曾有记载。其后一直流传至今。《帝京景物略》:"十月初,纸坊剪纸五色,作男女衣,长尺有咫,曰'寒衣'。有疏印缄,识其姓字辈行如寄书然。家家修具夜奠,呼而焚之其门,曰:'送寒衣'"寒衣"除五色纸剪以外,还有刻版彩印的。《渊鉴类函》云:"旧俗刻版为男女衣状,饰文五色,即以出售,农人竞以(十月)初一日鬻去,焚之祖坟,名曰送寒衣。"富人家更有请冥衣铺裱糊皮袄、皮裤等高级冬装者。包寒衣的包封有时写得极其详细:上书祖先名号,下书年月日、后裔某某谨奉等。现代除送寒衣之外,尚有送时新物什如家用电器的。

送子观音 娘娘崇拜之一种,民间又称"子孙娘娘"、"催生娘娘"、"授儿娘娘"、"奶母娘娘"等。民间于佛道两教并无抉择,只是相信其功能而已,因而又有"子孙圣母广嗣元君"等道教称号,无非是保佑生子、育儿顺利。各地都建有娘娘庙供奉。一般娘娘庙中供奉眼光娘娘、财福娘娘、子孙娘娘,完全是为了满足妇女的崇拜需要。旧时安徽寿春"拴娃娃"之俗即指向此一俗神:"奶奶(碧霞元君)殿侧有一殿,亦塑一女神,俗称送子娘娘。庙祝多买泥孩置佛座上,供人抱取,使香火道人守之,凡见抱取泥孩者必向之索钱,谓之喜钱。抱泥孩者,谓之偷子。"

孟婆 民间信奉的冥神之一。相传她生于西汉,幼读儒书,壮诵佛经,劝人戒杀吃素,81岁时仍是个处女,鹤发童颜,自称姓孟,人们称之为孟婆阿奶。到了东汉,上天敕令她为幽冥之神,取各种药物,造成如酒非酒之汤,俗称"孟婆汤",有甘苦辛酸咸五味,使灵魂饮此汤,忘记前世轮回的事情,不使妄念前生眷属。另,孟婆又是民间对风神的别称,盛于宋代。《云麓漫钞》言宋徽宗曾作《月上海棠》词云:"孟婆且与我做些方便。"《丹铅总录》说,江南七月间,水上多大风,民间相传是孟婆神发怒。大概孟婆即风伯之意,音近讹变使然。

驱傩 古代驱鬼逐疫的仪式。一年中随时都可举行,但以年终傩仪最盛,故称大傩。《续汉书.礼仪志》:

"先腊一日，大傩，谓之逐疫。"这种仪式起源很早，其变异形式也很长时间流传于民间，《荆楚岁时记》："村人并击细腰鼓，戴胡公头及作金刚力士以逐疫，沐浴转除罪障。"宋时仍有迎傩的记载，后来在广大中原地区傩仪逐步为春节社火和其他娱神活动取代，如所谓"打夜胡"、"跳灶王"、"跳钟馗"之类，都有逐鬼的意思在里面。

弥勒佛　弥勒是梵文音译，意为慈氏，佛教菩萨名。为竖三世佛中的未来佛，据佛教经典说，他出于婆罗门家族，后成为释迦的弟子，先佛入灭，居兜率天极乐世界，未来将继释迦降世成佛，广传佛法。弥勒佛据说有三相，即眉间白毫相，二舌复面相，三阴藏相，但宋代以后寺庙所奉弥勒像为一胖大笑面袒腹和尚，其原型是五代僧人契此。弥勒重临人世的教义在近世常为民间宗教所利用，作为改朝换代的象征，"弥勒下世"成为很多农民起义发动者的口号。又传弥勒佛在华林园的龙华树下说法度众生，共说三次，称"龙华三会"。后世僧众为纪念此事，在四月初八浴佛时还要举行龙华会。南朝梁宗懔《荆楚岁时记》载云："四月八日，诸寺各设斋，以五色香汤浴佛，共作龙华会，以为弥勒下生之征也。"（参见"布袋和尚"条）

茶神　行业神之一，传说是唐代陆羽。陆羽性嗜茶，作《茶经》（三卷），述茶之性状、品质、产地、种植、采收加工、饮用方法，他死后便被奉为茶神，茶商、茶肆多塑其陶像加以供奉。湖北天门县城北有陆羽庙，石壁中嵌有极小的陆羽小像，端坐品茗，极其风雅。在陆羽老家的江西上饶还曾保存过"陆鸿渐宅"。陆羽之外的茶神还有卢仝、灶绅、唐明皇等。旧时的茶馆、茶叶店同时以卢仝、陆羽入联，如茶馆写"花间渴思卢仝露，竹下闲参陆羽绛"，茶叶店写："采向雨前，烹宜竹里；经翻陆羽，歌记卢仝。"

药王　有时亦称"药师"，传统民间俗神之一。除被民间奉祀外，主要被医生、药商、药农等和医药相关的专门行业所奉祀，为这些行业的行业神。药王所指不一，不同时代，不同地区流行的药王亦不同。佛教系统所奉药王有药师琉璃光王佛、北方九十九佛百千万同名大药王菩萨等。《楞严经》谓："我无始劫，为世良医，口中尝此婆娑世界草木金石。……是冷是热有毒无毒悉能遍知。……分别味因，从是开悟。蒙佛如来印我昆委药王药上二菩萨名。"《大宝积经·一〇八》亦谓："譬如大药师，善能疗治一切诸病自无有病，见诸病人而能于其前自服苦药，诸病人见是药师服苦药已，然后效服，各得除病。"道教系统及民间所奉本土药王有伏羲、神农、黄帝、孙思邈、华佗、扁鹊、邳彤（皮场大王）三韦氏、吕洞宾、李时珍等，其中有传说人物，也有医道高明的历史人物。伏羲、神农、黄帝为上古三皇，被称为"医药之祖"，又称"药皇"。其余药王中最著名的有唐代著名医学家孙思邈，他著有《千金要方》、《千金翼方》，宋徽宗曾封他为"妙应真人"。其神像一般是红脸，慈眉善目，神情敦厚，五绺长髯，方巾红袍。其次是扁鹊。扁鹊为战国时代著名医学家，旧时药铺常挂"扁鹊复生"的牌匾。再次是华佗，为汉末医学家，素有药圣、医王之称。药王被供奉于药王庙。平日为人所奉，民间病家每月朔、望进香者尤多。医药行业奉祀药王除日常活动外，尤以药王诞辰为最。（参见"药王庙会"条）

药王庙会　民间传统奉祀药王的活动。相传夏历四月二十八是药王诞辰，届期药庙有奉祀药王、医药行业同仁聚会以及商贸活动。药王庙会在药王庙举行，一般以四月二十八日为正期；有的地区从中旬即开始，持续到月末。由于传说中的药王有许多位，故药王庙所奉之药亦各地不一。如北京天坛之北药王庙主祀三皇，左孙思邈，右韦慈藏，侧十大名医；四川、广东药王庙主祀孙思邈；传为扁鹊故里的鄚州（今河北任丘）主祀扁鹊。奉祀活动大体相同，不外烧香、许愿、求药等。清潘荣陛《帝京岁时纪胜》："岁之四月中旬至二十八日为药王诞辰，香火极盛。"医药行业奉祀更隆。《晋祠志》记山西此俗云："（四月）二十八日，本镇诸医生并各药材店醵金设脯醴饵饼，致祭药王于三圣祠。"《采风录》记四川此俗云："四月二十八日，传为药王孙思邈于这一天在四川青城山撰《千金方》成，白日飞升。内江的药铺，在这一天张灯结彩，祀药王。病家于是日酬谢医生。"（参见

"药王"条）

相面　相术的一种，即根据人面部的五官配合、气色、骨骼、纹理，以五行相生相克原理对人的性格及其福寿祸夭作出判断的一种古代迷信方术，又称"看相"。相面术起源很早，《左传·文公六年》载："王使内史叔服来会葬。公叔敖闻其能相人也，见其二子焉。"专门的相书也出现很早，《汉书·艺文志》著录有《相人》（卷二十四），现代民间仍流行麻衣相法、柳庄相法等。相士相面时首先要掌握相书上的一套口诀，这些口诀将面部器官、骨骼划分成十二宫、十三部、五官、三停、三才等，并言其利害休咎生克，然后相士再根据对方之服饰衣着、举止神态、社会地位作出判语，其中多含混模棱之语，以此来谋取钱财。

城隍　城市的保护神。城隍的前身水庸很早就列为天子的八蜡大祭之一，但只有到封建社会郡县制完全确立以后，它才超越其他小神，成为受到城市人民广泛信仰的保护神，其神职也由仅仅保护城池的安全而扩展到主管水旱吉凶、阴间众鬼等方面。在《北齐书·慕容俨》传中，城隍神之名正式出现。当时仅局限于南方地区，至唐宋时，城市经济日益发展，城隍崇拜开始普及，唐代文人张说、张九龄、杜牧等都曾写过祭城隍的文章。宋代开始城隍神列入国家祀典。此后城隍神便按照封建等级制度和官制，以县、府、州、省的格局形成宝塔形的统摄关系，元代终于出现了国家级的"都城隍"以

统率众地方城隍,保护国家。与此同时城隍神开始由各地区的著名人物充当:文天祥之于北京,春申君之于苏州,灌婴之于江西州县等等,城隍彻底人神化了。明清时期城隍神的封建性表现得更加突出,几乎成为各地区的影子政府,朱元璋除了曾将京都及天下城隍神分别封为王、公、侯、伯,还下令按各级官府的规模,布局建造城隍庙,供奉木主,让它们"签察民之善恶而祸福之",各级官吏赴任时都要向城隍神宣誓。每年清明、中元等节城隍都定期出巡,设堂问罪。道教也把城隍纳入自己的体系,以其为翦除凶恶、护国安邦,旱时降雨、涝时放晴,并管领一方亡魂的神明。民间对城隍的崇奉,主要有住庙却病、审夜堂、镇压灾疫、求雨等。

城隍会　节日期间礼敬城隍的民间集会。各地时间有所不同,但大体集中于三月至十月间,一般是春秋各举行两次,与东岳庙会、中元盂兰盆会,端午节等节日相对应。届时地方长官至庙中致祭,百姓则将城隍像抬出四处巡游,以扫除恶鬼孤魂,出游队伍都会有化装表演,如高跷、旱船之类。其间还要将暴尸于路的穷人骸骨收集起来,将神请到,便"奏乐荐享,中设神位,傍列孤魂棚座祭赛,焚其楮帛,名曰济孤魂会。"(《帝京岁时纪胜》)(参见"城隍"条)

带福还家　旧时北京妙峰山为重要的朝圣之所,凡至山上朝拜碧霞元君的人,都要采摘山上玫瑰花佩戴归家,称为带福还家。后来玫瑰花以手工绒花代替。

帖寿字　祈求福寿的信仰。寿字,亦称"百寿",就是将寿字,以各种异体形式写在纸上,张帖于家中。字体有所谓许慎文、白居易文、程明道文、方秀文、长吉文等。将这类"寿"字集纳在一起,或组成一大"寿"字,称为百寿图。

贴罇字　旧时正月初一有在门上书"罇"(音渐)字以驱鬼的习俗,兴起于唐代,今已消亡。《酉阳杂俎》说:"时俗为门上画虎头,书'罇'字,谓阴府鬼神之名,可以疟疠。"当时传说,有河东人冯渐,弃官隐居伊水上,有奇术,为道士李君看重,李与人写信说:"当今制鬼,无过渐耳。"由此传扬开来,长安人多于门上书"渐"字,后人以讹传讹,将"渐耳"看成一个字,遂造出"罇"字,又传说,鬼死为变成罇,鬼都怕"罇"。

鬼　古人相信人死后灵魂不灭,将这种生存状态称为鬼。由此扩展到相信万物皆有灵,故有木精花妖、山鬼水怪。古代将天神、地祇与人鬼并称。人鬼(除本家族祖先之外)属于那种可以为害生人的邪恶存在,尤其是野鬼。但鬼与鬼之间也存在等级差别,有恶鬼和善鬼,其原因在所秉之气不同。神与鬼之间并无截然划分的差别,人们相信那些横死夭亡者有着特别强大的力量,它们经常为害生人,如伍子胥、屈原、关公等,因此要经常加以祭祀,随之变成人们敬奉的神。由于鬼经常参与生人的生活,因此,民间历来有很多驱鬼、打鬼、媚鬼、祭鬼的仪式和巫术。

鬼城 民间指四川省酆都县平都山。道教经典中有所谓酆都北阳大帝，名叫张衡、杨云，治罗酆山。世人附会其说以此山当之，平都山遂成为所谓道教七十二福地之一。山上建有大雄殿、天子殿、灵霄殿、二仙楼、奈何桥、望乡台、报恩殿等，号称鬼都。或以为此山乃汉代方士王方平、阴长生修炼成仙处，世人合称其为阴王，于是讹称此地为治鬼之所。

看仙 请求"仙姑"以降神附体方式说明所遭不幸的原因和禳解方法，称为"看仙"。遇家中有人凶死、生病时，则请女巫降神，届时事主焚香默祷，女巫则作法称某神已附于其体，借灵之口，述说原因及解脱方法，完毕后，事主即依女巫所言祷祠以求免灾。

香市 佛教庙宇在进香季节设立的交易香料等物的集市。明张岱《陶庵梦忆.西湖香市》："西湖香市起于花朝，尽于端午。山东进香普陀者日至，嘉湖进香天竺者日至，至则与湖之人市焉，故曰香市。"

香客 长途跋涉去名山或著名庙宇进香的善男信女，称为"香客"。他们有着自己独特的行为方式，一般是结队而行，头缠白布，上扎红结，身披色布裹肚，内装铜钱和炒米，背竹制香筒，中插香签，手捧香烛，边走边颂佛号，逢庙必拜。

钟馗 上古时，人们年终时都要举行大傩仪以驱疫逐鬼，其时人们总要挥舞一种称作"终葵"的棒槌以驱吓恶鬼，终葵也因此成了驱鬼辟邪的象征。自魏晋至隋唐，常有人以钟或终葵为名，如北魏献文帝时有杨钟葵，孝文帝时有李钟葵，隋炀帝时有乔钟葵。时间一长，人们就忘记终葵本是驱鬼之物，而把它看成驱鬼之人，于是唐代就出现了钟馗捉鬼的传说。相传唐玄宗偶有小病，白日梦见一大鬼着破帽，穿蓝袍，腰系长带，脚踏长靴，在宫中捉鬼吃。他自称是终南进士钟馗，因应考落第，触阶而死，愿在阴间为皇帝除天下妖孽。明皇醒来病情好转，遂命画工吴道子，依其所见画成图。于是，钟馗捉鬼的故事越来越丰富，钟馗捉鬼图也成为中国画习见的题材。唐末以后，民间多以钟馗像代替神荼、郁垒像，于除夕时张挂于门上，明清时端午节也有在中堂悬挂其像以逐疫者。

神 又称"神灵"、"神明"。指具有人格意志而不受自然规律约束的、神通广大的、长存不灭的存在。一般由于迷信或追求内心慰籍，引起对自然物和圣哲人物的崇拜。起初神只是指天神，后来成为一切天上、地下、人世间的神灵的通称。神的观念起源于原始社会，人们不能理解和驾驭自然力量以及社会力量时，这些力量以人格化的方式在人们头脑中发生虚幻的反映。古代神的形象经历了自然神到人神同形的发展，一些对于人类生活有大功劳的人也常被奉为神明，甚至为他们建造生祠。

神判 产生于原始社会末期的一种以巫术形式，即请神灵来判断是非曲直的方式。在古代它具有习惯法的性质。一般神判所判决的事件是财产纠纷以及非正当两性关系等。其主要形式有捞油锅、即从烧开的水或油中捞取东西，以是否受伤判定罪名是否成立；发誓，在神前发誓以判定是非；用热铁烙当事人皮肤、潜水、掷骰、抽签等。在中国各少数民族中，直到晚近各种神判法仍在流传，而在汉族地区，这种作法已很少见，但其观念仍有遗留。

祖先崇拜 源于鬼魂崇拜的对自己祖先的信仰和崇拜。人们相信人死后灵魂仍然存在，并对后代的生活发生影响。被崇敬的祖先往往是死去的家长、族长、民族长或帝王，有的仅仅是一个神话人物。在早期，并不是对每个祖先都祭祀，只是有功劳的先祖才会受到祭祀，如《礼记.祭法》所言："法施于民则祀之，以死勤事则祀之，以劳定国则祀之，能御大菑则祀之，能捍大患则祀之。"后来，进入文明社会之后，亲缘关系的持续性（家系）和财产继承权受到重视，长者受到尊重，于是祖先崇拜得到进一步确立和加强。通常一个家庭只祭祀其最近的祖先，如父祖，同时还参加几个家庭的联合祭祖活动，祭祖活动的主要目的在于强化宗族内部的团结。祭祖方式除去一般的节日祝祷、供奉，伴以演戏、奏乐、舞蹈之外，其特殊形式是悼念、扫墓和立碑。

测字 又称"拆字"、"破字"、"相字"，以汉字加减笔画，拆开偏旁或打乱字体结构，或以谐音字替代，附会人事以推测吉凶祸福。起源甚古，如以"十四心"为德，"白水"为泉之类。宋代以降，测字之风大行，如有人测"乃"字，告之曰"及字不成，君终身不及第也"（宋周必大《玉堂杂记》）之类。古人编有《拆字数》、《新订指明心法》等测字书。

降神 又称"下神"，是一种由巫师作法招请神灵下凡，附于巫者的身上为人指点迷津，显示祸福的方术。《史记·孝武本纪》载："于是五利常夜祠其家，欲以下神。神未至而百鬼集矣。"《汉书·礼乐志》："大祝迎神于庙门，奏嘉至，犹古降神之乐也。"民间流行的扶乩术即属此类。但降神在古代祭祀中是一个普遍的概念，它也意味着神或祖先光临祭祀享用祭品。

结鬼缘 苏皖等地中元节时，欲行善事的妇女常常在做盂兰盆会时买些纸钱，用以祭祀无主的鬼魂，称为"结鬼缘"，与"斋孤"之意相同。（参见"斋孤"条）

蚕神 养蚕业所奉之神。蚕桑业起源甚古，自商周以迄明清，历代王朝均奉祀蚕神，但对象历代均有不同。古时的星占学中有以天驷房星为蚕神的。东汉以降，封建国家多祀先蚕，即奉蚕业发明者为神。两汉时所祀先蚕为菀窳妇人、寓氏公主；北齐时改祀黄帝；北周则祀黄帝元妃西陵氏，西陵氏即螺祖，古人认为螺祖始教民育蚕。刘恕《通鉴外记》云："西陵氏之女螺祖，为黄帝元妃，始教民育蚕，治丝茧以供衣服，后世祀为先蚕。"此后封建国家一直将螺祖视为蚕神奉祀,在民间也有一定影响。但民间所奉祀的蚕神主要是马头娘,四川地区民间则以古蜀王蚕丛为蚕神,称为青衣神。我国历代对蚕神奉祀比较隆盛。从商周经秦汉到明清,蚕神之祭都被列入国家祀典。在民间,江南一些蚕桑地区还建有蚕神庙,蚕农家中还要设蚕神神位。旧时蚕业生产的每一个程序如孵蚕蚁、蚕眠、出火、上山、缫丝,都要祭祀蚕神。近代演化为每年主要祭祀两次,即祭蚕神和谢蚕神。此外还有蚕神庙会,供马头娘,祈祷蚕桑丰收,演戏谢神。(参见"马头娘"条)

蚕禁　旧时养蚕地区有关养蚕的禁忌,尤以江浙地区为著。每到夏历四月,各家各户都闭门不出,以"育蚕"或"蚕月知礼"等字条贴在门上以警告来访者。在育蚕过程中,要忌烟熏、忌酒醋五辛、忌香麝油气等。语言上则避讳说"亮"、"僵"、"笋"等字。蚕出生后,尤忌叩门,生人入室。蛇入蚕室则认为是青龙降临,不得扑打,应叩拜斋供。《西吴枝乘》云:"吴兴以四月为蚕月,家家闭户,官府勾摄征收及里闾往来庆吊,皆罢不行,谓之蚕禁。"这种禁忌至今在蚕乡仍在。

圆梦　又名"占梦",是一种通过解释梦中所见事情,来附会人事吉凶的方术。古时很早就有占梦之官,《诗·小雅·正月》云:"召彼故老,讯之占梦",先秦时,圆梦比其他占卜方式更加受人重视,《汉书·艺文志》说:"众占非一,而梦为大,故周有其官。"后世占梦术地位有所下降,但仍出现一批占梦名家如卜忌、杨天慎等和一些占梦书,如《黄帝长柳占梦》(已佚)、《梦占逸旨》。僧人、道士、祭司、算命先生等代替了古代占梦官,替人占梦。占梦之法不外"正梦律"、"反梦律"两种,即吉梦喻吉,凶梦喻凶;或吉梦喻凶,凶梦喻吉。遇到凶梦古人则书符念咒禳解。

阎王　亦称"阎罗"、"阎魔王"、"焰摩罗王"等,俗称"阎王爷",梵文全名为"阎魔罗阇",义为"地狱的统治者"。原为古印度神话中阴间主宰,为佛教所借用。对于其来历,佛经中或以为是兄妹二人,兄治男事,妹治女事;或者说是古印度毗沙王,兵败为冥王。《一切经音义》(卷五):"梵音阎魔,义翻为平等王,此司典生死罪福之业,主守地狱八热八寒以及眷属诸小狱等,役使鬼卒于五趣之中,追摄罪人。"隋唐以后,阎王信仰日益普及,其影响超过了东岳大帝及地藏菩萨,名列十殿阎王之中。而同时,阎王也开始了中国化进程,民间有将正直之人死后替换为地下之主的信仰,使得韩擒虎、寇准、范仲淹、包拯等都成为民间所信奉的阎罗王。

酒神　酿酒业的行业神,传为杜康和仪狄。古籍载有虞氏庖丘杜康始作酒,又说禹时仪狄造酒,故古人把传说中的开始作酒的两个八尊为酿酒业的保护神。此外古传的酒神还有天神龙王、二郎神;曾经和相好卓文君卖过酒的司马相如;被称为唐代"酒仙"的诗人李白。其中最有名的要数杜康,相传其造酒的遗迹就有好几处,如陕西白水县康卫村的杜康沟,河南汝阳的杜康村,河南伊川等。陕西白水县还曾有杜康墓,墓左有杜康庙,庙中供杜康神像。酒神杜康常被酿酒业同仁奉祀。著名酒乡贵州茅台的酒坊,每当烤出初酒时,老板要在酒坊贴"杜康先师之神位",焚香燃烛,设供祀祷。每年正月,镇上各家酒坊和商会要举办杜康会。

海神　中国人的海神观念并不具有实际的地理位置,它起源于中央为大陆,四面环绕着大海的观念。古时《山海经》中有东海神禺虢南海神不廷胡余、北海神禺强的记载,具有动物神的形态。后来又有将祝融、勾芒、玄冥、蓐收四方位神当作海神的信仰。秦并天下,统一王朝将四海神列入国家祀典,但古人生活与海关系不大,故不甚敬奉。至唐以后,海上贸易发达,始有封王之举,而此时地方性的海神也开始出现,如泉州海神,浙西盐官海神等。佛教传入后,龙王观念取代传统的海神信仰,于是有了如今民间传说中的四海龙王,即东海敖广、南海敖闰、西海敖钦、北海敖顺。

斋孤　又称"斋孤魂"、"送孤魂"、"祭孤魂"、"拔孤魂"。一般在清明及中元两节,由佛道庙宇出面打醮、放焰口以超度孤魂,官府在请城隍出巡时至历坛祭祀孤魂,民间也要收拾无主尸首,烧化埋葬,或于路边置食品,焚烧冥衣、纸钱,意为向孤魂路鬼施舍,主旨是使其得以再生并不为害生人。这一系列活动称为"斋孤"。此俗宋代已盛行,清《如州志》:"中元节僧舍设盂兰盆会,坊民夜设灯棚,著毘焰口,施食,放灯,沿路烧香包,纸扎银库、银船焚于路口,散给野鬼之无依者,谓之'斋孤'。"

烧包袱　北京等地祭祖习俗。在清明、中元、十月初一日,各户供包袱,内装烧纸、银锭等物,上写三代名字,供毕烧化,名曰"烧包袱"。此俗系自"送寒衣"之俗转化而来,《燕京岁时记》:"……夜莫而焚之其门,曰送寒衣。今则以包袱代之,有寒衣之名,无寒衣之实矣。包袱者,以冥镪封于纸函中,题其姓名行辈,如前所云。"

梦兆　将梦中所见看作是隐喻某种事物变化前景的兆头。以梦来判断吉凶的习俗,由来已久,其内容也很驳杂,说法不一。如梦见牙齿脱落,主骨肉分离;而梦见牙齿生长则主大吉;梦见粪污之物;主得钱财;梦见鞋袜则主得子。旧时有所谓"梦书",专以解说梦兆;且有专以解说梦兆为业者。梦兆之说纯属迷信。

韩湘子　八仙之一。韩湘本为韩愈侄孙,官至大理丞。据说,韩愈的族侄中有人学道能让牡丹花变色,花上有诗一联"云横秦岭家何在,雪拥蓝关马不前"。即韩愈贬官潮州时所作。至宋刘斧《青琐高议》始将此事述为韩湘所为。后又传说,湘曾从吕洞宾学道,因此也就成了八仙之一。他的基本形象是一位持箫的青年男子。演化其事迹的文字有明末杨尔曾所撰的《韩湘子全传》。

曹国舅 八仙之一。相传本宋仁宗曹皇后之弟，宋朝大将曹彬之后，名景休，因其弟仗势为恶，恐受牵累，遂入山学道，遇钟离权、吕洞宾而名列仙班。曹氏事于史无征。且传说又少。身穿朝服，头带乌纱是其基本形象。

船神 行业神之一。《北户录》载：梁简文帝云船神名冯耳，唐人则呼船神为孟公、孟姥。大概古人以风与行船关系极大，故行船时多祈祷风神，孟婆即宋人所奉之风神。(参见"孟婆"条)此外，主管江河湖海的神祇亦被奉作行船的保护神，诸如天妃、金龙四大王、洞庭王爷、杨泗将军等。船神为船家所奉，旧时船上一般都供有船神，船神两侧为千里眼、顺风耳。除夕和将发船之时，还要杀鸡，择骨以卜吉凶，以鸡肉祀船神。

领牲 满族人的祭祀仪式。在祭祖或祭神时，在神板前陈列祭品，烧香供饼，全体人员都下跪，然后将全黑生猪捆绑起来，主人用酒灌猪耳，猪叫且摇耳，叫作"领牲"，表示神已享用。然后杀死煮熟，剖开成八块，进入正式的祭祀，祀后，老少团聚食肉。

符箓 道教秘文，是一种似字非字、笔画屈曲的图形。道教认为符箓可以通神役鬼、镇妖驱邪，故受道者必先受符箓。历代帝王有接受符箓的，如北魏太武帝拓跋焘采纳道士寇谦之进言，亲备法驾，接受道教符箓，其后很有些皇帝效法。本来，符只是古代帝王下达旨令的凭证，后来方术之士也说天神有符，或为图，或为篆文，在天空以云彩显现出来，方士录之，便成神符。或说是天神授符于方士，到道教兴起时，道士们大力做造符书，宣扬吞符书意味着天神旨令深入人体，佩符则是有天神护佑，有病自除，魔鬼不敢侵。箓则被宣扬为纪录天神的名册，可以据之检录三界官属功过并依其职责役使之，另一种箓则是道士的名册。据说箓有二十四阶，以应上中下八景的二十四气。

窑神 陶瓷业和近代煤炭业的保护神。窑神的供奉对象不是单一的，而是窑工们认为与其生产有关的神。对于陶瓷业者来说，舜帝和老子、雷公是三位主要的需供奉的神，其次是山神、土地、牛马二王；而煤窑工人则供奉山神、土地以及专门保佑煤矿工人的窑神，这位窑神的形象便随人如何想象而定了。此外还有一些普通人被奉为窑神，诸如童宾、赵慨、蒋知四、毕光等。陶瓷业供奉的窑神，最著名的是童宾。童宾属窑神中的投窑神，他以自己的身体投入窑中烧出了工艺要求极高的瓷器。后被当地人奉为神明，立祠祀之，其祠称"佑陶灵祠"，俗称"风火仙祠"。瓷都景德镇即有风火仙祠，设童宾龛，当地窑民奉祀维谨，酬献无虚日，甚至俳优奏技数部，簇于一场搬演。煤窑所祀窑神的形象为黑脸浓须。晚近以来的北京门头沟在腊月十七日祀窑神；山西太原一带则在冬至节。《明仙峪记》（卷四）云："冬至节，窑户冬祀窑神，祀以黑羊。窑黑子醵钱共祭窑神，大窑工人众多,则祀黑羊;小窑工少,则礼酒肴。腊月十八日,窑户祀窑神,大窑以猪,小窑以肉。"

麻姑　麻姑是一位仙女,她是长寿的象征。据《神仙传》载,东汉仙人王方平曾在蔡经家会见麻姑,见她是位年方十八、九岁的美女。她自称得道后已三次见东海变为桑田了,后来由此演变成"沧海桑田"这一描绘世事变迁的成语。相传三月三日西王母寿辰时,麻姑曾于绛珠河畔以灵芝酿酒献王母,故而"麻姑献寿"也成了向别人特别是妇女祝寿时的吉语。大约是由于她名声流传很远,历代都显迹,故此也有各种关于她的来历的记载,有的说她是仙人王方平的妹妹;有的说她是后赵石勒时麻秋之女;有的说宋代政和年间有名麻姑者,生于江西建昌,修道于牟州东南姑余山,后被封为真人,也有的说她本名黎琼仙,是唐时放出的宫人。民间奉祀麻姑主要用于祝寿。《破除迷信大全》云:"世人以麻姑是长生不死的神仙,因此每逢为妇女祝寿时,就必写'麻姑献寿'数字,或绘出麻姑的形状,手捧蟠桃以为祝寿的吉利。还有保险公司所刊的印件,也必绘出麻姑献寿的图画,以相号召。"

清水祖师　台湾地区崇拜的清白公平无私之神,其重要功能是旱时祈祷致雨。民间传说其脸乌黑,又传说其人乃宋时寺庙之工人,因独上安溪清水岩面壁参悟,而得道升天,又传说每有灾变则其神自落其鼻,故称"清水岩祖师"、"乌面祖师"、"落鼻祖"。

梁山伯庙会　由梁山伯与祝英台的民间传说发展而来的民间庙会。宁波地区以夏历三月初一为梁山伯生辰,八月十六日为其卒日,在梁山伯庙举行庙会,传说梁山伯曾任今宁波鄞县县令,勤政爱民,逝于任上,故民间于鄞县立庙祀之。庙会期间,要演出《梁山伯与祝英台》,并有民间花会表演。妇女多向庙中梁祝卧室供奉新绣弓鞋,祈求家事顺遂。此庙会不过是古代社日的演变形式,梁山伯生卒日不过是春祈秋报时间的转化形态。而庙会传说的形态,则是复合而成的。

喜神　民间俗神之一。喜神并无实体,它只是人们信仰的一种喜庆的方位和时刻而已,其起源并不很早。清代《协记辨方书》上说:"喜神于甲巳日居艮方,是在寅时;乙庚日则居乾方,是在戌时……"民间认为正月初一日要出门按皇历所说迎喜神方位,可保一家康宁。一般是在一定的时辰,去一定的方向迎接,且要焚香、鸣鞭炮、赶猪羊等,效古时牲牢飨神之举。《北平风俗类征·岁时》引《京华春梦录》:"院中有俗,元旦黎明,携帕友走喜神方,谓遇得喜神,则能致一岁康宁。"婚礼亲迎时,轿口必须对准喜神所在方位少停一刻,新娘方能上轿,俗称迎喜神。

朝九华　佛教徒对佛教圣地九华山所进行的朝拜活动。中国佛教徒认为安徽青阳县的九华山是弥勒佛的侍从地藏菩萨的显灵道场。相传地藏王夏历七月三十日生,故每到此时都有许多佛教徒前来进香，求佛保佑。一般人都是先到绩溪县和芜湖市的两座小九华山进香，然后再到大九华山进香。

植物兆　将植物的一些奇异现象看作某种前兆。竹子开花，以为将有灾荒；枯木复生，则主君主无子；麦秀两歧、异亩同颖，则被看作丰收吉兆。至于发现灵芝一类的瑞草，则表示天下太平。旧时，植物兆不仅封建统治阶级用之，民间也多用以占验丰歉、旱涝等。

祭天　祭祀天帝的活动。祭天是古代帝王最重要的祭祀活动，称为"郊"。《公羊传·僖31年》何休注："郊者，所以祭天也，天子所祭，莫重于郊。"祭天多在冬至至新年正月期间举行，在都城南郊，除地为坛，燔烧三牲等祭物，使其馨香上达于天庭。北京的天坛即是明清两代皇帝祭天的所在。祭天的另一种重要形式是到古代的圣山——泰山举行封禅大典。帝王要在泰山上封土为坛，祭天。一般认为只有道德非常高尚，功劳甚大的帝王才能到泰山祭天。古时传说有七十二家帝王去过泰山。秦汉以后，只有秦始皇、汉武帝等几个皇帝举行过这种仪式。民间祭天神的活动，只在端午节。《岁时广记》，引夏历五月初一至初五，各家以粽子、瓜果等供奉，焚香对天遥拜。

祭日　太阳崇拜源于原始社会，夏、商、周三代都有祭日之礼，称为朝日。《周礼·天官·掌次》郑玄注："朝日，春分拜日于东门外。"春分祭日，取阳气初升，大地春回之意。周代还在每年立春、立夏、立秋、立冬四季开始之时由天子亲自祭祀日神。祭日用牛，在黎明时分，燔柴使其香气上升，供神享用。秦汉以后，太阳神地位下降，或合祭日月星辰，或从祀天地，宋代曾升格为大祀，至明代，恢复朝日夕月之礼，于北京建立日坛，春分、秋分祭祀。在民间，俗以二月初一为太阳生日。旧时，届期，家家院内设香案，挂太阳星君神码，供太阳糕三至五碗，遥向东方日出处焚香膜拜。祭太阳还要持斋念诵《太阳经》。《帝京岁时纪胜》记北京祀日习俗："京师于是日以江米为糕，上印金乌圆光，用以祀日，绕街遍巷，叫而卖之，曰太阳鸡糕。其祭神云马，题曰太阳星君。焚帛时，将新正各门张贴之五色挂钱，摘而焚之，曰太阳钱粮。"

祭祖　我国是一个祖先崇拜极为发达的国家，自古以来祭祖的仪式多样且隆重，并且在一年中频繁举行。先秦有所谓四时之祭。《礼记·王制》："春祭曰礿，夏祭曰禘，秋祭曰尝，冬祭曰烝。"后来祭祖的形式大体分为墓祭或庙祭两种。宋代以后，宗法制度日益强固。各姓宗祠一般都在春秋两季举行大祭，由族长主祭，全族无分老幼皆恭敬致礼，祭后则聚饮以敦睦族谊，唱戏以酬祖宗。同族各支脉也分别在各自头领倡导下举行祭祀，一般在清明、冬至、正月等节进行。一家一户也要在祖先生卒之日设祭，称为家祭，俗称"拜羹饮"。大家族祖先的牌位一般在宗祠中供奉，贫苦人家则将祖宗牌位供奉于居室北墙正中小桌上。又有画祖先像，供奉于正室的，除夕时凡来贺岁者必拜。古时儒家提倡在庙中祭祖，只有庶人无庙者可上坟祭祀。唐宋之后，墓祭祖先的风俗在全国范围内传播开来，成为祭祖的另一种重要形式。墓祭，一般在清明、七月十五日、十月初一日进行。而对于新故去的父母及长辈又有按各地葬俗而略有差异的墓祭仪式。如北方多在出殡后三日上坟，称为"暖墓"。

祭社稷 即祭祀土地神和五谷神。土地和农业是国家的根本，因此古人以社稷代指国家。古人认为土地神是共工氏的儿子句龙。而五谷神则是最早发明农业的人，先是厉山氏的儿子农（或说柱），后来商灭夏，则以周族的弃为后稷。《白虎通议·社稷》："人非土不立，非谷不食。土地广博，不可遍敬也；五谷众多，不可一一祭也。故封土立社亦有土尊；稷，五谷之长，故立稷而祭之也。"古时帝王、诸侯、州县都立有祭社稷之所，多为社、稷二坛，也有合一者。每年春秋两季的社日，各地都有祭祀活动。今天北京中山公园的五色土，就是明清时社稷坛所在。至于民间，社稷坛为土地庙、土谷祠等替代，也有直接在田间进行祭礼的。（参见"土地会"条）。

祭黄帝陵 相传黄帝为中华民族共同祖先，姓公孙，号轩辕氏。先后战败炎帝、蚩尤，被诸侯尊为天子，曾教桑蚕、制衣冠、造舟车、制音律、创医学。后乘龙升天，衣冠葬于今陕西桥山之巅，后人称为"黄帝陵"。历代帝王均曾派人致祭。

鲁班先师 民间木石泥瓦等行业供奉的行业神。鲁班，春秋时鲁国人，姓公输，名般。他是当时的能工巧匠，曾制造过云梯、钩强等武器。后来的民间传说中，把许多工具的发明、建筑的建造等都归功于他。鲁班被许多行业奉为祖师，诸如木雕业、锯木业、造车铺、搭棚业、扎彩业、砖瓦业、玉器业、皮箱业、梳篦业、钟表业、纺织业、旋匠、盐业、糖业等。鲁班除被这些行业画像供奉外，各地尚建有鲁班殿或祖师殿、鲁班庙、公输子祠、鲁班先师祠等。木石行业的议事、订规、论价、收徒等也在此处进行。俗传鲁班诞生于五月七日（一说五月六日或六月十三日），届期有"鲁班圣会"，俗称"鲁班会"。此会除拜祭鲁班先师外，还组织花会、太狮、少狮等活动谢神。《中华全国风俗志·广州》云："（六月）十三日，俗传为鲁班先师诞。建筑家及水木工匠最奉之，是日休业庆祝，亦有建醮巡游之举。"

禁汲 在节日期间禁止取井水的习俗。《帝京岁时纪胜》载："五月朔日，端阳日俱不汲泉水，于预日争汲，遍满缸釜，谓避井毒也。"此外，在除夕时，家家封井，意在储蓄财富，望来年有余。在江南，又有"井妈照镜"之说，即谓正月初一是井妈妆扮的日子。俗说井妈以年为日，所以正月初一正是清晨打扮的时候；又井妈以水为镜，所以这一天禁汲，以免惹井妈生气致祸。

禁忌　由对不洁事物的憎恶和对危险事物的畏惮以及对于神圣事物的崇敬所产生的禁制。禁忌有着把决不可联结在一起的东西分离开来的功能——有着在神圣与世俗、好的圣物与坏的圣物之间保持界线的功能——而在一般意义上的礼仪则重新创造出群体的团结一致；从另一方面来说，禁忌行为表达并以消极的方式加强对维持社会有着根本意义的情感和价值。禁忌就其性质可分为宗教信仰的和社会习惯的，其表现形式，可以是法律的，礼仪的和土俗的。宗教性禁忌产生较早，来自于先民对自然物的敬畏，社会习惯性的禁忌，来自于古人的生活经验及心理因素。对于异常之物，常常要予以镇压或消灭，如在有些社会中，双胞胎是要被杀死的，因他们被看作是处于人（以一胎一子为特征）与动物（一胎多子）之间的模糊不清的边界处。其次是把异常之物看作是污秽和不干净的。如信奉伊斯兰教的人对猪的憎恶。至今各种禁忌仍与占卜类迷信相结合，出现于各种礼仪和节日生活中，比如人们相信羊年不宜生子。

蓍卜　以蓍草数目的变化求得卦象以测定吉凶的占卜法。蓍卜法主要为周代所尊行，它与商代用龟占卜的方法合称"蓍龟"，《易·系辞上》说："蓍之德，圆而神；……探赜索隐，钩源致远，以定天下之吉凶，成天下之亹亹者，莫大乎蓍龟。"以卜龟为基础的占卜法唐以后即已失传，而以蓍卜为基础的占卜法因《周易》的存在，经与阴阳五行等学说的结合，仍有很大发展，并为后人所应用

蓝采和　八仙之一。有关蓝采和的记载主要见于南唐沈汾《续仙传》。他被描写为一副乞儿形象，身穿破蓝衫，光着一只脚，常在城市中手持拍板唱歌行乞，吸引众人。与人对答，机敏谐谑，令人大笑绝倒。他唱的歌中有"踏歌蓝采和，世界能几何？红颜一春树，流年一掷梭"等语句（《太平广记》（卷二十三）"蓝采和"引《续神仙传》）。蓝采和出游几十年，容颜不改，后于濠梁酒楼之上，乘醉于笙箫中飞升。一般人们把他看作一位年轻男子。清代将他附会为女仙，民间小戏中也是小旦打扮。

雷公　又叫"雷师"、"雷神"。雷所具有的自然属性，使得古人很早就开始崇拜它。《山海经》中的雷神居于雷泽中，龙身人首，鼓其腹则发出雷声。雷神的兽形形象尽管经历了人神化过程，但仍然原貌未改。《元史·舆服志》中的雷神为犬首，鬼形，白拥项，朱犊鼻，右手持斧，左手持凿，运连鼓于火中。也有将雷公绘为鸡形生翼的。一般民间所认可的雷神形象是状若力士，裸胸坦腹，背插两翅，脸赤如猴，头生三耳，足爪如鹰，左手执楔，右手执槌，作欲击状。其基本形象仍与汉王充《论衡》所载相去无几。战国之后，雷神多被称作"师"，云神丰隆大概因谐音关系转而成为雷神，其社会职能也大

大加强，人们认为雷神能代天罚过，击杀有罪之人。在人神化过程中，各种异说也随之而出，有人说雷公、雷师是一神，有的说是两神，黄帝臣力牧是雷师，雷公则是黄帝大臣。不过，在道教造出九天应元雷声普化天尊这一"主天之灾福，持物之权衡，掌物掌人，司生司杀"的大神主管职能远为扩大的雷部诸神时，借用了早在汉代就有的轩辕星是主雷雨之神的信仰，将黄帝命为天尊，他主管的雷城中有玉枢五雷使院和玉府五雷使院，有雷鼓36面，有36神主管。明代以来，邓、辛、张、陶等24位天君，成了黄帝的辅佐，并为天庭守门。当然也有记载说，神霄真王或闻仲也是雷部的主神。民间雷神庙、雷音寺等奉祀雷神。

路神　又称祖神、行神。古时列为五祀之一，出行之前人们都要祭祀一番。在人神化过程中，分别产生了行神是黄帝妻（嫘祖）、黄帝子、共工子修等说法。旧时，人们出于迷信，出行之前必先祭路神，以保一路平安。正月初次出门，尤其要燃放炮仗，祭路神、祝平安。

跳神　萨满教和其他宗教的祈神驱鬼活动，流行于中国汉族和其它少数民族地区，主要是东北、西北和西南地区，又叫"跳大神"，主要用于宗教节日祈福、求子、寻物、送魂和治病，尤以治病为其主要功能。如四川彝族在有人生病时，就请巫师来家中跳神。巫师手持羊皮鼓，边鼓边舞，边作法边诵咒语，全身战慄，旋转跳跃，忽而自称神灵降体，而作神

语，边厉声驱鬼，边为人解答问题，如应备何种牺牲，供奉何神，病因如何等等，直到口角生沫，扑倒在地而止。

紫姑　亦称"坑三姑娘"，其始被当作蚕神或厕神，后来则成为仙女，不再是妇女专门崇拜的神，作为扶乩迷信的主神，亦为士大夫所崇拜，在宋代盛极一时。六朝时紫姑崇拜即已出现。南朝宋刘敬叔《异苑》记民间请紫姑神占卜众事的活动，并云紫姑古来相传是人妾，为大妇所嫉，每以秽事相役，正月十五日死。至唐代紫姑故事又有发展，谓紫姑是山东莱阳人，名何媚，字丽卿，为寿阳刺史李景妾，为正妻曹氏所嫉，于正月十五日被害于厕中。武则天怜悯她，封她为厕神，于是直到晚近每到正月十五妇女们都要在厕所附近"迎紫姑"以卜休咎。有人说，紫姑实为戚姑之讹变，因汉高祖戚夫人死于厕中而显灵，戚姑后又讹变为七姑。自紫姑信仰发生以来，各地对她的称呼各有不同，无锡称"门白姑娘"，苏州称"坑三姑娘"、"田三姑娘"，山东邹县称"厕姑"，嘉兴称"灰七姑娘"。由"坑三姑娘"的说法还演变出云霄、琼霄、碧霄三姊妹，职掌混元金斗，专擅所有凡人降生之事的类似命运女神的传说。对紫姑的奉祀行为则来源于灵物崇拜，有卜箕姑、卜帚姑、卜竹姑、卜苇姑、卜针姑等。卜箕姑就是将筷子插在箕上，用手帕蒙住，神灵下降则能写字、击人，后演化为扶乩（箕）。近代南方民间常把门神、灶君、和三位坑三姑娘

的画像同时粘贴，使其成为家神之一。

魁星 亦称"奎星"，为士人奉祀的主科场功名之神。奎为西方七宿之一，东汉纬书中有"奎主文章"之说，故清顾炎武认为魁星为奎星的讹变。因魁字有第一之意，民间为图吉利，将魁代替奎，遂流传至今。宋代大行科举，学校中纷纷祭祀魁星，其形象为蓝面赤发之鬼，鬼的脚右转如踢北斗，完全是从字形附会而来。旧时学宫奉祀魁星，供"魁星图"。很多士人都在临考前买泥塑的魁星像奉祀。旧时以为夏历七月七日是魁星诞辰，届时举办魁星会，娱神祈祷。因奎字古又作蛙，有的地方文士戒食蛙，每到七夕则买大蛙放生，以卜吉兆。

福神 民间传统奉祀的职掌祸福、致人以福的神明。它是一种由观念中孕育出来的神，其所附托的原型甚多。宋时民俗以真武为福神。《夷坚志补》云："其妻方桂真武神像于床头，焚香祷请，盖福神之应云。"后来又有以杨武为福神的。《唐书》载：唐德宗年间有道州刺史名阳城，所在之册多侏儒，每年都要供奉朝廷玩乐；阳城上奉罢侏儒之供，被当地人立祠奉祀。至元明时，阳城讹为汉武帝时人，名杨成（参见《三教源流搜神大全·卷四》。近代又有因天官赐福而以天官为福神，或以天官助手为福神的，还有以送子张仙为福神的。

碧霞元君 全称"东岳泰山天仙玉女碧霞元君"，俗称泰山娘娘。相传为乐岳大帝之女。从西晋时起即有泰山女之说，后来由于神仙思想和道家思想的作用，泰山女神成了一位使妇女多子保护儿童，赐福免灾的圣母型女神。宋时她得到碧霞元君的封号，宋真宗在泰山顶修建了昭应祠，明清时又改称碧霞灵应宫。碧霞元君之称早期是天妃、顺懿夫人等同类圣母型人物的统称，后来泰山娘娘名气超过了她们，于是就成为泰山女神的专用封号了。旧时碧霞元君祠颇盛于北方，以泰山及北京妙峰山碧霞元君祠最为著名。相传四月十八日（也有在初八日）是碧霞元君诞，民间有娘娘或奶奶庙会，届时有盛大歌舞表演，叫做进香，或焚香送供品，还愿，如替身鸡羊、纸花、橡檩等，为子孙祈福。年满12岁的，还要到庙中叩头，称为"扫愿"。不过，现在称作娘娘庙的庙宇并不都奉祀泰山娘娘，也有供奉其它女神，可见人们相信的是娘娘的功能而非具体实体。

算命 推断人世命运的方术。算命的方法有很多，在我国一般是将人的出生年、月、日、时配以天干地支，依次排成八个字，俗称"八字"（参见"八字"条），然后根据天干地支所属五行，以其相生相克推断命运。相传始于战国时鬼谷子，一说始于唐代李虚中。旧时司其业者，俗称"星士"或"算命先生"。

瘟神 传播瘟疫的恶神，亦称"瘟鬼"、"疫鬼"。东汉时，《独断》载颛顼氏有三子，死而为疫鬼：一居长江，为瘟鬼；一居若水，为魍魉；一居室内,善惊小儿。也许是人们最害怕五种疫病,故很快就产生出五瘟鬼的说法。传说隋唐时有五瘟疫出现,即青袍春瘟张元伯、红袍夏瘟刘元达、白袍秋瘟赵公明、黑袍冬瘟钟仕贵、总管中瘟史文业。其中赵公明就是后来民间广泛信奉的财神。宋代又有张大王主瘟部的说法。瘟神总是由人鬼转化而来,甚至屈原也被当作瘟神焚烧送走。传统上,驱除瘟鬼一般在端午炎热之时和腊月年终之时。

嫦娥　亦作"姮娥"、"恒娥"。据《淮南子·览冥训》及高诱注,嫦娥是古代射日英雄后羿的妻子,后羿从西王母那里得到不死之药,嫦娥偷吃后,成为女仙,奔入月宫,化为蟾蜍。"嫦娥奔月"的故事在汉代就已出现在帛画上,成为文学作品主要题材之一,流传到现在。在早期记载中,嫦娥为古帝王帝俊的妻子。汉族民间有于八月十五中秋节时祭嫦娥的习俗,多与祭月相混同。不过,女子拜月也有"愿貌似嫦娥,圆女洁月"的意思。

潮神　又名涛神,其原型是春秋时的吴国大将伍子胥。因受谗屈死,被吴王盛以鸱夷,投入大江。后人便认为钱塘江和长江上的怒涛是伍子胥愤怒所致,传说潮起时便有神乘素车白马出现于江上。伍子胥的崇拜因人们对潮涛的恐惧而扩展开来,荆楚以西,安徽、广西一带庙祀比比皆是,但其主管地域仍在长江一带。自唐以来,统治者对伍子胥也颇重视,历代皆有加封。除伍子胥外,还有一些地方性潮神,如黄岩岱石王、钱塘十二潮神等,但影响皆不大。为潮神立庙,见于会稽钱塘丹徒等地,所祀为伍子胥,四时香火不断,为的是给伍子胥消气。俗传中秋节以后的八月十八为潮神生日,杭州等地有祀神观潮之举。《西湖游览志余》云:"是日,郡守以牲礼致祭于潮神。"而弄潮之举,也有被解释为迎潮神伍子胥。

汉 语 拼 音 索 引

后　记

　　《中华风俗小百科》是一部普及性的小型工具书,旨在比较全面地提供中华民俗的基本知识。全书分 10 个专题,各部分按词头笔画排列顺序。正文后附有汉语拼音索引,以便检索。

　　这部《中华风俗小百科》是集体合作的产物。从选题到体例、词目的确定以及写作,出版社、编撰者等各方面均付出了辛勤的劳动。书中各部分的写作分工为:吴新杰撰写"人生历程",李家璘撰写"岁时节令",陈克撰写"居住器用",王昆江撰写"饮食肴馔",王社撰写"服饰妆扮",赵建伟撰写"生产经济",王恩厚撰写"工艺制作",韩振宇撰写"宗教信仰",钟进义撰写"家庭社会"、"文化教育",乔继堂撰写、改写了后两部分的一些条目以及其他部分的个别条目。三位副主编分头对文稿进行了加工,最后由主编统稿审定。

　　本书编撰中参考了民俗学科以及其他相关学科的资料和研究成果,我国民俗、民间文艺学科的泰斗钟敬文先生百忙中为本书题签,在此我们深表谢忱。对于为本书在所难免的疏漏、错失匡误指正的读者,这里亦表示热情的欢迎和衷心的感谢。

编　者

1992 年 10 月

（津）新登字 001 号

中 华 风 俗 小 百 科

主 编 许 钰

副主编 乔继堂 顾道馨 乐 文

＊

天津人民出版社出版

（天津市赤峰道 130 号）

天津新华印刷二厂印刷 新华书店天津发行所发行

＊

850×1168 毫米 32 开本 16.25 印张 3 插页 562 千字

1992 年 12 月第 1 版 1992 年 12 月第 1 次印刷

印数：1—5,000

ISBN 7—201—01328—9/G · 614

定 价：18.50 元

中华风俗